MEXIQUE

James A. Michener

MEXIQUE

FRANCE LOISIRS
123, boulevard de Grenelle, Paris

Titre original : *Mexico*
Traduit de l'américain par Jacques Guiod

Édition du Club France Loisirs, Paris
réalisée avec l'autorisation des Presses de la Cité

ISBN 2-7242-7807-0

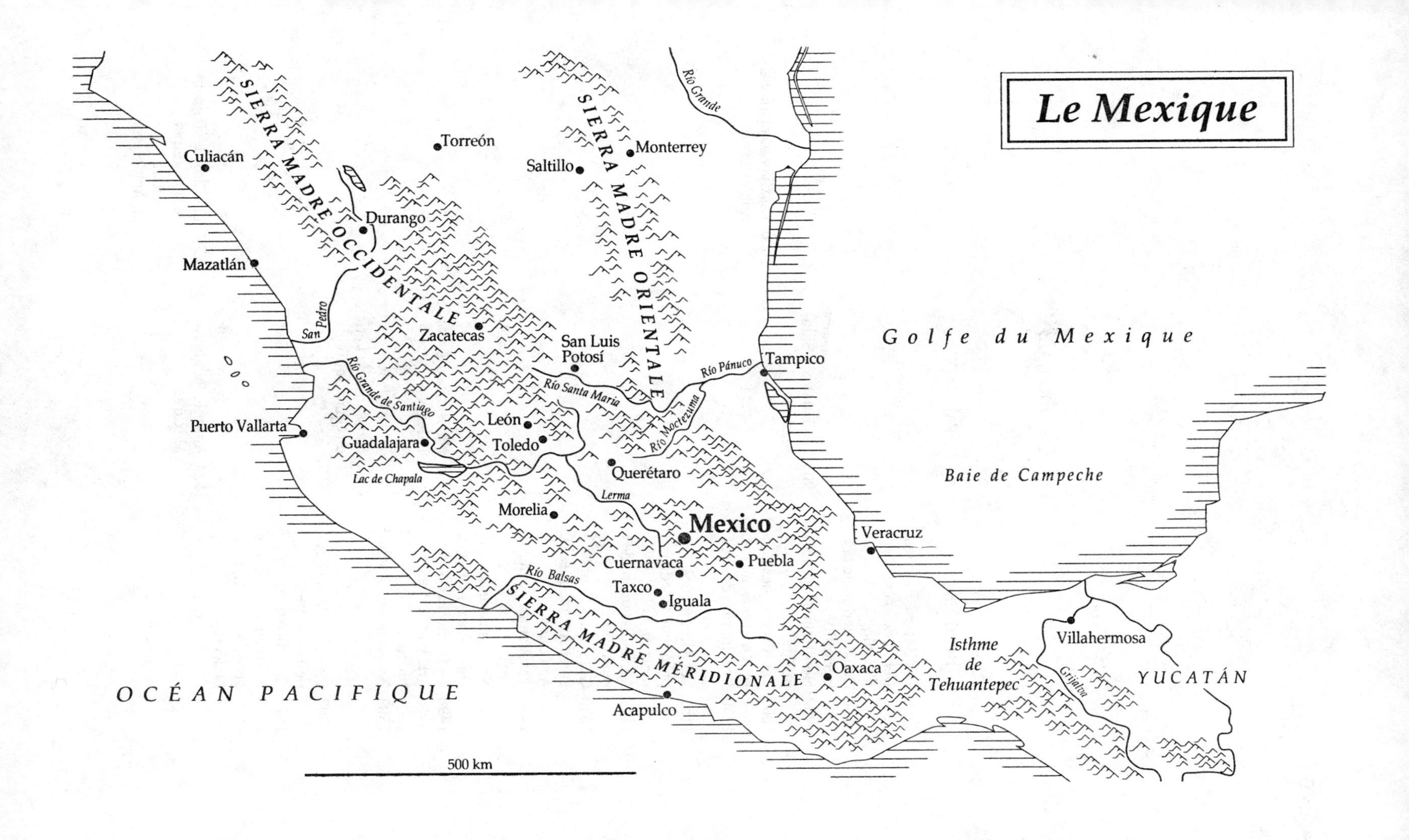
Le Mexique
Río Grande
Torreón
Monterrey
Saltillo
Culiacán
SIERRA MADRE OCCIDENTALE
SIERRA MADRE ORIENTALE
Durango
Mazatlán
San Pedro
Zacatecas
San Luis Potosí
Golfe du Mexique
Tampico
Río Pánuco
Río Santa Maria
Río Moctezuma
Río Grande de Santiago
León
Toledo
Puerto Vallarta
Guadalajara
Querétaro
Lac de Chapala
Baie de Campeche
Lerma
Morelia
Mexico
Veracruz
Cuernavaca
Puebla
Río Balsas
Taxco
Iguala
SIERRA MADRE MÉRIDIONALE
Villahermosa
Isthme de Tehuantepec
Oaxaca
Grijalva
YUCATÁN
OCÉAN PACIFIQUE
Acapulco
500 km

Chronologie

INDIENS	PALAFOX	CLAY
500 Les Bâtisseurs ivres		
600 Début de la carrière d'Ixmiq		
650 Construction de la pyramide		
900 Nopiltzín découvre le pulque	900 Les Palafox à Salamanque	
1000 Les Altomèques adorent un nouveau dieu		1000 Les Clay paysans en Angleterre
1130 Domination du dieu de la guerre		
1151 Les Altomèques prennent Toledo ; mort de Xolal		
1171 Agrandissement de la pyramide		
1350 Guerre des fleurs entre Altomèques et Aztèques		
1470 Tezozomoc devient chef		
1477 Naissance de la Dame-aux-Yeux-gris		
1498 La Dame-aux-Yeux-gris voit la déesse hideuse	1498 Naissance d'Antonio Palafox	
1503 Naissance de Xóchitl		
	1504 Naissance de Leticia de Guadalquivir	
1507 Sacrifice de la veuve de Tezozomoc		
1519 Sacrifice d'Ixmiq		
1520 Naissance de l'Etrangère ; destruction de la déesse		
	1524 Antonio Palafox au Mexique	1524 Les Clay deviennent propriétaires terriens en Angleterre

INDIENS	PALAFOX	CLAY
1527 Reddition de la ville	1527 Antonio envahit Toledo	
	1529 Le professeur Palafox périt sur le bûcher	
	1531 Début de la construction de la cathédrale de Toledo	
	1536 Les Palafox reçoivent plus de 100 000 hectares	
	1537 Leticia de Guadalquivir épouse Timoteo Palafox	
1540 Baptême de l'Etrangère et union avec Antonio, premier évêque	1540 Antonio baptise l'Etrangère, qui prend le nom de María	
	1544 Construction du Palais du Gouvernement	
	1575 Construction de la Maison de Céramique	
1600-1700 Quatre filles altomèques épousent les évêques Palafox 2, 3, 4 et 5 ; elles ont 23 enfants	1600-1700 Les évêques Palafox 2, 3, 4 et 5 épousent des filles altomèques	1600-1606 Les Clay envisagent d'émigrer en Amérique
		1613 Les Clay arrivent en Virginie
	1726 Construction de l'aqueduc	1726 Les Clay acquièrent Newfields
	1740 Découverte d'un gros filon à la Mineral	
	1760 Nouvelle façade de la cathédrale	
		1776 Les Clay participent à la révolution
	1810 Les terres des Palafox passent de 400 000 à 200 000 hectares	
		1823 Naissance de Jubal Clay
	1830 Des taureaux arrivent de Guadalquivir	
		1846 Jubal fait la guerre au Mexique
	1847 Rencontre d'Alicia et de Jubal Clay	1847 Jubal à la Mineral
1850 Naissance de Caridad		
1864 Caridad à la mine	v. 1860 Les terres des Palafox passent de 200 000 à 100 000 hectares	1864 Jubal à Cold Harbor ; incendie de la plantation de Clay
		1866 Clay quitte la Virginie

INDIENS	PALAFOX	CLAY
	1867 Exécution de Maximilien	1867 Clay en exil à Toledo
1874 Caridad épouse Clay		1874 Clay épouse Caridad
	1881 Naissance de Graziela Palafox	
		1882 Naissance de John Clay à Toledo
	1897 Naissance d'Eduardo Palafox	
	1906 Graziela épouse Clay	1906 John Clay épouse Graziela
		1909 Naissance de Norman Clay
	1910-1914 La Révolution prend 70 000 hectares aux Palafox	
	1911 Le général Gurza entre à Toledo	
		1917 John avec les troupes américaines en France
	1919 Assassinat du général Gurza	
		1920 Publication de *La Pyramide et la cathédrale* ; le taureau Soldado à la Mineral
	1928 La paix au Mexique	1928 John Clay travaille pour une compagnie pétrolière
	1933 Une Palafox épouse Norman Clay	1933 Norman épouse une Palafox
	1938 Le Mexique nationalise les puits de pétrole	1938 Les Etats-Unis perdent leurs puits de pétrole ; John et Norman s'exilent en Alabama
		1942 Norman sert dans le Pacifique
1945 A 17 ans, Juan Gómez saute dans l'arène lors du festival Ixmiq-45		
		1950 Norman est correspondant de guerre en Corée
1961 Juan Gómez au Festival Ixmiq-61	1961 Don Eduardo au Festival Ixmiq-61	1961 Norman au Festival Ixmiq-61

Ce livre est dédié
à Conchita Cintrón La Superba

ENVIRONS DE TOLEDO

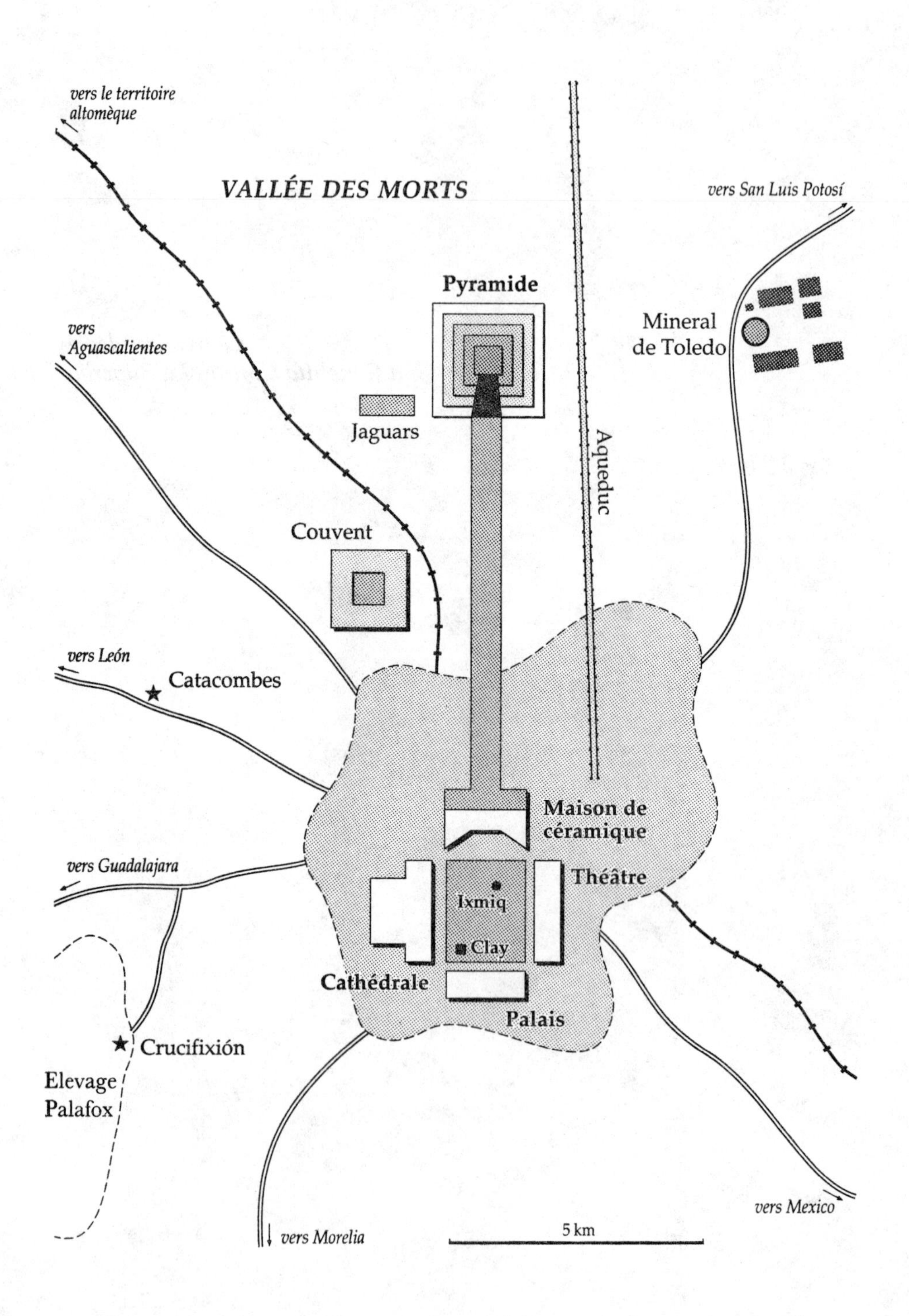

vers le territoire altomèque
VALLÉE DES MORTS
vers San Luis Potosí
Pyramide
Mineral de Toledo
vers Aguascalientes
Jaguars
Aqueduc
Couvent
vers León
Catacombes
Maison de céramique
vers Guadalajara
Théâtre
Ixmiq
Clay
Cathédrale
Palais
Crucifixión
Elevage Palafox
vers Mexico
vers Morelia
5 km

Note de l'auteur

Il s'agit ici d'un roman, et la ville mexicaine de Toledo, ses habitants, son festival Ixmiq-61 et les trois corridas qui s'y déroulent sont purement fictifs. Les Altomèques, qui tiennent une part très importante dans ce récit, ne sont que la synthèse de plusieurs populations indiennes. En revanche, les trois toreros qui prennent part à la corrida du samedi — les matadors Calesero et Pepe Luis Vásquez, ainsi que la *rejoneadora* Conchita Cintrón — sont d'authentiques figures de la tauromachie mexicaine. Je tenais à rendre hommage à trois amis qui m'ont aidé à mieux découvrir leur profession. Je dois toutefois préciser que les situations, les incidents et les dialogues faisant intervenir ces toreros ne sont que le produit de mon imagination et qu'ils n'ont pas pour but de dépeindre des faits réels ou de modifier le caractère purement fictif de cet ouvrage.

GRAND-PLACE DE TOLEDO

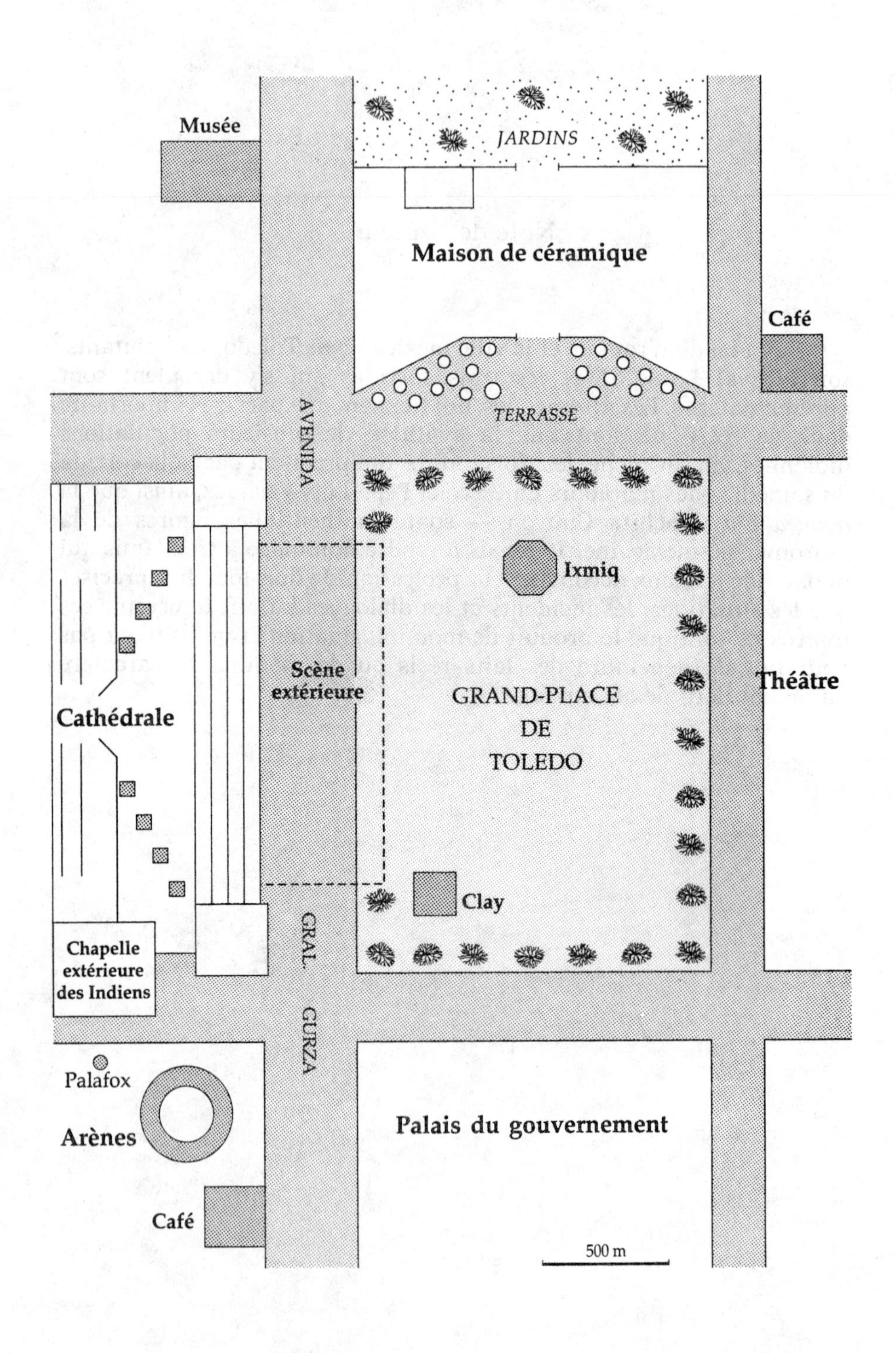
Musée
JARDINS
Maison de céramique
Café
TERRASSE
AVENIDA
GRAL.
GURZA
Ixmiq
Scène extérieure
GRAND-PLACE DE TOLEDO
Cathédrale
Théâtre
Clay
Chapelle extérieure des Indiens
Palafox
Arènes
Palais du gouvernement
Café
500 m

1

Le cactus et le maguey

J'étais envoyé au Mexique pour couvrir un meurtre, d'un genre tout à fait remarquable, il est vrai. Et comme il ne s'était pas encore produit, on m'avait également enjoint d'en prendre des photos.

J'étais par conséquent encombré d'un matériel pesant — un gros sac de sport bourré d'appareils japonais capables, pour certains, de photographier de très loin avec une grande vitesse d'obturation — et, tandis que je traversais le centre du Mexique dans un bus plus que cahotant, je me demandais comment je pourrais protéger mon matériel si je cédais à mon envie de rejoindre la ville à pied depuis le Kilomètre 303.

Je ne connaissais personne dans cet engin bondé et mes appareils avaient bien trop de valeur pour que je les confie à des étrangers, de sorte que je me résignai à parcourir en bus les sept derniers kilomètres. Pourtant, à l'approche du Kilomètre 303, le vague désir qui m'emplissait toujours à cet endroit me submergea avec une telle violence que je fus tenté de sauter en marche sans me soucier de ma précieuse cargaison.

Je résistai à cette tentation simpliste, m'enfonçai dans mon siège et m'efforçai de ne pas regarder cette voie qui m'avait toujours hanté. En fait, j'étais bien incapable d'en détourner les yeux. Comme de nombreux jeunes Mexicains de bonne famille, on m'avait envoyé à l'âge de treize ans à l'école de Lawrenceville, près de Princeton, « pour comprendre l'anglais », comme l'avait grommelé mon père. Parfois, sur la pelouse de cet excellent établissement, je m'étais laissé envahir par la nostalgie en repensant à la route sur laquelle je roulais aujourd'hui. Plus tard, à Princeton, université que fréquentaient également beaucoup de jeunes gens originaires du Mexique, il m'est souvent arrivé d'en chercher qui connussent l'endroit et de leur demander tout de go : « Pour vous, y a-t-il quelque chose de plus enchanteur que le point de vue qu'on a de Toledo, au Kilomètre 303, quand la route serpente parmi les collines ? » Si mes amis avaient vu de leurs propres yeux ce miracle de la nature, nous nous abandonnions au mal du pays et pensions à notre chère Toledo, la plus belle ville du Mexique, resplendissante dans le soleil couchant.

En fait, je crois que c'est cette vision bénie qui m'a poussé à devenir écrivain. Mes parents avaient toujours pensé que je sortirais diplômé de Princeton ainsi que mes ancêtres de Virginie depuis 1764 ; pendant un an, je me spécialiserais dans la recherche minière, au Colorado, puis je me consacrerais aux mines d'argent de Toledo, que ma famille exploitait depuis de nombreuses années. Tout fut bouleversé lors de ma première année d'université lorsqu'un essai de ma main fut primé et abondamment commenté par les membres de la faculté d'anglais. J'y décrivais la vision que l'on a de Toledo aux alentours du Kilomètre 303, et je me mettais successivement dans la peau d'un gouverneur de district aztèque en 1500, de Cortés en 1524, d'un prêtre espagnol en 1530, d'un voyageur allemand en 1660, d'un ingénieur des mines américain en 1866 — mon grand-père, pourquoi pas ? — et enfin du général Gurza, en 1918, lors de la Révolution.

En réalité, il n'est pas exact de dire que j'écrivis cet essai qui allait exercer une telle influence sur ma vie. Je me mis au travail et les visions s'imposèrent à moi avec une telle force, si directement issues du cœur du Mexique et de mes propres souvenirs, que je me contentai de les transcrire. D'une certaine façon, ce prix littéraire était un cadeau empoisonné. Bien après être devenu écrivain professionnel, je me souvenais de l'aisance avec laquelle j'avais rédigé ce texte — une aisance que je n'avais plus jamais retrouvée. Mais les visions suscitées ce jour-là ne m'ont jamais quitté.

Aujourd'hui, elles me possédaient et je m'y abandonnais, à ces souvenirs radieux de Toledo, et j'y réagissais de tout mon cœur lorsque j'entrevis par la vitre du bus une scène qui capta toute mon attention. Deux jeunes Indiennes portant des sandales à lanières de cuir, une jupe de toile rude, un châle chatoyant et de longues tresses, cheminaient le long de la route menant à Toledo. Visiblement, elles se rendaient au Festival Ixmiq, but de ma mission. Le rythme doux de leur démarche et les ondulations des nattes qui leur battaient les chevilles me firent penser à tous ces Indiens que j'avais vus revenir des mines de mon père. Je voulais me trouver en leur compagnie, ainsi que je le faisais quarante années auparavant, et je me mis malgré moi à crier en espagnol :

— Chauffeur, arrêtez ! Je descends ici !

Comme le chauffeur, plutôt étonné, écrasait le frein qui protesta en gémissant, je cherchai autour de moi quelqu'un à qui confier mon sac. Cela peut sembler bizarre à un étranger dont la vision du Mexique est pleine de préjugés, mais j'entendais ma mère mexicaine me dire : « Dans d'autres régions du pays, il arrive qu'il y ait des voleurs, mais ici, à Toledo, il n'y a que des gens honnêtes. » Je décidai de me fier à son jugement et me hâtai de trouver parmi les passagers l'heureux élu.

Je vis au fond du bus un individu à l'allure originale, qui me regardait avec un sourire amusé. Blond et assez beau, il devait avoir vingt-cinq ans et arborait ce que les jeunes gens appelaient la *pachuca*, sorte de grande pièce d'étoffe laineuse ressemblant plus à une toile de tente qu'à un vêtement. Les beatniks de Los Angeles qui envahissaient le Mexique pour un oui ou pour un non en portaient toujours et c'était pour eux une sorte de signe de reconnaissance. Même si le jeune homme n'avait pas eu ces cheveux blonds aussi voyants, sa pachuca m'aurait appris qu'il était américain, car aucun Mexicain qui se respecte n'aurait détourné cet article vestimentaire de son utilisation originale : tenir chaud aux bergers qui font paître leurs bêtes dans les montagnes.

— Vous désirez que quelqu'un... commença le jeune homme en s'inclinant légèrement.

— Je voulais marcher jusqu'à la ville. (Ce à quoi j'ajoutai, pour quelque inexplicable raison :) Je faisais ça quand j'étais gamin.

— Ah, des souvenirs ? fit le jeune homme avec un certain amusement.

Il tendit une main indolente pour me faire comprendre qu'il prendrait soin de mes affaires.

— J'en prendrai soin, commença-t-il d'une voix traînante.

Au même instant, un homme plus âgé qui était assis derrière moi m'arrêta alors que je faisais passer mon sac au jeune Américain. Dans un espagnol excellent, il me demanda :

— Vous ne seriez pas le fils de John Clay ?

— En effet, répondis-je en espagnol.

— J'ai cru reconnaître la prestance de votre père. Vous voulez que je m'occupe de vos appareils photo ?

J'étudiai brièvement la proposition, comparant le jeune Américain indiscipliné affublé de sa ridicule pachuca à l'homme d'affaires mexicain en costume sombre conventionnel. En espagnol, je dis :

— Je vous en serais infiniment reconnaissant.

Mon bras, tendu tout d'abord vers le jeune homme, n'eut aucun mal à s'infléchir en direction du Mexicain. J'adressai mes excuses à l'Américain :

— Il saura où le déposer.

Le jeune homme se mit à rire — avec insolence, dirais-je. D'un geste de la main semblable à un coup de karaté, il me chassa de ses préoccupations.

— Où comptez-vous descendre ? s'enquit l'homme d'affaires.

— A la Maison de Céramique, répondis-je. Veuillez confier les appareils à don Anselmo.

— Il est mort, dit l'homme avec simplicité. C'est sa veuve qui tient l'auberge.

— Elle me connaît.

Au moment de descendre du bus, je me rendis compte que j'arriverais en ville sans le moindre appareil photo. Si l'événement qui m'intéressait avait bel et bien lieu, il ne serait pas mauvais, pour faire couleur locale, de prendre quelques clichés des préparatifs. Je suppliai donc le chauffeur dépité d'attendre encore quelques instants et récupérai l'un des appareils japonais. La courroie autour du cou, je mis le pied sur la route au niveau du Kilomètre 303. Le bus démarra en trombe dans un nuage de fumée et je me retrouvai seul, à quatre heures de l'après-midi, à l'endroit que j'aimais le plus au monde.

Je ne restai pas seul longtemps, car les deux Indiennes qui se rendaient à la fête d'un pas décidé ne tardèrent pas à me dépasser. Stupéfait, je les vis hocher gravement la tête et poursuivre leur chemin. Elles étaient magnifiques, ces femmes qui descendaient des collines pour prendre part à la *fiesta* que leurs ancêtres avaient imaginée plus de quatre siècles auparavant ! Elles faisaient de toute éternité partie de cette terre rouge du Mexique, de cet inlassable mouvement de la terre. Leur visage était aussi impassible que celui des statues de basalte des monuments aztèques, mais leurs yeux abritaient la flamme qui avait consacré ce pays. Elles étaient de ces Indiens du Mexique, avec qui commence et finit toute chose.

Immobile, je les regardai s'éloigner, cloué sur place par le refus inconscient et respectueux d'ajouter mes gestes désordonnés au ballet subtil de leurs pas, mais quand les Indiennes eurent disparu au tournant de la route, j'agrippai la courroie de mon appareil photo et suivis le chemin qu'elles avaient elles-mêmes emprunté.

Au cours de ces deux dernières années, mon magazine n'avait cessé de m'envoyer sur les points chauds de l'Amérique latine. J'avais ainsi couvert la tournée catastrophique du vice-président Nixon, mais aussi les abominations commises à Cuba par Fidel Castro, et j'étais menacé d'épuisement. Apparemment, la direction avait pris conscience du risque encouru, car Drummond, mon rédacteur en chef, averti de tout ce qui se passait dans le monde, m'avait adressé le télégramme suivant pour me remonter le moral :

> La rumeur prétend que deux matadors mexicains vont participer à un concours au cours duquel l'un des deux poussera l'autre à de telles extrémités que c'en sera pratiquement du meurtre. Les gens disent que Victoriano, le danseur, et Juan Gómez, l'Indien brutal, sont ennemis naturels. Ils doivent se rencontrer lors du festival de Toledo. C'est votre ville natale, me semble-t-il ? Accordez-vous une semaine. Rendez-vous là-bas. Mitraillez tant que vous voudrez, mais concentrez-vous sur le drame. Du matériel photo vous attend au bureau de Mexico. Ramenez-nous des images saisissantes.

Je fus tout d'abord tenté de décliner cette proposition, par vanité professionnelle. C'était vraiment le genre de reportage que je n'aimais pas faire : je suis écrivain, pas photographe. Si l'événement avait eu une réelle importance, le magazine aurait dépêché un photographe confirmé ; je soupçonnais donc Drummond de prendre cela comme prétexte pour m'accorder quelque congé sans bouleverser le train-train du bureau. Je n'appréciais pas ce manque de franchise et me préparais à lui envoyer un câble cinglant depuis La Havane quand je m'adressai à moi-même un petit sermon : « Calme-toi, Clay. Tu as toutes les raisons d'aller à Toledo. En tant qu'*aficionado*, tu as connu ce Victoriano en Espagne et tu t'intéresses depuis des années à la carrière de Gómez.

Avec un petit effort, tu peux pondre un article fort correct. Tu sais te servir d'un Leica et les nouveaux appareils japonais prennent les photos tout seuls. »

Tout en me gourmandant, je savais que d'autres raisons, autrement plus profondes, me poussaient à accepter cette mission. J'avais en moi le souvenir du Mexique au printemps, de la splendeur de Toledo et du Festival Ixmiq. J'acceptai parce que je voulais revoir mon pays natal.

Si vous m'aviez demandé : « N'est-ce pas là un cas de mal du pays des plus ordinaires ? » je vous aurais répondu qu'un homme de cinquante-deux ans ne cède pas ainsi à la nostalgie. C'est bien plus enraciné que cela. Je suis né au Mexique en 1909 d'un père américain qui y était également né. En 1938, alors que j'arrivais à maturité et que j'avais déjà épousé une belle Mexicaine, mon père et moi dûmes quitter le pays. Les Mexicains nous avaient volé nos biens et nous ne pouvions plus rester. Quand ma femme dut envisager d'aller vivre avec moi à Montgomery, en Alabama, elle refusa l'idée de l'exil et demanda le divorce.

C'est à cette époque que je devins écrivain, mais pas un écrivain comme Scott Fitzgerald, qui était lui aussi allé à Princeton ; non, j'avais plutôt le style de Richard Halliburton, autre ancien de Princeton, plus proche de moi par l'âge et le genre. Je donnai dans le récit de voyage, sans grand succès. Mon magazine me trouva intéressant parce que je n'avais ni femme ni enfant et pouvais être envoyé sans problème chaque fois qu'il se passait quelque chose, que ce fût en Asie, en Afrique ou en Amérique du Sud.

C'est en janvier de cette année 1961 que j'entrevis la grisaille qui m'attendait. Je me trouvais à La Havane et tentais d'expliquer le comportement insensé de Fidel Castro au cours des deux années qui avaient suivi le renversement de Batista. En 1958 et 1959, j'avais été un farouche supporter de Castro, j'avais vécu auprès de lui dans les montagnes, écrit des articles sur son compte pour lui apporter mon soutien moral tandis qu'il marchait sur la capitale et fait la fête avec les barbus quand ils avaient pris La Havane. Ensuite, tout était allé de mal en pis. Il m'avait menti, m'avait assuré n'avoir jamais été communiste, avait juré qu'il voulait la paix avec les Etats-Unis et s'était moqué de moi quand je lui avais demandé : « Fidel, pourquoi rompez-vous les relations diplomatiques avec nous ? »

Mon héros de jadis s'était révélé malhonnête et menteur et je dus faire une petite introspection pour découvrir si je valais mieux que lui. Ce que je vis lors de ces trois affreuses journées passées à Cuba n'était pas fait pour me rassurer. Je n'avais pas accompli grand-chose. Je n'avais rien écrit qui fût digne de me survivre. Je n'avais ni femme ni enfant et je ne savais même plus si j'étais américain ou mexicain.

Mais là, à côté de la petite borne de béton du Kilomètre 303 — Mexico étant bien entendu le point zéro du pays —, je me laissai envahir par la douce chaleur de Toledo et me dis que j'avais eu raison d'accepter cette mission. Cela me fut confirmé quand je portai mes regards par-delà la borne, vers ces terres parcheminées. J'avais toujours été fasciné par les buissons de cactus issus de la terre rouge et épaisse : ils étaient, pour moi, le produit le plus typique de tout le sol mexicain. Implacables, amers et revêches, ils se dressaient pareils à des cathédrales vers le ciel bleu. J'aimais leurs angles étonnants, le fait qu'ils ne fissent de concession à personne et qu'ils fussent toujours les mêmes, année après année. Ils étaient on ne peut plus mexicains, ces buissons de cactus. Souvent, les fermiers indiens s'en servaient pour borner leurs petites parcelles de terrain, et les chèvres avaient tout intérêt à garder leurs distances. A première vue, ils semblaient inoffensifs — ce n'était que des clôtures improvisées —, mais c'était justement cela qui donnait son caractère au pays : sans les buissons de cactus, ce ne serait pas le Mexique.

Ces plantes incontrôlables et peu amènes firent l'objet de mes premières rêveries. Vers l'âge de six ans, j'imaginais que mon père était sous l'emprise d'un cactus, qu'il était en fait né de l'un d'eux. C'était un homme anguleux, dont la barbe piquante, quand il était mal rasé, ressemblait aux épines que j'avais maintes fois touchées. Il avait à la fois la rudesse du cactus et sa force essentielle. Je me le représentais souvent dressé seul face au ciel, tout comme le cactus, et, plus tard, lorsque la ville de Toledo érigea un monument de granit en son honneur, c'est ainsi que la statue apparut. Comme le cactus, mon père possédait une beauté majestueuse qui lui était propre, tout droit issue de son inébranlable rectitude — il fut l'un des meilleurs administrateurs que le Mexique ait jamais connus. Quand je terminai mes études à Princeton, j'eus le temps de relire le livre célèbre de mon père et je me rendis compte que cet ouvrage avait, encore plus que son auteur, une similitude avec le cactus. C'était une œuvre abrupte, anguleuse, dépourvue de rythmes enchanteurs, qui avait toutefois atteint une immortalité locale par son isolement semblable à celui d'un cactus perdu dans le désert. C'était un livre d'une inspiration tout à fait inédite, qui ne ressemblait à rien de ce que l'on eût pu écrire sur le Mexique. Là résidait la source de sa grandeur.

J'observai quelque temps les cactus et regrettai de ne pas m'être davantage imprégné de son inflexible rigueur, de même que je regrettais parfois de ne pas avoir hérité l'infatigable probité de mon père, car je me savais branlant alors qu'il ne doutait jamais du bien-fondé de ses positions. Il vivait dans un monde simple, où les catégories étaient déterminées une fois pour toutes sans qu'aucune explication fût nécessaire : pour John Clay, les Anglais étaient, de façon évidente, supérieurs aux Américains, qui étaient visiblement meilleurs que les Espagnols, eux-mêmes fondamentalement meilleurs que les Indiens, lesquels étaient, enfin, infiniment supérieurs aux Noirs. Les banques valaient mieux que les journaux, les protestants que les catholiques, Lee que Grant et l'argent bien plus que l'or. L'éducation était bonne et le sexe mauvais. Les rues pavées étaient excellentes alors que les réserves d'eau peu sûres constituaient une abomination. Les ingénieurs travailleurs sauvaient le monde tandis que les écrivains oisifs le corrompaient. C'est pourtant en tant qu'écrivain qu'on se souvient de lui, car son livre, *La Pyramide et la cathédrale*, fondé sur son obsession de la dichotomie du bien et du mal, est celui qui traduit le mieux l'âme la plus secrète du Mexique.

Je partis donc sur la route, enchanté à l'idée de savoir que, dans quelques centaines de mètres, se présenterait à moi la perspective de Toledo avec ses tours chatoyantes. Tout en marchant, je remarquai que, dans le champ de droite, les cactus avaient disparu : le cultivateur indien, quel qu'il fût, les avait supprimés pour les remplacer par des alignements de cette plante étonnante qu'est le maguey. Et, comme je longeais ces hautes tiges vert sombre qui ondulaient au soleil, je me rappelai une remarque que mon père m'avait faite quarante années auparavant. Ce devait être en avril, car je me souviens que le soleil était chaud, mais pas écrasant. Il s'arrêta devant un champ de maguey, le désigna de sa canne et dit, plus pour lui-même que pour moi : « Une terre n'est jamais occupée tant que le cactus n'est pas arraché et le maguey pas planté. »

Je fus très étonné d'entendre un tel propos dans la bouche de mon père, car, pour lui, boire était une chose exécrable, et c'était du maguey, dont les bras mystérieux se tordaient dans le paysage comme pour mieux l'embrasser, que les Indiens extrayaient depuis des siècles le pulque avec lequel ils s'intoxiquaient. Rien que pour cela, je me serais attendu à ce que mon père détestât le maguey. Mais non, il dit : « Ce sont ces plantes qui accordent grâce et dignité à la terre. Elles sont comme des danseuses aux mains délicates. Ou comme des femmes. Elles sont la plus belle moitié de la vie. »

Je me remémorais ces étranges commentaires quand, quelques années plus tard, à Princeton, je lus son livre et tombai sur la façon dont il évoquait remarquablement le cactus et le maguey, symboles opposés de l'esprit mexicain. Le cactus représentait la mort et la destruction. En revanche, « le maguey, avait-il écrit dans un passage fréquemment cité, avait toujours été symbole de paix et de construction. De ses feuilles écrasées, nos ancêtres ont fait le papier sur lequel nos relations ont été transcrites ; ses feuilles séchées constituèrent le chaume de nos demeures ; ses fibres tissées nous donnèrent des vêtements ; grâce à ses épines, nos mères nous ont enseigné la civilisation ; ses racines blanches furent les légumes dont nous nous sommes nourris ; et son jus devint notre miel, notre vinaigre et, bien après, ce vin qui nous a détruits en nous apportant bonheur et visions d'immortalité. » Le cactus, continuait mon père, était l'esprit du chasseur solitaire ; le maguey était l'inspiration des artistes qui avaient bâti les pyramides et décoré les cathédrales. L'un était l'esprit viril, si dominant dans la vie mexicaine ; l'autre, l'esprit femelle, le conquérant subtil qui finit toujours par triompher. Mon père soutenait que ce n'était pas par hasard si l'Indien passait sa vie à se battre contre le cactus pour ne trouver de récompense que dans la douce liqueur du maguey. Il avait également écrit que, si le cactus était l'esprit visible de la terre génitrice, les bras tordus du maguey formaient le vert berceau de la nature, celui qui rend la vie supportable. Il concluait sa métaphore par cette phrase qui fut, par la suite, gravée sur son monument : « Où le cactus et le maguey se rencontrent, mon cœur se prend au piège des entrelacs du Mexique. »

Et voici que sous mon regard, en plein centre du Mexique, se rencontraient le cactus et le maguey. Dans ces champs contigus, le cactus indomptable et le maguey ambitieux se dressaient côte à côte et, en eux, mon cœur s'enlisait ainsi que l'avait fait celui de mon père. J'étais citoyen américain et j'avais à deux reprises participé à la défense de mon pays, en tant que pilote de chasse lors de la Seconde Guerre mondiale, puis en tant que correspondant de guerre en Corée, cependant ma patrie spirituelle ne pouvait qu'être ici, car ces deux végétaux avaient, d'une certaine façon, contribué à l'élaboration de mon caractère.

J'avais devant moi quelque deux cents mètres de route abrupte, les parcourir demandait des efforts, mais j'étais encouragé par la certitude de jouir bientôt et à nouveau d'un spectacle qui m'avait fait quitter le confort relatif de l'autocar. J'approchai enfin du sommet de la côte, où la route se frayait un chemin entre deux buttes de terre rougeâtre. Les yeux mi-clos, je franchis les derniers mètres et sentis le vent de fraîcheur qui m'accueillait sur l'autre versant. Je m'arrêtai et ouvris grands les yeux : ma vision de jeunesse s'offrait à moi. C'était la ville de Toledo, l'ancienne cité minière de l'époque coloniale aux monuments préservés, la plus belle chose que j'eusse jamais vue.

Au nord, à peine visible par-delà la pente de la colline qui contribuait au col que je venais de passer, s'élevait la terrible pyramide des Altomèques. Rouge brique dans la lumière du soleil, brutalement tronquée en son sommet auquel on accédait par des marches très raides, elle se dressait ainsi depuis treize cents ans. Elle était énorme, menaçante, mystérieuse. Elle me parlait aujourd'hui, ainsi qu'elle l'avait déjà fait près d'un demi-siècle plus tôt au petit garçon tapi dans son ombre, des rites effroyables, de la mort et de la terreur qui marquaient la vie dans le Mexique ancien. C'était la plus occidentale de toutes les pyramides mexicaines ; au VIIe siècle, elle avait été érigée dans sa forme primitive par une civilisation méconnue dont les représentants avaient été appelés les Bâtisseurs ivres. Leur domaine avait été conquis en l'an 1151 par l'une des tribus les plus farouches du Mexique, les Altomèques, que même les belliqueux Aztèques redoutaient. Au fil des siècles, cette pyramide austère avait été le témoin d'une succession de cultures, mais s'était aussi vu apposer cinq revêtements. Lors des multiples cérémonies religieuses qui s'y étaient déroulées pendant neuf siècles, plus d'un million d'hommes avaient été sacrifiés sur ses autels et leur sang avait coulé en ruisseaux sur ses flancs abrupts.

Voilà. Avec soulagement, mes yeux se détournèrent du monstrueux édifice pour se porter au bas de la route, survoler les toits indistincts de la ville et s'arrêter à l'ouest aux tours jumelles de la cathédrale, dressées sur le bleu foncé du ciel. Qu'elles étaient belles et élégantes, ces vieilles tours édifiées en 1640 par un évêque mexicain qui avait étudié des dessins espagnols et vainement tenté d'imaginer à quoi pouvaient ressembler la Salamanque de ses ancêtres ainsi que les flèches de Saragosse ! Les flèches qu'il avait érigées à Toledo n'étaient pas de grandioses pinacles, mais de bons gros piliers de pierre grise. C'était cependant entre elles que s'étalait la plus belle façade de tout le Mexique. Elle avait été construite par un autre évêque, en 1760, après que les mines eurent commencé de produire de l'argent. C'était un véritable chef-d'œuvre, non pas de pierre gris argenté, mais bien de marbre. Ses innombrables niches étaient ornées de statues de saints et chaque détail évoquait la poésie et la musique céleste.

De l'endroit où je me trouvais, je ne pouvais jouir des merveilles de cette façade, mais, à la façon dont la lumière se réfléchissait sur ses décorations, je savais que ce joyau de l'architecture coloniale continuait de briller de tout son éclat, ainsi qu'il le faisait lorsque j'étais enfant. Des experts venus de New York et de Londres avaient qualifié notre cathédrale de « chef-d'œuvre incontesté de l'art churrigueresque ». Ma mère disait : « Si les anges voulaient se construire une église, ils n'auraient qu'à copier la nôtre. » Mon père, qui n'appréciait pas beaucoup le flamboiement churrigueresque, répliquait : « Cela ferait un beau modèle pour un gâteau de mariage, sûrement pas pour une église. » J'étais, sur ce point, de l'avis de ma mère et, même s'il me fut donné ultérieurement de voir des cathédrales aussi sublimes que celles de Chartres ou de Salisbury, j'ai toujours pensé que la cathédrale de Toledo était la plus angélique de toutes. Si j'étais catholique, j'aimerais que mon église lui ressemblât. Elle était baroque, tarabiscotée, mais c'était aussi le symbole d'une époque où le Mexique connaissait la paix, avant les terribles révolutions et les doutes corrosifs de notre siècle.

Sur la droite, mes yeux trouvèrent ce que j'étais réellement venu voir. Dès ma plus tendre enfance, je prenais la pyramide pour un lieu sinistre où les prêtres me tortureraient si je ne me tenais pas bien alors que j'adorais la cathédrale avec sa façade quasi féerique, mais ce qui m'appartenait intimement, ce qui était vraiment à moi, c'étaient les Arches de Palafox. Et elles étaient là ! Cette fantastique série d'arches entrait en ville par le nord-est et supportait un aqueduc dont dépendaient les réserves en eau de la cité. Je me souviens que, la première fois où je vis ces courbes gracieuses enjamber la campagne et les collines, je m'émerveillai de ce que leurs piles de pierre de différentes longueurs correspondissent si bien aux dénivellations du terrain.

Ces arches constituent toujours la gloire de Toledo. Le visiteur le plus blasé, qui pourrait être horrifié par la pyramide ou lassé par une cathédrale catholique, ne peut que réagir aux rythmes subtils de cet aqueduc. Il domine le paysage et son sommet est une ligne d'une étonnante platitude, alors qu'il existe une variété infinie d'arches, gigantesques lorsqu'il s'agit de franchir une vallée ou réduites à presque rien quand l'eau court pratiquement à hauteur des collines. Enfant, je passais des heures à admirer cet aqueduc que l'évêque

Palafox avait fait construire en 1726, et il me semblait le fruit d'une inspiration divine, non pas pour fournir l'eau à notre ville, mais pour créer un lien entre la pyramide et la cathédrale.

J'avançais sur la route, les yeux fixés sur la colline qui limitait mon champ de vision à droite ; à chaque pas surgissait une nouvelle arche, jusqu'à ce que je finisse par voir la magnifique envolée des Arches de Palafox. Mais ce n'était pas ce spectacle que je recherchais. C'était une chose dissimulée derrière la colline, et je me mis à courir dans ma hâte de la retrouver.

La colline s'évanouit et la chose tant désirée apparut. Je m'arrêtai au milieu de cette route fort ancienne où l'intrépide Cortés avait jadis fait halte pour inspecter les environs. Elle était toujours là, la vieille mine d'argent abandonnée de Toledo, au flanc brun grisâtre d'une colline ; cet assemblage de cabanes sans toit était tout ce qui restait d'une entreprise d'où l'on avait extrait plus de huit cents millions de dollars, à une époque où le dollar avait cinq fois plus de valeur qu'aujourd'hui.

C'était donc là la mine de Toledo, ce légendaire trou dans la terre dont le nom avait plus de renommée dans l'Espagne impériale que celui de Lima ou de toute autre cité du Nouveau Monde. C'est dans ces bâtiments aujourd'hui à l'abandon que je suis né et mon père y naquit avant moi. Là, mon père avait résisté au général Gurza, le farouche révolutionnaire venu réquisitionner les mines. Le précieux reproducteur qu'était le taureau Soldado avait été enfermé dans une grotte pour tenter de préserver la lignée du ranch Palafox. C'est également là que le général Porfirio Díaz, le vieux président bienveillant, était venu en 1909, deux ans avant d'être poussé à l'exil par le général Gurza et sa clique barbare.

L'histoire de notre mine s'identifie à celle du Mexique et il était poignant de la voir ainsi en ruine. On disait que la moitié de la richesse de Madrid avait été arrachée par les Indiens à la gueule béante de la Mineral de Toledo. Elle était désormais épuisée, ce n'était plus qu'une cicatrice dans la terre, mais ses bâtiments vides paraissaient encore vibrer de vie. Je voyais presque, dans le lointain, mon père s'avancer fièrement parmi ses biens et surveiller l'extraction du dernier minerai.

C'était cela, Toledo ! La pyramide et la cathédrale, les Arches et la mine. Elles vivaient au plus profond de moi, les émotions nées de cet endroit que je n'avais pourtant apprécié que très tardivement. Quand mon père m'avait emmené avec lui en Alabama, je n'avais eu aucune peine à faire de moi-même un Américain moyen. J'étais déjà allé à l'université aux Etats-Unis, j'avais servi dans les forces américaines et flirté avec des jeunes filles américaines, bien que n'en ayant épousé aucune. J'ai travaillé pour la presse américaine, dégusté la nourriture sudiste et oublié tout ce qui était mexicain. Mais souvent, en des moments fortuits de réflexion, tout venait me rappeler que j'étais mexicain, car les sons, les couleurs et les parfums de mon enfance palpitaient toujours en moi. Je ne me considérais plus seulement américain, car en cet instant même où je me tenais non loin de la borne indiquant le Kilomètre 303, en ce point où la ville de Toledo se révélait dans son intégralité, tout objet d'importance qui s'offrait à ma vue avait été édifié par l'un de mes aïeux. Cette pyramide, c'était l'un de mes ancêtres indiens qui l'avait bâtie. Un autre ancêtre l'avait restaurée en 1507. L'honnête évêque espagnol qui avait fait construire la cathédrale avait eu une fille qui avait pris part à ma lignée ; l'autre évêque, celui qui avait donné à l'église une façade churrigueresque, avait eu un fils ; et le grand évêque, maître d'œuvre de l'aqueduc, avait engendré quinze enfants, et je descendais de l'un d'eux. La Mineral avait, bien entendu, été réorganisée par mon grand-père américain après la guerre de Sécession et mon père en avait été le dernier exploitant. Nulle part je ne pouvais porter mes regards sans découvrir la trace d'un membre de ma famille, cette famille qui, depuis plus d'un millier d'années, était attachée à la terre rouge et rude du Mexique. Pendant près de soixante générations, mes ancêtres avaient foulé ce sol d'où j'admirais aujourd'hui la vallée encaissée de Toledo, et ils avaient aimé ce panorama. Je me rappelais la lettre que mon grand-père avait écrite à sa jeune épouse restée à Richmond ; c'était en 1847, en pleine guerre du Mexique, et il était installé ici même : « Le colonel Robert Lee m'a confié une mission de reconnaissance du terrain, en particulier des célèbres mines d'argent de Toledo, et je fais à présent halte devant cette ville renommée. Mon guide est un habitant du cru, le capitaine Palafox de l'armée du Mexique ; il conduit un détachement de ses soldats et des miens et je dois avouer qu'en découvrant cette ville, j'admire un paysage aussi enchanteur que tout ce que j'ai pu voir dans mon propre pays, et j'aimerais que la volonté divine veuille, à l'issue de ce conflit, unir nos deux patries. Je ne serais pas alors fâché de vivre dans cette région qui, à mon avis, pourrait produire le plus beau coton. » Quelques années plus tard, après la défaite du Sud, mon grand-père opta pour l'exil au Mexique et travailla comme ingénieur dans la mine que possédait le jeune capitaine mexicain qui l'avait mené à Toledo. Plus tard encore, le fils du lieutenant américain devait épouser la nièce de l'officier mexicain. Tels furent mes parents. C'est ainsi que, par les hasards de la guerre et de l'exil, je devins un Palafox de Toledo ainsi qu'un Clay de Richmond.

Je pense que c'est au moment où je retrouvai la grandeur de Toledo que je pris pleinement conscience de la vacuité de ce que je faisais depuis des mois. « Bon Dieu, Clay, ressaisis-toi. Il te reste vingt ans, peut-être trente. Fais-en quelque chose d'utile. » J'avais à peine murmuré ces mots que j'en appréciai toute la valeur, j'y décelai le défi qui perçait en moi depuis mon triste séjour à La Havane ; mais je ne savais pas comment y répondre exactement. Je repris donc ma marche vers Toledo, mais une pensée rassurante m'obsédait : où l'homme peut-il trouver les réponses qui lui importent le plus sinon dans la ville où il est né ?

Il était cinq heures du soir en ce beau jour de printemps lorsque je pénétrai dans Toledo par cette rue que j'aimais tant étant enfant. Elle était bordée de maisons peintes de couleurs vives qui occupaient chaque pouce de terrain, et je me faisais l'impression de passer dans un canyon dont les parois sont alternativement rouges, vertes, violettes et, surtout, jaune d'or resplendissant. A un carrefour, je vis une autre rue aux couleurs toutes semblables; je vis aussi l'immeuble neuf qui remplaçait l'amoncellement de cabanes servant de marché à l'époque de ma jeunesse. Je savais que quelques pas de plus me conduiraient sur la place centrale de Toledo, cœur véritable de la cité. Encore un pâté de maisons... encore quelques maisons... et voilà... je me retrouvai sur la grand-place.

Je l'examinai longuement, sans bouger, et j'eus le plaisir de n'y découvrir que fort peu de changements. Tout de suite à ma droite, je vis l'hôtel historique bleu et jaune connu sous le nom de Maison de Céramique. J'y séjournerais. Dans le soleil couchant, il était plus rutilant que jamais et chacun des carreaux de mosaïque qui formaient sa façade brillait comme un miroir.

Sur l'axe nord-sud de la grand-place, le long de l'Avenida General Gurza, curieusement baptisée en l'honneur du général rebelle qui avait ravagé cette partie du Mexique, se dressait la cathédrale dont les tours gris sombre flanquaient la luxuriance délicate de sa façade. Pas une pierre de ce poème de marbre n'avait été déplacée et les vieilles femmes qui franchissaient les portails latéraux paraissaient exécuter ce geste depuis 1640.

Face à la cathédrale, sur la partie orientale de la grand-place, le bâtiment qui se trouvait là avait joué un rôle primordial dans le cœur des résidents de la ville devenus si farouchement anticléricaux au cours des guerres révolutionnaires qu'ils se refusaient à pénétrer dans la cathédrale. Ils lui préféraient cette bâtisse édifiée au XVIe siècle par deux de mes ancêtres, un évêque catholique fort dévot et son épouse, une Indienne au caractère affirmé. Ce qui avait été à l'origine conçu comme refuge pour vieilles femmes misérables avant d'être transformé en couvent devint, dans les années 1860, le grandiose Théâtre impérial. Sa reconstruction avait été commanditée par l'Autrichien Maximilien et son épouse, la princesse Charlotte de Belgique, à l'époque où ils étaient empereur et impératrice du Mexique. Une représentation de *Norma* de Bellini avait été donnée lors de l'inauguration. Reconstruit selon les plans de Maximilien, il témoignait de son goût pour le classicisme grec. Sous sa nouvelle forme, il demeurait un édifice magnifique, sévère mais royal, et il joua un rôle important dans l'histoire du Mexique. C'est de sa scène que le malheureux empereur avait adressé son ultime message à ses sujets. Il avait été emprisonné deux semaines dans l'une de ses loges avant de monter dans la charrette pour être fusillé à Querétaro. Par la suite, ce théâtre fut le lieu de nombreuses assemblées constitutionnelles d'où allait surgir l'avenir du Mexique. C'est également là que, tout jeune garçon, j'entendis mon premier opéra, avec Luisa Tetrazzini dans le rôle d'Aïda.

Ce qui donnait à la grand-place une distinction toute particulière était le bâtiment de style colonial qui occupait toute la partie sud. Il avait été construit en 1544 par mon ancêtre, le premier évêque Palafox, et c'était à tout point de vue l'un des chefs-d'œuvre de l'architecture mexicaine. Son aspect général symbolisait la curieuse union de l'élégance espagnole et de la vigueur indienne, union qui a toujours marqué l'histoire intellectuelle du Mexique. Je me souviens des paroles de mon père, un jour que nous étions assis sur la place, face à cette bâtisse rouge terne : « Quand nos premiers colons ont débarqué à Jamestown, ce bâtiment était si ancien qu'il fallait en refaire les parquets. En 1607, à la naissance de l'Amérique, notre dixième vice-roi s'est rendu officiellement au Palais du Gouvernement. »

J'ai alors interrompu mon père pour lui demander :

— Quand vous dites « nos colons », de quel pays parlez-vous ?

— Il est possible qu'un homme appartienne à deux pays, me répondit-il.

— En même temps ? rétorquai-je, incrédule.

— Sur le plan spirituel, oui. J'ai toujours considéré que le vieux Palais du Gouvernement était la capitale de ma seconde nation, de même que Richmond fut la tragique capitale de ma première nation.

— Mais vous n'avez jamais vécu à Richmond, c'est vous-même qui me l'avez dit.

— Quand les ancêtres d'un homme ont souffert et sont morts en un lieu, celui-ci sera pour toujours le cœur de sa patrie. Souviens-toi de cela.

Je me tournai vers l'ouest et remarquai quelque chose qui attira mon attention. Sur les panneaux de bois apposés à l'extérieur des arènes étaient collées trois affiches bariolées. Elles annonçaient les courses qui allaient se tenir au cours de ce week-end. Les mots FESTIVAL IXMIQ-61 étaient écrits en grosses lettres noires, mais ce qui m'hypnotisait vraiment, c'étaient les portraits des deux concurrents sur lesquels je devais écrire des articles illustrés de photographies. *¡Mano a Mano!* était-il écrit. Ç'allait être une lutte à mort entre les deux matadors. A gauche, Victoriano, dans une attitude de réserve classique ; à droite, Juan Gómez, l'Indien trapu aux cheveux qui lui tombaient sur le front. Victoriano me toisait comme lorsque je l'avais interviewé en Espagne et Gómez aurait pu sauter de l'affiche pour se présenter à moi : « Je suis Juan Gómez. Vous m'avez parlé un jour où je combattais à Tijuana. » Je compris alors que mon travail allait être autrement plus complexe que je ne l'avais imaginé en l'acceptant à la légère. Aujourd'hui, c'était mercredi, le jour tirait à sa fin, et les corridas débutaient vendredi. Il ne me restait donc plus que ce soir et demain jeudi pour mettre de l'ordre dans mes idées.

Je cherchais quelque point de référence quand, de l'autre côté de la grand-place, devant la Maison de Céramique, je vis l'esprit protecteur de ma cité, l'Indien Ixmiq, qui vivait au VIIe siècle de notre ère et que les voyageurs venaient honorer. La statue de bronze patiné de l'Indien me regardait et j'en éprouvai de la satisfaction. Comme je m'en approchais pour lui dire : « Vieil homme, je suis de retour », une voix s'éleva de la terrasse de la Maison de Céramique. C'était l'homme qui avait porté mes appareils photo à l'hôtel.

— Señor Clay, me dit-il, votre sac est en sûreté chez la veuve Mier y Palafox.

— Merci, mon ami, lui lançai-je en retour.
— Désirez-vous une bière ? me demanda-t-il d'un ton jovial.
— Plus tard, répondis-je, car je désirais être seul pour le moment.
— Une autre fois, alors ! dit-il en anglais. (Puis il rit et ajouta :) La statue que vous cherchez est de l'autre côté de la place !

Comme je m'en souvenais bien ! C'était une belle journée du printemps de l'année 1927 et l'inauguration de la statue avait attendu que je revienne de mon entrevue à Princeton, où je devais entrer à l'automne suivant. Mon père et moi étions les seuls Clay présents ; les autres notables — y compris ceux qui allaient prononcer les discours — étaient des Palafox, mais mon père et moi faisions partie de ce clan et la cérémonie tournait à la fête de famille. Il y eut de la musique, une salve d'honneur et un thé assez tumultueux servi sur la terrasse de l'hôtel. Le comité qui avait financé la statue désirait que mon père prononce quelques paroles de remerciements, mais il s'y refusa : « Ils prennent le risque de m'édifier une statue de mon vivant, cela les regarde ! Mais je ne m'en mêlerai pas. Imagine que je commette un meurtre l'année prochaine, est-ce qu'ils la jetteront à bas ? »

J'approchai de la statue, le souffle court, car mon père, décédé depuis 1945, se dressait devant moi sur son piédestal. Son regard sévère se détournait de la cathédrale — ce qui était logique, vu son attitude à l'égard des catholiques — pour se porter bien au-delà de la grand-place, vers la Mineral de Toledo. Ainsi que je l'avais vu si souvent faire dans sa vie, il tenait un livre dans sa main gauche, les doigts glissés entre les pages. Son visage rasé de frais était tel que dans mon souvenir et il me semblait que je n'avais qu'à l'appeler pour qu'il me répondît.

L'arête est du piédestal portait une simple inscription : JOHN CLAY 1882-1945. Frappé de perplexité par cette vision plus vraie que nature, je fis le tour de la statue. Sur l'arête nord était gravé en espagnol le titre du livre de mon père, *La Pyramide et la cathédrale.* Et à l'ouest, on pouvait lire, toujours en espagnol, la célèbre citation : « Où le cactus et le maguey se rencontrent, mon cœur se prend au piège des entrelacs du Mexique. » Je me sentais, moi aussi, pris au piège, et je m'affalai sur l'un des bancs de mosaïque bleue qui bordent la grand-place. J'examinai cette représentation de mon père tandis que les souvenirs affluaient en moi.

En 1943, après une mission de bombardement des îles du Pacifique tenues par les Japonais, une permission me fut accordée et je rentrai chez moi, en Alabama, où je découvris que mon père avait installé une pièce obscure dont l'un des murs était recouvert d'un drap blanc. Jour après jour, il projetait des diapositives et conversait avec ses amis disparus. Je dois avouer que je crus tout d'abord que son esprit avait basculé, mais, lorsque je m'installai pour la première fois en sa compagnie et vis la photographie gigantesque du propriétaire de ranch don Eduardo Palafox, ses lèvres lippues prêtes à s'exprimer, il me parut tout à fait naturel de le saluer, et quand mon père s'écria : « Hé, don Eduardo ! C'était le bon temps, hein ? » je ne fus nullement surpris. Je m'attendais presque à entendre Palafox lui répondre : « On a bien eu

Gurza et ses bandits, hein ? » Pourtant, en voyant mon père bavarder avec de vieux amis à jamais disparus, j'éprouvai énormément de tristesse pour cet homme qui avait par deux fois connu l'exil et l'abandon d'une terre aimée. La première fois, ce fut lorsqu'il coupa ses attaches spirituelles avec la Virginie, berceau des Clay, et Richmond, noble cité qu'il n'avait pourtant jamais visitée. La seconde fois, ce fut lorsqu'il dut quitter le Mexique et la foule d'amis qu'il y avait. Au cours de ce bref éloignement du théâtre militaire, je souhaitai ne devoir jamais abandonner les cultures qui m'avaient formé, mais aujourd'hui, à Toledo, comme le jour où j'étais venu saluer mon père, je connaissais un sentiment d'isolement sans pareil.

Certes, c'était volontairement que mon père avait quitté le Mexique, et il savait qu'il serait toujours le bienvenu parmi les Mexicains, mais, après ce qu'il avait appelé « la sombre journée du 18 mars 1938 », il pensait qu'un honnête homme ne pouvait dignement continuer de vivre au Mexique. Aussi était-il parti.

J'avais vingt-neuf ans à l'époque et quelques jours de liberté accordés par mon magazine m'avaient permis de lui rendre visite à Toledo. Je le revois pénétrant dans notre maison de la Mineral, essoufflé, avant de s'écrouler dans un fauteuil.

— Il y aura la guerre, pas de doute là-dessus, murmura-t-il en espagnol. Oui, la guerre.

— Que s'est-il passé ? me contentai-je de lui demander.

— C'est ce dément, le président Cárdenas...

— Qu'est-ce qu'il a encore fait ?

— Il a exproprié les propriétaires de puits de pétrole. Nous ferions mieux de partir.

— Vous pensez...

— Pensez ? gronda-t-il. Bien sûr qu'il y aura la guerre. Comment le président Roosevelt pourrait-il réagir autrement ?

Et puis, devant mon refus de croire que les Etats-Unis déclareraient la guerre pour quelques puits de pétrole, il bondit sur ses pieds.

— Même cet imbécile de Roosevelt comprendra que c'est nécessaire !

Mon père avait été élevé dans la tradition sudiste, c'était un démocrate convaincu, mais à l'instar de la plupart de ses connaissances du Sud — personnes aimables mais un peu perdues qui fréquentaient l'hiver notre domicile mexicain —, il méprisait son président américain, Roosevelt, presque autant que son président mexicain, Cárdenas. « Comment deux nations aussi glorieuses que les Etats-Unis et le Mexique peuvent-elles engendrer en même temps de tels incompétents ? » avait-il coutume de dire.

Il attendit vainement que Roosevelt déclarât la guerre ou que quelque patriote assassinât Cárdenas ; comme aucun de ces événements ne survint, il sombra dans une profonde dépression dont il ne se remit jamais. Après avoir accordé huit mois de réflexion aux deux présidents fourvoyés, il ferma brusquement la mine, emballa tous ses effets personnels et donna aux journaux de Mexico une interview orageuse où il déclarait notamment qu'un honnête homme ne pouvait tolérer une nation décidée à confisquer les biens privés ; sur quoi il prédit le déclin et la chute du Mexique.

Il ne revint jamais au pays et, quand il apprit que le Mexique, au lieu de dépérir, se redressait d'année en année, il murmura d'un air sinistre : « Attendez un peu ! »

Le véritable objet de sa haine était le président Roosevelt, en grande partie parce qu'il avait retrouvé en Alabama des compagnons du « bon vieux temps » toujours prêts à fulminer contre « le type » de Washington. Quand, en 1940, le président Cárdenas fut constitutionnellement contraint de se retirer, mon père organisa un petit banquet à l'issue duquel il déclara :

— Mes chers amis d'Alabama ne peuvent comprendre quelle monstruosité de révolution rouge nous avons dû endurer au Mexique, mais la page est enfin tournée. Nous devons désormais consacrer toutes nos énergies à l'élection de M. Willkie.

Roosevelt l'emporta et mon père garda le lit huit jours durant. Par la suite, il ne prononça plus jamais le nom du président, l'appelant simplement *celui-là* ou *l'infâme.* Souvent il m'écrivait : « Je ne puis comprendre comment Dieu n'a pas châtié cet individu qui a refusé de protéger la propriété privée de cette nation. »

Le jour où le président Roosevelt me fit venir à la Maison-Blanche pour me décorer suite aux missions que j'avais effectuées au Japon, mon père m'écrivit : « Il serait hautement apprécié par ici que tu aies la bonne idée de ranger ta médaille. Ton portrait a été publié par les journaux de l'Alabama, ce qui m'a fait plaisir, mais je ne l'ai pas conservé parce que tu posais à côté de lui. J'ai remarqué avec une certaine satisfaction qu'il a l'air bien vieilli et nul ne doute que Dieu le punira pour ses iniquités. »

L'anniversaire de mon père tombait le 12 avril et, en 1945, je revins à la maison pour me reposer un peu après les combats d'Iwo-Jima ; j'écoutais les nouvelles à la radio quand j'appris la mort du président Roosevelt. Je courus jusqu'à la chambre de mon père.

— Vous avez entendu ? Le président Roosevelt vient de mourir !

Il me regarda d'un air réprobateur.

— Tu dis cela pour me faire plaisir, parce que c'est mon anniversaire.

Je me rappelais sa nature irascible et ne pouvais m'empêcher de sourire. Sa présence était si tangible que je me mis à parler à sa statue :

— Comme c'est étrange, père, que vous qui avez dédaigné l'anglais à l'université et n'avez lu aucun des grands romans, vous qui ne vous êtes intéressé qu'à votre travail d'ingénieur, ayez écrit un livre d'un tel mérite qu'on vous a édifié une statue. Et moi, qui ai étudié tous les chefs-d'œuvre de la littérature et toujours désiré écrire, je n'ai pu produire la moindre chose de valeur.

Une femme qui marchait sur la grand-place m'entendit parler tout seul et me demanda si quelque chose n'allait pas.

— *No, no es nada, gracias,* lui répondis-je.

Puis j'empruntai les allées bordées de fleurs de la grand-place et me dirigeai vers mon hôtel.

Alors que je passais devant la statue d'Ixmiq, une immense Chrysler beige freina dans un hurlement de pneus. Elle était conduite par un homme assez jeune qui avait jeté sur ses épaules un coûteux manteau de vigogne comme s'il s'agissait d'une cape. Il y avait dans ses manières quelque chose qui me fit penser que je l'avais déjà vu, mais son visage était invisible, et il fut bientôt entouré de passants qui criaient le mot magique : « Matador ! »

Une foule se pressa immédiatement autour de la Chrysler, mais ceux qui se trouvaient au premier rang furent écartés sans ménagement par un homme au menton conquérant, à l'œil bleu et à la chevelure ornée de mèches blanches. Il n'eut aucun mal à se frayer un chemin parmi la foule.

« Veneno ! » criai-je, car je l'avais connu en Espagne. Ce nom signifiait « poison », et c'était bien ce qu'il était pour la plupart des taureaux qu'il affrontait dans le monde entier.

Il fut surpris de s'entendre appeler ainsi et se retourna. Il me reconnut et, de la voix puissante avec laquelle il dominait les taureaux, il s'écria :

— Señor Clay ! Comme toujours, vous nous apportez la chance !

A ce moment, le conducteur et deux individus athlétiques jaillirent de la voiture. Ils avaient une bonne vingtaine d'années. C'étaient des toreros, la foule les reconnut et les appela aussitôt par leur nom : « Victoriano ! Chucho ! Diego ! » Les quatre membres de la famille Leal, terreurs des arènes, étaient arrivés en ville deux jours plus tôt pour se reposer avant les affrontements cruciaux de cette fin de semaine.

— Victoriano ! criai-je. Par ici, une photo pour la presse !

Il se retourna pour voir qui l'avait ainsi interpellé et, découvrant son fidèle ami de Madrid, il m'accorda un chaleureux *abrazo*.

— Don Norman ! Vous êtes venu assister aux courses !

— Et écrire un reportage. Ainsi que prendre des photos de votre triomphe !

Toujours conscient de la valeur de la publicité, il appela :

— Père ! Chucho ! Diego ! Par ici, venez donner un coup de main à don Norman !

Avec le regard du professionnel, il indiqua à son père, Veneno le chenu, de se placer à sa gauche, à son frère Chucho de se mettre légèrement sur sa droite et à son autre frère, le beau Diego, de prendre place entre son père et lui, mais sur un plan légèrement inférieur. C'était un portrait de groupe des plus réalistes et les quatre hommes gardèrent la pose, l'améliorant même tandis que je terminais un rouleau de pellicule.

— Hé, Chucho, faites comme si vous vidiez la voiture, dis-je en guise de conclusion.

Chucho s'empressa de prendre les clefs au conducteur et d'ouvrir le coffre. Les trois autres le rejoignirent et je pris une belle photo des hommes et de leur voiture.

— Maintenant, Chucho, un peu d'action. Vous ne pourriez pas tenir quelque chose ?

Il attrapa un sac de voyage et le tendit à Victoriano, mais le matador, la vedette de la troupe de toute évidence, commençait à en avoir assez. Il pivota brusquement sur ses talons et se dirigea vers moi. Son corps souple ondulait avec la grâce d'un serpent.

— Ne prenez plus de photos, Clay ! dit-il en me saisissant aux épaules. C'est inutile. Je n'irai pas à la défaite à Toledo !

— Victoriano ! s'écria l'homme aux cheveux blancs en faisant le tour de la voiture pour arrêter le geste de son fils. Ne rudoie jamais un journaliste, mon fils !

— Plus de photos ! répéta tout de même Victoriano. C'est un vampire, il espère que je me ferai massacrer pour donner du piquant à son récit.

La foule grossissait. Un jeune ouvrier à la carrure impressionnante cria :

— Mon Dieu, mais c'est Victoriano !

Et, immédiatement, il hissa le matador sur ses épaules. D'autres se précipitèrent pour saluer le personnage ainsi porté en triomphe. Je repris mon appareil photo, mais je n'eus pas le temps d'appuyer sur le déclencheur. La foule avait déjà traversé la rue et gagné la terrasse de l'hôtel.

— Victoriano ! criai-je.

Il se retourna et m'adressa un sourire professionnel, car ce serait là sa meilleure photo. Ses deux jeunes compagnons n'ignoraient pas qu'une bonne photographie peut contribuer à faire un matador et ils s'empressèrent de prendre place auprès de l'ouvrier musclé tandis que le vieillard chenu se débrouillait pour m'offrir son plus beau profil.

Dans la lumière du couchant, ils formaient une magnifique pyramide, ce jeune matador adulé comme un dieu, ses deux assistants et leur père semblable à un centaure couronné de fleurs. Je savais que je tenais là un excellent cliché, et Victoriano le savait aussi, car il tourna la tête pour se présenter sous l'angle le plus favorable.

— Encore deux ! suppliai-je, et les badauds s'agglutinaient dans l'espoir d'être photographiés aux côtés des quatre Leal.

Quand j'eus terminé, l'homme qui portait Victoriano le déposa soigneusement sur les marches de l'hôtel dans lequel s'engouffra la foule. Je rebobinai et rechargeai mon appareil. Le premier des duellistes était arrivé, l'escrimeur délicat, mais le bretteur tapageur se faisait encore attendre. Et de son piédestal, Ixmiq, le petit Indien par qui tout avait commencé treize siècles auparavant, contemplait cela d'un air approbateur.

2

L'Espagnol

Avec ses hanches étroites et ses vingt-sept ans, Victoriano Leal passait aux yeux de beaucoup pour le meilleur matador du Mexique, peut-être même du monde entier. Il était beau, gracieux, un véritable régal pour l'œil lorsqu'il faisait passer le taureau, et j'étais venu au Mexique le voir se mesurer à un petit Indien peu élégant. Un duel à mort, pourquoi pas.

Cet affrontement allait se dérouler dans ma ville natale et je ne pouvais naturellement rester neutre. Je connaissais Victoriano depuis plusieurs années alors que j'avais à peine adressé la parole à Gómez. Mais les deux hommes avaient acquis la réputation de matadors sérieux, dignes du respect et de l'attention que mon magazine voulait bien leur porter.

Mon exil volontaire m'avait fait abandonner Toledo bien avant que Victoriano ne s'imposât sur la scène taurine, mais j'avais eu vent de ses succès au Mexique de sorte que, à l'époque où l'on m'avait envoyé en Espagne écrire un article de fond sur qui pourrait succéder au général Franco quand mourrait le dictateur vieillissant, j'avais appris par les journaux que Victoriano Leal toréerait le dimanche suivant à Madrid et j'avais demandé la permission de l'interviewer. Quelqu'un lui avait dit que j'étais un écrivain américain féru de tauromachie et que la publicité que pourrait lui faire mon magazine le servirait sur le plan international.

Lors de notre rencontre, il me surprit en me disant :

— J'ai hâte de parler avec vous. Votre Ernest Hemingway a rendu célèbres de nombreux matadors en écrivant sur eux en anglais. Il en sera peut-être de même pour moi.

Notre discussion aurait été des plus banales s'il ne m'avait demandé :

— Où avez-vous appris à si bien parler l'espagnol ?

— Je suis né au Mexique dans une ville dont vous avez probablement entendu parler. Toledo aux mines d'argent.

— Toledo ! J'ai vécu quelques-uns de mes plus beaux après-midi dans ses arènes ! (Il hésita avant d'ajouter avec enthousiasme :) J'ai également participé à quelques mémorables *tientas*[1] à l'élevage Palafox. Don Eduardo a les qualités des éleveurs de l'ancien temps.

— Don Eduardo est mon oncle.

Il m'observa longuement avant de demander :

— Don Eduardo ? Vous, un *Norteamericano* ? Comment est-ce possible ?

— Ma mère était une Palafox et j'ai épousé la nièce de don Eduardo. Ce n'est pas vraiment mon oncle, mais c'est pratiquement la même chose.

— Une Palafox !

Il secoua la tête d'étonnement et, à partir de cet instant, nous fûmes amis.

J'étais assez intrigué par ce nouveau venu et j'avais le sentiment qu'il connaîtrait un jour le succès. Lorsque je ne travaillais pas à mon article sur Franco, je traînais dans les arènes et écoutais ce que l'on y disait de Victoriano et de sa brillante famille, tout entière consacrée à la tauromachie. Ces anecdotes étaient si intéressantes que je les notais dans l'un des petits carnets que j'avais toujours avec moi. Plusieurs années plus tard, quand Drummond m'envoya un câble à La Havane pour me prier de me rendre à Toledo, je ressortis le vieux carnet de ma valise, reconstituai les moments forts du passé de Victoriano et câblai le tout à Drummond avant mon départ de La Havane.

Pour résumer l'histoire de ce jeune et brillant matador, je ne puis faire mieux que citer les passages essentiels de ce que j'avais communiqué à Drummond.

Séville, 1886. C'était aux environs de la rue Sierpes, au cœur même de Séville, par un après-midi chaud et empli de chansons. Sur la petite place située devant le restaurant connu depuis plus de trois cents ans sous le nom d'*Arena*, des convives fêtaient le mariage d'un matador de renommée locale et d'une célèbre danseuse de flamenco. Tous les amateurs de tauromachie étaient là, mais l'invité le plus prestigieux était certainement don Luis Mazzantini, venu tout spécialement de Madrid, et les fanatiques de l'art taurin se regroupaient autour de ce majestueux Italien dans l'espoir qu'il leur adressât la parole.

Don Luis était un phénomène, l'un des toreros les plus populaires de toute l'Espagne, un homme à l'itinéraire des plus étonnants. Son père était un ténor lyrique italien qui avait fui le chaos de sa terre natale pour chercher refuge en Espagne ; sa mère était, pour sa part, une Espagnole de pure souche. Don Luis hérita à la fois l'amour du *bel canto* et la passion de la tauromachie. A vingt ans, il était toujours partagé entre son désir de devenir premier ténor à la Scala de Milan et celui de toréer en maître à Madrid. Après maintes hésitations, cette dernière

1. Le traducteur a pu vérifier l'authenticité du vocabulaire de la tauromachie grâce au remarquable ouvrage de Paul Casanova et Pierre Dupuy : *Dictionnaire tauromachique*, Ed. Jeanne Laffitte, 1981.

passion l'emporta. Il était très grand, bien bâti et fort chauve. Il excellait dans toutes les phases du combat, mais était tout à fait exceptionnel dans l'acte délicat que constitue la mise à mort. En dehors de l'arène, il manifestait beaucoup d'intérêt pour la politique libérale, les arts, la belle société et la compagnie des hommes et des femmes de noble extraction. La participation de don Luis au mariage, par conséquent, honorait toute l'assistance.

Vers sept heures du soir, quand la fête se fut un peu calmée, don Luis annonça avec un geste de sa canne à pommeau d'ivoire :

— La principale raison de ma venue à Séville est de trouver un péon particulièrement doué qui m'accompagnera lors de ma grande tournée mexicaine. Je recherche un auxiliaire qui soit maître des banderilles afin de montrer aux Mexicains comment exécuter cet art dans les règles.

Il avait à peine terminé sa phrase qu'un jeune homme mince au regard bleu bondit vers lui.

— Je suis votre homme, dit-il doucement.

Don Luis recula d'un pas, serra dans ses mains son pommeau d'ivoire et examina le candidat. Il découvrit une insolence qu'il appréciait, une rapidité de mouvements qui était essentielle et cette grâce inhérente qui est parfois celle des toreros sévillans.

— Ton nom ? demanda-t-il.

— Bernardo Leal, répondit le jeune homme.

— Ton âge ?

— Vingt-six ans.

— Si tu as vingt-six ans et es aussi bon que tu le prétends, comment se fait-il que je n'aie jamais entendu parler de toi ?

— Parce que vous êtes de Madrid, don Luis, répliqua le jeune homme avec beaucoup d'assurance. A Séville, tout le monde me connaît. Il n'y a pas de meilleur banderillero.

— Toi ! lança l'Italien à un jeune homme qui cherchait à entendre leur conversation. Tu seras le taureau ! (Il lui donna deux fourchettes en guise de cornes. Puis il prit deux couteaux et les jeta à Leal.) Voici tes banderilles, je veux te voir placer une paire de pouvoir à pouvoir.

Les invités se reculèrent pour former une petite arène et Mazzantini se laissa tomber sur sa chaise. Le « taureau » se tenait d'un côté, il piétinait sur place et baissait la tête, les pouces pressés contre les tempes, les fourchettes dressées comme des cornes.

Bernardo Leal savait que son avenir dépendait de cet instant. Il lissa sa chemise et resserra sa ceinture afin de mettre son torse en valeur. Mazzantini le remarqua et approuva : « Ce jeune homme a conscience de son corps, c'est bien. » Mais ce que l'Italien vit ensuite fut encore meilleur. Leal leva haut les bras en joignant les poignets, cambra le dos et baissa la tête. Puis, ondulant du corps et à petits pas, il entama son approche du taureau ; lorsque ce dernier chargea en mugissant comme un animal réel, Leal se lança dans une course habile, attendit le tout dernier instant, au risque d'être encorné, sauta en l'air comme un danseur et retomba en plantant ses deux couteaux dans la bosse de la nuque.

« *¡Olé!* » crièrent les invités, accordant à Leal l'exclamation qui récompense traditionnellement une belle action de la part d'un torero. Mazzantini ne fit aucun commentaire, mais se contenta de donner un nouvel ordre :

— Une paire de face à présent.

Leal s'exécuta et reçut de nouveaux olé. Quelque peu irrité par l'enthousiasme bruyant de la foule, son examinateur exigea :

— De la barrière.

C'était là l'une des manières les plus délicates de poser les banderilles, car le torero devait se tenir près de la barrière de bois tout en incitant le taureau à foncer sur lui. A la dernière seconde, l'homme devait s'écarter, planter les fuseaux quand le taureau passait parallèlement à la barrière et échapper à ses cornes en se plaquant aux planches.

— Vous, dit Mazzantini à quelques-uns des convives, vous ferez la barrière.

Les hommes s'empressèrent de constituer un quart de cercle devant lequel Leal se mit en position. Le taureau grattait le pavé et ronflait en attendant d'être incité à charger quand le jeune Leal eut une inspiration. Il saisit les deux couteaux dans sa main droite, les brandit audessus de sa tête, les empoigna également de la main gauche et fit semblant de les abattre sur la barrière invisible pour les briser en deux. Jetant à terre la partie la plus longue, quoique invisible, des couteaux, il présenta à la foule la partie la plus courte. Il fut acclamé, car la pose de banderilles courtes le long de la barrière était extrêmement périlleuse.

— Ho, taureau, ho ! cria Leal en ondulant des hanches pour attirer l'animal.

Le taureau gratta à nouveau le pavé, mugit et se jeta sur son adversaire. Avec une grâce exquise, Leal présenta sa hanche gauche au taureau pour en infléchir la course, puis il reprit la position initiale et posa les bâtons.

La foule exultait de joie ; même Mazzantini applaudit discrètement.

— Tu serais capable de cela avec un taureau véritable ? lui demanda-t-il.

Ce à quoi Bernardo Leal répondit, assez fort pour se faire entendre de tous :

— Comme vous, matador, je n'accomplis des exploits qu'avec de vrais taureaux.

L'Italien toisa son futur péon et lui dit :

— Tu viendras avec moi au Mexique et je suppose que tu ne reverras plus jamais Séville, car si tu joues ainsi avec de vrais taureaux, tôt ou tard ils te tueront.

Toledo, 1891. Avant d'expliquer l'importance de cette journée particulière de la vie de Victoriano Leal, qui n'allait d'ailleurs naître que quarante-deux ans plus tard, je dois commencer par expliquer pourquoi, dans les textes que j'adresse à Drummond à New York, j'évite d'employer des mots espagnols lorsque je tente de décrire tout ce qui a trait au monde espagnol. Par exemple, lorsque je suivis le président Eisenhower lors de sa tournée en Amérique du Sud, je me surpris bien souvent à utiliser une terminologie espagnole. Heureusement, à New York, je disposais d'un spécialiste qui comprenait ce que je voulais dire et le transcrivait en anglais. Pour mes articles sur la tauromachie, je ne pouvais compter sur un tel spécialiste. Drummond était responsable des grands reportages, ce duel de matadors par exemple, et il insistait pour que les récits fussent aussi simples que possible. Je ne pus par conséquent que comprendre sa réaction lorsque je lui adressai le texte suivant :

> Drummond, vous voudrez peut-être une brève description de la première prestation de Bernardo Leal à Mexico en 1886. En tant que *banderillero* de la *cuadrilla* de l'*espada* Mazzantini, Leal plaça une paire *uno al sesgo,* mais le *toro* lança une *embestida* depuis *los medios* ; les *banderillas* pendaient parfaitement à son *morrillo* et il se jeta vicieusement sur Leal, qui attendait déjà les *olé.* La foule frémit, le prévenant ainsi de l'approche du *toro.* En quatre pas, il atteignit l'*estribo* et sauta par-dessus la *barrera* dans l'intention de retomber avec souplesse dans le *callejón.* Le *toro* fut malheureusement trop rapide ; de sa *cornupeta* gauche, il saisit le *banderillero* par la culotte, lui donnant ainsi une impulsion supplémentaire qui le propulsa par-dessus les *tablas,* mais il retomba sans heurt dans les *tendidos.* Il fut très surpris de se retrouver ainsi parmi les spectateurs, qui l'applaudirent bruyamment. Avec élégance, il les salua, puis regagna calmement le *rudeo.*

Quelque deux heures après avoir câblé ce texte, je reçus une réponse de New York, et l'heure tardive de son arrivée me fit comprendre qu'il y avait un problème. Avant d'ouvrir le message, je me dis : « Ça y est, ils me retirent le reportage. » Je ne voulais pas lâcher cette histoire qui me tenait beaucoup à cœur. Ma vieille amitié avec Victoriano et mon immersion dans l'univers de la tauromachie me rappelaient ces jours passionnés de ma jeunesse où mon père disait : « Allons voir ce qui se passe aux arènes aujourd'hui. » Nous allions alors voir Luis Freg ou Juan Silveti, parfois même le grand Gaona, qui était mexicain et, de surcroît, le meilleur du monde. La tauromachie vivait en moi. Je fus par conséquent soulagé de lire le télégramme suivant :

> Votre histoire du grand-père qui se fait envoyer dans les gradins par un taureau furieux est sûrement fascinante. Mais pourquoi utiliser tant de mots espagnols ? Vous essayez d'impressionner les beatniks de San Diego ou quoi ? Supprimez ce baratin, c'est prétentieux et inutile.

Je relus mon récit des débuts du grand-père à Mexico et reconnus bien volontiers que j'avais employé plus de mots espagnols que nécessaire, mais il était également vrai que certains ne pouvaient être évités quand l'on voulait décrire avec précision la danse de vie et de mort qui se déroule en une arène. Je répondis donc la chose suivante :

> Merci de vos critiques concernant un excès de mots d'espagnol (je reconnais que c'est là une faiblesse de ma part), mais l'espagnol apporte aussi la précision, la saveur, la couleur et l'essence du Mexique. Je continuerai par conséquent à l'utiliser discrètement.

La réponse de Drummond fut encore plus rapide que la précédente. Le câble disait :

> J'apprécie la justesse de vos réflexions en ce qui concerne l'espagnol et, après avoir reconsidéré le problème, je dois reconnaître que, du point de vue philosophique, vous avez entièrement raison. Cependant, utilisez un seul mot d'espagnol et vous êtes balancé balancé balancé je répète balancé.

Nous nous mîmes alors d'accord sur un principe. Cette histoire étant destinée à des gens qui ne connaissaient ni l'espagnol ni la tauromachie, je n'utiliserais que les mots passés dans la langue anglaise et répertoriés dans les éditions complètes des dictionnaires. Le « principe de Drummond » m'autorisait une assez grande liberté, comme on le voit dans le texte que j'adressai à New York :

> Je suis réellement soulagé de voir que je peux faire usage de pratiquement tous les mots essentiels à la description des diverses phases du combat. Cela me permettra d'écrire de manière intelligible. L'après-midi au cours de laquelle trois matadors affrontent par alternance six taureaux n'est pas une course, mais une *corrida.* Le nom de *torero* s'applique à tout combattant professionnel de l'arène. (Le mot *toréador,* que l'on n'entend que dans *Carmen,* ridiculiserait tout Espagnol ou Mexicain qui le prononcerait.) L'imposant défilé des toreros est le *paseo.* Les employés qui s'occupent du taureau lors de son entrée sont les *peónes.* Au cours de la première partie, les hommes à cheval qui cherchent à fatiguer le taureau en le piquant à l'aide d'une longue hampe de chêne et de métal sont les *picadors.* Pendant la deuxième partie, les banderilles, ou fuseaux colorés, sont enfoncées dans la nuque du taureau par les *banderilleros.* (Eh oui, ce mot est également dans les dictionnaires anglais.) Pendant la troisième et dernière partie, la plus importante de toutes, la vedette qu'est le *matador* accomplit seule la *faena,* « le travail à faire ». A l'aide d'un morceau d'étoffe rouge de petites dimensions, la *muleta,* et d'une épée, il fait montre à la fois de talent et de bravoure. S'il travaille bien et tue le taureau d'honorable manière, la foule le salue en criant : « *¡Olé !* » Les amateurs de tauromachie sont appelés *aficionados.* On voit comment le langage d'un sport étranger, formellement interdit en Angleterre et aux Etats-Unis, est parvenu à s'infiltrer dans la langue anglaise.

Revenons à ce qui s'est passé dans la ville de Toledo en ce dimanche de l'année 1891 lors de l'ultime prestation au Mexique du grand don Luis Mazzantini. Il avait choisi nos arènes pour honorer son *peón de confianza* Bernardo Leal, lequel avait, depuis quelques années, cessé de travailler dans l'équipe de Mazzantini pour devenir *novillero,* c'est-à-dire apprenti matador. Il s'était bien comporté et pouvait devenir matador à part entière, mais cela supposait le déroulement d'une cérémonie sacro-sainte appelée l'alternative.

Mazzantini fit entrer Bernardo Leal dans l'arène avec lui et attendit que le premier taureau se précipite hors du toril. En temps normal, il aurait dû l'affronter. Avec gravité, il offrit à Bernardo son épée et sa muleta, le serra dans ses bras et murmura : « Je t'ai appris ce qu'il fallait faire. Maintenant, fais-le », et c'est ainsi que Leal devint matador à part entière.

En lisant des témoignages d'époque, j'ai appris que Leal avait lutté si vaillamment que les habitants de Toledo émerveillés le portèrent sur leurs épaules jusqu'à sa chambre d'hôtel, où il s'attendait à retrouver les charmantes jeunes femmes de Mexico qui l'accompagnaient toujours. Mais il fut accueilli par un homme robuste d'une soixantaine d'années dont les favoris épais et les yeux bleu acier trahissaient sa qualité d'Espagnol.

— Fermez la porte, dit-il avec froideur au matador, lequel s'empressa d'obéir et de laisser dehors ses bruyants compagnons.

— Qui êtes-vous ? demanda Leal avec quelque inquiétude.

L'homme pouvait, en effet, être le père d'une jeune fille avec qui le matador aurait eu quelque malheureuse relation.

— Changez-vous, nous parlerons ensuite.

Quand le jeune et beau matador réapparut, il portait un coûteux costume campagnard, des chaussures de cuir fin, un chapeau d'éleveur espagnol à large bord et une cordelette autour du cou. En le voyant ainsi, son visiteur se leva, s'inclina et dit :

— Vous ressemblez à un véritable Espagnol. Maintenant, ce que j'ai à vous dire, je le dirai brièvement. Matador, vous gaspillez une noble vie espagnole quand vous emplissez vos chambres de ces filles de rien comme celles que j'ai trouvées en entrant ici.

— Où sont-elles ? demanda Leal.

— Parties, matador, répliqua le visiteur.

— Mais qui êtes-vous ? insista Leal.

— On m'appelle don Alfonso, dit l'homme dont les yeux étaient rivés à ceux de Leal, mais ce n'est qu'une formule de politesse. Comme vous, je suis un simple paysan qui a prospéré au Mexique. (Il rit avant de se redresser et de montrer qu'il était presque aussi grand que le matador.) Comme vous, aussi, je suis espagnol. (Il écrasa son poing dans la paume de sa main et répéta :) Je suis espagnol.

— Que me voulez-vous ? s'enquit Leal.

— Je suis venu vous présenter votre future femme, dit don Alfonso.

Bernardo Leal n'avait pas envie de rire. La gravité de son visiteur l'en empêchait.

— Où est-elle ? demanda-t-il.

— Chez moi, dit don Alfonso avec dignité, car il s'agit de ma fille. (Il hésita avant d'ajouter avec emphase :) Vous êtes espagnol, matador, et vous ne devez pas laisser votre précieux sang se perdre parmi les Mexicains !

— Le Mexique est mon pays à présent.

Leal ne put en dire davantage. Son visiteur l'empoigna par la nuque et le planta devant le pauvre miroir qui ornait le mur de la chambre.

— Voyez vos yeux, mon fils ! s'écria le vieil homme avec détermination. Voyez votre peau ! Vous êtes espagnol, matador ! Vous êtes trop précieux pour vous gaspiller !

Il entraîna Leal loin de l'hôtel et des foules venues lui rendre hommage. Les filles qui l'accompagnaient depuis Mexico ne tentèrent pas de le rejoindre, de même que les amateurs fanatiques qui suivent en tout lieu les matadors. Les deux Espagnols parcoururent les petites rues pavées de Toledo, la plus gracieuse de toutes les villes mexicaines, mais aussi la plus espagnole, pour s'arrêter enfin devant un mur de pierre blanc de plus de cinq mètres de hauteur. Quelques jours auparavant y avait été collée une affiche rouge et jaune fort tapageuse annonçant l'arrivée à Toledo du fameux matador espagnol Bernardo Leal.

— Je leur dis toujours de ne pas apposer d'affiches sur mon mur, se plaignit don Alfonso. Mais que voulez-vous faire avec les Mexicains ?

Il se dirigea vers un grand portail de bois aux pentures de bronze et, après qu'il eut tiré sur la corde tout en pestant une fois de plus contre les Mexicains, un domestique aux pieds nus leur ouvrit et Bernardo Leal pénétra pour la première fois dans le spacieux hall d'entrée de la demeure de son futur beau-père.

Il se retrouva en pleine Espagne. Il y avait là des coffres massifs sculptés à Salamanque surmontés d'épées croisées forgées à Séville. Dans le patio bruissait une charmante fontaine de pierre, copie de l'une de celles qui ornaient l'ancienne cité de Ronda. L'épouse de don Alfonso, une femme solidement charpentée, apparut. Il pensa aussitôt que c'était elle qui avait envoyé son mari le chercher. Avec toute la grâce de son pays natal elle mit immédiatement Bernardo à l'aise.

— C'est une réunion des plus inhabituelles, dit-elle doucement, mais je vous ai vu à deux reprises à Mexico et je me suis dit que nous autres, Espagnols, devions rester unis.

Calmement, Bernardo répéta ce qu'il avait déjà dit à son mari :

— Je me considère désormais comme mexicain.

Sans se départir de son calme, mais avec une certaine intensité dans la voix, elle répliqua :

— En vieillissant, matador, croyez-moi, l'héritage de votre sang espagnol se manifestera pleinement. (Elle sourit, prit Leal par le bras et ajouta :) Raquel nous attend dans cette pièce. Soyez sûr que c'est pour elle un moment délicat.

Quand les portes cloutées furent ouvertes, le matador découvrit, auprès d'une lourde table de réfectoire, une jeune fille qui devait avoir dans les vingt-cinq ans. Comme sa mère, elle était grande et fortement charpentée, peut-être mal à l'aise, mais visiblement désireuse de plaire. Elle n'était ni belle ni laide, toutefois elle s'avança avec grâce après avoir lâché le lourd fauteuil de cuir auquel elle s'appuyait.

— Je vous ai vu à la corrida, matador, dit-elle calmement, et vous avez été superbe.

— Si je vous y avais vue, señorita, je vous aurais dédié mon premier taureau.

— Si je porte ma plus belle robe espagnole dimanche prochain, le ferez-vous ?

— Vous pouvez en être assurée, répondit le matador.

Ce fut un dîner délicieux et copieux. A la lueur des bougies, don Alfonso expliqua qu'il était arrivé au Mexique trente-huit ans plus tôt et qu'il y avait fait fortune en important des marchandises de Liverpool. Il avait d'abord tenté de vivre à Mexico, mais il avait trouvé la ville oppressante et manquant totalement de culture. Il était ensuite venu à Toledo, où il avait déniché cette vieille maison construite par l'un des Palafox.

— Ici, je suis heureux.

— Puis-je vous rendre visite au cours de la semaine ? demanda Leal.

— Nous serions marris de ne pas vous voir, répondit don Alfonso.

— Vendredi, je dois me rendre à l'élevage Palafox pour y sélectionner quelques vachettes, déclara Leal. (Se tournant vers Raquel, il ajouta :) Je serais infiniment flatté si vous vous joigniez à nous.

— Nous serons très heureuses d'accepter, répondit aussitôt la mère, qui n'avait pas l'intention de laisser sa fille sortir seule avec un homme avant le mariage.

Après la visite à l'élevage, le jeune matador s'attarda dans notre ville et il devint clair que Raquel l'épouserait et qu'il s'installerait définitivement dans la grande maison espagnole de Toledo.

Mexico, 13 décembre 1903. Doña Raquel avait un comportement assez étonnant pour une femme de matador en ce qu'elle assistait toujours aux combats de son mari. Elle avait donc pris place dans les vieilles arènes de Mexico en cette journée de 1903 où Bernardo Leal se comporta fort brillamment. Son fils aîné, Justo, âgé de onze ans, se trouvait auprès d'elle non loin de la barrière quand son mari prit le deuxième taureau de l'après-midi, un animal vif et nerveux de l'élevage Palafox dont il fit pratiquement tout ce qu'il voulait.

Doña Raquel craignait tous les taureaux et ne se dissimulait pas leur puissance mortelle, mais elle était également fascinée par la grâce poétique de son époux à qui nul matador ne pouvait se comparer. Il y avait quelque chose de particulier dans la manière de travailler de Bernardo, la mise en évidence du plus grand danger alliée à l'art le plus élégant. Elle pensait avec fierté que même Mazzantini n'égalait pas son mari, mais, lorsque Bernardo mit à mort le taureau, elle ferma tout de même les yeux et se boucha les oreilles, cédant enfin à ses frayeurs les plus secrètes.

Le petit Justo, enfant sage et gardien de la réputation de son père, ne se bouchait pas les oreilles en de tels instants et aimait entendre la foule crier le nom de Leal. Cet après-midi-là, quelques spectateurs des gradins au soleil exprimèrent leur mépris pour la petite taille du taureau Palafox que Bernardo venait de tuer et, au lieu d'acclamer le matador, ils le conspuèrent et continuèrent de même lorsque l'autre matador, un Mexicain réputé, commença son travail avec la troisième bête.

— Montrez-lui comment un vrai Mexicain affronte de vrais taureaux ! cria quelqu'un.

— Les Espagnols sont toujours braves quand le taureau est petit ! lança un autre.

— Menteur ! cria Justo de sa voix enfantine.

Appuyé à la barrière, Bernardo regarda son fils en riant.

La señora Leal ne trouvait pas cela amusant.

— Justo !

— Je devrais leur trancher la gorge, grommela le petit garçon sans daigner regarder le travail de l'autre matador.

— Cela suffit ! dit doña Raquel en le tapant sur la main.

— Père sait aussi travailler les gros taureaux, protesta son fils. (Il échappa alors à sa mère et se précipita vers la grille de fer forgé qui sépare les bonnes places des autres.) Sale cochon ! cria-t-il. Mon père peut travailler des taureaux gros comme des wagons de marchandises.

Très gênée, doña Raquel récupéra son fils et l'incident aurait pu en rester là si l'un des admirateurs de Bernardo Leal n'avait crié depuis les gradins exposés au soleil :

— Le gosse a raison ! Leal vaut mieux que tous les Mexicains !

Cette remarque avait pour but de déclencher une bagarre et c'est bien ce qui se passa. Les gradins au soleil furent bientôt le théâtre d'une épouvantable mêlée, où l'on vit les spectateurs des rangs les plus élevés plonger littéralement sur leurs ennemis des rangs inférieurs. La bagarre s'acheva aussi vite qu'elle avait commencé quand jaillit du toril le quatrième taureau. Cette énorme bête noire de l'élevage Palafox pesait plus d'une demi-tonne et était destinée à l'Espagnol Leal.

— On va voir ce qu'il fait avec un vrai taureau ! lança une voix depuis les gradins exposés au soleil.

— Eh bien, regarde ! répliqua le petit Justo.

Sa mère ne chercha pas à le faire taire, car elle était pétrifiée de terreur à la vue du monstrueux animal.

Comme s'il voulait ne pas décevoir son fils, Bernardo affronta le taureau avec une grâce et un art tout particuliers. Il virevolta et dansa avec la cape jusqu'à ce que la foule comprît qu'il pourrait faire encore mieux avec cet adversaire de poids qu'avec son premier taureau.

Brusquement, à l'apogée de la maîtrise de Leal, le taureau releva la tête, saisit Leal à l'aine de sa corne gauche et le projeta en l'air. Il n'était pas encore retombé que les hommes se précipitaient déjà dans l'arène pour le porter à l'infirmerie. Avec une adresse diabolique, le taureau furieux frappa encore sa victime avant même qu'il fût à terre. Les cornes acérées lancèrent le malheureux à quatre reprises comme une vulgaire poupée de chiffons.

— Oh ! mon Dieu ! gémit doña Raquel.

Le taureau laissa finalement tomber le matador sur le sable et les péons coururent vers lui, mais leur arrivée enragea l'animal qui les chargea. Comme ils s'enfuyaient, ses petits yeux cruels ne virent pas leurs capes virevoltantes, mais le corps ensanglanté qui gisait à terre et, avec une précision maligne, il planta sa corne gauche dans le matador immobile. En voyant la corne s'enfoncer dans la gorge de Bernardo Leal, sa femme s'évanouit pour échapper à l'horreur, mais le petit Justo garda les yeux rivés sur le taureau pour ne rien perdre de sa façon de se mouvoir.

Elevage Palafox, 1933. Bernardo Leal avait laissé deux fils, Justo, né en 1892, et Anselmo, né neuf années plus tard, en 1901. Les garçons vécurent auprès de leur mère dans la maison espagnole de Toledo. Ils avaient les yeux bleus comme leurs parents et la peau blanche. Tout au long de leur vie, il y avait une chose qu'ils n'oublieraient pas : ils ne l'avaient pas apprise à l'école, mais c'était leur vieux grand-père, don Alfonso, qui la leur avait enseignée : « Regardez vos yeux ! Souvenez-vous que vous êtes espagnols. Quand viendra le temps de vous marier, trouvez-vous une fille d'Espagne comme votre mère. »

Dans les rues de Toledo, les deux garçons étaient, bien entendu, mexicains, mais une fois dans le jardin, derrière les portes aux pentures venues d'Espagne, ils étaient les héritiers de la plus pure tradition espagnole. Ils étaient aussi les gardiens d'un souvenir terrible, que rien ne pourrait effacer. Dans leur salle de jeux était apposée l'affiche de la dernière corrida de leur père :

PONCIANO DÍAZ ET BERNARDO LEAL
AFFRONTENT DES TAUREAUX DE L'ÉLEVAGE PALAFOX !

La chambre de leur mère abritait une réplique du dernier costume de lumière du matador alors que dans une autre pièce, dénommée la chapelle à cause du retable d'argent devant lequel Leal priait avant chaque corrida, un mur était orné de la tête du grand taureau Palafox qui avait tué leur père.

Ce sont de tels souvenirs qui entretinrent chez Justo et Anselmo Leal l'obsession des taureaux, mais, si la Révolution de 1911 n'avait pas éclaté et mis un terme à la douceur de vivre à Toledo, il est peu probable que les deux garçons en eussent fait profession. En 1911, le général Gurza, le fléau venu du nord, entra avec ses troupes dans la vieille cité et, trois jours durant, ce fut l'horreur. Les prêtres furent abattus, les jeunes filles violentées, les maisons incendiées. Au soir du deuxième jour, quatre pistoleros farouches venus de Durango enfoncèrent la grille de la demeure espagnole de don Alfonso, y entrèrent de force et déclarèrent que le général Gurza allait y installer son quartier général.

— Foutez le camp, crapules de Mexicains ! gronda l'aïeul en frémissant des favoris.

Ce furent ses dernières paroles, car les envahisseurs le fusillèrent sur-le-champ et préparèrent l'arrivée du général. Quand la vieille épouse de don Alfonso se jeta sur eux en hurlant, ils la fusillèrent également. Puis ils violèrent la fille du couple défunt et tranchèrent la gorge de doña Raquel, la veuve du matador. Quand le général Gurza et ses hommes furent finalement chassés hors de la ville, la vieille demeure espagnole était dévastée, ses murs abattus et ses tapisseries brûlées par les lieutenants ivres du général.

Les affaires de don Alfonso avaient périclité et, à sa mort, Justo et Anselmo se retrouvèrent pratiquement sans le sou. Au lieu de s'abandonner au désespoir, Justo, énergique jeune homme de dix-neuf ans, considéra cette épreuve comme une délivrance ; à l'invitation des Palafox, son frère et lui s'installèrent à l'élevage taurin, au sud-ouest de Toledo. Il surprit alors tout le monde en devenant un picador réputé. Sur sa monture, il faisait preuve d'un grand courage naturel ; grâce à ses épaules larges et ses bras musclés, il n'avait aucun mal à enfoncer les piques dans le *morillo,* ou partie extérieure de la nuque. C'était un terrible adversaire des taureaux et, un jour, un éleveur l'avertit :

— Vous risquez de tuer le taureau en le piquant si profondément.

— C'est ce que je cherche, grommela Justo.

— Vous travaillez cette bête comme si vous voyiez en lui un terrible poison.

— Pour moi, tous les taureaux sont du poison, répondit Justo.

Depuis ce jour-là, on le surnomma Veneno, « le poison ». Sous le nom de Veneno, il fit son entrée dans les nouvelles arènes de Mexico. Veneno, l'un des plus célèbres picadors de son temps, accompagna le matador mexicain Luis Freg en Espagne, où sa réputation s'accrut encore.

Veneno passait aux yeux des Espagnols pour un picador intrépide. Il conduisait son cheval à l'œil droit aveuglé dans n'importe quelle partie de l'arène et y rencontrait le taureau, ce que moins courageux que lui n'aurait jamais osé faire. Il faisait preuve d'une haine incroyable à l'égard des taureaux. A l'époque où quatre ou cinq de ses chevaux furent éventrés sous lui et où il se retrouva seul sur le sable tandis que le taureau mis en fureur tentait de l'encorner, il apparut à beaucoup que Veneno souhaitait affronter la bête à mains nues. C'est un miracle s'il ne fut pas tué avant la fin de sa première saison en Espagne.

Tous les matadors soupiraient d'aise quand Veneno faisait partie de leur équipe, car les blessures qu'il infligeait aux taureaux étaient plus terribles que celles données par tous les autres picadors. Au cours de ces années que l'on qualifie habituellement d'âge d'or de la tauromachie, Veneno travailla à maintes reprises avec la plupart des grands : Joselito, Belmonte, Gaona. Il en sut bientôt plus que tous sur les taureaux. Conscients de cela, les aficionados hurlaient quand il entrait dans l'arène sur une rosse pathétique dont l'œil droit avait été couvert pour qu'elle ne vît pas le taureau : « Olé ! Veneno ! Tue-le avec ta pique ! » Et c'est bien ce qu'il essayait de faire. Par deux fois au cours de sa carrière, il y parvint presque, et l'animal dut rentrer au corral pour y être abattu. Normalement, une telle action aurait dû être condamnée, mais il n'en fut rien pour Veneno car chacun savait qu'il voulait tuer des taureaux afin de venger son père.

Son frère, Anselmo, n'atteignit jamais une notoriété égale à celle de Justo. Peut-être était-ce parce qu'on l'avait laissé à la maison ce terrible après-midi où le taureau avait massacré son père qu'il n'eut jamais le feu sacré de Veneno et n'accéda jamais à cette maîtrise des taureaux si caractéristique de Veneno. Il ne fut qu'un petit matador, sans classe, qui sillonna les arènes du Mexique, brave certainement, mais sans passion. Il tenta également sa chance en Espagne, mais les critiques lui firent tout de suite savoir qu'il ferait mieux de laisser les taureaux à d'autres. Il ne connaissait que ce métier, il s'y accrocha ; comme beaucoup, il fut l'un de ces personnages semi-tragiques qui évoluent à la périphérie d'un art impitoyable pour les chevaux, les taureaux et les hommes.

Seul point positif à son actif, il épousa, lors de sa tournée espagnole, une superbe fille de Séville nommée Alicia. Après un seul regard à son gendre dans les arènes de Séville, le père d'Alicia lui donna ce conseil :

— Quittez les taureaux, mon fils. Ils ne sont pas pour vous.

— C'est ma profession, expliqua Anselmo.

— J'ai une boucherie industrielle près de Cadix, reprit le beau-père. Travaillez avec moi.

— Mon frère et moi suivons les taureaux, insista fièrement Anselmo. C'est dans notre sang.

— Votre frère est marié ?

— Non.

— Pourquoi ne lui présentez-vous pas la cousine d'Alicia ?

Quand Veneno accompagna Belmonte à Séville, les présentations furent faites et le mariage arrangé ; Veneno ne tarda pas à avoir deux fils. En 1933, Anselmo eut, lui aussi, un fils, qu'il nomma Victoriano Leal dans l'espoir qu'à son nom s'attacheraient davantage de victoires qu'au sien.

Victoriano avait moins d'un mois quand les Leal aînés furent invités à l'élevage Palafox pour participer à la sélection de quelques vaches récemment acquises pour améliorer la combativité des futurs veaux. Anselmo n'appéciait pas ces visites à l'élevage, car après le sac de la maison espagnole de Toledo, l'un des hommes du général Gurza avait vendu la tête du taureau — sinistre souvenir — qui avait tué Bernardo Leal à don Eduardo. La tête était accrochée en évidence sur l'un des murs du salon avec une plaque d'argent, gravée des mots suivants : « Terremoto, de Palafox. Ce taureau de 529 kilos a tué le matador Bernardo Leal à Mexico le 13 décembre 1903. » Après plus d'un demi-siècle, les cornes étaient toujours effilées comme des dagues. Elles terrorisaient Anselmo, mais ne rebutaient en rien le vaillant Veneno. Contrairement à son frère, il se réjouissait dès qu'il lui était donné d'affronter des taureaux Palafox. Et si, ce jour-là, il dut s'en tenir aux vachettes, il savait qu'il aurait de nombreuses occasions de blesser de vrais taureaux, de les repousser à l'aide de piques courtes et de les sentir s'affaisser. Et s'il ne pouvait utiliser une longue pique avec les grands mâles de l'élevage Palafox, il se contenterait de châtier les vachettes avec des piques de plus petite taille.

Les deux frères se rendirent donc par train de Mexico à Toledo, où don Eduardo Palafox vint les accueillir avant de les conduire à son élevage, au sud-ouest de la ville. En chemin, il leur confia :

— La raison pour laquelle je souhaitais votre présence pour la *tienta*, c'est qu'en plus des vachettes, j'aimerais que vous voyiez le nouvel étalon que j'ai fait venir d'Espagne. Il arrivera demain, après la sélection.

— Un Guadalquivir ? demanda Veneno.

— Naturellement.

Don Eduardo leur proposa de se rafraîchir au salon. Les trois hommes allaient prendre place sur des sièges dont l'armature était constituée de cornes de taureau et recouverte de peaux de mouton tannées lorsque Anselmo se rendit compte que le sien faisait face à la tête de Terremoto. Chaque fois qu'il levait la tête, il voyait l'animal qui avait tué son père le fixer de ses yeux froids comme s'il allait le charger et le tuer à son tour.

— Je vais m'asseoir ici, dit Anselmo en changeant de chaise.

Veneno remarqua que son frère ne pouvait s'empêcher de se retourner pour regarder la tête. Quand Eduardo laissa un instant les deux frères pour accueillir un acteur de Hollywood qu'il avait convié, Anselmo prit son frère par la main.

— Veneno, lui dit-il avec hésitation, s'il devait m'arriver quelque chose, promets-moi...

— Que peut-il nous arriver ? répliqua le picador avec un certain mépris.

— Il est toujours dans l'arène. (Il désigna Terremoto, derrière lui.) Il nous attend.

— Je ne pense qu'aux taureaux vivants, répondit Veneno avec une certaine sauvagerie. Tu devrais faire de même.

— S'il arrive quelque chose, jure-moi que tu élèveras mon fils comme s'il était espagnol.

— Qu'est-ce que cela veut dire ? s'esclaffa Veneno. Qu'est-ce qu'on peut faire d'un garçon pour le...

— Veille à ce qu'il s'habille proprement, qu'il parle convenablement... (Anselmo avait la voix traînante.) Et quand il sera en âge de se marier... (Il hésita encore avant de dire avec précipitation :) Mon frère, nous sommes des étrangers sur une terre étrangère. Pour nous, tous les Mexicains sont comme le général Gurza.

— Tu parles comme un imbécile.

La tienta se passa fort bien. Le corral était ponctué de femmes superbes et le chaud soleil de Toledo transformait en or la poussière soulevée par les vaches qui chargeaient le cheval de Veneno. Lorsqu'il eut achevé de tester de sa lance à pointe courte la bravoure des femelles — c'est par les femelles et non par les étalons que les taureaux de combat gagnent en courage —, il les confia aux matadors et à leurs capes. Et pour chaque animal qui quittait le corral en saignant un peu des épaules, le régisseur criait : « Numéro 131, très brave ! » ou « Numéro 132, fuyarde, évite le cheval. » Indigne de donner le jour à un taureau de Palafox, cette vache était destinée à l'abattoir.

La sélection terminée, don Eduardo prit place au centre de la petite arène et annonça :

— Nous allons maintenant vous présenter notre nouveau reproducteur. Il vient d'arriver de l'élevage du Guadalquivir, en Espagne.

La foule applaudit et, de la cabine d'un camion, un homme s'écria :

— Vous êtes prêt ?

— Allez-y ! répondit don Eduardo.

Le camion recula lentement vers la porte du corral. La poussière soulevée par les roues enveloppait une énorme caisse de chêne ceinturée de bandes de métal. Les spectateurs fascinés ne la quittaient pas du regard.

Le taureau avait fait un long voyage. D'Andalousie, il avait été successivement transporté par camion, par bateau, par péniche, par train et encore par camion. La poussière devait l'irriter. Avec une force sauvage, l'animal invisible s'en prit à sa prison, la grande caisse de bois trembla, les bandes métalliques paraissaient se déformer. Chacun pouvait entendre le choc des cornes sur le bois. Les hommes échangeaient des regards pleins d'appréhension, car l'expérience n'y changeait rien : à tout âge, on était frappé de terreur par la puissance aveugle de ces bêtes. A nouveau, le taureau furieux heurta sa caisse, qui vacilla. L'animal prisonnier aurait été capable de soulever un cheval au bout de ses cornes, de traverser avec les arènes de part en part et de le projeter par-dessus la barrière.

Le taureau invisible martelait sa prison de ses membres postérieurs, justifiant pleinement le cerclage de la caisse.

— Il nous faut des hommes ! cria don Eduardo.

Les frères Leal sautèrent sur la plate-forme à l'approche du camion. Il s'agissait de descendre la caisse de chêne de telle sorte qu'il n'y eût entre la cage et le corral aucun espace où le coûteux animal pût se briser un membre. On alla chercher des palans et on commença à faire glisser la caisse, à la fureur croissante du taureau, qui chargea à nouveau les parois de sa prison.

Malheureusement, il s'acharna sur un côté et, avant que quelqu'un pût crier garde, la caisse bascula et coinça le matador Anselmo Leal entre son arête et le mur du corral. Il poussa un cri de terreur. Le taureau corrigea de lui-même sa position en se ruant sur l'autre côté de la caisse.

Anselmo vécut encore quatre ans, mais il avait eu la poitrine enfoncée et jamais plus il n'affronta les taureaux. Veneno pourvut à ses besoins grâce aux importants cachets qu'il touchait en sa qualité de meilleur picador du Mexique. Aux funérailles d'Anselmo, en 1937, la plupart des grandes figures de la tauromachie mexicaine ou espagnole étaient là. Tué par un taureau enfermé dans une caisse, le malheureux matador avait eu une ultime volonté, être enterré à Séville, ville natale de sa femme, mais la guerre civile espagnole ne le permit pas et il fut finalement enseveli à Puebla, ville qu'il n'aimait pas.

Toledo, 1945. Victoriano Leal avait douze ans quand il vécut l'un des plus beaux jours de son existence. Cet après-midi-là, dans sa ville de Toledo, il endossa pour la première fois le costume de lumière. C'était un garçon très mince, au teint pâle, aux yeux bleus et aux cheveux noir de jais. Dans son lourd habit, il ne pesait même pas quarante-cinq kilos, mais, lorsqu'il pénétra dans les arènes, enveloppé dans sa cape de soie, chacun comprit qu'il avait toutes les qualités physiques d'un matador inspiré. Mieux encore, il avait de la présence.

Ses cousins, Chucho et Diego, travaillaient depuis quelque temps avec leur père et avaient acquis une certaine réputation pour des débutants. A seize ans, Chucho s'en tirait déjà fort bien tandis que Diego, son cadet de deux ans, maniait habilement les banderilles. Agé d'une cinquantaine d'années, leur père servait de picador lors de leurs prestations : il montait ses chevaux avec beaucoup de dignité et châtiait les taureaux plus sévèrement que jamais.

Cet homme aux cheveux déjà blancs savait qu'il devait trouver un matador digne de ce nom parmi ses trois fils, Chucho, Diego et Victoriano — il ne faisait aucune différence entre son neveu et ses propres enfants —, un matador dont les exploits lui permettraient de couronner de gloire sa propre carrière. Il serait picador tant qu'il le pourrait, mais ce serait pour mieux servir son fils. En épuisant un taureau pour faciliter la tâche du matador, ce ne serait pas pour un quelconque étranger qu'il le ferait, mais bien pour son enfant.

Ce fut donc avec joie et appréhension que le picador chenu assista à l'entrée de ses fils dans l'arène de Toledo. La foule vit, sur la gauche, s'avancer Chucho, le plus expérimenté des trois ; à droite se trouvait Diego, beau et confiant dans son costume violet. Et au centre, comme la tradition le voulait, Victoriano, le débutant de douze ans d'une minceur extrême. Son père ne put s'empêcher de pousser un cri de surprise en le découvrant ainsi.

— Mon Dieu, s'exclama-t-il tandis que son cheval suivait le trio, celui-ci sera plus grand que nous tous !

Ce fut une journée mémorable. Les jeunes mâles normalement réservés aux matadors débutants n'étaient pas là. Puisque l'on faisait usage de picadors, des bêtes plus âgées avaient été choisies pour cette corrida.

Chucho fut à la fois vaillant et élégant. Il avait plus les qualités d'un torero espagnol que la rudesse un peu gauche d'un débutant mexicain.

Comme toujours, Diego posa fort bien les banderilles, dansant devant les petits taureaux avec adresse et passion. A son habitude, le vieux Veneno enfonçait rageusement sa pique dans la nuque des taureaux, laissant ainsi à ses fils des bêtes épuisées.

Ce fut lorsque le petit Victoriano affronta son premier taureau que la foule applaudit vraiment. Les spectateurs lui trouvaient quelque chose de différent, un mélange d'arrogance et de compétence qui les fascinait. Quelques années plus tard, en Espagne, quand je connus bien Victoriano, je lui demandai de me parler de sa première corrida.

— Vous voulez savoir ce que je savais, moi, un enfant de douze ans, du rôle que j'avais à jouer? me dit-il. En toute modestie, Norman, je vous dirai que je savais tout. Dès l'enfance, j'ai étudié les taureaux et les passes. Grâce aux heures d'observation auprès de Veneno, j'étais devenu maître dans l'art de manier la cape et j'étais supérieur à la moyenne en ce qui concernait la muleta. J'ai voulu tout apprendre, les banderilles, l'épée, la façon de saluer le président dans sa loge, celle de dédier un taureau à une jolie fille avant de me retourner et de lui lancer ma *montera* par-dessus mon épaule. Pour cette première corrida, j'étais nerveux, je l'avoue, mais je n'avais pas peur, parce que je me savais préparé.

A ce point de la discussion, il hésita, réfléchit longuement et dit :

— N'écrivez pas cela, Norman, mais lors de cette première corrida, je savais également quelque chose de terrible : j'avais l'allure d'un matador, et mes frères ne l'avaient pas. Ils étaient trop gras et leurs gestes manquaient de poésie. Ils ne marchaient pas correctement devant le taureau, un pied devant l'autre, en ligne droite, et lorsqu'ils se campaient devant lui, ils n'offraient pas une belle silhouette, les reins cambrés et la tête en arrière. Ils étaient incapables de tout cela, et moi je le pouvais. La foule le savait. Je le savais. Et je crois que mes frères aussi le savaient.

— Comment s'est achevée cette première corrida ?

— Le président m'a accordé une oreille pour mon deuxième taureau, dit-il sans vanité. Je l'ai brandie de la main droite et j'ai fait le tour de l'arène sous les acclamations... Depuis, je marche toujours ainsi.

— Est-ce vrai qu'une horde de gamins de votre âge vous a porté en triomphe loin de l'arène en criant : Torero ! Torero !

— Oui, c'est vrai.

Cette première corrida de Victoriano eut sur son père un effet incroyable. Le vieux picador réagit comme s'il avait vu un spectre. La terreur s'empara de lui et, trois jours durant, il arpenta en silence les rues de Toledo tandis que ses fils s'entraînaient seuls.

Puis il alla trouver don Eduardo Palafox, qui se prélassait à la Maison de Céramique, et lui demanda de but en blanc :

— Vous avez assisté à la corrida de dimanche ?

— C'était excellent, répondit le vieil éleveur.

Veneno prit les mains de don Eduardo.

— Je vous en prie, répondez-moi. A-t-il été aussi bon que je le crois ?

— Le petit ?

— Qui d'autre ?

L'éleveur regarda son ami, cet ennemi juré des taureaux qui avait châtié tant de bêtes de l'élevage Palafox, et lui dit lentement :

— Je crois qu'avec le jeune Victoriano vous avez trouvé ce que vous cherchiez tant.

Comme projeté en l'air par quelque taureau furieux, le vieux picador bondit entre les tables, les renversant au passage.

— J'en suis sûr, don Eduardo ! J'ai cru avoir une vision. Ce garçon est déjà meilleur que son père l'a jamais été. Quand je le vois faire face à un taureau, j'ai l'impression de revoir son grand-père !

L'éleveur attendit que le vieux picador se fût calmé pour dire :

— Ce garçon sera bien supérieur à son grand-père.

Ces paroles étaient celles-là mêmes que Veneno désirait entendre, pourtant elles lui faisaient peur. Il retomba sur une chaise et prit à nouveau la main de don Eduardo.

— Vous avez vu cela de vos propres yeux ou vous le dites pour nourrir mes espoirs ?

— Je l'ai vu, lui assura don Eduardo. Mais dites-moi, où les garçons vont-ils travailler la prochaine fois ?

— Dimanche, à Zacatecas.

— J'irai, déclara don Eduardo.

C'est donc le dimanche 11 mars 1945, dans cette ville poussiéreuse de Zacatecas, où les arènes s'accrochent à flanc de montagne, que Veneno Leal prit sa grande décision. Après la corrida, il se rendit dans son lourd costume de picador auprès de don Eduardo Palafox et lui demanda sans ambages :

— Vous croyez toujours en ce garçon ?

— Je suis comme vous, répondit l'éleveur. J'ai même encore plus confiance qu'avant.

— Merci, don Eduardo, dit le vieux picador en serrant la main de son ami. Vous m'aidez beaucoup.

— C'est Victoriano qui a tout fait, dit gravement l'éleveur, puis les deux hommes se séparèrent.

Dans la chambre d'hôtel austère, Veneno réunit ses trois fils.

— Ce soir, nous partons en campagne.

— En vue de quoi ? demanda Chucho, satisfait de sa prestation de l'après-midi.

— A l'assaut de la richesse. De la renommée, dit très simplement le vieux picador. D'une place égale à celle de Belmonte.

Les trois garçons n'avaient jamais entendu leur père parler en ces termes de la tauromachie.

— Mon fils, dit-il à Chucho, aujourd'hui, tu as été très bien. J'étais fier de toi. Mais tu n'auras jamais un corps de matador. Tu commences déjà à avoir de la graisse. (Avec compassion, il vit l'effet que ces mots très durs faisaient sur son aîné.) Désormais, tu t'entraîneras pour être le meilleur péon que la tauromachie a jamais connu. Tu devras maîtriser chaque technique de ton art, et surtout être prêt à chaque instant à te précipiter vers ton frère pour le sauver au cas où le taureau le renverserait. Donne-lui ta vie si besoin est.

Chucho entendait encore les clameurs des spectateurs. Il ravala sa colère, croisa les mains sur la poitrine et dévisagea son frère Diego en pensant : « Je suis deux fois meilleur que lui. Rester à l'écart pour le protéger ? Jamais. »

Mais il entendit alors son père dire :

— Diego, tu es déjà trop lourd. Tu ne seras jamais matador, mais tu as du style avec les banderilles. Ce sera là ton travail. Apprends à dédaigner les banderilles normales pour les banderilles courtes, les foules adorent cela. (Se tournant vers son plus jeune fils, il dit :) Victoriano, tu seras le matador, le personnage illustre.

Et un silence pesant s'abattit sur la chambre d'hôtel.

C'est plusieurs années après cette soirée historique que je vins à connaître Victoriano, mais, quand je le questionnai à Madrid sur la décision prise à Zacatecas, je constatai qu'il se rappelait chaque seconde, chaque parole prononcée, chaque réaction de la part de ses deux frères.

— Quand mon père m'a ainsi élu, j'ai cru m'évanouir. A quatre ans, je jouais avec un bâton pointu et une serviette et je rêvais d'être matador. Je marchais comme eux, je renversais la tête comme Gaona sur les photographies. Mais je craignais de voir Chucho et peut-être même Diego me surpasser. C'est pourquoi, quand j'entendis mon père déclarer que je serais le matador, je n'osai pas répliquer. Je ne pouvais que me tourner vers mes frères. Chucho s'affaissa. Diego haussa les épaules comme pour dire : « Après tout, j'ai toujours su que je serais banderillero. » Je sentais que je me redressais, que je tendais le menton. Dans le silence, j'entendais des cris, des clameurs de joie.

» Mais notre père parlait à nouveau, d'une voix sauvage et puissante que je ne lui connaissais pas. " Nous serons les Leal ! " criait-il comme s'il était possédé. " Victoriano sera notre matador. Diego sera un banderillero pareil à nul autre. Et toi, Chucho, tu seras chargé de régler tous les détails. Quant à moi, je châtierai les taureaux ! " Une véritable fureur s'était emparée de lui. Mes frères et moi, nous ne l'avions jamais vu ainsi. Jusqu'à ce soir, il avait bercé ses rêves en silence. Il pouvait enfin révéler sa vision.

Quatorze années après, Victoriano frissonnait encore pour me raconter ce qui s'était passé ensuite.

— Comme un dément, il leva son bras droit, celui avec lequel il maniait la pique, et il cria pour que chacun l'entendît dans l'hôtel : « Je briserai ces taureaux ! Je leur ferai plier les genoux et ils s'affaisseront devant moi ! Vous verrez le sang couler de leur garrot et nous les détruirons. Nous quatre, une seule équipe ! Nous les détruirons et les hommes diront de nous : Ces Leal, ils savent comment affronter un taureau ! »

Séville, 1959. En 1952, Victoriano Leal était entré dans les arènes monumentales de Mexico pour y devenir matador à part entière. Il n'était alors âgé que de dix-neuf ans et nul n'avait connu de cheminement plus simple vers les hauteurs de son art. A douze ans, il avait combattu son premier taureau à Toledo. Le dimanche suivant, à Zacatecas, trois des meilleurs toreros du Mexique lui avaient dédié leur existence. Deux ans plus tard, à quatorze ans, ce novillero jouissait d'une formidable publicité et gagnait plus que bien des matadors.

Il allait d'arène en arène comme un jeune seigneur, protégé en public par Veneno et sur le sable par ses deux frères. A l'époque où il prit l'alternative dans les plus grandes arènes du monde, c'était un combattant accompli qui connaissait son art sur le bout des doigts. Il brillait surtout par son maniement de la cape et aucun de ses contemporains ne l'égalait en ce domaine. Le voir exécuter des arabesques devant son ennemi noir et massif, c'était contempler, comme l'écrivit le chroniqueur León Ledesma, « un jeune dieu sculptant la lumière du soleil ».

Il était également très capable avec les banderilles, quoique se faisant remplacer par son frère Diego lorsque les bêtes étaient particulièrement difficiles ; avec la muleta, il était d'une élégance suprême. Quand Veneno le mettait en garde contre le caractère d'un taureau, il effectuait des passes spectaculaires et pratiquait la mise à mort de façon simplement correcte. Il n'excella jamais avec l'épée, car il s'écartait légèrement au dernier moment, mais il était compétent et son étonnant talent dans les premières phases incitait ses admirateurs à lui pardonner cette carence.

Lorsque je rencontrai pour la première fois Victoriano en Espagne, il me surprit en me permettant de lui poser plus de questions que les autres journalistes. Comme je lui en demandais la raison, il me dit :

— Nous sommes tous deux de Toledo, vous et moi. Mais vous êtes aussi un Américain et vous travaillez pour un grand magazine de New York. Je veux que l'Amérique du Nord sache qui sont les Leal, Londres aussi, et l'Argentine.

Je me permis alors de lui demander pourquoi il parlait toujours des Leal et jamais de lui-même.

— Sans les autres, je ne serais pas ici aujourd'hui, me répondit-il.

Dans une pièce spacieuse de la maison qu'il avait achetée à sa famille, il sortit du bureau un vieil album de photographies et me montra une série plutôt terrifiante de clichés pris par des photographes assez audacieux pour descendre dans l'arène au moment où des bêtes cherchaient à encorner Victoriano allongé sur le dos dans le sable. Sur chaque image, il était clair que l'un ou l'autre de ses frères lui avait à chaque fois sauvé la vie.

— Tijuana, l'année dernière. Chucho écarte le taureau alors qu'il est pratiquement sur moi. Brave, très brave.

D'une autre photo, il dit :

— Nuevo Laredo, cette année. Chucho n'a pas pu arriver à temps, mais le gros Diego s'est interposé. Regardez-le, il a les cornes pratiquement dans le ventre, mais il a pivoté et a entraîné le taureau avec lui.

A la photographie suivante, je ne pus m'empêcher de rire, car un taureau monstrueux se tenait juste au-dessus du matador, cornes baissées pour l'épingler au sol, tandis que Veneno, le picador, tirait désespérément le monstre par la queue pour l'écarter de son infortuné fils.

— Ça a l'air drôle, dit-il gravement, mais si notre père n'avait pas été si brave et si fort, je ne serais pas là à vous montrer ces photos. Nous sommes les Leal. Regardez-nous dans l'arène.

Sur quoi il continua de feuilleter l'album, me permettant de l'arrêter de temps en temps pour mieux voir la façon dont sa famille unissait ses talents pour l'aider et, parfois même, lui sauver la vie.

— Les premiers articles de presse, lui fis-je remarquer une fois l'album refermé, disent tous qu'à vos débuts, même lorsque vous n'aviez que treize ou quatorze ans, vous mettiez à mort avec talent et courage — ce qui a d'ailleurs contribué à votre célébrité. Aujourd'hui les mêmes spécialistes écrivent que vous faites bien votre travail. Que s'est-il passé ? Quelque incident de ce genre ?

Pour la première fois depuis que j'avais fait sa connaissance, il se mit à rire — ce dont je ne fus pas souvent témoin au cours des années suivantes, car c'était un homme plein de gravité.

— Vous êtes intelligent, Norman. Oui, c'est à cause d'une photographie, mais pas l'une de celles-ci. Quand je les regarde comme nous venons de le faire, je pense : « Je suis à terre. Un coup de corne et je suis mort. Mais c'est le travail des autres que de me sauver, alors je ne bouge pas et je garde les yeux bien ouverts pour savoir quand je peux me relever et courir me mettre en sécurité. » (Il rit à nouveau.) Naturellement, j'emporte avec moi mon épée et ma muleta parce qu'il est toujours de ma responsabilité de tuer ce satané taureau.

— Quelle est donc cette photographie qui a fait toute la différence ?

Il quitta la pièce en emportant l'album avec lui et revint quelques instants plus tard avec une photo encadrée, prise par Cano, le célèbre photographe taurin de Madrid. Elle datait de 1953 et montrait Victoriano mettant à mort un énorme Miura, la race la plus dangereuse du monde. Le matador était dressé juste au-dessus de la corne et ses doigts touchaient le pelage de la bête. Une très belle estocade haute. Cependant l'angle de prise de vue ne mettait pas en valeur Victoriano, mais l'immensité du taureau. C'était un animal prodigieux, la fierté de sa race.

Le matador contempla quelques instants la photographie avant de dire :

— En regagnant ma chambre, à Madrid, j'ai vu cette photo et je me suis dit : « C'est impossible. Personne ne peut tuer ainsi un tel taureau. » (Avec un rire nerveux, il ajouta :) Chaque année, les taureaux de l'esprit gagnent quelques kilos.

Quand, des années plus tard, j'adressai à Drummond un texte sur Victoriano où je résumais les faits que je viens de citer, il me câbla les mots suivants : « Pourquoi employez-vous l'expression : " il s'écartait légèrement au dernier moment " ? Pourquoi refuser le classique :

“ au moment de vérité, il s’esquivait ”? » Je lui répondis par un télégramme assez long qui, je l’espérais, allait mettre au point un certain nombre de choses entre Drummond et moi :

Je dois être très clair, je ne m’occuperai plus de couvrir les corridas si vos correcteurs ajoutent à mes articles des scènes où l’on voit le matador trembler de peur et implorer la Macarena avant d’entrer dans les arènes. Je suis de près ces choses depuis pas mal de temps et cette peur héroïque dont les auteurs américains aiment parler n’est qu’un orgasme de leur imagination qui n’a rien à voir avec la réalité. J’en ai parlé plusieurs fois à Victoriano et c’est un homme qui sait aussi bien que quiconque ce qu’est la peur. Après tout, son père et son grand-père ont été tués par des taureaux et lui-même se trouvait dans l’arène un jour où le second matador s’est fait encorner. Il sait de quoi il parle. Il prie. Il emporte un autel d’argent partout où il va. Il porte trois médailles pieuses, une de saint Sébastien, l’autre de sainte Thérèse et la troisième de saint François, cette dernière parce que le bon saint François aimait les animaux et que son intercession sera nécessaire aux matadors au jour du Jugement Dernier. Il est extraordinairement nerveux avant une corrida, il sue beaucoup bien qu’étant extrêmement mince, et doit uriner plus souvent que n’importe quel autre matador, mais cette frayeur paralysante des romanciers n’est jamais présente. En parlant de la peur, il a employé une belle expression que vous pourriez retenir : « Quand on laisse seul un matador d’une heure à quatre heures de l’après-midi, les taureaux de l’esprit ne cessent de grossir. » Je crois que cela résume tout. Il me dit que, avant d’entrer dans l’arène, la peur d’être blessé peut être assez vague, mais qu’après chacun sait ce qu’il fait. Il sait qu’un taureau peut tuer. Plus il fera de corridas et plus il aura de chances d’être blessé, grièvement peut-être. Mais, de nos jours, avec la pénicilline et les sulfamides, il y a rarement des morts dans l’arène. Statistiquement parlant, il est moins dangereux d’être matador que de piloter une voiture à Indianapolis ; c’est infiniment plus sûr que la boxe professionnelle et les risques sont à peu près les mêmes qu’au football américain. En dix ans, il n’y a eu que deux morts sur les cent quatre-vingt-neuf matadors qui ont combattu cent cinquante mille taureaux. Certains ont été grièvement blessés et sont même restés handicapés à vie. Pour avoir longuement parlé de cela avec Victoriano, je dirais que la peur précédant la corrida est à peu près la même que celle qu’éprouve Mickey Mantle, par exemple, quand il doit affronter Sandy Koufax, à une différence près : si Mantle rate son coup, il se contente de subir les hurlements du public et une nuit blanche avant la prochaine rencontre, tandis que le matador qui glisse peut perdre la jambe quand ce n’est pas la vie. Pour revenir à cette histoire de « moment de vérité », je refuse catégoriquement de vous laisser employer cette expression. Je n’ai jamais entendu de vrais toreros l’utiliser et je crois savoir que plus personne ne s’en sert vraiment aujourd’hui. Pour une excellente raison d’ailleurs. Que vos rédacteurs s’enfoncent bien ça dans la tête. Dans le temps, quand cette expression est née, les premières phases de la corrida étaient pour le moins décevantes. Je vous adresse de vieilles photos représentant Mazzantini, Lagartijo, Guerrita et Bombita. Je veux que vos collaborateurs observent bien la distance que ces héros mettent entre le taureau et eux-mêmes. Regardez la photo où Guerrita va faire une passe avec cinq — comptez-les bien ! — cinq péons qui agitent leurs capes autour de lui. Pour frapper

Guerrita, le taureau aurait d'abord dû franchir ce rempart humain. Observez également le grand Mazzantini, il est si loin que le taureau ne perçoit même pas son odeur. C'était comme ça tout au long de la corrida. Mais regardez maintenant cette formidable photo de Mazzantini en train de porter l'estocade. Sur la pointe des pieds, tout son poids sur l'épée, juste au-dessus des cornes. Le moindre frémissement de ces cornes et c'est l'hôpital, pour le moins. Là, on pouvait parler de moment de vérité. Parce que tout ce qui avait précédé n'était qu'une exhibition où il y avait le taureau d'un côté et l'homme de l'autre, mais, au moment de l'estocade, le matador mettait vraiment sa vie en jeu. De nos jours, c'est exactement le contraire. Je vous fais parvenir cinq photos que Victoriano a choisies pour que vous compreniez bien qui il est. C'est d'une sincérité étonnante, mais les commentaires qu'il a faits sont encore plus francs. Numéro 1 : « Regardez la taille de cette bête ! Elle pèse près de six cents kilos et n'est qu'à cinq centimètres de ma poitrine. » Numéro 2 : « Ça, c'est le travail de cape avec le premier taureau. C'est ma propre version d'une passe rendue célèbre par notre héros mexicain, Gasona. La cape vole au-dessus de ma tête. Cette fois-ci, les cornes sont à cinq centimètres de mon dos. » Numéro 3 : « C'est la fin de la faena, je tiens la muleta très bas de la main gauche. C'est la passe naturelle. Il m'arrive de ne pas en faire une seule quand le taureau est assez opiniâtre. Ce jour-là, je m'en souviens très bien, j'en ai fait cinq. » Numéro 4 : « Si vous publiez votre article, prenez celle-ci, je vous prie. Plus de six cent cinquante kilos, Concha y Sierra à Séville. Essayez de glisser un timbre-poste entre sa corne et ma poitrine. » Numéro 5 : « Pour être honnête, je crois que vous devriez aussi choisir celle-ci. C'est aussi à Séville et cette bête méritait mieux. Mais je tue comme je peux, sur le côté cette fois-ci. Quand Chucho a vu cette photo, il m'a dit : " Tu étais à Puebla et le taureau à Guadalajara. " Je lui ai répondu : " Tu te serais davantage approché, toi ? " et il a répliqué : " En tout cas, c'est ce que je raconterais aux filles. " Nous avons éclaté de rire. » Je crois vraiment qu'il voulait que je choisisse la photo 5, même si elle ne le met pas en valeur, parce qu'il prend la tauromachie très au sérieux. Si vous sélectionnez cette photo, montrez également celle où Mazzantini se jette littéralement sur les cornes : vous comprendrez que, dans les corridas modernes, la mort du taureau n'a plus rien d'un moment de vérité. C'est un souvenir du passé et je ne veux pas que vos scribouillards ajoutent à mes textes des mots qui n'ont plus cours aujourd'hui.

Pourtant, au moment même d'expédier ce télégramme, je reconnus qu'il y avait certaines occasions où le matador devait prendre des décisions aux conséquences morales très importantes : de tels instants requéraient l'essence de la vérité. Le fait qu'ils s'appliquaient si rarement à l'estocade signifiait simplement que leur finalité avait changé. Je classai mon papier et me rappelai cet après-midi historique, à Séville.

Victoriano était maintenant un matador accompli qui avait triomphé dans tout le Mexique et était venu en Espagne parfaire sa réputation ; sans prestations de qualité à Séville et à Madrid, un torero mexicain demeurait toujours de seconde zone, quels que fussent ses succès à Monterrey ou à Tijuana. L'heure de se soumettre à ces terribles épreuves avait donc sonné pour Victoriano, et il était arrivé vendredi après-midi à Séville, accompagné de sa famille. Comme d'habitude, Veneno décida dans quel hôtel l'équipe allait descendre, comment seraient réparties les chambres et où l'on prendrait ses repas. Il avait engagé un Gitan de Triana, qui devait prendre soin des épées et des capes, ainsi qu'un matador à la retraite pour aider Victoriano à endosser le costume de lumière. Veneno emmena ses trois fils au fameux café *Arena*, aux abords de la rue Sierpes. Ils étaient à peine installés qu'un octogénaire vint les trouver et leur parla d'une voix un peu geignarde :

— Vous êtes Victoriano Leal, le célèbre matador mexicain, et voici Veneno, le meilleur des picadors, mais je parierais que vous ne savez pas qui je suis.

Le petit homme chétif recula de trois pas et attendit que Leal lui réponde.

— Quelqu'un que je connais ? demanda Veneno, qui était de bonne humeur et prompt à jouer aux devinettes.

— Vous ne m'avez jamais vu auparavant, mais votre père, si.

— Vous avez connu Bernardo ? dit Leal, intéressé.

— Vous a-t-il parlé de ce fameux après-midi où il était assis à cette même table en compagnie du grand Mazzantini ? demanda le vieil homme dont l'œil brillait.

Veneno croisa les mains et réfléchit.

— Est-ce ici que Mazzantini a engagé mon père dans sa cuadrilla ?

— Exactement ! s'écria l'homme. Vous pouvez peut-être deviner.

— Les livres parlent tous de cet après-midi, dit Veneno en se tournant vers ses fils. Il y avait un mariage. C'est alors que Mazzantini a fait sa proposition pour le Mexique. Tout a commencé ici.

Ce disant, le vieux picador observait le lieu où s'était joué le destin de son père.

— Alors, vous ne devinez pas qui je suis ? reprit le vieil homme d'une voix tremblotante.

— Attendez, en 1886, vous deviez avoir... dans les seize ans ?

— J'en avais quatorze, dit l'autre avec une soudaine excitation dans la voix. J'étais un beau jeune homme de quatorze ans. Cela ne vous dit rien ?

Un grand sourire se dessina sur le visage de Veneno, qui tapa sur l'épaule du vieux Sévillan.

— Je sais parfaitement qui vous êtes !

Il cria : « Prêt ? » et bondit de sa chaise avant de saisir deux couteaux et de tendre deux fourchettes au vieillard. Puis, en dépit de son embonpoint, il chercha à imiter l'agilité de son père. Le vieux Sévillan gloussait de plaisir. Il gratta le pavé du bout de sa sandale et chargea à petits pas le picador qui le piqua doucement à l'épaule avant de s'effondrer sur une chaise.

« *¡ Olé !* » cria la foule, attirée par la nouvelle de l'arrivée des toreros.

Veneno pria le vieillard de s'asseoir à sa propre table et cria aux serveurs d'apporter à boire à tout le monde. Un cercle d'admirateurs se forma autour du matador. Victoriano était dans une sorte de transe.

Ainsi qu'il me le confia plus tard lorsque je lui demandai de me décrire cette journée qui allait changer le cours de sa carrière :

— Je fus submergé par une sorte de vision, je voyais mon grand-père affronter les taureaux avec style et mon père le faire de manière abominable — c'était avant qu'il fût blessé par le taureau enfermé dans la caisse —, et j'ai fait un serment secret : « Je me battrai comme mon grand-père, bravement et seul. Je ne dépendrai pas de ma famille et ne la chargerai pas des sales besognes. » C'est cette promesse qui explique la catastrophe du dimanche suivant.

» Mais alors même que je me jurais de combattre les taureaux à ma façon, pas à celle de Veneno, il criait à la foule qui se resserrait sur moi : " Comme c'est bon de se trouver près de la rue Sierpes et de savoir que, dimanche prochain, les Leal couvriront Séville de gloire. " La foule m'entourait au point de m'étouffer et il s'exclama : " Hommes de Séville, souhaitez-nous bonne chance. " Puis il donna l'accolade au vieillard qui avait ravivé ces souvenirs : " Dimanche, à quatre heures et demie, venez nous retrouver à l'hôtel et vous vous rendrez aux arènes aux côtés du matador, car dans le passé vous avez porté chance à notre famille. "

Arrivés dans leurs chambres, enfin débarrassés de leurs admirateurs, Veneno dit à ses fils :

— Ici, c'est différent. C'est à Séville plus qu'en toute autre ville au monde qu'un matador doit faire ses preuves. On dit que les taureaux du Guadalquivir sont grands et braves. Dimanche, ils nous verront triompher.

Ses fils hochèrent la tête et se retirèrent, mais, vers deux heures du matin, Victoriano se leva et s'habilla. Veneno, à qui rien n'échappait, lui demanda ce qui se passait.

— Je vais faire un tour en ville, lui répondit le matador.

— Attends, je m'habille.

— Non, reste là.

Il se glissa hors de la chambre pour jouir d'une liberté qu'il connaissait si peu en ces temps de constante adulation. D'un pas lent, sans admirateurs accrochés à ses basques, il parcourut les rues désertes dont son grand-père avait foulé le pavé avant son départ pour le Mexique. Cette ville était celle de Belmonte et de Joselito, deux des plus grands matadors ; le premier s'était suicidé à l'âge mûr, le second avait péri en pleine jeunesse sous les cornes d'un taureau. Parvenu à l'immense cathédrale, une des plus grandes du monde, il s'engouffra par une porte latérale dans cette vaste caverne, silencieuse dans l'attente des hordes de fidèles du dimanche matin. Agenouillé devant la grille de l'une des innombrables chapelles, il pria :

« Vierge Marie, aide-moi à tenir la promesse que je me suis faite ce soir au café. Aide-moi à être un homme d'honneur comme mon grand-père. »

Il n'y avait pas le moindre bruit, puis un oiseau qui avait trouvé refuge dans la nef et n'en trouvait plus la sortie s'engouffra dans le bas-côté.

« Porte-moi chance, petit oiseau », dit-il, puis il revint à l'hôtel.

Ce fut donc avec une émotion toute particulière que Victoriano se rendit aux arènes le dimanche suivant, accompagné du petit vieillard ainsi que son père l'avait voulu. Quand il vit la bâtisse austère où s'étaient faites et défaites tant de réputations, il se signa avec beaucoup de ferveur et baisa le pouce de sa main droite.

« Vierge Marie, aide-moi à triompher », pria-t-il.

Les taureaux du Guadalquivir sont, suite à quelque hasard génétique, parmi les plus dangereux d'Espagne ; au fil des ans, ils ont tué presque autant de matadors que ceux de Miura. Mais ce sont aussi ceux qui offrent aux matadors les plus grandes chances de se couvrir de gloire, un peu comme s'ils disaient aux hommes : « Triomphez ou périssez. »

Cet après-midi-là, Victoriano connut le triomphe, mais il le dut plus à son esprit qu'à son bras droit. Certes, il se battit de manière exceptionnelle et obtint une oreille de son premier Guadalquivir ainsi qu'une oreille de son deuxième taureau, confirmant ainsi la réputation acquise au Mexique. Mais la plus importante victoire était celle remportée sur son père, Veneno. Jusqu'à ce jour, le vieux picador avait tenu sous sa coupe toutes les corridas de son fils. Quand Victoriano effectuait les premières passes de cape, Veneno était contraint de rester en coulisse, dans l'impossibilité d'assister au spectacle ou de conseiller son fils, mais, dès que le travail de cape s'achevait et que les clairons sonnaient, le vieil homme éperonnait sa monture, pénétrait dans l'arène et indiquait à son fils la tactique à suivre. Il y avait, bien entendu, ce deuxième bref interlude au cours duquel le picador quittait l'arène, mais à peine Veneno avait-il mis pied à terre qu'il se précipitait dans le *callejón*, le couloir, pour crier des conseils à son fils.

En réalité, Veneno exerçait sans cesse son influence sur Victoriano, car, en son absence, c'était l'aîné, Chucho, qui lançait des conseils à son frère. On peut donc dire que Victoriano ne prenait jamais d'initiative qui ne fût approuvée par un membre de sa famille ; il était devenu une sorte de machine à tuer, compétente, paisible, conditionnée. A Séville, tout cela devait changer.

Avant l'entrée du deuxième taureau, un Guadalquivir typique, Veneno dit à Chucho :

— J'estime que cette bête est très dangereuse. Eloigne Victoriano. Il a déjà obtenu une oreille et les journaux le signaleront. Ce taureau n'a pas d'importance.

Pendant que le vieux picador attendait son tour, Chucho transmit les instructions à Victoriano :

— Diego et moi nous occuperons de celui-ci. Ne t'en approche pas.

Le jeune matador avait éprouvé le frisson du triomphe à Séville et il était bien décidé à terminer en beauté cette première prestation. Dès que Chucho eut achevé de tester le taureau, Victoriano s'avança avec sa cape et exécuta quatre passes extrêmement dangereuses qui firent frémir la foule.

Veneno était déjà en selle quand il comprit, aux olé des spectateurs, que son fils lui désobéissait. Après la première série de cris d'encouragement, il en entendit une seconde qui s'acheva en un murmure d'angoisse. Il sauta à bas de son cheval et courut jusqu'à la barrière pour voir Victoriano étendu à terre, le pantalon déchiré par une bête furieuse qui essayait de le mettre en pièces. Par quelque miracle, Chucho réussit à saisir le Guadalquivir par la queue et à l'empêcher de s'acharner sur son frère. Diego aida Victoriano à se relever et il se préparait à examiner ses blessures quand le matador le repoussa, ramassa sa cape et se prépara à affronter de nouveau le taureau. Paralysé de peur, Veneno vit son fils se lancer dans une deuxième série de passes époustouflantes. Du sang coulait de sa cuisse droite, mais pas à flots.

— Merci, mon Dieu, soupira le vieux picador en remontant à cheval.

Quand il pénétra sur la piste, il se mit à tourner dans le sens voulu par la tradition, mais il le fit à toute allure pour arriver à hauteur de son fils.

— Arrête les passes, lui cria-t-il, ce taureau est trop difficile, il a trop de nerf !

Victoriano leva les yeux vers le personnage austère et chenu, à qui il lança, avec une audace sans précédent :

— C'est moi le matador, je t'amènerai le taureau.

A petits pas dansants, il emmena la bête vers la pique. Furieux, Veneno enfonça rageusement sa lance dans le dos du taureau, à tel point que certains Sévillans le traitèrent de chien galeux, de porc et de boucher. Un spectateur jeta même quelque chose en direction de Veneno, mais la police se rua sur lui pour le calmer. La foule hurlait des insultes à l'adresse du vieux picador, qui poursuivait littéralement le taureau pour le piquer encore plus profondément.

« Je tuerai ce taureau », grondait-il, et il appuyait de toutes ses forces. Son pied gauche sortit de l'étrier, mais cela ne le dérangea pas. Encore humide du sang de Victoriano, la corne gauche du taureau s'écrasait sur la jambière de métal qui protégeait la jambe droite de Veneno ; à la vue du sang de son fils, le picador redoublait de fureur. Un flot écarlate jaillissait le long de la hampe à laquelle le fer était fixé, mais cela n'arrêtait pas le picador.

C'est son propre fils qui l'interrompit dans cet assaut effréné. Courageusement, Victoriano prit position entre la tête du cheval et celle du taureau. En tenant très bas sa cape, il éloigna le taureau puis il effectua une série de passes majestueuses, merveilleuses de lenteur et de douceur. Veneno marmonnait des prières, gêné par la façon dont le taureau pointait sa corne gauche.

Ces passes surprenantes prirent fin : elles avaient été si parfaites que la foule se leva en poussant des cris. On peut assister à une douzaine de corridas sans admirer une telle série de passes. Avec une prestation de ce type par saison, un matador entretient indéfiniment sa réputation.

Chucho était cependant inquiet de la manière dont le taureau fonçait sur l'homme et non sur le morceau de tissu.

— Après trois passes, ce sera lui ou toi, lança-t-il à son frère.

Mais Victoriano sentait venu le moment de faire reconnaître son indépendance. Après les trois passes réglementaires destinées à montrer qu'il était un vrai matador, il voulut en faire une quatrième, puis une cinquième, mais un taureau du Guadalquivir n'est pas une bête ordinaire, et celui-ci le renversa et l'aurait tué si les frères Leal n'étaient intervenus avec leurs capes tourbillonnantes.

Veneno se précipita hors des écuries et tenta d'avertir son fils de ne pas tenter la mise à mort. L'autre jambe du matador était également en sang et cela aurait suffi à l'excuser s'il était sorti de l'arène et avait laissé le taureau aux autres matadors. Victoriano refusa toutefois cette sortie honorable, car il recherchait des honneurs plus grands, ceux-là mêmes qu'avait connus son grand-père. Se saisissant de l'épée et de la muleta, il ignora les avertissements de son père et de ses frères, marcha droit sur le taureau et exécuta une estocade parfaite.

Ce fut magistral. Le taureau s'affaissa presque instantanément. La foule applaudit et demanda qu'il fît le tour de l'arène sous les clameurs. Au premier pas, ses blessures le firent chanceler et les trois Leal le portèrent un instant avant de le conduire à l'infirmerie, où ses blessures furent cautérisées.

Accompagné d'une horde d'amateurs enthousiastes, il fut ramené à l'hôtel par ses deux frères. Veneno les attendait dans la chambre, solennel et glacial. Dès que le matador fut placé sur le lit, souriant et savourant encore son triomphe, Veneno cria à tout le monde de disparaître. Un homme qui espérait être pris en photo aux côtés du matador s'attarda quelque peu. Les bras puissants du picador se refermèrent sur lui et il se fit jeter dans le couloir. Veneno ordonna alors à Diego et à Chucho de sortir à leur tour. Il ne leur avait pas parlé ainsi depuis des années. Ils hésitèrent, mais leur père les prit par le bras et les poussa hors de la chambre avec une inquiétante détermination.

— Qu'est-ce que tu vas faire ? lui demanda Chucho.

— Je vais lui expliquer ce qu'est un vrai matador, dit le vieil homme.

Il referma la porte et la verrouilla.

Au cours des dix minutes qui suivirent, la foule entendit des éclats de voix et des bruits de meubles cassés. Puis il n'y eut plus que la terrible voix de Veneno qui lançait de courtes phrases : « Nous t'avons créé... » « Tu ne détruiras pas nos chances... » « Tu affronteras le taureau comme on te le dit... » Après un long moment, on perçut le bruit de l'eau qui coulait. Puis ce fut le silence.

Cette nuit-là, Diego et Chucho dormirent avec des amis, car il était évident que la porte de la chambre ne s'ouvrirait pas. Le lendemain matin, Victoriano Leal se rendit non loin de la rue Sierpes, au petit café *Arena*. Il avait la jambe gauche un peu raide. Un de ses yeux était noirci, à demi fermé, et son nez était gonflé comme s'il avait été brisé. Mais il était matador. Il savait enfin ce qu'était la discipline, il savait aussi qu'il avait passé une épreuve majeure de l'âge d'homme et qu'il y avait échoué.

Mexico, 1960. Quand les Leal revinrent d'Espagne, ils formaient la plus célèbre équipe de toreros du monde entier. Ils travaillaient de concert avec une cohésion étonnante. Veneno s'occupait des contrats et exigeait des sommes astronomiques; il les obtenait, car les Leal attiraient les foules. Chucho et Diego avaient tous deux atteint la perfection dans leur domaine respectif, tandis que Veneno continuait de briser les taureaux les plus difficiles. Victoriano était, quant à lui, le matador discipliné, véritable évocation poétique de tout ce que prônait l'école sévillane. Le chroniqueur León Ledesma s'était déplacé jusqu'en Espagne afin d'assister à ses victoires et, de retour au Mexique, il avait écrit : « Ce jeune homme lumineux, émanation d'une remarquable famille taurine, a coiffé tous les lauriers que l'Espagne avait à lui offrir. La raison en est simple : c'est un matador complet et accompli, il est à la fois l'essence de la poésie lyrique et l'âme de la maîtrise de soi. » Ses compatriotes étaient, à juste titre, très excités par son retour. Sa corrida inaugurale fut annoncée le lundi; le mardi à midi, les cinquante-cinq mille billets des arènes monumentales de Mexico étaient déjà vendus.

Je n'ai pu assister à cette corrida, mais j'ai lu beaucoup d'articles à son sujet et j'ai parlé à beaucoup de personnes qui s'y étaient rendues. La publicité préliminaire proclamait que Victoriano Leal, *El Triunfador de España,* tuerait « trois nobles et exemplaires taureaux de Palafox », mais elle ne mentionnait pas le nom du deuxième matador, et aucun émoi particulier n'accompagna le fait que le programme serait complété par le tâcheron mexicain Juan Gómez.

Gómez était matador depuis plus longtemps que Victoriano et il lui revenait d'affronter le premier taureau. Selon son habitude, il travailla sans génie. En revanche, inspiré par la foule immense venue accueillir celui qui avait si brillamment défendu en Espagne la réputation acquise au Mexique, Victoriano Leal fut brillant à la cape, élégant aux banderilles et poétique à la muleta. S'il avait bien donné l'estocade, il eût certainement obtenu les oreilles, la queue et peut-être même un sabot, car sa prestation était riche en émotion et personne ne lui nia les deux oreilles qu'il brandit triomphalement en exécutant trois fois le tour de l'arène tandis que la musique jouait l'air mexicain endiablé appelé *diana.*

Les problèmes commencèrent quand Victoriano acheva son troisième tour de piste et, accompagné de Chucho et de Diego qui ramassaient les fleurs qu'on lui jetait, s'avança vers le centre de l'arène pour jouir des acclamations. Enivré par cet extraordinaire triomphe, il succomba au besoin de chanter ses propres louanges. Il tendit les deux oreilles à ses frères et brandit les index en criant :

— *Soy el uno !*

La foule approuva ce sacre en redoublant d'applaudissements, mais l'effet fut gâché par l'arrivée inopinée de Juan Gómez qui, dans son costume bleu un peu passé aux broderies fanées, franchit la barrière derrière laquelle il aurait dû rester et marcha lui aussi vers le centre de la piste. Gómez s'arrêta à un mètre de Victoriano au moment où le jeune matador s'apprêtait à quitter l'arène; il attendit que son adversaire fût passé, puis il se dressa sur la pointe des pieds, comme au-dessus de cornes imaginaires, et fit semblant de pousser l'épée pour la mise à mort. Il ricana dans le dos de Victoriano, leva les index et cria :

— *Soy el verdadero número uno !*

Une pluie de coussins s'abattit sur lui, mais il garda la position, son visage desséché tendu vers la foule, et s'écria une nouvelle fois :

— *Soy el número uno !*

Le silence tomba sur l'arène, car ce n'était pas un geste vain. Juan Gómez, le matador indien aux jambes arquées, ternissait tout l'éclat de l'après-midi. La façon dont Victoriano maniait la cape, son élégance à poser les banderilles, sa grâce à la muleta et son estocade bien appliquée, tout cela fut balayé en un seul instant. Juan Gómez, le petit Indien altomèque, ignorait le triomphateur venu d'Espagne et regardait fixement la porte derrière laquelle les quatre derniers taureaux de Palafox patientaient dans l'obscurité. Comme s'il tenait l'épée, il tendit lentement le bras droit en direction de la porte. « C'est ainsi que je tuerai ce taureau ! » devait-il penser. Et la foule attendait.

Le troisième taureau de Palafox pesait près de six cent cinquante kilos ; il dévia vicieusement sur la droite et fonça à toute allure avant de s'arrêter à quelque distance du matador. Mis en face d'un aussi terrible adversaire, Juan Gómez n'exécuta que quatre passes, lentes, rapprochées et chargées d'émotion. Elles n'étaient agrémentées d'aucune fioriture, mais elles prirent à la gorge les cinquante-cinq mille spectateurs, et tout ce que Victoriano Leal avait pu faire ce jour-là s'en trouva diminué.

Selon son habitude, le petit Indien ne posa pas lui-même les banderilles, car c'était une partie de la corrida dans laquelle il manquait de grâce, et ses péons le firent de manière très convenable. Quand le moment vint de prendre la muleta, il se déplaça avec lenteur et resta très près du taureau. En un minimum de passes, le valeureux combattant réduisit son monstrueux ennemi à des proportions acceptables. A tel point que Ledesma devait écrire le lendemain : « Son travail était marqué par la tragédie classique. Nous attendions en silence que le taureau le tue. »

Près, tout près de la mort travaillait le vilain petit homme dont le regard volontaire ne quittait pas l'énorme taureau.

Vint alors le moment de la mise à mort. Il n'y avait eu jusqu'à présent aucun effet destiné à réjouir l'œil, aucune arabesque agréable à l'esprit. Il n'y avait qu'un petit Indien aux jambes arquées, à la peau sombre, aux cheveux dans les yeux, qui jouait sa vie contre un taureau visiblement décidé à se poser en vainqueur. Le sentiment tragique atteignait son apogée, car l'homme ne paraissait pas assez grand pour se dresser au-dessus des cornes et tuer.

Pourtant, de sa main gauche, il abaissa l'étoffe rouge devant son genou et, de la main droite, il pointa la longue épée comme si c'était une extension de son propre corps. Il se tenait dangereusement près du taureau et, pendant un long moment lourd d'émotion, les deux adversaires demeurèrent immobiles. Puis, très adroitement, faisant preuve d'un jugement subtil, Gómez fit frémir la muleta, détourna légèrement sur le côté l'attention du taureau, exécuta deux pas rapides et bondit pratiquement sur les cornes. Lentement la pointe de l'épée trouva son point d'impact. La main brune poussa sur la poignée. Lentement l'épée entra... entra... entra. Homme et taureau ne faisaient plus qu'un. Le temps ne comptait plus. Puis la main brunâtre s'aplatit contre la nuque du taureau ; la lame avait entièrement pénétré et la paume de l'homme était trempée de sang.

Le taureau fit quelques pas en titubant et l'homme s'écarta. Un souffle s'éleva de l'immense arène. Pendant deux ou trois secondes, il n'y eut ni olé ni bravos.

La tête inclinée vers le sable, Juan Gómez retira son épée et s'avança lentement vers l'endroit de la piste d'où il devait, comme le veut la coutume, se présenter au président. Il n'eut pas le temps d'y arriver que déjà retentissait la formidable réaction de la foule, des acclamations telles qu'il n'en avait pas entendues depuis plusieurs années. La musique claironnait et les fleurs commençaient à recouvrir le sable. Humblement, le petit Indien s'inclina devant le président, reconnaissant ainsi son autorité. Puis il fit passer son épée dans la main gauche, se tourna vers la foule et leva l'index de la main droite.

Ce fut l'émeute. Les partisans de Victoriano refusaient d'admettre qu'une seule mise à mort bien exécutée donnât à cet homme le droit de se mesurer à un maître incontesté qui venait de triompher en Espagne. Mais, cette fois-ci, le rude petit Indien ne se retrouvait pas seul avec une poignée d'admirateurs assis aux places les moins chères des gradins au soleil. De nombreux spectateurs repensaient à ce qu'ils venaient de voir et se disaient que l'art de la tauromachie ne se limitait pas à la souplesse des poses et à la poésie des passes. Il y avait, en toute honnêteté, un moment crucial où l'homme et le taureau s'affrontaient d'égal à égal. C'était le combat de la vie et de la mort, une sorte de résumé de la condition humaine qui méritait tout de même une certaine dignité, laquelle dignité ne se manifestait pas au cours des centaines de corridas de Victoriano Leal. Ce satané petit Indien avait réussi à rappeler aux dizaines de milliers d'aficionados quelle était l'essence de la tauromachie et de la vie. Et les clameurs enthousiastes se répartissaient de manière plus équitable.

Cette nuit-là, León Ledesma écrivit pour le *Journal des corridas* :

> Le gant a été jeté. On a rarement vu un matador de la carrure de Victoriano Leal se faire ainsi publiquement insulter, ce qui s'est passé lorsque Juan Gómez, après le deuxième taureau, s'est moqué de lui en laissant entendre qu'il ne connaissait rien à l'essence de la tauromachie. Et rarement un geste aussi prétentieux que celui de Juan Gómez a été suivi d'une performance qui a dû dépasser les espoirs les plus fous de son auteur.
>
> Le matador le plus gracieux de notre époque a passé pour inconséquent par le fait d'un homme qui, jusqu'à aujourd'hui, n'a jamais fait preuve de beaucoup de bravoure. Comme nous l'avons vu cet après-midi, les gestes

insultants de Gómez ont incité Victoriano à déployer des efforts prodigieux, lesquels ont poussé Gómez à donner dans le ridicule avec le cinquième taureau. Franchement, je n'aime pas voir un matador saisir entre ses dents la corne d'un taureau furieux, défiant ainsi l'animal de le tuer, mais le public apprécia apparemment ce geste extravagant de la part de Gómez, car l'arène entière applaudit à tout rompre et lui accorda les deux oreilles, ce qui est, à mon humble avis, une de plus qu'il ne méritait.

> Hier, Juan Gómez a triomphé. Il a privé Leal de sa réception solennelle et a fait passer pour pompeux le héros attendu de cet après-midi. Je suis certain que Victoriano ne tolérera pas une telle indignité et, ainsi, chacun des deux hommes poussera l'autre à accomplir des exploits de plus en plus dangereux jusqu'à ce que, si le bon sens ne reprend pas le dessus, nous voyions l'un des matadors forcer l'autre à un spectacle qui s'achèvera par sa mort.

C'est ce meurtre imminent que je suis venu couvrir au Mexique et, au cours des neuf semaines qui se sont écoulées depuis la première description du duel par Ledesma, les deux matadors se sont retrouvés à huit reprises. Il se dit au Mexique que Victoriano en sortira vainqueur parce qu'il sera soutenu en cas de problème par la ruse de son père, Veneno, et l'habileté de ses frères, tandis que Gómez ne pourra compter que sur son seul courage.

J'ai trouvé un tel jugement bien hâtif. Je craignais que Victoriano ne fût pas un matador complet, qu'il ne pensât pas par lui-même, alors que Gómez se retrouvait seul face au triomphe ou au désespoir.

Le jour tombait. Je me rendis compte que je connaissais Victoriano, mais pas Gómez, et que j'allais devoir en savoir plus sur ce farouche petit Indien.

3

L'éleveur

Avant même de pouvoir m'installer à ma machine à écrire pour relater le passé de Juan Gómez, je fus distrait par l'arrivée bruyante d'un groupe d'hommes dont l'allure me rappela que je n'étais pas seulement venu assister à une série de corridas, mais aussi participer à un festival donné en l'honneur d'Ixmiq, le fondateur de la ville de Toledo. C'était un groupe de neuf musiciens, vêtus de costumes de daim brun à broderies argentées, de larges cravates vertes, d'immenses sombreros et des bottes de cow-boy à talons hauts. Ils avaient tous l'air grave, principalement les trois qui arboraient la moustache, et s'avançaient lentement vers moi en jouant un air mexicain très rythmé qui, depuis l'enfance, m'évoquait toujours la fête. Ces mariachis venaient de Guadalajara, patrie de cette forme d'art exclusivement mexicaine, pour gagner un peu d'argent lors du festival.

La musique des mariachis était si entraînante ! Le tempo en était toujours rapide et, quand ils chantaient, les paroles n'évoquaient que l'amour ou les rêves perdus. En plus des instruments conventionnels — guitares, violons et une mandoline qui sonnait comme un alto —, ils avaient aussi des castagnettes et une sorte de râpe en forme de gourde. Ils produisaient des sons agréables et chaque pulsation du rythme était fortement marquée.

En me voyant, le chef du groupe arrêta brutalement ses musiciens et s'avança vers moi avant de s'incliner profondément.

— Pour notre ami américain, annonça-t-il en anglais, *Cielito Lindo*.

Avant que je pusse les arrêter, les mariachis se lancèrent dans cette chanson qui, j'en étais certain, ne correspondait pas du tout à leurs goûts. C'était de la musique pour touristes, rien de plus.

Après une conclusion plutôt bruyante, le chef mit son violon sous son bras et s'inclina à nouveau.

— Une autre belle chanson pour le Norteamericano, *San Antonio Rose*.

En me flattant ainsi, il espérait quelques dollars supplémentaires.

Les mariachis se mirent à l'œuvre, mais ils n'étaient pas arrivés au refrain que je levai la main et leur criai en espagnol :

— Arrêtez ces foutaises ! Je veux *Guadalajara* !

Les musiciens se pétrifièrent et leur chef me demanda en espagnol :

— Vous connaissez *Guadalajara* ?

— Pourquoi pas ? lui lançai-je. Je suis des vôtres.

Les mariachis sourirent et leur chef s'excusa.

— Nous croyions que vous n'étiez que norteamericano.

Je ne relevai pas ce terme plutôt péjoratif parce que je savais que les Mexicains, peuple fier, aimaient à rappeler la chose suivante aux visiteurs venus du nord : « Sur ce continent, tout le monde est americano, et vous êtes norteamericano. Ne nous volez pas notre nom en vous l'accaparant pour vous tout seul. »

Il agita son archet à deux reprises et les mariachis se mirent à chanter. « Guadalajara, Guadalajara ! » Ils prononçaient ce nom à la mexicaine, ce qui rendait leur cri encore plus poignant : « Wath-a-la-hara. » Dans ce mot, les chanteurs mettaient tout leur amour de la terre, si puissant au Mexique, et des enfants qui n'avaient pas encore vu cette ville de l'ouest s'arrêtaient pour les écouter.

Les voix cédèrent la place aux trompettes, puis celles-ci s'arrêtèrent brutalement pour que tous les musiciens chantent avec une sensibilité exacerbée : « Wath-a-la-hara ! » Quatre voix harmonieuses sanglotèrent littéralement la conclusion : « Qu'il était beau, ce printemps à Wath-a-la-hara. » Les cordes exécutèrent une série d'accords mineurs tandis que les trompettes se lancèrent dans de furieuses arabesques, et la chanson s'acheva dans l'émotion la plus totale. De la terrasse de l'hôtel situé de l'autre côté de la rue, deux voyageurs venus de Guadalajara les acclamèrent.

Les mariachis s'assemblèrent autour de moi pour se faire payer, mais je les fis patienter.

— Vous n'avez pas fini *San Antonio Rose*, vous me devez donc une autre chanson. J'aimerais bien entendre *La Ballade du général Gurza*.

Les mariachis cessèrent de sourire et leur chef s'avança avec déférence.

— Le señor norteamericano désire vraiment entendre cette chanson ?

— Je vous l'ai demandée.

— Le señor connaît... peut-être... les paroles...

— Je les connais, répondis-je avec fermeté, car je suis aussi mexicain. Il y a bien des années, je chantais cette chanson à la mine.

Les mariachis se détendirent quelque peu et l'un d'eux me demanda :

— Votre père américain ne vous donnait pas la fessée quand vous chantiez cela ?

— Oh si !

Les mariachis me firent une place au milieu d'eux. Les cordes jouèrent sept accords rapides, puis les trompettes se lancèrent dans une sonnerie militaire avant que trois voix, plus la mienne, n'entonnent ce chant glorieux :

En l'an 1916
Le président Wilson a envoyé ses Yankees
Dans l'Etat de Chihuahua
Punir notre vaillant général Gurza.

Vaillant, vaillant général Gurza !
Laisse-moi chevaucher avec toi.
Je suis jeune,
Mais je saurai me battre contre les Americanos.

Sur les hauteurs de Durango
Les Americanos ont recherché notre vaillant chef.
Ils ne l'ont jamais capturé,
Mais, le soir, il les attaquait.

Vaillant, vaillant général Gurza !
Laisse-moi chevaucher avec toi.
Je suis jeune,
Mais je saurai tuer les Americanos.

La ballade comportait d'innombrables couplets qui décrivaient par le menu le courage du général Gurza poursuivi par les soldats du président Wilson — prononcé Vil-son, à la mexicaine ; elle s'achevait par une conclusion typiquement mexicaine, avec trompettes en sourdine et la promesse que, chaque fois que le Mexique serait mis en danger par les Yankees, le vaillant général Gurza sortirait de sa tombe, dans les montagnes de Chihuahua, et lancerait contre l'ennemi son armée de spectres.

Avec solennité, nous chantâmes le dernier refrain :

Vaillant, vaillant général Gurza !
Laisse-moi mourir avec toi.
Je suis jeune,
Mais mon cœur souffre pour le Mexique.

La chanson se termina par des envolées de trompettes qui auraient cloué sur place les Yankees du président Wilson, et je serrai la main au chef des mariachis.

— Cette époque est révolue.

Je ris et ils s'inclinèrent. Ils ne voulurent pas d'argent, même si je leur expliquai que n'importe qui d'autre leur en aurait donné.

— Non, insista le chef. Cette fois-ci, nous fêtons votre retour au pays. La prochaine fois, nous vous demanderons deux fois plus.

— Vaillant général Gurza, dis-je en m'inclinant à mon tour. Toujours vaillant, toujours bandit !

Les mariachis rirent de cette insulte à l'encontre de leur héros national et reprirent leur marche autour de la place, me laissant seul avec mes souvenirs du brutal général Gurza. Je frissonnai, comme lorsque j'étais enfant et que j'entendais ma mère prononcer le nom de celui qui avait massacré sa famille. En quête de compagnie, je traversai la rue pavée qui sépare la statue d'Ixmiq de la Maison de Céramique dont la façade bleu et jaune reflétait les dernières lueurs du jour.

Au Mexique, certaines bâtisses sont décorées de carreaux de céramique de couleur bleue et elles paraissent froides. D'autres le sont de carreaux brun et jaune, et elles sont criardes. Mais quelques-unes sont, comme cet hôtel, ornées de carreaux de céramique représentant des fleurs aux feuilles bleues et aux pétales jaunes, combinaison qui engendre à la fois chaleur et élégance. Mon hôtel était ainsi décoré, il réchauffait le cœur et souhaitait la bienvenue à tous ses résidents.

Le premier évêque Palafox édifia cette maison en hommage à son épouse indienne, « la meilleure compagne qu'un homme puisse avoir », comme il le disait lui-même. C'était une construction agréable, plutôt petite, voire intime, et nous autres Palafox comprenions qu'elle symbolisait à la fois son amour et les remarquables qualités de sa femme. Depuis près de quatre cents ans, c'était une sorte d'hôtel rural ; au cours de ce siècle-ci, c'était devenu un endroit de prestige où descendaient les visiteurs. Pendant la saison tauromachique, c'était là que séjournaient obligatoirement les matadors et leurs équipes, les *cuadrillas*.

Ce bâtiment classique comportait deux étages assez bas et était décoré de bas-reliefs représentant les saints patrons de Toledo. Sa façade était, à l'origine, de pierre sombre, mais l'un des derniers évêques Palafox l'avait fait revêtir de carreaux jaune et bleu. Aujourd'hui, les vieux saints de pierre brune trônaient au milieu de carreaux de couleurs.

Pour quelque heureuse raison, le premier évêque Palafox avait souhaité que la façade de son couvent ne fût pas rectiligne ; la partie nord de la grand-place se voyait ainsi adjoindre une sorte de terrasse qui, depuis une cinquantaine d'années, était occupée par des tables de restaurant blanches et des chaises cannées. Aux heures des repas, les tables étaient recouvertes de nappes à carreaux rouges ; le reste du temps, elles demeuraient telles quelles pour accueillir tous ceux qui désiraient consommer.

En arrivant sur la terrasse, je regardai le mur de gauche et vis, non sans satisfaction, que les carreaux cassés n'avaient pas été remplacés. Enfant, je plaquais mon dos toutes les semaines à ces carreaux afin de mesurer ma taille, et je me souviens encore du jour où ma tête arriva enfin à hauteur de la fissure qui avait provoqué la fracture des carreaux. Je regardai les carreaux et il me parut impossible que j'eusse pu être aussi petit. Retrouver ces carreaux cassés, c'était avoir l'assurance que rien ne changerait jamais à Toledo.

Je tapai sur l'une des tables blanches et la lourde porte ouvragée de l'hôtel laissa passer une grosse femme d'une soixantaine d'années ; elle portait une robe noire et de nombreux peignes dans les cheveux.

— Señor Clay ! s'écria-t-elle dès qu'elle me reconnut. J'ai été si heureuse de recevoir votre câble.

— La chambre est disponible ?

— Comme toujours, dit-elle en indiquant la maison. Et vos appareils photo sont rangés.

— Et le menu, c'est toujours le même ? demandai-je en me frottant les mains.

Cette robuste femme, connue sous le nom de veuve Palafox depuis le décès de son époux, un des représentants les moins chanceux de cette famille, disparut dans l'hôtel pour revenir un instant plus tard avec un menu désormais célèbre dans tout le Mexique. Depuis plusieurs années, à chaque festival, doña Carmen servait un menu espagnol traditionnel destiné à mettre ses clients dans l'ambiance de la corrida. Les visiteurs qui avaient goûté à sa cuisine pendant le festival venaient parfois de Mexico pour se délecter de ses plats espagnols tout en paressant sur la terrasse au son de la musique des mariachis.

La veuve Palafox me tendit le menu et je vis qu'il n'avait pas changé. Pour seize pesos, soit un dollar trente, le client avait droit à cinq plats qu'il choisissait dans une carte très riche, mais, par tradition, le visiteur qui se rendait au festival prenait les quatre plats spéciaux : soupe de poissons de Séville, haricots et dés de jambon des Asturies, paella de Valence et enfin flan au caramel apportant une note de légèreté à un aussi copieux repas.

Je salivais à la lecture du menu quand je me rendis compte qu'il n'était que sept heures du soir et que la table ne serait pas mise avant deux petites heures. Je me préparais donc à gagner ma chambre, qui abritait d'extraordinaires souvenirs, quand j'entendis une voix m'interpeller. Je me retournai et vis l'un des meilleurs amis de mon père se faufiler entre les taxis pour venir à ma rencontre. C'était don Eduardo, riche parent de la veuve qui tenait l'hôtel et actuel propriétaire de l'élevage Palafox. Il était pour moi une sorte d'oncle.

Don Eduardo avait dans les soixante-cinq ans. Cet homme chauve et rondouillard avait une lèvre supérieure très fine et une lèvre inférieure fort charnue qui lui donnaient un air quelque peu malicieux. Des rides profondes se dessinaient au coin de ses yeux ou marquaient son large front. C'était un homme heureux, étonnamment agile malgré son poids — il devait en effet peser dans les cent vingt kilos. Il se frayait un chemin au milieu de la circulation et arriva à ma hauteur sans même être essoufflé.

— Mon neveu ! s'écria-t-il en anglais. Tu es revenu pour la feria !

— Vos taureaux sont de la fête ? lui demandai-je.

— Comment oseraient-ils me faire faux bond ? dit-il en riant.

Il montra du doigt une affiche colorée apposée sur l'autre mur de l'hôtel : « Festival Ixmiq. Mano a Mano. Victoriano Leal, le Vainqueur de l'Espagne, et Juan Gómez, tous deux de cet Etat !!!! Taureaux de San Mateo, Torrecillas et Palafox. » Les noms des autres matadors étaient également cités, ainsi que ceux des péons et des picadors.

— Dis-moi, Norman, continua don Eduardo en espagnol tout en me faisant asseoir à l'une des tables blanches, à ton avis, qu'est-ce qui va se passer entre Leal et Gómez ?

— C'est simple, répondis-je. L'un des deux poussera l'autre à la dernière extrémité, jusqu'à la mort.

— C'est ce que Ledesma a écrit. Tu prends donc cela pour une vraie compétition et pas une chose qu'auraient inventée les journaux ?

— Vous ne les avez pas vus ensemble ? lui demandai-je.

— Non, et je le regrette. Mes taureaux sont pris dans les arènes du nord du pays et, comme tu le sais, je les accompagne aussi souvent que possible.

— Ils ont été bons ? demandai-je.

Don Eduardo Palafox eut un large sourire et commanda de la bière.

— Cette année, les taureaux de Palafox ont été superbes.

— Et ceux sélectionnés pour le festival ? insistai-je.

— Ils sont merveilleux.

J'assiste à des corridas depuis une quarantaine d'années et je dois dire que plus de quatre-vingt-quinze pour cent des taureaux que j'y ai vus se sont révélés sans bravoure, dangereux ou faibles sur pattes ; néanmoins, ceux qui vivent de la tauromachie assurent toujours au monde entier que les bêtes qui feront leur entrée le lendemain sont les plus splendides qui soient. Comme tous les éleveurs, don Eduardo aimait être qualifié de scrupuleux par la presse, ce qui impliquait que, lorsqu'il éprouvait les vachettes et les jeunes mâles, ceux qui manquaient de courage étaient impitoyablement envoyés à l'abattoir au lieu de contaminer les arènes.

Financièrement parlant, il était effectivement très scrupuleux. Il l'était aussi pour tout ce qui concernait les relations humaines, ainsi que ma famille avait pu le constater, et cela lui avait valu des traitements de faveur de la part des multiples gouvernements de ce pays. Mais lorsqu'il s'agissait d'élever des taureaux destinés aux arènes mexicaines, il était, comme tous ses semblables, un fieffé menteur. Quand il me disait que tous ses taureaux pris dans le nord du pays avaient été remarquables, cela signifiait tout simplement : « Sur six, il y en avait peut-être un qui combattait honnêtement ; les cinq autres étaient lâches, dangereux et boiteux. »

Don Eduardo, alors, se lança dans la complainte traditionnelle de l'éleveur : les matadors qui toréent ses bêtes ne parviennent jamais à tirer le maximum dont elles sont pourtant capables. Je bus ma bière sans me soucier de ses récriminations et pensai à la puissante famille dont il était le chef actuel et dont je n'étais qu'un descendant mineur, certes, mais fier de ses origines.

Comme je me détournais momentanément de lui pour admirer la grand-place, où les lumières du soir s'allumaient pour donner à ce lieu un air de carte postale typiquement mexicaine, je me souvins que tout ce que je voyais en cet instant avait été édifié par un de mes ancêtres, un des cinq évêques Palafox.

Auparavant, je ne m'étais jamais vraiment intéressé aux Palafox en tant que clan ; je me contentais de savoir que ma mère était du nombre et qu'elle en éprouvait une fierté extrême. C'était une femme si remarquable que j'aurais pu me passionner pour ces histoires de famille si je n'avais épousé une Palafox dont je devais par la suite divorcer. Avec son départ, je perdis tout intérêt pour le clan, mais à présent, en cette période d'indécision où je tentais de restructurer ma vie, je me rendais compte que je manifestais beaucoup d'intérêt pour mes divers héritages et je voulais poser des questions que j'avais dédaignées jusqu'ici.

— Oncle Eduardo, la dernière fois que je me trouvais ici, ne vous ai-je pas entendu dire qu'il y avait deux branches dans la famille Palafox ?

Il me rappela alors des choses qu'on avait dû m'apprendre gamin, mais dont je me moquais bien à l'époque.

— Il y en a toujours deux. Aux environs de 1520, deux frères Palafox sont venus au Mexique pour prêter main-forte à Cortés — l'un était prêtre, l'autre soldat. Chacun d'eux eut de nombreux enfants. Le comportement de leurs descendants est étrange, car les hommes de la lignée du prêtre n'épousèrent que des Indiennes, alors que ceux de la lignée du soldat ne prirent pour femme que des Espagnoles bon teint. Ainsi, nombre de Palafox que tu peux rencontrer aujourd'hui ont la peau très sombre, alors que les descendants du soldat sont de typiques Espagnols. Je suis de cette lignée. (Il était de toute évidence très fier de la pureté de son sang et il me rappela que ma mère et ma femme appartenaient aussi à cette branche. Mais il fit un geste pour indiquer que ces distinctions ne comptaient pas vraiment.) De toute façon, dans notre famille, un garçon qualifie d'oncle tout Palafox plus âgé que lui. Tu es l'un de nous, Norman, et c'est ce qui m'importe.

— Tout ceci est écrit quelque part ?

— Tout est là, répondit-il en se frappant le front. Mais dans le petit musée que j'ai créé dans l'un des bâtiments épiscopaux, il y a des tableaux et des objets qui rappellent tout cela.

— Vous devriez tout coucher sur le papier.

— C'est toi, l'écrivain de la famille ! dit-il en me tapant sur le genou.

Je me demandai si quelqu'un aurait jamais le temps et l'audace de démêler l'écheveau compliqué de cette famille qui avait joué un rôle si important dans l'histoire de Toledo. Je revis soudain les scènes terribles, les crimes et les incendies auxquels j'avais assisté dans ma jeunesse et je pensai : « Si un enfant a pu voir tant de choses en l'espace de dix ou quinze ans, qu'ont pu voir mes ancêtres sur cette grand-place, à la Mineral, à la pyramide ? » Et je me sentis balayé par le souffle de l'Histoire.

Comme dans le lointain, je perçus la voix agréable de don Eduardo.

— Alors, qu'en dis-tu ?

— De quoi ?

— Je t'ai demandé si tu voulais te joindre à moi.

— Pour aller où ?

— Tu n'as pas écouté un traître mot de ce que je disais.

— Excusez-moi, mon oncle.

— Je t'ai invité aux Jeux floraux.

— Ils se déroulent ce soir ?

— Oui. C'est toujours le mercredi. Ils ouvrent la foire. Et je veux que tu sois l'un des juges.

Je m'étirai, assez satisfait de cette invitation.

— Mon père ne manquait jamais cette joute. J'accepte volontiers, ensuite nous dînerons.

— D'accord.

Don Eduardo et moi traversâmes la grand-place en direction du Théâtre impérial, où un grand nombre d'habitants de Toledo, en habit de soirée pour la plupart, s'étaient rassemblés pour assister aux Jeux floraux. Avec l'aisance que procure l'autorité de toute une vie, don Eduardo me présenta à plusieurs personnes qui avaient connu mon père, puis il m'entraîna vers les coulisses. Il y avait là une douzaine d'hommes, si nerveux qu'ils devaient être les concurrents que j'allais contribuer à examiner. Don Eduardo les ignora et m'emmena dans une loge qu'occupaient trois juges, apparemment mal à l'aise. Ils se levèrent et s'inclinèrent à l'entrée du chef de la famille Palafox.

— Je ne me rappelle jamais vos noms, dit-il avec le mépris poli que les riches Mexicains ont pour tout autre qu'eux. Voici mon neveu, le fils de John Clay, notre auteur.

Les trois juges — un dentiste, un professeur et un poète autodidacte — hochèrent la tête.

— Le señor Clay fera partie du jury, annonça-t-il brusquement.

Il était évident que le professeur, le Dr Ruiz Meléndez, n'avait pas l'intention de laisser don Eduardo le supplanter cette année.

— Le Norteamericano connaît-il l'espagnol ? demanda-t-il assez sèchement.

— Mieux que moi, répliqua Eduardo avec impatience.

Le professeur Ruiz semblait prêt à ne pas céder d'un pouce.

— Pour juger des jolies filles aux Etats-Unis, l'espagnol n'est pas nécessaire, mais pour ce que nous allons faire ce soir... eh bien, l'honneur culturel de Toledo est en jeu.

— Professeur, l'interrompit don Eduardo, mon neveu en sait plus sur l'honneur culturel de Toledo que vous n'en saurez jamais. Passons aux épreuves, voulez-vous ?

Ruiz Meléndez refusait de se soumettre à don Eduardo.

— Je ne suis pas convaincu que votre neveu soit le genre d'homme dont nous ayons besoin ce soir, dit-il avec froideur.

Il n'a pas tort, me dis-je, mais s'il avait parlé ainsi à un Palafox dans le temps, il se serait fait abattre sur-le-champ. Les mœurs avaient changé et don Eduardo rit de bon cœur.

— Vous avez raison, professeur, nous autres, Palafox, sommes ignares en matière de culture, et heureusement que vous êtes là pour nous venir en aide. (Il me prit par la main et me conduisit vers la scène :) Allez, viens, pauvre idiot, m'intima-t-il, ce qui fit discrètement sourire le dentiste et le poète, mais pas le professeur.

Nous arrivâmes sur la scène du théâtre or et azur et je fus ému en découvrant l'emplacement qui était réservé à l'empereur Maximilien à la fin de sa vie. La salle était comble et le public applaudit à notre entrée. Don Eduardo leva la main pour réclamer le silence.

— Ce soir, dit-il, nous serons les juges. Vous connaissez déjà quatre d'entre nous. (Il prit un papier dans sa poche et lut :) Le Dr Beltrán, notre savant dentiste, le poète Luis Solís et le professeur Ruiz Meléndez. En tant qu'éleveur, je n'ai aucun titre à être ici, mais je suis tout de même venu au cas où il y aurait du bétail à juger. (Il y eut quelques rires gênés dans l'assistance et je vis le professeur Ruiz faire la grimace.) Quant à cet étranger, conclut don Eduardo, il n'en est pas vraiment un. Il est le fils de John Clay et nous sommes heureux de l'avoir parmi nous ce soir, car il est lui-même un fameux auteur.

Je tiquai à ces mots, car j'étais au mieux un journaliste honnête et, au pire, un écrivaillon. Don Eduardo frappa dans ses mains pour que commence l'épreuve.

Nous prîmes place sur une estrade installée sur le côté et nos pieds reposaient sur un tapis rouge. Des coulisses surgirent seize charmantes jeunes femmes en robe du soir blanche, des bouquets de fleurs dans les bras. « Bon sang, me dis-je, voilà que ça dégénère en concours de beauté. » Mais, visiblement, ce n'était pas le cas, car arriva une femme resplendissante aux mouvements pleins de grâce. L'orchestre attaqua la marche du couronnement et les seize demoiselles d'honneur l'escortèrent jusqu'au trône brusquement apparu au fond de la scène.

— Je vous couronne reine Cristina ! s'écria alors le maire de Toledo.

Le décor était planté.

Les lumières baissèrent et il ne resta plus qu'un projecteur braqué sur la reine tandis qu'entrait le premier concurrent. C'était un jeune homme assez beau, en habit de soirée, qui paraissait très nerveux, jusqu'à ce qu'il trouvât sa place, à demi tourné vers le public et à demi vers les juges. Puis il avala sa salive, croisa les mains dans le dos et se mit à réciter trois des sonnets qu'il avait composés au cours de l'année.

J'assistais aux Jeux floraux de Toledo, ce concours annuel qui rassemble des poètes venus des quatre coins du Mexique, et à l'écoute de ce premier concurrent, des douces sonorités espagnoles qui s'envolaient vers les spectateurs, je m'abandonnai à une joie que je n'avais pas éprouvée depuis quelque trente années. Aux Etats-Unis, nul ne songerait à organiser un concours de poésie, car ce qu'écrivent nos meilleurs poètes est plutôt obscur et nos citoyens seraient très embarrassés s'ils devaient écouter et juger un groupe de poètes. Mais ici, à Toledo, où la musique des vers espagnols embaumait jusqu'à l'air ambiant, la poésie était ce qu'elle avait toujours été : la reine des arts oratoires.

Le jeune s'appelait Gonzales et ses sonnets parlaient d'une journée passée à la campagne ainsi que de sa tristesse à la perspective du travail dans un bureau où l'alouette qu'il dissimulait sous sa veste ne parviendrait pas à chanter.

— Vous avez des alouettes au Mexique ? demandai-je à don Eduardo.

— Quelle importance ? fit-il en haussant les épaules.

Le poète suivant était un homme d'âge mûr aux sourcils broussailleux. Il avait composé une ode miltonienne à la princesse Cristina, et il la déclama avec fougue et imagination. Tournant brusquement le dos au public, il regarda droit dans les yeux la jeune femme et se lança dans une explication passionnée de ce qu'un homme d'un certain âge peut éprouver à la vue d'une belle de vingt ans. Puis, levant les bras au ciel, le señor Aguilar s'adressa au public et s'écria, d'une voix tremblante d'émotion :

Si demain je dois cheminer où la poussière m'étouffe,
Je chanterai : « La nuit passée, une beauté m'est apparue parmi les roses... »

Les spectateurs éclatèrent en applaudissements et il était évident que le señor Aguilar avait fait forte impression sur les juges, car don Eduardo applaudissait à tout rompre, à tel point que je le soupçonnais plus ou moins d'avoir déjà décidé quel serait le vainqueur. Aguilar salua longuement et je me dis qu'il serait dur à battre. Pour l'instant, les sonnets avaient ma préférence, mais j'étais sûr que mes confrères me donneraient du fil à retordre.

Les autres poètes défilèrent, certains d'une voix hésitante qui, pour moi tout au moins, ajoutait au caractère poignant de leurs œuvres, d'autres avec une confiance en soi que ne justifiait pas la qualité de leurs compositions. Et puis, comme j'écoutais le señor García Ramos déclamer une élégie à un enfant défunt, il m'apparut que tous les poètes de ce concours avaient le type espagnol, ou en tout cas la peau claire. Je lançai des regards furtifs aux spectateurs et constatai qu'eux aussi avaient l'air espagnol. Je ne veux pas dire qu'ils paraissaient venir d'Espagne ou qu'ils avaient du sang espagnol très pur, mais qu'ils étaient les héritiers de l'aristocratie espagnole qui avait ouvertement gouverné le Mexique de 1523 à 1810, puis en sous-main de 1810 à nos jours. Parmi tous les concurrents, dans tout le théâtre, il n'y avait pas un seul Indien semblable à ceux que j'avais vus sur la route. Comme si le Mexique était divisé en deux nations : les Indiens, qui travaillaient aux champs et sur les marchés, et les Espagnols, qui tenaient les rênes du gouvernement.

Je me concentrai sur le poème et cherchai à y découvrir la moindre allusion à la culture indienne, je n'en trouvai aucune. L'enfant mort que pleurait le señor — je consultai mon programme — Ramos avait les yeux bleus et le teint pâle. L'oiseau imaginaire que le jeune señor Gonzales dissimulait sous sa veste venait d'Espagne. La reine de beauté saluée par le señor Aguilar était une belle Espagnole.

Cette découverte m'enhardit à détailler les dix-sept jeunes femmes présentes sur scène : grandes, la peau claire, elles auraient toutes pu venir de Castille ou d'Andalousie.

« Où sont donc, me demandai-je, les belles Indiennes rencontrées sur la route au Kilomètre 303 ? Où sont les jeunes femmes au teint sombre qui enchantèrent les évêques Palafox ? »

Un coup d'œil à mes quatre confrères du jury me confirma qu'ils étaient, eux aussi, de type espagnol. J'acceptais le fait que les Jeux floraux ne représentent qu'une moitié de la vie mexicaine quand le dernier concurrent entra sur scène : c'était un Indien altomèque, un petit homme à la peau foncée, au regard dur. Nul ne pouvait se méprendre sur les origines de ce poète et, lorsque, au début de sa récitation, il tendit le bras gauche, je vis que la main lui manquait, comme pour bien indiquer qu'il faisait partie des dépossédés. De même que sa personne, son poème était différent. Il parlait de ses ancêtres qui avaient édifié la pyramide et de leurs danses rituelles au moment des moissons. Au début, je ne voyais pas très bien où il voulait en venir, mais après cinq minutes pleines d'images d'une grande puissance, il lança son amère conclusion :

Où sont nos moissons à présent ?
Ces hommes à la poitrine bardée de médailles,
Qu'ont-ils fait de nos moissons ?

Les passages suivants sonnaient de façon stridente et désagréable, totalement inappropriée à une oreille espagnole, mais leur éloquence enflammée captait malgré tout l'attention des auditeurs et leur imposait les questions que les Indiens du Mexique se posaient depuis un millier d'années.

Je n'étais absolument pas préparé à la conclusion de ce poème, car, après un long passage philosophique, l'Indien manchot se mit à sautiller sur un pied pour évoquer la danse des moissons de ses ancêtres. Ses gestes n'avaient rien de risible ni de déplacé, vu le contenu du poème, mais ils soulignaient parfaitement une chose : à savoir que, si tous les concurrents précédents étaient incontestablement de souche espagnole, celui-ci était incontestablement indien. Tout en psalmodiant la stance finale, il poursuivit sa danse altomèque et, comme moi, le public dut croire qu'il se laissait emporter par ses propres paroles. Il n'en fut rien, il s'arrêta soudain. Parfaitement immobile, son bras amputé le long du corps, il acheva son poème :

J'attends encore ces moissons
Pour lesquelles j'ai si longtemps dansé.

Il s'inclina avec respect et quitta la scène. Les applaudissements furent mesurés, c'est le moins qu'on puisse dire, et il n'y eut pas de rappel, mais je savais enfin pour qui j'allais voter.

Quand les juges se réunirent, il fut clair que don Eduardo voulait parvenir très vite à une décision, ainsi que sa famille le faisait depuis des générations, mais il était tout aussi clair que le professeur Ruiz Meléndez n'avait pas l'intention de laisser le soi-disant comte Palafox faire la loi.

— Bien, fit don Eduardo. Il est évident, à l'ampleur des applaudissements, qu'Aguilar est le vainqueur avec son bel hommage à notre princesse. Vous ne trouvez pas que la princesse Cristina avait l'air adorable ? L'homme à l'élégie aura la deuxième place, son sentiment était sincère. Pour la troisième place...

— Pardonnez-moi, l'interrompit le professeur Ruiz, mais je propose que nous votions sur ce point.

— Nous ne votons jamais, lui expliqua don Eduardo. Nous discutons quelques minutes, c'est tout. Qui verriez-vous en troisième, professeur Ruiz ?

Don Eduardo était décidé à faire preuve de courtoisie, mais le professeur poursuivit son idée.

— J'ai préparé des bulletins et nous allons...

— C'est ridicule, voyons, dit don Eduardo. Norman, tu ne penses pas qu'Aguilar...

— Je m'autorise à penser qu'il n'est pas correct qu'un visiteur américain parle en premier et influence les juges d'un concours qui revêt une telle importance pour la culture mexicaine, fit remarquer calmement le professeur Ruiz.

— Voilà qui est insultant ! Professeur Ruiz, en tant que président de ce comité, j'exige...

— Vous êtes le président ? demanda le professeur.

— Pourquoi, je ne le suis pas ? rétorqua don Eduardo sans la moindre trace de ressentiment.

Il avait toujours été le président de tous les comités qui s'étaient réunis à Toledo et il lui paraissait normal qu'il en fût de même ce soir.

— Non, lança le professeur Ruiz. C'est moi.

— Ah oui ? dit don Eduardo, très étonné mais sans rancœur. Eh bien, dans ce cas, monsieur le président, je crois que vous devez des excuses à notre visiteur.

— Je suis d'accord, dit le professeur Ruiz en s'inclinant. Señor Clay, pardonnez-moi. En fait, maintenant que l'on y voit plus clair, je retire mon objection. En tant qu'hôte, vous pouvez choisir le premier.

Je fulminais contre don Eduardo qui m'avait mis dans une position où je devais soit mentir et mettre mon deuxième choix en première place, soit insulter mes amis espagnols en affirmant sans ambages que je préférais l'Indien. Je résolus donc de m'esquiver.

— Vous êtes très aimable, professeur Ruiz, mais je suis d'accord avec vous : je ne dois pas parler en premier à propos d'une affaire qui tient tant au cœur des Mexicains.

— Vous êtes un hôte charmant, reconnut le président, mais j'insiste pour connaître votre choix.

Je déglutis péniblement, détournai les yeux de don Eduardo et dis avec franchise :

— J'ai préféré... (Le nom de l'Indien m'échappait et j'usai d'une périphrase :) ... l'Indien manchot.

— Bon Dieu, Norman ! explosa don Eduardo. Il n'a jamais été question que la récompense aille à l'un d'eux. Il est au programme uniquement parce qu'il est d'ici.

— J'ai aimé son poème, répétai-je avec obstination.
— J'aurais dû te laisser à l'hôtel, dit l'éleveur d'un air dégoûté. Bon. Nous savons tous qu'Aguilar...
Le professeur Ruiz Meléndez m'étonna en lui coupant sèchement la parole.
— Je suis de l'avis du señor Clay. Le manchot est de toute évidence le vainqueur.
— Eh, une minute ! protesta don Eduardo. Si nous sommes assez stupides pour lui accorder le premier prix, ce sera une insulte à notre ville. Ici, on n'a jamais vu un Indien gagner les Jeux floraux. J'insiste pour...
— Qui avez-vous choisi, docteur Beltrán ? l'interrompit le président.
— J'ai de loin préféré le señor Aguilar et son ode à la princesse Cristina.
Je trouvais intéressant de les entendre parler de la jeune femme comme s'il s'agissait d'une vraie princesse. L'illusion du festival semblait imprégner leur esprit autant que leur imagination.
— C'est votre tour, señor Solís, dit le président.
— Ecoutez, Solís, s'interposa don Eduardo. Vous qui êtes poète, vous savez bien que le prix de poésie a toujours été réservé à...
— Don Eduardo ! lui lança le professeur Ruiz. Laissez monsieur dire ce qu'il pense, je vous en prie !
— J'ai bien aimé Aguilar et son ode, dit le petit poète sur un ton conciliant.
— Et voilà ! cria don Eduardo. Aguilar premier, l'élégie deuxième, et si vous voulez mettre l'Indien manchot à la troisième place, je n'aurai rien à redire.
Il se dirigea vers la porte qui donnait sur la scène afin d'annoncer sa décision, mais le professeur Ruiz, le visage rubicond, l'arrêta.
— C'est moi qui dois proclamer les vainqueurs, dit le docteur d'un ton glacial, et nous ne nous sommes pas encore mis d'accord sur le deuxième et le troisième.
— Combien sont pour l'élégie en deuxième position ? dit don Eduardo. Bon, ça fait trois. Cela veut dire qu'elle sera deuxième. L'Indien peut être troisième.
— Don Eduardo, dit le professeur Ruiz en s'efforçant de ne pas crier, on ne peut décider ainsi de la deuxième place. Vous ne tenez pas du tout compte du fait que l'Indien a deux voix pour la première place et que...
— L'élégie a reçu trois votes pour la deuxième place. Vous avez bien entendu. Moi, Beltrán et Solís.
— Voulez-vous dire... bredouilla le professeur.
— Je crois que don Eduardo a raison, dit le señor Solís d'une voix douce. Le moment n'est pas venu de donner la deuxième place à ce jeune intrus. Il serait plus correct de le mettre au troisième rang.
— C'est exactement ce que je pense, dit doucement don Eduardo avant de taper dans le dos de Beltrán. Vous aussi d'ailleurs.
— Moi aussi, dit Beltrán.

Il aimait bien don Eduardo. En fait, il aimait tous les Palafox et espérait les connaître un peu mieux.

— Quel est votre avis ? me demanda le professeur Ruiz.

J'étais choqué par les manœuvres grossières de mon oncle et j'avais bien l'intention de le dire.

— Refuser la première place à cet homme est une erreur, lui refuser la deuxième est une faute.

— Eh, une minute ! brailla don Eduardo. Tu es américain, toi, tu ne comprends pas la complexité de notre situation. Tu n'as pas le droit de te mêler des problèmes des Mexicains. Il n'est pas juste que...

— Vous trouvez juste de pervertir un jugement pour les raisons que vous avez exposées ? lui lançai-je.

— Ce n'est peut-être pas juste, fit don Eduardo en éclatant de rire, mais c'est drôlement efficace !

Il ouvrit la porte donnant sur la scène et, avant même que je puisse rejoindre ma place, il proclama les résultats au public impatient :

— Les juges ont décidé à l'unanimité que le vainqueur des Jeux floraux est le señor Aquiles Aguilar pour son...

Les cris de la foule couvrirent ses paroles.

Quelques minutes plus tard, don Eduardo m'emmenait à la Maison de Céramique en me tenant par les épaules.

— Tu l'as vu comme moi ! Le manchot était tout fier de se voir attribuer la troisième place. Et c'est bien comme ça, parce qu'il aurait été très embarrassé d'être le grand vainqueur.

Il ne m'en voulait absolument pas de m'être opposé à lui au sein du comité. Don Eduardo prit place à côté de moi et cria à la veuve Palafox :

— Carmen ! Carmen ! Deux de vos meilleurs clients.

Une fois à table, je pris l'un des petits pains de doña Carmen alors qu'elle nous tendait le menu.

— C'est comme d'habitude, dis-je, et je suis heureux de voir que les choses ne changent pas.

— Une chose a changé, dit-elle. (Elle posa un doigt boudiné sur le menu et m'indiqua un avertissement rédigé en anglais :) Suite à la consommation exceptionnelle de pain pendant le Festival Ixmiq, chaque petit pain sera facturé cinquante centavos.

Je la regardai avec étonnement. L'idée même de dîner à la Maison de Céramique supposait que le menu n'avait changé en rien depuis 1910 — on prenait place sur la terrasse et on mangeait exactement ce qu'on avait mangé l'année précédente. Mais voici que le pain était compté.

— Que s'est-il passé ? demandai-je avec un certain désarroi.

— Les Norteamericanos sont arrivés, voilà ce qui s'est passé, grogna doña Carmen.

— Expliquez-vous.

— Dans le temps, quand personne ne connaissait notre festival, les Mexicains honnêtes, qui se languissaient de l'Espagne, venaient ici pour y faire un repas honnête lui aussi. Et puis des insensés ont parlé de nous dans votre magazine, ils ont pris des photos des plats, et chaque année nous avons de plus en plus de Norteamericanos.

— C'est ça qui fait augmenter le prix du pain ?

— Nous sommes heureux de recevoir les Norteamericanos, m'assura-t-elle. Ils se tiennent bien et dépensent leur argent. J'ai de nombreux amis parmi les touristes, des gens qui reviennent année après année. Mais il y a un problème avec le pain.

— Quel problème ? demandai-je avec une certaine irritation.

— Quand un Mexicain vient ici, expliqua-t-elle, il mange un petit pain et nous l'incluons dans le prix du dîner qui, il faut le reconnaître, est très raisonnable.

— Tout à fait, dis-je. Aux Etats-Unis, un repas comme celui-ci coûterait deux fois plus cher.

— C'est ce qu'on m'a dit. Mais le problème vient de là : visiblement, aux Etats-Unis, il n'y a pas de pain. Car chaque fois qu'un Américain prend place à table, il fait comme vous. Il voit la corbeille, prend un petit pain et dit : « Je n'ai pas mangé de pain aussi bon depuis que je suis gamin. » Ce n'est pas un petit pain qu'il mange, mais quatre, et il me fiche en l'air mon budget !

Je me sentais un peu mal à l'aise, mon petit pain déjà à moitié mangé à la main, mais je savais aussi qu'elle disait vrai. Dans l'Amérique civilisée, nous ne connaissions plus le pain ; nous avions à la place une sorte de chose aseptisée qu'aucun homme digne de ce nom ne peut apprécier. Je me souviens d'avoir travaillé sur un article publié par notre magazine il y a plusieurs années de cela : quatre scientifiques y disaient que notre pain était non seulement une triste parodie de l'aliment vital, mais encore un véritable poison. Je crois me rappeler que lorsque certains de mes camarades de classe, à Lawrenceville, obligeaient des rats à en manger, les pauvres bêtes mouraient ou perdaient tous leurs poils.

Mais ici, grâce à la culture paysanne du Mexique, il existait encore un pain fait de blé moulu, avec son parfum et ses impuretés. Quand nous autres, Américains, le goûtions après plusieurs années passées à mâchouiller une sorte d'éponge, nous le dévorions comme des porcs affamés.

— Regardez ! nous dit doña Carmen quand deux touristes venus assister au festival prirent place à une table voisine.

La femme regardait tout autour d'elle.

— Tu ne trouves pas cette place charmante ? dit-elle. Et cette musique !

Le mari, pour sa part, s'écria :

— Seigneur, tu as vu ce pain ?

Et il attaqua le troisième petit pain avant même de commencer à dîner.

— Voilà pourquoi nous sommes obligés de le faire payer, dit doña Carmen en haussant les épaules.

— Vous m'en mettrez trois. J'aime votre soupe et votre riz, mais de loin c'est votre pain que je préfère.

— Et celui-là, tiens, grommela doña Carmen avec un certain dégoût.

Elle désigna une table où un Américain engloutissait des petits pains, et je vis qu'il s'agissait du jeune homme de l'autocar. Il portait toujours sa pachuca.

— Je ne crois pas qu'il ait faim de pain, dis-je à doña Carmen. Il a faim tout court.

— Vous croyez qu'il a de l'argent ? me demanda la tenancière.

— S'il n'en a pas, don Eduardo paiera pour lui, la rassurai-je.

— J'aime bien les jeunes qui mangent, dit don Eduardo avant d'ajouter : Tenez, je crois qu'on va avoir droit à de la musique.

Il avait raison. Le couple de touristes de la table voisine avait demandé à un orchestre de mariachis de jouer pour eux pendant le dîner, mais les musiciens qu'ils avaient engagés étaient très différents de ceux rencontrés précédemment. Ceux-ci étaient des paysans altomèques venus de Durango pour le festival et qui en profitaient pour récolter quelques pesos en s'instituant mariachis. Ils n'avaient pas de costume rutilant, pas de grand chapeau, pas même de vraies chaussures. Ils n'avaient pas non plus les instruments habituels des mariachis. Ils n'étaient que six — un tambour, un tambourin, deux clarinettes, un guitariste obèse et un trompettiste chétif au visage d'une tristesse extrême, à l'instrument cabossé. Ils étaient la quintessence du Mexique. Leurs pantalons bleu délavé et leurs sandales éculées étaient recouverts de poussière.

— Que jouerons-nous pour vous, señor ? entendis-je le tambour demander en espagnol.

— Je ne sais pas, répondit l'homme en anglais.

Le musicien haussa les épaules, consulta ses compagnons et leur dit en espagnol :

— Nous allons jouer *Cielito Lindo* et *San Antonio Rose* pour les Norteamericanos.

« Cela va être épouvantable », pensai-je en moi-même, et je me tournai vers don Eduardo.

— Je vais leur parler.

Je m'approchai de l'autre table et demandai en anglais :

— Pardonnez-moi, mais puis-je vous aider auprès des mariachis ?

— Demandez-leur de nous jouer de la vraie musique mexicaine.

— Si vous le désirez.

— Oh oui ! fit la femme. On ne veut pas entendre des airs américains pour notre arrivée à Toledo.

— Je m'en doute, lui répondis-je avant de me tourner vers les mariachis et de leur dire, en espagnol : Ces visiteurs aiment la musique du Mexique. Ne jouez que des chansons de votre pays, je vous en prie.

— Comme quoi ? demanda le chef d'un air soupçonneux.

Je lui citai quelques titres rarement entendus.

— Vous pourriez terminer par un morceau de bravoure, ajoutai-je. *La Ballade du général Gurza*, par exemple.

Les yeux des hommes s'illuminèrent de plaisir. Le chef agita sa baguette et la musique commença, mais je n'étais pas du tout préparé à ce que je devais entendre. Au cours du premier passage solo d'une robuste danse de paysans, le petit trompettiste déversa une cascade de sons d'une pureté que j'avais rarement entendue. Il jouait avec passion, ses joues maigres se gonflaient d'air, ses lèvres minces s'arrondissaient autour de l'embouchure. C'était un trompettiste tombé du ciel, exilé dans quelque village près de Durango, et, chaque fois qu'il s'arrêtait de jouer, c'était pour reprendre des forces et se lancer dans un nouveau trait de virtuosité. Il ne souriait jamais et paraissait très éloigné des contingences. Tout au long du Festival Ixmiq, je ne le considérai que comme un talent désincarné qui nous offrait une musique céleste. Au cours des nuits à venir, j'allais entendre souvent son rythme saccadé retentir en divers endroits de la grand-place ; il était impossible de le confondre avec les autres mariachis. Ses compagnons avaient l'air de reconnaître son talent, car, lorsque c'était uniquement à eux de jouer, ils le faisaient de manière discrète pour ne se donner pleinement que dès qu'éclatait à nouveau la divine trompette. Comme ils se préparaient à mettre un terme à la danse de paysans, je m'étirai sur mon siège.

— Je n'ai jamais entendu meilleur trompettiste, dis-je à don Eduardo.

— J'ai souvent pensé, me fit remarquer le vieil éleveur tandis que nous attendions notre soupe, que les hommes du monde entier seront très surpris en arrivant au ciel parce qu'ils y seront accueillis par un orchestre de mariachis. (Soudain, il fronça les sourcils quand les musiciens attaquèrent le deuxième morceau.) C'est toi qui leur as demandé de jouer ça ?

— Oui, avouai-je.

— Tu as de drôles de goûts. Chanter les louanges du général Gurza en un tel lieu !

Et il tendit la main vers les carreaux de céramique fendus, ces mêmes carreaux qui me servaient à me mesurer lorsque j'étais gamin. Après ce reproche, don Eduardo garda le silence. Je compris qu'il se rappelait ses rencontres avec le général assassin qui avait été le fléau de Toledo. Et moi-même me souvins de mes propres expériences.

Le général Gurza était arrivé à Toledo au cours de l'une de ses nombreuses expéditions de pillage. Je me trouvais à la Mineral quand Gurza envoya un détachement vers les mines afin d'y trouver de l'argent. J'étais certain qu'il allait tous nous faire fusiller.

— Ne bouge pas, me conseilla mon père. Ne dis rien.

Nous vîmes Gurza et ses hommes s'emparer de plusieurs tonnes de ce minerai noir d'où l'on extrayait l'argent. Ils fouillèrent partout et, si le veau avait été caché là, lui et nous aurions été abattus.

A la fin de la fouille, le général Gurza réunit notre famille et je me revois debout devant ma mère, dans l'espoir de la protéger. Mes jambes flageolaient. Le général ne ressemblait en aucun cas à ce que j'attendais d'un personnage de son rang, il n'était pas du tout comme mes soldats de plomb, avec leur uniforme chatoyant et leur poitrine bardée de médailles. Le général Gurza était un homme de haute stature, plus grand et plus gros que mon père. Il avait un visage tout rond et une grosse moustache noire, ainsi qu'un immense sombrero et des jambières de cuir cloutées d'argent. Il avait un fusil et deux pistolets à la ceinture. Une cartouchière presque pleine lui ceignait la poitrine.

Il m'enfonça son fusil dans l'estomac et me dit :

— Quand tu seras grand, tu te battras pour la Révolution ?

— Je ne sais pas ce que c'est que la Révolution, lui dis-je, mais je me battrai contre vous pour défendre ma maman.

— Tu changeras d'avis en grandissant, dit-il en éclatant de rire, mais aussi en m'enfonçant un peu plus le fusil dans le ventre.

Il parla alors pour expliquer qu'il avait trouvé ce pour quoi il était venu. Il siffla sans bouger les lèvres. Des écuries, quatre de ses hommes apparurent, qui tenaient l'un de nos mineurs. Ils lui passèrent la corde au cou, lancèrent l'autre extrémité de la corde par-dessus une poutre et le pendirent sur-le-champ. La poutre n'était pas très haute et l'homme paraissait danser devant nos yeux. Je sentais ma mère qui vacillait derrière moi et je criai qu'elle allait s'évanouir. Mon père bondit pour la rattraper, mais le général Gurza fut plus rapide. Il lâcha son fusil et déposa ma mère sur la table. En ouvrant les yeux, elle s'attendait à voir mon père ; au lieu de cela, elle se retrouva à quelques centimètres de la moustache du général. Elle se mit à hurler, ce qui déplut au général. Il croyait qu'elle était américaine, puisque mariée à un Américain. Il la gifla avant d'éclater de rire.

— Nous ne faisons pas de mal aux Norteamericanos... quand ils restent neutres.

Puis il fit signe à mon père de le rejoindre et, avec le corps du mineur qui se balançait toujours à la corde, les deux hommes discutèrent de la façon dont l'argent de la Mineral serait livré aux forces du général et comment cela serait consigné. Je me souviens de la façon dont se termina leur conversation.

— Vous comprenez, Mr Clay, que nous serons obligés de vous fusiller si une partie de cet argent tombe entre les mains de Carranza, dit le général.

— Je croyais que vous vous battiez pour Carranza, fit remarquer mon père.

— Ça, c'était le mois dernier. Maintenant, il est notre ennemi. Pas d'argent pour lui, c'est compris ?

— C'est compris, dit mon père, et les deux hommes se serrèrent la main comme des banquiers.

Quand vint le moment de partir, des hommes de Gurza découvrirent le corps du pendu. Cela les rendit furieux, visiblement, et ils se mirent à tirer dessus depuis leurs chevaux. Les balles ricochaient un peu partout. Quand la fusillade eut cessé, mon père vérifia qu'il n'y avait pas de blessé, puis il ordonna qu'on coupe la corde et qu'on ensevelisse le malheureux. Pendant ce temps, lui et moi descendîmes discrètement dans la grotte souterraine pour nous assurer que Soldado n'avait rien eu. Mon père me demanda de donner du foin au veau et nous laissâmes l'animal dans sa cachette.

Oui, me dis-je, installé sur la terrasse de la Maison de Céramique, ce fut l'un des rares moments de calme d'un passé plutôt troublé.

— Où étiez-vous pendant toutes ces années ? demandai-je à don Eduardo qui attaquait sa soupe.

— Qu'est-ce que tu veux dire par « toutes ces années » ? dit-il sans s'arrêter de manger.

— Je parle des années pendant lesquelles nous avons caché Soldado aux hommes de Gurza, m'expliquai-je.

Il posa sa cuiller, réfléchit un instant et dit :

— Cela devait se passer entre 1916 et 1919. Je me cachais à Mexico et je travaillais comme un fou avec Carranza pour essayer de garder le contrôle de mes terres. Je n'ai pas réussi. (Il rit de sa propre incompétence et poursuivit :) En 1536, nous autres, Palafox, nous vîmes accorder plus de cent mille hectares de bonnes terres ; en 1580, suite à divers vols sur le dos de l'Eglise et de l'Etat, nous en possédions quelque cent cinquante mille. Vers 1740, grâce à une bonne gestion et à un certain nombre d' « emprunts » aux voisins immédiats, nous en étions à plus de quatre cent mille hectares. Cent vingt mille Indiens y travaillaient. Comme esclaves, peut-on dire.

A ce moment de son récit, il soupira.

— En 1810, au moment de la guerre d'indépendance, le comte de Palafox se rangea naturellement du côté des Espagnols. Lorsqu'une paix relative s'instaura, il fut pénalisé par les Mexicains victorieux, qui lui prirent la moitié de ses propriétés.

Dans les années 1860, les Palafox firent encore le mauvais choix et soutinrent l'usurpateur autrichien, l'empereur Maximilien, comme la plupart des riches de ce pays. A la restauration mexicaine, l'empereur fut fusillé, de même que le comte Palafox de l'époque, et la superficie retomba à une centaine de milliers d'hectares. Lors de la Révolution de 1916, don Eduardo s'opposa au général Gurza, ainsi que nous l'avons vu, et perdit encore près de soixante-dix mille hectares. Enfin, en 1936, la famille se fourvoya de nouveau en luttant contre le président Cárdenas, lequel fit confisquer par les tribunaux la majeure partie des terres des Palafox.

— Voilà la conséquence d'un mauvais choix continu, conclut don Eduardo. Le vaste empire des Palafox se trouve aujourd'hui réduit à quatre mille hectares de mauvaise terre où nous élevons nos taureaux, aux squelettes des haciendas dévastées par le général Gurza et à une mine abandonnée.

Les Palafox s'étaient peut-être toujours trompés lorsqu'il s'était agi de faire des choix politiques, mais ils avaient fait preuve d'un jugement plus sûr en ce qui concernait leurs investissements. Le bien-être de la famille avait été ainsi épargné. L'intelligence en affaires qui avait toujours marqué la branche espagnole des Palafox l'avait poussée à placer son argent dans les chemins de fer, dans des compagnies commerciales françaises et, plus récemment, dans des industries pharmaceutiques suisses et américaines. La superficie des exploitations agricoles avait diminué, certes, mais la place des Palafox dans le monde de l'industrie et du commerce n'avait cessé de s'améliorer. En 1961, la famille était au moins aussi riche qu'elle l'avait jamais été, et cette fortune lui avait permis de trouver appui auprès de tous les gouvernements, quelle que fût leur politique.

La grande renommée de la famille tenait toutefois à ce que le vieux don Eduardo Palafox, qui eût hérité le titre de comte dans un système plus favorable, élevait les meilleurs taureaux du Mexique et probablement du monde, exception faite de l'Espagne, naturellement. Il n'était pas rare que le cardinal Palafox, qui voyageait beaucoup en Amérique latine et aux Etats-Unis, se vît accueillir de la façon suivante : « J'ai vu vos taureaux à Mexico, ils étaient formidables ! »

Le jeune taureau Soldado, qui avait passé trois mois dans une grotte sous ma responsabilité, se révéla par la suite l'un des meilleurs étalons de l'histoire, et ses descendants comptaient pour beaucoup dans la renommée de l'élevage Palafox. Le dernier jour des corridas, nous verrions son dernier descendant, et je me tournai vers le mur blanc où l'affiche proclamait fièrement : « Festival Ixmiq. Taureaux de Palafox. »

— Don Eduardo, dis-je, quand votre premier taureau entrera dimanche, je le saluerai comme mon propre petit-fils. Après tout, il est issu de ma cachette.

L'éleveur se mit à rire et s'appuya au dossier de sa chaise avant d'essuyer le riz à la valencienne qui collait à ses lèvres.

— Sais-tu pourquoi j'aime tant la tauromachie ? me demanda-t-il.

— Parce que vous faites fortune avec les mauvais taureaux que vous vendez, suggérai-je.

— Tu sais bien que je perds de l'argent avec ces satanés animaux, répliqua-t-il en riant. Nous en perdons tous, d'ailleurs. Mais j'aime cela, c'est l'essence même de la vie. Dans cette ville, ma famille a lutté pendant quatre siècles. Aucune des bâtisses que tu vois ici n'a été construite sans nous. Personne ne voulait d'une cathédrale, d'une nouvelle façade ou d'un théâtre de luxe. Personne, sinon les Palafox. Qu'est-il arrivé aux Mier, à la famille de doña Carmen ? Ils avaient plus de terres que nous, mais quand le général Gurza s'est pointé, ils se sont enfuis comme des poules mouillées. (Il s'arrêta pour ôter un peu de nourriture coincée entre deux dents.) Nous avons affronté les Altomèques dans les collines, le roi à Madrid, le pape à Rome et le général Gurza à Mexico. Je me suis opposé au président Cárdenas devant tous les tribunaux du Mexique, mais nous nous séparions bons amis. Sais-tu ce que Cárdenas a dit quand il a confirmé les décisions d'expropriation ? Il a dit : « Don Eduardo, je crois que vous êtes le père de nos meilleurs taureaux. » Et c'est vrai, dans un certain sens.

— Je parie que, dimanche prochain, cinq bêtes sur six manqueront de valeur.

— D'accord, mais sache qu'il suffit d'une seule pour qu'on ne se souvienne que de celle-là. (Il rit un instant avant de dire, plus gravement :) Voici venir le matador.

Je me retournai pour voir ce qui avait attiré son attention. Une vieille

Cadillac noire déboucha à toute allure sur la grand-place et s'immobilisa dans un grincement de freins devant la terrasse où nous dînions. Au volant se trouvait une sorte de gnome d'une cinquantaine d'années, chapeau mou sur les yeux et cigare aux lèvres. A côté de lui, deux toreros d'âge mûr qui avaient plutôt l'air de gangsters. Les trois hommes descendirent de voiture et défirent les cordes qui maintenaient les paquets amoncelés sur le toit depuis Mexico. Un des hommes ouvrit la portière arrière et je vis apparaître une jeune femme assez attirante vêtue de façon voyante et un petit homme sombre d'une trentaine d'années.

Dès qu'il fut descendu de voiture, une petite foule se réunit, mais se tint à distance respectueuse, et des enfants criaient : « C'est Juan Gómez ! »

La foule grossit quelque peu et des jeunes gens qui avaient vu des films américains sifflèrent, ce qui fit sourire la jeune femme. Gómez, le matador au visage impassible, se fraya un chemin parmi les curieux et se dirigea vers l'hôtel. A hauteur de notre table, il vit don Eduardo et s'arrêta pour lui donner l'accolade.

— Que les taureaux soient bons, dit-il.

— La chance soit avec vous, répondit l'éleveur.

Gómez disparut tandis que le gnome surveillait le déchargement des costumes, des épées, des lances et des paniers de cuir qui servaient à transporter les couvre-chefs du matador. Gómez était donc arrivé. Les mariachis défilaient sur la grand-place et les notes de trompette déchiraient la nuit.

— Ce soir, Victoriano et Gómez dorment sous le même toit, me dit don Eduardo. Crois-tu qu'ils seront fringants vendredi ?

— Ceux qui les ont vus s'affronter à Puebla prétendent qu'ils feraient presque oublier Manolete, répondis-je.

— Que la chance les accompagne, dit le vieil éleveur.

Il se signa, baisa son pouce et lança sa bénédiction par-dessus son épaule, en direction de la Maison de Céramique où étaient descendus les deux matadors.

4

L'Indien

Le mercredi soir, après le concours de poésie, et toute la journée du jeudi, je déployai une énergie extraordinaire, semblable à celle que je manifestais lorsque je préparais l'examen d'entrée à Princeton. En consultant les experts, en leur empruntant des coupures de journaux relatant des corridas mémorables et même en conduisant des interviews express avec Juan Gómez et son manager, je pus me façonner une image mentale de l'Indien aux jambes torses. Puis, lorsque j'eus transformé ma chambre d'hôtel en bureau — la machine à écrire sur une table protégée du soleil et une pile de feuilles vierges et de carbones à portée de la main —, je m'attelai à la rédaction du genre d'histoire qui plaît toujours à New York : le bon contre le méchant, le tout-blanc contre le tout-noir, des signes prémonitoires de la tragédie à venir, plus un lyrisme de bon aloi destiné à ne pas faire perdre haleine au lecteur. Les pages s'empilaient et je n'étais pas mécontent de moi, car je mettais un point d'honneur à écrire vite, de manière précise et selon les critères si chers à Drummond.

Avec ses trois jours de festival qui débutent demain, vendredi, nous entrons dans la célébration d'une fête espagnole vieille de près de deux siècles, mais qui perpétue une tradition indienne deux fois millénaire. Nous devons remarquer que nos protagonistes représentent de manière quasi idéale les deux grandes tendances de l'histoire du Mexique : les Indiens, premiers habitants du pays, et les Espagnols, nouveaux venus.

Pour ce qui est de l'Espagnol, je vous l'ai déjà décrit en détail : grand, mince, les yeux bleus et une poésie exceptionnelle dans le mouvement. Vous avez les photos de lui que j'ai prises dans d'autres arènes ou en Espagne, elles montrent bien le Victoriano charismatique, mais utilisez plutôt celles qui mettent en valeur l'aisance de son style. Je ne vous ai pas encore fait parvenir beaucoup de choses sur Gómez, mais il est différent, c'est un petit paysan indien dépourvu de toute élégance et qui n'a pour lui que la détermination brutale de faire son travail et la volonté de risquer chaque fois sa vie. Heureusement pour nous, son physique correspond bien à son mental : gauche, de petite taille, avec des cheveux bruns qui lui mangent les sourcils et des jambes arquées, obstinément. Taciturne, sombre, il fuit les journalistes et n'a vraiment rien d'aimable.

Je vois donc dans Ixmiq-61 un duel entre les deux visages du Mexique : l'Espagnol contre l'Indien. Mais c'est aussi : l'éclat solaire contre l'ombre, le héros contre le gueux, la beauté contre la laideur — et surtout un homme jeune protégé par trois professionnels extrêmement doués contre un individu plus âgé, secondé par un vieux bonhomme qui joue au manager et ne trouve en vérité en Gómez que son dernier employeur, mais aussi par une demoiselle exubérante qui pense que Gómez l'aidera à devenir danseuse de flamenco en Espagne, et qui le laissera tomber sans ménagement si quelque chose de mieux se propose à elle.

Je repoussai ma chaise pour regarder par la fenêtre qui donnait sur la grand-place. Non, je n'étais pas vraiment satisfait de cette comparaison facile entre les deux matadors : en insistant sur leurs différences évidentes, je passais à côté de l'essentiel. Quelques jours plus tôt, j'avais télégraphié à New York un texte assez bref sur Gómez et la réponse me prouvait que le bureau avait adopté ma simplification ; le responsable artistique m'avait câblé : « Prenez des photos de Gómez en train de travailler des taureaux dans l'ombre. » Drummond en personne avait câblé : « Essentiel que vous nous fournissiez de nombreux exemples où le bon est en péril et le méchant momentanément triomphant. » Pour le bureau, Victoriano avait tout de suite été baptisé « le bon ».

Ainsi, les mots et les clichés nous faisaient déjà juger d'une certaine façon un événement qui ne s'était pas encore déroulé. Je pouvais déceler dans les messages qui me parvenaient de New York la preuve que mes supérieurs s'impliquaient tout entiers dans ce duel entre matadors. Jeudi, en fin d'après-midi, quelques heures après avoir expédié mon dernier câble, je fus surpris par un télégraphiste qui déboula dans ma chambre avec un message urgent de la part de Drummond : « Toute philosophie mise à part, quel matador se fera tuer selon vous ? »

Assis à mon bureau, je contemplais ma machine à écrire en grommelant : ils m'obligeaient à faire une prédiction dont j'étais bien incapable. Puis je relus le message et compris que ce n'était pas une question d'ordre professionnel. C'était en tant qu'homme, pas en tant que rédacteur en chef, que Drummond se trouvait impliqué dans le combat opposant Victoriano et Gómez; après une dure journée de labeur et un cocktail dans un bar à la mode, il me posait une question honnête. Je n'étais pas obligé d'y répondre, c'est vrai, mais je restais là, la tête dans les mains, tandis que ma chambre s'assombrissait, et je me rendis compte que je voulais lui apporter une réponse.

— C'est l'Espagnol qui va mourir, dis-je tout haut, et j'imaginai le point culminant de cette joute absurde.

Juan Gómez, l'infatigable petit Indien, continuerait à affronter des taureaux, à leur « chatouiller les naseaux du coude », et il pousserait Victoriano à exécuter des arabesques de plus en plus nombreuses jusqu'à cet ultime après-midi où, dans l'ombre qui s'allonge, un taureau tournerait brusquement la tête : Victoriano recevrait le coup de corne et resterait encorné près de quarante secondes, après quoi il mourrait.

Je devais avoir perdu tout sens moral parce que je me surpris à prier ainsi : « Mon Dieu, s'il doit mourir, faites que ce soit pendant ce festival, au sommet de sa gloire, accompagné par la musique, mais pas à la fin de la corrida, plutôt au début de celle-ci, quand la lumière est encore bonne, pour que les photographes puissent immortaliser l'instant où il est suspendu à la corne du taureau. »

Je me ressaisis. « Seigneur, qu'est-ce que je raconte ? » Mais avant même que le dégoût que je m'inspirais eût chassé cette sinistre prière de mon esprit, je dus reconnaître que j'avais demandé au ciel ce que j'espérais vraiment. Si Victoriano était condamné, que le coup de corne fatal lui soit donné au cours du Festival Ixmiq, en pleine lumière — non pas pour *les* photographes, mais pour *un seul* photographe, *moi-même.* « S'il y a une histoire à raconter, qu'elle soit vraiment intéressante, qu'elle devienne un classique de la tauromachie. Faites que j'écrive un texte qui touche au cœur de l'art taurin, au cœur même du Mexique. Sans fioritures inutiles. Rien que la vérité nue. »

J'imaginais Drummond assis à son bureau de New York et pensant exactement la même chose que moi. Je le voyais refuser de quitter son bureau et ouvrir une bouteille de bière tout en composant des gros titres imaginaires. Il se disait : « Si l'un des deux hommes doit mourir, comme le prétend Clay, eh bien, que ce soit celui qui nous offrira le meilleur article. » Il manipulait le texte et les photos que je ne lui avais pas encore envoyés, l'événement ne s'étant pas encore déroulé, et je l'entendais d'ici se rassurer : « On ne se plante pas en parlant de Victoriano comme d'un héros maudit, jeune et beau, poussé à la mort par cet affreux petit homme... Oui, ce n'est pas mal, ça. Des photos ici et là. Sur la page de gauche, on mettra un agrandissement de celle où on le voit porté en triomphe à la sortie des arènes de Mexico, couvert des fleurs que lui jettent les jeunes filles. Et en page de droite, le même homme, seul, transpercé par la corne du taureau. En pages intérieures, huit coups de projecteur sur l'histoire de sa famille, avec l'extraordinaire histoire du grand-père cloué au sable par la corne qui lui traverse la gorge. Ces vieilles photos ont toujours beaucoup d'impact. Il faudrait attendre la cinquième ou sixième page pour découvrir le portrait du petit Mexicain aux jambes arquées par qui tout était arrivé. »

Dès qu'il pensera au Mexicain, Drummond se trouvera confronté à un problème éditorial grave, car je le vois bien écarter sa maquette d'un geste rageur et se dire : « Comment jouera-t-on le coup si ce n'est pas Victoriano qui se fait tuer mais le petit Mexicain ? » Il y aura alors de grandes chances pour qu'il me télégraphie et me demande mon opinion. Je ne doute cependant pas qu'il trouvera l'une de ces phrases grandiloquentes dont il a le secret : « Et ainsi nous voyons pourquoi les hommes affrontent les taureaux et meurent parfois de leurs cornes. »

Toutes ces spéculations me déplaisaient assez, mais, en professionnel consciencieux, je continuerais à lui envoyer tous les renseignements que je pourrais trouver sur Gómez. Comme je réfléchissais sur mon travail, je me rendis compte que rien de ce que j'avais dit à propos de Gómez ne donnait de lui une image véritable. Je n'avais vu en lui que la composante indienne du Mexique opposée à sa composante espagnole. Je l'avais décrit comme un être de ténèbres mis en face d'un être de lumière, la pesanteur qui met la grâce en péril. Je m'étais mis en tête une idée préconçue et stupide de ce qui allait se passer — la mort de Victoriano Leal — et j'avais ainsi orienté mon observation de Gómez. Je n'avais raconté de cet homme que le rôle qu'il pouvait jouer dans la vie et la mort d'un autre, et c'était complètement erroné.

Tous les livres que j'avais lus sur le Mexique ainsi que la thèse que j'avais soutenue à Princeton à propos de ma terre natale souffraient d'une faiblesse fondamentale. Les Espagnols avaient parlé de ce pays sous le seul aspect du catholicisme et de la recherche de l'argent. Les Américains comme mon père l'avaient expliqué d'un point de vue strictement américain. Dans *La Pyramide et la cathédrale,* il avait cherché à rassurer le lecteur américain : le Mexique était, tout compte fait, un pays fort décent parce qu'il arrivait presque, à de nombreux égards, au niveau de l'Amérique. Mais sur le Mexique, terre unique aux espoirs et aux problèmes qui lui sont propres, nul n'avait jamais rien dit. Surtout pas les Mexicains. Dans ce pays, on ne prenait la plume que pour se poser en défenseur des Espagnols ou des Indiens, en antiaméricain ou en prosoviétique, mais jamais en Mexicain.

La vérité n'étant pratiquement jamais la même pour un Américain et un Mexicain, je réalisais que tout ce que j'avais écrit jusqu'à présent sur le matador Juan Gómez reflétait strictement le point de vue d'un Américain qui parle d'un Indien s'apprêtant à tuer un Espagnol.

J'étais bien éveillé et le sommeil était impossible, en ce calme jeudi soir. J'avais terminé de travailler et je quittai la Maison de Céramique pour me promener sur la grand-place. Je contemplai les structures espagnoles et indiennes, si différentes à la clarté lunaire, et je me dis : « Oublie tes obsessions, oublie ton envie de trouver le titre qui fait vendre — si tu étais contraint de décrire Juan Gómez tel qu'il est vraiment, en laissant de côté les autres et les symboles, comment t'y prendrais-tu ? »

La réponse n'était pas facile. Je m'assis sur l'un des bancs de la grand-place et regardai alternativement la cathédrale de l'évêque Palafox et la pyramide des Bâtisseurs ivres tout en m'efforçant de comprendre l'impossible matador indien. J'étais au courant d'un certain nombre d'incidents survenus au cours de sa carrière et je me souvenais plus particulièrement de l'un d'eux parce qu'il me semblait résumer parfaitement les difficultés qu'il rencontrait constamment. Il y était question d'une virée en voiture en pleine nuit entre Acapulco et Mexico.

Il y a à peu près trois ans, avant que sa rivalité avec Victoriano Leal ne lui rapporte vraiment de l'argent, Juan Gómez était déjà un matador confirmé, mais son passé était chaotique, son présent sans envergure et son avenir plutôt limité. Il n'avait pas accompli d'exploits, était assiégé par des sangsues qui lui soutiraient le peu qu'il possédait et n'avait pas de raison logique d'espérer un renversement de situation. Il participait à six corridas par an en moyenne, à des tarifs qui lui interdisaient tout juste de mourir de faim. Il ne pouvait se permettre d'entretenir une équipe régulière, ainsi que le faisaient les riches matadors, et devait se contenter des picadors et des péons qu'il trouvait sur place et, surtout, qui ne lui demandaient pas trop.

Il avait ramassé une fille à la fière allure, une dénommée Lucha González, chanteuse à la voix stridente qui dansait aussi un peu et ne jouait pas trop mal des castagnettes. Quand il réussissait à décrocher un contrat, il contribuait aux dépenses du ménage, mais il lui fallait la plupart du temps vivre sur les maigres cachets de la jeune femme. Lucha, dont le nom était l'abréviation de l'un des noms les plus répandus au Mexique, María de la Luz (Vierge Marie de Lumière), mesurait cinq centimètres de plus que le matador. Il ne devait jamais oublier ce détail. Un jour, elle vit dans un magazine américain une publicité pour des chaussures à talons compensés : « Désormais vous serez plus grand qu'elle. » Elle ne lisait pas l'anglais, bien entendu, mais elle avait compris le sens de la réclame et écrit à un ami de New York à qui elle avait envoyé vingt dollars qu'elle était parvenue à économiser. Connaître la pointure exacte du matador n'avait pas été chose facile, mais, une nuit qu'il était endormi, elle avait tiré les couvertures et dessiné sur une feuille de papier le contour de ses pieds.

Quand les souliers arrivèrent et qu'elle les offrit à Gómez, il remarqua tout de suite les talons compensés et se mit à rire. Mais, en fait, sa vanité fut blessée, et il n'aima plus jamais Lucha comme avant.

A l'époque dont je parle, Gómez avait décroché un contrat de troisième zone à Acapulco, avec des taureaux qui n'auraient pu paraître dans les arènes de Mexico. On lui avait proposé sept cent cinquante dollars pour l'après-midi, mais son équipe lui en avait coûté cent dix, le voyage et l'hôtel quatre-vingt-huit, sans parler de l'imprésario à qui il avait dû en donner cent cinquante. Ajoutez à cela les frais de blanchisseur et d'entretien des costumes, plus quarante-quatre dollars pour acheter les chroniqueurs locaux. Cela veut dire qu'il ne lui restait plus que trois cents dollars environ, dont il dépensait la majeure partie au café pour donner l'illusion d'être un personnage important. Certes, il gagnait beaucoup plus dans certaines corridas mais, depuis quatre ans, il n'avait gardé pour lui-même que deux mille malheureux dollars par an — somme sur laquelle il avait dû régler un séjour de cinq mois à l'hôpital.

Son engagement à Acapulco aurait été synonyme de catastrophe financière sans Lucha qui, par ses coups de téléphone incessants, avait réussi à se faire engager pour deux semaines comme animatrice dans l'un des grands hôtels américains de la ville. Une fois de plus, ses cachets permettaient de vivre au matador ; quand la corrida était terminée, Lucha continuait de chanter et le matador aux talons compensés pouvait traîner dans les cafés.

Sa prestation dans les arènes d'Acapulco n'avait pas été grandiose, car les bêtes étaient atroces, mais il avait été au moins aussi bon que les autres matadors et peut-être même plus brave ; au cours de la longue semaine qui suivit la corrida, il entendit pas mal de commentaires favorables dans les cafés, tout particulièrement parce qu'il dépensait ses derniers dollars à offrir des tournées aux parasites accrochés à ses basques. Le samedi, à minuit, soit six jours après son entrée dans les arènes, on vit un homme courir de café en café et crier, l'air affolé : « Un appel téléphonique pour le matador ! Un appel urgent de la part d'un imprésario de Mexico ! »

Lucha en personne m'avait raconté cette nuit à Acapulco. J'écrivais un article sur les émigrés mexicains qui vivent en toute illégalité à San Antonio, au Texas, et j'étais tombé par hasard sur une publicité pour une corrida organisée le dimanche suivant à Nuevo Laredo. Ce n'était qu'à deux heures de voiture et je décidai d'y assister : j'avais entendu dire que ce matador mexicain, Juan Gómez, était des plus tenaces et je voulais me rendre compte par moi-même de quoi il était capable.

Après la corrida, où il se comporta honnêtement, j'allai le trouver, me présentai à lui et lui demandai si nous pouvions parler. Son manager, un costaud qui fumait un long cigare, s'empara de ma carte de presse, l'étudia longuement et hocha la tête, sur quoi Gómez m'emmena au café qui dominait le Rio Grande. L' « animatrice » était une sorte de chanteuse et danseuse de flamenco. Elle se joignit à nous.

— Voici mon amie, Lucha González, dit le matador.

— Non, je suis son manager, rectifia-t-elle. Cigarro ici présent croit que c'est lui, mais c'est moi le boss.

Et quand nous nous mîmes à parler de cette nuit à Acapulco, elle se révéla être le boss, comme elle disait, parce qu'elle domina toute la conversation.

— Je chantais une de mes plus belles chansons quand ce type arrive en courant. « Téléphone pour Juan Gómez ! Un imprésario de Mexico ! On a besoin de lui pour la corrida de demain ! » Alors je me précipite hors de scène et je l'aide à trouver Juan. Je me dis : « Mon Dieu ! Mexico ! Les arènes monumentales ! »

Tout en parlant, elle regardait amoureusement son matador.

— Je l'ai retrouvé dans un grand café au bord de l'océan, poursuivit-elle. Il portait le costume à carreaux que je lui avais acheté à Mexico, une cravate-lacet, son chapeau andalou et les chaussures vernies qui venaient de New York. Tout à fait l'allure d'un matador. Quand le messager s'est approché en criant : « Gómez ! L'imprésario de Mexico vous veut pour une corrida ! Demain ! Au téléphone, vite ! », Juan s'est métamorphosé. (Elle s'arrêta un instant, sourit à Juan et dit encore, comme si elle se rappelait un conte de fées :) Il était si beau quand il s'est levé ! Il a tiré sur sa veste et est parti dans la rue pour se rendre au téléphone. Les hommes nous suivaient et criaient : « Gómez est demandé au téléphone pour une grande corrida à Mexico ! Oui, demain ! » J'étais fière de marcher à ses côtés et, quand nous avons trouvé le téléphone, les nouvelles étaient impressionnantes. « On a des ennuis, Gómez. Tous les billets sont vendus. On devait avoir le héros du

Venezuela, mais son avion est retenu à Bogota. Est-ce que vous pouvez foncer jusqu'ici et être prêt pour quatre heures ? »

Gómez l'interrompit :

— Je lui ai dit : « Je serai là », et il a répondu : « Matador, vous avez sauvé l'honneur du Mexique. »

— Raconte aussi ce que ce cochon a dit quand je lui ai parlé du cachet, fit Lucha. (Gómez n'ouvrit pas la bouche et elle reprit :) Il a dit à Juan qu'on verrait cela plus tard. Il nous a quand même aidés pour le voyage. « Si vous quittez tout de suite Acapulco, à une heure disons, comme il y a près de quatre cents kilomètres de route, vous serez là sur le coup de sept heures, sans problème. Vous vous reposerez un peu, Cigarro verra vos taureaux à midi, vous ferez la sieste et vous serez en pleine forme à quatre heures. »

Lucha avait écouté la conversation et, la réponse ne lui ayant pas donné satisfaction, elle avait arraché le combiné des mains de Gómez et dit : « Señor Irizaba, vous offrez combien à Gómez ? »

La voix suave de l'imprésario avait tenté de la calmer, il lui avait assuré qu'ils discuteraient de cela plus tard, mais elle avait littéralement explosé.

L'occasion m'était donnée d'observer à loisir cette femme énergique, à la beauté un peu sauvage. Agée d'une trentaine d'années, elle avait visiblement traîné dans tous les night-clubs du Mexique et même de la frontière américaine. Et aujourd'hui, engagée dans un cabaret minable de Nuevo Laredo, elle évoquait cette fameuse nuit à Acapulco. Ce qu'elle racontait n'était pas spécialement comique, mais son propre sens de la comédie la faisait rire.

— Maintenant, c'est drôle, mais sur le coup, ça a bardé.

Elle expliqua comment elle avait parlé à Gómez après le coup de fil de Mexico.

« — Ce type est un menteur. Il se sert de toi. Pour toi, il n'y aura pas de corrida demain dans la capitale.

» — Tu l'as entendu comme moi, Lucha. Le Vénézuélien est coincé à Bogota. Irizaba devait trouver quelqu'un, un matador qui ait bonne réputation », lui avait répondu Gómez.

La fière jeune femme baissa la voix pour me confier :

— A cette époque, mon homme n'avait aucune réputation, bonne ou mauvaise. Je savais que c'était un mensonge dans la bouche de cet Irizaba. Il n'appelait Juan que pour l'avoir à portée de la main au cas où le matador qu'il voulait vraiment, un torero bien plus connu, lui ferait faux bond. (Elle rit à nouveau et posa la main sur mon bras.) Quand Juan a raccroché et que les consommateurs lui ont demandé combien il allait toucher, il leur a répondu : « Trois mille dollars ! », mais ils savaient que cela devait plutôt tourner autour de six cents, et moi, je le voyais bien avec rien du tout.

Gómez fit la grimace en l'entendant évoquer ce triste épisode, mais Lucha poursuivit son récit avec fougue et j'entrevis ce que pouvait être la vie d'un matador. En tant que femme qui avait décroché ses propres contrats, elle savait qu'il ne fallait pas faire confiance aux managers mexicains ; elle avait également eu de mauvaises expériences aux Etats-Unis, ce qui lui permettait de tenir tête à Juan.

— Tu ne peux pas monter à Mexico à une heure pareille. Il n'en est pas question.

— Je dois tenter ma chance. Si je peux faire une bonne corrida dans la capitale...

— Tu n'auras aucune chance, aucune. Pas avec cette crapule d'Irizaba !

Lucha me raconta que leur discussion dura près d'une demi-heure. Gómez acquiesça :

— C'était très dur, me dit-il. Elle savait que je n'avais aucune chance, et peut-être bien que moi aussi je le savais. Mais un matador, c'est un homme qui prend des risques, non ?

— Comment cela s'est-il terminé ? demandai-je.

Mes deux interlocuteurs parlèrent en même temps, chacun reconnaissant à l'autre qu'il s'était bien comporté, mais Gómez avait finalement lancé un ultimatum.

— Dans quinze minutes, avait-il menacé, Cigarro et moi partons pour la capitale. Tu viens avec nous ou tu restes ici, c'est à toi de choisir.

Elle se rendit compte que son compagnon ne plaisantait pas et décida de temporiser.

— Laisse-moi faire mon prochain numéro. Tu sais que c'est ce qui nous fait vivre et je ne peux tout de même pas partir.

— J'attendrai.

Cette nuit-là, avec Cigarro au volant et Lucha et Gómez qui essayaient de dormir sur la banquette arrière, la Cadillac quitta la station balnéaire et s'engagea dans la montagne en direction de la capitale. Parfois, le couple se réveillait et voyait Cigarro traverser à près de cent vingt à l'heure des villages déserts et faire s'enfuir les poules qui somnolaient sur le bitume chaud. C'est ainsi qu'ils passèrent par Iguala, ville célèbre dans l'histoire du Mexique pour le rôle qu'elle joua au cours de la révolution ; Taxco, avec ses vieilles bâtisses d'une grande beauté ; et enfin Cuernavaca, dont les gracieuses résidences sont occupées par les riches Américains.

Comme ils laissaient derrière eux les montagnes et débouchaient sur le plateau où était édifiée la ville de Mexico, Cigarro ralentit et s'arrêta.

— Juan, je suis fatigué. Tu ne veux pas conduire ?

— Il a besoin de se reposer, rétorqua Lucha, et elle s'installa au volant pour conduire la vieille voiture dans les faubourgs puis les rues grouillantes de monde de Mexico.

En passant devant les cafés où elle avait chanté, elle se mit à fredonner les chansons qu'elle préférait, puis elle se dirigea vers un hôtel fort modeste. Elle discuta avec le concierge, déclarant qu'elle ne paierait que pour la nuit suivante puisqu'il était déjà sept heures du matin. A sept heures et demie, Cigarro et le matador dormaient profondément, et elle se rendit dans un café ouvert en permanence :

les clients se souvenaient d'elle et elle chanta plusieurs chansons en leur compagnie.

A onze heures et demie, elle était de retour à l'hôtel avec de l'eau chaude pour que Gómez se rase ; à midi moins dix, Cigarro et lui étaient prêts à aller aux arènes.

Contrairement à la plupart des matadors, handicapés par leurs superstitions et qui refusent de voir les taureaux avant que ceux-ci ne déboulent sur la piste, Juan Gómez insistait pour être présent lors du tirage au sort. Tout jeune, déjà, il avait compris que l'on n'en savait jamais assez sur les animaux et il pensait que la sélection l'aiderait à déceler, chez le taureau qui lui serait dévolu, un trait de caractère susceptible de lui permettre d'effectuer une belle prestation. Seul point faible de cette théorie, le spectacle qu'il donnait était rarement grandiose, alors qu'il l'était souvent avec des matadors refusant de voir les bêtes.

Juan Gómez et son entourage pénétrèrent dans le toril où les taureaux allaient être attribués à chaque torero. Lucha fut choquée, car elle vit tout de suite que se trouvaient présents non seulement les représentants des deux autres matadors prévus pour la journée, mais aussi les hommes qui serviraient le matador vénézuélien, plus les agents de quatre autres matadors à la réputation plus affirmée que celle de son compagnon.

— Les salauds ! grommela-t-elle. Les infâmes salauds !

Gómez avait encore un vague espoir d'être choisi et il la fit taire pour qu'elle n'anéantisse pas les chances qu'il n'avait jamais eues, mais elle ne l'écouta pas et se fraya un chemin parmi la foule des personnes venues observer les six taureaux. Elle reconnut l'imprésario Irizaba, grand gaillard d'une soixantaine d'années à l'œil gauche un peu torve, et se mit à hurler :

— Sale fils de pute ! Faire venir tous ces types pour rien ! Pourriture !

Sa fureur était si grande et son désir d'écharper Irizaba si évident que l'imprésario demanda à deux de ses aides de la retenir tandis qu'il s'enfuyait dans son bureau, mais il ne s'en tira pas sans peine car Lucha, bien que prisonnière des deux hommes, réussit tout de même à lui donner un bon coup de pied.

Les agents des autres matadors s'efforcèrent de protéger les infimes chances de Gómez de toréer dans la capitale en éloignant Lucha des arènes. Puis ils revinrent le trouver.

— Si vous voulez travailler un jour ici, présentez vos excuses à Irizaba. Il comprendra. Dites-lui que votre femme s'est énervée.

— Elle n'aime pas qu'on lui marche sur les pieds, répondit Gómez. Je le sais, et lui aussi le sait, ajouta-t-il en désignant Cigarro, debout près du toril.

Chasser Lucha n'avait rien résolu. Toujours furieuse de ce que l'on avait fait à Gómez, elle trouva une autre entrée et se précipita vers le bureau d'Irizaba, dont elle enfonça la porte.

— On a roulé toute la nuit, hurla-t-elle. Et les trois autres ont fait pareil. Qu'est-ce que vous allez faire pour nous dédommager ?

Irizaba était terrifié. Il se cachait derrière son bureau.
Elle l'aurait mis en pièces.

— Comment cela s'est-il terminé ? demandai-je.

Gómez se tourna vers Lucha et ce fut elle qui répondit :

— Le gros m'a dit : « Ce que je vais faire, puisque les matadors sont déjà là, eh bien, je vais vous donner deux places à chacun — gratuites, vous m'entendez ? » Et là-dessus, il me tendit deux billets.

— Et alors ?

— Je ne les ai même pas touchés, dit-elle avec amertume. J'ai vu où c'était situé et je les ai balancés d'une pichenette. « Des billets bon marché ! que je lui ai dit. Pour un matador de cette classe. Quelle honte ! Donnez-nous des bonnes places, sinon... »

— Il l'a fait ?

— Il y était obligé.

— Et vous les avez prises ? Je pensais...

— Naturellement qu'on les a prises, intervint Gómez. Un matador ne voit jamais assez de taureaux. Il y a toujours quelque chose de différent. C'est comme ça qu'on apprend. (Et puis, il me confia une chose que j'ignorais :) C'est arrivé plusieurs fois dans l'histoire de la tauromachie qu'un matador qui se trouvait sur les gradins descende dans l'arène, sans cape, pour s'occuper d'un taureau qui avait sauté dans la foule. On sauve des vies humaines, parce qu'avec les taureaux on n'est jamais sûr de rien.

La tauromachie est une maîtresse ingrate. A une poignée d'hommes, elle offre une vie de faste s'ils sont assez braves ou assez malins pour la dominer. Mais la plupart des autres n'ont droit qu'à une existence triste et amère qui ne dure que quelques années avant de les laisser à tout jamais physiquement ou moralement mutilés. Voici l'histoire, telle que me l'ont racontée Juan Gómez et ses amis, de son irruption dans cet univers difficile.

Aujourd'hui encore, je l'entends, avec sa voix douce et son fort accent indien, me parler un peu à contrecœur de ses années de jeunesse :

— Je suis né dans une cabane de terre aux abords d'un village situé au-delà de la pyramide. Les Indiens altomèques, ils n'ont pas de terres à eux. Le père, toujours en pantalon de coton blanc, vous voyez comment, une corde en guise de ceinture, une chemise toute mince, les pans de devant coincés sous la ceinture et ceux de derrière qui flottent sur les fesses maigres.

Il me raconta que son grand-père avait passé un certain temps dans les armées du général Gurza. Il espérait ainsi améliorer l'ordinaire de sa famille, mais tout ce que la Révolution lui avait rapporté, c'était une chemise de coton supplémentaire. Il avait participé au second sac de Toledo et, pendant que les hommes de Gurza pillaient la cathédrale, il avait vainement tenté de violer une jeune fille de dix-neuf ans. Les autres étaient repartis avec l'argenterie de la cathédrale et lui n'avait rien eu.

Un jour, au coucher du soleil, des hommes dévalèrent des plaines du centre du Mexique. C'étaient des Cristeros — les Hommes du Christ —, comme ils se nommaient eux-mêmes. Réunis sous la houlette du clergé, ces conservateurs déferlaient sur la région de Toledo, saccageant les villages et massacrant toute personne soupçonnée d'avoir servi le général Gurza. Ironie suprême, ils abattirent le grand-père de Juan.

Si je parle d'ironie, c'est parce qu'en ces années de folie où des hommes de bien devenaient des meurtriers, le paysan Gómez avait recueilli chez lui un prêtre catholique qui, autrement, se serait fait assassiner par les derniers éléments de l'armée de Gurza. Pendant trois ans, la famille Gómez avait caché ce prêtre, l'avait vêtu en paysan et lui avait permis, au mépris du danger, de dire la messe dans la cabane de terre. Cela peut paraître surprenant de la part de Gómez, ancien révolutionnaire qui avait jadis haï les prêtres, mais il avait donné une explication simple de son geste : « J'en ai assez de tuer. Les prêtres ne devraient pas être tués. »

— Lorsqu'il violait les femmes et saccageait les églises, Dieu veillait sur lui, me dit le matador à propos de son grand-père. Mais quand il s'est repenti et a abrité un prêtre sous son toit, Dieu l'a tué. Il a envoyé des hommes qui criaient : « Longue vie au Christ-Roi ! » quand ils brûlaient et massacraient, et ils l'ont abattu.

Le prêtre resta encore quelques mois dans la famille Gómez, aidant à cultiver les champs que le défunt cultivait pour un propriétaire foncier, mais, quand les Cristeros se séparèrent, d'anciens partisans de Gurza eurent vent de l'existence du prêtre au village. Des forces gouvernementales très anticatholiques débarquèrent pour l'arrêter et peut-être même le tuer, mais le prêtre fut prévenu et s'enfuit à temps.

L'histoire de ce prêtre traqué sauvé par un ancien soldat de l'armée de Gurza me fascina, car elle me rappelait celle du père López qui, après le sac de la cathédrale de Toledo, s'était réfugié dans ma famille. A la Mineral, c'était mon père, protestant qui redoutait les catholiques, qui avait offert un refuge à un prêtre pourchassé...

Le mois où naquit Juan, son père mourut accidentellement. Comment la veuve Gómez et ses deux fils — Raúl, âgé de cinq ans, et Juan — survécurent, le matador ne me le raconta jamais, mais, en ces terribles années, il n'était pas rare que la moitié des femmes d'un village fussent sans mari. Les hommes qui avaient soutenu la Révolution avaient été tués par les Cristeros et ceux soupçonnés d'être catholiques par les révolutionnaires. Moi-même, avant l'âge de quatorze ans, j'ai vu la ville de Toledo occupée à quatre reprises et incendiée par deux fois. J'ai vu pas moins de vingt hommes pendus et bien d'autres encore fusillés ; plus tard, j'ai vu quelques-uns des hommes et des femmes les plus doux que je connaissais s'engager dans le mouvement des Cristeros et frapper avec une violence inouïe. Tel était le Mexique de ma jeunesse, le Mexique où Juan Gómez avait grandi aux côtés de sa mère.

Le garçon n'alla à l'école qu'une année. Puis il erra dans la campagne pour gagner un peu d'argent.

— Je savais signer de mon nom, me dit-il en parlant de ce temps-là, mais je ne savais pas lire. J'ai toujours des problèmes avec les mots compliqués. Un voisin sympathique m'a dit : « Va à Toledo et trouve l'élevage Palafox, ils engagent des garçons. » Je suis donc parti vers le sud, avec une paire de pantalons et une chemise. C'était en janvier, il faisait froid quand j'ai franchi le grand portail. Je ne savais même pas qu'ils élevaient des taureaux de combat. Je n'en avais jamais vu.

De nombreuses automobiles étaient garées devant la petite arène de pierre édifiée à l'intérieur de l'élevage. Il y avait aussi une horde de garçons dépenaillés comme lui-même.

— Qu'est-ce qui se passe ? demanda-t-il.

— C'est la tienta, lui répondit l'un des garçons.

— Qu'est-ce que c'est ? fit-il, étonné.

— Si tu ne le sais pas, qu'est-ce que tu fiches là ?

— Pour trouver du travail.

— Armillita essaye les vachettes.

— C'est qui, Armillita ?

Des employés de l'élevage le repoussèrent. Comment accepter quelqu'un qui ne connaissait même pas Armillita ? Quelques instants plus tard, le portail s'ouvrit de l'intérieur et un homme qu'il sut plus tard être don Eduardo Palafox fit son apparition. Il demanda qu'on fasse entrer les garçons, et ceux-là mêmes qui avaient repoussé les petits vagabonds les laissèrent aimablement passer.

— Asseyez-vous là, dit un individu à l'allure bourrue, et si l'un de vous ose sauter sur la piste, je lui tranche la gorge.

A ce moment, un portillon rouge s'ouvrit et Juan Gómez vit pour la première fois un animal débouler dans l'arène. Il fut pris d'enthousiasme en voyant un grand Indien s'avancer vers la bête et entreprendre de le dominer à l'aide de sa cape jaune et rouge. Dans ses mouvements, il y avait de la grâce, mais aussi de la discipline, surtout lorsqu'il esquivait les cornes du taureau.

— C'est Armillita ? demanda-t-il à voix basse aux autres garçons.

Leurs regards méprisants lui firent comprendre que oui, mais il ne savait toujours pas qui était Armillita. Il avisa sur sa droite un garçon plus âgé que les autres, au regard très intense.

— Qui est Armillita ? lui demanda-t-il.

— Le meilleur, répliqua l'autre sans quitter des yeux le torero.

Cela ne satisfit pas Juan. Il insista.

— Il combat toujours des taureaux ?

Les garçons faillirent interrompre la tienta par leurs hurlements.

— Ce n'est pas un taureau, espèce d'idiot ! lui cria l'un d'eux. Il ne sait même pas reconnaître un taureau d'une vachette !

Ces manifestations attirèrent l'attention d'Armillita et, à la prochaine pause, il s'adressa au garçon assis à droite de Juan et lui demanda s'il voulait essayer. En un éclair, le garçon sauta par-dessus la barrière, courut vers le matador et s'empara de la cape. Puis, secondé par le professionnel, il s'approcha d'une vachette âgée de deux ans. Les autres garçons regardaient leur camarade marcher lentement vers l'animal en adoptant la posture un peu exagérée des matadors — tête en arrière et torse bombé. Soudain l'animal chargea en cherchant quelque chose qu'il pût accrocher de la corne, mais le garçon anticipa son mouvement et, non sans adresse, le dirigea vers sa cape.

« *¡Olé!* » cria la foule venue assister à la sélection. Le cri encouragea le garçon, qui exécuta quatre nouvelles passes très rapprochées. Enfin, il laissa tomber à terre une extrémité de la cape qu'il tenait dans la main gauche, pivota sur lui-même et contraignit l'animal à suivre l'étoffe qui dessinait un arc de cercle dans le sable.

« *¡Olé!* » crièrent à nouveau les spectateurs, et le garçon revint dans les gradins avec un hochement de tête admiratif de la part d'Armillita. Visiblement, ce jeune homme s'entraînait depuis des mois dans le but de devenir torero. Les autres le traitèrent avec respect. Il ne regagna pas sa place à côté de Juan Gómez et s'assit un peu à l'écart, rouge d'émotion.

Vers la fin de l'après-midi, don Eduardo Palafox, que les voisins de Juan savaient être le propriétaire de l'élevage, annonça qu'il avait l'intention de mettre à l'épreuve un jeune taureau de trois ans qu'il voulait utiliser comme étalon. Il demandait deux matadors pour essayer cet animal et voir s'il avait la bravoure que l'on exige de tout taureau susceptible de remplir une telle fonction. Les spectateurs étaient enchantés, car de nombreuses tientas se déroulaient sans que l'éleveur daigne donner un vrai taureau aux matadors. Un tel événement avait aussi beaucoup d'importance pour le propriétaire du taureau, car c'était pour lui un pari de taille. Un taureau de combat de trois ans valant plus de mille dollars se retrouvait dans une arène de tienta : si l'animal se révélait inapte à la reproduction, un éleveur honnête n'avait pas d'autre choix que de l'envoyer à la boucherie; il n'était pas question de le vendre pour une corrida. A trois ans, un taureau avait la capacité d'apprendre et de retenir longtemps la leçon; mis à l'épreuve aujourd'hui, il se souviendrait ultérieurement de cette journée et tuerait presque certainement son matador.

Il y avait tout de même une autre possibilité, celle qu'un éleveur déçu adoptait quand il n'était pas scrupuleux : il pouvait mentir, dire que le taureau n'avait jamais été mis à l'épreuve et le vendre à des arènes de province, où des matadors de troisième ou de quatrième catégorie l'affronteraient — à leurs risques et périls. Aucun éleveur n'était complètement honnête. Don Eduardo, par exemple, mentait toujours à propos de l'âge de ses taureaux et avait souvent l'habitude de leur donner, juste avant la pesée, une nourriture très salée pour qu'ils boivent énormément d'eau, ce qui augmentait artificiellement leur poids. Les éleveurs quelque peu corrects se refusaient à placer des taureaux déjà essayés, et don Eduardo ne l'avait jamais fait. De toute façon, il n'aurait jamais pu s'y risquer, car mettre un véritable taureau en présence d'Armillita et de l'autre matador impliquait une grande honnêteté dans la mise à l'épreuve. Il y avait là trop de spectateurs avertis, qui voyaient bien quand un taureau manquait de bravoure. Il est donc logique qu'un frisson de plaisir parcourût la foule quand don Eduardo annonça l'entrée d'un étalon potentiel, car c'était pour lui un pari d'un millier de dollars.

Le côté bon enfant qui caractérisait la sélection des vachettes n'était plus de mise. Des hommes montés sur des chevaux caparaçonnés éprouvaient leurs piques contre la pierre. Les porteurs de capes se mettaient en position. Armillita se tenait derrière une barrière, l'étoffe de sa cape entre les dents. Les vachettes étaient reparties. Un taureau allait faire son entrée.

— C'est à ce moment, me confia Gómez, que je me rendis compte que le taureau était entré dans une caisse placée sous moi, exactement. Je sentais sa force quand il chargeait sa prison. La planche sur laquelle j'étais assis vibrait et les autres garçons cherchaient à apercevoir l'animal par les interstices. Je ne fis pas comme eux. Je préférais que le message de ses cornes arrive directement dans mon corps. Je sentais un pouvoir étrange et nouveau. Le monde tremblait. Et puis, d'un point situé juste au-dessous de moi, le taureau bondit dans l'arène.

C'était un bel animal pesant un peu moins de trois cents kilos. Ses cornes noires étaient larges et pointues. Sa queue était lisse, terminée par une touffe de poils. Il avait un peu de sang sur les flancs, suite aux blessures mineures qu'il s'était lui-même infligées en se lançant contre les parois de sa caisse. C'était un vrai taureau, qui chargeait en puissance les capes que les toreros agitaient devant lui dans un ordre bien précis afin de déceler ses qualités.

Après qu'il eut chargé à six reprises, relevant chaque fois la tête de la même façon, Armillita descendit dans l'arène avec sa cape et entreprit une élégante série de passes qui montrèrent l'animal sous son meilleur jour. Le taureau serait certainement aussi bon qu'on l'espérait.

A ce moment, Armillita se retira et laissa le jeune matador tenter sa chance ; avec lui, le taureau fut tout aussi excellent. Puis ce fut la surprise, quand Armillita fit signe au jeune homme des gradins.

— Viens essayer un vrai taureau, lui lança-t-il.

L'autre descendit sur la piste, assez loin du taureau qui chargeait la barrière. Il prit une cape accrochée dans le couloir et s'avança à la façon des matadors, à petits pas, tout en agitant en rythme la cape pour attirer le taureau.

— Hé, taureau, par ici ! criait-il d'une voix rendue rauque par la peur.

Le jeune taureau chargea et Juan vit le garçon s'immobiliser, les mains basses, tandis que l'animal passait entièrement à côté de lui. La foule cria de plaisir et le garçon renouvela sa passe. Seulement, cette fois-ci, le taureau modifia trop tôt sa trajectoire et frappa le jeune homme du plat de sa corne gauche, l'envoyant assez loin dans le sable. Deux choses survinrent alors en même temps. Ayant trouvé sa cible, le taureau fit brusquement volte-face et chargea à nouveau, mais les matadors avaient anticipé cette action et s'interposaient déjà avec leurs capes pour détourner l'attention de la bête.

C'était la première fois que Juan voyait quelqu'un se faire renverser par un taureau. Trois choses l'impressionnèrent : la puissance du taureau, dont un soudain coup de corne pouvait projeter un homme ; l'habileté avec laquelle les vrais matadors parvenaient à conduire l'animal là où ils le désiraient ; et enfin le courage du garçon qui se releva, reprit sa cape et continua d'affronter le taureau comme si de rien n'était. Cette formidable suite d'événements affecta si profondément Juan Gómez que, sans même le savoir, il se consacra dès cet instant à la tauromachie et fit secrètement le serment suivant : « Je connaîtrai les taureaux. Je serai vif. Et je serai brave. »

Ce qui survint alors donna à sa première expérience avec les taureaux cette touche tragique qui n'est jamais vraiment absente des corridas. Le débutant était revenu sur les gradins, tout fier de lui. Le vrai matador termina par quelques passes assez décoratives, et les hommes qui s'occupaient des registres de l'élevage paraissaient satisfaits. Ils avaient trouvé un nouvel étalon, ce qui est toujours une bonne chose quand l'on sait qu'un bon reproducteur peut engendrer jusqu'à trois cents taureaux de combat et ainsi assurer la renommée de son élevage. Par exemple, Soldado, le taureau caché dans une grotte de la Mineral, avait, entre 1920 et 1930, engendré trois cent soixante-six splendides taureaux dont au moins onze furent qualifiés d'immortels dans les annales mexicaines — ce qui signifie qu'ils avaient tué des matadors dans l'arène ou combattu si courageusement qu'on leur avait accordé, après l'estocade, les acclamations de la foule et au moins deux tours de piste. Il semblait à présent que Palafox avait trouvé un nouveau représentant de cette noble lignée qui allait de Soldado et de Marinero aux anciens taureaux d'élevage d'Espagne.

Mais quand les picadors firent leur entrée, avec de véritables piques, le jeune taureau prit peur. De loin, il donnait l'impression de vouloir charger, mais il évitait chaque fois le cheval. Quand il se décida enfin et qu'il sentit la pointe pénétrer dans son dos, il s'esquiva et battit en retraite.

Le silence s'abattit sur les gradins, car les spectateurs assistaient à un spectacle qu'ils ne souhaitaient nullement voir. Ils suppliaient le taureau de montrer son courage. « Vas-y, maintenant ! » criaient-ils tandis qu'il s'intéressait à l'autre cheval. Armillita l'entraîna à plusieurs reprises vers le flanc du cheval, mais le taureau refusa chaque fois de livrer combat. Tous les regards étaient tournés vers la bête. Dans les gradins, personne ne se serait permis d'avoir un geste ou une parole déplacée : c'était à l'éleveur seul de décider. Les toreros travaillaient le taureau comme s'il était plein de bravoure et aucun d'eux ne haussa les épaules de dégoût, même si c'était ce que chacun pensait.

Après la huitième tentative infructueuse, don Eduardo cria :

— Abattez-le.

Les spectateurs retinrent leur souffle ; quand un taureau était ramené au corral, il était ensuite vendu à un abattoir ou, si l'éleveur avait besoin d'argent, à quelque arène de province. Mais don Eduardo tourna le dos au taureau et répéta :

— Abattez-le.

Trois bœufs entrèrent dans l'arène et entourèrent le taureau pour le ramener au corral. Un homme d'aspect cadavérique portant une boîte quitta la loge voisine de celle de don Eduardo. Il y eut un long silence, puis un coup de feu. Chacun murmurait dans la petite arène. Don Eduardo descendit alors sur la piste en lançant joyeusement :

— Amenons encore une vachette. Toi, mon gars, tu veux être torero ?

Il s'adressait directement à Juan Gómez, qu'il n'avait pas remarqué auparavant, et le petit Indien vit que l'éleveur avait les larmes aux yeux. Fasciné, Juan hocha la tête et sentit les autres garçons le pousser sur la piste.

Etourdi par l'émotion, il entendit à peine la voix grave et puissante d'Armillita lui expliquer comment tenir la cape. Tremblant, il s'en saisit, mais en lâcha un côté et déclencha des éclats de rire. En voulant le ramasser, il lâcha l'autre côté et les rires redoublèrent, puis il se prit complètement les pieds dedans.

Il sentit alors une main solide se poser sur son épaule. Il leva les yeux et vit que c'était celle d'Armillita, qui lui disait :

— Ne bouge pas les pieds. Si la vache te renverse, tu n'auras pas mal.

Le portail s'ouvrit et une vachette noire, à peine âgée d'un an, s'élança sur la piste. Elle chargeait tout ce qu'elle voyait et les matadors eurent la prudence de mettre Juan à l'écart tout en trompant l'animal de leurs capes. Mais la vache n'avait pas besoin de leurres. Tout ce qui n'était pas immobile était son ennemi et, en la voyant passer non loin d'elle, Juan se demanda comment cette vachette pouvait être si brave alors que le taureau s'était révélé si couard.

— Regarde-moi, lui dit Armillita en se dirigeant vers la courageuse vachette.

Il fit quelques passes. La foule criait quand l'animal chargeait le grand matador et essayait vainement de le renverser, mais, dans ses olé, on sentait bien son regret de ne pas avoir vu une telle bravoure chez le taureau qui avait été mis à l'épreuve.

La main d'Armillita poussa Juan sur la piste. Les spectateurs l'encouragèrent, mais, avant la fin des premiers applaudissements, la vachette repéra le garçon et le chargea avec une fureur décuplée. Juan dans un geste réflexe pour se protéger de sa cape s'y emmêla les jambes et la vachette le frappa de toutes ses forces. Ses cornes inachevées formaient une sorte de berceau qui épousa le corps de Juan et le projeta à plus de deux mètres en l'air.

C'est là l'instant décisif, où un être humain peut penser : « Je vais me faire tuer. » Si cette idée prend le dessus, il ne sera jamais torero ; mais si, comme dans le cas du petit Juan Gómez, la frayeur première est balayée et remplacée par le désir de vaincre la bête, il y a de grandes chances pour que le courage l'emporte.

En retombant sur le sable, Juan ne put s'empêcher de rire. Ce n'était même pas un taureau, mais une vachette qui l'avait ainsi renversé.

Il voulut se relever, mais ses fesses étaient recouvertes de la cape rouge : ses mouvements attirèrent l'attention de la vachette, qui le projeta à nouveau. La foule applaudit et les matadors la laissèrent faire, certains qu'elle ne pouvait lui faire vraiment de mal, prêts à intervenir au cas où les choses tourneraient mal.

Il tenta encore une fois de se remettre debout et la vachette le frappa comme un ballon de football, mais elle le passa entièrement et lui donna le temps de se redresser. Des gradins, quelqu'un lui cria de bien se tenir d'aplomb. Il adopta une pose avantageuse et maîtrisa les mouvements de sa cape. Il n'avait pas besoin de « citer » la bête, de l'appeler. Dès qu'elle vit la cape, elle fit volte-face, chargea et prit Gómez de côté pour le renverser à nouveau.

Il se leva et se plaça au centre de l'arène. Agitant la cape comme le faisait Armillita, il appela la vachette, qui fonça sur lui comme une locomotive. Cette fois-ci, il mania correctement la cape et, pour la première fois de sa vie, fit passer complètement un animal sauvage tout près de sa taille. Il entendit un « olé » d'encouragement de la part d'Armillita et, dès cet instant, son âme n'appartint plus qu'à la tauromachie.

— Je suis rentré à la maison dans le brouillard, me confia-t-il. Les étoiles apparaissaient et, en arrivant dans mon village, j'en vis toute la pauvreté, la cabane de terre où j'avais vécu, et je découvris le pouvoir qui allait me faire parcourir le Mexique en tous sens.

Il lui fallut plusieurs semaines pour oser parler de ses projets à sa mère et, quand il le fit, elle se mit à pleurer. Le gouvernement avait envoyé son aîné dans une école et c'était maintenant Juan qui voulait devenir matador : un jour, on le lui ramènerait mort à la maison. Il mit fin à cette scène en prenant la route qui menait à Toledo, bien décidé à s'arrêter dans toutes les arènes qu'il trouverait en chemin.

Sans vêtements dignes de ce nom, sans argent, sans amis, sans même la possibilité de lire ou d'écrire, il dériva de Toledo à León, puis de Torreón à Guadalajara. Dans la deuxième ville, il trouva un homme doux et sympathique qui, en échange de certains services, lui promettait de devenir un matador de première classe, ainsi qu'il l'avait déjà fait pour d'autres avant lui. Effectivement, il donna à Juan un vieux costume, deux épées et l'opportunité de combattre dans une petite arène en pleine campagne. Mais, après trois mois passés auprès de cet homme, Juan décida que ce n'était pas une vie et il s'enfuit, emportant avec lui le costume et les épées.

Il était maintenant torero, avec une paire de pantalons, des chaussures éculées et une cape déchirée dans laquelle il enveloppait ses maigres effets, ainsi que tous les aspirants matadors le faisaient depuis des générations. A quinze ans, il combattit sept fois dans des villages dont pratiquement personne n'avait entendu parler. A seize ans, dans la lointaine ville de Rio Grande de Zacatecas, il essaya d'affronter un taureau de sept ans pesant près d'une demi-tonne. Un des citadins lui dit :

— Ce taureau s'est battu tant de fois qu'il te salue en entrant dans l'arène et te dit où te placer. C'est pour mieux te tuer.

Juan n'eut aucune chance avec cet animal énorme, qui le renversa à quatre reprises. A chaque fois, avec cette intrépidité qui devait marquer sa carrière, Juan se releva. Mais la cinquième fois, le taureau le prit à la jambe droite et l'ouvrit sur plus de trente-cinq centimètres. On crut qu'il allait perdre la jambe, mais un médecin d'Aguascalientes entendit parler de lui, le fit venir et le sauva.

A seize ans, Juan Gómez boitait considérablement et n'avait gagné, en tant que torero, que cent vingt dollars. La plupart des corridas ne lui avaient rien rapporté, car il était normal que les jeunes gens risquent leur vie en s'exerçant avec des taureaux de quatrième catégorie dans des arènes de cinquième zone. Juan en était parfaitement conscient. Alors qu'il avait toujours des drains dans la cuisse pour que le pus ne s'accumule pas dans sa blessure, il avait affronté deux bêtes incroyables que l'on traînait d'arène en arène. Cela se passait près d'Aguascalientes. Comme il se rendait avec ses drains chez le médecin qui lui avait sauvé la jambe, il s'attendait à se faire sermonner, mais le praticien lui dit :

— Si tu n'as pas de courage à ton âge, tu n'en auras jamais.

Sa jambe refusa de se développer normalement et il dut revenir piteusement chez sa mère, qui avait réussi à subsister comme seules savent le faire les femmes des petits villages. Elle le mit au lit et lui redonna des forces.

— Tu vas bientôt avoir dix-sept ans, lui dit-elle sèchement, et il te faut un travail honnête.

Elle l'envoya à Toledo chez un ami qui l'employa comme livreur de bière. C'est en portant les lourds fûts que Juan Gómez acquit ces épaules extraordinaires qui, par la suite, lui permettraient de tuer avec une puissance inouïe.

Juan et son patron s'étaient mis d'accord : chaque fois qu'une corrida se déroulait dans un village des environs de Toledo, il était libre de tenter sa chance, car l'homme était un aficionado, très fier d'employer quelqu'un qui affrontât de vrais taureaux. Mais ce que Juan aimait le mieux dans son travail, c'est que chaque année, pour le Festival Ixmiq, il avait le droit de tenir le stand de bière dans les arènes. Tout en vendant des bouteilles bien fraîches, il pouvait voir les matadors s'affronter trois jours de suite; pour mieux étudier leur travail, il engageait des gamins pour vendre la bière à sa place. C'est ainsi que tout juste âgé de dix-sept ans, il assista au festival en 1945.

Trois grandes corridas étaient prévues cette année-là. Le gala final devait réunir Armillita, l'as des Mexicains, Solórzano, le gentilhomme majestueux, et Silverio Pérez, enfant chéri de la foule, capable de faire des merveilles quand on lui attribuait un bon taureau. Les corridas supérieures à la moyenne du jeudi et du vendredi avaient excité les esprits, de sorte que, le dimanche, Juan prit la décision de passer à l'action — une action mûrement réfléchie depuis quelque temps déjà. Il arriva tôt aux arènes et installa son étal. Il indiqua à ses petits vendeurs de quelles parties de l'arène ils devaient s'occuper et leur donna leurs bouteilles. Avec l'afflux des spectateurs, on le vit partout qui les encourageait à acheter. Fidèle à son héritage indien, il le fit sans exubérance, mais il y avait tout de même en lui une certaine vivacité qui intrigua ses commis.

— Qu'est-ce qu'il y a, Juan ? lui demandèrent-ils alors qu'il courait en tous sens.

— Vendez vos bières, se contenta-t-il de leur répondre.

La plupart des bouteilles étaient déjà vendues quand le cinquième taureau de l'après-midi fut mis à mort. Il ramassa alors son argent, le confia à Jiménez, un garçon qui travaillait à la brasserie, et lui dit : « Garde-moi ça. » Sur quoi il disparut.

Ce qui se passa ensuite est entré dans les annales de la tauromachie mexicaine moderne. Nombreux sont ceux qui vous parleront du sixième taureau du Festival Ixmiq-45, mais je préfère écarter les ragots et relater ce qui est, selon moi, la vérité.

Quand le dernier taureau de la feria se précipita dans l'arène, la foule vit que l'animal, quoique assez petit, allait bien se battre, et les applaudissements vinrent l'encourager. Au Festival Ixmiq figuraient habituellement les meilleurs taureaux, mais le lot de cette année n'était pas exceptionnel ; ce dernier taureau se montrait pourtant excellent avec la cape et puissant à l'encontre des chevaux. Il fut châtié à cinq reprises par la pique et aurait pu l'être davantage si l'on n'avait demandé le retrait des chevaux. Silverio, le matador qui, pour son premier taureau, avait assez mal toréé, se présenta au président et lui demanda l'autorisation de donner l'estocade avant de se retourner pour dédier l'animal à la foule — geste très populaire qui peut valoir une oreille supplémentaire ou la queue quand le taureau est superbe.

Silverio se tourna donc vers le centre de l'arène, d'où il allait faire sa dédicace, quand il poussa un cri de surprise.

De la barrière située juste devant l'étal de bière, un jeune homme qui boitait de la jambe droite avait sauté dans l'arène. Il portait un bâton semblable à une épée factice et un morceau d'étoffe rouge enroulé autour d'un second bâton. Juan Gómez avait décidé de se présenter au public de Toledo et, s'il parvenait à échapper aux policiers, aux péons, aux matadors et à tous ceux qui chercheraient à l'attraper, il gagnerait deux minutes — il n'en demandait pas plus — pendant lesquelles il montrerait son savoir-faire avec un vrai taureau.

« L'imbécile ! » grommela Silverio, qui traversa l'arène en courant pour empêcher l'*espontáneo* de gâcher son taureau. (C'est le nom donné aux spectateurs qui sautent spontanément, mais le plus souvent avec préméditation, dans l'arène.) Un des péons, grand échalas au visage de gargouille, accourut dans l'autre sens en criant : « Je le tiens, matador ! » Il plongea pour plaquer Gómez à terre, mais celui-ci lui échappa pour avoir anticipé son geste.

Sa trajectoire emmena Gómez vers le taureau et, tout en courant, il déploya l'étoffe et la secoua vigoureusement de la main droite pour qu'elle tombe bien à terre tout en attirant l'attention de l'animal.

Haletant de sa rencontre avec les chevaux et de la douleur que lui avaient infligée les banderilles, le taureau aperçut le garçon et le chargea de manière tout à fait inattendue. La foule retint son souffle quand le jeune homme et la bête s'approchèrent du point de contact, puis poussa des acclamations quand le garçon se mit en place comme un vrai matador, baissa la main droite jusqu'à en toucher le sable et entraîna le taureau à son gré.

Un « olé » le récompensa.

Le garçon devait maintenant échapper aux mains de la dizaine d'hommes qui voulaient l'attraper tout en se mettant en place pour recevoir la prochaine charge du taureau, rendu encore plus furieux par la confusion qui régnait sur la piste. Adroitement, il évita le péon à tête de gargouille et le matador Armillita qui, une demi-heure plus tôt, avait mis fin à sa journée de travail en tuant le quatrième taureau, mais était revenu dans l'arène pour en faire sortir le jeune garçon.

Un des hommes chargés de s'occuper des chevaux coinça Juan et le saisit à la jambe gauche, mais Juan se dégagea et, pour la deuxième fois, il fit face au taureau. Plaçant l'étoffe dans sa main gauche pour exécuter une passe régulière mais particulièrement dangereuse, il cita le taureau et le fit défiler dans un geste d'une grande beauté.

La foule se leva, poussa un formidable « olé » et entreprit de lancer toutes sortes de projectiles sur ceux qui essayaient d'évincer le jeune torero.

— Laissez-le terminer ! criaient les spectateurs des gradins au soleil.

— To-re-ro ! scandaient les autres pour se moquer de ceux qui tentaient de faire la police sur la piste.

Cette fois-ci, le vieux péon réussit à plaquer Gómez contre la barrière, mais l'autre s'en débarrassa d'un puissant coup de coude qui l'envoya rouler à terre, à demi inconscient. En tombant, le péon avait arraché la muleta improvisée, de sorte que Juan se retrouva face au taureau avec pour seule défense une épée de bois. Il fut pris de panique en voyant le taureau s'apprêter à charger encore une fois. Dans les gradins, tout le monde lui criait de ne rien faire.

Quand le taureau fonça sur lui, il abaissa d'instinct la main gauche comme si elle tenait toujours le morceau d'étoffe, dans l'espoir que ce mouvement tromperait la bête. Cela réussit et le taureau passa, mais le leurre ne fit plus son effet et le taureau se retourna. Sa corne prit Juan en pleine poitrine et le propulsa en l'air, loin de ceux qui voulaient l'intercepter. Le taureau s'acharna alors sur le malheureux qui gisait à terre. D'un habile mouvement de tête, il le souleva de sa corne gauche et l'envoya en arrière, très loin encore de ceux qui essayaient à présent de le sauver.

Le taureau fit une fois de plus volte-face, satisfait d'avoir trouvé un ennemi véritable et non plus un ridicule morceau d'étoffe. L'animal visa avec plus de soin, mais ne réussit qu'à traverser la jambe gauche du pantalon de Juan et à le projeter en l'air une fois de plus. Il serait retombé sur les cornes si, à cet instant, Armillita n'avait saisi le taureau par la queue et ne la lui avait brutalement tordue. Le taureau meugla de douleur et se retourna pour attaquer ce nouvel ennemi tandis que Gómez s'écroulait à terre.

Le premier à le rejoindre fut le péon du troisième matador, l'homme à tête de gargouille. Au lieu de l'aider à se relever, le péon le gifla à toute volée :

— Enfant de putain ! criait-il. Tu as gâché un bon taureau !

Une dizaine de mains l'empoignèrent et le poussèrent sans ménagement vers un portail que l'on venait d'ouvrir. Quand il se referma, un policier enfonça la crosse de son fusil dans le ventre de Juan tandis que la foule, enthousiasmée par la bravoure du garçon, bombardait le policier de bouteilles de bière.

Homme de spectacle accompli, Silverio comprit que, bien que ce taureau intéressant eût été gaspillé par un intrus, il avait la possibilité de conserver sa popularité auprès des spectateurs. Se précipitant vers la barrière comme si c'était une question de vie ou de mort, il demanda que le policier relâche le garçon. D'un geste grandiose que la foule acclama à tout rompre, le matador fit venir le jeune homme au centre de la piste, essuya son front ensanglanté par le jet d'une bouteille de bière et le serra contre lui.

— Tu sais te battre, lui dit le matador à l'oreille, mais ne touche plus jamais à mes taureaux !

De la main qui tenait Juan enlacé, il le pinça sauvagement à l'en faire grimacer de douleur. Peu impressionné, Juan lança au matador, comme s'il le remerciait :

— Essayez de faire aussi bien.

Le quittant brusquement, il se dirigea vers la porte la plus éloignée, d'un pas étudié, la poitrine bombée comme un vrai matador et jetant des regards insolents à la foule qui lui faisait une ovation.

Ce soir-là, Juan Gómez nettoya sa plaie au front, repassa son unique chemise, noua la corde autour de son pantalon et alla voir les toreros se prélasser devant la Maison de Céramique. Armillita était assis à l'une des deux grandes tables. A l'autre, Solórzano, entouré de ses admirateurs, et Silverio, l'idole de cette partie du Mexique. La discussion était animée, l'on commentait abondamment les trois après-midi du festival et les serveurs apportaient de la bière et du maïs. De temps à autre, Juan s'aventurait sur la grand-place, à l'ombre de la statue d'Ixmiq, mais le démon de la tauromachie fut le plus fort et il s'avança vers la terrasse de l'hôtel.

Malheureusement, le premier à l'apercevoir fut le vieux péon avec qui il s'était colleté dans l'arène, et l'homme l'interpella de la manière abrupte qui est si souvent celle des toreros :

— Viens pas là. Tu nous as gâché le meilleur taureau de la feria.

Plusieurs hommes se retournèrent pour mieux voir le garçon et Solórzano lui demanda :

— Tu es blessé ?

— Non, fit Juan.

— Viens boire une bière, lui proposa un consommateur assis à une autre table.

Juan constata avec plaisir qu'il s'agissait de don Eduardo, chez qui il avait éprouvé les premiers frissons du plaisir que peut procurer la tauromachie. Dans l'espoir que Palafox se souviendrait de lui, il dit :

— C'est moi qui vous ai aidé à la tienta, le jour où vous avez fait abattre votre taureau.

Cela rappela de si mauvais souvenirs à don Eduardo qu'il tourna la tête, mettant ainsi un terme à la conversation.

Bien que mal à l'aise, Juan traîna entre les tables et dit à Armillita : « Vous avez été très bon aujourd'hui, matador », dans l'espoir que l'autre se rappellerait ce qui s'était passé lors de la tienta. Mais l'autre se contenta de grommeler que c'était normal.

Juan se dirigea vers six aficionados qui expliquaient en détail à Silverio comment il avait tué le troisième taureau. Sans se rendre compte que c'était assez grossier de sa part de s'adresser à Silverio alors qu'il l'avait privé de son ultime taureau, il joua des coudes pour se retrouver à sa table.

— Vous avez été très bon avec votre premier taureau, matador, lui dit-il.

Silverio leva les yeux et lui sourit.

— Toi aussi, tu as été excellent. Tu as l'intention de suivre les taureaux ?

Mais avant que Juan pût répondre, le péon le tira par la manche.

— Encore une fois, dit le péon décharné, qui te permet de gâcher notre taureau ?

Il tenta d'échapper au péon, qui le retenait. N'en pouvant plus, il lui donna un coup de poing qui l'envoya rouler à terre. Immédiatement, des picadors et des péons qui n'appréciaient pas l'intrusion de ce blanc-bec, tant dans l'arène qu'au café, l'encerclèrent et le mirent hors d'état de se battre.

— Embarquez-moi ça ! cria l'un des picadors, et des policiers emmenèrent le corps inerte pour le jeter en prison.

Le lendemain matin, le propriétaire de la brasserie vint le voir dans sa cellule.

— Où est l'argent du festival ? lui demanda-t-il.

— Je l'ai confié à Jiménez, expliqua Juan.

— Il a disparu ! répliqua l'homme. Tu te bats, tu sautes dans l'arène, tu ne m'apportes que des emmerdements. Tu es renvoyé !

Toutefois, Juan Gómez ne perdit pas tout avec ce Festival Ixmiq-45. Trois photographes avaient pris d'impressionnants clichés de son intervention et l'un d'eux l'avait même saisi en train de faire passer le taureau à mains nues. Cette photo fut diffusée dans tout le Mexique avec la légende : « Ainsi torée Juan Gómez. » Avec ses derniers sous, Juan s'était acheté des tirages de chacune des photos et, enroulant à nouveau ses maigres biens dans sa cape, il entreprit de partir à la conquête du Mexique.

Il ne devait jamais revoir sa mère, décédée pendant qu'il faisait de la prison à Torreón. Affamé, il avait volé de quoi manger dans une boutique. Sa mère ne fut pas mise au courant de son larcin, il ignora sa mort.

Il était désormais un apprenti reconnu, susceptible d'exiger un vrai contrat pour chacune de ses corridas, mais les propositions étaient si rares qu'il était toujours prêt à se battre pour rien.

S'il apprenait qu'un village préparait une fête, il faisait de l'auto-stop ou prenait le train en fraude et voyageait trois jours durant pour arriver à temps dans l'espoir d'y affronter des taureaux. Il travaillait des animaux qui avaient déjà tué des matadors, d'autres qui n'avaient plus qu'un œil, d'autres encore qui avaient des cornes à la pointe si abîmée qu'une blessure à l'estomac ne pouvait qu'être fatale. Il vivait de haricots et de tortillas, quand ce n'était pas simplement d'eau. Il pesait moins de cinquante-cinq kilos et, lorsqu'une blessure lui donnait la fièvre, il tombait à moins de cinquante.

Il mena entre 1945 et 1950 une vie pitoyable, qu'éclairèrent seulement quelques superbes après-midi dans les arènes ou la rencontre occasionnelle d'une campagnarde émerveillée par un torero de la ville. A trois reprises, maigre et désespéré, il retourna voir l'homme de León, le personnage doux et sympathique qui était déjà tout prêt à le reprendre et lui pardonnait ses menus larcins. Ce dernier parvint un jour à le faire participer à une grande corrida, à Irapuato où Juan excella.

— Tu vois comme ce serait facile ? lui dit l'homme d'un ton persuasif. Je peux te trouver des corridas comme celle-ci tous les mois.

Mais, embrasé par son triomphe à Irapuato, Juan lui annonça que c'était terminé.

— Je ne reviendrai jamais, je vaincrai les taureaux d'une autre façon.

Quand il eut vingt ans, la mère d'une jeune fille qu'il fréquentait dans une petite ville proche de Monterrey lui apprit à lire. Il pouvait enfin savoir ce que l'on disait de lui dans les chroniques taurines des journaux, car la majeure partie de sa vie consistait à aller d'arène en arène. Il gagnait peu d'argent, mais apprenait beaucoup sur les taureaux. Dès qu'il le pouvait, il passait des semaines dans les élevages à observer les bêtes ; il était heureux de rester assis toute une journée à étudier quand ils relevaient la tête, comment ils se déplaçaient. Rares étaient ceux qui, à son âge, en savaient autant que lui.

Un jour de 1950, alors qu'il traînait dans un café de Guadalajara dans l'attente d'une tienta qui devait être organisée pour des touristes américains, il entendit un étranger crier en anglais :

— Cigarro, vieux salaud ! Rappelle-toi cette nuit à Tijuana !

Quand il se retourna pour voir qui était ce Cigarro, il découvrit le péon de Silverio, l'homme au visage de gargouille, celui qui l'avait poursuivi dans l'arène lors du Festival Ixmiq-45 avant de s'en prendre à nouveau à lui le soir même, à la Maison de Céramique.

L'affreux individu était installé à côté d'une fille du pays qui s'essayait à chanter le flamenco dans les bars. Dès qu'il vit Gómez, il reconnut l'espontáneo qui avait fait tant de problèmes à Toledo.

— Tire-toi ! gronda-t-il. On veut pas de toi ici.

Juan ignora le péon et s'inclina devant la jeune fille.

— Je vous ai entendue chanter l'autre soir. Vous étiez fantastique.

C'était un adjectif très utilisé par les toreros et qui avait perdu toute sa force.

La chanteuse eut un sourire gracieux.

— Vous viendrez à la tienta demain ? lui demanda-t-elle.

— Oh ! c'est demain ? fit Juan, montrant malgré lui qu'il n'avait pas été invité.

— Je t'ai dit qu'on veut pas de toi, intervint Cigarro, mécontent que la chanteuse ait parlé de la sélection.

— Je pourrai vous accompagner à l'élevage ? reprit Juan avec témérité.

— Non, cracha Cigarro.

Le lendemain, à la tienta, Cigarro alla jusqu'à suggérer à l'éleveur de faire chasser Juan.

— Je ne l'ai pas invité, dit-il.

— Bah, puisqu'il est ici, dit l'éleveur, laissons-le faire une ou deux passes.

Cigarro était appuyé aux gradins improvisés et bavardait avec la chanteuse quand la première vache fit son entrée.

— C'est pas un matador, dit-il à la fille. Il connaît rien. L'éleveur est poli, c'est tout.

Ici, je me dois d'interrompre mon récit pour faire part de la réaction de Drummond à la façon dont je faisais parler Cigarro, traduction approximative de l'espagnol usité par le péon. Drummond voulait savoir : « Qu'est-ce qu'il parle, ce type ? Chinois ? » et je dus lui expliquer le problème :

> Les toreros de seconde catégorie utilisent souvent une sorte de sténo verbale constituée de grognements, de mots tronqués, de phrases sans verbe et de mots relevant plus du sabir que de l'espagnol. Il y a quelques années de cela, un matador qui avait fait une saison triomphale voulut pour sa Cadillac un autocollant qui proclamait : « Le monde entier est merveilleux », ce qui pourrait se traduire en espagnol par *Todo el mundo es maravilloso* ; dans son parler bien à lui, cela devint : « To er mundo e ueno », les deux derniers mots étant prononcés « èe ouéé-noo ». Voilà le genre de problème que je rencontre quand je dois transcrire le langage de Cigarro.

Drummond me câbla en retour : « Comprends bien vos difficultés, mais rendez-le moins taré. »

Le quasi-analphabétisme de Cigarro s'expliquait par sa naissance dans une famille d'ouvriers agricoles du sud du Mexique. Son père, farouche militant prêt à mourir au combat pour avoir un peu de biens à lui, avait nommé son fils Emiliano Gutierrez et proclamé à son baptême : « Il sera un chef de la révolution paysanne comme Emiliano Zapata. » Quand le garçon opta pour la tauromachie, son père le chassa : « Jamais un de mes fils ne luttera contre les taureaux au lieu des propriétaires terriens. »

La vie d'Emiliano se déroula selon le scénario habituel : enfant pauvre, il allait de village en village, de feria en feria ; homme pauvre, il servit de péon à un matador confirmé. Un soir, dans un petit village, il vit un film dont le héros fumait de longs cigares cubains qui lui conféraient un air important ; hautement impressionné, il adopta sur-le-champ cette habitude et s'acheta des cigares chaque fois qu'il avait quelques pesos de côté. Sous le sobriquet de Cigarro, il devint un bon péon, pas de première catégorie, certes, mais si brave et si digne de confiance qu'il trouva toujours du travail et que son visage de gargouille devint familier à tous les aficionados du Mexique.

Cigarro n'avait pas vu Gómez depuis des années et, en ce jour de 1950 où devait se dérouler l'épreuve de sélection organisée pour les touristes américains, il fut très étonné par ce que le jeune apprenti avait appris entre-temps. Juan tenait la cape très basse, les pieds solidement plantés mais légèrement écartés. Il avait un style certain, dans la pure tradition tauromachique, et sa silhouette était convenable quoiqu'un peu petite.

Cigarro se pencha et, au moment de l'utilisation de la muleta et de l'épée fictive, il mâchonna nerveusement son cigare. Ce qu'il voyait l'émouvait profondément et, quand la vache fut prête à regagner le corral, il dit :

— Gómez, imagine qu'il faut la tuer, comment tu t'y prendrais ?

Juan ne comprit pas l'importance de cette question et crut que le péon voulait l'humilier en souvenir de sa prestation au festival, mais le jeune Indien aimait tant les taureaux qu'il ne voulait pas laisser échapper la moindre chance de les affronter.

— Hé, cria-t-il aux hommes qui s'occupaient du portail, faites-la revenir !

C'était trop tard. La vache rua contre les battants, fonça sur quelque chose qu'on ne voyait pas et disparut. C'était une bête vaillante, qui avait attaqué les chevaux par huit fois comme pour les détruire de ses cornes naissantes.

— J'aurais pu vous montrer comment je comptais m'y prendre, lança Gómez, un peu déçu.

— Tout à l'heure, on va amener un taureau de quatre ans qui n'a plus qu'une corne, dit l'éleveur. On fera une mise à mort — pour les Américains.

— Comment un taureau peut-il perdre une corne ? demanda l'un des touristes.

— En se battant avec les autres taureaux, expliqua l'éleveur. Celui-ci a chargé un arbre.

— On ne peut donc plus s'en servir ?

— C'est un taureau courageux, dit l'éleveur avec tristesse, mais on ne peut pas le vendre.

La sélection se poursuivit et, à l'entrée de la seconde vachette de Juan, Cigarro abandonna sa chanteuse pour descendre sur la piste aux côtés du jeune apprenti.

— Je voudrais te voir avec la cape dans le dos, suggéra-t-il, et

Gómez exécuta quatre belles passes de ce type. Et à genoux, tu sais? demanda encore Cigarro.

Instantanément, Juan s'agenouilla et présenta aux spectateurs six passes assez audacieuses où la vachette fut chaque fois au-dessus de lui.

— Tu serais pas si brave avec un vrai taureau, hein? demanda le péon en mâchouillant son cigare.

— Tu le verras bien quand il entrera.

Cigarro revint auprès de l'éleveur et lui demanda :

— Vous voulez faire quoi avec le dagorne?

(C'est ainsi qu'on appelle un animal qui n'a qu'une corne.)

— Je vais laisser les matadors en décider, dit l'éleveur.

— Il ferait l'affaire, dit Cigarro en désignant Juan Gómez, qui travaillait fort bien la vachette. (Comme il savait comment s'y prendre avec les éleveurs, il ajouta :) Vos taureaux sont si beaux, don Wiliulfo, les matadors aiment ça. Je verrais bien ce gosse avec un beau taureau.

— D'accord, dit l'éleveur, si les autres n'ont rien à y redire.

Calmement, avec diplomatie, Cigarro alla trouver les matadors pour leur expliquer que l'apprenti Juan Gómez devait avoir la possibilité de tuer le dagorne. Les professionnels commencèrent par protester comme si leur honneur était en jeu, puis ils accordèrent au jeune Indien le privilège d'affronter ce taureau parce que l'on n'est jamais sûr des réactions d'un dagorne.

Quand la bête de quatre ans jaillit du corral — un animal d'une grande beauté qui n'aurait pas déparé à Mexico s'il n'avait pas été ainsi mutilé —, les matadors firent quelques passes à la cape afin de démontrer leur maîtrise de cet art. L'un d'eux se retira en se disant que le garçon aurait du pain sur la planche avec ce taureau. Les autres ne l'épuiseraient pas suffisamment et la mise à mort serait difficile.

Gómez ne réussit pas vraiment à prouver ses capacités à la cape, car les professionnels monopolisaient l'animal, mais quand le moment fut venu de mener le puissant taureau vers les chevaux, l'apprenti parut établir une sorte d'harmonie personnelle avec l'animal. Grâce à d'habiles mouvements de cape, il lança le taureau droit sur les chevaux, et un picador originaire de Guadalajara — certainement pas l'un des meilleurs — manœuvra particulièrement mal. Comme l'avaient prédit les matadors, le bel animal allait atteindre la dernière phase du combat mal préparé et celui qui le mettrait à mort aurait fort à faire.

— Sortez le cheval! ordonna l'éleveur, et le picador battit en retraite.

Les matadors firent chacun deux ou trois passes avec la muleta et l'épée, et les spectateurs les applaudirent. Plus énervé que châtié par le picador, le taureau se révélait très difficile.

Cigarro cria alors à Gómez d'y aller et les matadors allèrent se placer derrière la barrière, prêts à intervenir au cas où les choses tourneraient mal pour le jeune homme.

Lentement, posant les pieds l'un devant l'autre et la poitrine bombée, Juan Gómez s'approcha du taureau. La bête avait perdu sa corne droite, mais la gauche était à présent une arme redoutable, extrêmement pointue. Toutes les défenses du taureau se concentraient dans cette arme unique et il portait ses attaques avec vigueur.

Pour Gómez, c'était, d'une certaine façon, une chance que le taureau n'eût plus que sa corne gauche, car le torero se voyait contraint de recourir à la plus belle passe qui soit, celle où, le taureau étant à la droite de l'homme, celui-ci doit tenir l'épée de la main droite mais dans son dos et la muleta de la gauche. Cette passe, que l'on qualifie de « naturelle », est la plus chargée d'émotion, car ce n'est pas l'épée ou la muleta que l'homme propose comme cible au taureau, mais bien son propre corps. Quand le taureau charge, il suffit d'une erreur d'appréciation de deux ou trois centimètres pour que la corne gauche vienne frapper le flanc du torero. Mais quand la passe est parfaite, la corne gauche se contente d'effleurer l'homme et la nuque déjà blessée par les banderilles vient maculer de sang l'habit de lumière.

Juan Gómez s'approchait donc à pas lents du taureau dagorne.

— Hé, taureau ! Hé, mon brave ami ! Viens un peu goûter de ma muleta ! lui disait-il à voix basse.

Déçu par sa rencontre avec le cheval, le taureau grattait le sable et relevait la tête comme pour percer l'air de sa corne unique. Il vit quelque chose qui s'avançait vers lui, une forme verticale et un carré rouge aux mouvements attirants. Puis ses petits yeux accommodèrent parfaitement et il chargea.

Avec une formidable puissance, le taureau s'élança sur la muleta et sa corne gauche frôla le corps de Gómez. Tout de suite, il comprit qu'il n'avait pas touché sa cible, mais il y arriverait tôt ou tard : il suffisait pour cela qu'il chargeât autant de fois qu'il le souhaitait. Pour sa charge ultime, il atteindrait non pas le leurre, mais l'homme, et il y enfoncerait sa corne jusqu'à la base.

Appuyé contre les gradins, Cigarro ne perdait pas une miette du spectacle.

— Celui-là, il a fait des progrès, murmura-t-il à la chanteuse.

L'Indien effectua quatre autres passes naturelles et, chaque fois, la corne s'approchait un peu plus.

— Pourquoi faut-il tuer un taureau de cette valeur en secret ? lança l'éleveur. Regardez comment il charge !

Ce que les spectateurs admiraient, ce n'était pas le taureau, mais le jeune torero à la peau brune qui venait de tomber à genoux au milieu de la piste.

— Pas ici, mon gars ! lui cria l'un des matadors. Plus près de la barrière.

Mais Gómez ne bougea pas et c'est dans cette position qu'il fit passer le taureau par trois fois. La troisième fois, il dut se pencher beaucoup en arrière pour éviter l'impact de la corne.

La petite foule était étonnée de sa bravoure et tout le monde, même les matadors, criait : « *¡Olé! ¡Olé!* » La chanteuse hurla : « To-re-ro ! », cri que seul un millier de voix à l'unisson peut rendre vraiment efficace. Les autres la regardèrent en riant, heureux qu'elle détende un peu l'atmosphère.

Le moment de la mise à mort était venu. Cigarro était anxieux, car si cet Indien se propulsait au-dessus des cornes... Il se détendit. Ce taureau n'avait pas de corne droite et, à l'instant suprême, il n'y a que la corne droite qui peut tuer le matador, car c'est au-dessus d'elle que l'homme bondit, la poitrine largement exposée.

— C'est rien, dit-il à la chanteuse, tout le monde peut tuer un taureau qui n'a pas de corne droite.

Alors même qu'il parlait, Gómez se plaça de profil, avança le genou gauche comme pour déclencher la charge, puis plongea avec un synchronisme parfait de sorte que son corps et la masse imposante de la bête ne formèrent plus qu'un. L'épée s'enfonça dans le haut du garrot, afin de provoquer une blessure mortelle.

L'estocade fut si parfaite que les spectateurs poussèrent des cris d'admiration, mais le silence revint tout aussi rapidement, car l'épée, qui avait touché un os, se plia en deux, se détendit et fendit les airs avant de se planter dans le sable à quelques mètres de là.

Furieux d'avoir atteint un os alors que son coup d'estoc était irréprochable, Gómez ramassa son épée et se prépara à recommencer, encouragé en cela par les cris de l'éleveur.

A nouveau il se mit en position devant l'animal. A nouveau son corps se dressa pour parer la charge furieuse du taureau. Et à nouveau l'épée heurta l'os. Cette fois-ci, elle partit en sifflant dans la direction de Cigarro et de la chanteuse. Tout en pestant, Gómez se baissa pour reprendre son épée, et c'est alors qu'il vit deux visages. Celui de Cigarro, laid et grave, qui hochait lentement la tête et envoyait un baiser imaginaire à l'apprenti. Il était clair qu'après des années de vaines recherches, Cigarro s'était enfin trouvé un vrai matador ; ses hochements de tête équivalaient à la signature d'un contrat. Le second visage était celui de Lucha González et, aux éclats que jetaient ses yeux noirs, il était évident qu'elle aussi avait trouvé son matador. Bien sûr, il ne l'était pas encore, mais elle était convaincue qu'il le deviendrait très vite.

En revenant vers le taureau, qui était prêt à défendre chèrement sa vie, Juan Gómez murmura :

— D'accord, petit taureau ! Tu m'apportes la gloire, mais maintenant je vais...

— Gómez ! Revenez ici ! criait-on derrière lui. (C'était l'éleveur.) Je veux ce taureau.

L'Indien ne comprit pas le sens de ces paroles, il pensait qu'on l'avertissait du danger qu'il y avait à porter une troisième estocade. Mais il était persuadé de mieux connaître les taureaux que les matadors confirmés, l'éleveur et aussi les péons. Il tuerait cette bête vaillante.

Il se passa alors quelque chose de curieux. Un des matadors sauta par-dessus la barrière et agita sa cape pour détourner l'attention du taureau tandis que deux péons saisissaient Gómez par-derrière.

— C'est mon taureau ! cria-t-il à l'adresse des spectateurs.

La porte du corral s'ouvrit et deux bœufs entrèrent dans la petite arène. Pour Juan, cela ne signifiait qu'une chose : le taureau lui était enlevé parce qu'il était trop maladroit. Il se débattit, cherchant à échapper à l'emprise des péons. Il était bien décidé à tuer cet animal avant qu'il ne retourne au corral. Mais il vit le sourire extatique de Cigarro. Le petit péon avait allumé un gros cigare et son visage de gargouille était radieux.

— Ils épargnent la vie de ton grand taureau ! lui cria-t-il. Quel superbe après-midi !

Juan Gómez assista alors à l'une de ces scènes qui déchirent le cœur d'un vrai torero. Les bœufs entourèrent le taureau. Le courageux animal voulut tout d'abord les affronter, car il était déterminé à se défendre contre tout adversaire, puis il sentit leur indifférence, en menaça un de sa corne unique, gratta la piste et chercha les hommes du regard. N'en trouvant aucun, il courut en rond comme pour proclamer sa souveraineté sur cette arène, puis il se jeta avec une force incroyable sur un ennemi invisible tapi dans l'ombre.

La foule applaudit quand le vaillant animal disparut, car elle savait qu'il finirait ses jours comme étalon. Gómez avait, lui aussi, compris ce qui se passait.

— Sors, petit taureau, dit-il, tu m'as trouvé un manager.

Sur ce, il revint lentement, d'un air digne, vers la partie de la barrière où l'attendait Cigarro.

— Six mois, le boiteux, l'assura le péon avec enthousiasme, et tu seras matador avec des contrats à Mexico ! Mais celle-là, tu t'approches pas ! le prévint-il avec un signe de tête en direction de la chanteuse.

Cigarro tint sa promesse. Fin décembre 1950, Juan Gómez prit l'alternative avec des taureaux de Palafox dans les arènes monumentales de Mexico. En débouchant sur le sable de la piste, il ne put que retenir son souffle car c'étaient plus de cinquante mille personnes qui le regardaient. Au premier rang, son châle bigarré jeté par-dessus la barrière comme si elle était une vraie Espagnole, était assise Lucha González, les bras chargés de fleurs. Cigarro se tenait dans le callejón, privé de l'habit de lumière maintenant qu'il était manager à part entière. Quand le moment vint pour Gómez de dédier le premier taureau de l'après-midi, celui que lui cédait le matador le plus ancien, ainsi que le voulait la coutume, il ne put que l'offrir à Lucha. Son geste plut à la foule et son estocade fut parfaite. On ne lui accorda pas d'oreilles, mais il fit tout de même le tour des immenses arènes tandis qu'un certain nombre de spectateurs poussaient des « olé », certains d'assister à la naissance d'un authentique matador.

Après cela, rien ne se passa. Juan Gómez était l'un des trente et un matadors mexicains, rien de plus. Il n'avait pas de mécène qui pût faire publier des articles élogieux dans les journaux ou attirer sur lui l'attention des imprésarios de province. Sa réputation ne suffisait pas à lui valoir d'autres engagements à Mexico — un matador se devait d'avoir un nom pour remplir les arènes. Il n'était qu'un matador anonyme, et une vie pénible reprit son cours.

Une corrida organisée en avril à Torreón fut suivie d'une autre à

Orizaba début juin. Un rapide coup de fil donné d'un petit village du fin fond de l'Etat de Jalisco lui suffirait pour juillet. En août, il n'y aurait probablement rien. Il n'était pas assez important pour être invité au Festival Ixmiq, et les années s'écoulèrent, avec un matador mexicain de plus au bord de la famine. Il devait malgré tout répondre aux exigences de la bienséance, être toujours bien vêtu, verser des pots-de-vin aux chroniqueurs et dégager à tout moment une impression de grandeur et de succès. Plus que d'autres, Juan Gómez y parvenait, car trois facteurs jouaient en sa faveur.

Chez Cigarro, son manager, il trouvait un ami solide. Ce péon avait connu une vie très semblable à celle de Juan en travaillant pour des matadors qui le sous-payaient et devant des taureaux qui l'avaient bien souvent envoyé à l'infirmerie. Il était bien trop laid pour épouser une fille riche et financièrement incapable de se marier avec qui que ce soit, mais, tout au long de ses années de solitude, il avait conservé un rêve. A Mexico, aux abords de la place de la Constitution où se dresse la cathédrale, il y avait un café que ne fréquentaient que les toreros, les acteurs et les journalistes. On l'appelait le *Tupinamba* et, autour de ses tables de marbre blanc, se colportaient tous les potins du petit monde de la tauromachie. Au cours de son long apprentissage, Cigarro n'avait jamais pu s'offrir le *Tupinamba*, et il avait dû se contenter d'en observer l'activité depuis le trottoir d'en face, mais il s'était juré d'être un jour un matador célèbre et d'occuper la meilleure table du *Tupi*. Il n'avait pas su prouver qu'il en avait l'étoffe et son rêve s'était évanoui. Il avait alors décidé de devenir péon dans l'équipe d'un grand matador, ce qui lui donnerait de la même façon accès au *Tupi* ; il n'avait pas non plus l'étoffe d'un péon de première classe, ce qui mit définitivement fin à ses désirs. Il construisit alors sa vie sur l'espoir de découvrir, à l'approche de la cinquantaine, un jeune torero prometteur qui aurait besoin d'un manager : il pourrait alors passer des journées entières au *Tupi* à organiser la carrière de son protégé. Ce rêve, il l'avait enfin réalisé, et il se prélassait au *Tupi* en distribuant des déclarations d'une gravité extrême. Avec le peu d'argent qu'il avait gagné pendant trente ans, il jouait très bien son rôle de manager et offrait à son poulain une sécurité affective rare pour les toreros. Il ne doutait pas que le Mexique reconnaîtrait un jour tout le classicisme de Juan Gómez, mais, en attendant ce jour béni, Cigarro continuerait de siéger au *Tupinamba* et d'espérer d'éventuels contrats dans des arènes mineures.

Les deux autres facteurs favorables à Juan Gómez lui appartenaient en propre. Premièrement, chacun s'accordait à dire que, bien qu'il ne fût pas particulièrement remarquable à la cape ou à la muleta, il était certainement le meilleur tueur de taureaux qu'on pût trouver au Mexique. Dans l'arène, le petit Indien altomèque montrait ce que devait être l'apogée de l'après-midi : dressé devant le taureau, légèrement de profil, le genou gauche en avant, il s'élançait au-dessus des cornes comme un candidat au suicide.

Deuxièmement, il était d'une fierté impressionnante. Quand il entrait au *Tupinamba* pour discuter avec Cigarro, sa démarche d'une évidente dignité dénotait la haute idée qu'il se faisait de son rang de matador. C'était un écorché vif qui, à la moindre remarque, se jetait à bras raccourcis sur quiconque lui apportait la contradiction. Dans l'arène, il ne permettait à personne, pas même à Armillita, de lui dire quoi faire. Si un matador de tout premier ordre osait lui donner un conseil, Gómez répondait sur un ton glacial : « Quand vous tuerez comme moi, je vous écouterai. » Le chroniqueur León Ledesma put écrire de lui : « C'est le seul homme au Mexique qui, depuis la mort du général Gurza, peut défier en combat singulier une nation tout entière. C'est un homme d'honneur. »

Il y avait cependant un domaine où le sens de l'honneur soigneusement cultivé de Juan avait failli et cela l'affectait sincèrement. Remarqué par Cigarro en janvier 1950, deux semaines plus tard, il avait volé son amie au vilain petit homme. Fidèle, pendant un premier temps, à une certaine éthique, Lucha González s'était d'abord efforcée d'oublier sa préférence pour le jeune torero, car Cigarro s'était montré bon à son égard et avait largement contribué à sa carrière de danseuse et de chanteuse. Mais, finalement, sa passion pour le jeune Indien inspiré avait été la plus forte et, une nuit, à Torreón, elle avait enlevé ses maigres bagages de la chambre de Cigarro pour traverser le couloir et s'installer dans celle de Juan.

La blessure infligée à l'amour-propre de Cigarro ne devait jamais se cicatriser. Cette nuit-là, il avait d'abord voulu tuer le matador, mais Gómez, surpris par le geste de Lucha, avait commencé par discuter avant de le frapper en pleine figure. Le visage en sang, Cigarro avait alors voulu tuer Lucha, mais elle s'était mise à hurler et la police était intervenue. L'incident avait été rapporté dans les journaux — les querelles entre toreros font toujours vendre du papier — et, par la suite, c'est en grande partie grâce à cette romance médiatique entre Lucha et Gómez que Cigarro avait pu négocier les contrats qu'il lui décrochait.

C'est ainsi que cet étrange trio, uni par la pauvreté, l'ambition et l'amour de la tauromachie, parcourut le Mexique en tous sens. Cigarro s'était au moins trouvé un matador et il demeurait avec Gómez même s'il souffrait chaque jour de s'être fait voler sa femme. L'Indien menait enfin une vie qui n'était pas totalement misérable et restait avec ce manager à l'allure revêche, car il savait au plus profond de soi qu'il n'en trouverait pas d'autre. Lucha González, quant à elle, les soutenait tous les deux avec son pseudo-flamenco. A Mexico, sa loyauté à l'égard des deux toreros avait quelque chose de pathétique, mais elle les aurait quittés sans une larme si elle avait pu trouver un engagement à Séville.

Pendant neuf ans, le trio affronta les taureaux, les imprésarios, les gérants d'hôtel et les réalisateurs de cinéma qui refusaient d'attribuer à Lucha les rôles chantés pour lesquels elle se sentait destinée. Ils vieillirent, et Cigarro passa définitivement l'âge d'endosser à nouveau le costume de lumière. Lucha n'embellit pas, mais sa voix rendue plus rauque par le whisky donnait un air plus authentique à son flamenco très personnel. Juan Gómez courait après les taureaux. Il avait trente-deux ans, âge auquel les grands matadors espagnols ont déjà pris leur retraite, et n'avait jamais vraiment connu le succès. Il attendait toujours une invitation à venir toréer en Espagne ou au Pérou, où l'on payait bien, ou encore au Festival Ixmiq. Malgré tout, il ne désespérait pas. « Personne au monde tue comme toi », lui disait Cigarro. Et cela lui suffisait.

Début 1960, Cigarro était assis à sa table habituelle au *Tupinamba*. Il époussetait des cendres de cigare pour se donner l'air important quand un représentant de l'imprésario des arènes de Mexico entra dans le café et fit semblant de ne pas le voir. Il était capital que ce fût Cigarro qui entamât la conversation.

— Hé, Moreno ! lança le petit homme.

— Oh ! c'est vous ? fit le rusé négociateur. (La discussion pouvait commencer. Moreno laissa entendre que les prochaines corridas seraient les plus belles jamais organisées dans la capitale.) Comme au temps de Manolete. Ce jeune Victoriano Leal, ah !

— Vous l'avez engagé ? demanda Cigarro d'un air las.

Dans ce genre d'affaire, on ne pouvait être certain d'une chose que le lendemain du jour où elle s'était produite et quand les chroniqueurs spécialisés avaient été soudoyés.

— Pour toutes les courses, lui assura Moreno. Quand Leal aura fini avec nous, il sera le matador le plus riche du monde.

— De gros cachets, hein ?

— Fabuleux. Cinq mille, six mille dollars pour un après-midi, dit Moreno en se curant les dents.

— Et combien vous donnez pour mon torero ? dit Cigarro d'un ton glacial.

— Neuf cents dollars, pas un sou de plus, répliqua Moreno, l'air toujours aussi blasé.

Cigarro prit son temps.

— C'est ce qu'on donne aux picadors.

— Tout à fait.

— Ce que je crois, commença Cigarro qui savait que l'enjeu était de taille, c'est que les gens ils veulent tous voir Victoriano. C'est sûr, mon torero, il est pas aussi populaire...

Moreno pensait bien qu'il y avait un piège, mais il ne voulait pas laisser la discussion en plan.

— Honnêtement, Cigarro, nous ne pouvons pas nous permettre de mettre deux autres matadors de premier plan sur la même affiche que Victoriano. Il n'y a pas autant d'argent au Mexique.

— C'est pour ça que vous donnez pratiquement rien à mon torero, fit Cigarro sur le ton de la plaisanterie.

— Chez moi, à Morelia, dit l'autre en éclatant de rire, je peux vous affirmer que neuf cents dollars, ce n'est pas rien !

Cigarro rit de bon cœur avant de pointer son cigare vers Moreno.

— C'est bien aussi pour mon torero de revoir les arènes.

— Mon ami, lui dit Moreno avec chaleur, c'est exactement ce que je pensais. Quel après-midi pour Gómez ! Cinquante-cinq mille spectateurs. Il n'a pas travaillé devant une foule pareille depuis longtemps, hein ?

— Je me disais, lui suggéra Cigarro, que tout le monde veut voir terminer sa tournée en beauté. Pourquoi pas lui donner le grand frisson ? Victoriano et Gómez, *mano a mano* !

Dans une corrida mano a mano, c'est-à-dire main à main, il n'y a que deux matadors au lieu de trois et chacun doit affronter trois taureaux au lieu de deux. Le duel est impitoyable. Moreno entrevit tout de suite l'intérêt qu'il y aurait à répéter ce genre de duel dans tout le Mexique. Il abandonna son air bon enfant et demanda avec prudence :

— Qu'est-ce que demanderait Gómez pour tuer trois taureaux ?

— Seulement treize cents dollars.

Il savait que c'était une proposition alléchante et ne s'étonna pas quand Moreno lui demanda :

— Vous pouvez m'attendre ?

— Je suis là toute la journée.

Dès qu'il fut parti, Cigarro se mit à suer à grosses gouttes.

« Vierge des collines, dit-il en implorant celle qui l'avait protégé pendant son enfance, faites qu'il tombe dans le panneau. Qu'il nous donne un mano a mano et mon torero il va faire un grand scandale devant cinquante-cinq mille personnes. Qu'il y ait des cris, des bagarres, n'importe quoi. Sainte Vierge, faites que ça soit de la folie. »

Le soir, Cigarro alla voir Juan Gómez et découvrit que l'imprésario avait déjà mis l'Indien au courant de son mano a mano avec Victoriano.

— Ce sera un jour décisif, matador, lui dit-il. Faut qu'il se passe quelque chose sur la piste, que tu exploses. Faut que tu insultes Victoriano, que tu lui prennes son taureau, que tu foutes Veneno par terre de son cheval. Matador ! La Vierge elle-même elle en rigolera du scandale qu'on va se payer !

Ils discutèrent jusqu'à une heure avancée de la nuit pour trouver quelque chose susceptible de déclencher la fureur de Victoriano et d'électriser la foule qui ne pourrait qu'exiger une revanche entre les deux matadors.

— Qu'est-ce qu'on a à perdre ? dit Cigarro. Qu'on aille en taule ? Lorenzo Garza, ça fait longtemps de ça, il allait en taule tous les ans et à chaque fois il était encore plus aimé. Juan, dimanche, il va se passer quelque chose d'extraordinaire.

Le projet qu'ils élaborèrent de concert était le suivant : pour son premier taureau, Juan Gómez ferait le plus bel effort de sa carrière. S'il en sortait vainqueur, il remporterait l'adulation de la foule. Victoriano voudrait bien travailler et se montrerait nerveux avec sa première bête ; Gómez accentuerait la pression avec son deuxième taureau et toute la sympathie de la foule irait à ce matador, mexicain jusqu'à la racine des cheveux. Quand Victoriano rencontrerait son deuxième taureau, Gómez entrerait sur la piste au moment où les chevaux en sortent et il ferait tout pour humilier son adversaire.

— Le vieux Veneno va pas aimer ça, dit Cigarro sur le ton de la confidence. Celui-là, il voudra jamais qu'on insulte son torero. Mais le public il l'aime pas trop, il dit qu'il donne trop d'ordres à son fils. Tu te battras contre Veneno et peut-être bien... (Il mâchonna son cigare avant d'ajouter avec une satisfaction diabolique :) Juanito, mon petit matador, ce dimanche, ça va être la bagarre aux arènes. Tout le monde il voudra te voir contre Victoriano le dimanche d'après et puis encore le dimanche d'après ! (Il s'apaisa.) Mais tout ça, ça va dépendre de ton premier taureau. Il faut que tu sois fantastique.

J'ai déjà expliqué ce qui s'est passé. Le premier taureau de Palafox n'était pas facile et Juan ne fit pas de merveilles, alors que la première bête de Victoriano ne cessa de charger avec force et insistance. Victoriano put le travailler de manière brillante, et Cigarro se demanda si tout son plan ne tombait pas à l'eau. Victoriano faisait triomphalement le tour de la piste et brandissait les deux oreilles qu'on lui avait accordées. Pendant ce temps, Cigarro suait à grosses gouttes et tentait de rassurer son matador.

Cigarro lui-même me raconta comment cela se passa alors :

— Quand Victoriano il défile avec ses deux oreilles, que tout le monde il crie et qu'il y a la musique, j'ai l'estomac qui se coince et je me dis que c'est terminé pour Gómez, qu'on va repartir de là sans contrats ni rien du tout. Et Victoriano il tend les doigts pour montrer qu'il est le numéro un. Mon torero, il sent son honneur offensé, et il tend aussi le doigt parce que c'est *lui* le vrai numéro un. Après c'est l'émeute et une pluie de contrats.

Il était assez tard en ce jeudi soir. J'étais assis avec mon oncle à une grande table de la terrasse de la Maison de Céramique, et je pensais aux deux matadors qui dormaient non loin de là.

— Je parierais qu'ils sont très nerveux, dis-je à don Eduardo. Cela risque d'être le plus bel affrontement de l'année.

Mais, avant même que mon oncle pût me répondre, nous fûmes surpris par l'apparition de Veneno et de ses trois fils à la porte de l'hôtel. Ils étaient probablement descendus prendre un dernier verre d'eau de Seltz et regarder les badauds qui suivaient les mariachis tout autour de la grand-place. Les serveurs nettoyèrent la grande table centrale et les quatre Leal s'y installèrent avec ostentation ainsi que les grands toreros le faisaient depuis un demi-siècle. Immédiatement, la foule s'agglutina pour les voir et Veneno, qui savourait cet instant, adressa un signe de tête condescendant à tous les aficionados.

— C'est intolérable, cette façon de se poser en grand torero, soufflai-je à mon oncle, mais il faut tout de même reconnaître que Victoriano est son chef-d'œuvre.

Don Eduardo se retourna pour voir le jeune homme qui, très détendu, recevait l'hommage de ses admirateurs. Il hocha la tête.

— C'est l'un des plus beaux fleurons de sa profession. Et nous pouvons être fiers qu'il soit mexicain.

Et je pensai, mais n'eus pas le courage de le dire : « Un Mexicain qui veut se conduire en Espagnol. »

A cet instant, Victoriano se rendit compte que l'éleveur des taureaux qu'il allait affronter se trouvait à notre table. Il leva son verre d'eau de Seltz et dit, assez fort pour que chacun pût l'entendre sur la terrasse :

— Je bois au Festival Ixmiq.

Nous allions répondre à son toast quand un serveur se précipita vers nous.

— Messieurs, nous dit-il, tout essoufflé, je suis mortifié, mais le matador Juan Gómez et ses amis vont arriver et, de droit, ils se doivent d'occuper cette table.

— Naturellement, dit mon oncle en hochant la tête.

Il comprenait fort bien le problème délicat qu'il y avait à donner à un matador une table meilleure que celle de son adversaire, et nous nous installâmes à une table plus petite. C'est alors que Gómez, Cigarro et la chanteuse Lucha González firent leur entrée. A mon grand étonnement, elle ne s'assit pas et se contenta de saluer rapidement les Leal avant de se diriger vers le café-bar pour y être accueillie par le gérant. Tout de suite, elle se mit à chanter. Maintenant que son matador signait des contrats à trois ou quatre mille dollars la corrida, elle n'avait plus à entretenir son entourage, mais le bon sens paysan parlait en elle et elle savait que, dans la vie d'un matador, la catastrophe n'est jamais loin. Ce soir, Juan Gómez avait de l'argent ; la semaine prochaine, il serait peut-être mort. Elle comptait donc sur sa renommée éphémère pour gagner personnellement le plus d'argent possible. Entre deux chansons, elle portait ses regards sur la grand-place et pensait certainement : « Si j'ai assez d'argent, peut-être que j'irai en Espagne, que mon matador y aille ou pas. »

C'est ainsi que nous passâmes les dernières heures qui nous séparaient de la première corrida du Festival Ixmiq-61. Don Eduardo Palafox, héritier de tant de belles choses — la cathédrale, les Arches, le Palais du Gouvernement et l'élevage de taureaux —, était comme tout éleveur qui se persuade que ses taureaux seront excellents. Doña Carmen Mier y Palafox, à une table un peu retirée, surveillait les serveurs. Les Leal jouissaient de l'adulation de la foule et faisaient semblant d'ignorer Cigarro et Juan Gómez, qui avaient les yeux braqués sur la chanteuse.

De l'autre côté de la grand-place s'élevaient les notes dorées des cinq mariachis aux pieds nus et de leur soliste au regard triste. Comme ils s'approchaient de nous, les intonations célestes de la trompette firent oublier toutes les autres impressions de la nuit — et toutes les réflexions sur la mort qui viendrait peut-être demain.

Guadalajara, Guadalajara !
Tu sens la terre détrempée
Et les petites sources lointaines...
O, inoubliables petites sources,
Inoubliables comme cet après-midi
Où la pluie venue des collines
Nous a privés d'aller à Tlaquepaque...

Le trompettiste joua une coda à faire fondre le cœur de tout Mexicain et je me demandai ce qui avait bien pu se passer en ce jour lointain où l'averse soudaine avait empêché un pique-nique à Tlaquepaque.

Les mariachis marchaient lentement. Dans le café, nous entendions la voix rauque de Lucha González improviser des airs flamencos et faire sonner ses talons sur le dallage. Comme les diverses sonorités se mêlaient au brouhaha des conversations, je me pris à contempler la statue d'Ixmiq, l'Indien altomèque dont le sourire de pierre nous accordait une éternelle bénédiction.

5

Les ancêtres indiens : les Bâtisseurs

Vers minuit, alors qu'il y avait encore pas mal d'activité sur la grand-place, la veuve Palafox vint à ma table, me tapota le bras et me dit à voix basse :

— Vos manuscrits ont été portés à l'aéroport et ils seront en temps voulu à New York. Vous devez quelque chose au coursier, mais nous avons payé et nous l'avons mis sur votre note.

Elle franchit avec moi une vieille porte et me conduisit dans le petit patio que j'aimais tant étant enfant. J'y retrouvai la fontaine de pierre sur laquelle j'avais joué et les massifs de fleurs colorées qui poussaient toujours à profusion. Nous empruntâmes un petit escalier de pierre pour accéder au premier étage de l'hôtel, où une large galerie faisait tout le tour du patio. Cet endroit avait toujours été le cœur de l'hôtel, paisible et encombré de fleurs.

La veuve m'entraîna jusqu'à une porte et la poussa afin de me faire entrer dans une pièce célèbre dans l'histoire du Mexique. Ce n'était pas une pièce ordinaire : sur les murs extrêmement irréguliers des fenêtres placées un peu au hasard donnaient sur la cathédrale et, depuis un siècle, sur la statue d'Ixmiq.

Quand la veuve ouvrit cette porte, une petite fissure remontant à 1575 me fit comprendre que j'étais chez moi : c'était en effet dans cette pièce que ma mère et moi nous étions cachés en 1918, lors du deuxième sac de Toledo — la vie à la Mineral était en effet devenue impossible. C'est par la plus grande de ces fenêtres que j'ai assisté, à l'âge de neuf ans, aux viols et aux exécutions. Un jour, j'ai dit à ma mère d'un air assez détaché : « Tiens, ils vont encore en fusiller. » Elle s'était précipitée pour voir qui étaient les malheureux — sept braves gens de l'endroit même où nous étions réfugiés — et elle s'était mise à crier. Un des hommes du général Gurza chargé de commander le peloton d'exécution se tourna vers nous et vida le chargeur de son revolver ; il manqua la fenêtre, mais cribla le revêtement du mur, et les impacts sont toujours visibles depuis la terrasse.

— J'étais juste là quand il y a eu toutes ces exécutions, fis-je remarquer à la veuve.

— C'était une époque de fous, murmura-t-elle.

— Après que le capitaine nous a tiré dessus, ma mère s'est couchée à même le sol, mais moi, j'ai marché à quatre pattes jusqu'à la fenêtre pour voir ce que faisait le peloton d'exécution.

— Ce trou dans le mur, dit la veuve en me désignant un espace dégagé au-dessus du lit, une des sociétés historiques va y apposer une plaque.

— Il n'y a qu'à l'agrandir un peu et ajouter que Norman Clay a dormi ici, lui suggérai-je.

— Je vous souhaite une bonne nuit, dit la veuve en refermant la porte qui grinçait.

Cette chambre renfermait tant de souvenirs qu'ils remontaient même à la vie de mes ancêtres indiens.

J'avais dix ans et j'étais revenu vivre à la Mineral. Mon père, ingénieur et scientifique, s'intéressait beaucoup à l'histoire et à la façon dont elle aurait pu évoluer.

— Au petit déjeuner, déclara-t-il un jour, quand nous parlions des choix que les hommes doivent quelquefois faire, tu m'as dit : « Cela n'a pas d'importance. » Eh bien, le bon choix peut être très important, Norman, et je vais te montrer par un exemple très précis comment une décision qui semble sur le coup sans conséquence se révèle en fait capitale, et ce pendant longtemps. (Il se saisit d'un bâton avec lequel il dessina un Y dans le sable.) Ceci représente une décision prise il y a quatre mille ans par des peuplades originaires d'Asie, probablement de Sibérie, qui ont franchi le détroit de Béring et sont descendues vers le sud par l'Alaska et la côte occidentale des Etats-Unis.

Plus tard, je me suis souvent demandé comment mon père pouvait être au courant de la migration de nos ancêtres indiens : les reliques de leur pérégrination n'avaient pas encore été mises au jour en Alaska. Peut-être ne faisait-il que deviner. Il avait cependant tort sur un point : cette formidable migration n'avait pas eu lieu il y a quatre mille ans, mais il y a vingt mille ans, pour ne pas dire quarante mille.

— Ces Indiens sont finalement arrivés à San Diego, m'expliqua mon père, et ils se sont réunis pour savoir quoi faire par la suite. Certains ont dit : « Continuons le long de la côte ; c'est ce que nous faisons depuis trois cents ans et ce type de terrain nous est familier », mais d'autres rétorquèrent : « Abandonnons le littoral et enfonçons-nous dans les terres. » Finalement, chaque groupe suivit son chemin. Qui aurait pu prédire que le choix de l'un d'eux serait grandiose et l'autre catastrophique ?

Je me souviens d'avoir considéré les deux branches du Y et de lui avoir demandé :

— Lequel fut le meilleur ?

— Souviens-toi de la carte de la Californie, me dit-il, et réfléchis.

Je m'y efforçai, mais je ne me rappelai que la carte de mon manuel scolaire mexicain : la Californie était l'une des terres volées aux

Mexicains par les Américains, et je ne voyais pas où mon père voulait en venir.

— La branche qui va vers la mer, c'était la bonne ? proposai-je.

— Elle les a conduits en Basse-Californie, dit mon père, et je me souvins de ce que j'avais appris sur cette péninsule aride et désolée. Quelques siècles plus tard, quand les Espagnols ont exploré cette terre sinistre, ils y ont trouvé des Indiens dégénérés qui vivaient comme des bêtes. Ils ne connaissaient pratiquement pas ce que nous appelons la culture, ils n'avaient pas de maisons, pas même de vêtements. Ils se nourrissaient mal. L'océan regorgeait de poissons, mais ils ne savaient pas pêcher. Leur état avait quelque chose d'extrêmement pathétique.

» Les autres Indiens, ceux qui avaient choisi de s'enfoncer dans les terres, ont fini par atteindre des terres fertiles, puis par découvrir de l'or. Ils ont fondé trois des plus grandes civilisations des temps anciens — les Aztèques du Mexique, les Mayas du Yucatán et du Guatemala, les Incas du Pérou.

Nous gardâmes le silence pendant quelques minutes. Puis mon père acheva son exposé par une formule qui me hante encore, quarante ans après qu'il l'eut exprimée :

— Tu dis que le choix n'a pas d'importance ? Norman, si tes ancêtres indiens étaient partis vers l'ouest, tu ne serais qu'un débile. Remercie les étoiles qu'ils soient passés par Toledo, car le courage et l'intelligence que tu as hérités de ce peuple te permettront d'être celui que tu désires.

Depuis la mort de mon père, les universitaires ont établi que les Indiens qui ont fait le bon choix ont découvert la vallée de Toledo il y a quelque vingt mille ans, mais, ainsi que je l'ai déjà dit, d'autres prétendent que cela s'est passé il y a quarante mille ans. Peu importe. A une dizaine de mètres sous la base de la pyramide, les archéologues ont trouvé des fragments de charbon de bois qu'on date de moins de cinq mille ans; mais sur les rives du lac préhistorique qui occupait jadis toute la vallée, ils ont exhumé des squelettes d'éléphants tués à coups de lance il y a plus de quinze mille ans.

J'ai passé d'innombrables heures, en avion ou quand mes yeux étaient trop fatigués pour lire, à tenter de me représenter ces Indiens des périodes primitives. Parfois, ils me paraissaient extraordinairement réels. Quinze mille ans avant la naissance du Christ, ils ont développé une forme de civilisation dans cette vallée d'altitude. Ils ont taillé des pierres pour la chasse et en ont creusé d'autres pour y déposer leurs aliments. Nous savons peu de choses d'eux, mais ils devaient craindre les dieux, adorer le soleil et s'interroger sur la vie et la mort. Depuis mes premières discussions avec mon père sur ce sujet, je n'ai jamais oublié que, dans la Mineral où j'ai vécu, des hommes ont également vécu pendant des milliers d'années, et l'on ne pourrait pas dire la même chose de Richmond, de la Virginie ou de Princeton.

Au début du VIIe siècle, une certaine tribu indienne a pris le contrôle de cette vallée; ses membres, dont nous connaissons certains par leur nom, étaient pour moi de proches parents. Quand l'histoire nous raconte que, vers l'an 600 de notre ère, l'un de ces hommes devint chef de sa tribu et entreprit la construction de la grande pyramide, il m'apparaît si réel que je crois entendre sa voix à travers les siècles. Et j'avoue éprouver beaucoup de satisfaction quand la tradition orale de Toledo me dit qu'il était l'un de mes ancêtres.

En 600, la haute vallée était très semblable à ce qu'elle est aujourd'hui. La dernière éruption volcanique avait eu lieu quelque quatre mille ans plus tôt ; le vieux lac avait fini par s'assécher et les montagnes avaient pris leur forme définitive. Depuis, l'érosion éolienne a peut-être fait perdre trois ou quatre centimètres aux roches, mais certainement pas davantage.

Plus loin, au nord, vivaient toujours dans des grottes voisines des lacs les tribus civilisées qui formeraient un jour les Altomèques et les Aztèques, mais, pour l'heure, elles n'exerçaient aucune influence. Au sud, dans leurs splendides palais décorés d'or, d'argent et de jade, résidaient les Mayas dont les émissaires aux costumes resplendissants montaient parfois vers la vallée pour y passer des accords commerciaux. Dans la vallée proprement dite, mes ancêtres étaient bien établis. Ces Indiens minces, assez grands, à la peau sombre, ne se donnaient pas de nom, mais on les qualifiait de Bâtisseurs dans tout le centre du Mexique : ils étaient connus pour construire les plus beaux édifices de toute la région. Ils savaient tailler d'énormes blocs de roche et les transporter sur plusieurs kilomètres ; ils savaient aussi façonner des briques pour les structures de moindre importance.

C'est donc peu après l'an 600 qu'un chef empreint d'une vision nouvelle prit le contrôle de la tribu. Il s'appelait Ixmiq et, aujourd'hui, à Toledo, une statue et un festival annuel nous rappellent son nom. Il avait une personnalité très forte grâce à laquelle il régna pendant près de cinquante ans sans être jamais contesté ; cela lui donna le temps de réaliser d'importants projets.

Comme il cherchait un jour favorable sur le calendrier, il annonça à son conseil :

— J'ai le désir d'ériger pour nos dieux un lieu saint qui soit dix ou vingt fois plus imposant que tout ce que nous avons construit jusqu'ici.

Avant que ses conseillers pussent lui répondre, il ajouta :

— Nous ne le bâtirons pas ici, en pleine ville, mais dans un lieu spécial qui sera désormais réservé à nos rites.

Aussitôt il entraîna les anciens hors du palais, situé approximativement sur le site de notre cathédrale, et les conduisit vers le nord, à quelque distance de la ville, là où se dresse aujourd'hui la pyramide. Avec des pierres, il traça ce qui semblait être le pourtour d'une gigantesque place, mais qui ne faisait en fait que la moitié de la pyramide actuelle. Ses conseillers protestèrent, il était impossible de construire un tel édifice, mais Ixmiq insista.

Ses ouvriers passèrent deux ans à gratter la terre jusqu'à ce qu'ils atteignent la roche. Il divisa alors la tribu en plusieurs groupes, qui se virent assigner des tâches spécifiques et à la tête desquels furent nommés des capitaines. Certains hommes furent envoyés dans les carrières et y restèrent trente années, consacrant leur existence à tailler la roche. D'autres se chargeaient du transport et leur maîtrise sans cesse accrue leur permit de véhiculer des blocs de vingt ou trente tonnes. La plupart des ouvriers travaillaient sur le site même de la pyramide : ils mettaient les blocs en place et comblaient la partie centrale de la structure avec des paniers de gravats, de sorte que l'édifice s'élevait toujours plus haut et présentait toujours un sommet aplati dont la superficie diminuait au fur et à mesure que montait la pyramide. La vallée d'altitude connaissait la paix — près de six siècles sans qu'une seule flèche soit tirée contre un ennemi — et il n'était pas imprudent de la part d'Ixmiq d'occuper ainsi son peuple.

Quand l'immense construction eut atteint la hauteur désirée, son sommet fut aplani et recouvert d'énormes blocs de pierre qu'il fallut six ans pour mettre en place. Puis on y édifia un splendide autel de bois permettant au prêtre de se tourner vers le levant. Quatre dieux se partageaient l'autel et leurs statues étaient orientées vers le couchant. Le plus important de tous était le dieu de la pluie, responsable des fleurs et des céréales. Venaient ensuite le dieu du soleil, la déesse de la terre et une divinité mystérieuse représentant à la fois les fleurs, la poésie, la musique, la diplomatie et la famille ; elle avait la forme d'un serpent à tête d'oiseau et ses écailles étaient des fleurs.

La pyramide d'Ixmiq était un monument à la paix et, la quarantième année, alors qu'elle était pratiquement achevée, elle fut consacrée lors de cérémonies symboliques de l'une des sociétés les plus aimables qui existèrent jamais au Mexique ou même sur tout le continent américain. Les cérémonies dédicatoires — ce que les bas-reliefs nous permettent d'en imaginer, tout au moins — se composèrent de prières, de danses, d'offrandes de milliers de fleurs et d'un festin gigantesque qui dura trois jours. Il convient de noter que, pendant les quatre cent cinquante premières années de l'existence de cette pyramide, aucun être humain ne fut sacrifié sur son autel. Les seules victimes furent accidentelles, quand un prêtre ivre ou un prophète tombait malencontreusement et se rompait le cou.

C'était une pyramide de joie et de beauté, un monument digne des dieux bénéfiques et du grand visionnaire qui l'avait imaginée. Dans la Cité-de-la-Pyramide, ainsi qu'on le disait alors, des travaux d'irrigation amenèrent l'eau des collines dans les champs, de sorte que légumes et fleurs purent pousser en abondance. On recueillait le miel auprès des abeilles qui butinaient ces fleurs ; des dindons étaient élevés dans des enclos ou des champs ouverts quoique surveillés. Les poissons des rivières étaient conservés dans des étangs.

Les Bâtisseurs portaient de beaux vêtements de coton, de chanvre et de plumes alors que les chefs tels qu'Ixmiq se paraient de bijoux d'or et d'argent aux motifs symboliques, lesquels motifs étaient également peints sur quelques-unes des plus belles poteries jamais façonnées dans les Amériques. De nombreuses petites statues nous sont parvenues : elles représentent l'une des quatre divinités majeures et semblent avoir été adorées au sein même des familles. Quand j'étais enfant, nous avions à la maison une figurine d'argile représentant la déesse de la terre ; c'était une petite femme, délicieusement rondouillarde, dont le sourire était une bénédiction pour la terre où les fruits abondaient. On se sentait bien rien qu'à la regarder, et je ne connais pas de dieux primitifs plus aimables que ceux de Toledo. En fait, je sais peu de civilisations qui aient réussi à offrir une vie meilleure à leurs peuples.

Des caractères gravés dans la pierre ont été retrouvés, qui énoncent les principes de droit instaurés par Ixmiq. Il y a des chances pour que nous nous trompions sur le sens de certains, mais la majeure partie d'entre eux se laisse facilement déchiffrer. A Toledo, en 650, une femme dont le mari était mort en la laissant avec des enfants trop jeunes pour travailler recevait une part des produits de la terre cultivée par les familles ayant des enfants adultes. En revanche, une femme qui commettait l'adultère était, la première fois, semoncée publiquement ; la seconde fois, elle était condamnée à mort. Il était manifeste que, dans la législation d'Ixmiq, les prêtres n'avaient rien à voir avec l'exécution des criminels ; des fonctionnaires civils s'en chargeaient. En fait, dans toute l'histoire de ces six siècles, on ne parle jamais de prêtres qui ne soient pas en même temps chefs spirituels de la communauté. Ils vivaient dans l'intimité des dieux et tenaient la population au courant des décisions prises par ceux-ci.

Sur une pierre extraite de la pyramide aux environs de 1950, nous voyons un chef à l'allure très digne qui pourrait bien être Ixmiq. C'est un homme de petite taille, avec un nez long et droit, des pommettes saillantes, des yeux d'Oriental et des bras puissants. Il porte une coiffe d'une soixantaine de centimètres de haut, probablement décorée d'or et d'argent, d'où sort une profusion de plumes et de fleurs. Il tient un sceptre surmonté d'une tête d'animal ainsi qu'un bouquet de fleurs. Il est nu jusqu'à la taille, mais sa robe de cérémonie, qui ressemble à un sarong, est faite de coton et de plumes ; ses pieds sont chaussés de sandales.

Ixmiq était certainement en contact avec les Mayas, bien plus au sud, et les tribus mal connues qui occupaient le sud-est du pays (région de l'actuelle ville de Mexico), car il avait un zoo peuplé d'animaux venus de contrées lointaines ; parmi eux, des oiseaux originaires de la zone littorale contrôlée par les Mayas. Il semble qu'il ne connaissait pas les terribles Altomèques et les tribus aztèques qui s'enhardissaient dans leurs grottes plus au nord.

Il est impossible de dire quelle était la population de la Cité-de-la-Pyramide à cette époque, mais mon père fit un jour le calcul suivant : il aurait fallu un minimum de quinze cents hommes qui travaillent constamment pendant quarante ans pour édifier la première pyramide, et chaque bâtisseur devait être secondé de trois ouvriers chargés de tailler et de transporter les blocs. Cela faisait six mille hommes, ou une population globale avoisinant les vingt mille personnes. Les fouilles entreprises lors de la construction de la cathédrale et de l'aqueduc nous ont appris que ces gens, quel que soit leur nombre, vivaient dans des cabanes de terre et de bois disséminées autour de cette grand-place qui constitue aujourd'hui le cœur même de la ville.

J'insiste sur ces détails parce que, tout au long de ma vie d'adulte, il m'a été pénible d'entendre répéter que les Espagnols ont apporté la civilisation à des peuples autochtones vivant dans la plus grande barbarie. Tout tend à prouver que ce n'était pas le cas.

En l'an 600, les civilisations de l'Espagne et du Mexique étaient grossièrement comparables ; seules différences, les Européens avaient bénéficié de l'invention de la roue, du raffinement de l'alphabet et de la science de la fusion des métaux. Pour ma part, je choisis de mesurer le développement d'une civilisation à la qualité d'organisation de l'Etat, à l'humanité de la religion, aux soins apportés aux indigents, à la protection du commerce, aux progrès scientifiques (astronomie, par exemple) et enfin à la culture de la musique, de la danse, de la poésie et des autres formes artistiques. A tous ces égards, mes ancêtres de la Cité-de-la-Pyramide étaient au même niveau que mes ancêtres espagnols, mais infiniment plus évolués que ceux qui frissonnaient dans les grottes de la future Virginie.

En matière d'astronomie, Ixmiq était incroyable. Il calcula l'orbite des planètes et fonda son siècle sur les mouvements de Vénus, dont il avait estimé le comportement avec une erreur maximale de quelques jours. Sans rien connaître des sciences élaborées en Asie ou en Europe, Ixmiq résolut la majorité des problèmes du calendrier ; il avait compris qu'avec l'année de 365 jours qu'il avait imaginée, il lui fallait ajouter quatre jours tous les treize ans, mais, qu'à la fin du cycle de cinquante-deux ans, il aurait encore un jour à rattraper pour être en harmonie avec le mouvement exact du monde. Il est possible qu'il ait emprunté ses plus grandes idées aux Mayas, mais il portait à la perfection tout ce qui l'inspirait.

J'ai parlé du portrait que l'on pense être celui d'Ixmiq. Il y en a un autre — d'aucuns soutiennent qu'il ne s'agit pas d'Ixmiq — qui montre un homme tel que je l'imagine personnellement. Il siège sur un grand trône de pierre entouré de flûtes, de trompes, de tambours en peau de serpent et de conques ; des torches en pin sont allumées. Le sol paraît couvert de nattes tressées et des ambassadeurs attendent de lui parler.

Ixmiq avait entre quinze et vingt femmes et c'est de l'une d'elles qu'est issue la lignée qui régna pendant près d'un demi-millénaire sur la Cité-de-la-Pyramide. Vers l'an 900, l'un de ses descendants, connu sous le nom de Nopiltzín, hérita du royaume, qui avait quelque peu changé depuis l'époque d'Ixmiq. La pyramide avait été reconstruite à deux reprises et connaissait pratiquement sa taille actuelle. Les agrandissements partaient d'un principe assez simple : chaque fois, la surface de la pyramide était recouverte d'une épaisseur de deux ou trois blocs provenant de la carrière d'origine. On ignore quand ces travaux eurent lieu, mais ils durent occuper la communauté pendant une bonne quinzaine d'années ; en effet, à chaque réfection de la surface, le nombre de blocs nécessaires augmentait considérablement. C'est ainsi qu'en 900, quand Nopiltzín prit le commandement, chaque côté de l'immense édifice mesurait plus de cent cinquante mètres de long tandis que sa hauteur avoisinait les soixante mètres ; sur son sommet aplani étaient bâtis les divers temples de bois.

L'efficacité de la pyramide en tant qu'édifice religieux avait été également renforcée par une idée toute simple. La structure originale conçue par Ixmiq ressemblait à une pyramide égyptienne, avec des arêtes droites qui couraient du sol à la plate-forme supérieure, mais, avec les remaniements successifs, quatre grandes terrasses avaient vu le jour, sur lesquelles pouvaient se dérouler des offices religieux. Pour aménager des terrasses supplémentaires, l'inclinaison des arêtes changeait constamment, de sorte que le fidèle qui se tenait au pied de la pyramide ne voyait pas plus haut que la première terrasse ; les grands temples du sommet lui étaient invisibles, et la pyramide tout entière semblait se perdre dans les nuages.

La face sud comportait un escalier très raide, qui s'arrêtait à quatre reprises au niveau des terrasses, et ce devait être une expérience extraordinaire que de gravir ces marches sans savoir ce qu'on allait découvrir au sommet. La plate-forme supérieure, plus vaste qu'à l'époque d'Ixmiq, soutenait les quatre temples consacrés au dieu de la pluie, à ceux du soleil et de la terre, et au mystérieux dieu serpent qui protégeait toute chose empreinte de beauté. A l'époque de Nopiltzín, il n'y avait pas encore de sacrifices humains ; des dindons, des fleurs, des instruments de musique et des gâteaux étaient régulièrement déposés sur les quatre autels.

Il m'est douloureux de relater ce qui se passa ensuite, car cela présente mes ancêtres indiens sous un jour peu favorable et donne des arguments à ceux qui soutiennent que Hernan Cortés, lors de son invasion du Mexique en 1519, trouva le pays occupé par des barbares à qui il apporta christianisme et civilisation. Même en 900, les sujets de Nopiltzín n'étaient pas des barbares, mais ils firent preuve d'une telle insouciance en ce qui concerne la sauvegarde de leur merveilleuse civilisation qu'ils laissèrent les vrais barbares prendre le dessus sur eux.

Les événements dont je vais parler sont rigoureusement historiques, car ils sont avérés par les découvertes des archéologues.

Sous le règne de Nopiltzín, alors que la construction des pyramides avait cessé depuis longtemps, la civilisation de la haute vallée céda à une curieuse apathie. Quand les guerres prenaient fin, rien ne venait exciter les passions des citoyens ; quand les travaux de construction étaient à terme, rien ne venait mobiliser leur énergie.

Il y a quelques années de cela, j'ai aidé à dégager une ancienne carrière où la datation au carbone 14 révéla qu'il n'y avait pas eu d'activité notable pendant trois cents ans. Comment l'équipe dont j'étais le porte-parole pouvait-elle en être certaine ? Sur le site, nous avons exhumé de nombreuses poteries de l'époque d'Ixmiq et de chaque période successive jusqu'à 900 environ. Ensuite, jusqu'à la fin du XIIe siècle, il n'y avait rien.

— C'est un phénomène qui n'est pas rare au Proche-Orient, m'expliqua le chef de fouilles. Cela signifie que les habitants ont désormais une richesse suffisante qui leur permet d'arrêter de fabriquer pour eux-mêmes et qu'ils importent d'autres régions où les artisans continuent de travailler au four.

Après cette période d'accalmie apparaît à nouveau une pléthore de poteries altomèques que l'on peut dater très précisément de l'an 1200.

L'adoration des anciens dieux semblait également avoir diminué d'intensité et une tradition naquit, qui disait que le serpent fleuri avait abandonné la région pour y revenir un jour futur. La haute vallée ne connaissait pas la sécheresse et le dieu de la pluie fut plus ou moins mis à l'écart. Le dieu du soleil y perdit en fureur; quant à la déesse de la terre, elle fut représentée de manière plus féminine et moins maternelle. Les relations commerciales pacifiques avec l'est, le sud et l'ouest étaient à leur apogée, et tout ce qui était bon au Mexique était disponible dans la Cité-de-la-Pyramide.

En 900, sous le règne de Nopiltzín, la vie était probablement aussi agréable dans la haute vallée que n'importe où sur terre, mais certains des prêtres les plus vénérables, sous la houlette de leur supérieur, Ixbalanque, âgé de quatre-vingts ans et chargé de sagesse et de pouvoir, remettaient en cause le statu quo. Leurs conceptions furent ainsi résumées par un jeune prélat : « Nos citoyens s'amollissent. Ils se détachent des anciennes vertus. Le roi devrait lancer quelque grand projet susceptible de canaliser l'énergie de son peuple. » Ses aînés l'approuvèrent et c'est au grand prêtre Ixbalanque qu'il revint de soumettre au roi leurs inquiétudes.

Il n'est pas facile, plus de dix siècles après, de définir les relations qui unissaient le vieux prêtre Ixbalanque au jeune roi Nopiltzín, mais il est possible de s'en faire une idée grâce aux bas-reliefs découverts par les archéologues. Chez les Bâtisseurs, le pouvoir et la responsabilité étaient habilement répartis : le roi avait en charge les décisions à court terme, le grand prêtre celles dont dépendait le bien-être plus lointain du peuple. Le roi déclarait la guerre et la menait; le grand prêtre déterminait les termes de la paix, mais comme il n'y avait pas eu de conflits depuis longtemps, ces pouvoirs demeuraient dans les limbes. Le roi collectait l'impôt, le grand prêtre décidait de la façon d'allouer les sommes au peuple. Tout cela était sous-tendu par le principe tacite que le roi ne pouvait pas déposer le grand prêtre, mais que ce dernier avait la possibilité de chasser un roi corrompu ou inefficace. Et cela se produisit à plusieurs reprises.

Malgré tout, il était traditionnel que le grand prêtre s'adressât humblement au roi, que ce fût en public ou lors de conversations privées, et qu'il utilisât des expressions équivalentes à « Sire » ou « Majesté ». L'illusion était ainsi préservée d'un roi régnant et d'un grand prêtre conseiller. Ce système perdura pendant des siècles. Et c'est sur la base de ce type de relation que le grand prêtre Ixbalanque demanda au roi Nopiltzín de lui accorder un entretien.

IXBALANQUE : Mon souverain, je sens qu'il est impérieux que nous entreprenions la couverture de la pyramide.

NOPILTZÍN : Ridicule. Elle est assez grande comme cela.

IXBALANQUE : D'une pyramide consacrée aux dieux, on ne peut jamais dire qu'elle est assez haute.

NOPILTZÍN : Il y a cependant une limite à la façon d'employer les hommes.

IXBALANQUE : Envisagerais-tu de construire une nouvelle pyramide ?

NOPILTZÍN : Tout aussi absurde.

IXBALANQUE : O puissant roi, j'ai bien observé le sommet d'une petite colline située au nord-est et il me semble que, sans déployer plus d'effort que pour recouvrir la pyramide actuelle, nous pourrions en bâtir une qu'on verrait à des kilomètres. Quiconque pénétrerait dans la vallée comprendrait que nous servons les dieux.

NOPILTZÍN : Je ne peux imposer à mon peuple cette folie de la construction. Pourquoi me parles-tu ainsi ?

IXBALANQUE : Parce que j'ai le souci du bonheur de notre peuple.

NOPILTZÍN : En quoi les pyramides augmentent-elles le bien-être de notre ville ?

IXBALANQUE : Pas elles, mais l'investissement dans des projets grandioses. Cela relie et renforce les différentes parties de la société.

NOPILTZÍN : Qu'est-ce que tu veux au juste ?

IXBALANQUE : Je veux engager notre ville dans un projet si étonnant que ceux qui nous succéderont diront : « Ils étaient insensés d'oser tant de choses. » Je sais que nous en profiterons tous. Nous donnerons un but à notre travail.

NOPILTZÍN : Pourquoi répètes-tu sans cesse que le peuple doit travailler pour quelque chose ? Notre peuple a suffisamment à manger. Il a de nombreuses fêtes avec des fleurs et de la musique. Que lui faut-il de plus ?

IXBALANQUE : Je veux que l'esprit des dieux habite cette ville comme jadis. Je veux que nos sujets se consacrent à quelque chose.

NOPILTZÍN : Je ne comprends pas un mot de ce que tu racontes.

IXBALANQUE : Grand roi, laisse-moi t'expliquer ma pensée. Le mois dernier, quand nos hommes ont capturé cet étranger qui prétendait venir du nord, j'étais présent quand il a été interrogé. J'ai vu ses yeux s'émerveiller en découvrant nos canaux, notre abondance et notre pyramide, et j'ai senti qu'il désirait la même chose pour son peuple. Je l'imagine très bien à présent, en train de parler de la majesté de notre ville à sa tribu sauvage.

NOPILTZÍN : Vraiment, je ne te suis pas.

IXBALANQUE : C'est de son regard que je veux te parler. Ce regard d'admiration et d'émerveillement. Va dans ta ville, ô puissant roi, et tente de retrouver un tel regard dans les yeux de ton peuple.

NOPILTZÍN : Il n'y aura pas de nouvelle pyramide. La discussion est terminée.

Le roi n'édifia donc pas de pyramide, mais ce qu'il fit entra dans les annales de l'histoire des Bâtisseurs, pour ne pas dire du Mexique. Depuis quelque temps, il s'intéressait aux buissons de maguey qui recouvraient les abords de son palais. Il aimait les plantes vert foncé dont les bras tordus se tendaient vers le ciel et pensait que la joyeuseté poétique était due à quelque secret dissimulé en son sein. Ce secret, il avait résolu de le découvrir.

Après avoir disséqué plusieurs dizaines de plantes, il vit que chacune contenait une certaine quantité d'eau sucrée, ce que tous les Indiens savaient depuis des millénaires. Le roi Nopiltzín se dit que cette eau sucrée devait receler le secret du maguey et il essaya de l'utiliser de diverses façons, en médicament en cas de blessure mineure ou en engrais pour les autres plantes, par exemple, mais cela ne le mena nulle part. Dégoûté, il abandonna ce projet et oublia une petite quantité d'eau sucrée conservée dans une jarre d'argile entourée d'un linge de coton.

Quelque trois semaines plus tard, il voulut se servir du pot d'argile et s'aperçut que l'eau sucrée s'était changée en une substance d'un blanc opaque. Il la jeta, mais ce faisant, il en laissa tomber sur ses doigts et, par curiosité, il y goûta. A sa grande surprise, il constata que cette substance lui picotait agréablement les gencives et qu'elle avait un goût assez plaisant. Il porta la jarre à ses lèvres et recueillit les dernières gouttes.

Nopiltzín comprit qu'il avait fait une découverte digne d'intérêt et se remémora les diverses phases de son opération. Après avoir extrait l'eau sucrée du maguey, il la versa dans la jarre d'argile qu'il protégea d'une étoffe de coton et se proposa de ne l'ouvrir que trois semaines plus tard. Le moment venu, son attention fut monopolisée par de nouvelles propositions de la part d'Ixbalanque. Le grand prêtre avait réfléchi aux objections du roi et proposait un projet entièrement nouveau.

IXBALANQUE : O puissant roi, si la reconstruction de la pyramide te semble impossible, pourquoi ne pas introduire de nouveaux dieux ou donner à l'un des anciens une position privilégiée ?

NOPILTZÍN : A quoi cela nous servirait-il ? Nos dieux actuels se sont révélés parfaitement adéquats.

IXBALANQUE : Je me dis parfois que tu n'as pas compris la perte terrible que notre communauté a subie lors de l'envol du serpent fleuri.

NOPILTZÍN : Nous avons d'autres dieux. En perdre un n'a pas d'importance.

IXBALANQUE : Je crois que tu ne tiens pas compte de deux points importants. Le dieu qui s'est envolé protégeait les éléments de la vie qui offraient mystère et révélation au peuple, et le départ d'une telle divinité est une véritable perte. Mais il y a plus grave à mon sens : aucun dieu d'égale importance ne s'est présenté à sa place.

NOPILTZÍN : En quoi cela peut-il inquiéter la population ?

IXBALANQUE : Elle ne s'inquiète pas. Apparemment, elle n'a même pas remarqué le départ du serpent fleuri. Toi-même ne t'en inquiètes pas, mais ce n'est pas le cas de l'esprit de cette grande vallée.

NOPILTZÍN : Qu'est-ce qui te permet de dire ça ?

IXBALANQUE : Quand un dieu s'en va, il laisse un grand vide derrière lui, que nous nous en rendions compte ou pas. Avec le temps s'instaure une certaine agitation. Le peuple commence alors à s'inquiéter. La vie a perdu un peu de son sens et la ville est en danger.

NOPILTZÍN : Où veux-tu en venir, Ixbalanque ?

IXBALANQUE : Dirigeant révéré, j'ai beaucoup réfléchi à tes objections devant mon projet de pyramide et, bien que je sois absolument sûr d'avoir raison, je vois bien pourquoi tu ne veux pas perturber la ville et lancer un projet qu'il faudrait trente ou quarante années pour mener à bien. Le peuple ne veut pas de cela. Toi-même n'en veux pas et quelques-uns des autres prêtres pensent de même. C'est bien, mon projet de pyramide est oublié.

NOPILTZÍN : Je suis content de te voir plus raisonnable.

IXBALANQUE : Pour une question d'argent, c'est tout. Ce que je te propose aujourd'hui ne coûtera rien. J'aimerais que la place laissée vacante dans le cercle des dieux soit désormais occupée par ton ancêtre Ixmiq, lui dont l'esprit plane au-dessus de cette vallée.

NOPILTZÍN : Ixmiq ? Certains ne voient en lui qu'un insensé qui a forcé son peuple à bâtir des édifices parfaitement inutiles.

IXBALANQUE : Les autres savent que c'est l'homme qui a donné son caractère à cette cité.

NOPILTZÍN : Ixmiq, dis-tu ? Je ne me sens aucune affinité avec lui. Je n'éprouverais aucun plaisir à placer Ixmiq au sommet de la pyramide. Non, aucun. Ixmiq ne symbolise rien de ce qui m'intéresse.

IXBALANQUE : Si Ixmiq te paraît inacceptable, nous pourrions trouver un nouveau dieu.

NOPILTZÍN : Qu'est-ce que cela ferait ?

IXBALANQUE : Il y aurait une vitalité renouvelée. Les femmes cultiveraient davantage de fleurs pour décorer le temple du nouveau dieu. Un esprit nouveau régnerait au sommet de la pyramide.

NOPILTZÍN : Je me disais l'autre soir que vous autres, prêtres, aviez enfin bien arrangé vos temples au sommet de la pyramide. En ajouter un ne ferait que compliquer les choses.

IXBALANQUE : Je vois que nous n'avançons pas, tu ne veux pas comprendre ce dont je parle.

NOPILTZÍN : Je crains que tu n'aies raison. Mais je t'écouterai tout de même. Si nous devions faire appel à un nouveau dieu — sans temple, je précise bien —, de quelle sorte serait-il ?

IXBALANQUE : J'ai beaucoup réfléchi à cela et je souhaite parler sans être interrompu, car il est important pour cette vallée que ce que j'ai à dire soit bien compris par son roi.

NOPILTZÍN : Je serai très attentif, rien d'autre ne m'attend.

IXBALANQUE : Le dieu qui nous a quittés, le serpent aux écailles fleuries, représentait les aspects joyeux de la vie, mais aussi ceux qui sont le plus difficiles à comprendre. Qui a vu l'esprit de beauté ? Qui a jamais touché la musique ou la genèse d'une coupe d'argile ? Qui sait ce qui fait d'un homme un artiste et prive un autre de tout talent ? Avec l'envol du serpent, nous avons perdu le dieu de la beauté. Je ne vois aucune raison d'en créer un qui le remplace, cependant je ne peux m'empêcher de penser qu'il y a un vide réel dans notre vie et qu'il faut y remédier, sinon notre cité se disloquera. Je suggère un dieu qui n'ait rien de substantiel, peut-être un dieu du ciel alentour, des ténèbres qui reviennent après l'éclair, de cette vallée, de ce que tu voudras bien imaginer en fait. Je crois qu'un tel dieu pourrait captiver l'imagination de notre peuple et qu'il atteindrait de meilleurs résultats que la reconstruction de la pyramide.

NOPILTZÍN : Je trouve tout ce discours extrêmement vague.

IXBALANQUE : Puis-je te proposer une comparaison ? Te souviens-tu de la dernière visite que nous ont rendue les ambassadeurs de Tenayuca-près-du-Lac ? Ils parlèrent de leur grand dieu Tezcatlipoca et, quand nous avons essayé de l'identifier, ils nous répondirent avec simplicité : « C'est le dieu du miroir qui fume. » Je me souviens que cela t'a fait sourire, car qui a jamais entendu parler d'un miroir qui fume ? Je leur demandai de préciser et ils dirent : « Le dieu de la salle où vivent les dieux. » Comme je ne comprenais pas, je les pressai et ils répondirent : « Le dieu des bonnes choses accomplies par le soleil. » Je leur dis qu'ils avaient déjà un dieu du soleil, mais ils répliquèrent : « Tezcatlipoca est le dieu du rouge, mais aussi du bleu. Il est le dieu du soleil, mais aussi celui de la nuit. Il est le dieu de la chaleur du sud, mais encore de la froideur du nord. Et il est incorrect de parler ainsi de Tezcatlipoca, car Tezcatlipoca est simplement Tezcatlipoca. »

NOPILTZÍN : J'ai été impressionné par leurs paroles.

IXBALANQUE : N'est-il pas possible que Tenayuca-près-du-Lac tire sa grandeur d'un tel dieu ?

NOPILTZÍN : Tu as déjà vu Tenayuca ? Qui te dit que c'est une grande cité ?

IXBALANQUE : Ses ambassadeurs.

NOPILTZÍN : Qui peut croire des ambassadeurs ? J'ai vu notre ville et j'en ai vu les divinités simples et honnêtes : celle de la pluie, celle de la terre, celle du soleil. Tu veux que je te dise, Ixbalanque ? Je pense que c'est une bonne chose que le serpent fleuri nous ait quittés, notre peuple avait bien trop de mal à le comprendre.

IXBALANQUE : Je te préviens, Nopiltzín, notre peuple périra si tu ne le remplaces pas.

Le grand prêtre était extrêmement soucieux de l'avenir de sa ville et voulait pousser le roi jusque dans ses derniers retranchements. C'est après une semaine de discussions serrées que Nopiltzín se souvint de la jarre d'argile et de l'eau sucrée qu'elle renfermait. Il s'empressa vers le coin sombre où il l'avait rangée, défit l'étoffe de coton et huma le contenu. C'était assez tentant. Il goûta et retrouva la même sensation. Le roi n'imaginait pas qu'un produit tiré du maguey pût être néfaste aux hommes de la haute vallée. Sans crainte, il emplit sa bouche de liquide ; et il s'en délecta comme de la première gorgée. Il garda un instant le liquide dans sa bouche avant de l'avaler. Un délicieux chatouillis glissa jusque dans son estomac et le remplit de joie, mais le roi ne pouvait encore savoir à quel sommet de plaisir il parviendrait.

Enchanté par la saveur de ce jus sucré, Nopiltzín prit quatre ou cinq gorgées supplémentaires, et la magie du maguey commença de faire son effet. La petite pièce où Nopiltzín avait dissimulé la jarre changea de proportions et le sol de pierre se mit à rutiler doucement. Les murs étaient infiniment plus décorés que ceux de la chambre royale, recouverts de tissu de coton brodé d'argent. Le vent, qui soufflait du nord depuis quelque temps, venait maintenant du sud, et ce n'était plus qu'une brise délicate porteuse d'une certaine langueur.

Le roi regarda par la fenêtre pour voir ce qui avait provoqué ce brusque changement dans la direction du vent et il aperçut la sœur aînée de l'une de ses reines. Il apprécia pour la première fois la beauté de cette fille.

— Salutations, Coxlal ! lui lança le roi.

La femme se retourna, un peu surprise, et s'inclina devant le roi.

— Que fais-tu ? cria-t-il alors que ce n'était pas nécessaire.

— Je cueille des fleurs pour la reine, expliqua-t-elle.

— Eh bien, cueilles-en pour moi aussi ! ordonna-t-il à la femme étonnée qui se dirigeait vers les jardins.

Il se sentait bien et but à nouveau. Quand il se rendit compte qu'il avait vidé la jarre, il la projeta contre le mur. Le bruit des éclats retombant sur le sol l'enchanta et il cria, à personne en particulier : « Je veux discuter encore avec Ixbalanque. Cet homme a des idées puissantes que je n'ai pas vraiment comprises. »

Il quitta la petite pièce et traversa le palais en toute hâte. La distance entre les salles lui avait toujours paru exagérée, mais, aujourd'hui, le palais lui semblait très fonctionnel et il fut impressionné par l'intelligence dont son grand-père avait fait preuve dans l'aménagement de ce lieu. Il fit intrusion sans se faire annoncer dans les appartements des prêtres et cria d'une voix qui se voulait impérieuse :

— Ixbalanque ! Je veux te parler !

Le grand prêtre déboucha du saint des saints et s'inclina avec toute la déférence due à un souverain royal, mais avant qu'il pût se relever, il sentit la main du roi s'abattre sur son épaule.

— Ixbalanque, mon ami, cria presque le roi, allons dans un endroit tranquille, parce que je vois clairement et j'apprécie ce dont tu me parlais.

Le prêtre était enchanté et il emmena le roi dans une charmille d'où l'on voyait la pyramide.

La main tendue vers l'édifice, Nopiltzín s'écria :

— Nous allons apposer un nouveau revêtement qui ira de là jusque-là.

Il indiqua des points plus éloignés l'un de l'autre que tout ce dont le grand prêtre avait rêvé.

— Tu veux dire, lui demanda Ixbalanque, que nous pouvons lancer les travaux ?

— Un jour, dit le roi en serrant le prêtre contre lui, le peuple de cette vallée verra en nous les deux plus grands bâtisseurs que notre culture ait jamais donnés. Cette pyramide sera si large que... (Il s'arrêta brusquement et se détourna de la grande structure.) Reparle-moi de ce dieu étrange qu'adorent les hommes de Tenayuca. Qu'est-ce que c'est, un miroir qui fume ?

Ixbalanque fit celui qui n'entendait pas.

— Si nous voulons apposer un nouveau revêtement sur la pyramide, je crois qu'il sera inutile de...

— Parle-moi de Tezcatli... (Il buta sur le nom de ce nouveau dieu et se mit à rire. Puis il se ressaisit, s'éloigna de quelques pas et s'écria :) Parle-moi de lui.

Ixbalanque était effrayé. Il voyait bien que le roi était affecté par quelque étrange maladie et ce serait désastreux si le roi devait tomber gravement malade avant que la restauration de la pyramide ne fût entreprise. Tout devait être mis en œuvre pour assurer la bonne santé du roi.

— Puis-je te ramener à tes appartements ?

— Non ! brailla Nopiltzín. Assieds-toi là et parle-moi de Tezcatli...

A nouveau, il buta sur le nom.

Désireux de ne pas irriter le souverain, le grand prêtre commença :

— Le dieu Tezcatlipoca œuvre pour la réconciliation de ce qui est inconciliable. (Le vieillard s'arrêta, il craignait que le roi ne fût pas en état de comprendre, mais il reprit, persuadé que toute communauté devait adorer deux types de dieux :) Nous devons plaire aux dieux qui ont la maîtrise de nos destinées immédiates — ceux de la pluie, de la terre et de la fertilité —, mais nous devons aussi adorer une divinité représentative d'un ordre de pensée supérieur, moins tenue à l'arbitrage des problèmes quotidiens. Peut-être est-ce là le dieu dont les divinités inférieures tirent leur puissance. Peut-être est-ce un dieu infiniment éloigné des questions de pouvoir, mais si nous ne nous intéressons pas à un tel...

Le vieux prêtre se tourna vers le roi pour le haranguer et il se rendit compte que le souverain dormait profondément. « Il n'a pas entendu un mot de ce que je lui ai dit, pensa Ixbalanque, et c'est tant mieux, car cela l'aurait troublé et empêché de décider la reconstruction de la pyramide. » Il remarqua alors que le roi avait la bouche ouverte et qu'il suait à grosses gouttes tandis que son bras droit s'agitait nerveusement. Il était clair que Nopiltzín était bien plus malade qu'Ixbalanque ne l'avait imaginé et il appela au secours, mais les serviteurs l'emportaient dans sa chambre quand il reprit conscience et aperçut des lapins apprivoisés qui couraient sur l'herbe.

— Je serai un lapin ! s'écria-t-il en échappant aux serviteurs. Et je serai le nouveau dieu ! (Le vieux prêtre chercha à le rattraper.) Ne t'inquiète pas, mon ami, bredouilla-t-il. Tout est clair désormais. C'est comme si cent soleils s'étaient levés.

Sur ce, il s'écroula, un sourire béat aux lèvres.

Cette nuit-là, après que le roi eut été mis au lit, Ixbalanque se rendit au sommet de la pyramide et eut une entrevue avec ses prêtres.

— Nous nous trouvons dans une situation délicate, leur dit-il. Le roi Nopiltzín est atteint d'une maladie fatale et peut nous quitter à tout moment.

— Les fièvres ?

— Pis encore. Il a perdu l'esprit. (Il donna à ses subalternes le temps de se ressaisir et ajouta :) Le roi nous a autorisés à apposer un nouveau revêtement sur la pyramide, ainsi que nous l'avions proposé, mais s'il meurt avant le début des travaux, le nouveau roi...

— Ce qu'il faut, dit l'un des prêtres, c'est commencer tout de suite, parce que le nouveau souverain ne pourra arrêter des travaux déjà bien avancés.

Les prêtres passèrent la nuit dans le temple et prièrent pour que Nopiltzín recouvre la santé et vive assez longtemps pour leur permettre de procéder au revêtement. A l'aube, le grand prêtre parcourut à toute allure la longue avenue qui menait au palais royal. Il voulait s'enquérir de la santé de Nopiltzín et obtenir l'autorisation définitive de mener son projet à bien.

Il trouva le roi de fort mauvaise humeur, mais le plus gênant était que Nopiltzín ne se rappelait absolument pas avoir autorisé la réfection de la pyramide.

— Vous ne vous souvenez pas de m'avoir indiqué les nouvelles proportions de la pyramide ? dit Ixbalanque, très mal à l'aise. Elles étaient encore plus grandes que ce que je proposais.

— Tu es devenu fou ? gronda Nopiltzín.

— Nous nous étions mis d'accord, insista Ixbalanque, et je veux que les travaux commencent dès aujourd'hui.

— Dans ce cas, creuse toi-même, répliqua Nopiltzín.

— Est-ce que tu es malade ? lui demanda le grand prêtre.

— Je ne me sens pas très bien, dit Nopiltzín en se détendant un peu, mais je suis sûr que cela va passer. Ce qui importe, c'est qu'hier soir, j'ai compris clairement les choses l'espace d'un instant. Je sais précisément ce que nous allons faire à propos des dieux.

— Oui ? fit Ixbalanque.

— Je te le dirai plus tard. Mais il y a deux choses que je peux te révéler dès à présent. Nous ne construirons pas de pyramide. Et nous n'importerons pas de Tenayuca-près-du-Lac un dieu qui ne représente rien sinon de vagues contradictions.

— Qu'allons-nous faire alors ?

— Tu seras très étonné.

Quand le grand prêtre fut parti, Nopiltzín se rendit au milieu des plants de maguey et, avec un couteau d'obsidienne — mes ancêtres d'alors ne connaissaient pas les métaux durs, mais ils savaient donner du tranchant à une pierre —, il en coupa un grand nombre et recueillit suffisamment de liquide pour remplir huit jarres. Il enveloppa les vases d'argile de coton humide, les entreposa dans l'obscurité et, trois semaines plus tard, alla goûter le résultat obtenu.

Il était enchanté parce que l'eau sucrée s'était, une fois de plus, transformée pour donner ce breuvage excitant auquel il avait déjà goûté. Il referma les rideaux qui protégeaient ses appartements et se mit à boire sérieusement ; avant peu revinrent les visions qui l'avaient déjà visité. Comme il savait que de nombreux problèmes assaillaient le grand prêtre, il fit venir Ixbalanque, entoura le vieil homme de ses bras et s'écria d'une voix à moitié brisée par les larmes :

— Ixbalanque, tu vas avoir ton dieu !

— Te souviendras-tu demain de ce que tu as dit aujourd'hui ? fit le prêtre en se dégageant de son étreinte.

— J'ai découvert un nouveau dieu, insista Nopiltzín.
— Où cela ?
— Au cœur même du maguey.
Le roi emmena Ixbalanque dans la pièce sombre où reposaient les huit jarres et il lui montra son trésor.
— Un dieu réside ici, Ixbalanque, et je vais te présenter à lui.
Le roi ouvrit l'une des jarres, versa du liquide dans une coupe et invita le prêtre à boire. Non sans appréhension, Ixbalanque porta la coupe à ses lèvres et goûta pour la toute première fois le breuvage qui allait recevoir le nom de *pulque*.
L'après-midi s'écoula. Ixbalanque remarqua que, sous l'influence du pulque, le roi se montrait de plus en plus exubérant tandis que lui-même se faisait de plus en plus soupçonneux. Il sentait bien que le liquide modifiait son comportement et essayait d'y résister ; pour lui, le pulque usurpait une fonction que les hommes devaient garder pour eux-mêmes ou attribuer aux dieux. Il était sur le point d'expliquer cette fonction quand Nopiltzín se saisit d'une flûte et joua un air délicieux. Ixbalanque se trouva alors un tambour et, après quelques minutes de musique frénétique, tout devint clair pour le grand prêtre.
— Nous jouons bien mieux que les musiciens du temple, déclara Ixbalanque avec gravité.
— Nous aurons un temple au sommet de la nouvelle pyramide...
— Se peut-il que nous construisions à nouveau... ?
— Mon vieil ami, si tu veux une pyramide, eh bien, tu en auras une. Tu vois l'arbre tout là-bas ? On mettra tant de blocs de pierre sur la vieille pyramide qu'elle sera plus haute que cet arbre.
— Merveilleux, dit Ixbalanque en frappant son tambour avec une vigueur accrue.
Pendant cinq ou six heures, le roi et le grand prêtre burent du pulque et réorganisèrent toute la vallée. Il y aurait une nouvelle pyramide et de nouvelles lois, les vieux fonctionnaires ronchons seraient renvoyés et le grand prêtre arrangerait un mariage entre le roi et la sœur aînée de sa femme, même si la coutume interdisait ce genre d'union. Au bout de six heures, le roi se mit à courir à quatre pattes et à sautiller comme un lapin avant d'inviter le grand prêtre à faire de même.
— Non, lui dit Ixbalanque, si tu es le lapin, moi je suis le coyote, et je vais t'attraper !
Les deux dirigeants de l'Etat parcouraient en tous sens les appartements royaux, Nopiltzín sautant comme un lapin et Ixbalanque jappant comme un coyote. Leur cavalcade fut bientôt si bruyante que la reine envoya sa sœur aînée voir ce qui se passait. Quand cette femme laide et austère écarta les rideaux, elle fut plus que surprise de voir les deux hommes marcher à quatre pattes, mais son étonnement se changea en gêne quand le roi l'aperçut, bondit sur elle et, l'attrapant par les genoux, la fit tomber sur le sol.
— J'ai trouvé mon petit lapin chéri ! hurla-t-il.
— Oh non ! aboya le grand prêtre en signe de protestation. Seuls les coyotes peuvent avoir des petits lapins !

Il courut vers le roi et mordit à l'avant-bras la sœur de la reine, laquelle se mit à hurler. Cela le ramena brusquement à lui. Etonné et confus, il se redressa, lissa ses vêtements et contempla son roi, qui se traînait toujours à terre en tenant la femme par les genoux.

— Nopiltzín ! s'écria le prêtre. Debout !

Non sans difficulté — il avait déjà beaucoup bu avant l'arrivée du grand prêtre —, Nopiltzín relâcha sa belle-sœur et tenta de se relever. La femme lissa ses vêtements et s'enfuit tandis que le roi se frappait les tempes pour remettre de l'ordre dans ses idées.

— Qu'est-ce qu'on faisait par terre ? bredouilla-t-il d'une voix pâteuse. J'ai toujours trouvé que c'était la femme la plus laide de toute la vallée.

La nuit qui suivit, Ixbalanque, à nouveau capable de raisonner, errait parmi les temples de la pyramide ; il cherchait à comprendre ce qui avait bien pu se passer et parvint à de terribles conclusions. Après le départ de la sœur de la reine, Nopiltzín avait assuré au prêtre que cet étrange breuvage avait un pouvoir bien à lui : les résultats étaient les mêmes chaque fois qu'il en fabriquait — ce qui ne posait aucun problème, d'ailleurs. En fin de compte, quand on en buvait, un dieu semblait vraiment vous habiter. Les sentiments étaient exacerbés, les couleurs plus vives. Le plus choquant, c'est que, pendant tout le temps où le dieu du pulque avait régné en maître, la sœur de la reine avait vraiment été une femme désirable, à tel point qu'Ixbalanque, quand il l'avait attaquée et avait commencé de lui mordre le bras, ne pensait qu'à une chose : écarter le roi, arracher les vêtements de la femme et jouir d'elle.

— Il n'y aura pas de nouvelle pyramide, dit le prêtre. Le dieu du miroir qui fume aurait pu nous sauver, mais il ne sera pas le bienvenu. Le serpent fleuri est parti avec son lot de beauté, et je crains que tout ce que nous avons accompli dans la vallée ne soit en danger.

Il contempla la cité endormie, l'une des plus belles et des mieux gouvernées de tout le Mexique, et sentit que le déclin était entamé, cette subtile pourriture qui envahit toute société quand les visions et les grands projets s'évanouissent. Mort d'angoisse, il se rendit au dortoir des prêtres et les réveilla pour leur demander conseil. Il était largement plus de minuit quand les gardiens de la conscience de la haute vallée débattirent de la plus terrible question qui se posât jamais au clergé : « Le roi paraît avoir perdu son bon sens et ne plus pouvoir gouverner. Faut-il le déposer ? » Les prêtres les plus jeunes écoutèrent avec effroi Ixbalanque leur décrire le curieux comportement du roi — il se garda bien de dire que lui-même galopait comme un coyote.

Le groupe de prêtres ne pouvait s'appuyer que sur le récit d'Ixbalanque et il lui fut impossible de prendre une décision ; Ixbalanque se rendait compte qu'il devait agir, mais il ne savait absolument pas quoi faire. Dans le doute, il demanda à ses deux conseillers les plus âgés de marcher avec lui parmi les temples ; il leur révéla alors l'objet de sa consternation.

— C'est une magie puissante. Elle est issue du liquide qui dort au cœur du maguey, elle doit donc être sacrée. Quand on la boit, on pèse moins lourd. Les yeux voient des couleurs plus vives. La langue se délie et l'on devient un excellent orateur. (Il hésita un instant, les yeux tournés vers la vallée, et leur confia :) Quand j'ai bu de ce breuvage et regardé Coxlal, la sœur de notre reine, pourtant si laide, elle m'a semblé avoir seize ans et être la plus ravissante des princesses.

— Il y a de la sorcellerie là-dessous, dit l'un des prêtres. Nous devons protéger notre ville de la folie du roi.

Peu avant l'aube, Ixbalanque déclara qu'il allait devoir envisager sérieusement l'avenir du roi, et ses collègues comprirent qu'il parlait de déposition.

— Il y a des années que j'aurais dû l'obliger à changer ! s'écria Ixbalanque en se frappant la poitrine. Mais j'accomplirai mon devoir !

Il revint au dortoir et dit à ses deux conseillers :

— Le roi doit s'en aller, il faut sauver la cité.

Il dévala le grand escalier afin de rejoindre ses appartements et se prépara pour la pénible réunion au cours de laquelle il allait apprendre au roi que son règne s'achevait.

Cependant l'un des prêtres, au courant de sa décision, était allé mettre en garde le roi. Quand Ixbalanque arriva au palais, le souverain l'attendait avec deux sbires cachés derrière une tenture. Nopiltzín avait passé la nuit à boire d'énormes quantités de pulque et sa capacité à comprendre les propos du grand prêtre était plus qu'amoindrie, mais dès qu'Ixbalanque évoqua l'abdication, il entra dans une fureur extraordinaire, appela ses sbires et leur commanda de le tuer. Aussitôt, les poignards d'obsidienne plongèrent dans la poitrine du prêtre.

En s'écroulant aux pieds du roi, il dévisagea une dernière fois son monarque ivre.

— Nous aurons un nouveau dieu, mais ce ne sera pas celui qu'il nous faut, dit-il.

Ainsi périt l'homme qui aurait pu sauvegarder la civilisation des Bâtisseurs.

Pendant les deux siècles suivants, approximativement entre 900 et 1100 — ce qui n'est pas rien, vu l'espérance de vie des nations —, la qualité de vie de la Cité-de-la-Pyramide fut l'une des plus élevées jamais atteintes par une culture ancienne. Il n'y eut pas de guerre et pas de famine, pas de grands travaux mobilisant toutes les forces vives, pas de sacrifice humain ni d'injustice sociale criante. Il y avait des riches et des pauvres, mais le fossé qui les séparait n'était pas infranchissable. Il y avait une armée, mais elle ne jouait pas vraiment de rôle dans les affaires de l'Etat. L'adultère était sévèrement puni afin de protéger la famille, mais il existait un embryon de système éducatif qui permettait aux enfants les plus pauvres d'accéder à la prêtrise.

C'était toutefois son adoration du dieu du pulque qui constituait le caractère vraiment distinctif de la Cité-de-la-Pyramide. Le breuvage était mis en fermentation en grande quantité ; les plantations de maguey occupaient les champs où ne poussaient jadis que des cactus. Sur des kilomètres, les bras tordus du maguey s'élevaient comme des flammes issues de la terre. On voyait souvent les cultivateurs parcourir leurs champs, inciser les plants de maguey et aspirer le liquide sucré avant de le laisser s'écouler dans de grands baquets qu'ils portaient ensuite à l'atelier de fermentation. Ainsi naissait le pulque, la boisson du Mexique.

Une des curiosités de l'histoire est que le dieu du pulque fut nommé Quatre-Cents-Lapins : le roi qui avait découvert ce breuvage pensait que tout homme ayant bu suffisamment de pulque pouvait se montrer aussi insouciant que quatre cents lapins. Un temple fut donc élevé à Quatre-Cents-Lapins — pas un temple très grand, car l'énergie bâtisseuse de la vallée s'était quelque peu dissipée. Le dieu était représenté par une statue de lapin en pierre verte avec des oreilles en forme de feuille de maguey, et il était perpétuellement décoré de fleurs de quatre couleurs. Une troupe de danseurs vivait dans son temple ; les murs de la petite bâtisse étaient agrémentés de guirlandes de fruits. Les fêtes en l'honneur de Quatre-Cents-Lapins comportaient de la musique et des chants ; on y brûlait de l'encens et tous ceux qui adoraient le dieu étaient censés être aimables, heureux et, surtout, gentils. Il n'est pas exagéré de dire que Quatre-Cents-Lapins fut le dieu le plus pacifique qui régnât jamais au Mexique.

Bien que je sois américain et que je n'aie rien d'un historien, je pense pouvoir porter un jugement sur le règne de Nopiltzín parce que les aléas de l'histoire du pays font de moi un descendant en droite ligne du roi : mon grand-père a en effet épousé une Indienne issue de sa lignée. Quand je m'efforce d'évaluer ses mérites, je ne parle pas d'un Indien mort depuis des siècles, mais de mon propre aïeul. Ma vision de son règne est celle-ci : le dieu du pulque acquit une importance supérieure à celle de toutes les autres divinités ; aucun autre prêtre ne tenta, comme Ixbalanque, de donner plus d'éclat à la ville ; et le roi ne rêva pas, comme le vieil Ixmiq, d'édifier une cité si puissante qu'elle serait un hommage monumental aux dieux. Non, prêtres et rois priaient de concert au temple de Quatre-Cents-Lapins, et une indifférence brumeuse recouvrit la ville et toute la vallée.

Je suis convaincu, à la vue de nombreux bas-reliefs, que la vie était très agréable à la fin du règne du roi Nopiltzín. Tout prouve que les autres Etats du Mexique voyaient dans la Cité-de-la-Pyramide le summum de ce que l'on pût accomplir ; les poteries décorées et les travaux de plumes issus de la vallée étaient recherchés jusque dans l'actuel Guatemala. Certaines mélodies composées à cette époque sont encore chantées au Mexique ; c'est le cas de celle qui accompagne la danse du pulque que les touristes apprécient tant : les chanteurs sautillent comme des lapins tandis que les spectateurs aboient comme des coyotes. La tradition dit que Nopiltzín en personne fut l'auteur de la musique et du ballet.

Après sa mort, la ville s'engagea sur le déclin. Les années passèrent, et les artistes du reste du Mexique ne représentèrent plus la Cité-de-la-

Pyramide sous la forme d'un triangle et d'une flûte, mais sous les traits d'un dignitaire indien dont la coiffe était posée de travers sur sa tête, comme s'il était ivre. L'envie avait cédé la place au mépris, même chez les artistes les plus humbles.

Survinrent aussi des événements dans lesquels les maîtres de la ville étaient trop abrutis par le pulque pour voir une quelconque menace. De temps à autre, et ce à partir de l'an 992 — Nopiltzín était mort depuis longtemps —, un groupe d'Indiens vivant dans des grottes, très au nord du pays, accéda à la vallée ; les poteries décorées de l'époque nous en apportent la preuve. Ils étaient inévitablement décrits comme des barbares féroces et laids, sans rien de la grâce propre aux habitants de la Cité-de-la-Pyramide. Rien n'indique que les hommes du pulque comprirent l'importance de ces incursions. De même que le reste du Mexique civilisé posait un regard méprisant sur les Bâtisseurs, de même ceux-ci dédaignaient totalement les barbares venus du nord.

Ce qui advint autour de l'an 1000 m'attriste un peu quand je pense à ceux qui furent ma famille. Les descendants d'Ixmiq, ceux-là mêmes qui avaient édifié quelques-unes des structures les plus grandioses des Amériques, devaient passer à la postérité sous le nom de Bâtisseurs ivres. Ce nom date de l'époque de leur déclin, mais beaucoup de gens croient que ceux qui ont construit ces étonnants monuments étaient soûls en permanence. Je pense qu'il serait plus généreux d'appeler mes ancêtres : les Bâtisseurs magnifiques qui s'adonnèrent à la boisson. Mais je sais que c'est bien trop compliqué et que les historiens sont comme nous autres, journalistes : ils préfèrent toujours la simplification, qu'elle soit ou non le miroir de la vérité.

6

Les ancêtres indiens : les Altomèques

Au début du xe siècle, au moment même où Nopiltzín était tout occupé à la découverte du pulque, vivaient, dans une série de grottes disposées le long des rivières qui parcouraient la jungle étouffante à des centaines de kilomètres au nord de Mexico, une tribu d'Indiens qui, depuis trois ou quatre mille ans au moins, mais certainement plus, conservaient dans leurs traditions tribales le souvenir d'une époque où ils occupaient des terres d'altitude. Ce souvenir était si fort qu'après la Conquête, les membres de cette tribu furent appelés Altomèques : ce mot, bâtard d'indien et d'espagnol, signifiait « Ceux qui recherchent un lieu élevé ». Cependant, à l'époque dont je parle, ils étaient nommés par les autres soit les Hommes des Grottes, soit les Adeptes de Poisson-luisant-Oiseau-chatoyant.

C'étaient des hommes trapus, à la peau très sombre. Leur niveau de vie était lamentable. En trois ou quatre mille ans, blottis dans leurs cavernes, ils n'avaient pas su inventer l'étoffe, orner de la moindre décoration leurs poteries ni même apprivoiser les dindons. Mais ils avaient effectué deux découvertes qui devaient modifier l'histoire du Mexique. Tout comme leurs cousins, les Aztèques — légèrement plus évolués qu'eux —, les Hommes des Grottes avaient compris l'efficacité d'une action tribale organisée ; ils avaient aussi trouvé un dieu à même de les diriger.

Avec une remarquable cohésion, ils étaient prêts à émigrer en masse et, pendant toute la première partie du xie siècle, leurs chefs envoyèrent des groupes d'hommes dans tout le Mexique afin d'y trouver de nouveaux habitats : il était en effet devenu manifeste que la vie dans les cavernes n'était pas idéale. Certains éclaireurs descendirent jusqu'au Guatemala. D'autres repérèrent les terres des Bâtisseurs ivres et leurs rapports furent des plus favorables.

Vers 1050, les Hommes des Grottes quittèrent leur territoire. Les membres de la tribu emportèrent tout avec eux : statues de leurs dieux pesant plusieurs tonnes, mais aussi graines et paniers, objets quotidiens et totems. Des centaines de petits enfants les accompagnaient.

Chaque année, de septembre à avril, ils marchaient jusqu'à trouver un nouveau site où planter les graines qu'ils transportaient. Pendant cinq mois, ils travaillaient la terre avant de récolter ; puis ils reprenaient la direction du sud. Des détachements exploraient sans cesse les environs et, pendant une décennie, il fut tenu pour certain qu'ils s'installeraient quelque part dans la péninsule du Yucatán. Curieusement, les populations de ces régions ne décelaient jamais la présence des éclaireurs. Ceux-ci laissaient pourtant des traces de leur passage. Des hommes disparaissaient, car Poisson-luisant-Oiseau-chatoyant exigeait le sacrifice constant de jeunes guerriers.

C'est de manière étrange que le puissant dieu des Hommes des Grottes reçut ce nom de Poisson-luisant-Oiseau-chatoyant.

A peu près à l'époque de la naissance du Christ, les Hommes des Grottes avaient vu dans une rivière un poisson dont les écailles paraissaient faites d'une substance luisante qui captait les rayons du soleil et les emprisonnait. Après trois jours passés à s'émerveiller devant ce phénomène, les prêtres proclamèrent que le poisson était un dieu, car il était évident qu'il avait un certain pouvoir sur le soleil. Pendant six ou sept cents ans, il fut donc considéré comme l'une des divinités majeures des Hommes des Grottes.

En 753, soit trois siècles exactement avant que les Hommes des Grottes n'entreprennent leur expédition au Mexique, un détachement rapporta du Guatemala le cadavre d'un oiseau extraordinaire, le quetzal, dont le plumage rouge et vert bronze et la queue d'une longueur étonnante faisaient l'admiration de toutes les tribus indiennes à qui il était donné de le contempler. Les prêtres furent convaincus qu'un oiseau aussi extraordinaire ne pouvait vivre sur terre sans l'intervention directe des dieux, de sorte qu'ils réunirent immédiatement en un dieu unique le poisson brillant et l'oiseau coloré.

Quand je veux expliquer Poisson-luisant-Oiseau-chatoyant à des gens qui ne connaissent pas le Mexique, je leur rappelle toujours que ce dieu est un composite, dont les deux parties sont nées à sept siècles d'écart. Poisson-luisant était un dieu primitif susceptible d'être représenté par tout matériau brillant ; les Hommes des Grottes, ne connaissant pas le métal, se servaient de feuilles cireuses, d'écailles, d'os polis ou de dents humaines pour évoquer le caractère luisant de leur divinité. Ce chatoiement symbolisait également le frémissement de l'eau qui avait porté le poisson, le mouvement des cieux qui fait changer les saisons et l'éclat du soleil. Poisson-luisant fut ainsi l'un des dieux les plus « quotidiens » de toute l'histoire du Mexique, l'un des plus serviables aussi, car il servait d'intermédiaire entre les hommes et les rivières, les champs, les fleurs et le soleil nourricier.

Les attributs du glorieux Oiseau-chatoyant, représenté par des fleurs, des plumes et des pierres irisées, étaient des vertus intangibles telles que l'amour de la beauté — même s'il faisait défaut aux Hommes des Grottes —, l'honnêteté et la loyauté. Oiseau-chatoyant était adoré par l'exposition devant lui d'ouvrages de plumes, de bouquets de fleurs et de danseurs costumés. La figure choisie pour matérialiser cette divinité bénigne était, de manière fort appropriée, un androgyne à l'allure placide et au sourire bienveillant.

Vers l'an 1000, un petit groupe de prêtres du clan des Hommes des Grottes décida que la tribu serait mieux guidée si Poisson-luisant-Oiseau-chatoyant, dieu plutôt affable, était remplacé par un autre aux vertus viriles plus clairement définies. Un des prêtres les plus jeunes, homme vigoureux et visionnaire, tint aux autres ces propos :

— Si nous devons prendre la direction du sud pour nous installer sur ces bonnes terres que nous avons repérées, nous y rencontrerons des ennemis qui voudront nous empêcher de pénétrer leurs territoires. Puisque nous aurons à les affronter pour arriver à nos fins, il nous faut un dieu capable de nous mener au combat.

Peu à peu, les prêtres changèrent Poisson-luisant-Oiseau-chatoyant en une figure plus autoritaire, aux exigences plus fermes. Son sourire se transforma en rictus, ses mains ne tinrent plus des fleurs mais des massues d'obsidienne. Et il donna plus l'impression d'attendre de jeter les hommes dans les combats que de les protéger dans leurs demeures ou dans leurs champs.

Ce nouveau dieu, plus grand et plus fort que son prédécesseur, exigeait en hommage non pas des fleurs et des plumes de couleur, mais des massues, des poignards d'obsidienne et des boucliers tressés. Devant les pieds de pierre de l'idole, des fagots servaient à alimenter le feu qui brûlait sans interruption ; sa fumée assombrissait son visage et lui donnait un air menaçant.

La métamorphose du dieu entraîna celle de ses adorateurs. Sous sa houlette triomphante, les Hommes des Grottes avançaient lentement, mais irrésistiblement vers le sud, repoussant les petites communautés indiennes moins bien organisées qu'eux et occupant des terres toujours plus riches. Au cours des premières années de leur migration, ils ne rencontrèrent pas de résistance armée ; et ils étaient persuadés qu'ils l'emporteraient s'ils étaient obligés de combattre.

Même avec leur dieu belliqueux, les Hommes des Grottes auraient constitué une force plutôt estimable s'ils n'avaient pas croupi dans la plus grande ignorance. Si leurs prêtres avaient eu connaissance des formidables découvertes en matière d'astronomie effectuées un millier d'années auparavant par les Indiens des autres parties du Mexique, ils n'auraient pas eu besoin de concevoir les rites effroyables qui allaient sérieusement ternir leur image.

Depuis plus de trois mille ans, des hommes de savoir, prêtres ou astronomes, avaient remarqué que, pendant ce que nous appelons le mois de décembre, le soleil s'éloignait un peu plus chaque jour en direction du sud ; à l'approche du 21 décembre, il semblait même devoir totalement disparaître. Les hommes primitifs devaient craindre qu'il ne revînt jamais, et c'est ainsi que de nombreuses pratiques, dont des sacrifices, furent imaginées pour le rappeler ; comme cela réussissait à chaque fois, elles furent instituées en rites religieux. En revanche, les hommes les plus sensés parvinrent à codifier les règles qui gouvernent les saisons et comprirent que le soleil revenait toujours jouer son rôle, qu'il fût ou non apaisé par des rites de quelque sorte que ce fût. Si les Hommes des Grottes avaient eu connaissance de cela, les atrocités que je vais maintenant décrire ne se seraient jamais produites.

Les prêtres de la tribu répétaient à l'envi qu'ils avaient fait des sacrifices et que le soleil était réapparu ; sans cela, les cultures n'auraient jamais poussé et tous seraient morts de faim. Les hommes les approuvaient, ils se rendaient bien compte que le soleil était revenu. A la fin du premier millénaire, les mêmes prêtres leur tinrent le discours suivant :

— Vous êtes décidés à partir vers le sud pour y trouver une vie meilleure, mais nous affronterons tôt ou tard des tribus hardies qui nous interdiront de toucher à leurs terres. Pour bénéficier de l'aide de notre dieu, nous avons besoin de manières plus persuasives de nous adresser à lui. L'offrande de fruits et de fleurs ne convient plus à un dieu qui va nous mener au combat. Notre dieu mérite le sacrifice ultime, un être vivant par jour lors des périodes critiques, pour qu'il empêche le soleil de nous plonger dans la nuit glacée, mais aussi pour qu'il nous garantisse la victoire.

— Comment sera choisie la victime sacrificielle ? demanda quelqu'un.

— Aucun Homme des Grottes ne le sera jamais, s'empressa de répondre le grand prêtre. Nous n'offrirons que des soldats ennemis faits prisonniers au combat. Les meilleurs et les plus braves, des hommes de valeur. Notre dieu y verra des dons vraiment sincères et il s'empressera de nous aider. Acceptons donc de bon cœur cette nouvelle forme d'adoration.

Un jour de la mi-décembre, alors que le soleil était dangereusement bas, les membres de la tribu se réunirent devant l'image de leur nouveau dieu et virent arriver un prisonnier dont la tribu avait été récemment vaincue, un jeune et beau guerrier, qui avait combattu avec courage et les défiait maintenant de son regard. Il fut traîné vers une plate-forme de bois et quatre prêtres le saisirent par les poignets et les chevilles avant de le coucher sur le dos. Un prêtre à l'allure farouche s'approcha de lui. Il tenait un poignard long et aiguisé, qu'il enfonça dans la poitrine du prisonnier, sous la dernière côte. Plongeant la main gauche dans la cavité, il en arracha le cœur tout frémissant et l'offrit au dieu des combats.

Le peuple était impressionné par la puissance formidable de ce nouveau dieu, capable d'exiger un tel sacrifice, et le rite se répéta au cours des cinq jours suivants. Après le dernier sacrifice, tous s'assemblèrent sur la place publique et passèrent la nuit en prière pour implorer le retour du soleil. Comme l'aube pointait, un prêtre chargé de surveiller la course du soleil se tourna vers la foule haletante.

— Le soleil a mis un terme à sa fuite vers le sud, s'écria-t-il d'un air triomphal. Il revient pour nous sauver !

Vint une année où l'on ne fit pas de prisonniers pour la bonne raison que personne n'habitait cette partie déserte du Mexique. Décembre approchait et il n'y avait pas de captif à sacrifier. Mais le rituel était devenu si sacré, si vital pour les Hommes des Grottes, que l'on passa facilement du sacrifice d'un guerrier ennemi à celui d'un membre de la tribu. En moins de cinquante ans, les prêtres réussirent à convaincre leurs ouailles que c'était là la plus noble manière de quitter ce monde et que cette mort était plus désirable que la vie elle-même.

Lors de leurs premières rencontres avec les autres tribus, ces errants qu'étaient les Hommes des Grottes remportèrent d'importantes victoires et ils prouvèrent leur immense reconnaissance à l'égard de Poisson-luisant-Oiseau-chatoyant en abandonnant son nom compliqué et en l'appelant tout simplement le dieu de la guerre. Ses attributs d'origine furent oubliés et rares étaient ceux qui se souvenaient encore qu'il avait été un dieu de fertilité et de beauté.

Après une trentaine d'années de progression vers le Yucatán, ils s'installèrent au centre-nord du Mexique — on ne sait où exactement —, dans un lieu très différent de leur habitat d'origine, une plaine vaste et aride dont les champs étaient entourés de cactus. Ils y restèrent un demi-siècle, pendant lequel apparurent certaines innovations. Premièrement, ils furent si impressionnés par les cactus que, personne ne se rappelant les grottes où ils avaient vécu, ils prirent le nom de Clan du Cactus. Deuxièmement, les peaux tannées des grands serpents qui infestaient la région leur servirent à se confectionner un immense tambour qu'ils frappaient chaque fois qu'il devait y avoir un sacrifice humain. Troisièmement, ils étaient si fascinés par les aigles planant comme des gardiens au-dessus des champs qu'ils prirent l'habitude de faire porter à leurs chefs de guerre des costumes leur donnant l'apparence d'aigles. Tels étaient les guerriers qu'allait bientôt redouter la quasi-totalité du Mexique.

Un quatrième changement survint dans le cœur des hommes. Quand les chefs jugèrent le moment venu de s'installer dans un coin où ils pourraient vivre de manière permanente et mettre ainsi un terme à leur vie nomade, les prêtres déclarèrent :

— Pour une aventure de cette importance, qui risque de nous entraîner dans une guerre prolongée contre des ennemis bien préparés, nous devrions emporter avec nous une image puissante de notre dieu, susceptible de nous rappeler sa force et de montrer sa puissance à nos ennemis.

Jusqu'à cette époque, les autres peuples n'étaient que des étrangers ; nulle personne extérieure au clan n'était automatiquement qualifiée d'ennemie.

Une idole hideuse fut donc façonnée, représentant un tyran qui jugeait non seulement les captifs traînés devant lui, mais aussi les membres de son propre peuple. Entre ses genoux reposait une cuve de pierre dans laquelle étaient jetés les cœurs fraîchement arrachés aux victimes expiatoires. De la fumée, emblème de la puissance du feu, enveloppait l'idole qui, en quelques années, fut noircie par la suie.

En 1130, après le temps des récoltes, le Clan du Cactus organisa une grande réunion et, en l'espace de deux jours, furent sacrifiés quatre cent quatre-vingts hommes, dont dix-neuf Bâtisseurs ivres qui s'étaient fait prendre au cours d'une partie de chasse. C'étaient les premiers Indiens de la haute vallée à mourir pour le dieu de la guerre.

Les chefs militaires et les prêtres présentèrent diverses options au peuple :

— Un groupe d'éclaireurs propose des marches annuelles jusqu'aux riches terres du Yucatán. Oui, elles sont très fertiles, mais situées très loin d'ici, et il faudra de nombreuses années pour y arriver, à tel point que certains ne vivront pas assez longtemps pour les voir.

Le peuple rejeta cette proposition et les chefs poursuivirent :

— D'autres éclaireurs ont trouvé une région lacustre qui n'est qu'à deux années d'ici. Mais il n'y a pas de terres d'altitude dans les parages, à l'exception de volcans.

— Nous ne voulons pas de montagnes qui fument ! s'écria le peuple.

— Il y a une terre que j'ai vue de mes propres yeux, intervint le grand prêtre. Ce n'est pas très loin d'ici, au milieu des collines. C'est une haute vallée, ce que notre peuple a toujours recherché, et il y a une montagne d'origine humaine sur laquelle les habitants ont bâti leur temple. On dirait presque qu'il attend notre dieu de la guerre.

— Les hommes qui y vivent sont-ils belliqueux ? demanda le roi.

— Nous avons eu avec eux de petites escarmouches, lui assura le grand prêtre, et ce sont des proies faciles. Le dieu de la guerre nous a promis que nous nous emparerions de la ville.

A cette époque, la Cité-de-la-Pyramide et la campagne environnante regroupaient quelque soixante mille personnes, alors que les nomades du Clan du Cactus n'étaient pas plus de cinq mille. En outre, chaque année voyait une centaine des plus beaux fleurons du clan sacrifiés au dieu de la guerre, ce qui l'affaiblissait constamment ; en revanche, les infirmes et les aveugles étaient également mis à mort, ce qui l'allégeait d'un fardeau.

Les guerriers du clan étaient parmi les meilleurs de tout le Mexique et la perspective d'affronter un ennemi douze fois supérieur en nombre ne les effrayait pas. Leurs victoires sur des peuplades très différentes leur avaient permis de mettre la main sur les armes les plus évoluées de l'époque : massues en obsidienne, boucliers de bois durci, lance-javelots mécaniques et flèches à pointe de pierre. Leur dieu de la guerre était paré de turquoise et d'argent, ce qui le faisait resplendir quand un feu était allumé à ses pieds ; son aura menaçante s'en trouvait grandie.

Les membres du Clan du Cactus étaient convaincus que la nonchalance de soixante mille Bâtisseurs ivres ne pouvait rien contre eux. C'est pourquoi ils décidèrent, en 1130, de marcher sur la Cité-de-la-Pyramide, lentement mais avec constance. Pendant une quinzaine d'années, les Bâtisseurs ivres ignorèrent même l'approche des forces hostiles. Au printemps de l'an 1145, ils découvrirent subitement que les nomades campaient à une centaine de kilomètres d'eux. Cela nourrit une certaine consternation, mais nul ne savait vraiment que faire.

Le roi des Bâtisseurs ivres était alors Tlotsin, descendant de Nopiltzín, l'inventeur du pulque ; de tout ce que ses ancêtres avaient fait pour la haute vallée, Tlotsin appréciait surtout ce breuvage enivrant. Sans être un ivrogne invétéré, il trouvait de grandes joies dans la boisson.

En 1145, alors que le Clan du Cactus représentait une menace bien réelle, Tlotsin avait trente-trois ans et il avait épousé une douce jeune fille de vingt ans répondant au nom de Xolal : si elle avait une conscience particulièrement vive du danger que présentaient les envahisseurs, c'est parce que son père leur avait été envoyé en ambassade quelques années auparavant, alors qu'ils étaient encore à plusieurs centaines de kilomètres au nord, et que le Clan du Cactus s'était empressé de le sacrifier à son dieu de la guerre. A l'époque, Xolal avait demandé au roi d'aller châtier les assassins, mais Tlotsin, qui lui faisait la cour, avait refusé.

— Ce sont des barbares ! avait-il dit. Il faut que tu comprennes qu'ils ne connaissent rien aux coutumes des Etats civilisés.

— Ils ont tué un ambassadeur, protesta Xolal.

— Il est probable qu'ils ne savent même pas ce que représente cette fonction, répliqua le roi.

— C'est un peuple barbare qui adore une idole hideuse, dit Xolal.

— Un éclaireur m'a dit qu'ils n'étaient que quatre ou cinq mille. Il y a deux générations de cela, ils vivaient encore dans des grottes.

Cependant, quand en 1146 le Clan du Cactus envoya un groupe armé à quelques kilomètres de la ville et captura plusieurs sujets de Tlotsin qu'il ramena ensuite à son campement pour les sacrifier à son dieu, la Cité-de-la-Pyramide fut bien obligée de reconnaître l'existence de son puissant ennemi.

— Ils adorent un dieu monstrueux, raconta un homme qui avait réussi à échapper à ses geôliers. Il ne se nourrit que de cœurs humains. Tout prisonnier est couché sur un autel et on lui arrache le cœur alors qu'il respire encore.

La description de l'idole par le fugitif terrifia moins les Bâtisseurs ivres qu'elle ne les fascina, et les hommes se demandèrent quelle serait leur vie si les envahisseurs avaient le dessus. On se demandait ce que l'on pouvait ressentir quand on était couché sur l'autel, le couteau sur la poitrine, et la conclusion générale fut que tout dieu capable d'exiger une telle dévotion devait être bien supérieur aux divinités falotes adorées dans la Cité-de-la-Pyramide.

— Ils ne sont qu'une poignée, temporisait Tlotsin, et il n'est pas logique de penser qu'ils puissent importuner une cité comme la nôtre !

Xolal, qui cherchait par tous les moyens à en savoir le plus possible sur leurs ennemis, était maintenant convaincue qu'ils voulaient occuper la haute vallée de façon permanente.

— Ils ne sont pas très nombreux, dit-elle, et ils n'ont pas encore franchi les montagnes. Repoussons-les tout de suite, car s'ils envahissent nos champs et prennent nos récoltes, nous ne pourrons plus lutter contre eux.

Il convient de reconnaître que le roi Tlotsin ne pouvait pas faire grand-chose : pendant l'âge d'or des Bâtisseurs ivres, l'art de la guerre était inconnu et il n'y avait pas besoin d'armée. Il espérait que quelque chose se passerait et que l'ennemi partirait.

Xolal continuait de prêcher pour une action défensive. Le roi Tlotsin lui montra alors une carte représentant la haute vallée bien abritée au centre des collines.

— Les hommes du Clan du Cactus sont ici, derrière ces collines, lui expliqua-t-il avec indulgence. Et nous, nous sommes à l'abri. Avant de nous atteindre, ils doivent passer par la Vallée-de-l'Abondance, qui a toujours été notre avant-poste, et lorsqu'ils constateront notre force, leurs éclaireurs s'empresseront de faire leurs rapports et ils repartiront le long de ce fleuve, dit-il en posant le doigt sur la carte.

— Il y a trois ans, ils étaient très loin, et nous n'avons rien fait, répondit Xolal. L'année prochaine, ils occuperont la Vallée-de-l'Abondance, et nous n'y pourrons rien.

— Si cela se produit, dit le roi d'un air décidé, alors nous agirons.

En 1147, ainsi que Xolal l'avait prédit, le Clan du Cactus et son puissant dieu prirent position au sommet des collines, mais, à sa grande surprise, ils n'attaquèrent pas la Vallée-de-l'Abondance. Ils attendirent que poussent leurs maigres plantations ; après quoi les prêtres décrétèrent que devait être éliminé quiconque présentait le moindre défaut physique. Quatre-vingts des meilleurs guerriers furent également sacrifiés. En pleine frénésie religieuse, le Clan du Cactus franchit les cols et fondit sur la Vallée-de-l'Abondance, capturant ou tuant tous les occupants de l'avant-poste des Bâtisseurs ivres. Ils sacrifièrent tous leurs prisonniers et donnèrent à ce lieu le nom de Vallée-des-Morts, qui est encore le sien aujourd'hui.

— Il faut vraiment faire quelque chose, déclara le roi Tlotsin.

Sur ce, il convoqua ses conseillers, qui discutèrent vainement pendant tout l'hiver 1148. En automne, de nouveaux Bâtisseurs ivres furent capturés et il y eut une autre série de sacrifices sanglants ; puis le Clan du Cactus se rapprocha de la ville.

Certains jeunes gens, encouragés par Xolal, suggérèrent de lever une armée qui repousserait l'envahisseur, mais le roi Tlotsin s'y opposa de toutes ses forces. « Cela ne ferait que les irriter davantage », disait-il. L'année se passa donc sans que l'on prît de décision. Une délégation fut tout de même envoyée. Cette fois-ci, les hommes du Clan du Cactus ne leur arrachèrent pas le cœur.

— Vous voyez, dit Tlotsin à ses conseillers, ils deviennent civilisés !

— Nos ambassadeurs ont reçu une quelconque assurance ? demanda la reine Xolal.

— Non, répondit le roi, mais, au moins, ils ne les ont pas sacrifiés, et c'est déjà un progrès.

Le Clan du Cactus progressa d'une autre manière : les moissons faites, il se rapprocha de la ville.

1149 fut une année critique, car il devint évident que les Bâtisseurs ivres allaient bientôt connaître les restrictions si le Clan du Cactus continuait à usurper leurs champs. Il fallait vraiment agir. Un peu à contrecœur, le roi Tlotsin autorisa la formation d'un détachement qui irait à la rencontre des intrus et les convaincrait de ne pas s'approcher davantage de la ville. Ce fut un jour de liesse, celui où la troupe se forma et où ses généraux inexpérimentés s'octroyèrent de grandes rasades de pulque pour se donner du courage. Ils avaient avec eux des bannières, des tambours, des flûtes et des coiffes de guerre dont l'aspect terrible devait effrayer l'ennemi.

Quelque quatre mille hommes quittèrent la Cité-de-la-Pyramide ; contre eux, le Clan du Cactus envoya sept cents combattants aguerris. Forts de la confiance absolue qu'ils accordaient au dieu de la guerre, les guerriers frappèrent au cœur de l'armée ennemie et repartirent avec plus de douze cents prisonniers.

Cet après-midi, alors que les restes de l'armée démoralisée du roi Tlotsin se repliaient sur la ville, ceux du Clan du Cactus portèrent le dieu de la guerre jusque sur le champ de bataille. Abasourdis, les citoyens virent, depuis les terrasses de la pyramide, les prisonniers se mettre en file avant d'avancer un à un vers l'autel, où les prêtres leur arrachaient le cœur et l'offraient à leur cruelle divinité. Les habitants de la Cité-de-la-Pyramide reconnaissaient leurs maris ou leurs fils, ils entendaient leurs cris déchirants quand les poignards d'obsidienne plongeaient dans leur poitrine. Ils voyaient aussi les volutes de fumée envelopper l'image du dieu et la cuve de pierre qui débordait de cœurs encore palpitants.

Cette terrible journée eut une suite imprévisible. Le Clan du Cactus ne chercha pas à donner l'assaut à la ville. Il se contenta de laisser l'idole en place et, de temps en temps, de lui offrir en sacrifice des hommes faits prisonniers dans la campagne environnante. Les moissons furent faites et une cérémonie d'action de grâces fut organisée, au cours de laquelle plus de trois cents victimes furent sacrifiées à proximité de la ville. En 1150, il y eut de nouvelles semailles et, en automne, des moissons aussi sanglantes que celles des années précédentes. L'année suivante, les semailles se firent à moins de cent mètres de la base nord de la pyramide.

Un grand débat agitait la cité. Dans ses discours publics, le roi Tlotsin soutenait que le Clan du Cactus s'en irait avant un an, mais, en privé, lorsqu'il avait bu avec ses plus proches conseillers, il tenait un langage différent.

— Je m'en rends bien compte, nous aurions dû nous dresser contre eux quand ils campaient dans les collines, disait-il. Avant qu'ils ne s'emparent de nos champs.

— Fort bien, mais qu'allons-nous faire à présent ? lui demandait alors le conseil.

— Je suis sûr que, tôt ou tard, ils finiront par s'en aller, répétait-il obstinément parce qu'il n'avait pas d'idées claires sur la question.

La reine Xolal haranguait le peuple pour le pousser à consentir à quelque suprême effort.

— Nous avons été vaincus au cours du premier affrontement, disait-elle, et nous avons perdu quelques-uns de nos meilleurs éléments. Regardez ceux du Clan du Cactus ! Chaque année, ils sacrifient de leur plein gré leurs guerriers les plus braves, et ils sont chaque fois plus forts. Nous aussi, nous devons accroître nos forces !

Malheureusement, ses appels n'étaient pas entendus. Le grand tambour en peau de serpent se mettait à battre et chacun montait sur les murs et les toits pour assister à un nouveau sacrifice. Pétrifiés par tant de sauvagerie, les citoyens se demandaient combien d'entre eux seraient immolés lors de l'invasion de leur ville. Plus il y avait de sacrifices, plus les gens s'interrogeaient sur leur propre sort, mais aussi sur la vraie nature du dieu de la guerre, capable d'exiger une telle dévotion. Avant même que Xolal pût établir un plan pour parer au désastre, avant que le roi ivre pût prendre une décision, la ville se rendit.

Le jour du solstice d'été de l'an 1151, les hommes du Clan du Cactus se contentèrent d'entrer dans la Cité-de-la-Pyramide et d'en occuper tous les bâtiments. Il n'y eut pas de combats, pas de massacres, pas même de négociations. Ils n'arrivèrent pas par le nord, ce qui aurait endommagé les cultures, mais par l'est, où les routes étaient excellentes.

Juillet, août et septembre s'écoulèrent sans qu'aucun Bâtisseur ivre ne fût mis à mort par le Clan du Cactus. Les habitants de la ville furent réquisitionnés pour effectuer les moissons ; six mille d'entre eux durent déblayer le sommet de la pyramide en vue de la construction d'un temple imposant qui abriterait l'image hideuse du dieu de la guerre. Les membres du Clan du Cactus reconnaissaient qu'ils n'étaient pas d'habiles artisans comme les Bâtisseurs ivres ; ils demandèrent donc aux meilleurs tailleurs de pierre d'édifier une nouvelle statue du dieu de la guerre. Il est intéressant de noter que des tablettes d'argile exposées au musée Palafox de Toledo montrent l'ancienne idole de bois et la nouvelle statue de pierre : dans la version la plus récente, plus rien ne rappelle le dieu que l'on adorait à l'origine dans les grottes. Du poisson luisant, il ne reste plus que l'éclat des joyaux incrustés dans le manche de la massue ; ce qui ressemble à une plume de quetzal est, en réalité, les cheveux de la victime. Le nouveau dieu qui devait occuper le sommet de la pyramide était impitoyable, belliqueux et terrifiant : le récipient de pierre qu'il serrait entre ses genoux était encore plus vaste que la cuve originale.

Comme la fin des moissons approchait et que la nouvelle idole était installée sur la plate-forme, les hommes de la ville vivaient dans l'appréhension et se demandaient si leur tour allait venir.

La récolte était terminée, les travaux aussi. Le grand tambour en peau de serpent se mit à battre, ses coups résonnaient jusqu'aux limites de la ville. Des prêtres émaciés aux oreilles percées d'épines de cactus, aux cheveux gluants de sang humain, prirent position au pied de la pyramide ; des dizaines d'hommes furent rassemblés en divers points de la ville. On comprit alors avec horreur que les six mille hommes qui avaient travaillé sur la pyramide allaient être sacrifiés. Ce nombre était si élevé qu'il en était incompréhensible, mais le Clan du Cactus avait décidé qu'il devait se surpasser. Pour exprimer toute sa gratitude à son dieu, l'offrande de six mille cœurs humains n'avait rien d'exagéré.

Les malheureux furent exhibés dans les rues qu'ils avaient si souvent parcourues en état d'ivresse ; leurs compatriotes les regardaient passer et pensaient que le dieu qui siégeait désormais au sommet de la pyramide devait être bien puissant. Il y eut des cris de surprise quand la procession finale se forma et que l'on vit le roi Tlotsin — mon ancêtre direct — marcher à sa tête. Ce souverain de haute stature avait alors trente-neuf ans. Il paraissait un peu hébété, mais un petit sourire se dessinait sur ses lèvres. En temps de paix, où le roi pouvait boire et repousser au lendemain toute décision, Tlotsin avait été un souverain convenable ; aujourd'hui, alors qu'il marchait vers la pyramide, il ne se rendait même pas compte qu'il avait été incapable de relever le grand défi qui lui avait été lancé. Ceux du Clan du Cactus lui avaient donné tout le pulque qu'il désirait et il avait bu sans retenue. Quand, au fil de cette procession solennelle, il passait devant un vieil ami, il hochait lentement la tête sans se départir de son sourire. Il savait où on le menait, mais cela ne semblait pas le préoccuper vraiment.

Arrivé au pied de la pyramide, à la tête de ses six mille hommes, il découvrit sa reine, Xolal, et comprit qu'elle allait être épargnée pour être offerte à l'un des chefs du Clan du Cactus. Son sourire un peu niais le quitta. Il murmura le nom de son épouse, mais son cerveau fut incapable d'aligner les mots qu'il aurait aimé dire, et il se contenta de la regarder stupidement.

Xolal échappa alors à ceux qui la retenaient, elle se précipita vers son mari et se plaqua à lui comme pour le protéger.

— Hommes de la cité ! s'écria-t-elle. Défendez-vous enfin !

Un guerrier portant un masque d'aigle se jeta sur elle pour l'empêcher de parler, mais elle le mordit à la main et cria à nouveau aux citoyens de résister. De son poignard d'obsidienne, le guerrier au masque d'aigle trancha la gorge de Xolal, la réduisant à jamais au silence. Elle s'affaissa contre son mari, puis tomba à terre mais dans sa chute, elle laissa une traînée de sang sur le corps du roi.

Flanqué de part et d'autre d'un guerrier du Clan du Cactus, Tlotsin monta les degrés escarpés de la pyramide. Il arriva sur la plus haute terrasse et découvrit pour la première fois le dieu qui s'était emparé de sa ville. Le dieu de la guerre était assis, les mains posées sur les genoux, et, à ses pieds, il y avait un récipient flambant neuf, orné de crânes humains. La tête du dieu était entourée de serpents, ses yeux étaient faits de turquoises et ses dents d'opales. Il portait autour du cou une chaîne de crânes sculptés et ses chevilles étaient ceintes de petits cœurs de pierre. Son visage était terrifiant au-delà de tout ce que l'on pouvait imaginer et son regard posé sur une dalle convexe. Le roi fut précipité sur cette dalle avec une telle force qu'il en perdit le souffle. Pour la première et ultime fois, il vit briller le long poignard d'obsidienne, et c'est son cœur royal qui fut le premier à venir souiller le grand récipient. Son corps ensanglanté fut le premier à être jeté dans les escaliers de la pyramide.

A partir de ce jour, les Bâtisseurs ivres cessèrent d'exister en tant que nation. Le choc fut si grand qu'ils ne s'en remirent jamais. Lors d'innombrables orgies sanglantes, les hommes étaient systématiquement éliminés et les femmes violées par leurs conquérants. A un point tel que je doute qu'un seul Bâtisseur ivre non métissé naquît au cours des cent années qui suivirent. Je descends pour ma part de la fille du roi Tlotsin et de la reine Xolal, qui fut prise par un guerrier à face d'aigle et qui fut, comme le racontent mes chroniques familiales, une épouse bonne et fidèle dont les descendants, farouches guerriers, répandirent pendant trois siècles la terreur dans toute la partie centrale du Mexique.

Une vingtaine d'années après l'occupation de la ville par les hommes du Clan du Cactus, les prêtres s'adressèrent à leur roi :

— Depuis plus de cent ans, notre peuple s'est affirmé par l'errance et le combat. Mais aujourd'hui que nous avons notre ville et les facilités qui s'y attachent, nous nous affaiblissons et, bientôt, nul ne craindra plus les guerriers à face d'aigle. Il n'y a plus de grand combat à mener, engageons-nous donc dans un projet grandiose qui stimulera le peuple et lui conservera sa vigueur.

Le roi leur demanda à quoi ils pensaient, et ils lui répondirent :

— Apposons un nouveau revêtement sur la pyramide dressée par nos ennemis. Faisons-en la pyramide du Cactus, décorons-la de nos dieux et de nos emblèmes.

C'est ainsi que l'ultime revêtement de la pyramide fut décidé en 1171. La moitié des Bâtisseurs ivres furent assignés aux carrières et l'autre moitié aux travaux proprement dits. Les dimensions définitives — deux cent dix mètres de côté et soixante-six de hauteur — furent définies et l'ambitieuse opération put débuter. Mais les hommes du Clan du Cactus se rendirent rapidement compte qu'ils ne possédaient ni les artistes ni la science nécessaire à une telle entreprise, et ils confièrent la direction des opérations au dernier expert des Bâtisseurs ivres. La pyramide, telle que nous la découvrons aujourd'hui, est le dernier fleuron de ces constructeurs magnifiques.

De nombreux critiques ont affirmé que l'escalier sud représente l'une des merveilles du monde architectural, et je me rappelle la joie avec laquelle mon père et moi en étudiions les plus infimes détails. Les marches en constituent, bien entendu, la partie fonctionnelle ; chacune d'elles est sculptée à l'image des oiseaux et des animaux de la région. Celle qui montre des oiseaux en plein vol a été largement reproduite, car elle est l'essence même du vol ; la taille est si fine que l'on sent presque les ailes de pierre frissonner dans les courants aériens.

Mais les escaliers, aussi raffinés soient-ils, n'ont jamais été aussi universellement admirés que la frise de guerriers à face d'aigle, l'un des trésors de l'art mexicain. Au sommet de l'escalier se dresse un mur assez bas, dépourvu de toit, dont le bas-relief représente des guerriers, tous différents, mais tous porteurs d'un masque d'aigle ; la partie supérieure du bec semble issue de leur front, et la partie inférieure de leur menton. Ce qui m'a toujours impressionné dans cette frise, c'est l'incroyable minutie avec laquelle les plumes des casques ont été sculptées.

Au XIIe siècle, le revêtement de la pyramide fut terminé et la plupart des Bâtisseurs ivres qui subsistaient encore furent sacrifiés au cours d'une cérémonie sanglante qui dura six jours entiers. Dans un article destiné à un magazine photographique allemand, j'ai calculé que cette noble pyramide avait vu s'effectuer en quatre siècles, soit de 1151 à 1519, plus d'un million de sacrifices humains. Au cours des cinq siècles précédents, à l'époque des Bâtisseurs ivres, il n'y avait pas eu une seule victime, mais sous la domination du Clan du Cactus, quelque trois mille êtres humains furent sacrifiés chaque année. Ce qui est surprenant, c'est qu'il s'agissait presque toujours des hommes les plus jeunes et les plus forts. Année après année, les cœurs étaient brûlés pour que la fumée rende le temple encore plus impressionnant ; les corps étaient jetés dans les escaliers avant d'être emportés par des esclaves dans des fosses où ils pourrissaient. La pyramide et ses abords n'étaient que puanteur et abomination, mais c'est paradoxalement de là que le Clan du Cactus tira sa grandeur.

Ces hommes devinrent en effet un grand peuple ; il n'est plus possible d'en douter. Ils adoptèrent volontiers chaque aspect positif de la culture des Bâtisseurs ivres et leur empruntèrent même leur langage plus évolué. Après avoir été enlevés du sommet de la pyramide, les dieux des Bâtisseurs furent installés dans des temples de plus petite taille et honorés pour leurs vertus spécifiques. Le Clan du Cactus améliora chacun des aspects de l'agriculture des Bâtisseurs, il construisit de meilleures routes et trouva de nouvelles sources. En matière de poterie, il reprit les conceptions des Bâtisseurs, mais fabriqua aussi des objets d'argile plus solides et plus fonctionnels. Dès que les hommes du clan eurent appris à domestiquer les animaux, ils entretinrent d'immenses élevages de dindons ; ils allèrent jusqu'à affiner la fabrication du pulque. De nombreux archéologues ont fait le parallèle avec les Romains, qui n'empruntèrent leurs inventions aux Grecs que pour les améliorer, et avec les Japonais, qui se conduisirent de même à l'égard de la civilisation chinoise. Le Clan du Cactus a absorbé la culture des Bâtisseurs et l'a rendue meilleure en tout point ; ainsi, de 1350 à 1527 — année où les Espagnols pénétrèrent dans la haute vallée —, la civilisation du Cactus fut l'une des plus avancées des Amériques, dépassant même à certains égards celle de ses voisins, les Aztèques, et celle des Incas du Pérou.

Les hommes du Cactus ont appris à tenir des registres illustrés et nous connaissons l'histoire de leur nation de manière assez substantielle, avec des noms et des dates qui forment une chronologie assez fiable. Des experts anglais et allemands ont écrit des livres sur ce sujet et nous en savons infiniment plus sur les guerriers de Toledo que sur les Indiens qui occupaient l'Amérique du Nord. Un seul exemple : nous savons très exactement comment ils cultivaient le maïs, à quel mois ils le plantaient, quel engrais ils utilisaient, où et comment il était stocké. Des listes nous indiquent quelle quantité était attribuée à chaque famille et le montant des taxes qu'il lui fallait payer en retour.

C'est toutefois l'art de la guerre que nous connaissons le mieux, car, sous la pression de leur dieu redoutable, les hommes du Cactus terrorisèrent tout le plateau qui constitue le centre du Mexique. Ils allaient régulièrement de Guadalajara, à l'ouest, à Puebla, au sud-est, pour trouver de nouveaux territoires, mais aussi des captifs qui seraient sacrifiés à leur insatiable divinité. Leurs ennemis les plus constants étaient les Aztèques, qui vivaient au bord du lac près duquel se dresse l'actuelle cité de Mexico, et les guerres entre ces deux peuples furent longues et sanglantes. On ne sait trop pourquoi ces deux nations s'affrontaient et il est raisonnable de penser que les chefs ne déclenchaient des conflits que dans le seul but d'occuper leurs guerriers.

Vers 1350, cependant, toutes les raisons évidentes de se battre ayant disparu, les ambassadeurs des deux nations signèrent un accord selon lequel les quatre-vingt-dix meilleurs guerriers de chacune se rencontreraient dans un champ fleuri à mi-chemin des deux villes : un combat pour rire s'y tiendrait. C'est cette « guerre des fleurs » qui, par la suite, donnera naissance aux Jeux floraux. L'expression « combat pour rire » est un peu légère, en fin de compte, car les hommes faits prisonniers étaient ramenés dans les capitales ennemies et sacrifiés en grande pompe soit au dieu de la guerre, dans le cas du Clan du Cactus, soit à un dieu aussi maléfique, Huitzilopochtli, dans le cas des Aztèques. Par la suite, si l'on en croit l'interprétation des documents par les historiens, on pense que ces tournois meurtriers ne se déroulèrent plus en terrain neutre, mais une année à Mexico et l'année suivante dans la Cité-de-la-Pyramide.

Un aspect de cette guerre rituelle était particulièrement odieux. Quand l'un ou l'autre peuple avait besoin de prisonniers pour une cérémonie d'une importance si exceptionnelle que des captifs ordinaires ne pouvaient suffire, une guerre totale était alors lancée, avec les meilleurs généraux à la tête des troupes, sans tenir compte du fait que, plusieurs mois auparavant, les ambassadeurs avaient secrètement décidé qui serait vainqueur et qui aurait le droit de faire deux ou trois cents prisonniers; en retour, si les prêtres de l'autre nation avaient besoin de prisonniers de premier choix, les chefs du clan ennemi se livraient à leur tour à la trahison de leur propre armée. Le simulacre de combat terminé — là encore, il est difficile de parler de simulacre, car il y avait bel et bien mort d'hommes —, les prisonniers trahis étaient conduits au sacrifice rituel et, d'après ce que l'on en sait, aucun d'eux ne protesta jamais.

On s'est souvent demandé pourquoi, année après année, les meilleurs éléments du Clan du Cactus acceptaient cet état de fait et pourquoi ils marchaient si courageusement à la mort (tout prouve en effet que c'est avec exaltation qu'ils gravissaient les marches de la pyramide). Un jour, j'interrogeai mon père sur cette abomination, et voici ce qu'il me répondit :

— Les jeunes gens comme toi pensent souvent que la mort est la pire chose au monde. Et tu frémis en évoquant le comportement de tes ancêtres indiens. Mais je pourrais te citer une centaine de civilisations qui ont convaincu leur jeunesse que de mourir pour telle ou telle cause était le plus noble acte qui fût, ou encore que de périr dans les bras de telle ou telle religion assurait la vie éternelle. Tout homme qui a monté ces escaliers était sûr d'aller droit au ciel et, un jour, toi aussi tu trouveras des marches que tu auras le désir de gravir.

J'ai souvent repensé aux paroles de mon père quand, plusieurs années après, je montais dans un B-29 et le sentais s'envoler dans le ciel avant d'aller bombarder le Japon.

La théorie de mon père est bien illustrée par un incident auquel prit part l'un de mes ancêtres. Vers 1470, alors que les cultures des Aztèques et du Cactus connaissaient une certaine sophistication, la Cité-de-la-Pyramide vit surgir en son sein un général extrêmement doué du nom de Tezozomoc ; sous sa direction, le Clan du Cactus étendit son empire jusqu'à Guadalajara. Il remporta dix-neuf victoires d'affilée, principalement parce qu'il anticipait les mouvements de l'ennemi et déployait ses troupes de manière soudaine et inattendue. Avant lui, les Indiens utilisaient la technique traditionnelle : ils envoyaient ce qui semblait être le gros de leurs troupes, mais qui n'en était en fait qu'une petite partie ; quand la bataille était engagée, le reste des hommes fondait depuis quelque endroit caché et l'ennemi se trouvait pris par surprise. Les généraux astucieux ne s'y laissaient pas prendre. Tezozomoc eut l'idée d'envoyer un petit groupe d'hommes, puis un autre à peine plus fort, et l'ennemi pensait que c'était là le piège que lui tendait Tezozomoc ; c'est alors que le gros des troupes du Cactus se lançait à l'assaut et remportait une victoire facile.

Ses dix-neuf victoires avaient permis à Tezozomoc de ramener pas moins de vingt-cinq mille prisonniers, qui furent dûment sacrifiés sur la pyramide, et la mort de chacun d'eux renforçait un peu plus la réputation du général ; sa renommée atteignit le Yucatán et l'on a retrouvé dans la moderne Veracruz des tablettes d'argile où sont rapportés ses hauts faits.

Il était naturel que les Aztèques, deux fois battus par ce grand guerrier, eussent envie d'offrir son cœur à leur dieu, et ils déployèrent des efforts inimaginables pour s'emparer de lui. En 1483, des émissaires aztèques approchèrent secrètement les chefs du Cactus et organisèrent la trahison de Tezozomoc ; en échange, les Aztèques donneraient aux hommes du Clan du Cactus le libre accès aux comptoirs commerciaux de la région de Pachuca. Quand les Aztèques revinrent chez eux, trois ambassadeurs du Cactus furent, comme prévu, tués dans les collines de Pachuca ; cela donna aux chefs militaires du Cactus une bonne raison de déclarer la guerre. Tezozomoc prit une fois de plus la tête des armées, ignorant de ce qui se tramait. Au plus fort de la bataille, alors qu'il se préparait à faire tomber les Aztèques dans un piège, le vaillant guerrier se retrouva sans protection aucune et fut fait prisonnier.

La capitale aztèque fut en liesse à l'annonce de sa capture. Tezozomoc fut transféré en ville dans une cage décorée d'or et d'argent ; pendant onze jours, le plus grand soldat de son époque fut exposé aux yeux des habitants de la cité. Le douzième jour, alors qu'il devait être sacrifié, une foule très nombreuse envahit l'esplanade. Il y avait là le roi Tizox, oncle du jeune garçon qui allait régner plus tard sous le nom de

Moctezuma II. En robe de cérémonie, Tezozomoc fut conduit jusqu'à la pierre du sacrifice, immense disque sur lequel pouvaient tenir six ou sept hommes, et une corde attachée au centre de la dalle fut passée autour de la taille du général vaincu. Le captif n'avait plus de liberté de mouvement ; on lui donna une massue pour se défendre, mais, au lieu d'être hérissée de pointes d'obsidienne, elle était parée de fleurs délicates qui sifflaient dans l'air quand il l'agitait.

Cet homme à moitié nu devait affronter vingt guerriers armés jusqu'aux dents. La foule espérait assister à un spectacle exceptionnel et elle ne fut pas déçue. Les chroniques de l'époque racontent que Tezozomoc se défendit si habilement qu'il résista aux vingt Aztèques, en désarma un bon nombre et en tua même trois. Au bout d'une demi-heure, il saignait abondamment d'innombrables blessures et respirait difficilement. Il allait s'effondrer quand, dans un effort suprême, il tira brusquement sur sa corde et, d'un coup de massue, brisa le crâne de deux autres adversaires. Il s'écroula alors sur le disque avec, pour ultime pensée, la certitude de se réveiller devant les dieux. Lorsque les prêtres posèrent la main sur lui, le peuple protesta violemment et l'oncle de Moctezuma, le roi en personne, annonça :

— Cet homme sera général de mes armées !

Pendant trois ans, le grand guerrier du Cactus mena les Aztèques à la victoire sur tous les fronts de leur empire. Il affronta les Tlaxcaltecas et les Pueblas, les Oaxacans et les Pachucans, rapportant chaque fois avec lui butin et prisonniers. L'inévitable survint en 1486 : il lui fallait conduire les Aztèques contre le Clan du Cactus. Il s'y refusa et se présenta au roi Tizoc.

— J'ai conduit tes armées à la victoire dans de nombreuses parties de ton empire, déclara-t-il, et je continuerais volontiers à le faire, car je ne connais pas de guerriers plus braves que tes Aztèques. Mais je ne puis les mener contre mon propre peuple. Si tu l'exigeais de moi, j'agirais en traître et ce serait une honteuse conclusion à toute mon existence. Le moment est donc venu où je dois m'offrir en sacrifice à ton dieu de la guerre, et je le ferai volontiers, car je le sers depuis longtemps et je pourrai ainsi rejoindre au ciel mes compagnons.

De son plein gré, le grand guerrier indien Tezozomoc qui, s'il avait vécu, aurait pu déjouer les ruses de Cortés, endossa les robes de cérémonie des deux cultures et, au son des flûtes et des tambours, gravit solennellement les marches jusqu'à l'autel du dieu de la guerre, Huitzilopochtli. Les prêtres le couchèrent alors sur la dalle et lui arrachèrent le cœur avant de l'offrir à leur divinité. Quand la nouvelle de sa mort parvint à la Cité-de-la-Pyramide, nul ne se lamenta. Sa fille, à qui l'histoire allait donner le nom de Dame-aux-Yeux-gris, n'avait que neuf ans à l'époque. Quand on lui raconta la mort héroïque de son père dans la lointaine capitale aztèque, elle dit d'un air grave :

— Il aurait dû périr au combat.

L'importance et les raffinements cruels apportés à la mort par les Indiens de cette époque les ont desservis aux yeux de l'histoire et les ont fait passer pour des barbares intéressés par les seuls sacrifices humains. Il n'en est rien et, pour rétablir l'équilibre quand je veux évaluer mes ancêtres, je me plais à évoquer la Dame-aux-Yeux-gris, assurément l'une des plus grandes figures de l'histoire du Mexique.

Ce nom étrange lui fut donné non pas par ses frères indiens, mais par les Européens qui débarquèrent au Mexique et qui, après leur victoire sur le Clan du Cactus, entrèrent en relation avec cette femme de tête. Ils remarquèrent que ses yeux n'étaient pas noirs de jais, mais plutôt gris. Peut-être fut-ce là une illusion, car elle n'était certainement pas de sang mêlé, pourtant ses yeux étaient, comme l'écrivit l'un des conquérants, « d'une douce couleur grise qui pouvait évoquer l'acier quand elle serrait les dents et se battait pour défendre les droits de son peuple ».

Cette fille de Tezozomoc fut tout naturellement élevée dans un monde guerrier ; elle ne revit plus jamais son père après l'âge de six ans et elle n'en gardait qu'un vague souvenir, mais voici ce qu'elle raconta à des chroniqueurs espagnols sur ses vieux jours :

> Je le revois non pas à la guerre, mais dans cette maison à la lisière de la ville qui allait prendre le nom de Toledo. Nous avions un arpent de terre sur lequel des esclaves capturés au combat faisaient pousser des légumes et gardaient des dindons. Dans des champs assez éloignés de la maison, il cultivait le coton, et je me souviens surtout de lui en train de travailler la terre de ses jardins.
>
> Ma mère était encouragée à tisser, et elle avait sous ses ordres des servantes qui fabriquaient une étoffe recherchée par les autres villes. Petite fille, je portais des robes de coton, de plumes et de fils d'argent, le tout si merveilleusement tissé que j'avais l'air d'un oiseau d'argent.
>
> J'aimais beaucoup les sucreries tirées du cactus, mais mon père me faisait réciter des chants avant de m'en donner. A six ans, je ne connaissais rien d'autre que des chansons enfantines, mais cela lui plaisait et je me souviens qu'il se joignait volontiers à moi.
>
> Il m'expliquait que j'étais destinée à devenir la femme du roi de sorte que, quand il se fut offert en sacrifice, ma mère continua de me parler de l'importance de mes futurs devoirs. J'appris non seulement la couture, le tissage et la confection des tortillas, mais aussi à mener une maison comportant de nombreuses pièces et de nombreux serviteurs. J'étais particulièrement douée pour la musique et je jouais de la flûte dans le calme de notre demeure ; j'ai dû apprendre ainsi la plupart des chansons de notre peuple.
>
> La plupart des Espagnols que j'ai rencontrés m'ont demandé ce que je pensais des sacrifices humains, et j'en avais assez d'expliquer que, jusqu'à l'âge de vingt et un ans, je n'avais jamais participé à ce rite et ne le comprenais pas vraiment. Ma mère nous gardait à la maison chaque fois que le grand tambour battait à la pyramide. Même les jours où mon père fêtait ses plus grandes victoires et où des milliers de prisonniers étaient exécutés, ma mère refusait que j'y assiste. Je me rappelle le jour où mon père est revenu triomphalement de Guadalajara. J'avais alors six ans. Dès que le tambour a cessé de battre, il est rentré chez nous, s'est lavé, a joué avec moi et est allé cultiver son jardin. On n'a jamais parlé de sacrifices à la maison devant moi, et c'est ce qui explique pourquoi ma réaction devant la déesse-mère fut si spectaculaire et si inattendue.

Dans les deux petits articles que mon magazine m'avait demandé de consacrer au Clan du Cactus, j'ai essayé d'en parler favorablement, car il y avait beaucoup de choses admirables chez mes ancêtres, mais je reconnais que ma tâche aurait été facilitée si la déesse-mère n'avait pas fait partie de leur histoire.

Vers la fin du xve siècle, alors que le dieu de la guerre connaissait son apogée et qu'on ne savait plus apporter d'autres raffinements aux rituels sinistres pratiqués en son honneur, un groupe de prêtres de la Cité-de-la-Pyramide se réunit et entendit le grand prêtre parler ainsi :

— Si notre dieu de la guerre est vraiment tout-puissant et que nous ne pouvons plus rien faire pour l'honorer directement, nous devons inventer des manières détournées de lui rendre hommage. Il me semble que nous avons oublié une chose : il ne serait jamais devenu si puissant s'il n'avait eu une mère encore plus terrible que lui.

C'est donc pour répondre à un besoin d'ordre religieux que les prêtres du Cactus créèrent une déesse-mère dont l'aspect abominable n'a jamais connu d'égal. Sa tête était faite de deux serpents cornus sur le point de s'entre-dévorer. Ses mains étaient des serres qui déchiraient un cœur humain. Ses seins étaient des vipères lovées et son nombril, un bec d'aigle en train d'arracher les yeux d'un petit enfant. Sa jupe était une masse grouillante de serpents et ses pieds, des crocs d'animaux déchiquetant de la nourriture. Elle portait un collier de cœurs humains, des bagues d'yeux humains et des ornements de dents. Sa statue était la plus répugnante que l'on eût jamais sculptée au Mexique, travestissement hideux d'un dieu et d'une femme. Quand elle était exposée dans son propre temple, au sommet d'une petite pyramide dressée à l'emplacement de l'actuelle cathédrale, il y avait des fêtes et des festins, car l'on avait enfin trouvé une déesse digne d'accompagner le dieu de la guerre dans son règne solitaire sur la haute vallée.

Ce qui faisait de la déesse-mère une divinité si redoutée, c'était le raffinement dans la torture que les prêtres lui prêtaient : en tant que mère du dieu de la guerre, elle ne se satisfaisait que de choses parfaites, de sorte que, chaque année, seuls les jeunes gens purs à tout point de vue lui étaient réservés. Mais elle représentait également la maternité, et il lui fallait de nombreux sacrifices pour perpétuer sa fertilité : des centaines de victimes étaient alors jetées vivantes dans les immenses brasiers qui s'élevaient à ses pieds.

La Dame-aux-Yeux-gris se trouvait dans sa vingt-deuxième année quand elle assista aux rites pour la première fois. Elle fut si bouleversée qu'elle se serait évanouie si sa mère ne lui avait agrippé le bras.

— Si tu te montres faible devant la déesse-mère, la prévint-elle, toi aussi tu seras choisie pour le sacrifice.

La Dame-aux-Yeux-gris apprit ainsi l'utilité d'une discrétion extrême. Sa réputation n'était nullement entachée, elle passait pour soumise aux dieux et il n'y avait aucun obstacle à son union avec le jeune roi, lequel était très épris d'elle.

La position de la jeune reine à ce moment crucial de l'histoire fut des plus étranges. Elle ne pouvait absolument pas savoir que de puissants étrangers venus d'Europe allaient débarquer à Cuba avant de faire voile vers le Mexique, mais elle sentait que de grands changements s'annonçaient. Cette impression diffuse la poussait à croire que la société du Cactus ne pouvait rester en l'état, dominée par une déesse-mère hideuse et par des prêtres qui expliquaient aux femmes que la plus noble fonction dans la vie était la production de fils beaux et intelligents, dignes d'être sacrifiés aux pieds de la divinité. « C'est mal, se disait-elle en contemplant cette perversion de la maternité et ce gaspillage de vies humaines. Aucune femme ne peut désirer voir son fils, son frère ou son mari mis à mort d'une aussi horrible façon. Tuer des dizaines et des dizaines d'hommes pour que le soleil daigne revenir ! Naturellement qu'il reviendra ! Il l'a toujours fait ! »

Un jour elle se confia à sa mère :

— Tu sais bien que le soleil reviendra, qu'il ait des victimes ou pas !

— Ma fille, dit sa mère en l'attirant à elle, ne parle pas ainsi, ou tu mettras le roi en danger.

— Tu dois quand même déplorer le sacrifice de nos meilleurs hommes ? insista la Dame-aux-Yeux-gris.

— Oui, fit sa mère en hochant la tête, et elle ne dit rien de plus.

Dès cet instant, la Dame-aux-Yeux-gris devint une sorte de citoyenne subversive. En écoutant attentivement et en posant des questions détournées, elle entreprit de sonder l'esprit des autres femmes et en déduisit que nombre d'entre elles étaient bouleversées par ces rites infâmes que, d'ailleurs, toute la population commençait à réprouver. Elle n'avait cependant pas encore l'audace d'en parler ouvertement. Voici d'ailleurs ce que nota l'épouse d'un général de l'armée :

> Elle m'aborda un matin alors que je tirais de l'eau au puits et me demanda simplement : « Comment va ton fils ? » Ce à quoi je lui répondis : « Il a été pris, tu sais. » C'est ainsi que nous disions quand les prêtres choisissaient nos fils. Très doucement, elle me demanda : « Est-ce qu'il te manque ? » Nous n'avions pas le droit d'évoquer de telles choses, mais c'était la reine et je me sentais libre de parler, aussi lui dis-je : « Oui, beaucoup. » Sur ce, des larmes, formellement interdites, me vinrent aux yeux. Pendant un moment, je pleurai, puis je la regardai, elle était tendue, dents et poings serrés ; ses yeux admirables n'étaient pas humides, mais ils lançaient des flammes, et je compris qu'elle et moi pensions la même chose. Cette rencontre fortuite explique pourquoi, au moment décisif, je me tins à ses côtés pour manier l'un des leviers de bois.

Le mouvement de révolte soulevé en secret par la Dame-aux-Yeux-gris prit corps en 1507. L'automne de cette année-là marquait la fin du cycle de cinquante-deux ans régi par les mouvements du soleil et ceux de la planète Vénus, et le grand prêtre ordonna que les cérémonies fussent particulièrement épouvantables. « Pour assurer la régénération du monde, expliqua-t-il, nous devons tous faire des sacrifices d'une portée exceptionnelle. »

Le Clan du Cactus croyait depuis toujours qu'avec la fin du cycle de cinquante-deux ans, le soleil risquait de ne plus se lever et le monde de connaître son terme. Seuls des sacrifices humains extraordinaires pouvaient tirer le soleil des ténèbres; selon la tradition, toutes les possessions humaines devaient être détruites à la fin du cycle pour permettre à la vie de recommencer avec la renaissance du monde. L'année 1507 touchait à sa fin et l'on pratiquait la destruction massive de tous les effets personnels : c'est alors que la Dame-aux-Yeux-gris entra pour la première fois ouvertement en conflit avec les dieux. Son père lui avait légué le bouclier qui l'avait protégé lors de son combat contre les troupes de Guadalajara; avant de le lui offrir, il l'avait décoré de sa main. C'était un objet qu'elle chérissait depuis l'âge de six ans. Bien que prévenue qu'une reine ne devait rien garder par-devers soi, car cela risquait de provoquer la colère des dieux et d'entraîner instantanément la fin du monde, elle était bien décidée à ne pas détruire ce bouclier. Elle voulut le dissimuler dans une cache dont la porte était masquée : elle découvrit alors que sa mère y avait déjà abrité nombre d'objets de valeur purement sentimentale.

Sa rupture avec les dieux fut déclenchée par une série d'événements si éprouvants que la Dame-aux-Yeux-gris se justifiera ainsi aux chroniqueurs :

— Si j'avais accepté ces cruautés sans répulsion ni colère, je me serais montrée moins qu'humaine.

Voici ce qui se passa : le grand prêtre de la déesse-mère exigeait pour la cérémonie de la renaissance de la lumière un homme au caractère exemplaire, un individu revêtant une importance vitale pour le royaume et dont le sacrifice serait une cruelle perte pour la cité ; c'est seulement en plantant un flambeau sacré dans sa poitrine ouverte que l'on pourrait contraindre le soleil à entamer un nouveau cycle de cinquante-deux années.

L'homme qu'ils avaient choisi était de sa propre famille, car c'était le noble frère du roi, et quand elle eut vent de cette décision, la Dame-aux-Yeux-gris se révolta.

— C'est stupide ! dit-elle à sa mère. C'est l'homme le plus sage de tout le royaume, nous avons besoin de lui.

— Chut, lui répondit sa mère. Tu peux penser cela, mais ne le dis jamais tout haut.

Le frère du roi fut mis à mort et le rite du feu accompli ; docilement, le soleil se leva à nouveau. Les prêtres organisèrent alors une orgie de sacrifices pour célébrer la renaissance du monde : des centaines de personnes furent tuées, puis des centaines encore, et des milliers, jusqu'à ce que l'on ne pût plus les compter et que l'air fût empuanti par la fumée. Dans ses appartements où elle écoutait avec une rage toujours accrue les battements du tambour, la Dame-aux-Yeux-gris était obsédée par l'idée que, depuis trois siècles, il y avait eu d'innombrables femmes qui, comme elle, avaient été horrifiées par ces atrocités, mais n'avaient jamais osé en parler.

L'ignominie ne s'acheva pas sur le meurtre de son beau-frère. Une servante congédiée alla trouver les prêtres de la déesse-mère pour leur dire que la mère de la souveraine, la veuve du général Tezozomoc, avait dissimulé des trésors personnels et ne les avait pas détruits pour assurer la renaissance du monde. Immédiatement, on vint fouiller le palais royal et la servante dévoila la cache. Entre autres choses, on y trouva le bouclier du général Tezozomoc, qui aurait accusé la reine en personne si sa propre mère ne s'était interposée.

— Ce bouclier m'a été offert par mon époux, dit-elle calmement.

Elle fut traînée au temple de la déesse-mère. Même le roi fut impuissant à la secourir ; la vieille femme courageuse supplia la Dame-aux-Yeux-gris de ne pas avouer qu'elle était tout aussi coupable. Je ne dirai pas ce que les prêtres firent à cette vieille femme, je ne dirai pas non plus comment ses imprécations, avant qu'elle fût brûlée, jetèrent publiquement le doute sur l'horrible déesse qui régnait sur la Cité-de-la-Pyramide.

La Dame-aux-Yeux-gris contempla la tête aux serpents mêlés de la déesse-mère, obscurcie par la fumée et souillée par le sang de sa mère, et elle se jura de mettre un terme à ces massacres rituels. La destruction de la déesse tourna à l'obsession ; de 1507 à 1518, elle mena des enquêtes discrètes et apprit que la ville regorgeait de gens aussi révoltés qu'elle-même, mais qui n'osaient rien faire.

— Nous vivions dans les ténèbres, dira-t-elle plus tard en parlant de cette époque, mais nous souhaitions désespérément retrouver la paix et voir renaître l'amour de l'humanité. Après bien des années de silence craintif, l'opinion publique reconnut que le salut de notre ville ne viendrait pas de nous-mêmes, mais de l'extérieur — quelque action de la part du monde environnant nous sauverait —, mais un tel événement semblait si éloigné et l'espoir en cela si futile que je me consacrai tout entière à la destruction de la déesse hideuse.

Comme l'année 1519 s'annonçait avec son lot de cérémonies sauvages, la toute-puissance de la déesse-mère s'abattit sur la Dame-aux-Yeux-gris. Un après-midi qu'elle était assise dans son jardin, elle vit approcher un trio de prêtres d'un certain âge, à l'air si obséquieux qu'elle eut immédiatement un pressentiment.

— Altesse révérée, dit leur chef, nous t'apportons une joyeuse nouvelle. Ton fils...

— Lequel ? demanda-t-elle en tremblant.

— Ton puîné, Ixmiq, celui qui porte le nom du fondateur de notre pyramide sacrée.

— Eh bien ?

— Il a l'honneur d'être désigné Jouvenceau parfait pour cette année.

Elle ne cria pas, pour avoir appris depuis son plus jeune âge que cela n'était pas permis. Son père et ses nourrices le lui avaient bien expliqué : « Il est du devoir des femmes de donner le jour à des fils pour la plus grande gloire de la déesse-mère. Certains seront guerriers afin d'assurer sa défense. D'autres lui seront sacrifiés. Et, chaque année, une mère sera honorée parmi toutes les autres en voyant son fils recevoir le titre de Jouvenceau parfait. »

Elle se mordit la lèvre pour ne pas hurler et regarda, immobile mais l'esprit chaviré, les prêtres entrer dans sa demeure, faire venir Ixmiq, son fils âgé de dix-neuf ans, et l'emmener avec eux. On ne lui permit pas de mots d'adieu ou d'ultime étreinte, car les prêtres savaient par expérience que ces gestes débouchaient sur des exhibitions de faiblesse indignes de la déesse-mère ; la reine ne bougea donc pas quand son fils, rayonnant de santé, quitta sa maison pour la dernière fois.

Le jeune Ixmiq fut installé dans un petit palais sacré où, chaque jour, il fut oint d'huile et coiffé de fleurs et où il reçut des cours de flûte. Il ne mangeait que les plats les plus exquis et était constamment massé par des prêtres pour qu'une graisse superflue ne vînt pas souiller son corps athlétique. Il était encouragé à jouer et à chanter; la nuit, quatre prêtres le surveillaient pour qu'il ne prenne pas froid. Ses longs cheveux étaient ornés de fleurs et il était oint de parfum.

Pendant onze mois, Ixmiq mena une existence de cloîtré. Il eut parfois l'occasion de revoir son royal père, mais ne fut jamais autorisé à s'entretenir avec sa mère, car les prêtres avaient constaté que ce genre de rencontre était néfaste à un Jouvenceau parfait et le plongeait dans la mélancolie, laquelle n'avait pas place dans leurs projets. De plus, la Dame-aux-Yeux-gris était suspecte parce que sa mère avait péché contre la déesse-mère.

Le premier jour du douzième mois, quatre jeunes filles parmi les plus belles de la cité furent conduites au palais sacré où, en présence d'Ixmiq, elles furent dévêtues par un prêtre qui lui dit simplement de jouir d'elles. Dès cet instant, les jeunes filles ne quittèrent plus le Jouvenceau parfait et firent tout pour qu'il s'abandonne aux plaisirs des sens.

Le calcul des prêtres était cynique : ils avaient remarqué qu'un jeune homme totalement épuisé par les excès de la chair se montrait davantage soumis et ne risquait pas de gâcher le moment le plus sacré de l'année en résistant. Pour mieux parvenir à leurs fins, ils mettaient le dernier mois dans ses aliments de fortes doses de mescaline, narcotique puissant extrait d'un cactus, ce qui provoquait à la fois l'excitation sexuelle et la lassitude subséquente.

Cette année-là, les projets des prêtres se trouvèrent contrecarrés. Il y avait parmi les quatre jeunes filles une exquise enfant de seize ans appelée Xóchitl, et Ixmiq tomba amoureux d'elle au point qu'il ne voulait plus coucher avec les autres. Les prêtres virent cela d'un mauvais œil : l'expérience leur avait enseigné que le Jouvenceau parfait qui nouait un lien particulier avec l'une des quatre jeunes filles redoutait le moment de la séparation et se comportait fort mal lors de la cérémonie. Après en avoir discuté, les prêtres décidèrent donc d'éloigner Xóchitl du palais et de la remplacer par une fille un peu plus âgée, mais Ixmiq refusa dès lors de sortir de ses appartements et passa son temps à jouer de la flûte. « J'attends Xóchitl », répondait-il inlassablement quand les prêtres lui demandaient la raison de son isolement.

Il était évident que les choses tourneraient mal si la jeune fille ne lui était pas rendue. Les prêtres la firent revenir sous la menace : « Si tu ne parviens pas à empêcher Ixmiq de t'aimer, tu périras par le feu quand lui-même mourra. » Ils firent entrer Xóchitl et elle se précipita immédiatement vers Ixmiq ; ils s'embrassèrent passionnément et ne se quittèrent pas pendant les onze derniers jours du mois. Les trois autres jeunes filles étaient impuissantes. Ixmiq repoussait leurs caresses, il ne désirait que Xóchitl. Les prêtres essayèrent de les séparer, mais il était suffisamment maître de lui-même pour feindre l'hystérie :

— Si vous me l'enlevez, je hurlerai, je me débattrai et je déclencherai un scandale lors de la cérémonie.

Fous de rage, ils furent contraints de céder.

Quand ils furent partis, Ixmiq rit de sa propre ruse et attira Xóchitl à lui.

— Ce ne sera pas douloureux, petit oiseau, lui dit-il bravement. Pendant un mois, tu auras été ma femme. Nombre de jeunes gens se marient et partent à la guerre où ils trouvent la mort, ou sont choisis pour un important sacrifice. C'est ainsi !

— Mais qu'en sera-t-il des enfants que nous devrions avoir ? Je veux porter tes enfants.

— Peut-être te laisserai-je un fils, dit-il d'un air consolateur.

— Je ne peux pas demander de devenir enceinte à une créature telle que la déesse-mère, dit-elle en éclatant en sanglots.

Elle avait raison, il ne connaissait aucun dieu du panthéon du Cactus à qui une jeune femme pût demander de l'aide.

Dans le calme de leur prison dorée, seul les consolait le fait qu'il eût réussi à convaincre les prêtres de son amour pour elle ; elle partagerait ses tout derniers jours, au risque de sa propre vie.

Le dernier jour de l'année 1519, après avoir absorbé une nourriture si droguée qu'il en avait la nausée et qu'il avait du mal à garder les yeux ouverts, Ixmiq fut oint pour la dernière fois et vêtu de tuniques d'une splendeur inégalée. Des fleurs et des bijoux parèrent ses cheveux et on le chaussa de sandales à boucles d'or. Il serra Xóchitl contre lui en murmurant : « Tu es ma femme. »

Il quitta le petit palais. C'était l'un des plus beaux Jouvenceaux à avoir jamais participé à ce rituel : il parcourait les rues de la ville dans une sorte de brume dorée et jouait parfois de l'une des flûtes qu'il avait emportées avec lui. Ce fut une journée d'une beauté sans pareille et le soleil qui illuminait son visage faisait scintiller ses joyaux. Son père, le roi, était fier du port altier de son fils, mais la Dame-aux-Yeux-gris serrait les poings et contenait difficilement son chagrin et sa colère.

Les prêtres savaient par leurs espions que la reine posait des questions dangereuses, mais ils n'étaient pas assez puissants pour offenser le roi en s'en prenant directement à elle ; ils s'étaient donc arrangés pour qu'elle n'assistât pas au rite final, où elle risquait d'appeler son fils et de lui faire perdre ses forces. Elle fut donc excusée, ce dont elle leur fut reconnaissante.

Vers trois heures de l'après-midi, alors que le soleil avait décliné dans le ciel et que les oiseaux commençaient à chanter avant d'aller se jucher au sommet des arbres, Ixmiq marcha vaillamment vers le temple de la déesse-mère, et le silence s'abattit sur la foule qui le suivait. Les prêtres priaient pour que tout se passât bien. Il monta sur la première marche de l'escalier qui menait à l'autel, se retourna pour faire face au peuple et brisa l'une de ses quatre flûtes. Il jeta gaiement les fragments par-dessus son épaule et gravit la deuxième marche ; là encore, il brisa une flûte. Sur la petite terrasse qui séparait les deux volées de marches, il fit une pause pour jouer un bref morceau de musique ; après quoi, il cassa sa troisième flûte. Parvenu tout en haut des marches, il rompit sa dernière flûte et lança les morceaux vers la foule admirative et silencieuse. Mais au lieu de se présenter aux cinq prêtres — quatre pour le tenir et un pour le tuer —, il leva les bras au ciel et se mit à hurler : « Xóchitl ! Xóchitl ! » Les prêtres scandalisés se précipitèrent sur lui et le renversèrent si brutalement sur le disque du sacrifice qu'ils lui brisèrent la nuque. Il perdit connaissance avant même que le poignard ne plongeât dans sa poitrine.

L'année 1520 avait mal commencé. La rumeur évoquait des événements qu'on ne comprenait pas, mais dont chacun imputait la responsabilité à Ixmiq et à son comportement détestable lors du sacrifice. Un des oncles de la Dame-aux-Yeux-gris, le sage Xaca, ambassadeur auprès des Aztèques dans leur grande cité du sud-est, revint avec des nouvelles troublantes :

— Un groupe d'hommes des plus effrayants, peut-être même des dieux venus d'un autre monde, a atteint les forêts qui s'étalent au pied des volcans. Ils sont blancs de peau et parlent une langue étrange. Ils sont servis par des divinités inférieures qui marchent à quatre pattes et portent les étrangers sur leur dos. Les hommes et les divinités inférieures sont protégés par une étrange et lourde étoffe qui resplendit au soleil et que les flèches ne peuvent traverser.

Tous les prêtres et les sages de la ville furent réunis pour discuter du rapport de l'ambassadeur Xaca. Après que chaque élément eut été analysé et rejeté pour son absurdité, les prêtres ne purent que proposer de sacrifier à la déesse-mère ce Xaca qui n'était qu'un menteur peu soucieux de l'honneur de la divinité. Mais d'autres voulaient comprendre les mystères. « Acceptons les paroles de Xaca, dirent-ils, et tentons de leur donner un sens. » L'ambassadeur fut donc épargné pour répéter ce qu'il avait dit. Les prêtres le bombardèrent de questions : « As-tu vu les hommes au visage pâle ? As-tu vu les divinités inférieures qui vont à quatre pattes ? As-tu touché ce tissu que l'on ne peut percer ? » Il dut bien répondre par la négative, et on le condamna une nouvelle fois à mort pour les troubles qu'il causait. Seul le courage du roi put l'arracher aux prêtres et lui permettre de regagner la capitale aztèque, où les hommes avaient désormais sous les yeux la preuve tangible de l'intrusion d'une force nouvelle dans la vie mexicaine.

Une fois l'ambassadeur parti, nombreux furent ceux qui mirent sur le compte de la Dame-aux-Yeux-gris les dangers qui menaçaient le Mexique, car elle était certainement responsable du comportement déplorable de son fils. Pour l'instant, le roi pouvait encore la protéger comme il avait protégé son ambassadeur, mais les événements se précipitaient à une telle allure que lui-même s'interrogeait sur la loyauté de son épouse à l'égard des dieux qui avaient accordé la force au Clan du Cactus.

Surtout, les prêtres étaient déterminés à exécuter Xóchitl parce qu'ils croyaient que cette jeune fille de seize ans avait ensorcelé le Jouvenceau parfait et l'avait empêché d'accomplir le rite selon les règles. Ils ne pouvaient toutefois pas s'emparer d'elle : le jour même où Ixmiq avait été sacrifié, la Dame-aux-Yeux-gris avait anticipé l'intention des prêtres et avait mis la jeune fille à l'abri dans une grotte située sous le palais royal. Là, la reine s'occupa d'elle pendant toute sa grossesse.

— Ces sacrifices insensés doivent prendre fin, dit la reine. Xóchitl, les prêtres peuvent nous tuer toutes les deux, ils y sont décidés, mais cette atrocité ne peut durer plus longtemps. (Elle prit les mains de la jeune fille.) Dis-moi la vérité : avant d'être envoyée auprès de mon fils, réalisais-tu combien ces rites étaient funestes ?

— Oui, dit Xóchitl, ma mère me l'avait dit.

— Oh ! mon enfant, merci !

La Dame-aux-Yeux-gris eut les larmes aux yeux et ce fut au tour de Xóchitl de la réconforter :

— Quand mon fils naîtra, promit Xóchitl, je lui dirai la vérité. Jusqu'à ce jour, seules les femmes la disent à d'autres femmes.

A ces mots, la Dame-aux-Yeux-gris pleura de plus belle et elle serra la jeune fille dans ses bras.

— Je ne savais plus ce qu'étaient les larmes, dit la reine.

En juillet, au septième mois de la grossesse de Xóchitl, la Dame-aux-Yeux-gris entra précipitamment dans la grotte, chargée d'un paquet.

— Je dois te dire ce qui s'est passé, commença-t-elle brusquement. (Puis elle s'arrêta de parler pour embrasser Xóchitl.) Ma fille bien-aimée, murmura-t-elle, tu es la seule à qui je puisse m'ouvrir. Aie un enfant robuste, que ton fils soit aussi beau que son père !

— Il en sera ainsi, je le sais, répondit Xóchitl.

— Cela doit rester entre nous, insista la Dame-aux-Yeux-gris en déroulant un parchemin. Mon oncle Xaca, ambassadeur auprès des Aztèques, m'a secrètement envoyé une image des dieux que les étrangers adorent, et la voici !

Dans la pénombre de la grotte, la reine et sa belle-fille enceinte regardèrent le parchemin et elles virent le dessin d'une mère à l'allure sereine qui tenait contre son sein un petit garçon d'un an ou deux, pas plus. Les deux femmes restèrent longtemps sans prononcer un mot.

— Quel genre de divinité est-ce là ? demanda enfin Xóchitl.

— Tu le vois bien, lui dit la Dame-aux-Yeux-gris. Une mère dont la tête n'est pas un serpent, un fils dont les mains ne sont pas souillées de sang.

Les deux femmes méditèrent sur l'abîme moral qui séparait les nouveaux dieux de ceux qu'elles connaissaient. Ni l'une ni l'autre ne parla, mais, bien des années après, la Dame-aux-Yeux-gris décrivit ainsi la scène :

— Nous nous trouvions là, dans la grotte, ma fille enceinte et moi, et je pensais : « Durant tout ce temps où nous étions terrés dans des cavernes et où nous adorions des divinités hideuses, des hommes pouvaient, dans d'autres parties du monde, contempler le ciel et rendre grâce à des êtres humains semblables à eux-mêmes. » Mais ce qui nous impressionna le plus, ce jour-là, c'est que la mère avait un doux sourire, comme si elle aimait tout le monde et ne haïssait personne. La différence entre ce genre de dieu et ceux que nous avions connus était telle que, plus tard, quand nous pûmes mieux la comprendre, Xóchitl dit : « Mon fils sera consacré à ces dieux », et il en fut ainsi.

Après la naissance de l'enfant — ce fut une fille, que l'on appela Etrangère comme si elle ne venait de nulle part (afin de ne pas mettre sa mère en danger) —, Xóchitl rechercha la lumière du soleil, mais elle fut aperçue par les prêtres et capturée. Pour le rôle néfaste qu'elle avait joué lors du sacrifice du Jouvenceau parfait, elle fut condamnée à mort, et le roi et la reine furent contraints d'assister à son exécution. Xóchitl, l'une de mes ancêtres les plus dignes, fut la première chrétienne du Mexique à mourir pour sa foi, et l'Eglise la sanctifiera sous le nom de santa María de la Cueva.

Quand Xóchitl parut devant la déesse-mère, elle pensa aux nouveaux dieux. Elle adressa un ultime regard à la Dame-aux-Yeux-gris, et comprit que sa belle-mère pensait aussi à Marie et au Christ enfant. Elle se retourna pour faire face à la mort et découvrit alors cinq prêtres aux cheveux collés par le sang ; leurs ongles étaient noircis de sang caillé et leur peau couverte de tatouages était également souillée de sang. Elle vit une déesse dont la tête était une paire de serpents et dont l'être entier était une abomination. Elle vit les murs du temple, maculés de sang et de noir de fumée, suintant la terreur et la mort. Le seul objet qui n'inspirât pas le dégoût était le poignard d'obsidienne qu'on allait lui plonger dans la poitrine.

Elle se débattit de toutes ses forces et échappa aux prêtres pour crier :

— La déesse maléfique doit périr ! Un dieu nouveau va nous être donné !

Elle fut précipitée sur la dalle convexe, et son cœur fut le dernier cœur humain dont se reput jamais le plus obscène de tous les dieux du Mexique.

Cette nuit-là, alors que les prêtres discutaient entre eux des mesures à prendre pour protéger la cité de l'hérésie annoncée par Xóchitl, la Dame-aux-Yeux-gris quitta le palais, vêtue comme une paysanne d'un poncho gris, et se rendit jusqu'à la demeure de la femme du général qui avait été assez brave pour pleurer lorsque son fils avait été inutilement sacrifié. Elle emprunta une porte dérobée et la femme la rejoignit dans le jardin.

— Te rappelles-tu le jour où tu as parlé de ton fils et où tu t'es mise à pleurer ?

— Oui, et je me demande pourquoi tu n'as pas pleuré à ton tour.

— Je l'ai fait, mais en secret. J'ai passé bien des nuits à sangloter.

— Qu'est-ce qui t'amène ici ?
— L'heure est venue.
Les deux femmes restèrent un instant silencieuses, puis la femme du général dit :
— J'attendais ta visite.
— En connais-tu d'autres à qui nous puissions faire confiance ?
— Beaucoup, oui.
— Peux-tu m'en amener deux comme toi ?
— Cinquante, si tu veux.
— Non, nous n'aurons besoin que de quelques femmes sûres. Trouve-m'en deux, cela suffira. (La femme du général hocha la tête et la Dame-aux-Yeux-gris ajouta :) Chacune de nous devra apporter une pièce de bois, pas trop longue pour ne pas attirer l'attention, mais assez longue tout de même.
— Qu'allons-nous faire ? En quoi va consister notre tâche ?
Un moment, la Dame-aux-Yeux-gris redouta de prononcer les paroles fatidiques, mais elle dit enfin, sur un ton glacial :
— Nous allons détruire cette déesse hideuse.
— A quatre, avec seulement des morceaux de bois, dit la femme du général. C'est bien. Mais quand ?
— Si nous attendons trop longtemps, quelqu'un ou quelque chose pourrait nous trahir. Nous agirons demain, à minuit, quand le dernier prêtre aura fait sa ronde.
— Nous sommes engagées... jusqu'à la mort, dit la femme du général en serrant les mains de la reine.
Elles se séparèrent.
La nuit suivante, les quatre conspiratrices attendirent chacune de son côté qu'il fût près de minuit, puis elles montèrent l'une après l'autre jusqu'au sommet de la pyramide. Trois femmes portaient de lourdes bûches ; la Dame-aux-Yeux-gris, quant à elle, avait une longue corde. Dès que les cérémonies furent achevées et que le dernier prêtre se fut éloigné, les femmes se retrouvèrent devant la déesse. La Dame-aux-Yeux-gris rassembla tout son courage et grimpa sur la statue effrayante pour lui passer la corde autour du cou. Elle se hâta de redescendre et tira sur l'autre extrémité de la corde tandis que les trois femmes, se servant des bûches comme de leviers, s'efforçaient de dégager l'horrible créature de son piédestal.
La déesse-mère ne bougeait pas, les femmes n'étaient pas assez fortes ; et puis la Dame-aux-Yeux-gris redoubla d'effort, et le monstre vacilla. Les trois femmes portèrent tout leur poids sur les leviers et la statue pencha. Elle s'abattit sur la plate-forme et se brisa en d'innombrables morceaux. Les quatre femmes avaient dévalé les marches dès qu'elles avaient été certaines de la chute de l'idole, et elles se trouvaient bien à l'abri au pied de la pyramide quand une douzaine de prêtres découvrirent avec consternation ce qui était arrivé à leur déesse.
Trois cents ans après cette mémorable nuit, un archéologue allemand exhuma la majorité des fragments de la déesse-mère, et la

divinité ainsi reconstituée est désormais exposée au musée Palafox, aussi repoussante qu'autrefois.

Je passe à présent à une époque plus heureuse, en l'an 1601, où un document particulièrement précieux fut rédigé dans une chambre de la Maison de Céramique — celle-là même que j'occupe aujourd'hui —, de la main même de la jeune fille qui naquit dans la grotte, celle qu'on appela l'Etrangère et qui fut le premier enfant chrétien de la haute vallée.

Après que ma mère, Xóchitl, fut sacrifiée à la déesse-mère, les prêtres la soupçonnèrent d'avoir laissé un bébé et ils me firent rechercher dans le but de me tuer, mais je fus bien cachée par ma grand-mère, la Dame-aux-Yeux-gris. Je ne l'appelle jamais ma grand-mère, en fait, et je la considère comme ma vraie mère, car c'est elle qui m'éduqua en toute chose.

Elle fut la première de notre peuple à recevoir le baptême et à devenir chrétienne, même si elle accomplit elle-même ce rite. « Je suis chrétienne depuis sept ans », déclara-t-elle au prêtre espagnol qui voulait la baptiser plusieurs années après. « C'est impossible, lui répondit-il, il n'y avait pas de prêtres à l'époque. » Mais elle ne voulut pas discuter avec lui. Après la mort du roi, ce fut elle qui assura la cohésion de notre peuple jusqu'à ce qu'il se fût adapté aux coutumes espagnoles.

Mais je désire aujourd'hui relater ce que ma grand-mère me raconta alors que j'avais quatorze ans.

Pour bien comprendre le sens des paroles de ma grand-mère, il faut se rappeler qu'elle parlait en l'an 1535, alors que les Espagnols étaient les maîtres du pays. Elle avait cinquante-huit ans et je pense qu'elle voulait me faire comprendre que vivre selon les règles du Clan du Cactus pouvait être aussi honorable que suivre celles respectées en Espagne. Elle avait accepté de bon gré le christianisme, mais cela ne voulait pas dire qu'elle approuvait tout ce qui relevait du comportement espagnol. Mais je vais plutôt la laisser parler.

LA DAME-AUX-YEUX-GRIS : Tu as aujourd'hui quatorze ans et les transformations de ton corps montrent que tu peux porter un enfant si tel est ton désir. Cela pose un grand problème aux filles, car il y a de nombreux hommes décidés à les aider à avoir un enfant, mais rares sont ceux qui veulent assumer pleinement la responsabilité de leur acte. Je te mentirais certainement en te disant qu'il n'est pas agréable de concevoir des enfants ; c'est d'ailleurs une tentation constante, car les hommes attirants sont nombreux.

L'ETRANGÈRE : Comment se fait-il que, dans le mariage, il n'y ait toujours qu'un homme et qu'une femme ?

LA DAME-AUX-YEUX-GRIS : Au fil des siècles, nous nous sommes rendu compte que c'était là la meilleure solution. Choisis ton homme et sois-lui fidèle à tous égards. Pourquoi les hommes ne se comportent-ils pas de la même façon à l'égard de leur unique épouse ? Je ne puis en parler à présent, mais il se peut que cela remonte à cette époque où nous avons sacrifié de nombreux hommes dans les temples et qu'il y avait un tel nombre de femmes qu'un époux devait se partager entre de nombreuses épouses. De toute façon, pour toi, il ne doit y avoir qu'un homme, et il doit être toute ta vie. J'ai vécu ainsi et trouvé cela satisfaisant.

L'ETRANGÈRE : Comment une fille apprend-elle à choisir l'homme qui lui convient ?

LA DAME-AUX-YEUX-GRIS : Des femmes qui avaient connu beaucoup d'hommes m'ont dit qu'ils se ressemblent pratiquement tous. Je n'ai jamais trouvé chez un homme quoi que ce soit qui justifie qu'une femme abandonne son nom et sa famille pour changer de compagnon. De plus, celle qui a commis l'adultère est lapidée à mort.

L'ETRANGÈRE : S'ils se ressemblent tous, je peux donc choisir n'importe lequel, n'est-ce pas ?

LA DAME-AUX-YEUX-GRIS : Attends ! Si tu fais le bon choix, pour toi la relation entre un homme et une femme peut être pareille au lever du soleil ou à l'amour qui unit une mère et son enfant. Ma mère me disait que, lorsque le général Tezozomoc revenait de la guerre, elle sentait la terre trembler alors qu'il était encore loin d'elle, tellement sa démarche était fière et bien assurée. Je n'ai jamais vu mon père se mettre en colère contre ma mère et elle l'adorait tant qu'elle est allée au trépas pour avoir chéri même les objets qu'il avait touchés. Que cela soit pour toi la définition de l'amour entre le mari et sa femme.

L'ETRANGÈRE : Tu parles comme si la plupart des gens ne le savaient pas.

LA DAME-AUX-YEUX-GRIS : Ton père le savait bien, lui. N'oublie jamais comment tu as vu le jour. Ton père avait reçu en cadeau les quatre plus belles filles du royaume et il préférait ta mère aux trois autres. Ainsi que je te l'ai souvent raconté, il est tombé malade et est resté prostré dans son coin quand on la lui a enlevée ; il n'a reparlé que quand elle lui a été rendue. Il a choisi ta mère et, au dernier instant de son existence, c'est son nom qu'il a crié parce qu'il voulait affirmer son amour en face de ce que les prêtres appelaient « une mort honorable ». N'oublie jamais que tu es née d'un tel amour.

L'ETRANGÈRE : Tu sembles bien connaître les hommes. A ton avis, est-ce que ce lieutenant espagnol qui est venu nous voir...

LA DAME-AUX-YEUX-GRIS : Eloigne-toi de ce jeune homme. Tu es destinée à quelque mariage de haut rang, comme l'union de ma mère au général Tezozomoc ou la mienne au roi. Tu es une jeune femme de haute lignée, l'Etrangère, destinée à un mariage de haute lignée.

L'ETRANGÈRE : Je ne puis m'imaginer avec ta bravoure ou la beauté de ma mère. Comment trouverai-je jamais le genre d'homme dont tu me parles ? Quelles sont mes chances ?

LA DAME-AUX-YEUX-GRIS : Ton problème est celui de toute femme. Avant ton mariage, tu dois chercher et trouver l'homme capable de te donner l'amour qui a marqué toute ta famille ; si tu le trouves, attache-toi à lui à tout jamais, plus fort que tu ne t'attacherais à ta famille, ton dieu ou ton pays. Si tu n'as pas la chance de le rencontrer, tiens-t'en à ce que l'on te donne, car c'est une chose honorable que d'être simplement une bonne épouse. Si tu es maline, tu ne laisseras jamais ton mari savoir si tu es déçue ou non. J'ai moi-même vécu de façon loyale avec le roi pendant plusieurs années, même si je détestais sa politique, ses dieux et même ses manières de table.

L'ETRANGÈRE : D'abord tu me dis d'épouser un homme important, et ensuite de trouver un homme qui m'aime. Comment puis-je faire les deux ?

LA DAME-AUX-YEUX-GRIS : Tu y arriveras. Les femmes intelligentes y parviennent normalement. Mais cessons de penser à celui que tu épouseras. Ce qui importe, c'est de savoir comment tu te comporteras une fois mariée. Quand tu te trouves à la tête d'une maisonnée, il y a deux choses capitales : dépense intelligemment l'argent de ton mari et sois propre, car il n'est rien de pire qu'une souillon ou un panier percé. Réprimande ton mari si nécessaire, mais ne le harcèle pas. Même si cela peut te paraître injuste dans un premier temps, tu prendras finalement beaucoup de plaisir à accorder tes désirs aux siens.

L'ETRANGÈRE : Les gens disent que tu avais un caractère très fort. On me répète tout le temps cela, comme si l'on attendait la même chose de moi.

LA DAME-AUX-YEUX-GRIS : Ils disent vrai. J'ai affronté un dieu cruel, mais j'ai publiquement toujours soutenu mon mari, indépendamment de ce que je pouvais lui dire au foyer. Si cela peut paraître odieux ou impossible, souviens-toi que, pendant les dernières années de ma vie de femme mariée, j'ai lutté contre les dieux en faisant en sorte que cela ne retombe pas sur le roi.

L'ETRANGÈRE : Je ne m'imagine pas livrant une quelconque bataille, je ne me sens pas assez forte pour m'opposer à un dieu guerrier. Les temps ont changé.

LA DAME-AUX-YEUX-GRIS : Mon enfant, je suis consternée de t'entendre parler ainsi. Il est vrai que je me suis battue contre des dieux cruels, mais j'étais soutenue par des centaines de femmes ordinaires qui n'avaient pas besoin de recevoir mes instructions. Elles avaient décidé seules que les anciens dieux devaient disparaître. Je n'aurais jamais pu faire ce que j'ai fait sans leur soutien. On mène le combat qui s'impose à soi, qu'on le veuille ou non. Rappelle-toi que bien avant la venue des Espagnols, nombre de nous, dirigeants ou simples citoyens, pensions déjà qu'il ne pouvait y avoir qu'un seul dieu. C'est aujourd'hui une chose dont on ne peut plus douter, et il est bon que nos terribles divinités aient été remplacées ; mais n'oublie jamais que ce ne sont pas les Espagnols mais ton propre peuple qui a abattu les anciens dieux. Par conséquent adore le vrai dieu en toute fierté, car c'est de son propre chef que ton peuple est venu à lui.

L'ETRANGÈRE : Les Espagnols refusent de croire cela, ils racontent des choses terribles à notre propos.

LA DAME-AUX-YEUX-GRIS : Ne permets jamais à personne de railler le Clan du Cactus. Réponds-leur. Rappelle-leur que notre ville est la seule que les Espagnols n'ont pas conquise. Nous nous sommes montrés braves jusqu'au bout et, si le général Tezozomoc avait vécu, je crois que nous aurions repoussé les Espagnols. Nous devons toutefois nous réjouir de leur venue, car ils nous ont aidés à renverser nos anciens dieux. Mais ne laisse personne dire que nous étions des sauvages, que nous vivions comme des bêtes ou que nous n'étions rien avant l'arrivée des Espagnols. L'étoffe dans laquelle tu as été vêtue à ta naissance a été tissée avec le plus riche coton, brodé de fils d'argent et orné de plumes de quetzal ; elle était autrement plus fine que tout ce que les Espagnols ont pu nous apporter depuis.

L'ETRANGÈRE : Quand je les entends, je suis si furieuse que j'en viens à haïr l'Espagne.

LA DAME-AUX-YEUX-GRIS : Tu ne le dois pas, l'Etrangère. Il est très probable que ce sera un Espagnol que tu épouseras.

L'ETRANGÈRE : Comment peux-tu dire cela alors que tu m'as demandé de m'éloigner de ce lieutenant ?

LA DAME-AUX-YEUX-GRIS : Parce que je pense qu'il te reviendra de réunir les Espagnols et ceux du Clan du Cactus. Pour y parvenir, tu devras épouser un Espagnol de quelque importance, un homme assez puissant pour surpasser les autres. Souviens-toi de moi alors et tu m'empliras de fierté. Comporte-toi en princesse. Que ton port de tête soit altier et ta démarche royale. Oui, marche comme une princesse, car tu descends d'un grand général, d'un bon roi et du plus doux jeune homme que notre cité ait abrité. Tu es née dans la sagesse, car c'est avec son seul esprit que ta mère a découvert le dieu nouveau. Tu es la fille d'un peuple qui n'a jamais connu l'humiliation.

7

Le chroniqueur

Le vendredi matin, je fus réveillé par ce qui constitue toujours la partie la plus détestable de tout reportage à l'étranger. C'était un télégramme qui disait :

> Le grand patron a promis à O. J. Haggard de Tulsa que vous lui procureriez, pour lui et ses amis, des entrées au festival, et que vous leur expliqueriez la tauromachie. Haggard est un roi du pétrole. C'est aussi un excellent associé, il nous a aidés à financer nos usines de papeterie. Sincèrement désolé, mais vous ne pouvez pas y couper. Drummond.

J'avais à peine digéré le contenu de ce sinistre message que déjà la veuve Palafox tambourinait à ma porte et me criait que Haggard et ses amis étaient là et qu'elle ne savait pas où les loger. Je ne connaissais pas Haggard, mais j'étais sûr que c'était un connard. Mais pas n'importe quel connard, sinon Drummond ne me l'aurait pas envoyé. Je dis donc à la veuve :

— Si ces gens ne trouvent pas de chambres, je suis bon pour le chômage.

— Ils sont si importants ? me demanda-t-elle.

— *Sí, muy importantes.* Ils sont combien en tout ?

— Cinq. Un couple. Un homme et sa fille. Et une veuve.

— Seigneur, gémis-je. On n'arrivera jamais à trouver cinq billets.

Je me rasai et sautai dans une tenue de circonstance — un pantalon blanc mexicain plutôt ample avec une corde en guise de ceinture, une chemise blanche et un foulard rouge — avant de descendre, plein d'appréhension, dans le hall de l'hôtel. La veuve Palafox me désigna la grande table de la terrasse où étaient installés mes visiteurs de Tulsa, cinq Américains à l'allure solide, aux vêtements de prix, dont j'étais désormais responsable. Je serrai les dents et allai à leur rencontre pour être aussitôt surpris par l'urbanité dont fit preuve O. J. Haggard, bronzé, la soixantaine, pour me mettre à l'aise.

— C'est vous, Clay, j'en suis sûr, dit-il avec un charme évident. (Ses dents blanches brillaient et il me saisit par le coude.) Mettons tout de suite les choses au point : on s'impose à vous et je le sais bien. Mais on voulait voir les corridas et votre... (Il allait dire « votre patron », mais il trouva un terme moins désobligeant :) ... bureau m'a dit qu'il vous demanderait de nous aider.

— Mon... bureau ne se rend pas compte qu'il est pratiquement impossible de trouver des billets.

Haggard me prit à l'écart.

— Ecoutez, Clay, ces gens-là sont pleins aux as. Délestez-les un peu, ça ne leur fera pas de mal. Trouvez-nous des billets, à n'importe quel prix, et prenez-vous une bonne commission au passage. Je sais bien qu'on est à votre charge. Tenez, je vais vous présenter mes amis, dit-il à haute voix. Voici ma femme, Helen Haggard. Ça, c'est l'individu le moins recommandable de la bande, un vrai péquenaud, mon associé, Ed Grim, et sa jolie fille, Penny. Ed n'a pas de femme, il doit jouer au papa et à la maman. Et là, c'est la reine du groupe, Elsie Evans. Quand son mari était encore de ce monde, c'était lui qui faisait la pluie et le beau temps chez nous. Il nous manque beaucoup.

Le pétrolier commençait à me plaire, et je me montrai franc avec lui.

— Avec de l'argent, on peut toujours trouver des billets d'entrée, mais pour ce qui est des chambres...

— Allons, mon gars ! s'écria-t-il bien que j'eusse plus de cinquante ans. Vous parlez à des culs-terreux de l'Oklahoma. Vous croyez que les gens comme nous s'occupent d'avoir un lit ? On dormait sur les plates-formes de forage. Et nos femmes, elles sont comme nous. La moitié d'entre elles n'ont pas eu de chaussures avant l'âge de seize ans. Elles dormiront où on leur dira de dormir. Bon, sérieusement, vous pouvez nous mettre au parfum ?

— Je peux vous expliquer certaines choses, dis-je en toute innocence.

— Le grand patron m'a raconté que vous viviez au Mexique.

— Jusqu'à ce que j'aille à Lawrenceville.

— Hé, tout le monde ! lança Haggard. Clay dit qu'il va nous expliquer la corrida.

— *Olé toro !* cria Grim le péquenaud.

— Ne fais pas l'idiot, papa, lui dit sa fille, assez sèchement.

L'autorité avec laquelle elle s'était adressée à son père et la façon dont celui-ci courba l'échine me firent prêter une attention plus soutenue à la jeune héritière de Tulsa. En premier lieu, elle avait une abondante chevelure rousse — pas le type de roux à propos duquel un de mes camarades d'université avait jadis dit : « Je ne laisserais pas des cheveux comme ça à côté d'un jerrycan d'essence ! » Non, c'était plutôt le genre de roux que ma femme qualifiait d'orange brûlé, roux certes, mais avec une touche d'ambre. Son front était couvert par une frange et ses cheveux étaient tirés en arrière, sagement retenus en queue de cheval par un ruban rouge sombre. Elle mesurait dans les un mètre soixante-cinq, avec un physique et une tenue plutôt agréables. Et aussi un sourire un peu moqueur qui semblait dire : « Vous savez, je ne me prends pas trop au sérieux. »

Dans mes articles, j'ai toujours éprouvé des difficultés à décrire les femmes. Quand elles ont moins de seize ans, ce sont des filles, quand elles ont plus de dix-huit ans, ce sont des jeunes femmes. Au cours des quatre jours que je passai aux côtés de Penny Grim, je m'aperçus qu'elle usait des mêmes termes. Lorsqu'elle évoquait ces sujets frivoles qui passionnent les collégiennes, elle employait le mot « filles » pour parler d'elle et de ses amies, mais lorsque la conversation prenait un tour plus sérieux, elle se qualifiait elle-même de « jeune femme ». Elle était venue participer à une fête mexicaine un peu tapageuse avec l'espoir certain de vivre des expériences inoubliables qui justifieraient son long voyage vers le sud. Je souhaitais plein de bonnes choses à la rouquine, mais je ne voulais pas lui dévoiler les mystères de la tauromachie, à elle ou à ses aînés.

Par expérience, je savais ce que découvre tout Américain qui séjourne un peu au Mexique : mes compatriotes se fichent bien de comprendre la tauromachie, et leur manière de dépenser sans compter leur temps et leur argent le prouve bien. Mais, à ce moment, je vis venir vers nous, de l'autre côté de la grand-place, un homme qui, une fois entrevu, ne peut plus jamais être oublié — le seul homme de tout le Mexique à même d'expliquer la signification esthétique, historique et morale de la tauromachie.

— Voici notre expert ! m'écriai-je avec enthousiasme, car le nouveau venu allait me dégager de ce véritable pensum qui consistait à expliquer et justifier ce que nous allions voir pendant trois après-midi.

C'était un homme de haute stature, bien plus grand que la plupart des Mexicains, bien plus gros aussi. Son réel embonpoint l'obligeait à se dandiner un peu comme un canard, mais c'était surtout son costume qui attirait l'attention. Bien qu'il fît déjà assez chaud, il portait une immense cape noire qui tombait jusqu'aux chevilles. Il était coiffé d'un coûteux chapeau de caballero à large bord, de couleur noire également. Il ne se trouvait qu'à quelques mètres des marches conduisant à la terrasse quand il m'aperçut.

— Señor Clay ! s'écria-t-il. Vous êtes revenu de New York pour encore raconter des mensonges sur notre compte. Bienvenue !

Sur ce, il grimpa les trois marches avec une agilité surprenante, me serra dans ses bras puissants et me donna l'accolade. Puis il vit la veuve Palafox et, en un autre bond, se retrouva dans ses bras pour crier d'une voix de stentor :

— Alors, émule des Borgia, on empoisonne toujours le public ? (Se tournant vers nous, il ajouta avec le plus grand sérieux) : Ah, ce ne serait pas Ixmiq si l'on ne pouvait s'installer à cette terrasse et humer le vieux Mexique. Veuve Palafox, qu'ils ne changent rien, surtout !

Je le présentai à ma tablée :

— Nous avons une chance extraordinaire. Voici León Ledesma, né en Espagne, chassé par les franquistes et désormais citoyen mexicain : c'est notre plus redoutable critique tauromachique. Il arrive juste à temps pour répondre à vos questions.

Je tirai une chaise et l'invitai à se joindre à nous. Il s'installa entre Mrs Evans et Penny Grim.

— La lourdeur du corps n'est pas celle de l'esprit, dit-il.

Et au grand plaisir des deux femmes, il leur baisa la main.

— Je connais le señor Ledesma depuis des années et je le vois à chacun de mes séjours au Mexique. Il est mon cadet, mais il m'a appris énormément de choses sur la corrida. Maestro, faites-nous votre exposé classique sur les dix-huit taureaux du festival.

— Voilà une bonne introduction à notre art national. Eh oui, la tauromachie n'est pas un sport. C'est un art, ancien, unique, et difficile à appréhender. Au cours des trois prochains jours, vous aurez l'occasion exceptionnelle, car de tels festivals ne se déroulent pas souvent, de voir dix-huit taureaux à l'œuvre.

Il sourit aux natifs de l'Oklahoma et compta sur ses doigts boudinés.

— Il y a vendredi, samedi et dimanche. Six taureaux par après-midi, cela fait dix-huit en tout. Oubliez les matadors, les picadors et les péons.

— Mais je suis venue voir les matadors, dit Penny en le regardant avec insistance. Et voilà que vous me dites de les oublier.

— C'est ça, la vraie raison de notre voyage, dit son père. Elle m'a coupé l'herbe sous le pied. Elle a vu tous les footballeurs qu'elle voulait. Elle était meneuse des supporters, vous savez, c'était une des meilleures majorettes de l'Etat. Elle a fini seconde au concours général. Elle m'a dit que ce qu'elle voulait maintenant, c'était du costaud, un matador.

— Fort bien, fit Ledesma. Mais, pour l'instant, c'est le taureau qui nous importe. Concentrez-vous sur lui et vous pénétrerez le secret de l'affrontement.

— Où avez-vous appris à parler aussi bien anglais ? lui demanda Haggard.

— Je parle aussi français, italien et allemand, fit remarquer Ledesma. Quand on fuit sa terre natale, on se doit d'apprendre les langues de ses futures terres d'accueil.

— Est-ce que ce sont des taureaux spéciaux ? dit Haggard.

— Oui, fit sèchement Ledesma, excédé d'être interrompu dans un discours répété depuis des années. La façon d'assister à une corrida est la suivante. Vous devez, avant de vous y rendre, accepter le fait que vous n'apprécierez rien de ce que vous y verrez. Sur vos dix-huit taureaux, certains seront de véritables catastrophes. Ils seront vicieux, méfiants, incontrôlables. Vous n'avez aucune idée de ce que leur mort pourra avoir d'atroce. Le matador sera vert de peur et il devra se tenir ainsi... (Ledesma se leva et se saisit d'un couteau à beurre. Imitant un torero aux prises avec un taureau furieux, il donna l'estocade à un animal imaginaire.) Une fois, deux fois, neuf fois, dix fois. Vous pourrez compter. Le pauvre matador essaiera de tuer ce satané animal jusqu'à ce qu'il ressemble à une pelote d'épingles. Vous, madame, vous en serez malade et vous aurez envie de vomir. Ce sera déshonorant, sans grâce aucune, sans art ni beauté.

— Ça se passe toujours comme ça ? demanda Haggard.

— Toujours. Il est inévitable que des taureaux soient mauvais, répliqua Ledesma. La seule façon d'éviter de telles catastrophes, c'est de rester chez soi. (Il s'assit.) Sur ces dix-huit taureaux, trois seront réellement catastrophiques, et tout ce que vous penserez de négatif sur la tauromachie s'en trouvera justifié. Ce sera pis encore que déshonorant, ce sera révoltant. Les six taureaux suivants ne seront pas beaucoup mieux. Ils refuseront de se battre. Ils donneront de la corne n'importe comment. Leur course ne sera pas franche et les matadors sueront sang et eau pour en tirer quelque chose, mais ce sera en vain. Ces six affrontements seront si peu intéressants que vous, monsieur, direz certainement : « Tirons-nous d'ici ! » Et si je vous entends, il se peut que je me joigne à vous, car vous n'aurez jamais rien vu de plus plat que ces six combats. Si vous aviez le droit de porter une arme, je ne vous en voudrais pas si vous tentiez d'abattre le matador. Il le mériterait.

Il éclata de rire et commanda une bouteille de bière.

— Nous avons déjà vu la moitié des taureaux et pas un seul n'est digne d'intérêt. Les six suivants seront ce qu'en espagnol on appelle *regulares*, c'est-à-dire plus ou moins acceptables. Ils seront lâches et ineptes, mais ils chargeront parfois avec une puissance terrifiante, de sorte que chaque taureau provoquera un ou deux incidents qui vous réjouiront peut-être. Hélas ! il causera aussi une centaine d'incidents extrêmement inintéressants et je ne puis vous promettre beaucoup de plaisir. Les chevaux ne seront pas au bon endroit, les banderilleros n'interviendront pas convenablement. Et, pour chacun de ces taureaux dits réguliers, les matadors gâcheront leurs deux ou trois premières tentatives de mise à mort. Franchement, vous trouverez cela assez ennuyeux, et je ne vous blâmerais pas si vous partiez après le deuxième taureau. Soyez prévenus, la tauromachie peut être une chose vraiment misérable.

» Il nous reste trois taureaux — en moyenne, un par après-midi, mais ils peuvent tout aussi bien figurer au même programme. Ce ne seront pas de grands taureaux, mais ils peuvent être bons. Et c'est là que réside la tragédie. Quand ces taureaux relativement bons feront leur entrée, les matadors auront été tellement énervés par les bêtes précédentes que, selon toute probabilité, ils n'arriveront à rien. Correctement travaillés, ces bons taureaux devraient charger, mais les matadors ne réussiront pas à les y inciter. Les taureaux seront aussi capables de mourir bravement, mais la bravoure ne sera plus du côté des hommes. Nous avons un vieux dicton qui est tristement réaliste : « Quand il y a des taureaux, il n'y a pas d'hommes, mais quand il y a des hommes, il n'y a pas de taureaux. » C'est ce qui se passera.

Sur ce, il posa les mains bien à plat sur la table.

— Vous n'êtes guère encourageant, dit Haggard, intéressé.

— Sur ces dix-huit taureaux, l'avertit Ledesma, il surviendra peut-être trois détails que l'on pourrait qualifier de palpitants. Mais cela se fera si vite, de façon si inattendue, que vous ne vous en rendrez même pas compte. Ce sera la grisaille, un instant haletant, puis à nouveau la grisaille. Vous passerez probablement à côté.

O. J. Haggard n'était apparemment pas satisfait de cette réponse.

— Si tout ça c'est vrai, señor Ledesma, pourquoi les gens continuent à y aller ?

Ledesma réfléchit un instant, joignit les mains et regarda dans les yeux l'homme de l'Oklahoma.

— Parce que, señor visiteur, sur deux cents bêtes, il s'en dégagera finalement une qui fera preuve d'une bravoure exceptionnelle. Et, ce jour-là, le vieux dicton ne sera plus de mise, car il y aura un taureau, mais aussi un homme. Pendant une douzaine de minutes, sur le sable de la piste, vous serez le témoin de ce qui ne peut se voir nulle part ailleurs, le duel parfait entre la vie et la mort. Vous verrez la lumière du soleil que sculpte une cape flamboyante. Vous verrez la force aveugle s'acharner sur un cheval caparaçonné. Vous verrez des hommes dressés sur la pointe des pieds risquer leur vie à la pointe des cornes et, en fin de compte, vous verrez un homme et sa frêle étoffe jouer avec le taureau jusqu'à ce que mort s'ensuive. Les spectateurs crieront pour se décharger de leur tension. Les chevaux henniront dans leurs écuries et, quand tout sera terminé, vous-même vous retrouverez pantelant.

Le gros chroniqueur écarta ses mains et se fit silencieux. Personne n'osa parler, de sorte qu'il ajouta avec calme :

— Naturellement, cela ne se produit qu'une fois tous les deux cents taureaux, ou tous les trois cents, ou tous les mille. Mais alors, le Mexique tout entier se souvient du nom du taureau, il est gravé sur des plaques et répertorié dans les livres. Nous ne verrons pas un tel taureau à Toledo. Les lois du hasard s'y opposent. Si vous voyez un jour semblable taureau, mes chers visiteurs, vous comprendrez que c'est l'expérience la plus forte qu'un homme puisse vivre, à l'exception peut-être de son premier succès amoureux. (En riant, il conclut :) Voilà ce qui nous pousse à revenir sans cesse aux arènes. Nous savons que les six taureaux d'aujourd'hui seront mauvais, mais nous espérons contre toute attente qu'il y en aura un bon demain. Sur ce, je dois me retirer pour faire un brin de toilette.

— Señor Ledesma ! s'écria Mrs Evans. Nous allions visiter la pyramide. Joignez-vous donc à nous.

— Je ne peux vraiment pas, s'excusa le chroniqueur. C'est trop loin.

— Nous attendrons que vous ayez fini votre toilette, insista Mrs Evans en posant la main sur le bras du gros homme. Vous êtes si éloquent !

J'étais heureux de l'entendre dire ça, car l'on apprenait toujours quelque chose en compagnie de Ledesma. C'était un bouffon, certes, mais aussi une sorte d'Aristote. La saine curiosité de cette femme le fit céder.

— Fort bien ! dit-il. Je n'en ai que pour un instant. Ensuite, vous, madame, irez à la pyramide avec moi, dans cette Mercedes rouge que vous voyez ici. Ces paysans nous suivront dans leurs Cadillac.

Il nous rejoignit au bout de quelques minutes et nous nous dirigeâmes vers ce qui avait été le cœur de la cité des Altomèques.

Quand nous fûmes assemblés devant la pyramide, Ledesma dit :

— Je n'ai jamais souhaité être guide, car l'on passe son temps à montrer aux gens des choses qui ne les intéressent pas, mais, qu'on le veuille ou non, il est obligatoire de voir cette pyramide.

— Est-ce qu'ils faisaient des sacrifices humains ? demanda Penny.

Ledesma lui expliqua que, tous les cinquante-deux ans, de peur que ce fût la fin du monde, le Clan du Cactus pratiquait un nombre effarant de sacrifices humains pour s'assurer le retour du soleil.

— Qu'est-ce que vous voulez dire par « un nombre effarant » ? demanda Grim.

— Des milliers d'individus, lui répondit Ledesma. Même en temps normal, les prêtres tuaient avec régularité pour que le peuple fût convaincu de leur puissance.

— On peut monter pour voir où ça se passait ? proposa Mrs Evans.

— Depuis plusieurs années, je suis trop gros pour escalader cet édifice, mais si vous voulez vous mettre dans la peau d'une victime dont le sacrifice doit contraindre le soleil à revenir, allez-y. J'attendrai ici, je serai le prêtre qui regarde les cadavres dévaler la pente ensanglantée.

— Moi, j'y vais, dit Mrs Evans. Quelqu'un me suit ?

Nous fûmes finalement quatre à grimper jusqu'au sommet. Là-haut, la première chose que je fis fut de tendre la main en direction de l'est et des cheminées.

— Voilà la Mineral, c'est là que j'ai grandi.

Nous admirâmes la campagne environnante.

— Cette chose blanche, là-bas, c'est la cathédrale ? demanda Haggard.

Je me tournai vers Toledo et découvris l'église resplendissante.

— Oui.

— Où sont les arènes ?

— Derrière la cathédrale, expliquai-je. On ne peut pas les voir d'ici.

— Mais c'est dans ce coin-là, non ? J'aime bien savoir où sont les choses, expliqua-t-il. Ces Indiens, dans le temps, ils ont certainement choisi l'emplacement de leur ville, hein ? (Il fit plusieurs tours sur lui-même et admira la vallée dominée par la pyramide, mais ses yeux se posaient sans cesse sur la façade blanche qu'on devinait dans le lointain.) Finalement, dit-il, les catholiques ne se sont pas trop mal débrouillés, non ?

J'avais les yeux rivés sur la Mineral, vide et désertée, au flanc de ces collines dont elle avait arraché tant de trésors. J'imaginais les Indiens creusant la terre, chacun rapportant son lot de minerai, et je revoyais la grotte secrète où nous avions caché le taureau primé ainsi que la chambre où s'était caché le père López. Ma mère et mon père avaient joué un rôle important dans l'histoire de cette mine et j'étais fier de leur contribution.

Tandis que je décrivais la Mineral aux hommes, Mrs Evans découvrit la frise représentant les guerriers au masque d'aigle. Elle m'interpella.

— Il y a quelque chose dans ces personnages, mi-hommes mi-oiseaux, qui me semble incarner parfaitement la force brutale des prédateurs.

— Je me souviens de la première fois où je les ai vus, lui dis-je. J'ai dit à mon père : « Mais ils n'ont pas de barbe ! » et il me demanda : « Pourquoi est-ce qu'ils devraient en avoir une ? » Je me justifiai : « Dans mes livres, les méchants ont toujours une barbe. » Il m'expliqua que ces guerriers n'étaient ni bons ni mauvais, c'étaient simplement des soldats portant les caractéristiques des aigles.

Grim se joignit à nous, regarda la sculpture et dit :

— Je veux redescendre. Il y a trop de cruauté, ici, ça ne me plaît pas.

Il sauta de la plate-forme sur la première marche et son poids délogea une lourde pierre, qui dévala la pente.

— Mon Dieu ! s'écria Mrs Evans. Attention !

La voix calme de Ledesma parvint jusqu'à nous.

— Massacrez-vous si vous voulez, mais ne me tuez surtout pas.

Au bas des marches, il me surprit en me prenant par les mains et en me disant d'un air gêné :

— Veuillez me pardonner, Norman, mais je vais devoir dire des choses désagréables sur votre vénéré père, car les conclusions auxquelles il parvient dans son célèbre ouvrage, *La Pyramide et la cathédrale,* sont pratiquement toutes erronées.

Mrs Evans répondit à ma place :

— Quand elle a appris que nous venions pour le festival, la bibliothécaire de Tulsa nous a recommandé de lire ce livre. C'est ce que nous avons tous fait, je crois, ajouta-t-elle en se tournant vers Penny.

— Oui, dit celle-ci, je l'ai lu. C'est un livre superbe. Il explique si bien les choses !

— Qu'est-ce qu'il disait qui m'a tant impressionnée ? reprit Mrs Evans. Que cette pyramide, grande et brutale, symbolisait l'héritage indien du Mexique ? Et que la cathédrale qu'on aperçoit là-bas, avec sa merveilleuse façade, représentait la grâce lyrique de l'héritage espagnol ?

Nous acquiesçâmes tous, moi plus particulièrement puisque ç'avait été la thèse de mon père, mais je dois insister sur un point : il ne prenait pas parti, il ne prétendait pas que les uns étaient meilleurs que les autres — ils étaient simplement fondamentalement différents. Ledesma me prit par le bras et m'entraîna sur un sentier qui partait du bas des marches.

— Pardonnez-moi ce que je viens de dire à propos de votre père. Ce n'est pas sa faute. Quand il écrivit son livre, il ne connaissait pas l'existence de ce que nous allons voir à présent, cela n'avait pas encore été mis au jour.

Sur ce, il nous emmena voir une autre merveille de l'art mexicain précolombien.

— Il y a une dizaine d'années, bien après que le père de Norman eut achevé son livre et quitté le Mexique, les archéologues ont découvert au pied de la pyramide un tumulus qui, pendant longtemps, a enflammé leur imagination, et voici ce qu'ils ont exhumé !

Il nous présenta un miracle, une terrasse de quelque cent cinquante mètres de long et de vingt de large. Sa surface était constituée de blocs de pierre délicatement teintés en rouge dont l'agencement obligeait le regard à se poser ensuite sur les collines lointaines. Sur trois côtés étaient installés des bancs de pierre rouge sombre qui permettaient à des centaines de personnes de se reposer en ce lieu. Mais le plus étonnant, la caractéristique qui donnait son nom à cette terrasse, c'était, à hauteur du dossier des bancs, la suite de bas-reliefs représentant des jaguars. Il y a en tout cent dix-neuf animaux mesurant chacun près d'un mètre de long, tous différents les uns des autres. Certains jaguars ont l'air de ricaner, d'autres montrent les crocs, d'autres se grattent, d'autres encore nourrissent leurs petits ou pourchassent des cerfs. Mais ils sont là, ces cent dix-neuf fauves, merveilles de la jungle et contrepoint apaisant aux terribles guerriers de la pyramide.

— Nous appelons ce lieu la terrasse des Jaguars, dit Ledesma avec respect. C'est un endroit exquis, lyrique, plein de douceur et de calme. Comment ces bêtes sont-elles arrivées ici ? Au Mexique, elles ne vivent qu'à l'intérieur des terres. Que font-elles sur cette terrasse de Toledo ? Elles furent amenées ici, du moins je pense, pas en réalité, mais dans l'imagination des artistes que les Altomèques, ceux du Clan du Cactus ainsi que nous les nommons, firent prisonniers lors des expéditions dans les environs de Veracruz ou même dans le lointain Yucatán. Et ici, dans la pierre, elles retrouvent la vie. Cette procession animale est certainement la plus belle qui ait jamais été sculptée au Mexique.

Après nous avoir laissé le temps d'admirer par nous-mêmes ces jaguars saisissants de vie et de réalisme, il poursuivit :

— Ces jaguars agiles, dissimulés au pied même de la pyramide, démentent toutes les affirmations de John Clay. Il dit que c'était un lieu cruel, mais les jaguars représentés ici sont pleins de douceur. Il dit que c'était un repaire d'aigles, mais les jaguars nous font redescendre sur terre. Il écrit que la colline de la pyramide était sinistre et nue, mais ces jaguars vivent dans une jungle luxuriante. Il dit qu'il ne trouvait que cruauté dans la pyramide. Cependant, à ses pieds, alors même qu'il écrivait, s'étendait cette terrasse des Jaguars, incarnation de toutes les vertus dont il déplorait l'absence.

» Je n'ai aucun moyen de le savoir, mais je me plais à penser que cette terrasse fut construite pour que les rois, les citoyens et même les prêtres épuisés et maculés de sang s'y retrouvent en fin d'après-midi, une fois les cérémonies terminées, pour voir se coucher derrière les montagnes ce soleil dont le lever fut si cruel et ponctué de tant de hurlements de sacrifiés. Je suis certain que des musiciens jouaient de leurs instruments, que les femmes dansaient et que les hommes récitaient les épopées de leur race. La majeure partie de ce que John Clay a dit à propos de la pyramide est erronée, car il ne parle que de sa force brutale. La poésie qui la caractérisait alors et qui est encore sous-jacente aujourd'hui lui a totalement échappé.

Il avait parlé de manière désobligeante du livre de mon père, mais je tenais à lui faire savoir que je ne lui en voulais absolument pas. Il avait bel et bien raison. Si mon père avait connu les jaguars, il aurait dit exactement les mêmes choses que Ledesma. J'allais prendre la parole, quand Mrs Evans me devança.

— Señor Ledesma, fit-elle, quand vous vous adossez à cette frise de jaguars, vous avez tout à fait l'air d'un prêtre altomèque.

— C'est la chose la plus aimable qui m'aura été dite aujourd'hui, répliqua-t-il d'un air gracieux, mais, franchement, je me verrais bien mieux en train de gérer les finances du clan qu'en train de conduire des cérémonies religieuses. Vous me trouveriez ici chaque jour, en train de compter les sacs d'argent.

Il se détendit ainsi que les prêtres devaient le faire et Haggard reprit une conversation qui avait commencé alors que nous nous trouvions au sommet de la pyramide.

— Qu'est-ce qu'il faut attendre des matadors qu'on va voir aujourd'hui ?

— Rien du tout. Ce sera une mauvaise journée, répondit Ledesma.

— Pourquoi ? dit Haggard.

Le chroniqueur se pencha pour donner une tape sur les doigts du pétrolier.

— Vous n'avez pas appris votre leçon. Il ne faut pas commencer par les matadors, mais par les taureaux.

— Moi, j'aime les matadors, intervint Penny. C'est pour eux qu'on est venus. Moi, tout au moins.

— Ce qui est tout à fait de votre âge, señorita Penny, mais ce monsieur est un homme d'âge mûr. Il devrait avoir plus de connaissances.

— Qu'est-ce qu'on sait des taureaux ? le questionna Haggard.

— Le festival revient très cher, expliqua Ledesma. Tout l'argent est consacré aux matadors, de sorte que les taureaux des deux premières corridas seront les meilleur marché que l'on puisse trouver. Ceux de demain sont horribles, et ceux d'aujourd'hui vraiment mauvais. Ils gardent les coûteux taureaux de Palafox pour la fin, pour la bonne bouche, si vous voulez.

— Et les matadors ?

— Eh bien, Victoriano, soumis à la pression de Gómez, essaiera de se faire remarquer, mais il sera nerveux et incapable de prouesses. Gómez sera aussi brave que d'habitude, néanmoins, avec de tels taureaux, il ne pourra être au mieux de sa forme.

— Et le troisième ?

— Paquito de Monterrey ? Il n'y a rien à en dire, rien.

— Dans ce cas, pourquoi est-ce qu'il participe à une fête de cette envergure ?

— Parce qu'il ne coûte pas cher, comme les taureaux. Voilà la vérité.

Je m'appuyai contre les jaguars et contemplai la vallée endormie dont les richesses avaient attiré les anciens Altomèques. J'écoutais les commentaires cyniques de Ledesma sur la tauromachie et le Mexique moderne, et je réfléchis à ce qu'il m'avait dit lors de ma précédente venue dans ce pays, alors que nous visitions les cercles tauromachiques. Il était né quarante-quatre années auparavant à Valence, en Espagne, et, enfant, avait toujours désiré être matador. Dépourvu de qualités physiques, il était devenu critique, chroniqueur, et s'il était aujourd'hui le meilleur que connût le Mexique, peut-être était-ce en grande partie dû au fait qu'il avait lamentablement échoué en tant que torero ; chaque fois qu'il jugeait un matador, c'était avec une certaine froideur qui lui faisait dire : « Fort bien, matador, prouve-moi que tu es aussi brave que je l'étais. »

León avait, dans sa jeunesse, été un torero doué et d'une bravoure inhabituelle. Malheureusement, il souffrait d'obésité, ce que ne tolérait pas le public espagnol. Dans le temps, on avait connu une demi-douzaine de toreros surnommés Gordito — le petit gros —, et l'un d'eux avait été le meilleur de sa génération, mais, de même que les amateurs d'opéra de l'ancien temps acceptaient des sopranos obèses telles que Tetrazzini, lesquelles n'étaient plus prisées aujourd'hui, de même les aficionados plus sophistiqués de l'époque de Ledesma refusaient tout matador un peu corpulent. Ledesma se souvenait encore des rires moqueurs qui l'avaient accueilli dans l'arène. La débâcle avait eu pour cadre un petit village proche de Valence, Burriana. Il avait alors dix-huit ans et se trouvait là pour aider à la mise à mort de vieilles bêtes vicieuses.

Comme nous nous trouvions en compagnie des Américains sur cette splendide terrasse, je lui demandai s'il pouvait nous parler de l'incident de Burriana. Il haussa les épaules.

— Si vous avez un penchant pour la tragédie, me répondit-il avec une certaine amertume, j'en ai un pour la comédie.

Sur ce, il entama avec un plaisir pervers le récit de ses propres malheurs.

— Les taureaux de Burriana étaient devenus de rusés adversaires et les deux futurs matadors qui les affrontaient avec moi — ils feraient par la suite une carrière assez modeste — étaient terrorisés par ces bêtes redoutables. Pas moi. En me mordant la lèvre, je me jurai de ne pas m'enfuir devant mon taureau. Ma bravoure était un peu folle, je m'astreignais à des actes d'héroïsme dépassant de loin ce que pourraient accomplir mes compagnons. Pendant quelques instants, à Burriana, je sus ce que c'était que de se sentir un vrai torero, car je découvris que j'avais peur de mourir, certes, mais que je redoutais encore plus de me comporter de manière déshonorante. J'espérais aussi qu'après la prestation déplorable de mes compagnons je serais applaudi si bruyamment que l'écho de mon triomphe serait perçu par les critiques de Valence et pourquoi pas de Madrid. Ma carrière serait ainsi lancée.

» Mais lorsque je tentai une passe héroïque habituellement réservée aux taureaux honnêtes, l'animal se détourna brusquement, me heurta du front et m'envoya rouler dans le sable. La foule se mit à rire. Je ne l'entendis pas dans un premier temps, car j'étais en proie à la peur instinctive qui s'empare de tout matador lorsqu'il se fait projeter. Je me relevai, fis à nouveau face au dangereux animal et essayai une autre passe. A nouveau, le taureau m'envoya rouler. Le public hurlait. Cette fois-ci, j'entendis les rires dès qu'ils fusèrent et je me jurai bien de leur montrer comment se bat un vrai enfant de Valence. Avec une bravoure véritable, j'attaquai le taureau, mais l'hilarité était telle que les autres aspirants matadors ne purent s'empêcher de rire à leur tour.

» Couvert de sang et de poussière, je me consacrai finalement à la mort du taureau et envisageai une superbe estocade, susceptible de me valoir une acclamation debout. Elle ne suscita que de nouveaux rires. Il n'y avait là aucune dérision, plutôt de la sympathie et de l'encouragement, mais ils continuent à résonner dans ma tête depuis vingt-six ans. J'avais été plus brave que les autres, ce jour-là, mais mon courage ne m'avait pas valu de louanges, rien que des rires.

Une injure plus grande encore allait lui être faite à Valence, et je me demandais s'il aurait le courage d'en parler aux Américains. Il semblait toutefois particulièrement volubile.

— Accepteriez-vous de leur raconter ce qui vous est arrivé à Valence ? fis-je.

— Ah, il m'en veut d'avoir mal parlé de son père, n'est-ce pas ? répondit-il en riant. Bien. Deux nuits après le désastre de Burriana, je reçus la visite d'un imprésario qui s'occupait d'une troupe de matadors très célèbre dans le centre de l'Espagne, les Charlots de Valence. Les bouffons et cet homme me parlèrent avec franchise. « León, on cherche partout un gros garçon qui soit à la fois drôle et courageux. Je ne t'ai pas vu à Burriana, mais mes amis, si, et ils m'ont dit que tu étais hilarant. » Il s'interrompit un instant. Il était évident qu'il me faisait une proposition. « J'ai vu vos comiques, lui dis-je. Certains sont très braves... — Franchement, León, me dit l'imprésario, tu gagneras bien plus d'argent en tant que comédien que la plupart des toreros sérieux. Il n'y a pas beaucoup de concurrence dans notre domaine et puis, quand le taureau te touche, il est de plus petite taille et il ne peut pas te faire grand mal. — Mais je ne veux pas devenir torero comique, protestai-je. — Tu veux dire qu'avec ton physique, tu pensais sérieusement... Allons, León, tu n'as quand même pas cru que le public... » Il n'avait pas besoin d'achever sa phrase.

» Je ne laissai pas les larmes me monter aux yeux. J'avais toutefois du mal à dissimuler ma colère. “ Je crois qu'il vaudrait mieux que vous partiez ”, dis-je. Quand l'imprésario s'enfonça dans les rues sombres de Valence, son rire s'ajouta à celui des spectateurs de Burriana ; avec lui s'évanouirent tous mes espoirs.

Il était étonnant que Ledesma eût cherché à devenir matador, car, il me l'avait lui-même confié, il était très porté sur les livres, inclination qui ne caractérise normalement pas les toreros. Quand ses aspirations tauromachiques s'engloutirent dans les huées, il consacra son énergie à l'étude dans la perspective de devenir chroniqueur taurin. Il apprit le français et l'anglais, l'histoire et la philosophie. Il avait un certain penchant pour la critique d'art, ce qui lui permit d'intégrer l'esthétique tauromachique dans l'esthétique au sens large, celle de Vélasquez et de Goya. Il connaissait particulièrement bien le ballet et la musique de danse ; avec un peu de chance et quelques kilos en moins, il eût pu faire un excellent danseur.

Ce chroniqueur taurin potentiel présentait une faiblesse rédhibitoire dans l'Espagne de l'époque : il était républicain, alors que pratiquement tous ceux qui pratiquaient l'art tauromachique étaient fascistes. Pendant la guerre civile qui déchira l'Espagne et causa la mort non seulement de son père, républicain comme lui, mais aussi de son idole, García Lorca, il se battit aux côtés des républicains aussi bravement qu'il l'avait fait dans les arènes de Burriana. Quand la guerre s'enlisa, il s'enfuit en France, où sa connaissance de la langue lui permit de passer inaperçu pendant plusieurs mois, puis il se rendit au Mexique. C'est là qu'il publia en 1938 un recueil de poèmes où il disait adieu à l'Espagne et se proclamait citoyen mexicain. Ses poèmes furent bien accueillis, mais ce qui retint l'attention du public fut une courte pièce adjointe au dernier moment. Il l'avait intitulée *Chant funèbre pour García Lorca*, ce qui intéressa beaucoup ses lecteurs, car le célèbre poète espagnol avait honoré la tauromachie en écrivant son fameux *Llanto por Ignacio Sánchez Mejías*, chant funèbre consacré à un célèbre torero sévillan tué dans l'arène. Le poème de García Lorca débute par ces mots : « *A las cinco de la tarde* (à cinq heures du soir) », et il suffit de prononcer ces six mots à l'oreille d'un aficionado pour qu'il enchaîne sur les huit ou dix vers suivants. Quoi qu'il en soit, l'heureuse idée de Ledesma le projeta dans le cercle de la presse taurine ; peu après, il devint pigiste pour un journal important, avant de se placer au premier rang de la chronique taurine de ce pays. Les Mexicains lettrés aimaient ses longs essais un peu compliqués sur l'art de la tauromachie ; il y faisait beaucoup de digressions, mais parvenait toujours à ses fins. En le lisant, on rencontrait les noms de Sénèque et d'Unamuno, de García Lorca et d'Ortega y Gasset, mais aussi ceux de compositeurs tels que de Falla, Granados, Turina ou Albéniz ; ces références aux géants de la culture espagnole transportaient les Mexicains au cœur de l'Espagne. Ledesma ne s'en tenait pas là. Ses citations pouvaient aussi bien être tirées de Goethe, de Shakespeare, de Hugo, de Tolstoï ou de Montaigne. Au début, il citait rarement les auteurs américains — aucun n'était connu en Espagne à l'époque où il fit ses études à Valence —, mais, ces dernières années, il rappelait souvent que, lorsque Ernest Hemingway s'était vu attribuer le prix Nobel, il avait eu l'honnêteté de dire à Pío Baroja que c'était à lui que revenaient les honneurs. « Avec ce vieil homme, l'Espagne détenait un génie véritable, disait souvent Ledesma, et nous l'avons ignoré comme s'il n'était qu'un chien galeux. C'est notre honte à tous d'avoir laissé un Américain s'emparer de ce qui était dû à l'immense talent de Baroja. » Plus tard, quand Ledesma réussit à convaincre un éditeur mexicain de publier quelques-uns des livres de Baroja, les Mexicains comprirent que Ledesma avait eu raison d'attirer l'attention sur lui.

Le courage du critique était proverbial. Il écrivait tout ce qu'il avait à dire, aussi dur cela fût-il, et n'hésitait pas à défendre ses thèses à coups de poing. Vers quarante ans, il se pourvut d'une canne avec laquelle il frappait tous ceux qui l'attaquaient sur ses opinions. Il était impitoyable lorsqu'il s'agissait de dénoncer les vauriens, et certains de ses meilleurs textes sont consacrés à la racaille qui grouille dans les arènes, mais il faisait également preuve d'un grand courage lorsqu'il chantait les louanges de jeunes hommes inconnus. Ainsi le gros garçon était-il devenu, à force de sagesse et de courage, l'un des ténors de la tauromachie mexicaine, un homme que j'admirais et dont l'amitié m'honorait.

Il avait toujours été attiré par l'impossible. Enfant, il voulait être torero ; homme mûr, il tombait toujours amoureux des actrices les plus frêles et ne voyait rien d'incongru dans la disparité de corpulence entre l'objet de sa flamme et lui-même. Toute actrice hollywoodienne pesant moins de cinquante kilos était sûre, dès son arrivée à Mexico, de recevoir les hommages empressés de León Ledesma. Les jeunes femmes avaient peur de lui, dans un premier temps, mais ses plaisanteries pleines de finesse, et bien souvent d'autodérision, les apprivoisaient. Célibataire, il vivait dans un appartement moderne sur le Paseo de la Reforma ; sur les murs, une gravure de Goya représentant une scène de tauromachie côtoyait un fusain de Picasso. Chaque après-midi, un taxi l'emmenait au cœur de la cité et il s'attablait au célèbre café *Tupinamba,* non loin de Cigarro.

Son activité au *Tupinamba* jetait une certaine ombre sur la personnalité de Ledesma, car il ne s'y comportait pas tout à fait à la manière d'un honnête homme. Il avait d'ailleurs la franchise de le reconnaître. Les après-midi où il se prélassait à sa table préférée, il était habituel que les personnes associées de près ou de loin à la tauromachie vinssent rendre hommage à l'empereur. Une tradition s'était instaurée et était désormais fermement établie : Ledesma ne payait jamais rien. Il avait des revenus fort décents, si l'on comptait ses contrats avec la radio et la télévision, mais même le plus misérable aspirant savait que c'était lui-même et non pas Ledesma qui devait régler le chocolat chaud et les sandwiches du chroniqueur.

C'étaient là d'infimes pots-de-vin, que l'industrie tauromachique versait volontiers à Ledesma dans l'espoir de s'attirer des commentaires favorables de sa part. Mais il y avait plus important : une fois que les petits lui avaient offert ses consommations et étaient repartis, c'était au tour des grands. Il m'était arrivé de voir Veneno en personne, à l'époque où son fils Victoriano était déjà à l'apogée de sa gloire, s'avancer vers la table impériale, prendre place et demander sans détour :

— León, combien voulez-vous cette semaine pour écrire un bon article sur mon fils ?

— Combien va-t-il toucher aux arènes de Mexico? répliquait Ledesma.

— Quatre mille cinq cents dollars, répondait franchement Veneno qui savait que le gros homme pouvait connaître ce chiffre par d'autres sources.

— Dans ce cas, quatre cent cinquante dollars feront l'affaire.

L'argent était versé et, le lundi suivant, la chronique de Ledesma prenait un caractère poétique et Victoriano se voyait comparé à Michel-Ange.

Pratiquement personne ne pouvait espérer se frayer un chemin dans le monde de la tauromachie sans payer son tribut à ce critique influent. Aux matadors de première catégorie, il prenait jusqu'à dix pour cent de leurs gains pour un texte particulièrement élogieux. A un débutant à peine capable de se louer un costume, il ne demandait que quelques dollars, mais ceux-ci devaient lui être donnés. Si un aspirant osait défier Ledesma, celui-ci l'abreuvait de son mépris et le faisait parfois même chasser de Mexico. Même les matadors bien en place subissaient sa plume vengeresse s'ils oubliaient de lui rendre l'hommage qui, selon lui, lui était dû.

Le journal lui versait deux mille dollars par an, mais, avec les pots-de-vin, il arrivait au chiffre de vingt-cinq mille dollars. Son influence dans les milieux de la tauromachie lui valait non seulement ses chocolats et des dollars, mais aussi la plupart de ses repas, sa Mercedes-Benz, bon nombre de costumes sur mesure, ses chemises, ses chaussures et même les fleurs qu'il offrait à sa petite actrice. Pratiquement chaque mois, il chantait les louanges du stoïque Sénèque, mais il vivait en même temps comme le sybarite romain. En fait, à Mexico, le critique espagnol Ledesma recevait autant d'« hommages » que le politicien espagnol Sénèque dans la Rome impériale, et c'était probablement pour cela que Ledesma considérait Sénèque comme le plus grand Espagnol ayant jamais vécu.

Malgré tout, je n'oserais jamais parler de corruption. Il y a plusieurs années de cela, assis au *Tupinamba* où je venais de lui offrir son chocolat, voici ce qu'il me confia :

— En tauromachie, il n'y a pas de match et pas de résultat. Le profane est incapable de dire qui a gagné. Sur les cinquante-cinq mille personnes qui assisteront à la corrida de demain, ils ne seront même pas cinquante à avoir compris quoi que ce soit ; les autres attendront le journal du lendemain pour que je leur apprenne ce qu'ils ont vu. Je suis l'esprit de la tauromachie, ses yeux et sa conscience.

— Sa conscience ? demandai-je non sans sarcasme.

— Oui, sa conscience, répéta-t-il. Ne tenez pas compte du fait que vous venez de voir le vieux Veneno me donner près de cinq cents dollars pour que je fasse un bon article sur son fils. S'il est très mauvais demain, je ne dirai pas qu'il a été parfait. Je m'abstiendrai seulement d'écrire qu'il a été répugnant. (Il but son chocolat à l'espagnole, boisson amère et sombre, et poursuivit :) Tous ceux qui lisent les journaux savent que je suis grassement rétribué, mais aussi que je leur dis toujours la vérité. Personne ne peut acheter ma conception de la vérité. On ne peut acheter que mon exubérance, et je la leur vends volontiers.

Je repensais à ses étonnantes déclarations alors même que Ledesma paradait devant les poétiques jaguars et je m'apprêtais à le juger de manière défavorable lorsqu'une chose étonnante survint. Deux serveurs de la Maison de Céramique, juchés sur un triporteur à moteur, débarquèrent sur la terrasse des Jaguars. En un clin d'œil, ils dressèrent une table et mirent en place nappe et serviettes, assiettes, verres et couverts, avant de servir un délicieux pique-nique que Ledesma avait commandé à la veuve Palafox et réglé de ses propres deniers.

— Pour mes amis de Tulsa. Lorsque je vous rendrai visite, j'espère que vous me recevrez de manière plus somptueuse, dit-il. De la Dos Equis pour tout le monde !

— Qu'est-ce que c'est ? demanda Ed Grim.

— La meilleure bière du monde, lui expliqua le critique. Du super, comme vous diriez !

Tandis que nous appréciions ce déjeuner improvisé, je me disais que Ledesma devrait expliciter la curieuse relation unissant les trois protagonistes de la corrida : l'Espagnol Victoriano, l'Indien Gómez et León Ledesma, lequel avait pratiquement mis sur pied la série de mano a mano organisés dans tout le Mexique.

— León, lui demandai-je, pourquoi consacrez-vous tant d'effort à ces manifestations ? Vous n'êtes pas rémunéré par les imprésarios, pas directement tout au moins.

— J'aime la corrida. J'apprécie de voir s'affronter deux bons matadors au style très différent.

— Non, la véritable raison, insistai-je.

— Il la connaît parfaitement, la véritable raison ! lança-t-il à ses hôtes américains. J'aime la façon dont se comporte Victoriano. Et je méprise Juan Gómez.

— Vous voulez nous dire pourquoi vous haïssez tant Gómez ?

— Je ne le souhaite pas, mais nous ne nous retrouverons peut-être pas tous les sept ensemble, et ce sera une histoire que vous rapporterez chez vous et dans laquelle vous verrez peut-être l'essence même du Mexique — celle en tout cas de la tauromachie mexicaine.

— Racontez-nous-la, je vous en prie, l'implora Mrs Evans.

Il prit son temps pour boire sa Dos Equis et s'essuya les lèvres avant de parler.

— Je crois que tous ceux qui s'intéressent à la tauromachie vivent dans l'espoir de rencontrer un jour un garçon de treize ou quatorze ans qui porte en germe toutes les qualités d'un grand torero. Nous sommes tous comme ça. On m'a dit qu'il y a aux Etats-Unis des hommes qui rêvent de découvrir dans le ghetto noir un petit gamin susceptible de devenir un joueur de basket-ball inégalable. Quand ils en trouvent un, est-ce qu'ils ne font pas tout pour lui, est-ce qu'ils ne le traitent pas comme leur propre fils en lui faisant suivre des études dans la meilleure université ?

Haggard éclata de rire et désigna Ed Grim.

— Il s'occupe de deux petits gars en ce moment même !

— Alors vous comprendrez ce que j'ai ressenti quand, dans une halle aux poissons, j'ai vu ce garçon parfait de quatorze ans, Ignacio Molina, manier un chiffon pour faire des passes à un autre garçon qui jouait le rôle du taureau. C'était une merveille — les reins cambrés, un profil merveilleux, des cheveux noirs, des mains magiques et, surtout, pas un pouce de graisse.

— Il avait des parents ? demanda Mrs Haggard.

— Je le suppose, mais cela n'a aucune importance.

— Vous l'avez pris sous votre protection ? dit-elle.

— Comprenez-moi bien, il n'y a pas beaucoup de candidats matadors sur lesquels un critique de mon importance puisse miser sa réputation. Pour Nacho, c'est ainsi qu'on l'appelait, je n'ai pas hésité.

— Racontez-leur ce qui s'est passé à Torreón, suggérai-je en évoquant une ville du nord du Mexique.

Adossé aux jaguars, Ledesma contempla ses mains pendant près d'une minute. Puis il se décida à parler de ce dimanche désastreux, *a las cinco de la tarde*.

— Mon garçon, Nacho, venait en tête d'affiche. Un garçon de Saltillo venait en second, il n'avait aucun talent. Le troisième était un Indien altomèque de rien du tout, Juan Gómez. Les garçons avaient tous dix-sept ou dix-huit ans. C'est à cet âge-là que l'on doit faire ses preuves ou abandonner.

— Attendez, fit Ed Grim, ce ne sont pas les matadors qu'on va voir pendant ces trois jours ?

— Juan Gómez, oui, mais pas les autres.

— Qu'est-ce qui s'est passé ?

— C'est douloureux à raconter. Nous attendons avant le défilé d'ouverture et j'essaye de voir comment protéger Nacho. Je lui donne des instructions, je lui dis quoi faire, comment les bons péons que j'ai engagés doivent veiller à ce qu'il n'ait pas d'ennuis. Le diable a dû me souffler que j'avais un ennemi potentiel en la personne de Gómez, parce que je l'ai averti ainsi : « Toi, tu restes à l'écart de notre taureau quand Nacho le reprendra aux picadors. » Vous savez ce qu'a fait cet Indien insolent ? Il s'avance lentement vers Nacho, le toise comme s'il achetait du bétail et lui crache sur les chaussures. Puis il se retourne vers moi et me lance : « Mon gros, dis à ton torero de se protéger tout seul. » Sur ce, il prend place au beau milieu du défilé.

— Vous voulez dire, intervint Haggard, qu'il vous a défié devant tout le monde, vous, un critique célèbre ? Il était dingue ou quoi ?

— Cela lui arrive.

— Et qu'est-ce que vous avez fait ?

— Il paraît que je suis devenu livide. Je voulais étrangler ce maudit Indien, mais la musique a démarré et les trois aspirants matadors se sont avancés dans l'éclat du soleil. En voyant l'Altomèque pénétrer sur la piste, je me suis juré de lui régler son compte un jour ou l'autre.

— Vous l'avez fait ?

— C'est lui qui m'a eu.

— Vous voulez nous en parler ? fit Mrs Evans.

Il hocha la tête, se cala contre les jaguars et reprit la parole.

— C'est arrivé avec le dernier taureau de la journée. Gómez a eu le front de s'avancer vers moi et de me le dédier ainsi : « Protecteur du public, amoureux des taureaux et maître des matadors. » Autour de moi, tout le monde s'est mis à rire et j'ai dit à Nacho : « Tourne-le en ridicule. » Ce qu'a fait Nacho. Dans le dos de Gómez, il a exécuté une série de passes tout à fait splendides, mais, à la dernière, le taureau s'est tourné si vivement qu'il l'a pris en pleine poitrine, l'a projeté en l'air et l'a encorné dans sa chute.

— Il est mort ? demanda Grim.

Ledesma hocha la tête et nous gardâmes le silence.

— Est-ce que vous avez retrouvé un autre garçon ? demanda finalement Mrs Haggard.

— Le mien est mort à Torreón, dit simplement Ledesma.

Je n'avais jamais vu León si enclin à parler de ses malheurs.

— Puisque vous détestez tant Gómez — le mépriser serait plus juste —, pourquoi vous donnez-vous la peine d'organiser, voire de parrainer ces mano a mano ? dis-je.

— Parce que, miraculeusement, nous avons deux toreros qui représentent le meilleur de leurs styles respectifs. Si l'on désire préserver l'équilibre, il faut un individu comme Gómez pour mettre en valeur l'éclat d'un homme tel que Victoriano. Même si Gómez ne me verse rien, je suis contraint par le respect que m'inspire la tauromachie à dire la vérité, et la vérité veut qu'il soit très courageux. C'est même l'un des plus braves.

— Est-ce que j'ai bien compris ? Les matadors vous paient pour avoir de bons articles ? demanda Haggard.

— C'est ainsi que je gagne ma vie.

— Votre journal est au courant ?

— Ils y sont tout à fait favorables, ça les encourage à me payer moins.

Haggard était scandalisé par cette conception de la critique mexicaine, mais la jeune Penny Grim se montra plus lucide que je ne l'aurais imaginé :

— Avec la haine que vous lui vouez, dit-elle, vous pouvez garder votre impartialité ?

Il lui prit la main.

— Lors de chaque mano a mano, je prie pour que le taureau suivant le prenne à onze reprises et lui perce le cœur à chaque fois.

— Vous croyez qu'il finira ainsi ? lui demandai-je.

— J'en suis persuadé. Victoriano a du style, mais Gómez n'a que son courage. Dans la vie, le style l'emporte toujours sur le courage. Chaque fois que Victoriano s'améliore, Gómez doit prendre davantage de risques. Jusqu'au jour où sonnera l'heure de sa mort.

Il écrasa son gros poing sur la table comme pour briser l'Altomèque aux jambes torses.

Après cet excellent déjeuner, nous remerciâmes Ledesma de sa délicate attention. Mrs Evans parla en notre nom à tous lorsqu'elle dit :

— Señor Ledesma, vous avez été si gentil avec nous à la pyramide que nous nous demandons si vous ne pourriez pas nous accorder encore quelques minutes et nous accompagner à la cathédrale.

Il allait répondre qu'il voulait être présent au tirage au sort des taureaux, mais il se ravisa.

— Une visite là-bas vous aiderait à mieux saisir l'esprit de la corrida, mais je crains que frère Clay ne l'apprécie pas beaucoup, car je devrai à nouveau déclarer que son vénéré père s'est trompé sur toute la ligne.

— Je le supporterai, dis-je. León, je m'associe à vous pour apprendre des choses que je n'ai pas été assez intelligent pour voir par moi-même. Et je ne plaisante pas.

C'était la vérité. Lorsque je débattais des priorités dans ma vie, je ne cessais de penser au Mexique, et pour comprendre ce pays magnifique et complexe en révolution permanente, je savais que toute mon intelligence était requise. Je me rendais compte que León et moi étions étrangement semblables — lui, l'Espagnol, et moi, l'Américain —, de sorte que nous voyions tous deux ce pays avec l'œil d'un étranger. J'avais besoin de connaître ce qu'il savait et j'étais avide de l'entendre parler de cette cathédrale qui avait revêtu une telle importance pour mon père.

— Je vous accepte ! lança-t-il. Comme ça, j'achèverai ma propre préparation. Mrs Evans, vous venez avec moi, si vous en avez le cran, bien entendu !

La veuve sauta dans la Mercedes qui, dans un rugissement, s'élança vers la ville. Au bout de quelques centaines de mètres, elle fit demi-tour et León passa devant nous.

— Retrouvons-nous sur la place, devant la cathédrale ! cria-t-il, avant de repartir dans un hurlement de pneus et des nuages de poussière.

Nous fûmes sur le parvis avant lui. Apparemment, Mrs Evans et lui s'étaient arrêtés quelque part pour effectuer un achat. Quand ils arrivèrent, il portait un énorme paquet sous le bras. Pour rattraper le temps perdu, il se mit aussitôt à chanter les louanges de la façade qui donnait toute sa grâce à la cathédrale.

— Uniques au monde, cette chose si merveilleuse et ce mot si atroce qui la caractérise. Churrigueresque ! C'est le nom de ce style architectural, voyez-vous, mais je ne sais trop ce que cela signifie sinon que cela concerne une création baroque exacerbée, ainsi que vous allez le constater.

Il nous accorda quelques minutes pour apprécier la splendide façade, puis émit une observation que je n'oublierai jamais :

— Nous ne devons pas nous laisser abuser par cette agréable façade, car elle dissimule un hideux secret, de même que la terrible pyramide en dissimulait un merveilleux avec la terrasse des Jaguars. John Clay n'a pas eu la possibilité d'accéder à ces secrets et il a commis une erreur bien pardonnable en opposant la pyramide indienne, brutale, à la cathédrale délicate, en donnant à chaque fois une description erronée.

— Que voulez-vous dire par là ? fit Mrs Evans, intriguée.

— Suivez-moi, les enfants. (Sur ce, il nous entraîna vers la partie sud de la cathédrale, et il s'arrêta devant une vieille fontaine dont l'eau miroitait au soleil.) Depuis des décennies, les spécialistes se demandent pourquoi cette statue du premier évêque Palafox, fondateur de cette ville, se dresse dans ce coin perdu plutôt que sur le parvis que nous venons de quitter. Il faut vous dire que nos Palafox ne sont pas des modestes. Pendant les corridas, observez leur représentant actuel, don Eduardo, éleveur de taureaux. Si l'une de ses bêtes se comporte de belle manière et que la foule lui demande de saluer, il sautera dans l'arène et répondra aux applaudissements, qu'ils soient nourris ou non. Si notre premier Palafox a choisi cet endroit discret pour y placer sa fontaine, il doit y avoir une raison. (Il nous donna un peu de temps pour réfléchir, puis il expliqua :) En 1953, bien après la mort de John Clay — une fois de plus, ce que je vais dire n'a pas pour but de mettre en doute ses qualités —, les archéologues ont dégagé le revêtement de l'ancienne église-forteresse et mis au jour l'un des premiers témoignages de l'architecture espagnole. Là, vous pouvez voir la chaire extérieure édifiée en 1527, d'où frère Antonio a converti les Altomèques.

Nous quittâmes la fontaine pour nous diriger vers la vieille chapelle, tandis que Ledesma nous renseignait sur ses caractéristiques.

— Voyez l'aspect brutal de ce sanctuaire. Ses grandes voûtes basses rappellent la pyramide par leurs formes, car les Espagnols se sont servis d'architectes indiens. Il n'a pas de décoration, aucun élément esthétique. La roche consacrée d'où prêchait le frère provient du temps de la déesse-mère. Cet endroit rude et sacré est le cœur de l'Eglise dans cette région. Notre foi n'a pas conquis et converti les Indiens parce qu'elle possédait cette délicate architecture churrigueresque que John Clay tenait pour l'essence du catholicisme au Mexique. Nous avons triomphé pour avoir parlé de cette roche issue du pays que nous avions envahi. Nos premières chapelles étaient basses et trapues, comme les temples dont nous avons dérobé les pierres. Nous n'avons pas totalement imposé de nouveaux dieux aux Altomèques, nous avons adopté ceux trouvés sur place et leur avons donné les noms des saints espagnols. Nous ne nous sommes pas davantage laissé aller à la piété sentimentale. (Il fit une pause.) Si nous avions été des paysans indiens de cette époque, nous nous serions réunis en ce lieu pour écouter un prêtre espagnol nous parler de théologie en des termes difficiles à comprendre. Des soldats espagnols prêts à faire feu se tenaient prêts, et si un esprit fort comme Mr Haggard avait ouvert la bouche pour protester... pan ! pan ! Terminé, Mr Haggard. (Il rit et poursuivit, d'un ton plus grave.) J'ai appris à aimer cette chapelle grossière qui a été si longtemps dissimulée sous le stuc de la respectabilité. Elle me rappelle que le Mexique, ma terre d'adoption, fut un monde difficile et bien souvent cynique. Ici, les mensonges de l'histoire sont balayés, toutes ces belles paroles qui déforment la vérité. Nous autres, Espagnols, étions un peuple rude et si, quand nous avons soumis le pays, nous avons trouvé le temps d'édifier une splendide façade de marbre flamboyante de joie, nous avons surtout pris la précaution de commencer par tuer et asservir.

Quand nous eûmes fini d'admirer les vestiges de la première construction espagnole de Toledo, Ledesma me surprit en nous entraînant à l'intérieur de la cathédrale. Depuis le jour où les hommes du général Gurza ont mis à sac Toledo et ravagé la cathédrale, rares sont les guides qui daignent y conduire leurs touristes américains. Avant cet acte de vandalisme, l'église était renommée pour ses trois autels d'argent, ses statues de la Vierge aux visages d'or et de rubis, ses lampes décorées qui se balançaient à plus de vingt mètres du sol dans les bas-côtés. Elles aussi étaient en argent massif. C'était une cathédrale célèbre dans tout le monde catholique, bel exemple de la dévotion d'un homme riche à son Créateur, et elle avait été édifiée par la volonté du cinquième évêque Palafox, lequel avait envoyé la facture à son riche cousin.

La mise à sac avait commencé lorsqu'un Altomèque de l'Etat de Chihuahua qui avait appris à lire avait crié depuis l'entrée principale : « Soldats ! Regardez tout cet argent ! Nos ancêtres l'ont extrait de la mine et c'est à nous qu'il appartient ! » Trois heures plus tard, il n'y avait plus d'argent et les pillards, qui s'enfuyaient avec les lampes décorées, ne s'arrêtèrent que pour tirer des centaines de balles sur les statues de pierre qui aidaient au soutènement des murs.

Au cours des années suivantes, nul effort ne fut fait pour restaurer l'intérieur, et la cathédrale de Toledo, jadis grandiose, demeura telle une coquille splendide n'abritant que des choses sans intérêt. En 1935, mon père, pourtant protestant, avait proposé que les habitants de la ville contribuent à la restauration, mais il avait eu cette idée au cours du mandat du président Cárdenas, anticlérical convaincu qui, par la suite, nationaliserait les puits de pétrole, et son gouvernement ne permit pas que cela se fît.

Dans l'église des Palafox, nous découvrîmes des murs de pierre nue, criblés de balles. Les trois autels étaient ornés de Christ à l'air sinistre et de saints plus sinistres encore ; les ailes des anges étaient couvertes de dorure bon marché et leurs vêtements étaient gris de poussière. Seule la sainteté inhérente à ses autels empêchait cette église d'être désaffectée.

Je ne compris pas d'emblée pourquoi Ledesma nous avait amenés dans ce lugubre mémorial repoussant de saleté et de moisi, mais il était évident qu'il avait une idée derrière la tête, car il nous conduisit directement à l'intersection des deux voûtes. Là, il nous montra la onzième station du chemin de croix. C'était une sculpture que je n'avais jamais daigné regarder ; à première vue, elle semblait grise et poussiéreuse, et allait bien avec tout le reste.

Elle avait la forme d'un grand rectangle et était constituée de plusieurs morceaux de bois sculptés rivés ensemble. Dans la partie supérieure, on voyait Jésus-Christ, couronné d'épines et cloué à la croix, seulement vêtu d'une pièce d'étoffe salie enroulée autour de ses reins. Plus bas, sur sa droite et sa gauche, se trouvaient les deux larrons, déjà crucifiés, ainsi que des notables qui portaient les pantalons de satin or et argent des conquistadors. Dans le demi-cercle inférieur, trois femmes étaient agenouillées : la Vierge Marie, vêtue d'un velours pourpre et poussiéreux bien dans le style du début du XVIe siècle, Marie-Madeleine en velours écarlate et Elisabeth, en vert resplendissant.

Ni la sculpture ni la disposition des personnages ne méritaient de commentaires, mais ce n'était pas le cas du personnage du Christ, car les souffrances humaines n'avaient que rarement été représentées de manière aussi crue. Sur son front crispé pendait la couronne d'épines : chaque pointe s'enfonçait dans une chair déjà violacée et laissait couler des gouttes de sang sur son visage livide. Ses bras et ses jambes étaient tuméfiés, depuis Gethsémani probablement, des coups d'épée lui avaient brisé les os et de grandes traînées de sang sombre se dessinaient sur sa peau. Le plus horrible de tout était peut-être la lance du centurion qui avait percé son flanc, car la blessure infligée était si profonde que n'importe quel incrédule eût pu y placer son poing et être convaincu que le Christ était bien mort sur la croix.

Je m'éloignai de cette scène horrible, et les femmes du groupe en firent autant.

— Cela me rend malade, fit Mrs Evans, le souffle coupé. Je crois que je vais sortir.

— C'était pourtant ce que vous désiriez voir, dit tranquillement Ledesma.

— Qu'est-ce que des monstruosités comme ça ont à faire avec la religion ? demanda O. J. Haggard.

— Avec la religion ordinaire, rien, répondit Ledesma. Mais avec le christianisme, tout. (Il se mit alors à parler comme s'il s'adressait à une classe ; il ne permettrait à personne de s'en aller.) Vous avez demandé à venir ici, Mrs Evans, et il convient que vous restiez à présent.

— Je ne veux pas voir ça, protesta-t-elle d'une voix geignarde.

— Cet après-midi, vous ne voudrez pas voir mourir les taureaux, lui rappela-t-il, mais c'est pourtant pour cela que vous êtes venue au Mexique. Pour voir la mort.

Il se plaça sous la onzième station et commença son exposé.

— Le principe cardinal du christianisme veut que Jésus-Christ soit mort pour nous. Il est mort sur la croix après d'insupportables souffrances, les jambes et les bras brisés, ainsi que vous le voyez ici. Il n'est pas mort rapidement, mais en suffoquant, saigné à blanc.

» Je crains que nous n'ayons cherché à gommer cela. Nous représentons toujours Jésus vêtu d'une tunique ample, coiffé d'une couronne dont les épines le piquent à peine ou reposant en paix au sépulcre. Ce que nous oublions, c'est qu'il est issu d'un Dieu violent et qu'il est arrivé dans un monde violent afin d'éviter à des hommes violents de finir dans un enfer d'une violence extrême. Nous nous abusons de la manière la plus extrême qui soit quand, pour des raisons esthétiques, nous refusons de montrer Jésus agoniser ainsi qu'il le fit. En gros, seuls les peuples hispaniques ont été assez braves pour admettre la vérité. Ne vous êtes-vous jamais demandé pourquoi c'est l'Espagne qui a constamment défendu la foi, même si cela nous a coûté notre empire et notre place sur l'échiquier européen ? Comment se fait-il que l'Espagne fut seule à offrir son sang pour sauver l'Eglise du Christ ? Parce que nous autres, Espagnols, guidés par des hommes tels que Sénèque, García Lorca ou Cervantes, n'avons jamais eu peur de la mort. Rappelez-vous toujours des dernières paroles de Cervantes : " On m'a donné hier l'extrême-onction, et aujourd'hui j'écris ces lignes. " Voilà comment un homme devrait affronter la mort, comme Jésus, comme Sénèque, lui qui a dit : " Donnez-moi cette coupe. " Nous ignorons ce qu'a dit García Lorca, ni même comment il est mort, mais je l'imagine bien disant quelque chose non pas de profond ou de poétique, mais d'extrêmement banal du genre : " Je vais me mettre là. " Comprendre l'âme espagnole ou se trouver dans une cathédrale espagnole, c'est faire l'expérience de la mort.

» Mrs Evans, pourquoi, selon vous, Dieu a-t-il choisi cet instrument de torture, cette horrible crucifixion, dans le seul but de nous sauver ? Vous ne croyez pas qu'un être aussi généreux et aussi plein d'amour aurait pu concevoir une solution de rechange ? Pourquoi, selon vous, a-t-il voulu imprimer cette scène terrible dans notre conscience et nous montrer que c'était la seule voie du salut ?

» Imaginons que Dieu ait décidé de déléguer ses pouvoirs à une association féminine de Tulsa, Oklahoma. Vous ne pensez pas que ces braves femmes trouveraient un moyen plus délicat pour signifier le salut du monde ? On pourrait faire appel à des colombes, à des lis, à une centaine de choses gracieuses et merveilleuses symbolisant toutes la paix et la sérénité de l'âme. Je suis heureux de savoir que vous, les femmes, trouveriez quelque chose de meilleur que ce sur quoi Dieu a porté son choix. Car Il a choisi le sang. Il a choisi la forme de mort la plus cruelle que connaissaient les hommes de cette époque. Ce n'était pas seulement la mort, mais la torture. Et Il a fait cela, me semble-t-il, pour nous montrer quels mortels de peu d'importance nous étions.

Tapi dans l'ombre de l'église en ruine, il nous contraignit à observer plus attentivement cette terrible crucifixion. En voyant cette représentation sanglante, personne ne pouvait douter que Jésus-Christ avait été atrocement torturé.

Ed Grim fut le premier à parler.

— Vous ne trouvez pas que c'est ridicule, ces pantalons en satin ?

— C'est parfaitement ridicule, acquiesça Ledesma en sortant de l'ombre. Et tout ce que vous verrez cet après-midi sera aussi ridicule. D'ailleurs, je trouve même qu'il serait plus sage que vous n'alliez pas aux corridas.

— Est-ce que ce sera aussi dur que... que ça ? fit Mrs Evans en désignant la scène de crucifixion.

— Ce sera exactement la même chose, répliqua Ledesma. Ce que vous verrez a de quoi soulever le cœur, et des Américains ne devraient pas y assister.

— Si on a fait tout ce chemin et si nous sommes prêts à dépenser une fortune pour avoir des billets d'entrée, c'est bien pour aller à la corrida, dit Grim.

Mrs Evans l'approuva et les Haggard ajoutèrent que c'était parfaitement raisonnable.

— Je suis venue voir les matadors, dit Penny Grim, et je les verrai.

La décision étant unanime, Ledesma dit :

— Puisque vous êtes décidés, vous devriez vous préparer à comprendre ce que vous verrez — je parle naturellement de la dimension spirituelle. Pour les détails techniques, je vous renvoie à n'importe quel manuel.

Il tira du paquet qu'il tenait des éditions en anglais d'un journal qui contenait un long article qu'il avait lui-même écrit.

— Ceci complétera mes explications. Jetez-y un coup d'œil, nous nous retrouverons un peu plus tard. (Sur ce, il nous laissa dans l'église, mais nous lança avant de sortir :) Pendant que vous lisez, regardez de temps en temps cette sculpture. Le journal et elle parlent tous deux de la mort.

C'est ainsi que notre petit groupe de six Américains s'attarda dans la cathédrale sinistre. Les touristes venus tout droit d'Oklahoma allaient découvrir pour la première fois la littérature sportive mexicaine. L'essai de Ledesma portait un titre sibyllin.

La Terre et la Flamme

Aujourd'hui, nombre de lecteurs de ce journal feront le pèlerinage de Toledo pour assister au Festival Ixmiq-61, et ceux qui auront été guidés par des amis auront étudié le chef-d'œuvre de John Clay, *La Pyramide et la cathédrale*, lequel leur aura permis de découvrir certaines valeurs inhérentes à Toledo.

Mais, d'un autre côté, ce livre les préparera mal aux corridas de Toledo, car Clay laisse entendre que l'âme du Mexique ne peut être appréhendée que si l'on oppose la pyramide indienne à la cathédrale espagnole, comme si les deux choses s'excluaient réciproquement tout en étant symbiotiques. Certes, lorsque l'on se rend au festival et que l'on découvre du Kilomètre 303 le plus beau paysage de tout le Mexique, on est saisi par le contraste entre la pyramide et la cathédrale ; si nous nous en tenions à ce contraste superficiel, il ne nous serait pas difficile d'adopter la thèse de John Clay. Mais si notre visite à Toledo nous laisse le temps d'observer plus attentivement les choses et si nous avons l'intention d'assister aux corridas, nous pouvons, de manière détournée, rencontrer le mystère essentiel du Mexique. Pour ce faire, nous devons visiter la pyramide des Altomèques avant de voir notre première corrida ; lors de notre approche de ce terrible lieu sacrificiel, nous le verrons exactement tel qu'il apparaissait à John Clay quand il a écrit son livre. L'autel hideux se dresse au sommet. Les corps étaient jetés sur les degrés escarpés et le ciel d'un bleu implacable est le même qu'il y a mille ans. C'est le monument essentiel du Mexique indien.

En arrivant au sommet, nous découvrirons les guerriers à tête d'aigle, ces puissantes figures qui ont tant fasciné Clay. Leurs têtes finement sculptées, recouvertes de masques d'aigle, révèlent des hommes d'une cruauté indescriptible, et l'union de l'homme et de l'animal est une réussite étonnante de la part du sculpteur, mais aussi du psychologue.

A ce point de sa lecture, O. J. Haggard posa son journal et dit :
— Quand est-ce qu'il parle des corridas ?
Ce à quoi je lui répondis :
— Mais tout parle des corridas.

En fait, si l'on me demandait de choisir l'œuvre d'art la plus caractéristique du centre du Mexique, j'opterais pour ces hommes farouches, mi-guerriers brutaux, mi-aigles dominants. Ils résument notre héritage et, en les choisissant à son tour, John Clay a parlé en notre nom à tous. S'il avait connu en 1920 le matador altomèque Juan Gómez, il aurait probablement compris que les guerriers à masque d'aigle revivaient en lui.

De la pyramide, l'on devrait se rendre directement à la cathédrale. Il vaut mieux la voir au petit matin, de l'autre côté de la grand-place, près du Théâtre impérial, car c'est de là seulement que l'on peut apprécier pleinement la glorieuse façade churrigueresque de l'évêque Palafox. C'est une chose extraordinaire que cet assemblage magique et circonvoluté de marbre blanc, de colonnes flûtées et de saints dans leurs niches. Depuis deux siècles, les hommes étudient cet étonnant ensemble architectural — cette année est idéale, car c'est le deux centième anniversaire de sa construction — et je suppose que, dans les siècles à venir, sa renommée ne cessera de croître et les visiteurs d'y affluer. Je crois toutefois que nul ne l'a jamais vraiment vu ni ne le verra jamais, car, lorsqu'on le regarde, ses éléments bouleversent perpétuellement les relations qui les unissent. La dernière fois que je m'y suis intéressé, au cours du dernier Festival Ixmiq, c'était au point du jour, et je jurerais avoir vu saint Antoine en train de danser. Bien sûr, lorsque je le regardais directement, il se tenait bien droit dans sa niche, comme un soldat dans sa guérite, mais dès que mon regard s'écartait, je le revoyais qui dansait et taquinait sainte Marguerite, laquelle cherchait à échapper à son impertinence. C'est là la gloire de l'art churrigueresque tel qu'il se présente dans toute sa splendeur à Toledo — au marbre statique et au gothique traditionnel, il crie : « Je suis las de ces bâtisses figées dans le froid. Dansons ! » Et la grandiose façade de danser. Même ses piles les plus imposantes sont en mouvement.

Bien entendu, le lecteur comprendra que je ne parle pas de la façade de Toledo, mais du matador Victoriano Leal, car les arabesques qu'il est à même de tracer de sa cape magique sont aussi des cris de désir. Tout comme la façade, ce torero poétique, cette gloire du Mexique, va dansant et, ce faisant, nous met le feu au cœur.

Il est donc là, le symbolisme facile du Mexique, habilement regroupé en une série de corridas. Juan Gómez est l'Indien froid et impassible de la pyramide, et Victoriano Leal est le danseur poétique de la cathédrale, l'un et l'autre parfaitement explicités par notre visiteur venu du Nord, John Clay. Mais j'ai le regret de devoir vous dire à présent que toutes les conclusions de John Clay sont erronées et qu'il est le pire guide que vous puissiez trouver pour vous rendre au Festival Ixmiq.

Je ne dis pas cela par grossièreté ni même par critique à l'égard de John Clay, car il lui était impossible de connaître ce que nous connaissons aujourd'hui ; il ne pouvait éviter les erreurs regrettables qu'il a commises. Il nous faut retourner à la pyramide. Cette fois-ci, nous ne monterons pas voir les redoutables guerriers à face d'aigle. Restons en bas, faisons quelques pas en direction de l'ouest et reposons nos yeux à la contemplation des élégants jaguars qui ceignent la terrasse à laquelle ils ont donné leur nom. Ils sont l'autre aspect de la brutale pyramide, et nous devons nous souvenir d'eux lorsque nous nous empressons de dénoncer cet édifice. Il n'y a là rien de la brutalité à laquelle Clay voudrait nous faire croire.

J'ai eu une étrange réaction devant cette critique pourtant bénigne de mon père, que je révérais. Au cours de notre visite matinale à la pyramide, Ledesma avait pris soin de s'excuser de devoir être en désaccord avec mon père, mais j'avais trouvé cela superflu, car sa critique était justifiée. Mon père s'était fourvoyé en opposant l'une à l'autre la mauvaise pyramide indienne et la bonne cathédrale espagnole. Le Mexique est semblable au grand serpent qui apparaît sur le blason national. C'est une entité vivante et ondulante que l'on ne peut saisir et immobiliser afin de l'étudier. Ledesma ne critiquait pas mon père, il concourait à m'éduquer : « Ne t'en tiens pas aux jugements à l'emporte-pièce. Etudie attentivement et honnêtement tous les avis et établis tes propres conclusions », me disait mon père. Au moment précis où je me rappelai ses paroles, je tombai sur pratiquement les mêmes mots dans l'essai de Ledesma.

Le même type de révision doit s'appliquer à la cathédrale, revenons-y donc et regardons non pas la façade resplendissante, mais, sur l'un des côtés, cette chapelle extérieure assez affreuse où les Indiens venaient prier sous la surveillance de soldats espagnols en armes. De même que la terrible pyramide a son côté poétique, de même la gracieuse cathédrale possède un aspect brutal.

Pour comprendre en quoi ces deux contradictions apparentes s'appliquent à la tauromachie, et plus particulièrement au duel qui opposera Victoriano et Gómez, je vous invite à quitter le Mexique et à m'accompagner dans une vaste salle de Madrid, que d'aucuns considèrent comme la plus belle du monde. Elle se trouve au Prado, musée d'art empli de trésors, et abrite plus d'une douzaine de superbes toiles de Vélasquez.

La moitié des gens représentés sont des rois et des reines espagnols, ainsi que des enfants de la famille royale. Ils sont maniérés, élégants, distants. L'autre moitié est constituée de paysans qui boivent du vin pendant la pause, dans les champs, ou de femmes en train de tisser les étoffes qui ont fait la renommée de l'Espagne ; ces hommes et ces femmes robustes vivent sur le sol espagnol, boivent le vin espagnol et mangent du pain espagnol trempé dans de l'huile d'olive espagnole. Les nobles eux-mêmes affichent un flegme qu'on retrouve dans la vie espagnole. Si, sous une certaine lumière, ils peuvent paraître stupides, il ne s'agit que d'une illusion : ce qui ressemble à de la stupidité n'est en fait que l'énorme force de caractère qui a permis à l'Espagne de résister à l'innovation, aux changements doctrinaux et même aux leçons données par le Nouveau Monde. La force massive de l'Espagnol n'a jamais été mieux représentée que sur les toiles de Vélasquez, et si un étranger devait me demander ce qu'est vraiment un Espagnol, je le conduirais dans cette salle et lui montrerais ces hommes et ces femmes.

Mais s'il persistait et me disait : « Je ne veux pas savoir à quoi vous ressemblez, mais ce que vous êtes vraiment », je l'entraînerais dans cette autre salle, plus petite et plus sombre, où sont exposées les œuvres du Greco, comme éclairées par une flamme verte. Là, alors que nous étudierions les silhouettes torturées et les visages exprimant l'angoisse la plus profonde, je lui dirais : « Vous voyez ici l'âme espagnole. »

Pour qui veut tenter de comprendre l'Espagne, il faut confronter la force physique de Vélasquez et la spiritualité du Greco. Nous identifions ainsi la véritable dichotomie qui inspire le duel opposant Juan Gómez et Victoriano Leal. Il n'est pas la conséquence d'une différence superficielle entre Indiens et Espagnols, ni entre le paganisme de la pyramide et l'idéalisme de la cathédrale, ni même entre la rudesse du cactus et la beauté du maguey. Il est issu du conflit qui caractérise la vie espagnole. C'est le combat de la terre et de la flamme, une dichotomie à laquelle nul être humain n'échappe, mais que seul l'Espagnol accepte de révéler.

Ed Grim en était arrivé là quand il jeta à terre les feuilles de journal et dit : « Je suis venu pour la corrida, pas pour une conférence sur l'histoire de l'art. Elles sont où, les arènes ? » Je lui montrai l'Avenida General Gurza et dis :

— A un pâté de maisons après la cathédrale, elles seront sur votre droite.

Il écrasa son panama et demanda :

— Je les reconnaîtrai facilement ?

— Peut-être pas, elles sont coincées au milieu d'autres bâtiments.

Il se tourna vers sa fille :

— Tu me suis ?

Elle indiqua le journal.

— Non, cela commence à prendre tournure et j'ai envie de savoir où il veut en venir.

Sans s'occuper d'elle, il me dit :

— Je trouverai bien. Je sentirai les chevaux de loin.

Sur ce, il s'en alla, nous laissant à notre lecture.

Ce serait une erreur d'affirmer que Vélasquez et Juan Gómez incarnent le physique terrien et brutal de l'homme, alors que le Greco et Victoriano Leal témoignent de la flamme éthérée de l'esprit. Je crois la différence autrement plus subtile. Les personnages de Vélasquez sont représentatifs de l'humanité, dans sa puissance et ses limites. Ses rois sont des êtres de vanité, qui règnent un certain temps avant de transmettre leur autorité à d'autres hommes qui ne sont pas moins stupides qu'eux-mêmes. Ses paysans suent au soleil, puis ils vieillissent et meurent, et d'autres viennent prendre leur place. Ainsi tourne le monde. Ainsi vivent les hommes, et il y a dans ces toiles un certain sens de la dignité terrienne que des artistes tels que le Greco ne parviennent jamais à représenter, de même que dans cette pyramide dont nous venons de parler se trouve une rigueur carrée, incontournable, à laquelle la cathédrale ne peut se mesurer avec tous ses ornements. Cela ne veut pas dire que Vélasquez se limite à l'univers corporel et le Greco au spirituel. C'est trop simpliste. En réalité, Vélasquez a montré le sens ultime de la vie par le truchement du corps terrestre, alors que le Greco a atteint le même objectif en niant le corps, en le tordant et en le torturant, en se concentrant sur les forces psychologiques les plus profondes qui puissent animer l'homme. Les moyens sont différents, mais le but reste le même.

J'ai dit plus haut que les hommes qui ont bâti la pyramide avaient aussi le désir de construire la terrasse des Jaguars, alors que les prêtres qui ont élevé la cathédrale désiraient également édifier la chapelle extérieure dans tout ce qu'elle peut avoir de grossier. De même, Vélasquez nous permet parfois d'entrevoir la plus exquise poésie, tandis que le Greco ne répugne pas à peindre des hommes visiblement très terre à terre. La dichotomie dont nous parlons se retrouve en chaque être et forme les deux parties de son identité. En tant qu'Espagnol, je suis simultanément un peu Vélasquez et un peu le Greco. En tant que Mexicain qui se rend aux corridas de Toledo, je suis en même temps Juan Gómez, brutal et stupide, et Victoriano Leal, poète lyrique ; la grandeur de cette série d'affrontements à laquelle nous assistons depuis le début de l'année tient à ce que les deux hommes nous dévoilent les aspects de notre vie la plus intime et que chacun comporte une partie essentielle de l'autre.

Ces aspects conflictuels de l'homme se manifestent également chez les grands écrivains de l'Espagne, car un homme qui écrit ne peut empêcher sa plume de révéler une grande partie de ce qu'il pense, alors que les artistes d'autres catégories l'évitent parfois quand ils ne le travestissent pas. Pour développer les idées que j'ai à l'esprit, je vais étudier les deux écrivains les plus représentatifs que l'Espagne ait produits à ce jour.

O. J. Haggard me demanda avec force précautions :

— Au Mexique, c'est ça qu'ils appellent le journalisme sportif ?

Je lui répondis :

— Au Mexique, la tauromachie n'est pas considérée comme un sport. C'est un art.

Mrs Evans posa le doigt sur la ligne où elle s'était arrêtée.

— Les autres personnes qui écrivent sur la corrida sont toutes comme ça ? me dit-elle, ce à quoi je répondis :

— L'autre jour, j'ai acheté un ouvrage qui était censé traiter de tauromachie, mais le profane n'y aurait vu qu'un essai sur la religion.

Mrs Evans secoua la tête d'un air piteux et remarqua :

— Tout ça me paraît très prétentieux. A Tulsa, je crains que ce monsieur ne connaisse pas le succès avec des articles sur le football.

J'aimerais tout d'abord parler de Federico García Lorca, car il résume physiquement, intellectuellement, spirituellement et artistiquement l'une des deux parties de la nature espagnole. Sa vie fut son œuvre d'art principale. Nul ne tient la poésie en plus haute estime que les hispanophones, et il n'est pas inhabituel de voir, à Madrid ou à Mexico, un homme et une femme déambulant dans les rues, lui récitant du García Lorca tandis qu'elle tient le livre à la main. Il est difficile de dire exactement en quoi le poète a su saisir l'esprit hispanique. La gaucherie de sa dramaturgie me laisse souvent perplexe. Par exemple, l'intrigue de *Noces de sang* est des plus prosaïques, tandis que celle de *La Maison de Bernarda* rappelle les œuvres du XVIIIe siècle. Pour bien se rendre compte de la faiblesse de cet Espagnol, il faut comparer le sujet de ses prières et la force de ses personnages à ceux de Goethe ou d'Eugene O'Neill.

Mais, lorsque je m'attache aux mots de García Lorca et oublie ses intrigues ineptes, j'en conclus qu'il n'est le second de personne en matière de poésie, et c'est bien pour cela que nous le louons sans cesse. Je me demande s'il y a jamais eu un autre auteur espagnol capable de faire tenir en si peu de mots toute la souffrance de l'existence, par exemple quand, dans *Noces de sang*, la mère confesse : « J'ai dans la poitrine, toujours prêt à sortir, un cri que je maîtrise et cache sous ma mante. » Avec quel brio il résume l'action de *Yerma* en une seule chanson que chantent des voix invisibles :

Je ne t'ai pas connue
Lorsque tu étais fille,
Mais je t'approcherai
Une fois mariée.
Je te dévêtirai,
Epouse et pèlerine,
Quand dans l'obscurité
Minuit aura sonné.

Il n'est pas étonnant que Lorca, qui a écrit avec tant d'émotion sur la tauromachie, soit devenu le véritable poète lauréat des arènes, car il a trouvé dans l'intensité et l'extrême densité de cet art l'essence même de la tragédie. Equivalent littéraire du Greco, il présente la même passion flamboyante et, comme le Greco là encore, ses ambitions artistiques dépassent largement ses capacités techniques — il devient ainsi le modèle de toreros tels que Victoriano Leal, chez qui l'aspiration artistique surpasse largement le don inné. Il y a toutefois quelque chose de plus chez Lorca. Il s'adresse à nous autres, Espagnols, avec une fureur dont n'est capable aucun autre poète, et nous reconnaissons instantanément l'autorité de son discours.

Mais tournons-nous à présent vers un écrivain d'une époque bien plus lointaine, un homme que je considère comme le plus grand Espagnol ayant jamais vécu, qu'il s'agisse de peintres ou de philosophes, de musiciens ou de monarques. Lucius Annaeus Seneca, que nous appelons Sénèque, est né à Cordoue en 4 av. J.-C., année que les historiens disent être celle de la naissance du Christ. Ce garçon intelligent se rendit très rapidement à Rome, où son esprit, son caractère résolu et son talent dramatique lui valurent d'attirer l'attention de l'empereur. Il devint ainsi précepteur et ministre de Néron, lequel demeura un homme d'Etat remarquable tant que Sénèque fut à ses côtés. Sénèque était aussi un grand administrateur, le premier auteur de tragédies de Rome, la conscience de l'Empire et l'une des intelligences les plus brillantes de la capitale. En Espagne, nous honorons sa mémoire parce qu'il fut le premier grand intellectuel à se convertir au christianisme, ce qui fait de lui le père du catholicisme espagnol. A l'heure de sa mort, il était l'homme le plus digne à avoir embrassé la nouvelle religion ; les conseils qu'il adressait au monde romain étaient aussi profonds que ceux de saint Paul au monde entier. Ceux de Sénèque abordaient des problèmes plus immédiats : « Dieu ne doit pas être adoré avec des sacrifices et du sang ; car quel plaisir peut-Il trouver dans le massacre des innocents ? Il ne doit être adoré qu'avec un esprit pur, dans un but sincère et honnête. Les temples qui Lui sont construits ne doivent pas être de pierres entassées les unes sur les autres ; Il doit être consacré dans le cœur de chacun. »

L'impact de Sénèque sur l'âme espagnole se fait sentir chaque jour, et les contradictions qui l'ont assailli continuent d'assaillir l'Espagne. Il était sujet aux passions, mais il prêchait la sérénité devant les forces conflictuelles. Il fut le stoïcien suprême, ne prenant rien trop au sérieux, mais redoutant tout de même la mort ; son style littéraire était parfois ampoulé, mais l'austérité marqua l'essentiel de sa vie. Je me suis toujours considéré comme un disciple de Sénèque et je préférerais bavarder avec lui pendant une demi-heure qu'avec n'importe quel Espagnol ayant jamais existé ; pourtant son réalisme parfois très terre à terre arrive à m'irriter par son côté prosaïque. Il est, par excellence, le Vélasquez de l'écrit, l'esprit même de la terre.

Les points de repère intellectuels de notre visite à Toledo sont désormais posés : voici la terre de Vélasquez et de Sénèque directement opposée à la flamme du Greco et de Lorca. Voici le style terrien de l'Indien aux jambes torses, Juan Gómez, directement opposé aux arabesques flamboyantes du Sévillan Victoriano Leal. Et le Festival Ixmiq nous présentera la confrontation classique de ces deux concepts.

A ce moment, O. J. Haggard interrompit sa lecture.

— Je n'ai jamais entendu parler de ce Sénèque. Comment ça se fait, s'il est aussi bon qu'il le dit ?

Ce à quoi sa femme ajouta :

— Moi, je ne connais pas Lorca. C'est un bon auteur ?

Mrs Evans leur répondit :

— Après la mort de John, je suis allée à New York, comme vous le savez, et là, dans un petit théâtre d'avant-garde, j'ai vu *Noces de sang*.

— C'était bien ? demanda Haggard, et Mrs Evans répliqua :

— C'était incroyablement intense.

— Peut-être, mais c'était bien ? insista Haggard.

— Eh bien, oui. Sur le coup, je ne m'en suis pas rendu compte, mais par la suite, c'était toujours *Noces de sang* qui me venait à l'esprit quand je pensais à une pièce de théâtre.

Haggard émit un grognement.

— Alors, c'est que c'était bien.

Ils reprirent leur lecture pour en arriver à l'un des points principaux de l'essai de Ledesma.

Ce ne sont toutefois pas les différences entre Sénèque et Lorca qui les unissent dans notre esprit en tant qu'exemples suprêmes de la pensée espagnole. C'est leur similarité et, quand je dis cela, chaque lecteur comprendra pourquoi ces deux écrivains sont aujourd'hui pour nous les apôtres de la tauromachie. Sénèque et Lorca s'intéressent en premier lieu à la mort, et tout Espagnol, qu'il vive à Pampelune ou au Pérou, s'intéresse de la même façon à ce mystère ultime. Ce n'est pas un hasard si, dans la longue histoire de l'Espagne, deux Espagnols sont morts de manière aussi idoine que Sénèque et Lorca. A l'apogée de sa renommée, alors que ses pièces dominaient le théâtre romain et que ses traits d'esprit alimentaient les conversations de chacun, Sénèque reçut d'un Néron devenu fou l'ordre de se suicider. Ce qui passait parfois pour une faiblesse de caractère chez Sénèque — je veux plus particulièrement parler de sa tendance à adopter chaque nouvelle mode venue de Rome — s'imposa alors comme le propre du stoïcien à s'adapter aux contingences de la vie. Lorsque vint le moment de mourir, Sénèque porta sans trembler la coupe de poison à ses lèvres, et Rome vit ainsi un Espagnol affronter la mort avec noblesse. Pas même Socrate, dans des circonstances comparables, ne sut faire preuve de plus de dignité. Il eût d'ailleurs été impardonnable que son geste ultime fût entaché, car Sénèque avait, toute sa vie durant, été obnubilé par la mort, à tel point que sa philosophie pourrait se résumer en une phrase : « L'essentiel de la vie n'est qu'une préparation à la mort. »

Au cours de mes études, j'ai beaucoup fréquenté la littérature anglaise, et je n'ai jamais trouvé d'auteur qui fût sincèrement convaincu que l'homme était inévitablement mortel, qu'il lui faudrait mourir un jour. Il y a quelque chose d'assez exaspérant chez les auteurs anglais lorsqu'ils parlent d'immortalité, et le lecteur espagnol se lasse rapidement de leurs écrits parce qu'il est habitué à une littérature qui traite habituellement de la mort. Si les Espagnols sont obnubilés par la mort, c'est parce que nos plus grands hommes les ont éduqués ainsi. Si nous aimons la corrida, c'est parce que nous savons, de manière inconsciente, que c'est le seul art au monde qui réponde à nos préoccupations. C'est pourquoi les réflexions de Sénèque importent tant à quiconque suit les taureaux. Il est notre philosophe et notre guide, et la mort qu'il a affrontée de manière si sublime est celle que nous voyons à l'œuvre chaque après-midi.

L'aspect fascinant de cet inévitable dénouement tient à ce que nous ne pouvons prédire quand la mort va frapper, ni qui elle va choisir. Néron l'a démontré : parfois, lorsqu'un combat entre lions et chrétiens se révélait peu intéressant ou quand les lions tuaient tout de suite tout le monde, il donnait à ses gardes l'ordre de prendre une vingtaine de spectateurs au hasard et de les jeter dans l'arène. C'est ainsi que l'homme qui avait payé le matin pour voir des chrétiens se faire dévorer pouvait très bien, au cours de l'après-midi, servir lui-même de festin. De nos jours, il arrive qu'un animal rendu furieux saute non seulement par-dessus la barrière qui ceint la piste, mais aussi dans les gradins des spectateurs, en tuant un ou deux au passage. Comme les Romains du temps de Néron, ceux qui ont payé pour assister à un combat en font eux-mêmes les frais.

O. J. Haggard me demanda si je trouvais les Mexicains obsédés par la mort, et je lui répondis :

— Quand j'étais enfant et que je vivais à la Mineral, le général Gurza est venu et a fait pendre l'un de nos hommes à une poutre de la cuisine

— ses jambes se balançaient au-dessus de l'endroit où nous préparions les repas. J'ai demandé à mon père pourquoi nous n'avions pas tranché la corde et il m'expliqua que le général Gurza avait laissé dans le patio un soldat chargé de veiller à ce que le corps reste accroché. « Comme ça, vous vous rappellerez tous ce qu'est la mort » — ce sont les propres paroles du général.

Haggard conclut ainsi :

— Je préfère la façon de voir les choses des Anglais. Profitons-en tant qu'on peut avant de se faire faucher par la gueuse, voilà ce que je dis, moi.

> S'il est vrai, comme je le prétends, que nous tous, Espagnols, nous avançons inexorablement vers la mort, il n'est pas moins vrai que nous sommes aussi des paysans mexicains obstinés, attachés comme tout paysan à la vie terrienne. Sans aucun doute, nous sommes, ainsi que Sénèque, contraints à réfléchir à la façon dont nous mourrons, mais nous ne devons pas oublier que, pendant la majeure partie de sa vie, le même Sénèque a côtoyé les luxes de la Rome impériale et a ignoré la mort ; nous ne devons pas davantage oublier que García Lorca, pour qui la mort était telle qu'une sœur, a passé les plus belles années de sa vie à New York et en a joui abondamment.
>
> Nous sommes des tragédiens, mais aussi des comiques. Nous marchons vers la mort, mais nous nous enivrons en cours de route. Je ne puis identifier Juan Gómez avec la pyramide, Vélasquez ou Sénèque, de même que je ne puis identifier Victoriano Leal à leurs contraires. Certes, il est vrai que, selon moi, ces deux matadors abordent le problème de la mort selon deux philosophies différentes, mais de même que la pyramide comporte la terrasse des Jaguars, de même chacun de ces hommes abrite ce qu'il y a de meilleur chez son adversaire.
>
> Quel matador préféré-je ? Enfant de l'Espagne, je devrais choisir celui qui côtoie le plus la mort : je veux parler de Juan Gómez, qui est le plus apte à tuer. Mais je ferai un choix non espagnol et je dirai que je préfère celui qui exalte le courage flamboyant de la vie : je veux parler de Victoriano Leal, qui sait ce qu'est la grâce.
>
> A ceux qui se rendent à Toledo, j'accorde la bénédiction que le grand philosophe espagnol, Miguel de Unamuno, accordait à tous les hommes : « Puisse Dieu vous refuser la paix, mais vous octroyer la gloire ! » Et maintenant, messieurs, aux taureaux !

O. J. Haggard acheva le premier la lecture. Il quitta la cathédrale pour l'éclat du jour.

— On se croirait dans un tombeau, là-dedans. Il y a la mort partout, dit-il.

L'un après l'autre, nous le rejoignîmes, heureux de retrouver la grand-place ensoleillée et ses badauds.

Nous vîmes Ed Grim émerger d'un café voisin des arènes. En se dirigeant vers nous, il cria :

— J'ai attendu au bar la fin de votre cours de philo.

— Eh bien, ça y est, dit Haggard.

— Vous en savez plus sur les corridas maintenant ?

— Non.
— Moi, si, grommela-t-il. Ces courses de taureaux, c'est de l'arnaque. Quand je suis allé au guichet nous acheter cinq places pour les trois jours, le panneau disait en espagnol, mais en anglais à côté, qu'elles étaient à sept dollars — ce qui fait cent cinq dollars en tout —, mais quand j'ai tendu mon argent au vendeur, il a appelé un interprète qui m'a dit que tout était vendu. Un type qui avait un drôle d'air s'est alors approché de moi. « J'ai justement cinq bonnes places pour aujourd'hui », qu'il m'a dit. Quand je lui ai demandé combien, il m'a répondu qu'elles étaient à vingt-cinq dollars pièce. J'ai failli m'étrangler, mais j'ai payé quand même. « Vous en voulez aussi pour les deux autres jours ? » qu'il m'a demandé. J'ai dit oui. Qu'est-ce que je pouvais faire d'autre ? J'ai tiré un traveller's check et je lui ai donné trois cent quatre-vingt-cinq dollars.
— C'est trop, dit sa fille. Quinze fois vingt-cinq, ça fait trois cent soixante-quinze.
— Il voulait un pourboire. Rien que pour avoir fait la queue, il m'a pris deux cents dollars.
— J'aurais donné deux cent soixante-dix, dit calmement Penny.
— Mais ce qui m'a vraiment sidéré, reprit Ed Grim, c'est que, quand il a eu l'argent, il est allé voir le vendeur de tickets et lui a remis cent cinq dollars. L'autre lui a donné cinq places et il me les a rapportées ! (Il désigna les journaux que nous tenions et dit :) La suite, c'est toujours aussi vaseux ?
— On a eu droit à tout, dit Haggard.
— Le voilà ! s'écria Penny Grim en apercevant Ledesma. (Elle courut vers lui.) Cet article est fantastique. Vous tournez un peu autour du pot, mais je crois que j'ai fini par comprendre ce que vous vouliez dire.
— Et c'est ?
J'aimais sa façon de prendre la jeune fille au sérieux et je l'écoutai lui répondre, non sans hésitation :
— Peut-être que la vie est plus complexe que nous le pensons ? Qu'il y a deux facettes à tout ? La pyramide, la cathédrale, les deux matadors ? A un moment, on voit les choses d'une certaine façon et la fois suivante, d'une autre façon ?
— Quoi, par exemple ?
Elle le regarda avant de lancer un coup d'œil à Mrs Evans, comme si elle avait besoin de sa permission pour parler.
— La mort est toujours là... Pour rendre les choses égales entre elles. C'est cela ?
— Oui, dit-il sobrement. Vous m'avez lu avec beaucoup d'intelligence, señorita. Mais vous êtes trop jeune pour vous soucier de la mort.
— Pas vraiment. J'ai perdu ma mère l'année dernière.
Il l'observa longuement, puis s'inclina et lui baisa la main. En voyant cela, son père la prit par les épaules.
— Je n'ai lu qu'un bout de votre article, dit-il à Ledesma. C'est trop

fort pour moi. Mais je suis fier que ma fille ait compris ce que vous vouliez dire. Je croyais que vous vous contentiez d'aligner des mots pour faire bien.

León s'inclina à nouveau.

— Monsieur, vous êtes aussi perspicace que votre charmante fille. Vous m'avez percé à jour. Mon exhibitionnisme est impardonnable. Je fais cela pour deux raisons. Pour impressionner mes lecteurs mexicains par le nombre de livres que j'ai lus. Et puis aussi parce que je suis payé à la ligne.

Sur ce, il nous ramena vers la Maison de Céramique afin que nous y prenions un verre avant d'assister à la corrida. Là encore, ce fut lui qui offrit les consommations.

8

La corrida du vendredi

Au fil des ans, les visiteurs du Festival Ixmiq ont instauré certaines traditions extrêmement rigoureuses. D'une heure à trois heures, déjeuner sur la terrasse pour bénéficier de l'énorme repas servi par la veuve Palafox. De trois à quatre, petite sieste. A quatre heures et quart précises, retour sur la terrasse pour applaudir les trois matadors qui se frayent un chemin parmi la foule et montent dans les limousines voyantes qui vont les conduire aux arènes. Ensuite, descente de l'Avenida General Gurza jusqu'aux arènes historiques de Toledo. Et à cinq heures, entrée et défilé des matadors qui marquent le début de la corrida.

Ce vendredi-là, le pique-nique à la pyramide et la visite de la cathédrale nous avaient écartés du rituel. Il était trois heures moins le quart quand nous revînmes à la Maison de Céramique ; mes compagnons purent faire leur sieste et moi, sacrifier à l'un des moments les plus sacrés de la tauromachie : assister à la préparation du matador. Depuis des temps immémoriaux, c'est-à-dire depuis 1820 environ, la coutume veut que les hommes adultes qui aiment la tauromachie et vénèrent leurs matadors préférés se rendent dans les chambres d'hôtel où les toreros endossent, gauchement parfois, leur habit de lumière, lourd, chatoyant, chargé de broderies. La présence auprès du torero étant censée être le meilleur moyen de lui prouver son amour, les chambres sont, bien entendu, affreusement bondées.

L'aficionado confirmé que je suis s'empressa de regagner sa propre chambre et de se vêtir en vue de la corrida, puis je fonçai dans le couloir jusqu'aux appartements des Leal. A l'homme qui gardait leur porte, j'expliquai :

— Norman Clay, photographe de New York. Je suis venu prendre des photos du matador.

Dans de telles occasions, je ne me présentais pas comme auteur ni même comme journaliste. Tous ceux qui voulaient entrer dans le sanctuaire se prétendaient écrivains, mais un homme armé d'un coûteux appareil photo japonais susceptible de prendre du matador un cliché publié dans le monde entier ne pouvait être que le bienvenu !

Dans la chambre comble, je retrouvai des activités qui m'étaient agréablement familières. Dans un coin, un groupe d'aficionados de Toledo évoquaient avec Veneno la corrida de l'après-midi. « Comment étaient les taureaux lors du tirage au sort ? — Précieux. » Ce qui signifiait « remarquables ». A trois heures, les taureaux évoqués dans la chambre d'un matador sont toujours précieux. A sept heures, les mêmes taureaux sont plus justement qualifiés de *ratones* décevants (*ratones* signifiant « petites souris »). « Qu'est-ce qu'a donné le tirage au sort ? — Un lot magnifique, on a eu les deux plus belles bêtes. » A sept heures, on admettra que les deux animaux ainsi attribués étaient les plus mauvais de tout le lot. Avec les bêtes des autres toreros, on aurait eu sans problème les oreilles et la queue.

J'aimais ce rituel un peu artificiel et j'y apportais ma contribution. Quand on me demanda pour quelle chaîne de télévision je travaillais, je répondis :

— C'est pour un magazine de New York. On va consacrer quatre pages entières au festival. Le bureau pense que cela va être sensationnel.

Je fus dès lors traité avec respect. Mais cela m'importait peu : ce que je voulais apprendre, c'était ce que Veneno allait dire à ses trois fils. Un silence respectueux s'abattit sur la chambre quand les toreros se mirent à discuter plus sérieusement. Je pus alors entendre la litanie familière.

— Au *sorteo*, on a eu les deux meilleurs. Ils sont précieux. Mais les taureaux de Gómez ne sont pas mal non plus. Son péon, Cigarro, a bataillé dur pour arranger les lots. Lui et moi, on a tiré les meilleurs, et je crains que ce pauvre garçon n'ait eu que les deux plus mauvais. Enfin, on verra.

Il faisait allusion à Paquito de Monterrey, qui toréait pour presque rien.

Un valet d'épées de Toledo, engagé pour l'occasion, courait d'une chambre à l'autre de la suite et déposait sur les lits les costumes brodés d'or ou d'argent que l'on revêtirait ce jour-là. Victoriano et ses deux frères portaient chacun une chemise blanche sans veste ni cravate. Ils fumaient des cigarettes. La conversation se tarit bientôt et le silence se fit : les quatre toreros ne pensaient plus qu'à l'épreuve qui les attendait. Et un fantôme hantait la pièce, celui de Juan Gómez.

— Ce qu'il faut faire, dit finalement Veneno, c'est jouer la précaution avec le premier animal. Franchement, c'est un taureau très mauvais et, aujourd'hui, Gómez a tiré le meilleur de tous.

Victoriano se tourna vers la fenêtre, abasourdi par tant d'honnêteté. Il préférait ne jamais entendre parler de ses taureaux et surtout ne jamais les voir avant ce moment crucial où ils déboulent dans l'arène en quête de leur adversaire. Même alors, il passait les premiers instants derrière la barrière qui entoure la piste, la cape devant les yeux, et ne découvrait son taureau qu'au moment choisi par lui.

Dans cette chambre, il voyait partout Juan Gómez, où qu'il portât ses regards, et il entendait la voix un peu rauque de son père qui parlait d'expérience.

— Avec le premier taureau, on assurera, c'est tout. Gómez sera peut-être bon avec le sien, il risque même de paraître meilleur. Avec le deuxième, il nous faudra au moins une oreille, sinon les deux.

Diego, le fils cadet, celui chargé de poser les banderilles si le taureau était mauvais, fit remarquer :

— Au tirage au sort, j'ai remarqué que notre premier taureau donnait des coups à droite. Fais attention.

— Si on peut se débarrasser de cette première souris sans problème, reprit Veneno, conscient de l'importance de cette corrida, le reste ira très bien, Victoriano.

Je constatai que Victoriano fit la grimace en entendant Veneno prononcer des paroles aussi creuses, comme s'il était un peu las du rôle joué par son père. Il était sur le point de faire un commentaire, lui qui ne parlait jamais des taureaux avant de les affronter, quand un groupe d'admirateurs bruyants venus de Mexico déboula dans la pièce.

— Bonne chance, matador ! s'écria l'un d'eux. Nous étions au sorteo et c'est vous qui avez eu les meilleurs.

— Vos taureaux, si précieux ! assura un autre.

Après leur départ subsistait l'écho de leurs mensonges. La demie de trois heures apporta un peu de calme. Les quatre Leal, qui n'avaient bien entendu rien mangé — ils ne voulaient pas qu'une corne de taureau perfore leurs intestins pleins de nourriture à demi digérée, ce qui entraînait à coup sûr la septicémie et la mort —, entreprirent de se vêtir.

Veneno et ses fils s'habillèrent sans le valet, mais il y avait toutefois une opération pour laquelle les toreros avaient besoin d'assistance — mettre bien en place l'entrejambe de leur culotte très ajustée. Pour aider leur père à enfiler son pantalon de cuir extrêmement lourd, Chucho et Diego attendirent qu'il eût à moitié passé les jambes. Puis, ils eurent recours à la technique classique, peu élégante, certes, mais efficace : les garçons glissèrent une serviette roulée entre les jambes du pantalon et tirèrent simultanément, un devant et l'autre derrière, jusqu'à ce qu'il protégeât parfaitement les reins, le ventre et les fesses du picador.

Quand Veneno eut terminé, il prit l'une des extrémités de la serviette et la passa entre les jambes de son fils pour que Chucho pût revêtir son luxueux costume. Victoriano, le matador, fut habillé par le valet d'épées jusqu'au moment d'utiliser la fameuse serviette. Une demi-douzaine de spectateurs s'avancèrent alors vers lui dans l'espoir de se voir accorder l'honneur suprême de tenir l'un des bouts de la serviette. Si Victoriano se faisait tuer ce jour-là, les deux heureux élus pourraient se vanter à tout jamais d'avoir aidé le matador à se vêtir pour son ultime combat. Le valet tendit la main vers les deux hommes qui avaient l'air le plus prospère.

— Vous deux ! La serviette ! dit-il.

Et les heureux élus s'inclinèrent comme s'ils étaient présentés à la cour.

En leur qualité de première famille de toreros du Mexique, on attendait des Leal qu'ils présentassent bien. A quatre heures, ils étaient fin prêts. Victoriano arborait un nouveau costume importé de Séville, argent et blanc, sur lequel étaient cousus des disques d'or flamboyant. Il lui allait si bien et les coutures étaient si discrètes que le jeune et mince matador paraissait véritablement vêtu de lumière. Pour assurer le triomphe de cette première journée, Veneno portait son costume fétiche, bleu sombre rehaussé d'argent. Chucho était en marron et Diego en vert. Tandis qu'ils attendaient que les mariachis donnent le signal du départ, Victoriano s'affala sur une chaise, silencieux, l'air maussade, comme s'il pensait que tout le poids de cet après-midi reposait sur ses épaules et non pas sur celles de son père et de ses frères. Chucho fumait à côté de la fenêtre tandis que son cadet, Diego, était assis à l'envers sur une chaise dont il mordillait le dossier. Veneno, engoncé dans ce lourd costume que les taureaux attaqueraient à de nombreuses reprises au cours de l'après-midi, préféra rester près de la porte. Tous étaient immobiles et ne pensaient qu'à Juan Gómez et aux taureaux quand León Ledesma fit son entrée.

— Bonne chance, matador ! lança le chroniqueur en franchissant la porte. J'ai vu les taureaux, mentit-il, ils étaient précieux !

— Le public ? demanda Veneno, qui se moquait de la réponse, mais ne voulait entendre aucun commentaire à propos des taureaux.

— C'est complet, l'assura Ledesma. Tout le monde veut voir Victoriano.

— Il y a du vent ? demanda le matador, l'air anxieux.

S'il n'avait été engoncé dans son costume, il serait allé aux toilettes. Un jour, se disait-il, la corne d'un taureau lui percerait la vessie ; si elle n'était pas vide, toute la pénicilline du monde n'y pourrait rien.

— Il y a du vent ? répéta-t-il.

— Aucun, lui dit Ledesma.

Le matador abandonna sa chaise pour s'approcher de la fenêtre. Les arbres du jardin s'agitaient en tous sens. Il demanda une cigarette.

— Je suis venu vous prévenir, leur déclara Ledesma, que le public exigera que Victoriano pose au moins deux paires de banderilles. S'il ne le fait pas de son plein gré, vous pouvez vous attendre à ce que l'Indien en profite. A votre place, je le ferais avec le premier taureau, aussi mauvais soit-il.

Le gros homme quitta la pièce sans même attendre de réponse. Un instant plus tard, les mariachis se lançaient dans l'exécution frénétique de « Salut aux matadors ». Les Leal se dirigèrent vers la porte avec un empressement qui trahissait leur angoisse à l'approche de cette première corrida.

A trois heures, cet après-midi-là, dans une chambre plus petite, sans valet d'épées pour le seconder et seulement quelques sycophantes venus lui rendre visite, Juan Gómez bavardait avec son manager, Cigarro, et Lucha González. Qu'il permît à une femme de se trouver dans sa chambre à un tel moment prouvait bien le degré de nervosité du matador. Il avait besoin d'elle pour se rassurer. Les visiteurs, dont j'étais, ne faisaient qu'entrer et sortir ; la plupart étaient déjà allés voir les Leal, qui avaient leur sympathie, et rares étaient ceux qui avaient véritablement quelque chose à dire à Gómez.

Contrairement à son adversaire, le petit Indien aux jambes torses aimait être présent lors du tirage au sort des taureaux, même si, comme le voulait la tradition, c'était l'homme de confiance du matador qui avait le dernier mot. Gómez et Cigarro se rendaient au sorteo après s'être mis d'accord sur un certain nombre de points ; Cigarro n'acceptait pratiquement jamais une répartition des taureaux que son matador n'eût pas approuvée. Un jour, je demandai à Gómez pourquoi il assistait au tirage au sort, à la différence des autres matadors.

— Un matador n'en sait jamais assez sur les taureaux, me répondit-il. Je me dis toujours qu'aujourd'hui je vais peut-être repérer un détail important qui fera la différence.

Il différait aussi de Victoriano en ce que, lorsque le clairon sonnait l'entrée du taureau, il ne se couvrait pas les yeux de sa cape. Posté derrière la barrière, la cape basse, il fixait avec intensité le gouffre noir d'où le taureau allait jaillir dans l'arène. Pendant cette longue attente, il retenait son souffle, et ce n'était que lorsque le taureau apparaissait en pleine lumière que Gómez pouvait souffler en émettant un cri guttural : « Ahhh ! Le voilà ! » Jusqu'à ce que le taureau mort fût traîné hors de l'arène, le petit Indien ne quittait pratiquement jamais des yeux la bête noire et menaçante. Même lorsqu'il dédiait son taureau à une personnalité ou à Lucha — geste toujours applaudi par les spectateurs qui aiment voir un matador amoureux d'une chanteuse —, il semblait regarder non pas le bénéficiaire de l'hommage, mais le taureau.

Il était obsédé par les taureaux et ne savait trop que penser d'eux, en fait. Avant toute corrida, il les considérait comme l'incarnation maléfique de quelque force primitive que l'homme se devait de combattre. C'était l'ennemi intemporel, qu'il prenait plaisir à tuer avant que d'être tué par lui. Pour atteindre ce but, il se montrait impitoyable dans l'arène. Mais, aux derniers moments de l'affrontement, lorsque les banderilleros, les picadors et les péons étaient partis et qu'il restait seul, face à face, avec le taureau, le remords s'emparait de lui à l'idée d'être contraint de tuer cette honorable créature qui s'était si courageusement défendue. Les spectateurs pouvaient alors l'entendre parler doucement au taureau : « Hé, torito. Par ici, mon ami. » Il n'aurait pas été capable d'expliquer pourquoi il disait cela, sauf qu'à ce moment précis de la corrida, il aimait réellement les taureaux et voyait en eux ses amis.

En ce vendredi après-midi, il se plaignait amèrement des bêtes qui lui étaient attribuées.

— Elles sont misérables. Comment un éleveur peut envoyer de tels ratones ?

— Tes taureaux sont aussi bons que ceux de Victoriano, dit Cigarro sur la défensive.

— Ils sont bons pour une fête de village, c'est tout, répliqua Gómez avec mépris.

Ils gardèrent le silence un instant, puis Lucha suggéra :

— Ils font ça pour l'argent, c'est tout.

— Qu'est-ce que tu racontes, toi ! lui lança Gómez.

— Ces foutus éleveurs. Ils vendent des ratones et les baptisent taureaux pour se faire de l'argent.

— Et alors, ça t'étonne ? dit Gómez en se tournant vers sa compagne. Qu'est-ce que tu croyais ? Pourquoi je torée à ton avis ? Et toi, pourquoi tu chantes ?

— Oh, ça va ! fit Lucha. Si tu as la trouille de Leal, ne me mets pas ça sur le dos !

Gómez s'avança vers Lucha.

— Qu'est-ce que tu as raconté sur moi et Victoriano ? (Il recula d'un pas comme s'il s'apprêtait à la frapper.) Ne prononce jamais le mot peur devant moi, tu as compris ?

Il s'effondra sur une chaise et se servit un peu d'eau de la carafe, pas autant qu'il l'aurait voulu mais assez pour s'humecter la bouche. Il ne l'avala pas, se contenta de se gargariser et cracha dans un crachoir.

— Comment tu vois la corrida ? demanda-t-il à Cigarro.

Il voulait parler des taureaux, mais Lucha l'interrompit et prit une chaise près de la porte.

— Si j'étais à ta place, Juan, je montrerais tout ce que je sais faire avec ce premier taureau et je foutrais la trouille à ce mannequin.

— Comment tu vois ça ? répéta Gómez qui ignora la réponse de la jeune femme.

— Leal a Ledesma avec lui, il s'est aussi payé les autres chroniqueurs, grommela Cigarro. Tu ne me laisses pas m'occuper de Ledesma. Tant pis si tu es bon ou pas bon, les gens ne croient que ce qu'ils lisent.

— Peu importe, dit Gómez.

— Ce qu'il faut, dit Cigarro, c'est que tu sois bon, ici, à Toledo. Travaille bien et tu auras un contrat pour le festival de l'année prochaine. Les imprésarios, ils ne s'occupent que de Ledesma, mais le public, il en redemande. Juan, tu vas être deux fois aussi bon que Victoriano. Balance tout sur le premier taureau.

— C'est ce que je viens de dire, il me semble, fit remarquer Lucha.

— Il n'y a pas que l'Ixmiq, reprit Cigarro. Il y a tout un tas d'imprésarios de petites villes ici. Ils ne t'ont jamais vu contre Leal, ils ont lu les journaux, c'est tout, et dans les articles, tu n'es pas aussi bon que tu l'es vraiment. Ils croient seulement ce que raconte Ledesma, ça leur suffit. (Il s'interrompit brusquement, arpenta plusieurs fois la petite chambre, puis se planta devant le matador.) Juan, pour ce festival, tu vas être formidable, je le sens. Tu ne veux pas que je glisse quelques centaines de dollars à Ledesma pour qu'il le dise à tout le monde ?

Le petit Indien ignora sa proposition. Il revint à son idée première.

— Cigarro, dis-moi la vérité. On peut faire quelque chose de ce premier taureau ?

— Ça sera dur, mais c'est possible, grogna le manager. Le deuxième m'a l'air mieux, mais je l'ai fait mettre en dernier pour que le public soit content.

Les deux hommes se turent. Il n'était pas encore l'heure de se vêtir et il n'y avait pas assez de visiteurs intéressants pour bavarder avec eux. Lucha regardait par la fenêtre.

— Tiens, voilà ce gros porc avec une bande d'Américains, dit-elle. J'aimerais bien lui cracher dessus.

Juan Gómez se dirigea nonchalamment vers la fenêtre pour voir non pas son ennemi, Ledesma, mais un adversaire autrement plus redoutable : un vent assez fort qui secouait les branches des arbres.

— Seigneur, dit-il, je parie que Leal va crever de trouille avec un tel vent.

— Il n'y en a pas trop, grogna Cigarro.

— Ce n'est pas toi qui descends dans l'arène. (L'Indien se laissa choir sur une chaise.) Tu n'as jamais envie de reprendre l'uniforme ? dit Gómez en montrant la cape un peu passée que Lucha avait préparée.

Cigarro considéra longuement les habits du matador avant de secouer la tête.

— J'ai mieux qu'un costume de lumière, j'ai le meilleur torero du monde. Juan, fais ça pour moi. Tue-moi bien ce premier taureau.

— Quelle heure est-il ? demanda Gómez.

— Trois heures et quart, dit Lucha.

Il fallait encore attendre quinze minutes pour que le matador commence à s'habiller. Dans son esprit, les taureaux ne cessaient de grossir.

— Je ne voudrais pas être à la place de Leal avec un tel vent, remarqua Gómez.

— Le vent est tombé, fit Cigarro.

— Oui, le vent est tombé, répéta l'un des visiteurs après être allé voir à la fenêtre.

— Qui est-ce qui entre dans l'arène ? reprit Gómez. Tu sais, Cigarro, j'aimerais bien que tu portes le costume aujourd'hui. Ce jeune type, Paquito, il pourrait bien avoir besoin d'un coup de main avec les ratones que Veneno et toi lui avez laissés au tirage.

— Qu'il se débrouille tout seul, grommela le vieux péon.

— Tu t'en es occupé de beaucoup, répliqua Gómez. Si je t'ai voulu comme manager, c'est parce que tu étais formidable dans l'arène.

— Encore dix ans et Paquito sera bon, lui aussi, insista Cigarro. Pour être bon, il faut y arriver tout seul. Affronter tout ce qui se présente.

Quand Lucha eut crié qu'il était trois heures et demie, le matador entreprit de se déshabiller. Les étrangers qui se pressaient à la porte pour voir le torero se virent priés de s'éloigner, ce qu'ils firent à contrecœur.

Lucha tendait à Cigarro les vêtements un peu passés et le manager moulait la culotte sur les jambes de son matador. Le rituel compliqué était en cours. Lucha se saisit d'une aiguille pour recoudre les paillettes qui se détachaient du costume.

— Tu pourrais te payer un nouveau costume, tout de même, lui dit-elle.

— Un beau costume, ça coûte cher, lui lança Gómez, irrité qu'une femme assistât à ses préparatifs.

Comme d'habitude, Lucha avait insisté pour rester présente et le matador avait cédé, car elle était la seule force sur qui il pût vraiment compter.

Le rituel fut momentanément interrompu quand la porte s'ouvrit et que Ledesma offrit son visage rebondi.

— Bonne chance, matador, dit-il d'un ton un peu narquois.

Il aperçut Lucha, sourit avec une certaine condescendance, et j'eus l'impression qu'il plaignait un matador qui permettait à une femme de l'habiller.

— J'espère que les taureaux vont sauter la barrière, cracha Gómez en se détournant du chroniqueur. J'aimerais bien vous voir courir.

En agitant la main droite, il imita le gros homme qui s'enfuyait devant le taureau.

— Je ne cours jamais, répondit Ledesma sans se départir de son calme. Et vous non plus. Le courage est votre unique vertu.

Il s'en alla et laissa Lucha continuer à tendre à Cigarro les diverses parties du costume. Au moment de lui passer la serviette entre les jambes pour ajuster la culotte, elle m'en tendit une extrémité.

Juan Gómez était maintenant fin prêt. Ses épais cheveux noirs dépassaient de son couvre-chef; les muscles de ses jambes torses gonflaient ses bas et sa culotte. Ses épaules remuaient doucement pour se faire au port de la veste courte et son visage sombre avait pris ce masque indien dont il ne se départirait pas avant la fin de la corrida. Il n'avait pas la silhouette altière d'un grand torero, le corps souple d'un danseur capable d'éviter la charge d'une bête furieuse, mais un physique brutal, celui d'un homme susceptible de se battre à mains nues contre un taureau.

Je ne serais pas exact si je disais : « J'ai également participé aux préparatifs de Paquito de Monterrey » parce que cela ne s'est pas du tout déroulé de manière conventionnelle. J'ai été plus ou moins contraint d'y assister. Le jeune Américain blond en pachuca que j'avais rencontré dans le bus s'approcha de la porte d'entrée de la suite de Gómez et, quand le garde lui en refusa l'accès, il me fit signe de le retrouver dans le hall. Ce que je fis. Et je dois avouer qu'il me surprit.

— Le petit Paquito est dans cet hôtel minable, là-bas, me dit-il, et personne ne s'intéresse à lui. Allez-y avec votre appareil et prenez au moins une photo.

Il ne nous fallut que quelques minutes pour arriver à la chambre du jeune matador et mon guide en profita pour se faire mieux connaître :

— Aux Etats-Unis, je me nomme Richard Martin. Ici, où je pratique un peu la tauromachie, je suis Ricardo Martín, avec l'accent sur la dernière syllabe.

— Vous venez d'où ?

— De l'Idaho et de San Diego.

Je trouvai Paquito dans son modeste logis, son habit de lumière soigneusement étalé sur le lit ; entouré de deux péons, de son picador ainsi que de trois ou quatre aficionados du coin, Paquito était au plus bas de l'échelle à laquelle devaient grimper tous les matadors, et je compris pourquoi Richard avait quêté ma coopération.

— Voici le señor Clay, un célèbre photographe de New York. Il désirerait prendre des photos.

Je n'avais pas spécialement envie d'accumuler des clichés de matadors débutants, mais, devant le brillant costume de lumière, je dis avec un enthousiasme feint :

— Je pourrais vous photographier en train de vous habiller, ce sera très pittoresque.

C'est ainsi que je vis le troisième matador passer ses vêtements. Quand le moment de recourir à la serviette fut venu, je tendis mon appareil photo à Richard et lui demandai de me prendre tandis que j'aidais le picador à enfiler son lourd pantalon et Paquito sa culotte moulante.

Les quatre toreros fin prêts, nous nous précipitâmes dans la rue et entrâmes par-derrière dans la Maison de Céramique pour nous accrocher aux pas des deux matadors lorsqu'ils descendraient vers les limousines chargées de les conduire aux arènes. De cette façon, le public croirait que le gosse de Monterrey séjournait également dans un hôtel de luxe : c'était capital, car, pour les matadors, l'apparence joue un rôle primordial.

Ricardo nous servit d'éclaireur.

— Ils descendent, murmura-t-il bientôt.

Avec l'habileté d'espions professionnels, Paquito et ses hommes se mêlèrent aux clients de l'hôtel comme s'ils connaissaient parfaitement les lieux.

Sur la terrasse, je vis Juan Gómez et Cigarro dépasser les quatre Leal. Les deux matadors échangèrent un bref regard impersonnel, puis ils s'inclinèrent quand Paquito de Monterrey et sa troupe piteuse, engagée pour quelques sous, se joignirent à eux. Un peu excité, le jeune matador salua ostensiblement ses collègues quand chaque groupe monta dans la limousine qui lui était réservée.

Dès les voitures parties, les clients de l'hôtel se rassemblèrent pour prendre à leur tour la direction des arènes. Avec deux appareils photo en bandoulière, deux bloc-notes et trois stylos enfouis dans les innombrables poches de ma veste de safari, je conduisis mon groupe d'Américains dans l'Avenida General Gurza, ensoleillée, flanquée de maisons aux façades resplendissantes de couleur bleue, rouge cerise ou verte.

— Il n'y a qu'au Mexique qu'on peut voir ça ! s'écria Mrs Evans. Et je ne voudrais être nulle part ailleurs en cet instant !

Mes propres pensées étaient plus complexes. En voyant les trois matadors endosser les uniformes multicolores avec lesquels ils affrontaient la mort, j'avais eu la macabre satisfaction de me dire que, si quelque chose de grave survenait au cours de cette première corrida, je serais en possession de photos passionnantes représentant les derniers préparatifs de ces hommes. S'il ne se passait rien pendant les trois jours, il me resterait toujours des clichés des deux principaux matadors. Ceux de Paquito n'auraient d'intérêt que pour leurs couleurs vives.

Ma rêverie fut interrompue par des bruits tout à fait incongrus dans une corrida.

D'au-delà de la cathédrale, d'un terrain habituellement inoccupé, s'élevaient la musique étincelante d'un manège et celle plus lancinante d'une grande roue. Oui, je m'en souvenais à présent, une fête foraine se déroulait toujours en même temps que le Festival Ixmiq, et cette musique facile me ramenait à ma propre enfance.

Avant peu, nous autres piétons eûmes rejoint les matadors, dont les limousines étaient constamment arrêtées par des hordes d'Indiens trop pauvres pour s'acheter des billets d'entrée, mais qui s'agglutinaient dans l'avenue pour entrevoir les toreros. Impassibles, ils ne les acclamaient pas ainsi que l'auraient fait des Espagnols, mais la façon dont leurs yeux suivaient les quatre Leal trahissait leur admiration. Quand Gómez passa à son tour, ils le contemplèrent en silence et lui tourna vers eux son visage hiératique d'Indien. Je marchais à côté de la voiture du matador quand elle fut bloquée par un groupe d'Altomèques aux pieds chaussés de sandales ; rien dans leurs regards qui signifiât qu'ils lui souhaitaient bonne chance.

La police dut se résoudre à ouvrir la route aux limousines et je pris une superbe photo de Paquito de Monterrey hochant la tête en direction de la foule qui se reformait telle une vague derrière son passage. Quand les Indiens m'engloutirent de nouveau, mes sens furent assaillis d'une autre manière. C'était l'odeur alléchante des poivrons et des tripes qui rissolent dans la graisse, le tout renforcé par l'arôme de la limonade et des oranges. Je n'étais plus un journaliste américain, mais un petit garçon mexicain qui tenait son père par la main et se rendait aux arènes, le cœur en joie, pour le Festival Ixmiq. Même mon père révéré fut éclipsé dans mon souvenir par l'Indienne qui, penchée sur sa poêle, faisait cuire des tortillas destinées à accompagner les tripes. Je me disais : elle devait tenir ce stand lorsque j'étais gamin, elle vend sa marchandise au même coin de rue depuis un demi-siècle. J'oubliai les toreros et les riches Américains pour demander à la femme, en espagnol de tous les jours, si je pouvais la prendre en photo, moi qui avais vécu ici il y a si longtemps.

Sans s'arrêter de travailler, elle leva le visage vers moi, ses traits impassibles. Elle me regardait, tout simplement ; son visage d'Indienne était auréolé des franges brillantes de son fichu. Je pris ma photo et elle reporta toute son attention sur ses tortillas et ses tripes.

Nous arrivâmes enfin aux arènes, dont les grandes portes de bois étaient entrouvertes pour nous permettre d'accéder aux gradins à l'ombre ; les places que Grim s'était procurées au prix fort étaient bien situées, au deuxième rang. En tant que journaliste accrédité, j'avais la permission de circuler dans le callejón qui sépare les spectateurs de la barrière rouge derrière laquelle les matadors se protègent lorsqu'ils ne toréent pas.

A cinq heures moins cinq, six employés en pantalon bleu et chemise de coton blanche ôtèrent du centre de la piste une énorme bouteille en caoutchouc incitant les spectateurs à boire du Coca-Cola. Perchée sur une estrade, la musique de la police jouait des airs de circonstance tandis que les aiguilles rouillées de la vieille horloge allemande importée en 1883 approchaient lentement de l'heure fatale. L'autorité légale chargée de veiller au bon déroulement de la corrida et d'assurer le respect de la tradition était toujours une personnalité locale installée dans une petite loge, tout en haut des gradins. Le président, puisque c'est ainsi qu'on l'appelle, donna le signal de début des festivités en agitant un petit mouchoir blanc. Il y eut un roulement de tambour, puis une trompette sonna et les musiciens se lancèrent dans l'exécution du morceau qui accompagne traditionnellement le début de l'après-midi.

Les grandes portes rouges par lesquelles entreraient les matadors s'écartèrent pour laisser passer un homme d'un certain âge monté sur un beau cheval blanc. L'*alguazil,* ainsi qu'on le nomme, a pour mission de faire appliquer les décisions du président; dans son costume à la mode du XVIIe siècle, il traversa l'arène avec noblesse pour demander la permission d'ouvrir la petite porte rouge par laquelle jailliraient les taureaux. Il fit donc sa requête au président et reçut une grosse clef de cuivre qu'il brandit tout en revenant au galop vers la porte, où il la remit à l'assistant chargé de faire sortir les taureaux un par un.

Même pour un spectateur chevronné, l'entrée des matadors est toujours un spectacle très prenant. Ils n'arrivent pas à la suite l'un de l'autre, mais côte à côte, sur une seule rangée, comme s'ils étaient tous égaux, ce qui est d'ailleurs le cas avant que la corrida ne débute. Je quittai le callejón par une chicane pour m'engager sur la piste et pris toute une série de photos en couleur. Dans mon viseur m'apparaissaient les trois matadors dans l'ordre prescrit par des siècles de tauromachie : à gauche, l'aîné, Juan Gómez, dans son costume pourpre un peu passé; à droite, le second pour ce qui est de l'ancienneté, Victoriano, tout de blanc et d'argent vêtu; et au centre, le plus jeune, Paquito de Monterrey et son costume écarlate.

Quand ils eurent traversé l'arène et atteint les gradins placés à l'ombre, ils consacrèrent quelques minutes à un plaisant rituel. Ils cherchèrent du regard quelque belle femme assise au premier rang et déployèrent devant elle leur cape d'apparat qu'ils posèrent sur la barrière. Puis ils essayèrent leurs capes de combat. Le juge adressa un signe de tête aux clairons, qui lancèrent l'appel annonçant traditionnellement l'entrée du premier taureau. Les notes cuivrées, très impressionnantes, s'achevèrent par une sorte de cascade rappelant les lamentations orientales. La foule frémit et, de l'autre côté de la piste où attendaient les matadors, la porte rouge s'ouvrit brusquement. Du couloir sombre conduisant au toril s'éleva un beuglement, puis une masse impressionnante et noire fusa dans la lumière. Le taureau freina des antérieurs, regarda un instant de tous côtés, entrevit le frémissement d'une cape et, guidé par l'instinct de sa race, chargea son ennemi.

La foule sentit tout de suite la puissance de ce taureau, les hommes criaient des encouragements ou échangeaient des remarques. Mais les cris cessèrent dès que le taureau approcha de l'obstacle rouge : trop timoré, il l'évita en freinant à nouveau et agita vainement les cornes. Ceux qui s'y connaissaient parlèrent de désastre, et ils avaient bien raison.

Avec ce taureau, de plus en plus mauvais au fil du temps, Gómez ne pouvait strictement rien faire. Il refusait de suivre la cape ou de charger les picadors, et les banderilleros ne parvenaient pas à poser leurs banderilles. Quand le moment fut venu de prendre son épée pour pratiquer la mise à mort, Cigarro lui cria : « Tu n'en tireras rien, finis-le comme tu peux ! » L'honneur de Gómez ne le permettait cependant pas. Par six fois, il s'efforça de donner correctement l'estocade, mais par six fois il toucha l'os ; l'épée se courbait et se détendait pour voler dans les airs avant de retomber dans le sable. Lors de sa septième tentative, Gómez blessa la bête, mais celle-ci ne tomba pas pour autant. Elle fit lentement le tour de l'arène, refusant de mourir. Le clairon retentit pour rappeler à Gómez qu'il devait tuer ce taureau, mais il en était bien incapable.

Finalement, le taureau vacilla et s'écroula. Un homme bondit sur le sable et enfonça une sorte de poignard à la base du crâne, lui donnant ainsi le coup de grâce.

Dans les arènes, les réactions à ce premier affrontement étaient plus que partagées. Ed Grim lança au petit groupe :

— Heureusement que Ledesma nous a prévenus que la plupart des courses de taureaux étaient comme ça. C'était encore pire que ce qu'il a dit !

— Le señor Ledesma a laissé entendre ce matin que les Américains étaient un peu dégénérés parce qu'ils ne supportaient pas la vue des corridas, dit doucement Mrs Evans. Comment peut-on tolérer une chose pareille ?

Ledesma, qui paradait dans le callejón et bavardait avec des amis, aperçut les Américains.

— Alors, qu'en pensez-vous ? s'écria-t-il en anglais.

— C'était un des trois qui seraient catastrophiques, selon vous ? lui demanda O. J. Haggard.

— Oh, non ! Ce serait plutôt un des meilleurs : le matador a fait ce qu'il pouvait.

— Seigneur ! fit Haggard. Même avec cette fin épouvantable ?

— Bien entendu ! répondit Ledesma sans la moindre ironie. La vraie catastrophe survient lorsque tout tourne mal et que ces sauvages commencent à s'agiter, ajouta-t-il en désignant les spectateurs des gradins au soleil. Là, ils ont bien vu que Gómez faisait de son mieux avec un mauvais taureau. Attendez. Quand ce sera véritablement catastrophique, vous vous en rendrez compte par vous-mêmes.

Il alla saluer un imprésario venu du nord du pays.

— C'était un des meilleurs ? répéta Haggard. Je ne crois pas avoir envie de voir un des pires.

— Pourtant, tu y seras obligé, l'assura Ed Grim. Et d'après ce que nous a raconté Ledesma, ce sera vraiment écœurant.

Sous les gradins, dans les loges réservées aux éleveurs, don Fernando Murillo, qui avait fourni les taureaux de cette journée, se tourna vers ses amis tandis que l'on traînait la bête hors de la piste.

— Bah, ce n'était pas l'un de nos meilleurs taureaux, dit-il en haussant les épaules, mais ce n'était pas l'un des plus mauvais non plus.

Personne n'osa lui demander ce qu'était un taureau vraiment mauvais. Ils savaient que, si un seul taureau combattait bien, tous les mauvais seraient oubliés, et ils écoutèrent respectueusement l'éleveur leur annoncer que la prochaine bête était « précieuse » et prédire qu'elle vaudrait certainement les oreilles et la queue au matador. C'était un mensonge, mais l'espoir fait vivre.

Dans le callejón, Cigarro, le cigare pointé avec arrogance en direction de la foule, soucieux, ne pouvait partager sa déception avec qui que ce soit. Pour la première prestation, son matador avait combattu avec honneur, mais sans la grâce ou la passion susceptibles de donner à un impresario envie de prendre contact avec l'Indien. « Pour l'instant, pas d'Ixmiq l'année prochaine, grommela Cigarro. Mais il y a encore un taureau aujourd'hui et trois autres dimanche. Ça viendra peut-être. » S'il ne se produisait rien aujourd'hui, il reviendrait à Cigarro de susciter un événement. « Une dispute dans le public, ou peut-être que Juan ira insulter Veneno... n'importe quoi ! »

Dans le patio où les picadors attendaient le deuxième taureau, le vieux Veneno pensait, monté sur son cheval : « Ce satané Gómez a du cran ! Pfft, ces cornes ! Grâce à la Vierge, mon fils n'a pas eu à rencontrer celui-là. Espérons qu'il tirera quelque chose de son propre taureau. » Il s'inquiétait beaucoup pour son fils, mais ses pensées revenaient toujours à ce qu'il venait de voir. « Sacré Gómez ! Qu'est-ce que ça donnerait, un bon taureau avec un type qui a des tripes comme ce sacré Indien ? » Il se lécha les lèvres, elles avaient un goût de sel.

Juan Gómez s'épongea le visage avec une serviette. « Bon sang, ils font les taureaux en béton ou quoi ? Sept tentatives. Un miracle que je n'aie pas reçu de bouteilles. Avec le prochain, peut-être, avec le prochain... » Il refusait de penser aux deux bêtes peu intéressantes qu'on lui avait attribuées ou à sa fuite miraculeuse devant les cornes quand Victoriano avait jailli de la barrière tel un ange protecteur aux ailes de couleur jaune et magenta. Ces choses, il y penserait plus tard ; pour l'heure, c'étaient toujours les mêmes images qui s'imposaient à son esprit. Gómez était de ceux qui soutiennent qu'il ne faut jamais quitter des yeux la tête du taureau ; même lorsqu'il avait couru vers le berceau des cornes, il n'avait pas détourné le regard, mais il avait dérapé et glissé le long du flanc humide. Avec un soulagement quasi enfantin, il avait entrevu la queue du taureau. Il avait échappé aux cornes. Ses réflexions, il pouvait les garder pour plus tard, mais une vision le hantait, la brusque apparition de Victoriano et de sa cape flamboyante.

— Il a été rapide, dit à voix basse le petit Indien. (Le visage essuyé, il se dirigea vers Lucha.) Je peux te dédier le prochain taureau ?

— Sans problème, dit la chanteuse. Tu es blessé ?

— Non, grommela le petit matador avant d'aller trouver Ledesma, en grande conversation avec l'imprésario du nord.

— Beaucoup de courage, matador, dit le chroniqueur en le voyant arriver.

— Vous direz ça demain ? lui lança Gómez.

— Si vous voulez de bons articles, vous savez ce qu'il faut faire.

— Vous n'êtes qu'un immonde, pesta Gómez.

— Bonne chance pour le prochain taureau, dit Ledesma avant de s'éloigner.

Je crois le moment venu de donner une petite explication. Chaque fois que je parle à des gens qui ne connaissent rien à la tauromachie ou que j'écris pour eux, je me dis : ils sont probablement persuadés que les grandes et lourdes capes si importantes pendant les trois quarts de la corrida sont rouges. C'est entièrement faux. Les capes sont de couleur magenta ou jaune terne ; elles sont présentes lors de l'ouverture, des premières passes du matador, du travail de piques et de la pose des banderilles. Ce n'est qu'à la fin que l'on utilise un tissu de flanelle rouge, deux fois plus petit que la cape : la muleta. Des essais ont été effectués avec d'autres coloris, et il s'est avéré que ce n'est pas le rouge qui énerve le taureau. Il le voit mieux, c'est tout, mais il charge tout ce qui bouge, et la couleur lui importe peu. C'est un fauve, pas un esthète.

Dans le callejón, Victoriano Leal parlait à voix basse, dissimulé derrière sa cape enroulée.

— Ce satané Indien ! Avec un tel taureau, il aurait dû courir à la catastrophe. (Dans les plis de sa cape, il secoua la tête.) Si le mien est de la même trempe, qu'est-ce que je vais pouvoir faire ? Mais non, il ne sera pas comme ça, c'est impossible. Ah, voilà la trompette. Les portes s'ouvrent. Le taureau arrive. Il prend la première cape. La deuxième. Maintenant il vient vers moi. Maintenant, oui !

Il abaissa la cape et vit un bel animal de près de cinq cents kilos de l'autre côté de la barrière. La foule applaudissait déjà la charge de l'animal. Victoriano entra dans l'arène.

— Non, Chucho, il est pour moi !

Avec des mouvements délicats, le grand jeune homme cita le taureau, puis baissa les mains de sorte que le haut de sa cape se trouvât à hauteur de ses genoux. Le taureau chargea sans feinte, chercha la cape, enfonça ses cornes acérées dans les plis de l'étoffe et passa en puissance. Les pieds fermement plantés dans le sable, le dos courbé de manière gracieuse, Victoriano invitait le taureau à le charger à nouveau. L'animal fonça une fois de plus sur la cape et la foule vibra en sentant la force animale vaincue par l'intelligence de l'homme.

« *¡ Olé !* » cria le public, et ce fut la première acclamation du festival. « *¡ Olé !* » hurla chacun quand le grand taureau se présenta à nouveau.

Dans la loge des éleveurs, don Fernando respirait un peu mieux :

— Je vous l'ai dit, les oreilles et la queue.

La musique se mit à jouer.

Quand la famille Leal se voyait octroyer un bon taureau, elle savait quoi en faire. Chucho conduisait la manœuvre avant que son père ne pénétrât dans l'arène.

— Encore deux passes, Victoriano. Après, une demie.

Fidèlement, le jeune matador effectua deux passes pleines d'élégance et termina par une exhibition qui suscita des cris d'admiration. Il débuta comme pour une passe normale, puis rapprocha subitement la cape de son corps, si bien que le taureau, qui n'avait plus rien sur quoi foncer, lui frôla la jambe gauche. Ce fut un moment exquis.

« *¡ Olé !* » cria la foule.

Dans la ruelle, Juan Gómez grommelait.

— Moi, on me donne un veau, et lui, une locomotive ! dit-il en crachant de dépit.

La trompette sonna l'arrivée des picadors et les portes s'ouvrirent. Le vieux Veneno entra au galop comme un centaure chenu paré pour le combat. Il mit son cheval en position, observa le taureau et attendit que Diego et Chucho dirigent l'animal vers sa pique. Il cala bien son pied dans l'étrier droit, celui que le taureau allait frapper, et brandit sa pique, parfaitement conscient que les gestes qu'il allait accomplir dans quelques instants détermineraient l'issue du combat.

Le taureau vit le cheval. Avec une force prodigieuse qui conforta les spectateurs dans leur impression première, il attaqua le cheval de sa corne gauche tandis que Veneno, bien calé dans ses étriers, lui enfonçait la pointe de sa pique juste derrière la nuque. C'était un moment délicat, car l'on ne sait jamais comment un taureau réagit à sa première pique, et le picador doit être prêt à tout.

Ce taureau était brave. Il écarta les postérieurs et s'acharna sur son adversaire avec une violence incroyable. La pique vibrait. Le cheval commençait à ployer les genoux, mais Veneno ne cédait pas.

— On va voir comment il reçoit celle-là, grommela-t-il, furieux, en se penchant pour piquer à nouveau le taureau.

La foule voyait un picador au mieux de sa forme et elle se mit à acclamer Veneno, jusqu'au moment où elle comprit que son intention n'était pas de châtier le taureau mais de l'épuiser complètement.

« Laissez-le ! » crièrent les spectateurs des gradins situés au soleil. Le vieil homme se faisait huer et insulter. Quelqu'un jeta un coussin, qui rebondit sur son couvre-chef, mais il continua d'enfoncer la pointe de sa pique dans la nuque du taureau. Un sang rouge sombre coulait sur les flancs de l'animal.

Les muscles du cou étaient endommagés au point que le taureau ne pouvait plus relever fièrement la tête. C'est alors que Victoriano choisit de s'interposer entre le taureau et le cheval. Il l'éloigna du picador avec une passe que, lors d'un article précédent, j'avais qualifiée de « poésie aérienne sur le sable d'une piste ». Le matador cita le taureau d'assez loin, la cape basse tenue à bout de bras. On eût pu croire qu'il allait exécuter une passe normale, mais, quand le taureau fut à mi-chemin, il pirouetta sur lui-même et s'enveloppa dans sa cape, laissant l'animal frustré sans rien sur quoi charger. Quand le taureau se retourna, l'homme l'attendait avec sa cape tentatrice, laquelle s'enroula encore une fois autour de son corps.

— Vous allez voir ce qu'ils ont vu à Madrid ! cria un admirateur.

A l'issue de la septième passe, comme si Victoriano avait entièrement orchestré cette série, le taureau se retrouva devant le cheval du vieux Veneno. Il chargea avec une telle violence que l'homme et sa monture en furent renversés. Il y eut un moment de panique au cours duquel le taureau essaya d'encorner l'homme à terre, mais Victoriano protégea son père de sa cape tandis que Paquito de Monterrey entreprenait une habile série de passes destinées à éloigner l'animal, laissant ainsi à Veneno le temps de se remettre en selle. Dans sa loge, l'éleveur, demeuré très discret pendant le premier taureau, adressait de grands signes de la main à ses amis. Ce taureau n'était peut-être pas d'une qualité exceptionnelle, mais il était très acceptable, chacun s'en rendait bien compte.

Ebranlé et couvert de poussière, le vieux Veneno allait devoir prendre l'une des décisions les plus délicates : fallait-il donner une troisième pique, laquelle affaiblirait l'animal et faciliterait le travail d'estocade de Victoriano, ou devait-il permettre à son fils de demander au président, ce qui lui vaudrait la sympathie de la foule, de « renvoyer les picadors, ce taureau brave ayant été suffisamment châtié » ? La première solution était certainement la meilleure, mais elle risquait fort d'atténuer considérablement le triomphe de Victoriano.

La règle était la suivante : « Après la première pique, un matador peut attirer son taureau et tenter une belle série de passes. » Après la deuxième pique, c'était le matador qui lui succédait — Paquito de Monterrey, dans le cas présent — qui avait éloigné le taureau de Veneno et avait fait quelques passes. S'il y avait une troisième pique, ce serait au tour de Gómez de prendre le taureau pour lui et, pourquoi pas, faire des passes qui éclipseraient Victoriano et lui gâcheraient son après-midi. La décision était délicate, et à l'instar des autres aficionados, je comprenais très bien le dilemme de Veneno.

Victoriano pensait : « Veneno ne va pas tenter une troisième pique. Je n'ai pas à m'en faire. Il l'a sérieusement secoué avec la première. Mais même avec une troisième pique, ce n'est pas si grave. Gómez aura beau en tirer quelque chose de bien, je tirerai mon épingle du jeu avec les banderilles. Je leur montrerai du jamais vu. »

Juan Gómez se tenait dans la ruelle, impassible, et il se disait : « Ce vieux salaud ne veut pas que je me paye son précieux taureau, mais il sait que son fils est un lâche, et il voudra détruire cette bête. S'il s'y essaye, je sais ce que je ferai. » Il attendit.

Cigarro mâchouillait son cigare et exultait. « C'est bon, ça. Veneno va se lancer dans une troisième pique et Juan écartera le taureau. La fête va vraiment commencer. » A l'extérieur des arènes, le manège jouait des chansons enfantines.

La décision revint au taureau, qui s'attaqua à nouveau aux chevaux et alla au trot vers le picador de réserve. Cette manœuvre inattendue prit les Leal de court. Le taureau subirait une troisième pique, mais elle ne serait pas aussi efficace ; pis que cela, Gómez aurait sa chance.

Les Leal passèrent à l'action. Chucho s'élança sur le sable vers le taureau tandis que Diego sautait la barrière pour se positionner devant le picador de réserve. Veneno éperonna sa monture pour la mettre en position favorable tandis que Victoriano, avec quatre passes impeccables, dirigeait droit le taureau vers la lance du vieil homme.

— Seigneur, dit Cigarro avec un sifflement admiratif.

— Ah, les salauds ! jura Gómez. Qu'ils attendent un peu.

Ce n'est que deux minutes plus tard que le petit Indien eut l'occasion de montrer ce dont il était capable avec un bon taureau. Avant cela, Veneno allait faire la démonstration de ses talents de picador. Sa troisième pique, donnée un peu hâtivement, comme s'il était surpris de voir le taureau le choisir plutôt que l'autre picador, fut placée d'assez loin pour châtier l'animal tout en lui permettant et en l'encourageant à se défendre. D'un habile mouvement du bras droit, le vieil homme enfonça la pique jusqu'à l'os.

Le taureau tenta de se dégager, non par couardise, mais parce que son épine dorsale paraissait sur le point d'exploser. Veneno ne lui permit pas de s'enfuir ; il fit tourner son cheval en cercle serré, de sorte qu'il se trouvait toujours devant le taureau. L'homme, sa monture et le taureau se lancèrent alors dans une sorte de valse : le taureau cherchait sans cesse à échapper par la droite, mais le cheval le devançait et l'homme était pratiquement désarçonné pour mieux peser de tout son poids sur la hampe. Les aficionados appellent cette manœuvre la carioca ; quand un taureau subit cela pendant deux ou trois minutes, surtout de la part de Veneno, il est bon pour l'estocade.

Pendant la danse, Juan Gómez attendit patiemment, enroulé dans sa cape et se mettant discrètement en position ; il avait quelque chose en tête. Veneno le vit faire et pensa que ce satané petit Indien ressemblait à un mendiant qui guette les restes d'un banquet.

La carioca se termina enfin et le taureau se dégagea, dégoulinant de sang. Un matador qui se serait précipité sur lui n'en aurait rien tiré, mais Juan Gómez connaissait bien les taureaux et il attendit que l'animal eût recouvré ses sens. Puis l'Indien fit frémir la foule en jetant la cape sur ses épaules, comme s'il se protégeait d'un orage ; il offrait au taureau son corps sans la moindre protection. Quand il tendit le bras droit, un petit triangle d'étoffe jaune se déploya devant le taureau, mais pour l'atteindre, l'animal dut passer sous le bras de l'homme et lui frôler la cuisse.

— Hé, torito ! cria Gómez quand le taureau chargea le petit triangle de cape.

Avec une vitesse foudroyante, il effleura de sa corne la jambe du torero.

« *¡ Olé !* » hurla la foule quand le taureau se prépara à une nouvelle attaque. Cette fois-ci, le fragment de cape apparaissait sous le bras gauche du matador.

A plusieurs reprises, sous chaque bras alternativement, le taureau fonça. La foule applaudissait à tout rompre ce qui allait être l'une des plus belles séries de passes de tout le festival.

— Je n'aurais jamais dû accepter cette dernière pique, jura Veneno une fois revenu dans les écuries. Ce satané Indien nous fiche tout en l'air.

Veneno, piqué par la prestation brillante de l'Indien, réfléchissait posément. Ce n'était pas le cas de son fils. Victoriano ressassait son amertume : « Je ne voulais pas de cette troisième pique. Pourquoi cet Indien est-il si bon avec mon taureau après avoir raté le sien ? Que puis-je faire pour reprendre le contrôle de mon taureau ? Et surtout, j'en ai assez qu'on me dise toujours quoi faire, comme si j'étais novice en la matière. Ceci est leur faute. »

La passe finale de Gómez envoya le taureau tout près de la barrière et laissa l'Indien seul au milieu de la piste, comme il l'avait prévu. Sans quitter l'animal du regard, il reçut les applaudissements frénétiques de la foule. Le corps immobile, il salua trois fois de la tête, puis rejoignit fièrement la barrière.

— Vous voyez ça ? dit O. J. Haggard à ses amis. C'est incroyable.

L'imprésario du nord dit à la femme qui l'accompagnait :

— Ces fichus Indiens s'y connaissent bien mieux que nous en matière d'émotion. Vous avez vu comment il a serré le taureau lors de chaque passe ? C'était fantastique !

Malgré ses protestations et son désir de liberté d'action, Victoriano guettait les signes de son père. Le vieil homme était revenu dans le callejón et il indiquait à ses fils où se placer pour une mise en scène qui se révélait assez payante d'habitude. Chucho et Diego se préparaient à poser les banderilles, mais la foule tout entière criait non. Chucho fit celui qui n'entendait pas et il attira l'attention du taureau, mais, à ce moment, Victoriano entra en scène et regarda le public comme s'il ne comprenait pas son envie. Il ébaucha un geste qui voulait dire : Vous voulez que ce soit *moi* qui pose les banderilles ?

Gómez les avait déjà vus effectuer ce numéro et il trouvait cela écœurant, mais la foule hurla son approbation quand le matador indiqua qu'il placerait lui-même les banderilles.

Chucho fit celui qui ne voyait pas Victoriano et il se mit à courir, assez lentement il est vrai, vers le taureau. Victoriano put alors feindre la colère et se précipiter vers lui. Pendant quelques secondes, ils se disputèrent, à petite distance du taureau qui, comme ils l'avaient prévu, était trop étonné pour charger. Après lui avoir arraché les banderilles, Victoriano repoussa son frère, lequel marcha vers la barrière en agitant les bras comme s'il ne comprenait rien à ce qui se passait.

Cette petite comédie terminée, Victoriano dédia ses banderilles à la foule — geste toujours très apprécié — et entama l'action la plus colorée de toute corrida. Il traversa la piste de cette démarche si particulière aux toreros, se dirigeant droit vers le taureau, les reins cambrés, les bras tendus au-dessus de la tête, les banderilles bien verticales. Se tenant alternativement sur la plante et sur la pointe des pieds, Victoriano se mit brusquement à courir au moment précis où le taureau se jeta sur lui. L'homme et la bête se rencontrèrent pendant une fraction de seconde parfaitement calculée par le matador. Les cornes manquèrent leur but, mais pas les banderilles.

— C'est incroyable ! s'écria O. J. Haggard.

— En tout cas, il l'a fait, répliqua son compagnon, le pétrolier.

Une des grandes différences de la tauromachie en Espagne et au Mexique tenait à ce que les matadors de la terre d'origine étaient comme Juan Gómez — ils savaient que la pose des banderilles, dramatique certes, représentait tout de même la partie la plus facile de la corrida et qu'elle était, par conséquent, indigne d'eux ; mais, au Mexique, il était de tradition que même les plus grands matadors non seulement placent leurs banderilles, mais aussi fassent appel à des effets de style qui poussent le rituel à l'extrême.

Victoriano tirait profit de la tradition mexicaine. Il posa superbement les deux autres paires de banderilles et fit le tour de l'arène sous les acclamations du public. Des cigares, des fleurs et des outres à vin en peau de chèvre jonchaient le sol ; parfois, le matador en ramassait une et s'octroyait une rasade de vin.

— Voilà qui devrait venir à bout de l'Indien, dit Veneno, rassuré, tandis que Juan Gómez, dégoûté, confiait à Cigarro que seuls les danseurs gagnent ainsi leurs couronnes de laurier.

Victoriano achevait son tour d'honneur et pensait : « Je les ai eus. Tu as fait ce qui convenait et tes banderilles étaient impeccables. Mais trois paires, ce n'est rien à côté d'une belle estocade. J'aimerais bien retrouver mon style d'antan. » Il s'inclina alors devant le président et lui demanda la permission de procéder à la mise à mort. Fin calculateur, il se dit qu'il allait dédier son taureau à Ledesma. La foule apprécierait. C'est ce qu'il fit, et il fut acclamé. Puis il se tourna brusquement vers le taureau et le cita.

De l'endroit où je me trouvais, j'eus l'impression que le taureau chargea avant que Victoriano ne fût tout à fait prêt, ce qui pourrait excuser ce qui se passa ensuite ; quand le taureau fonça sur lui, Victoriano recula instinctivement de quelques pas. Le taureau fit demi-tour et chargea à nouveau ; cette fois-ci, sans la moindre excuse, le matador recula. Sa peur était évidente. Les vrais aficionados se mirent à siffler, ce qui le galvanisa : il effectua trois belles passes basses, transformant les sifflets en applaudissements.

Spontanément, il se lança dans une série de naturelles, la muleta dans la main gauche, et la main droite, celle qui tenait l'épée, dans le dos. Veneno cria à son fils qu'il était un peu trop loin, et il s'approcha doucement du taureau de son pas dansant.

Soudain, le taureau se jeta sur la muleta. Avec beaucoup d'adresse, Victoriano le fit passer. A trois reprises, l'animal chercha à atteindre le leurre, et à chaque passage, Victoriano se contenta de fléchir légèrement le genou gauche. Ses passes étaient longues, lentes, liquides, de véritables enchantements pour les spectateurs.

Je mitraillais la scène tout en criant en espagnol à Ledesma :

— New York va adorer ça. Les lecteurs sauront ce que c'est qu'une naturelle.

— Maintenant, vous comprenez pourquoi j'aime ce garçon ? me répondit-il en anglais. Il est le sauveur de la tauromachie mexicaine.

Au cours de la dernière passe, Victoriano trouva le moyen de pratiquer l'un de ses tours les plus spectaculaires. Quand le taureau chargea et que la pointe de sa corne gauche eut frôlé l'estomac de Leal, le matador se plaqua au flanc de l'animal afin de laisser une traînée de sang sur son costume argent et blanc. Mes compagnons n'en revenaient pas ! Une des femmes jura que rien ne lui avait jamais causé autant de frissons.

Appuyé à la barrière, Juan Gómez ricanait :

— Ça fait trente ans qu'ils se couchent sur le taureau... une fois la corne passée.

Veneno cria à son fils de se hâter de tuer son taureau, de ne plus s'amuser avec lui. L'autre hocha la tête, mais il s'approcha de l'animal comme pour effectuer une autre passe d'allure très dramatique. « Non ! » lui cria Veneno, et, à regret, son fils abandonna les projets qu'il nourrissait et se contenta de quatre passes assez rapides. Puis il se prépara à tuer.

« Pas encore ! » hurlait la foule, qui sentait bien que l'animal pouvait encore fournir quelques minutes d'excellent spectacle. Victoriano se tourna vers les spectateurs, bras écartés, comme pour leur demander leur avis. « Vous en voulez encore ? — Oui ! » trépignait la foule.

Veneno se trouvait une fois de plus confronté à une délicate décision : si son fils tuait mal et à la hâte, les trophées pouvaient lui échapper ; mais si Victoriano se lançait dans une nouvelle série de passes, le taureau pouvait comprendre sa stratégie et le blesser sérieusement. La dernière naturelle avait été trop risquée.

— Tue-le tout de suite, lança-t-il à son fils avant d'ajouter à voix basse : Que la Vierge lui vienne en aide !

Quand je vis ce que Victoriano était sur le point de faire, je regrettai que Drummond et sa bande de rédacteurs amateurs de « moment de vérité » ne fussent pas présents dans les arènes. Ce taureau avait été fort et courageux, il méritait une fin digne de lui, et il ne l'eut pas. Victoriano décrivit une courbe rapide, ne chercha pas à s'élancer au-dessus des cornes et assassina tout simplement son adversaire. Ce taureau brave aurait eu besoin de cornes de six pieds de long pour attraper l'homme au passage. Je dois toutefois reconnaître que Leal pratiqua la mise à mort avec un courage feint qui plut à la foule.

Pendant que le jeune matador faisait le tour de l'arène en brandissant les deux oreilles qu'il avait remportées, Cigarro s'approcha de moi.

— Vous avez pris ça en photo ? me dit-il d'une voix rauque.
— Oui.
— Tous les photographes, ils ont des dizaines de clichés comme ça, mais ils ne les publient jamais.
— Pourquoi ?
— Parce que le vieux Veneno, il paye les journalistes quand la corrida est finie, m'expliqua Cigarro.
— Si mon article est accepté, on verra sur une page Leal tuer à sa manière et, sur l'autre, Gómez tuer à la sienne. La lectrice la plus profane comprendra la différence.
Cigarro cracha sur le sable.
— Si vous montrez ça qu'en Amérique, comment ça va atteindre Leal ?
Quand j'entendis O. J. Haggard dire : « Ça, c'était quelque chose. L'Indien a l'air d'un débutant à côté », je dus reconnaître que Cigarro avait marqué un point.

Avec le troisième taureau, Paquito de Monterrey, dans son costume rouge vif, se montra pitoyable. Avec leur travail de cape faisant suite aux piques, Leal et Gómez le ridiculisèrent, et il ne put s'en remettre. « Il n'a pas tenu devant le taureau », c'est ce que disent habituellement chroniqueurs et critiques quand ils assistent à d'aussi piètres prestations.
Le quatrième taureau revêtait une importance cruciale pour Gómez : il devait se comporter brillamment s'il voulait assurer sa réputation dans le festival, surtout après ce que Victoriano venait de faire. Quand l'animal surgit dans l'arène, agitant la tête en tous sens, il murmura :
— Seigneur, il est encore pire que l'autre. Mais au moins, il charge.
Il laissait toujours ses péons exécuter plus de passes préliminaires qu'il n'est de coutume et, si la foule protestait, il avait l'insolence de les inviter à poursuivre encore un peu leur travail. Avec un certain soulagement, il constata que l'animal était puissant et téméraire, mais aussi qu'il avait la violence d'un orage d'été. Enfin il entra lui-même dans l'arène et tenta deux passes classiques. Il s'y prit assez bien, mais le taureau était si agité, si dispersé, que Juan fut contraint de changer de position de pieds pour ne pas se faire renverser. La foule ne fit aucun commentaire, mais, dans sa loge, l'éleveur déclara :
— Un grand matador saurait quoi faire de ce taureau. Regardons.
Gómez, qui commençait à suer à grosses gouttes, tenta deux autres passes classiques, mais le taureau gagna une fois de plus du terrain et l'obligea à battre en retraite. La foule le hua. Pour mettre un terme à cette partie de la corrida, Gómez chercha à effectuer l'une de ces demi-véroniques qui avaient réussi à Victoriano. Il adopta une pose très digne, mais le taureau furieux s'élança avec une telle force que le matador ne se contenta pas de reculer : il courut, gauchement en plus, sans faire sa passe. Les rires du public furent pires que ses huées.
Gómez se ressaisit et essaya à nouveau. Avec succès, cette fois-ci.

Quand les picadors firent leur entrée, Cigarro leur conseilla de « mettre le paquet ».

Lors des passes de routine qui suivirent les piques, aucun des matadors ne tira grand-chose du taureau. Gómez tenta quelques passes, mais pas les autres, qui se disaient : « Ce n'est pas mon taureau, je n'ai rien à prouver avec lui. »

Quand vint le moment des banderilles, les péons posèrent correctement les trois paires sans toutefois approcher de trop près les immenses cornes. Au moment de dédier le taureau, Lucha González souhaita qu'il fût donné à quelqu'un d'autre, car une telle bête n'avait rien d'honorable, mais quand Gómez s'avança vers elle, elle dut accepter gracieusement. La foule applaudit.

Cigarro regarda son ancienne maîtresse recevoir cette dédicace comme une reine à qui un courtisan rend hommage, et il se dit qu'elle savait vraiment s'y prendre avec les hommes. Il se tourna vers Gómez.

— Ne cherche pas à prouver quelque chose, Juan. Tue-le et en vitesse.

Gómez avait toujours refusé de bâcler un travail mal engagé. Son honneur ne le lui permettait pas et, comme il marchait avec lenteur vers ce difficile animal, je l'entendis murmurer : « Viens, torito, je vais t'apprendre à danser. » Et moi, je me disais : « Cette bête pèse une demi-tonne, mais, pour lui, c'est son petit toro ! » L'animal ne bougea pas, de sorte que Gómez dut s'approcher davantage de lui. « Viens, torito, et je te rendrai immortel. » Il était de plus en plus près des cornes sombres.

C'est seulement à cet instant que je compris ce qu'allait faire ce petit Indien d'une incroyable bravoure. Sans éclat, sans passes spectaculaires qui arrachent des acclamations à la foule, il allait se placer tout près de la tête de la bête et, grâce à une série de longues passes basses, faire travailler en tous sens et fatiguer les muscles de son cou puissant pour rendre le taureau plus docile. C'était cela, l'art du torero dans sa plus belle expression, le geste peu spectaculaire mais héroïque d'un homme qui domine un taureau sauvage, calme son exubérance et le dompte passe après passe.

Et puis, soudain, à la surprise de la foule mais aussi du taureau, Gómez se redressa, les pieds résolument plantés dans le sol, et exécuta une passe très haute qui amena les cornes tout près de son visage. Ce faisant, il tirait en sens opposé les muscles déjà fatigués de la bête. Le taureau passa et fit demi-tour pour charger à nouveau, tête dressée, mais Gómez laissa traîner à terre l'étoffe rouge. L'imposante tête noire et les cornes touchèrent le sol. La lutte était terminée. Le taureau se rendait, l'homme était vainqueur.

León Ledesma s'adressa à l'imprésario :

— On ne verra pas mieux cette année.

— Comment peut-il avoir un tel cran ? dit l'imprésario.

— Parce que c'est un Indien.

— Je lui rédigerais un contrat s'il avait un peu plus de style.

Quand Gómez revint vers la barrière pour boire un peu d'eau, il me dit :

— Il n'y a pas seize personnes dans cette arène qui se rendent compte de ce que j'ai fait. Pas d'applaudissements, rien. J'ai soumis le taureau, eh bien, maintenant, je vais soumettre le public.

Pour comprendre ce qui advint alors, il faut savoir que cette série de passes magistrales avait laissé le taureau perplexe, incapable de savoir quand et comment il devait charger. Le matador allait jouer sa vie en pariant qu'il connaissait mieux les intentions du taureau que l'animal lui-même. Gómez observa attentivement les yeux du taureau avant de s'avancer lentement vers la tête noire. Très maître de soi, sans aucune précipitation qui aurait pu alerter l'animal, Gómez mit un genou en terre. Son visage n'était qu'à une vingtaine de centimètres du mufle de l'animal. Voyant que le taureau ne réagissait pas, Gómez posa le second genou. Toute fuite lui était désormais interdite. Si le taureau changeait d'avis et décidait de charger, c'en était fini de lui.

— Regardez ce qu'il va faire, dit Ledesma d'un air dégoûté.

— Dire que ces comédies impressionnent le public, répliqua l'imprésario. Ça m'écœure.

La foule se souvenait à quel point ce taureau s'était montré difficile et elle fit silence. Cigarro détourna les yeux et pria. Veneno pensa : « Ce satané Indien ! Pourquoi est-ce qu'on autorise des choses aussi ridicules ? Ce n'est pas ça, la tauromachie ! » Victoriano, quant à lui, se disait qu'il valait mieux que ça.

León Ledesma était franchement dégoûté qu'un matador classique pût se livrer à une telle mascarade.

— Donnez-moi une arme, fit-il à l'imprésario. Si cet enfant de putain me fait le coup du téléphone, je le descends !

Sur la piste, Gómez se pencha en avant jusqu'à ce que son front touchât celui du taureau. Pendant cinq longues secondes, il regarda la face sombre et velue de l'animal, puis il se recula avec lenteur. La foule rugit de plaisir devant une exhibition aussi vulgaire. Aux places les plus populaires, un homme qui avait emporté avec lui toutes sortes de percussions se mit à agiter une cloche, tandis que les spectateurs des gradins au soleil scandaient : « *Telefono ! Telefono !* »

— Je refuse de voir ça, gronda León Ledesma. Dites-moi quand ça sera fini.

Au centre de la piste, toujours à genoux, Gómez tendit l'oreille comme s'il écoutait la cloche qui tintait dans les gradins. Puis, de la main gauche, il saisit la corne droite du taureau hébété et l'abaissa lentement jusqu'à ce qu'elle fût à hauteur de sa propre oreille gauche. Dans un silence impressionnant, il enfonça la pointe de la corne dans son oreille et resta ainsi pendant près de dix secondes, mimant une conversation imaginaire. Le moindre mouvement de la tête massive et Gómez était mort.

Personne n'applaudit. Personne ne cria. Le suspense était indescriptible. Lentement, le petit Indien retira la corne de son oreille et pivota sur les genoux jusqu'à tourner entièrement le dos à la bête. Il déposa son épée factice et sa muleta et leva les mains comme pour supplier.

La foule frémit. Ledesma demanda à l'imprésario ce qu'il faisait.

— Il est à genoux, dos tourné.

— Pauvre type ! murmura Ledesma.

Les hurlements qui emplirent les arènes apprirent à Ledesma que Gómez s'était relevé. Le chroniqueur se retourna au moment où le taureau sortait de sa torpeur et chargeait furieusement. Habilement, l'Indien aux jambes torses exécuta trois belles passes assez basses. En voyant cette demi-tonne de muscles foncer sur le sable, la foule comprit pleinement les risques que le matador avait encourus.

Quand il revint près de la barrière pour prendre l'épée véritable, Gómez me demanda, d'une voix pleine d'émotion :

— Vous avez pris de bonnes photos ?

— Les meilleures, lui assurai-je.

— Prenez aussi la mise à mort.

Il tua le taureau proprement, en se jetant sur les cornes. L'animal fit une douzaine de pas en titubant et s'écroula. La foule poussa de véritables hurlements. Au lieu de remercier le public, Juan Gómez se livra à ce genre de chose qui le rendait haïssable auprès des autres matadors. Il ignora les spectateurs et se dirigea droit vers la loge d'où l'éleveur avait observé ses bêtes.

— Venez, don Fernando, dit simplement Gómez.

Des spectateurs poussèrent l'éleveur dans l'arène. Ensemble, les deux hommes effectuèrent un tour de piste. Quand ils furent à ma hauteur, j'entendis Gómez dire :

— Donnez-nous de braves taureaux, je les rendrai doux comme des moutons.

La foule savait pertinemment que l'éleveur aurait dû faire ce tour de piste après le taureau de Victoriano, qui avait des qualités certaines, et pas après celui de l'Indien. Mais Gómez, par son courage et son habileté, avait rendu bon un taureau sans intérêt. A présent, il insultait les Leal, méprisait la foule venue les applaudir et León Ledesma, payé pour les encenser.

En assistant à ce spectacle, Veneno se disait qu'il aimerait bien tenir l'Indien au bout de sa pique, rien qu'une fois.

Sa famille ne fit pas d'exploit avec son second taureau, pas aussi difficile que celui que venait de vaincre Gómez, mais trop laid pour que Victoriano s'en amuse. Le matador laissa ses frères poser les banderilles et exécuta une estocade correcte, sans plus, qui ne suscita ni huées ni applaudissements.

Alors que le taureau mort était tiré hors de la piste, Victoriano se dit : « Un bon, un mauvais. C'est comme pour Gómez. Aujourd'hui, ça ne compte pas. Mais dimanche, avec des taureaux de Palafox, on lui donnera une bonne leçon. »

La trompette annonça le dernier taureau de l'après-midi.

Il appartenait, tout naturellement, à Paquito de Monterrey. Le manager du jeune homme lui avait dit que des gens importants se trouvaient dans les gradins :

— Si tu veux des contrats, tente quelque chose.

Malheureusement pour Paquito, ce dernier taureau était aussi très mauvais. Le jeune torero n'avait pas l'habileté de Juan Gómez, mais il s'efforça tout de même de l'imiter en soumettant l'animal par son seul courage. Ledesma le regardait attentivement — il avait en effet reçu une petite somme pour dire du bien de lui — et il était très inquiet.

La pose des banderilles par Paquito fut très impressionnante et la foule l'encouragea. Il prit l'épée et la muleta pour l'acte final du combat : visiblement, il allait essayer quelque chose pour marquer cette journée de sa personnalité, ainsi que Gómez l'avait fait par sa bravoure. Mais tous ceux qui se trouvaient dans le callejón avaient la même impression : le jeune torero ne savait pas encore quel serait son geste, et c'est dans cette incertitude qu'il retourna affronter le taureau.

Sa première passe se déroula bien. Par hasard, Paquito s'était placé à l'endroit où le taureau désirait aller, et la fusion fugitive de l'homme et de la bête fut à la fois artistique et passionnante. « *¡ Olé !* » cria la foule, qui, finalement, allait peut-être assister à quelque chose d'intéressant. Le jeune homme enchaîna trois passes plus périlleuses et les cris des spectateurs des places bon marché l'incitèrent à tenter une passe que les matadors réservent habituellement aux taureaux qui chargent en ligne droite. Appelée « manoletina », du nom du grand matador, Manolete, qui la popularisa, cette passe voulait que Paquito garde l'épée et le leurre dans la main droite, comme pour une passe régulière, mais qu'il tienne dans le dos, de la main gauche, le coin de la muleta. La cible offerte au taureau s'en trouvait considérablement diminuée, et le matador devait faire passer le taureau sous le bras droit et très près de son corps.

— Je n'essaierais pas ça avec ce taureau, dit Juan Gómez.

Victoriano ne fit aucune remarque, mais il se rapprocha de quelques pas pour intervenir plus rapidement au cas où le jeune homme se ferait encorner. D'instinct, le vieux Veneno indiqua à Chucho et Diego de se tenir prêts à sauter par-dessus la barrière, mais ses fils avaient déjà anticipé ses désirs.

Je vis León Ledesma se tourner vers le manager de Paquito comme pour lui demander si tout allait bien. L'homme hocha la tête et désigna un groupe d'imprésarios. Ledesma se pencha alors vers moi.

— S'il réussit, me dit-il, j'aurai enfin quelque chose à écrire dans ma chronique.

— Moi aussi, fis-je. Si ce garçon fait du bon travail, j'en parlerai sûrement dans mon article.

Mais le journaliste que je suis ne pouvait s'empêcher de penser : « Nous n'avons pas de bonne photo d'un matador recevant un coup de corne. S'il tente une manoletina avec ce taureau, il va se faire projeter. » L'œil collé au viseur de mon appareil, j'entendis le jeune matador appeler le taureau.

La chance voulut que l'animal le charge et passe exactement sous son bras. Les banderilles fichées dans la nuque frôlèrent la poitrine de l'homme. Ce fut une passe très spectaculaire et la foule hurla. Bien que cela ne le concernât pas, Veneno courut jusqu'à la barrière pour lui dire d'arrêter, mais le manager l'incita à continuer dans l'espoir d'impressionner les imprésarios.

Aiguillonné par les hurlements de la foule, Paquito refit la même passe, et le taureau défila tout près de ses côtes. Persuadé de savoir comment dominer ce taureau, il n'écoutait pas les conseils des anciens. Il résolut de donner une nouvelle preuve de sa bravoure en refaisant pour la troisième fois cette manoletina dont il était spécialiste dans les arènes de province, celles où sont présentées des bêtes de plus petite taille. La chance n'était plus avec lui. Au moment où le grand taureau se mit à charger, la foule cria : « *¡ Cuidado !* Attention ! », mais il était déjà trop tard.

La corne droite du taureau s'enfonça dans le flanc gauche du jeune homme, qu'il lança en l'air avant de le rattraper. Par trois fois, à une vitesse foudroyante, le taureau le perça de ses cornes en divers endroits du corps, au rectum et dans la poitrine, au cou et à la face. Puis le taureau fonça vers la barrière et écrasa contre celle-ci le corps ensanglanté du jeune matador.

Chacun savait qu'il était déjà mort. En un instant, la compétition tant attendue entre Gómez et Victoriano s'était changée en une tragédie où ils n'avaient aucun rôle à jouer. Je vis tout cela dans le viseur de mon appareil et, comme je prenais à toute allure des photos qui allaient acquérir une certaine célébrité dans les cercles tauromachiques, je me dis : « Ce n'est pas lui que je dois photographier. Pas ce matador au costume écarlate. » J'eus un formidable cliché des quatre Leal essayant de détourner le taureau, le vieux Veneno pendu à sa queue tandis que Victoriano faisait ce qu'il pouvait pour le jeune homme. Pour finir, je saisis les employés des arènes en pantalon bleu et chemise blanche alors qu'ils emportaient le corps désarticulé vers l'infirmerie. Et une pensée terrible me traversa l'esprit : « Ce sang qui macule ces chemises blanches, cela résume toute l'histoire. »

Mais la vision qui me marqua le plus lors de la mort de Paquito fut celle du sommet de la grande roue qui se détachait dans le ciel tandis que le corps sans vie était évacué hors de la piste.

Juan Gómez se prépara alors à tuer le taureau de Paquito, car il revenait au matador le plus âgé de conclure normalement la corrida même s'il y avait eu mort d'homme. Dans un silence absolu, Gómez emmena le taureau à l'endroit le plus approprié, l'apaisa avec quatre passes magistralement exécutées et porta une estocade parfaite. L'épée s'enfonça sur toute sa longueur dans la nuque de l'animal, entre ses cornes rouges du sang de Paquito. Le taureau tituba et s'écroula.

En silence, Gómez revint vers la barrière. Son telefono était oublié, il avait recouvré toute sa dignité.

9

Le sens de la mort

Je me frayai du coude un chemin dans la foule qui s'attardait dans les arènes, encore abasourdie par la mort de Paquito, et traversai la grand-place à toute allure. Je devais m'atteler à mon article et expédier le plus rapidement possible à New York mes seize rouleaux de pellicule.

J'appelai la veuve Palafox et lui demandai de me rendre deux services :

— Appelez cet homme qui a le petit avion. Il faut qu'il aille jusqu'à l'aéroport de Mexico et qu'il mette mes rouleaux dans le premier appareil en partance pour le nord. Veillez aussi à ce que l'employé du télégraphe soit prêt à prendre mon texte.

Je courus jusqu'à ma chambre et tapai très vite mon article, mais je me rendis bientôt compte que je ne savais pratiquement rien du matador mortellement blessé. Comme je me creusais la cervelle, j'entendis Juan Gómez et ses compagnons qui revenaient à la Maison de Céramique. Je me précipitai et réussis à mettre la main sur Cigarro, que je ramenai dans ma chambre. Il s'assit à côté de moi et, dans son style si particulier, impossible à rendre fidèlement, il me confia tout ce qu'il savait de Paquito de Monterrey.

— Une famille pauvre. Sa mère devait tenir une pension. Il y a deux filles qui y travaillaient. A quoi ? Le père parti depuis longtemps. Au Texas, peut-être, mais il n'envoie pas d'argent. Paquito, son vrai nom c'est Francisco, Frankie en anglais, il apprend les passes dans la rue...

C'est ainsi qu'il me raconta l'histoire d'un petit Mexicain qui veut être matador pour échapper à la pauvreté crasse de son enfance. J'écrivais à la machine tout ce qu'il me disait, y compris le fait que Paquito avait été enfant de chœur dans une paroisse attribuée à son oncle. Je laisserais à New York le soin de composer l'histoire à partir de tous ces éléments. J'allais terminer quand j'eus une idée lumineuse :

> Je crois que vous trouverez dans le rouleau n° 9 une photo me montrant en train d'aider Paquito à s'habiller. Je lui passe la serviette entre les jambes, on voit sa veste rouge posée sur une chaise.

J'étais persuadé que le caractère exceptionnel de ce cliché les convaincrait de passer mon article. Je remerciai Cigarro pour son aide précieuse, dévalai les escaliers et courus jusqu'au bureau du télégraphe. Sur la grand-place, je tombai sur un groupe de chanteurs accompagnés par deux guitares. En écoutant les paroles, je fus heureux de constater que Paquito de Monterrey avait déjà trouvé sa place dans l'histoire de la tauromachie.

Quand un matador meurt dans l'arène, il est de coutume que les poètes locaux l'immortalisent à travers une série de textes populaires, de grande qualité parfois. Par exemple, nombreux sont ceux qui connaissent le chant funèbre écrit par Lorca pour son ami le torero Ignacio Sanchez Mejías. Par conséquent, je ne fus pas autrement surpris d'entendre des chanteurs entonner une ballade tragique qu'ils avaient composée, texte et musique, au moment même où je prenais en dictée les propos de Cigarro. Elle avait pour titre, dit le soliste dans son porte-voix, « Complainte pour Paquito de Monterrey ».

Lui qui avait une excellente éducation
Et aurait pu écrire les meilleurs livres,
Il sera pleuré par toute une population,
Car c'était un jeune homme qui faisait autorité.

Pleurez pour Paquito !
Pour lui, la coupe est pleine.
Tué par Bonito,
Ce taureau déloyal et déshonorant.

Sa sainte mère habite à Monterrey
Où les artisans font le plus beau verre du monde.
Aujourd'hui son fils est mis en terre
Pour n'avoir pas fait la plus belle passe.

Pleurez pour Paquito !
Du nord au sud du Mexique.
Tué par Bonito
Sur le sable ensanglanté de Toledo.

Il ne faudrait pas deux jours pour que l'on entende cette complainte sur les ondes des radios de Mexico ; à la fin de la semaine, elle serait populaire dans tout le pays, car le Mexique s'abandonnait au chagrin chaque fois qu'un torero trouvait la mort. La complainte de Paquito comprenait deux expressions qu'on retrouve dans toutes les œuvres de ce type. Chaque animal qui parvient à tuer son matador est décrit ainsi : « ce taureau déloyal et déshonorant », comme si nul ne pouvait penser que l'animal peut parfois sortir vainqueur. Parallèlement, le public sanctifiait son souvenir. Au Mexique, les amateurs de tauromachie ne diraient pas : « Tu te souviens de ce petit gars prometteur de

Monterrey qui s'est fait tuer par un taureau ? » Invariablement, ils diraient : « Tu te rappelles quand Paquito a été tué par Bonito ? » C'est ainsi que le matador Balderas ne fut pas tué par un taureau, mais par Cobijero, Joselito par Bailador et Manolete par Islero.

Deuxième exigence, toute bonne complainte devait faire allusion à la « sainte mère » du matador. C'était une convention que je n'approuvais pas entièrement, car la plupart des toreros de ma connaissance avaient été mis à la porte de chez eux à l'âge de neuf ans. La dernière fois qu'un grand matador était mort dans l'arène, sa mère se vit accorder la sainteté en dépit du fait qu'elle tenait une maison de prostitution dont les deux principales attractions étaient ses propres filles, les sœurs du matador défunt. En réalité, il était devenu matador parce qu'il en avait assez de chuchoter à l'oreille de tout homme ressemblant à un touriste américain cette phrase que sa « sainte mère » lui avait enseignée : « Tu veux coucher avec ma sœur ? Très propre, pas chère. »

Je ne savais strictement rien de la mère de Paquito. Il y avait de grandes chances pour que ce fût une vieille mégère, mais cela importait peu. Les mariachis la qualifiaient de « sainte mère » et, avec cette expression toute faite, le jeune matador acquérait l'immortalité. Sa renommée était assurée par la série de clichés que j'avais pris alors qu'il saignait abondamment. Quand notre magazine publia ces images, Drummond, avec sa réserve habituelle, les qualifia de « plus extraordinaires photos de corrida jamais prises ». Franchement, j'avais vu mieux de la part de réfugiés espagnols équipés de Leica, mais qui étais-je pour oser contredire mon rédacteur en chef ?

A dix heures et demie texte et photos étaient envoyés à New York. Comme je revenais vers mon hôtel, des regrets humiliants m'assaillirent : j'aurais dû écrire quelque chose de neuf et d'intelligent à propos de cette mort tragique, mais je n'avais réussi à pondre que des banalités. « Aujourd'hui, le Festival Ixmiq, qui se déroule dans la superbe ville coloniale de Toledo, a vu la carrière d'un jeune matador prometteur soudainement brisée par un taureau furieux. Sa famille éplorée, restée à Monterrey, se retrouve aujourd'hui... », etc. Je m'étais même abaissé à citer quelques vers de la complainte nouvellement composée :

Pleurez pour Paquito !
Pour lui, la coupe est pleine.
Tué par Bonito,
Ce taureau déloyal et déshonorant.

Ma réaction personnelle devant cette mort était encore plus lamentable. « Bon sang, ce n'est pas le bon torero qui est mort ! Les photos, le scénario, tout ça, c'est fichu. Si ç'avait été Victoriano ou Gómez, il y aurait eu de la matière ! »

Il m'était déjà arrivé, en une occasion, de m'abandonner à des spéculations aussi dégradantes. C'était en Corée, au cours d'une bataille. Un dimanche matin, très tôt, j'étais parti photographier les opérations d'une patrouille et nous avions pénétré assez profondément les lignes chinoises quand l'ennemi avait ouvert le feu sur nous. Nous avions réussi à nous en sortir en ne perdant que six hommes. Les gars s'étaient bien battus et j'étais persuadé d'avoir pris des clichés qui sortaient de l'ordinaire.

Nous parcourions le relief escarpé des montagnes de Corée pour regagner nos tranchées quand je réalisai que cette satanée patrouille était partie un dimanche, ce qui faisait samedi à New York. Même si je m'empressais d'expédier mon reportage, il n'arriverait pas à temps pour passer dans l'édition de la semaine prochaine ; la semaine suivante, tout le monde se moquerait bien d'une escarmouche survenue en Corée quinze jours plus tôt. J'avais raté un bon article et je devais être fou furieux, parce que je me rappelle m'en être pris au lieutenant qui conduisait la patrouille.

— Espèce d'imbécile ! Vous n'auriez pas pu partir un vendredi ?

— De quoi me parlez-vous ? me demanda le jeune militaire.

— Si l'on était parti un vendredi, j'aurais pu envoyer ma pellicule à temps et vous auriez eu votre photo dans mon magazine.

— Vendredi, c'était impossible, dit-il avec beaucoup de sérieux, parce que c'était le jour de la relève.

Nous avons réfléchi un instant, puis il ajouta d'un air enjoué :

— Mais on aurait pu partir samedi, c'est vrai. Vous auriez été dans les temps ?

— Eh oui.

Ni l'un ni l'autre n'avons vu ce qu'il y avait d'absurde dans cette discussion, alors que venaient de se faire descendre six jeunes gens originaires du Texas, du Minnesota et de l'Oklahoma.

C'est ainsi quand l'on est écrivain. On veut que la vie suive les plans que l'on a tracés. Aujourd'hui, le Festival Ixmiq était gâché parce que ce n'était pas le bon torero qui était mort. Je dis à Drummond :

> Il me semble que tout notre scénario est à l'eau. Je mettrais ma main à couper que le duel Victoriano-Gómez est oublié. Même si le principe de l'Ixmiq est intéressant à l'origine, tout ce qui se passera désormais nous semblera bien plat. Je pourrais aussi bien rentrer, mais je vais quand même voir la fin comme si j'étais en vacances.

J'étais persuadé que Drummond partagerait mon analyse. Une fois publiées les photos de Paquito transpercé par les cornes du taureau, un second article ne présenterait plus aucun intérêt et je n'aurais plus qu'à revenir à New York. Mais en avais-je vraiment envie, même si c'était moi qui avais eu l'idée le premier ? Sûrement pas ! Je voulais rester au Mexique, assister à la conclusion de cette feria et réfléchir un peu à la façon dont j'allais orienter ma vie.

Je me trouvais à présent devant la cathédrale, où confluaient par petits groupes des hommes et des femmes vêtus de noir, appelés par le glas, car la mort d'un matador était, de coutume, suivie d'un service funèbre. Curieusement, je me dis que j'avais joué un rôle dans sa gloire posthume. Je me souvins comment, dans la petite chambre où il s'était vêtu, il avait apprécié que je vienne le photographier. Peut-être n'avait-il effectué ces manoletinas que pour être pris en photo. De tous les visiteurs venus à Toledo, j'étais certainement le plus tenu à assister à la veillée funèbre.

Derrière moi, les mariachis le bénissaient à leur façon, c'est-à-dire en musique et en chanson :

A la manoletina il était de loin le meilleur
Et aucun taureau ne lui inspirait de peur,
Mais voici qu'il repose pour l'éternité
Parce que Bonito l'a ridiculisé.

Il était onze heures du soir et je m'apprêtais à me joindre à la foule venue rendre hommage au torero quand je vis se hâter dans ma direction un petit bonhomme d'une bonne soixantaine d'années. Tout d'abord, je ne le reconnus pas, car il portait un costume bleu, mais il savait visiblement qui j'étais.

— Je vous connais ? lui demandai-je en espagnol.

— Sûr que vous me connaissez, répondit-il dans cet anglais familier qu'il affectionnait tant. Je suis le père Gregorio, c'est moi qui vous faisais le catéchisme.

— Mais oui ! Ma mère était déterminée à faire de moi un bon catholique. Elle a échoué, voyez-vous. Et vous aussi.

— Seulement parce que votre père ne m'a jamais laissé vous tirer les oreilles, dit-il en riant.

— Alors, c'est vrai ? Vous n'avez jamais quitté Toledo ? Pourtant, les hommes du général Gurza traquaient les prêtres.

— Dieu était à mes côtés, c'est tout.

— Comment avez-vous trouvé le courage de résister ?

— Grâce à l'aide de braves personnes comme votre père. La prière, aussi. Je n'ai pas été un héros, Norman. J'avais un travail à accomplir. Pouvais-je m'y dérober ?

J'étais confondu de voir mon vieil ami habillé en civil, car, bien qu'ayant été le témoin de la haine antireligieuse corollaire de la révolution, j'avais oublié que la loi mexicaine interdisait toujours le port de la soutane, sauf dans l'enceinte des églises et autres établissements du culte. Un accord assez clair avait été passé entre l'Eglise et l'Etat, mais ce dernier insistait toujours sur un point : « Nous ne voulons pas de prêtres dans les rues. » Il leur fallait donc porter des vêtements comme tout un chacun.

— Cela fait des années que je ne vous ai pas vu, lui dis-je avec un réel plaisir. Vous exercez toujours votre ministère à Toledo ?

— A la cathédrale, répondit-il avec fierté. Je n'en suis pas le prêtre principal, mais, ce soir, c'est moi qui dirai la messe pour le torero.

— C'est pour ça que je suis là.

— Je serai fier d'avoir non loin de moi le fils de John Clay et de

Graziela Palafox, m'assura-t-il. Vous avez envie de bavarder avec moi pendant que je me change ?

Nous n'empruntâmes pas le grand portail de la cathédrale, mais nous engageâmes dans la petite rue où se dresse la chapelle en plein air. Avant d'atteindre la vieille église fortifiée dont elle faisait partie, nous franchîmes une petite porte discrète qui menait à la cathédrale.

— La vieille forteresse n'appartient plus à la cathédrale, me dit-il.

— Que s'est-il passé ?

— L'Etat l'a transformée en orphelinat.

Il s'exprimait sans amertume, mais il était évident qu'il déplorait le démembrement de son église, car, tout au long de l'histoire, l'immense cathédrale et même l'église fortifiée des origines avaient constitué une unité. L'église sans la forteresse, c'était, pour le père Gregorio mais aussi pour moi-même, une sorte de divorce que nous ne pouvions accepter.

— L'Etat vous a mal traité, mon père, lui dis-je alors que nous pénétrions dans la sacristie.

A mon grand étonnement, il me reprit.

— Pas si mal que cela, Norman. Aujourd'hui, nous pouvons adorer Dieu librement et pas en secret comme lorsque vous étiez enfant. (Il enfila sa soutane.) Il y a beaucoup de choses qui nous déplaisent actuellement, mais l'Eglise a au moins la liberté d'exister. Vous vous rappelez quand vous veniez me trouver en secret ?

— C'était une époque terrible, mon père. Nous pouvions à tout instant être pendus.

Il enfila sa chasuble.

— Dieu nous mettait à l'épreuve, Norman, me fit-il remarquer. Et aujourd'hui, quand je célèbre la messe, c'est avec une profonde conviction.

Je le regardai se préparer afin d'accueillir dans l'éternité l'âme d'un torero défunt. Il avait à peine changé depuis l'époque où j'avais fait sa connaissance — il était alors réfugié à la Maison de Céramique. Il était très vif, malgré ses soixante-cinq ans. Même si j'avais certaines raisons de penser que, comme nombre de prêtres mexicains, son niveau d'études était un peu déficient — les séminaires n'étaient pas autorisés au Mexique —, il avait acquis un vocabulaire satisfaisant et une excellente compréhension de la façon de présenter Dieu aux communautés rurales. Ses vêtements civils étaient défraîchis, mais ses habits de prêtre lui donnaient une certaine allure. Il portait la Bible comme s'il s'agissait de son propre livre. Il avait l'habitude de regarder les gens droit dans les yeux : cette habitude, il l'avait prise délibérément, après des années passées dans la clandestinité et la crainte que son regard ne dévoilât son état de prêtre. Il avait miraculeusement échappé à la mort. Les révolutionnaires avaient eu vent de ses messes secrètes et avaient cherché à s'emparer de lui. Le premier venu se serait fait prendre, mais lui, homme simple issu de la terre, avait survécu grâce à l'amour de Dieu.

Un jour, au cours des années de calme qui suivirent la Révolution, un des colonels du général Gurza était descendu à la Maison de Céramique et avait dit à la veuve Palafox :

— Si on avait su que vous cachiez ce Gregorio, vous vous seriez balancée au bout d'une corde.

— C'était un bon prêtre, assura la femme. Si vous l'aviez fusillé, vous auriez supprimé un homme qui allait faire beaucoup pour le Mexique.

— C'est juste, répondit le colonel illettré. Mais dites-moi, señora, est-ce que Gregorio a dit des messes en secret dans cette maison ?

— Oui. Pourtant je l'avais mis en garde. Les domestiques également. Et même le soldat que vous aviez mis en faction.

— Un homme à moi ? dit le colonel.

— Oui, nous l'avions soudoyé. Il était au courant du taureau à la Mineral — et du prêtre.

— On peut toujours acheter un soldat mexicain, dit le colonel en riant. Alors comme ça, le petit prêtre faisait son travail ?

— Régulièrement.

— Il avait du courage, reconnut le colonel. Une nuit, on a failli l'avoir, dans un petit village, vers le sud. Il nous a échappé dans un trou à rat.

— C'est cela qui le rendait si fort, expliqua la veuve. C'était un homme de la terre, ainsi qu'un homme de Dieu.

— Il y a un an environ, quand les troubles ont pris fin, je suis entré dans une église pour entendre le genre de bêtises qu'il prêchait. J'étais assis tout au fond, mais il m'a vu, et on a hoché la tête, tous les deux.

Aujourd'hui, le père Gregorio, qui n'avait plus à se cacher, m'indiqua le couloir qui menait à la nef de la cathédrale. Comme je franchissais la porte dérobée, je vis mes cinq Américains vêtus de façon assez stricte. A leur manière de ne savoir quels sièges prendre, je compris qu'ils n'avaient jamais prié dans une église catholique et je les rejoignis.

O. J. Haggard m'aperçut, et murmura avec la solennité exagérée qui caractérise les protestants en visite dans des églises catholiques :

— Je suis bien content que vous soyez là. Où est-ce qu'on s'assoit ?

— Où vous voulez. (Je leur désignai un endroit d'où ils pourraient voir le père Gregorio et l'autel. En m'asseyant, je remarquai que Mrs Evans avait les larmes aux yeux.) La mort n'est jamais absente de la corrida, lui dis-je.

— J'avais un fils de son âge, me répondit-elle. Il a disparu au-dessus de l'Allemagne.

Normalement, j'aurais dû dire que j'étais désolé, mais Mrs Evans n'était pas le genre de femme à aimer les condoléances toutes faites.

— J'ai volé au-dessus du Japon, lui dis-je. D'une certaine façon, c'était plus facile. Moins de DCA.

— Je ne crois pas que c'était plus facile. Il fallait survoler longtemps la mer, je crois. (Elle prit place à mes côtés.) Je n'étais pas préparée à ce que j'ai vu aujourd'hui.

— Personne ne l'est jamais, dis-je. Un taureau est incroyablement rapide quand il atteint son objectif.

— Il y a là-dedans quelque chose de primitif, d'écrasant. Je suppose que c'est la même chose pour l'explosion d'un avion en plein vol.

— C'est comme ça que votre fils est mort ?

— Oui, les autres appareils de l'escadrille l'ont vu exploser. Ses camarades sont venus chez nous, en Oklahoma, et ils nous ont assuré qu'il n'avait pas souffert.

Dans la cathédrale sombre, quelques lueurs fantomatiques éclairaient la onzième station du chemin de croix, que nous avions étudiée le matin même. J'observai le Christ qui agonisait et me rendis soudain compte que ses blessures n'étaient pas très différentes de celles infligées au jeune matador.

— Avez-vous remarqué à quel point les explications macabres du señor Ledesma se sont trouvées justifiées lorsque la mort a frappé cet après-midi ? dis-je à Mrs Evans.

— Je ne voudrais pas blasphémer en disant cela, mais cette onzième station a été la meilleure introduction à ce que nous avons vu. Je ne suis pas certaine d'avoir le cran d'aller à deux autres corridas de la même intensité.

Devant le grand autel de la cathédrale, jadis somptueux lorsqu'il était couvert d'or et de pierres précieuses, le père Gregorio disait la sainte messe et je me demandai qui des habitants de Toledo y assistait, sans parvenir à aucune conclusion. Les fidèles ici présents constituaient en fait une coupe de la population mexicaine. Il y avait des Indiennes qui n'étaient certainement pas venues à la corrida. Des jeunes gens qui s'énivraient de l'émotion ambiante. De petits garçons qui rêvaient d'être toreros et des familles qui s'indigneraient si un matador venait demander leur fille en mariage. Non, il n'y avait pas le moindre dénominateur commun dans cette foule. Une passion secrète la réunissait toutefois : comprendre le sens de la mort.

Cette veillée me rappela certaines expériences que j'avais vécues à la base aérienne, pendant la guerre de Corée. Chaque fois que survenait une catastrophe, nous nous débattions comme de beaux diables pour en faire disparaître toute trace. Puis nous nous retrouvions pour en parler, comme si nous avions accédé entre-temps à un niveau supérieur de conscience. Invariablement, quelqu'un disait, par exemple : « C'est terrible ce qui est arrivé à Larry et à ses gars. » Mais Larry et ses hommes, en mourant, permettaient aux vivants de mieux apprécier la vie. Par la suite, j'ai souvent trouvé des ressemblances entre les pilotes de chasse et les toreros. Je les considère avec le même respect et, s'ils meurent, avec la même révérence.

Mrs Evans me toucha le bras.

— Regardez ! me dit-elle. Vos amis sont tous là.

En effet, par petits groupes disséminés dans la cathédrale, il y avait Veneno et ses fils, perdus dans l'ombre, Juan Gómez et ses compagnons non loin d'un pilier que les révolutionnaires avaient criblé de balles, mais aussi León Ledesma et Ricardo Martín, tous deux silencieux. Un peu à l'écart, seul, se tenait Aquiles Aguilar, le poète qui avait remporté le premier prix lors des Jeux floraux de la veille. Il écrivait, et je suis certain qu'il trouvait dans cette cérémonie et ce lieu l'inspiration nécessaire à l'élégie qu'il allait composer sur la mort du jeune torero.

De ma place, je voyais les quatre Leal avec, pour toile de fond, la station du chemin de croix qui représentait la crucifixion. Les ombres se dessinaient particulièrement bien sur leurs visages. Je m'agenouillai dans l'allée et les photographiai avant qu'ils ne remarquent ma présence, mais le bruit de l'obturateur ne manqua pas d'attirer leur attention et, en bons acteurs qu'ils étaient, ils comprirent ce que je recherchais. Le chagrin se lut un peu plus ouvertement sur leurs traits. Je ne savais pas alors que l'une de ces photos serait reprise dans une demi-douzaine d'ouvrages traitant de la tauromachie, illustration parfaite du torero devant la mort. Pour ma part, j'eus la satisfaction de constater que le meilleur de mes clichés était tout de même celui que j'avais pris avant qu'ils ne posent comme des mannequins.

Quand la messe s'acheva aux environs de minuit, je m'approchai du poète Aguilar, qui avait écrit dans l'ombre, et lui dis en espagnol :

— Pardonnez-moi, monsieur, mais l'on m'a dit que vous travailliez au musée de don Eduardo. Je fais découvrir Toledo à des visiteurs venus des Etats-Unis. Serait-il possible...

— Mais bien entendu ! s'écria-t-il avec l'enthousiasme qui caractérise les amateurs quand on aborde leur domaine de prédilection. (Une fois hors de la cathédrale, il me dit en anglais :) C'est un musée que don Eduardo soutient depuis des années. Ce n'est pas extraordinaire, mais cela vous montrera tout de même ce qu'est la tauromachie.

— Où avez-vous appris à parler aussi bien anglais ? lui demanda O. J. Haggard.

— J'ai travaillé dans un drugstore au Texas, répondit le poète.

— Vous, les Mexicains, vous nous faites vraiment honte !

— Nous aimons parler, dit le poète en riant. Etre coincé au Texas sans en maîtriser la langue, voilà qui rendrait fou un Mexicain. (Brusquement, il s'immobilisa sous un lampadaire et nous demanda :) Souhaiteriez-vous entendre le poème que je viens de composer sur la mort de Paquito ?

— Oh oui ! s'écria Mrs Evans.

— Allons dans ce bar, proposa Haggard en désignant la *cantina* où chantait Lucha González.

— Les poèmes ne sont pas faits pour les bars, dit assez sèchement Aguilar. Pas celui-ci, du moins.

Il parlait très vite et passait sans cesse de l'anglais à l'espagnol. Je ne prenais pas la peine de traduire.

— Faites un cercle pour le poète, dit Ed Grim d'une voix forte qui trahissait le mépris que lui inspiraient les Mexicains et les poètes — ce mépris n'échappa d'ailleurs à personne.

— Venez près de moi, s'empressa de dire Mrs Evans. On y voit mieux.

— Le señor Aguilar a remporté hier soir le premier prix du concours de poésie, ajoutai-je.

— Vraiment ? fit Mrs Evans. Permettez-moi de vous féliciter, señor !

Elle dit cela si simplement, avec une telle sincérité, que le poète oublia l'affront qu'il venait de subir.

— C'était une ode que j'adressais à la reine de beauté locale, expliqua-t-il. Hier soir, elle était la plus belle fille de l'assemblée. Ce soir, c'est vous qui êtes la plus belle.

Les autres femmes applaudirent.

— Et maintenant, votre poème, dit Mrs Evans.

— Il est en espagnol, naturellement, dit Aguilar. Je vous le lirai d'abord dans cette langue, parce que l'espagnol est la langue de la poésie, puis je vous le traduirai approximativement en anglais, qui est la langue des finances.

Il se lança alors dans le récit passionné de ses réactions à la mort du jeune torero et, comme sa voix s'élevait dans l'air du soir, une petite foule s'assembla autour du lampadaire. A l'apogée du poème, je remarquai que le jeune Américain blond en pachuca s'était approché et écoutait très attentivement le poète déclamer son chant funèbre.

Quand les derniers mots eurent retenti, le jeune homme se fraya un chemin pour accéder au poète.

— Maestro, lui dit-il dans un espagnol hésitant, vous avez parlé en notre nom à tous.

Et il disparut sans attendre de réponse.

— En anglais, nous expliqua Aguilar, les idées du poème sont moins riches et, bien entendu, cela ne rimera pas.

Il improvisa donc sa traduction et si, bien entendu, ceux qui ne maîtrisaient pas l'anglais s'éloignèrent, je constatai tout de même avec surprise que beaucoup restaient pour entendre ces étranges paroles :

La mort, qui vit près de l'aqueduc,
L'a rappelé un peu avant nous.
Il y avait des danses, des bonbons et la fête,
Puis la mort a esquissé un pas de sa cape rouge.

Grim faisait de gros efforts de réflexion ; Haggard avait l'air perplexe, il devait penser que le poème était peut-être bon en espagnol, mais qu'il était exécrable en anglais.

— La partie suivante est un peu plus ardue, s'excusa Aguilar. (Par deux fois, il tenta d'adapter les mots à une langue qui n'était pas la sienne.) Cochonnerie d'anglais ! jura-t-il à voix basse.

Puis il soupira, déplia son papier et essaya à nouveau :

L'eau de l'aqueduc où vit la mort
Apaise mon chagrin. Et la pyramide
Peut accepter une mort de plus.
Dans la cathédrale, j'essaye de pleurer, mais la danse est là.
Paquito n'est plus, mais la tête du taureau sera conservée.

Il termina par un sourire et nous assura une fois de plus que c'était bien meilleur en espagnol.

— Je ne comprends rien, explosa Ed Grim. Mais rien du tout ! Qu'est-ce que c'est que cette histoire d'aqueduc ?

Le señor Aguilar ne fut pas le moins du monde embarrassé par cette question.

— Mon but, expliqua-t-il avec beaucoup de patience, est de raconter que ce jeune homme originaire de Monterrey s'est fait tuer à Toledo.

— Dans ce cas, pourquoi ne l'avez-vous pas dit ? demanda le pétrolier.

— Il faut avoir recours aux symboles, répliqua le poète. Vous ne pouvez pas écrire : « Paquito a été tué à Toledo. »

— Eh bien, moi, ça ne me gênerait pas, lança le pétrolier.

— Parce que vous n'êtes pas poète, dit Aguilar en espagnol.

La foule éclata de rire. Aguilar traduisit sa remarque et, pour montrer qu'il ne s'offusquait pas des réactions de l'Américain, il prit Grim par l'épaule.

— Allons prendre une dernière *copa* sur la terrasse, proposa-t-il, et le récital s'acheva dans la plus parfaite harmonie.

A ma grande surprise, Mrs Evans, que la tragédie survenue l'après-midi avait terriblement ébranlée, voulut échapper à ces amusements.

— Est-ce qu'on ne pourrait pas... retourner à la chapelle ? me demanda-t-elle timidement.

— Il est plus de minuit, mais si vous le souhaitez...

— Oui. (Elle s'adressa aux autres :) J'ai demandé à Mr Clay de me montrer à nouveau la chapelle extérieure.

La façon dont elle avait dit cela indiquait clairement qu'elle comptait s'y rendre seule avec moi.

— Elsie ! s'écria Ed Grim d'un air rigolard. Ça pourrait être ton fils !

— J'aimerais avoir un fils comme lui, dit-elle simplement.

Sur ce, nous nous éloignâmes.

Lorsque nous fûmes assis sur un banc de pierre sur la petite place qui s'étend devant la chapelle, Mrs Evans dit :

— C'était amusant, la remarque d'Ed. Nous arrivons de Cuernavaca, comme vous le savez probablement, et ce qui m'a impressionnée là-bas — dans tout ce pays, en fait —, c'est le nombre incroyable de veuves américaines qui vivent au Mexique et sont assidûment escortées par de beaux et jeunes Américains frais émoulus de Yale ou de Princeton. Personne ne m'avait jamais parlé de ça.

— Vous les enviez ? lui demandai-je.

— Pourquoi pas ? répondit en riant cette veuve de soixante-quatre ans. C'est très flatteur d'être accompagnée par un beau jeune homme. Un soir, à l'hôtel, j'ai vu une veuve, la soixantaine environ, chevelure argentée et beaucoup de distinction. Elle était avec un jeune dieu tout en muscles et je les ai trouvés très beaux, mais je me suis soudain rendu compte que je connaissais ce jeune dieu blond, c'était le fils d'un pauvre petit commerçant de l'Oklahoma. J'avais figuré, au nom de mon mari, dans la commission qui lui avait attribué une bourse d'études à Yale. Il réussissait très bien, et en études, et en football. Et, garçon brillant, je le retrouvais au Mexique qui jouait les chevaliers servants, rétribué, naturellement.

— Cela rapporte pas mal, vous savez, lui fis-je remarquer.

— Peut-être, mais quel dommage pour un jeune aussi prometteur ! Je n'ai pu m'empêcher de me présenter à lui, de lui rappeler l'intérêt que j'avais porté à ses études. Il ne se montra pas le moins du monde embarrassé. « Franchement, qui peut avoir envie de revenir en Oklahoma ? » me dit-il. Je lui répondis qu'il y avait là-bas des gens très bien. « Tant mieux si vous aimez le pétrole et le bétail », ajouta-t-il. Il m'expliqua qu'une seule semaine passée à Yale lui avait fait comprendre que l'Oklahoma n'était pas pour lui. Quand je lui demandai pourquoi il n'avait pas cherché un poste à New York ou autre part, il me répondit : « Je peux toujours épouser Esther, j'aurais alors un travail à New York, comme vous le suggériez. Je m'occuperais de la gestion de ses biens, à Wall Street... » J'eus alors envie de lui dire que l'Oklahoma ne le regretterait pas, mais, à la place, je me mis à pleurer, et vous savez pourquoi ? Pas à cause de son manque de principes, mais parce que le premier chèque que j'avais signé après la mort de mon mari était justement ma contribution à sa scolarité. Je voulais aider un brave garçon à réussir...

Elle se moucha et se ressaisit.

— Ma visite au Mexique a des connotations sentimentales, vous vous en doutez bien. J'aimerais discuter pendant des heures avec ce Mr Ledesma. Il y a tant de gens qui n'ont rien à dire. (Elle indiqua les voûtes basses de la chapelle extérieure.) J'ai vécu quarante-deux ans auprès de mon mari et, avant d'entendre le señor Ledesma parler comme il l'a fait ce matin, je n'avais jamais vraiment compris ce qu'était le mariage.

— Je ne me rappelle pas l'avoir entendu évoquer ce sujet, dis-je. Mais il suffirait de peu de temps pour qu'il aborde le problème du mariage, certainement.

— Il nous parlait de la cathédrale. Il nous disait qu'il y avait deux entrées pour tout édifice. C'est l'évidence même, mais, en soixante-quatre ans de vie, je ne m'en étais pas rendu compte par moi-même.

— Que voulez-vous dire ?

La veuve s'assit et contempla l'entrée assez basse de l'église-forteresse. Elle caressa du bout des doigts la céramique du banc. Sur un autre banc, un couple s'embrassait. Du bar situé un peu plus loin nous parvenait la voix de Lucha González. C'était une belle nuit et, pendant longtemps, nous restâmes silencieux.

— Il y a deux portes au mariage, dit-elle. L'une franche et brutale, dans une rue de traverse, et l'autre, délicatement décorée, en pleine lumière. Je n'avais jamais réalisé que celle choisie par mon mari avait autant de valeur que la mienne.

Je ne voulus pas la suivre sur ce terrain, ma propre expérience du mariage ne me le permettant pas, mais Mrs Evans ne s'arrêta pas pour autant.

— Dans dix ans — vous vous rendez compte ? cela ne fait que cinq cents semaines —, je serai probablement morte, mais cette cathédrale sera toujours là, et cette place, et les fantômes des soldats espagnols qui tiraient sur les Indiens du haut des remparts. Aujourd'hui, j'ai été sincèrement fascinée par la corrida, par ce poète, par les matadors. Je crois que ce que j'ai vécu aujourd'hui m'a apporté une dimension supplémentaire.

Cela devenait trop profond pour moi.

— Nous devrions rentrer à l'hôtel et y souper, dis-je.

Sur la terrasse, les compagnons de Mrs Evans avaient accaparé Ledesma, et ce dernier parlait de la corrida de l'après-midi ainsi que de tout un tas d'autres choses.

— Ah, voilà les amoureux qui reviennent du cimetière ! s'écria Ed Grim. Tu te souviens de ce que le vieillard disait à sa femme ? « Quand je pense à notre fille qui dort dans ce cimetière, je préférerais la voir morte. »

— Tu n'es pas drôle, dit Haggard en nous faisant un peu de place.

— J'ai beaucoup apprécié vos réflexions de ce matin, dit Mrs Evans en se tournant vers le chroniqueur, et je regrette d'avoir manqué vos propos de ce soir.

— Je n'ai encore rien dit, l'assura Ledesma, mais plus tard, je serai brillant.

— Il ment, l'interrompit Haggard, il nous a expliqué en long et en large la différence entre la corruption au Mexique et aux Etats-Unis.

Ledesma était tout heureux d'avoir ainsi l'occasion de se répéter :

— J'ai simplement précisé que je n'écris jamais un mot sur une corrida tant que je n'ai pas été grassement rétribué par les matadors dont je parle. Pour moi, les hommes d'action sont meilleurs payeurs que le caissier anonyme de l'administration d'un journal. Quand un torero me paye, je peux écrire des choses intéressantes.

— Vous n'avez jamais eu envie, commença Haggard, d'arrêter de... comment dire ? de...

— De jouer les sycophantes ?

— J'allais dire de passer la pommade, fit Haggard en riant. Votre expression est plus distinguée.

— Mais la vôtre est plus colorée.

— Merci. Dites, vous n'aimeriez pas recevoir un salaire décent plutôt que de vous faire acheter pour chaque article ?

— C'est un grave problème, dit Ledesma en soupirant. Au Mexique, nous pensons que le meilleur moyen d'aboutir à une vérité relative est de distribuer de gros pots-de-vin. Tout le monde pratique ainsi, le gouvernement, l'Eglise, les hommes d'affaires, les actrices de cinéma. Ce matin, par exemple, Mrs Evans m'a forcé à avouer que je préférais le style de Juan Gómez, mais croyez-moi, je ne le reconnaîtrai jamais publiquement, à moins qu'il ne me paye pour le dire. Pour moi, le paiement sanctifie le jugement.

— Pour nous, Américains, c'est plutôt désagréable, dit Haggard.

— Vraiment ? rétorqua Ledesma. J'ai vu des hommes d'affaires de plus de soixante-dix pays venir au Mexique pour y ouvrir des marchés. A votre avis, lesquels se sont le plus rapidement adaptés à nos coutumes ? Les Norteamericanos. Invariablement, vos concitoyens font les meilleurs escrocs. Pour ce qui est de la fraude, je mettrais les Britanniques en première position, car la fraude exige de la finesse, mais pour ce qui est de la corruption dans toute sa splendeur, les Norteamericanos sont les rois. Demandez à Clay ce qu'il en pense, lui qui est mexicain.

Les Américains se tournèrent vers moi.

— J'aimerais protester contre la mauvaise réputation que le señor Ledesma nous fait, dis-je, mais je ne le puis pas. J'ai eu récemment l'occasion de parcourir longuement une bonne partie de l'Amérique latine et je dois avouer que pratiquement tous les aspects de la vie quotidienne sont liés aux pots-de-vin. Tenez, ce soir, par exemple, quand j'ai voulu envoyer mes pellicules à New York, j'ai dû graisser la patte au responsable du bureau des expéditions parce qu'il prétendait en avoir perdu la clef, à la femme de ménage qui disait qu'on ne pouvait pas allumer l'électricité, à l'employé qui devait transporter mes films jusqu'à Mexico. Pourboires, pots-de-vin, dessous-de-table, c'est toujours comme ça. Mais ceux qui s'y habituent le plus facilement et qui deviennent très vite experts dans l'art de corrompre leur prochain, ce sont bien les Américains, comme l'a dit Ledesma.

— Je vais vous donner un exemple très concret, intervint Ledesma. Cet après-midi, dans l'arène, un jeune homme s'est fait tuer. (Il se signa.) Eh bien, la corruption était omniprésente. Le costume que portait ce malheureux torero lui avait coûté le double de sa valeur à cause de la malhonnêteté d'un valet. Son épée avait été volée à un riche matador. Son salaire avait été amputé par un manager trop gourmand. Même ce que je dirai de lui dans le journal aura été payé d'avance. Vous pouvez me citer un cas plus triste que celui-ci ? (Il toisa longuement son auditoire.) Moi, je le peux. Il n'y a pas si longtemps, aux Etats-Unis, le directeur d'une université qui jouissait d'une bonne réputation s'est adressé à son collègue d'un établissement scolaire également très réputé. Il lui a dit : « Vous avez un excellent joueur de basket. Nous avons besoin de lui pour attirer les foules et rembourser la construction du stade. Malheureusement, ses notes sont trop basses. Est-ce que vous pouvez les relever un peu pour que nous puissions l'admettre ? » L'école le nota mieux, l'université modifia à la baisse ses critères d'admission. L'entraîneur payait ce garçon comme si c'était un professionnel. Il n'allait pratiquement jamais aux cours, mais quelle importance ? Il s'est mis en cheville avec des parieurs professionnels à l'occasion de grands matchs. Les parieurs ont soudoyé la police pour pouvoir agir à leur guise et gagner pas mal d'argent. Dans vos journaux, mes confrères journalistes n'ont rien dit de tout ça, bien qu'ils fussent parfaitement au courant. Vous savez pourquoi un tel comportement est pire que la tauromachie ?

— Comment connaissez-vous aussi bien le basket ? lui demanda Haggard.

— Parce que je suis un philosophe et qu'il est de mon devoir de savoir, répondit Ledesma. Et je puis vous dire ceci. La tauromachie ne corrompt que la frange de la société, sa part de rêve si vous voulez. Mais les scandales du basket corrompent le cœur même de votre nation — les universités, les jeunes gens prometteurs, la police. Au basket, rien n'est honnête, tout le monde est corrompu, du président de l'université jusqu'aux parents du joueur ; en tauromachie, chaque élément humain a été corrompu. Seulement, le taureau reste honnête, et puisque le tirage au sort qui décide de l'attribution des bêtes aux matadors peut faire la différence entre la vie et la mort, elle aussi doit rester incorruptible.

Il y eut un long silence un peu gêné, puis Haggard, qui regardait par-dessus mon épaule, s'écria :

— Tenez, voilà le jeune homme !

Je me retournai pour voir l'Américain blond en pachuca. Haggard se leva et offrit une chaise au nouveau venu.

— On a une dette envers vous, jeune homme. La veuve Palafox m'a dit que vous nous aviez laissé votre chambre.

— Elle m'a proposé le double du prix pour cela, répondit le jeune homme. (C'est alors qu'il remarqua le chroniqueur. Il se leva et s'inclina devant lui.) Vous êtes León Ledesma ? dit-il en espagnol.

— C'est bien moi.

— Je m'appelle Ricardo Martín, dit le jeune homme en appuyant lourdement sur la dernière syllabe de son nom.

— C'est un nom américain ? demanda Haggard.

— J'étais... commença le jeune homme d'une voix hésitante. Mon nom est Richard Martin Caldwell.

— Vous venez d'où ? s'enquit Ed Grim.

— De Boise, dans l'Idaho.

— Un chouette coin, fit Grim.

— Il y a pas mal de pêche, de chasse.

— Et qu'est-ce que vous faites au Mexique ? insista le pétrolier.

Le jeune homme réfléchit et ouvrit la bouche, aucun son n'en sortit. Il se tourna sur sa chaise, comme s'il avait décidé de ne pas répondre. Son regard tomba alors sur Ledesma et il déclara avec précipitation :

— Je suis venu pour être torero.

— Vous êtes... quoi ? s'écria Ed Grim.

— Je... eh bien... bredouilla-t-il comme si son explication était trop délicate pour être exposée en un tel lieu. J'ai eu une prime de démobilisation en tant que GI.

— Et quelle guerre vous avez fait ? lui demanda Ed Grim sans chercher à dissimuler son mépris.

— La Corée. (Il regarda son interlocuteur droit dans les yeux.) J'étais dans les Marines.

— Tu étais dans les Marines ? s'exclama l'homme de l'Oklahoma. Moi aussi, j'ai été dans les Marines. Serre-m'en cinq, mon gars.

Ils se serrèrent la main.

— Je n'imaginais pas qu'on puisse se servir de sa prime pour étudier la tauromachie, fit remarquer Mrs Evans.

— On ne peut pas, dit le garçon, mais... enfin...

— Vous êtes au Mexico City College ? s'enquit Ledesma.

— Oui, monsieur.

— Quelques-uns de vos GI utilisent leurs primes pour venir au Mexique, expliqua Ledesma. Ils ne peuvent entrer dans nos universités, bien entendu, mais ils s'inscrivent au collège supérieur de Mexico, qui est un établissement américain, et une bonne demi-douzaine d'entre eux s'intéressent à la tauromachie — en dehors de leurs études, naturellement.

— Un jeune Américain qui veut être torero ? fit Grim. Et qu'est-ce qu'en pense ton père ?

Le jeune homme haussa les épaules et ouvrit la bouche, mais il ne dit rien. L'arrivée du dîner mit fin à ce pénible silence.

— C'est moi qui invite, mon gars, fit Haggard.

— Je... bredouilla le jeune homme.

A la vue des plats, il comprit qu'il était vain de discuter. Ses hésitations m'intriguaient. Il avait dans les vingt-cinq ou vingt-six ans et paraissait loin d'être sot. Il se tenait correctement à table et s'essuya la bouche après la soupe de poissons avec sa serviette.

— Où est-ce que tu as commencé à t'intéresser aux taureaux ? demanda Grim. Dans l'Idaho ?

— Après la Corée, j'ai été affecté...

— Eh, attends, fit Grim. Quel âge as-tu ?

— Je ne vois pas...

— Ce que je veux dire, c'est que tu devais être au berceau quand tu t'es enrôlé dans les Marines.

Le pétrolier ne cachait pas son admiration pour un engagement aussi précoce.

— Mon père a échappé à la Seconde Guerre mondiale. Il a été exempté à cause de moi. Mais il est très porté sur l'armée.

— L'infanterie ? La marine ? demanda Grim.

— Non. Simplement tout ce qui a trait à l'armée, l'uniforme, les grades, tout, quoi...

Sa manière d'attaquer le riz à la valencienne montrait bien qu'il ne voulait plus participer à la conversation.

Toutefois Mrs Evans lui demanda avec douceur :

— Quel âge aviez-vous donc en entrant dans les Marines ?

— Seize ans. Mon vieux a menti sur mon âge. Il a dit que tout Ricain qui en a doit...

— Eh, je n'aime pas ta façon de parler de ton père, protesta Grim. Qu'est-ce qu'il y a, tu n'étais pas fier d'être un Marine ?

— On croirait entendre mon vieux, dit le garçon sans relever la tête.
— Dis donc, toi ! lui lança Grim.
— OK, ça va, vous êtes un héros, dit l'autre qui avait toujours la tête dans son assiette.
— Quel genre de type tu es, un beatnik ou quoi ?
— Qu'est-ce que ça peut faire puisque vous êtes un héros ? On écrase.
— Marine ou pas, hurla Grim, on ne me parle pas comme ça !
Furieux, il se leva, il voulut saisir le garçon à la gorge, mais n'attrapa que sa pachuca, qui s'étira interminablement au-dessus de la table.
Mrs Evans ne put s'empêcher de rire.
— Vous êtes ridicules ! dit-elle.
Les autres rirent à leur tour.
— Assieds-toi, papa, dit Penny, tu es grotesque.
Quand l'ancien Marine eut lâché la pachuca, le tissu retomba en gros plis sur la poitrine du jeune homme et les rires redoublèrent.
— Mon Dieu, mais où avez-vous trouvé pareil vêtement ? demanda Mrs Evans.
— C'est une sorte de...
— C'est un uniforme qu'affectionnent les étudiants, expliqua Ledesma. Mais dites-moi, où avez-vous assisté pour la première fois à une corrida ?
Il était évident que Ricardo Martín était autant impressionné par le critique tauromachique qu'il était énervé par ses compatriotes. Il se tourna donc vers Ledesma et s'adressa exclusivement à lui.
— Quand j'ai été évacué de Corée...
— Cela veut-il dire que vous avez été blessé et rapatrié comme un héros ? demanda Ledesma.
Le garçon se trémoussa sur sa chaise et remonta les manches de son ample vêtement.
— Eh bien... bredouilla-t-il. J'ai eu quelques citations. On m'a envoyé à San Diego... ils recrutaient... pour faire des études supérieures...
— Et c'est là que vous avez vu une corrida ? suggérai-je en me souvenant qu'il m'était arrivé de quitter Hollywood, où j'avais réalisé des interviews, pour assister à des corridas qui se donnaient de l'autre côté de la frontière.
— C'est pas si simple que ça. Il y avait un café, un type qui chantait des ballades... il jouait de la guitare... On y allait souvent, il y en avait qui étaient fous de flamenco, de taureaux, enfin vous voyez...
— Et un dimanche, ils vous ont emmené à Tijuana, c'est bien cela ?
— Oui.
— Ça vous a plu tout de suite ?
— Tout de suite, oui. Le premier jour, c'était Juan Gómez. Ah !
Il se servit de son bras droit comme d'une épée et l'enfonça dans un taureau imaginaire.
— Quand avez-vous décidé de devenir matador ? poursuivis-je, désireux de comprendre pourquoi de jeunes Américains sacrifiaient tant de choses pour devenir toreros.

A nouveau, il prit un air renfrogné, et je me dis qu'il ne voulait pas répondre, mais il avait apparemment une telle envie de discuter avec Ledesma qu'il daigna partager ses réflexions avec moi. Il se tourna vers Ed Grim.

— Voilà qui ne va pas vous plaire, mais n'y voyez surtout pas d'attaque personnelle.

Il dit cela avec une telle douceur que Mrs Evans dit en riant :

— Il n'oserait pas s'en prendre à un Marine qui a des citations ! Au fait, qu'est-ce qui vous a valu d'être ainsi mis à l'honneur ?

Ricardo ignora sa question.

— Un jour, je me trouvais dans ce café de San Diego, expliqua-t-il à Ledesma. J'étais en civil... et j'allais faire un peu de musique avec les gars, mais mon père était descendu tout droit de l'Idaho pour me rendre visite à la base... Il a toujours été dingue des bases militaires, des défilés et aussi de me voir en uniforme... Il a été déçu d'apprendre que j'étais sorti et on l'a envoyé au café, et quand il y pointe son nez, il y a un tas de fumée, ce type qui joue de la guitare et moi qui l'accompagne à la flûte à bec. « Bon sang, mais qu'est-ce que tu fous avec cette flûte ? » il s'est écrié. Et là, tout de suite, j'ai compris que je voulais être torero. Pour ne surtout pas ressembler à ce pauvre croulant...

— Il vous a déjà rendu visite au Mexique ? demanda très vite Mrs Evans.

— Une fois. Il m'a dit : « Qu'est-ce que tu fabriques dans ce collège de métèques ? » Quand il a vu mon nouveau nom, Ricardo Martín... (Là encore, il le prononça à l'espagnole.) Le nom de jeune fille de ma mère, c'est Martin. Elle était de Denver.

— Il vous envoie de l'argent ? poursuivit Mrs Evans.

— Vous savez pourquoi il est venu ? (Ricardo adressait directement sa question à Ledesma.) Il a été nommé président de la commission de l'Idaho pour la commémoration du centenaire de la guerre de Sécession. Il adore mettre en scène les grandes batailles de l'histoire. Il va faire le général Lee et il est venu me demander d'être son aide de camp, le général Beauregard. (Il s'arrêta pour manger un peu de riz.) Vous vous rendez compte ? A l'époque de la guerre de Sécession, l'Idaho n'était qu'une vaste prairie. C'est vraiment dément. Tous ceux qui, comme mon vieux, sont dingues de la guerre de Sécession, veulent jouer le général Lee. Personne ne veut jamais faire Grant. Mon vieux n'a pas plus de rapport avec le Sud que...

— Je devrais te balancer une bonne claque, grommela Ed Grim. Tu te prends pour qui ?

Ricardo ignora cette remarque.

— Quoi qu'il en soit, dit-il à Ledesma, mon vieux va se pavaner dans tout l'Idaho dans son costume de général Lee, et moi je suis au Mexique pour affronter des taureaux.

— Vous avez déjà toréé ? lui demandai-je.

— Dans des foires de village.

— Vous avez eu droit aux picadors ? intervint Ledesma.

Cette question avait énormément d'importance. Si Ricardo répondait oui, cela voulait dire qu'il avait rencontré des taureaux d'un poids certain, car les picadors ne sont jamais utilisés contre des « bestioles ».

— J'ai participé à une novillada à San Bernardo.

Ledesma hocha la tête d'un air approbateur.

— Vous avez eu de vrais taureaux ? demanda Mrs Evans.

— Bien sûr, fit Ricardo.

— Et vous en avez déjà tué ? continua-t-elle.

— Huit ou dix...

— Vous êtes si bon que ça ? interrogea à son tour O. J. Haggard.

— Oui.

— Tu veux dire que... commença Ed Grim.

— Oui, fit tranquillement Ricardo. Je veux dire que je serai matador.

— Comment un brave garçon de notre pays peut-il...

Mrs Evans n'entendit pas la fin de sa question, ni même la réponse de Ricardo, car elle se souvenait avec amusement qu'elle avait utilisé la même expression pour parler du jeune Américain rencontré à Cuernavaca au bras d'une femme d'un certain âge. Elle se disait certainement que l'ancienne génération avait beaucoup de mal à comprendre les ambitions des jeunes.

— Ricardo, dit-elle brusquement, quand j'étais à Cuernavaca, j'ai rencontré plus d'une douzaine de jeunes gens, des Américains, qui faisaient... enfin... qui travaillaient comme...

— Comme cavaliers ? dit Ricardo sans la moindre surprise.

— Oui. Ils paraissaient mener une vie qui les satisfaisait pleinement. Pourquoi avez-vous choisi la tauromachie au lieu de faire comme eux ? C'est plus facile, non ?

— Voilà la première question intelligente que l'on m'ait posée de la soirée, dit Ricardo. (Très vite, il se tourna vers Ledesma :) En dehors de la vôtre à propos des picadors, mais c'était du domaine technique.

Ledesma apprécia cette remarque et hocha la tête d'un air condescendant. Le jeune torero poursuivit :

— En fait, j'ai essayé une fois de jouer les chevaliers servants. Lorsqu'on désire ardemment être matador, on essaie tout, absolument tout. Si vous voulez vous débarrasser de quelqu'un, dites-le-moi, fit-il en me regardant.

— Et alors ? dit Mrs Evans.

— Quand on a de la fierté, on ne peut pas s'accrocher aux basques d'une vieille dame.

Grim faillit s'en étrangler et, par-dessus la table, il gifla le jeune homme.

— J'interdis à quiconque de parler comme ça devant ma fille ! s'écria-t-il, mais ses paroles n'eurent aucun effet parce que Penny avait déjà éclaté de rire.

A ma grande surprise, Ricardo ne réagit absolument pas à la gifle et continua de bavarder calmement avec Mrs Evans.

— Après trois mois passés à Cuernavaca et Acapulco, j'ai laissé tomber.

— Comment les autres justifient-ils leur assiduité ? lui demanda Mrs Evans.

— Bon Dieu, Elsie ! protesta Grim. Tu essaies de te trouver un cavalier ou quoi ?

— J'ai envie de savoir ce que font les femmes de mon âge pour trouver une réponse à leurs questions, répliqua Mrs Evans avec une certaine fermeté.

— Quelles questions ? dit Ed.

— Quel est le sens de la vie, par exemple. Un mari meurt, les enfants sont partis et vos yeux sont trop faibles pour lire longtemps : que peut faire une femme ? Apparemment, elles sont nombreuses à prendre l'argent que leur mari leur a laissé et elles le dépensent au Mexique avec de jeunes hommes.

— C'est répugnant, dit Haggard en s'octroyant une bouchée de haricots rouges.

— Cela n'a rien de répugnant, lui répondit Mrs Evans.

— Lui-même, il l'a dit, fit Grim en désignant Ricardo de sa fourchette.

— Il a dit seulement que cela ne lui convenait pas, dit Mrs Evans, et c'est bien normal, car les jeunes gens devraient plutôt être attirés par les jeunes filles, mais je ne pense pas qu'il ait émis la moindre opinion à propos des femmes qui réglaient leurs factures et...

— Ethel ! hurla Grim. Qu'est-ce qui t'est arrivé ? Si ton mari t'entendait...

— Il ne comprendrait pas un mot de ce que je dis, et ce serait bien dommage.

— Est-ce qu'il ressemblait à mon vieux ? demanda Ricardo.

— Non, dit calmement Mrs Evans. C'était un homme délicat et travailleur avec qui j'ai vécu pendant quarante-deux ans sans jamais saisir, en fait, ce qui le poussait. En vieillissant, vous direz peut-être la même chose de votre père.

— Un vieux schnoque, c'est toujours un vieux schnoque, insista le garçon. (Puis il se tourna brusquement vers Ed Grim.) Et si vous levez encore la main sur moi, pépé, je vous fous une raclée dont vous vous souviendrez, pigé ?

Grim bondit à cette insulte, comme Ricardo s'y attendait, et quand il plongea sur le jeune homme, ce fut pour recevoir deux manchettes plus impressionnantes que douloureuses.

— Assis, Ed ! lui ordonna Haggard. Les bagarres, c'est dans l'arène, compris ? (Il s'adressa alors à Ricardo.) J'apprécierais si vous faisiez des excuses à Ed, parce que votre remarque était plutôt déplacée. Il avait parfaitement le droit de vous taper dessus.

— Je m'excuse, dit Ricardo avec sincérité. Je retire mes mots, Mr Grim, et je vous prie aussi de m'excuser, mademoiselle. Votre père a le caractère bien trempé, mais ça, vous l'avez sûrement déjà remarqué.

— Je savais bien qu'un Marine ne pouvait pas être aussi mauvais que ça, fit Grim, et tout le monde se détendit.

Mrs Evans se tourna vers Ledesma.

— J'ai été si impressionnée par vos propos... je me demandais si vous voudriez bien me montrer encore une fois la pyramide. J'y ai pensé toute la journée et j'aimerais l'admirer au clair de lune.

— Je ne retournerai pas voir ces caillasses ensanglantées, grommela Ledesma.

— Oh, je vous en prie !

— Non, mais en ce jour marqué par la mort, je vais vous faire connaître quelque chose d'unique au Nouveau Monde !

— Allons-y tout de suite ! s'écria Mrs Evans.

— Veuve Palafox ! appela Ledesma en tapant du poing sur la table. Surveillez nos assiettes tandis que nous nous enfonçons dans le passé !

La veuve apparut sur la terrasse pour déclarer qu'il n'en était pas question. Il était déjà une heure du matin, et elle ne ferait plus la cuisine. Nous nous empressâmes donc d'achever notre repas avant de nous précipiter vers la Cadillac de Mrs Evans.

— Appelez Ricardo, me dit-elle discrètement, je veux qu'il voie ça si c'est vraiment intéressant.

Nous nous entassâmes dans la grosse voiture. Je pris le volant et Ledesma me guida. Nous parcourûmes quelques kilomètres sur la route menant à León, jusqu'à un endroit où un bouquet de cyprès donnait un air funèbre au paysage. Ledesma réveilla le fossoyeur, lui glissa quelques pesos et lui demanda d'allumer les lumières. Nous découvrîmes, au milieu des arbres, un monument de pierre d'allure assez banale pour le Mexique. Il possédait une grille et un escalier qui nous permit d'accéder à un miracle géologique, une grotte appartenant à la strate rocheuse où courait aussi le filon d'argent de la Mineral. Mais là, le taux d'hygrométrie était pratiquement nul.

— Depuis dix mille ans, expliqua Ledesma, pas la moindre humidité n'a pénétré dans cet endroit. Le résultat ? Le voici !

Ce disant, il poussa soigneusement un énorme portail de bois et nous fit entrer dans une petite antichambre avant de tirer une petite porte de métal. Il alluma une autre ampoule électrique et nous entraîna dans ce lieu merveilleux qui n'était pas encore ouvert au public à l'époque où je vivais à Toledo.

C'était une galerie de quelque vingt-cinq mètres de long sur sept de large qui, plusieurs milliers d'années auparavant, avait été creusée dans la roche par une force souterraine, rivière ou coulée de lave volcanique, avant d'être tout aussi mystérieusement refermée aux deux extrémités. Cela formait un couloir de catacombes parfait, dont les parois étaient occupées par des dizaines de figures étonnantes, hommes et femmes de tous âges et de toutes tailles, morts plusieurs siècles plus tôt et ayant reçu le droit, de par leur valeur ou leur fortune, d'être déposés dans cette sépulture. Ils se tenaient là, très droits, vêtus des beaux atours qu'ils portaient lors de leurs funérailles. Le temps les avait épargnés. Les corps n'étaient pas tombés en poussière, les chairs n'étaient pas corrompues. Leurs vêtements n'avaient pas été attaqués par l'humidité. C'était une extraordinaire réunion que ces momies de Toledo.

— Est-ce qu'elles pourraient être en cire ? demanda Mrs Evans. Comme chez Madame Tussaud ?

— Il n'y a ici nul artifice, dit Ledesma. Ce sont les habitants de Toledo, préservés à tout jamais.

Alors que les autres avançaient lentement dans la galerie, j'entendis derrière moi un cri d'étonnement, mais pas d'effroi, et je me retournai pour voir Penny Grim qui contemplait bouche bée la silhouette exquise d'une Chinoise morte, d'une trentaine d'années à peu près. Ce qui la différenciait des autres momies, c'était son habit chatoyant, aussi éclatant que lorsqu'on l'en avait parée pour la dernière fois. La robe était taillée dans les étoffes précieuses, soieries et satins, qu'elle avait dû emporter avec elle dans sa traversée du Pacifique.

— Oh, Mr Clay ! N'est-ce pas magnifique ? Même moi, j'aurais l'air d'une princesse avec de tels vêtements ! s'écria Penny Grim.

Cette Chinoise était morte prématurément de quelque cause inconnue, mais elle se présentait à nous comme de son vivant, et le mystère qui l'auréolait paraissait animer tous les autres personnages des catacombes. On se serait cru au grand bal donné lors du Festival Ixmiq, en 1710, et je n'aurais pas été étonné d'entendre les musiciens nègres de l'orchestre.

— Ah, fit Ledesma en nous rejoignant, je vois que vous avez trouvé notre charmante *china poblana*. Vous ne trouvez pas que l'on aurait envie de lui demander la prochaine danse ?

— Qu'est-ce qu'une china poblana ? demanda Mrs Evans.

León s'apprêtait à lui répondre quand Ricardo l'appela de l'autre bout du couloir.

— Que se passe-t-il ?

Nous le suivîmes pour voir la tête penchée d'un homme qui avait visiblement été pendu et enterré avec un morceau de corde autour du cou.

Alors que, tous les quatre, nous observions en silence ce qui nous apparaissait comme une double mort — la pendaison et l'ensevelissement —, Martín se mit à parler avec douceur, sans la réticence dont il avait fait preuve jusqu'ici. Comme si nous n'avions jamais quitté la terrasse, où avait été abordé le problème de son avenir tauromachique, il déclara :

— Je serai torero. J'ai connu la mort en Corée, cela fait peur, et cet après-midi j'ai vu un homme se faire tuer par un taureau, et cela aussi fait peur. Mais rien ne pourra me détourner de ce que j'ai décidé. Je serai matador, dit-il en détachant chaque syllabe.

— En êtes-vous capable ? lui demanda Mrs Evans, dissimulée dans l'ombre.

— Je ne suis pas le meilleur, répondit Ricardo. Mais je me considère comme un professionnel. Je suis meilleur que soixante pour cent... non, quatre-vingts pour cent des Mexicains qui toréent aujourd'hui. Je connais toutes les passes, tous les artifices techniques. Mrs Evans, j'en sais sûrement plus sur la tauromachie que votre mari n'en savait sur le pétrole.

— Vous parlez comme lui, mon garçon, avec la même détermination.

— Vous pouvez rester les pieds cloués au sol ? lui demandai-je.

— Oui.

— Tout le monde, tant qu'on ne s'est pas fait toucher, intervint Ledesma. Vous avez déjà été touché ?

Vivement, Ricardo roula ses jambes de pantalon et nous montra, au-dessus du genou, trois blessures par coups de corne.

— Celle-ci, je l'ai eue en rencontrant un taureau de sept ans qui avait déjà été toréé une douzaine de fois. J'ai exécuté quatre superbes passes, mais j'étais sûr qu'il allait m'avoir. Je me suis retrouvé pendant trois semaines dans un petit hôpital minable de Michoacán. La fois d'après, j'ai été aussi brave, et j'ai été touché ici. J'ai changé d'hôpital. A la corrida suivante...

Il se rendit compte qu'il élevait la voix et s'interrompit.

— A nouveau les draps rugueux de l'hôpital ? dit Ledesma.

— Oui, répondit Ricardo, très maître de lui. Un mois plus tard, j'ai fait ma première corrida avec des picadors et... Tenez !

Comme tous les aspirants matadors, Ricardo transportait dans son portefeuille des photos qu'il nous montra. Il faisait trop sombre pour en distinguer tous les détails, mais l'on pouvait discerner la masse impressionnante d'un animal qui effleurait la silhouette d'un jeune homme mince.

— Regardez mes pieds ! exulta-t-il. Avez-vous déjà vu une position plus ferme que celle-là, Mr Clay ?

Je lui rétorquai que l'éclairage des catacombes n'était pas fameux.

— Vous pouvez me croire sur parole, ajouta-t-il.

— Vous aviez de bonnes notes à l'université ? demanda Mrs Evans.

— Mouais... fit Ricardo en retrouvant son style décousu. Vous savez ce que c'est... Surtout des A... Quelle foutaise !

— Arrêtez ! s'écria Mrs Evans. Comment un garçon de votre âge peut-il parler comme ça ?

— Parce que tout ça c'est de la foutaise, insista-t-il avec froideur. Mon vieux n'est qu'un taré. Vous l'avez vu ce soir, au dîner. Comme Ed Grim, il croit qu'il peut tout résoudre en enfilant un uniforme de la guerre de Sécession et en cravachant les gens. Il aimait le Mexique, parce que les péons y sont traités comme des serfs. Il pense que les forts doivent gouverner. Il était complètement dingue de la guerre, mais il s'est débrouillé pour se faire exempter. Ma mère, elle, a atteint le plus haut niveau de stupidité qu'on puisse imaginer. Je crois que c'est pour elle qu'on a inventé la télévision. Elle prend les westerns très au sérieux et se demande si le héros va gagner cette semaine. Quand les chevaux tombent, elle se met à chialer. Et elle tremble tous les jeudis soir parce qu'elle a peur qu'Eliot Ness se prenne une balle perdue.

» Voilà mon petit univers, Mrs Evans. C'est pour ça que je suis parti en Corée. La moitié de mes copains se sont fait buter dans une guerre qui n'avait aucun sens. On se retrouve coincé dans une cuvette en plein hiver, tout ça parce qu'un super-connard avec toutes ses étoiles s'est gouré ! On m'a ramené à San Diego pour que j'incite d'autres jeunots à aller se faire descendre. Mon vieux m'a écrit : " Cela me fait peine de penser que tu puisses... " Je pourrais vous la réciter par cœur, Mrs Evans. Il s'est fait humilier à son club de golf parce que la guerre se poursuivait en Corée et que son fils recrutait à San Diego. Vous voulez connaître la suite de sa lettre ? Que tout ça s'écroule sur moi si je mens ! " Richard, il est du devoir de tout homme en uniforme de traquer constamment l'ennemi et de le détruire. Ta place est en Corée et je vais aller trouver le général pour que tu sois transféré là où ton devoir t'appelle... " (Il s'arrêta pour contempler le pendu.) Est-ce que l'un de vous peut imaginer ce que c'est que la Corée en hiver ?

— J'y étais, dis-je.

— Pendant la retraite de ce qu'on appelle la rivière X ?

— Oui.

Nous nous regardâmes dans la pénombre, sans un mot.

— C'était vraiment affreux ? demanda Mrs Evans.

Ricardo ignora sa question et reprit :

— Vous m'avez vu ce soir avec Ed Grim quand il m'a cherché, dit Ricardo. Pour moi, tous ces tarés se ressemblent. Le jour où il s'est mis à brailler : " Bon sang, mais qu'est-ce que tu fous avec cette flûte ? ", j'ai éclaté de rire et tout le monde dans le café s'est marré aussi, et moi je me suis mis à sauter dans tous les sens en criant : " Je suis le grand dieu Pan et je souffle dans mon roseau ! " Mon vieux me regardait, et voilà, je me retrouve aujourd'hui parmi les morts.

— Et à l'avenir, qu'est-ce que vous comptez faire ? s'enquit Mrs Evans.

— Ah non, vous allez pas me faire ce coup-là ! L'avenir, c'est maintenant. C'est ce festival, ces corridas, rien de plus. Je ne vais pas me torturer la tête pour tenter de deviner à quoi ressemblera le monde quand j'aurai quarante ans, parce qu'au train où ça va, je n'aurai jamais quarante ans. Je vis dans le présent et cela me suffit. Je vais affronter des taureaux et personne ne m'en empêchera. Mais vous savez pourquoi je prends tous ces risques ?

— Pourquoi ? demandai-je.

Il s'éloigna du pendu et fit quelques pas en direction de la sortie.

— Je fais ça parce que je veux remettre les choses à leur place. Aux Etats-Unis, on parle tout le temps de paix, mais, en fait, on aime la guerre. Regardez comment des hommes comme mon père idéalisent la guerre de Sécession. Ils crèvent d'envie de s'élancer avec la cavalerie et je ne vois pas pourquoi ça changerait. Ma mère dit souvent : « Ce serait horrible si les Russes envoyaient une bombe atomique sur Detroit. » Elle sera très déçue si cela n'arrive pas avant sa mort. Elle a même dessiné une carte pour savoir combien de malheureux habitants seront tués. Selon ses dernières estimations, elle en est à six cent mille, mais Moscou subira de plus lourdes pertes, bien entendu. Nous ne sommes pas du tout ce que nous prétendons ni ce que les journaux disent de nous. Nous sommes violents. Nous aimons la guerre.

— Je ne peux pas vous croire, fit Mrs Evans.

— Un jour, je suis rentré à la maison. Tout le temps que j'ai passé à Boise, ma mère est restée devant sa télé à voir des meurtres, des viols, des suicides, des fusillades, des types étranglés ou défigurés à l'acide. Je ne sais pas combien il y a eu de morts — plus de vingt pendant tout le temps où j'ai regardé la télé avec elle. Toutes les fois qu'un type sortait son arme, elle se penchait vers l'écran. Quand une fille était sortie de sa voiture pour se faire violer ou découper en morceaux, elle avançait son fauteuil. Et après une semaine, un mois, six ans passés comme ça, elle ose me dire : « Comment peux-tu t'intéresser à une chose aussi violente que les courses de taureaux ? »

» C'est pourquoi j'ai décidé d'en finir avec les absurdités de mon père et le sentimentalisme de ma mère pour me plonger au fond du problème, dit-il. Je ne veux pas passer ma vie à regarder des inepties à la télévision. Je ne veux pas que mon père jouisse parce que je me bats en son nom en Corée. Je ne veux pas bombarder Moscou. Je ne veux pas qu'il y ait six cent mille morts à Detroit. Je veux marcher droit, et le jeu de la mort, je le jouerai avec un ennemi honorable qui me tuera s'il en a l'occasion. Comme vous, Mrs Evans, comme ma mère, comme mon père, comme tous ceux de mon pays, je suis préoccupé par la mort et j'ai déjà vu la gueuze de près à plusieurs reprises. Je sais qu'en fin de compte, c'est elle qui gagnera, mais avec moi, elle aura fort à faire.

Nous nous trouvions à présent à l'extrémité du couloir, de sorte que je fis demi-tour et revins lentement vers l'entrée. En passant devant les corps momifiés, j'eus l'impression qu'ils se présentaient à moi. « Je suis Pablo, l'apothicaire, en 1726. » Cet homme trapu, c'était « Miguel, le boucher, 1747 ». Venaient ensuite le charpentier, l'homme de loi qui plaidait à Mexico. Puis s'élevait une autre voix : « Je suis Enrique, l'architecte qui a réparé l'aqueduc après la crue de 1759. » L'infirmière qui avait sauvé des vies pendant la peste, la couturière, la sœur María de la Luz, canonisée pour avoir amené à Jésus les enfants abandonnés. Et enfin, la voix profonde d'un personnage imposant dans sa cape rouge : « Je suis le premier évêque Palafox, bâtisseur de la grand-place. »

Ces noms, ces histoires me tournèrent la tête un instant, et j'eus le sentiment que ces hommes et ces femmes m'appelaient, qu'ils me demandaient de revenir dans leur ville et de raconter leur histoire. « Ton père a beaucoup fait pour expliquer nos luttes et nos combats, mais c'est à nous que ces choses sont arrivées. Reviens. Tu sais qui nous sommes. Tu nous vois, tu nous entends. Nous sommes toujours vivants, dans ton cœur et ton esprit. »

Très ému, je poursuivis mon chemin. La Chinoise aux atours resplendissants m'attendait. Je me penchai vers elle, avide d'entendre ce qu'elle avait à me confier, mais le charme fut brisé par la voix d'une autre femme, bien vivante celle-ci.

— Vous avez l'air aussi émerveillé que moi, me dit Penny Grim. Qui était-ce ?

Je n'avais pas l'intention de divulguer un secret de famille, mais l'émotion que je ressentais ouvrit des blessures que je croyais fermées depuis longtemps.

— Je possède une grande poupée, qui rappelle cette momie. Les mêmes riches vêtements, le même mystère. Elle avait été donnée à mon grand-père Clay. Cette poupée lui était très chère et elle est liée à son installation au Mexique.

— C'est tout ce que vous voulez me dire ?

— J'ai déjà trop parlé.

Les autres s'avançaient au milieu des morts et je m'inclinai devant la china poblana avant de les rejoindre.

Quand nous eûmes atteint la porte d'acier qui fermait la caverne, Ledesma s'arrêta et s'enroula dans sa cape noire.

— Adieu, bons citoyens de Toledo, dit-il. Vous, juge Espinosa dans cette robe qui vous rendait si important. Toi, García le voleur, avec ta nuque brisée. Et toi, adorable poupée de Chine. Accordez-nous votre bénédiction tandis que nous allons retrouver le festival, car nous savons que, plus tôt que nous ne le pensons, nous viendrons nous joindre à vous pour traverser les siècles, fiers et droits comme vous l'êtes.

Ledesma éteignit. La porte d'acier se referma, puis ce fut au tour du portail de bois. Nous gravîmes les marches pour retrouver les cyprès. Nous n'échangeâmes que peu de mots dans la Cadillac qui roulait vers l'hôtel.

Il était très tard quand nous arrivâmes sur la terrasse et nous trouvâmes les deux tables principales occupées par les Leal ainsi que par Gómez et ses compagnons. Devant eux se trouvaient deux des trois matadors qui allaient toréer le lendemain, accompagnés de leurs assistants. Tous se levèrent pour accueillir Ledesma, qui apprécia à sa juste mesure cette marque de respect. Cette nuit ne régnait pas l'exubérance qui accompagne traditionnellement le Festival Ixmiq. Quand un matador vient de mourir, la solennité s'instaure dans la fraternité de la tauromachie et les hommes restent assis sans parler, conscients que, demain, la mort les prendra peut-être. Dans le lointain, jouaient des mariachis ; plus près de nous, Lucha González chantait du flamenco.

Nous commandâmes une bonne bière mexicaine. J'indiquai au garçon de servir en premier le señor Ledesma. En effleurant la table de la main droite, comme si je tenais la cape rouge, je dis :

— Señor chroniqueur, je vous offre cette bière avec une passe naturelle.

Ledesma rit d'un air condescendant.

— Je crains que vous ne fassiez erreur, Clay. On ne peut faire une naturelle de la main droite.

— Quoi ? s'écria Veneno depuis sa table. (C'était un classique, qui respectait les traditions tauromachiques.) Est-ce que j'ai bien entendu quelqu'un prétendre qu'on ne pouvait effectuer une naturelle de la main droite ?

— Sûr qu'on peut pas, intervint Cigarro. (Il ne connaissait que ce qu'il avait appris au Mexique.) Tout le monde sait qu'on peut faire ça qu'avec la gauche.

Les deux tablées se lancèrent dans la polémique.

Victoriano, qui se sentait obligé de soutenir son père, bondit sur ses pieds, se saisit d'une serviette et d'un couteau qu'il utilisa comme épée et montra à tous que la naturelle pouvait être exécutée de la main droite. Sur ce, Juan Gómez vint à la rescousse de Cigarro.

— Regardez, c'est avec la main gauche, toujours la main gauche !

Ledesma entra dans le débat.

— Il faut être bien insensé pour soutenir qu'on peut faire une naturelle de la main droite.

— Cossío en personne dit que la naturelle peut s'effectuer de la main droite, criai-je en espagnol, et je me saisis à mon tour d'une grande serviette pour illustrer mon propos.

C'étaient partout des serviettes qui volaient, et des couteaux, et des bras tendus. Ricardo Martín discutait âprement en espagnol avec l'un des Leal tandis que grondait la voix du vieux Veneno.

— La naturelle peut être faite des deux côtés, à gauche c'est mieux, mais à droite c'est aussi permis !

Mrs Evans me prit par le bras.

— Mais que se passe-t-il ? me dit-elle.

— La tauromachie est une chose très sérieuse, comme vous pouvez le constater, lui répondis-je en riant.

Tous les matadors étaient engagés dans la discussion, ainsi que bon nombre de passants.

— C'est rassurant de voir des gens aborder si sérieusement des problèmes esthétiques, me dit Mrs Evans.

— Qu'est-ce que vous faites ? me cria Cigarro en espagnol. Vous racontez à la dame qu'on peut faire une naturelle avec la main droite ?

Il m'écarta d'un geste grandiose et, prenant la pose tel que je ne l'avais jamais vu auparavant, il montra à Mrs Evans la véritable naturelle, celle qu'il avait apprise. A mon grand étonnement, il fut approuvé par Ledesma, l'homme qu'il haïssait tant.

— Mrs Evans, expliqua le chroniqueur, seuls les étrangers et les insensés peuvent croire que cette passe est exécutable de la main droite.

— Cossío, l'homme qui a écrit les choses les plus intelligentes sur la tauromachie...

— Ne citez pas Cossío devant moi ! hurla Ledesma.

— Ecoutez, Cigarro... commençai-je dans le but de le raisonner.

Mais l'homme me repoussa et grogna d'un air méprisant :

— J'adresse pas la parole à quelqu'un qui dit qu'on peut faire une naturelle de la main droite.

Il me tourna le dos et rejoignit son ennemi, Ledesma, pour défendre de toutes ses forces l'orthodoxie de la main gauche devant tous les ignorants réunis sur la terrasse. C'est ainsi que la tension qui avait imprégné toute cette soirée éclata dans un flot de serviettes, de gestes grandioses, de cris et d'imprécations.

10

Les ancêtres espagnols : en Espagne

A l'époque où je fréquentais l'université, je me trouvai à plusieurs reprises confronté à des professeurs, ardents presbytériens pour la plupart, qui répandaient à l'envi la tristement célèbre Légende noire, selon laquelle la culture espagnole, surtout telle qu'elle s'était manifestée dans les colonies du Nouveau Monde, était quelque peu dégénérée et certainement inférieure sur le plan moral à la culture française ou anglaise. La poignée d'étudiants caractérisés par un nom ou un passé hispaniques souffraient de ce dénigrement constant parce qu'ils savaient que ces propos étaient injustes.

— C'est une université presbytérienne, expliqua un jour un garçon originaire d'Equateur. L'influence de John Knox y est encore très forte, et il haïssait les catholiques. Pour devenir un bon presbytérien, il faut pratiquement mépriser les catholiques espagnols.

Je lui fis alors remarquer que j'avais des origines espagnoles, mais que j'étais aussi protestant, et mes camarades voulurent savoir ce qui s'était passé.

— Tant que j'ai été sous la responsabilité de ma mère, j'ai été catholique, leur dis-je, mais après leur séparation, mon père a fait de moi un protestant, à son image.

Un riche étudiant bolivien dont le père possédait des mines d'étain crut alors résoudre le problème en exprimant ainsi son opinion :

— Cette haine est la conséquence des méthodes de l'Inquisition espagnole à l'époque où Colomb découvrit les Amériques. Les auteurs de manuels protestants adorent illustrer leurs textes de ces horribles gravures sur bois où l'on voit des catholiques faire brûler vifs des juifs et des protestants. (Il soupira, je m'en souviendrai toujours.) C'est une croix que nous devons porter, car cela s'est réellement déroulé ainsi.

L'Equatorien était de caractère plus emporté.

— Ce qui me rend furieux, c'est qu'en Angleterre et en Nouvelle-Angleterre, ils ont brûlé et pendu autant de sorcières que nous de protestants et de juifs, mais les professeurs n'en parlent jamais. On ne voit jamais de représentations de ces infamies dans nos manuels. On nous jette à la tête la Légende noire, mais eux, ils ont droit aux louanges parce qu'ils possédaient Shakespeare et la reine Elisabeth.

Les jeunes gens originaires d'Amérique du Sud choisirent de ne pas s'opposer à leurs professeurs en tentant de défendre l'Espagne contre les accusations ignobles que véhiculait la Légende noire, mais il ne me déplaisait pas de me jeter dans la bataille.

— Je suis fier de ce que l'Espagne a donné au monde. Cervantes Vélasquez, l'apport de la civilisation au Nouveau Monde.

Je doute de mon influence sur mes professeurs, car la Légende noire était une arme de choix pour qui souhaitait s'en prendre à l'Espagne catholique, et l'Inquisition était une institution qu'il n'était pas difficile de haïr, mais ma défense publique de l'Espagne me valut l'amitié de certains étudiants d'origine hispanique.

Un soir, après une attaque particulièrement vigoureuse d'un professeur et une mienne contre-attaque tout aussi valeureuse, le Bolivien me demanda :

— Tantôt, tu dis que tu es américain, et tantôt que tu es mexicain. Qui es-tu au juste ? Et pourquoi défends-tu l'Espagne avec tant de fougue ?

— Je suis l'un et l'autre, américain et indien du Mexique, mais du point de vue spirituel, je me sens espagnol. Je sais de quoi je parle, mieux que tous ces professeurs, parce que l'Inquisition a touché ma famille. Ils invoquent des principes abstraits, moi, la réalité.

C'est vers la fin de l'hiver 1524, à Salamanque, que le Mexique entra dans mon héritage espagnol. Voici comment cela se passa.

L'université de Salamanque avait alors un rôle éminent. Elle avait réuni en congrès de doctes savants originaires des trois autres grandes universités européennes : Bologne, la Sorbonne et Oxford.

Cette assemblée extraordinaire avait pour objectif de débattre de problèmes religieux concernant le monde catholique, en particulier des schismes survenus en Allemagne, où le moine Martin Luther avait beaucoup fait parler de lui. Quand la doctrine de l'Eglise eut été réaffirmée avec force, les spécialistes s'intéressèrent à une lettre fort étrange qui leur avait été envoyée d'Anvers, ville qui occupait alors la première place pour tout ce qui touchait au négoce. Elle avait été expédiée par un groupe de marchands à qui se posaient des problèmes moraux et qui cherchaient conseil auprès des professeurs. En voici un extrait :

> Le sujet qui nous préoccupe ici, à Anvers, est le suivant. Si le courtier Gregorio craint Dieu et souhaite vivre dans le respect de Sa Loi, mais s'il doit aussi gagner sa vie en tant que courtier et chercher à prospérer, quelle peut être son attitude face au marchand Klaus qui vint le trouver un jour pour lui dire : « Courtier Gregorio, la semaine prochaine débute la foire de la mi-carême, ici, à Anvers, et pour bien conduire mes affaires, j'aurais besoin de mille ducats d'or que je ne possède pas. Donne-les-moi en espèces et je te rembourserai trois mois plus tard lors de la foire de mai, à Medina del Campo, en Espagne. » A une telle requête, le courtier Gregorio

a répondu : « Je te donne les mille ducats ici, à Anvers, mais lorsque tu me rembourseras dans trois mois, à Medina del Campo, tu devras me rendre non seulement les mille ducats que tu me dois, mais encore cent autres ducats afin de couvrir mes dépenses en matière de transfert de devises, mes risques de perte et le salaire de mes assistants. »

Nous désirons savoir, doctes professeurs, si l'acte du courtier Gregorio, qui consiste à fournir l'argent et à monnayer les risques qu'il prend, tombe dans la catégorie de l'usure, laquelle est interdite par les Saintes Ecritures, ou s'il s'agit plutôt, ainsi que nous autres marchands le pensons, d'un exercice nécessaire et acceptable du négoce, ce qui l'écarte par la même occasion de la condamnation qui frappe tout prêt d'argent avec intérêt, lequel est, nous le reconnaissons volontiers, prohibé par la Bible.

Le problème posé par les marchands d'Anvers était des plus précis, et il allait agiter l'Eglise pendant des siècles, mais les professeurs réunis à Salamanque ne trouvèrent aucune raison logique qui les incitât à abandonner les interprétations traditionnelles de la Loi face à l'usure. Il leur fut par conséquent facile de déclarer que le courtier Gregorio transgressait la loi divine s'il prêtait au marchand Klaus mille ducats en mars pour lui en réclamer onze cents — plus que mille en tout cas — en mai. En conséquence, il fut rédigé une lettre où il était dit que « cette transaction relève de l'usure et est passible de la peine de mort » ; on y disait aussi que « dans la transaction décrite plus haut, le courtier Gregorio ne fait rien pour faire fructifier son argent, et que par conséquent un tel bénéfice doit être tenu pour illégal et contraire à la volonté divine ». La lettre allait être signée quand l'un des professeurs de Salamanque, lequel réfléchissait depuis des années au problème des intérêts exigés dans tout prêt d'argent, se leva pour aborder un problème que ses collègues avaient un peu délaissé.

— Avons-nous consacré assez de temps à l'étude de tous les aspects de la question ? dit-il. Nous y répondons, je le crains fort, en termes d'Anvers et de Medina del Campo, alors que nous devrions en peser toutes les conséquences sur le Mexique.

Un murmure de consternation s'éleva dans l'assistance et le président de la réunion, un certain Mateo, farouche dominicain qui doutait déjà de l'orthodoxie du professeur, lui répondit avec une certaine brusquerie :

— Professeur Palafox, la loi de Dieu est immuable et s'applique aujourd'hui comme de toute éternité, que ce soit à Medina del Campo sur notre continent ou au Mexique, puisqu'il faut parler de l'outre-mer. L'usure est l'usure et doit être interdite à tout jamais.

— Je vous l'accorde, maître Mateo, répondit le professeur avec humilité, car il était laïc alors que l'homme à qui il s'adressait était un représentant du clergé. Je suis certain que l'usure en tant que telle sera toujours mise hors la loi dans toute nation qui se respecte, mais je pense qu'avec l'ouverture des vastes et riches territoires de par-delà les mers, il nous faudra développer de nouvelles conceptions du négoce, car si le marchand Klaus, dont nous venons justement de discuter, désire négocier avec le Mexique, il lui faudra emprunter des sommes auprès d'un courtier, et si Gregorio prend le risque d'envoyer sa richesse en des terres si lointaines, il sera habilité à percevoir quelque récompense substantielle, et cela ne sera pas usuraire.

— Professeur Palafox, tonna le maître, l'usure est l'usure et nous ne devons offrir aux marchands d'Anvers nulle échappatoire qui leur permette de contourner la loi de l'Eglise.

Le professeur Palafox croyait avoir une nouvelle conception du monde, conception qui méritait — non, exigeait — l'attention de chacun.

— Vous demandez, révérend maître, quel nouveau fait se manifeste qui puisse nous contraindre à altérer nos décrets précédents ? L'éloignement. Dans la transaction hypothétique sur laquelle nous réfléchissons, le courtier Gregorio réside à Anvers. Le marchand Klaus se propose de le rembourser un peu plus tard à Medina del Campo, en Espagne. Une grande distance sépare ces deux lieux, mais elle n'est point insurmontable, de sorte que le risque d'effectuer ce prêt n'est pas insensé. (Il était clair que Palafox allait développer un argument de poids et tous l'écoutaient fort attentivement.) Si un marchand arme un vaisseau pour qu'il fasse voile jusqu'au golfe de Darien, puis recourt à une caravane de mules pour traverser l'isthme avant de monter sur un autre vaisseau qui suivra les côtes du Pérou, tout cela pour porter son précieux métal, puis s'il revient en suivant cette même route périlleuse, cette expédition comporte un risque qui justifie une récompense toute particulière.

Certains auditeurs se montraient impressionnés par la modernité de son argument, mais tel n'était pas le cas de maître Mateo.

— Voulez-vous dire que l'éloignement et le risque ajouté excusent celui qui s'adonne au péché d'usure ?

— Non, révérend professeur. Ce que je soutiens, c'est qu'il existe un univers de différence entre un voyage de négoce entre Anvers et Medina, et un autre entre Séville et le Pérou, dans un sens puis en sens inverse, lequel voyage nécessite plus d'un an et comporte des risques inimaginables. De tels risques demandent une nouvelle définition.

— Mais certainement pas une nouvelle morale.

— Ce que je veux vous démontrer, insista Palafox, c'est qu'avec la découverte du Mexique et du Pérou devront être élaborées de nouvelles mœurs commerciales, et je crois que nous serions bien avisés d'adresser une autre forme de réponse aux marchands d'Anvers. Réfléchissons donc...

— Palafox ! gronda maître Mateo.

— Oui, révérend maître ?

— Faites silence !

La réponse fut expédiée telle que précédemment conçue, ce qui signifiait tout simplement que le marchand Klaus se devait toujours d'avoir ses mille ducats, qu'il lui fallait toujours les emprunter au courtier Gregorio, que la conception de l'intérêt n'avait pas changé, que le prêteur et l'emprunteur commettaient un péché mortel, et enfin que tout commerce honnête devait s'effectuer en dehors des compétences de l'Eglise. Il y eut cependant une conséquence inattendue, car l'un des professeurs d'Oxford, frappé par les arguments de Palafox, entreprit dès son retour en Angleterre d'étudier personnellement ces problèmes ; bien qu'il ne se résolût jamais à rompre avec la doctrine de l'Eglise en ce domaine, l'un de ses étudiants le fit et, par la suite, l'Angleterre imagina une nouvelle interprétation du prêt d'argent, et c'est sur cette nouvelle conception du risque partagé que s'édifia la grandeur industrielle de l'Angleterre alors que l'Espagne, qui refusa toujours de revoir la question, tua dans l'œuf toute innovation industrielle, susceptible de renforcer la nation.

Quand l'assemblée eut achevé ses travaux, le professeur Palafox s'attarda quelque temps sur le splendide parvis de l'université dans l'espoir de capter la promesse du printemps dans la brise qui s'élevait de la rivière. Sur l'un des murs était gravé son nom, afin de rappeler le diplôme prestigieux qui lui avait été octroyé quelques années auparavant et il avait franchi la petite arche menant aux cloîtres en ce jour où il avait été nommé professeur de droit civil. C'était sa demeure spirituelle, et il fut très attristé de voir maître Mateo passer près de lui sans s'arrêter. En revanche, des professeurs de Bologne et de la Sorbonne, qui s'apprêtaient à effectuer leur dangereux voyage de retour, vinrent aborder Palafox. Il était clair qu'aucun d'eux n'avait apprécié sa théorie.

— Croyez-vous honnêtement, lui demanda un Français dans un latin épuré, que l'un de ces jours, le prêt d'argent avec intérêt sera vu d'un autre œil que l'usure et que l'Eglise l'autorisera ?

— Ne parlons plus de cela, dit doucement Palafox, car il est de toute évidence que je n'ai su rendre claire ma pensée.

— Vous avez été très clair, l'assura le professeur français, mais vous avez aussi eu grand tort. Allons dans ma chambre pour discuter plus avant.

— Cela m'est malheureusement impossible, car j'attends mes fils.

— Sont-ils à l'université ? s'enquit le Français.

— L'aîné, oui. Il y a un mois, il a été ordonné prêtre. Ici même.

— Comme vous êtes fortuné, Palafox ! Sera-t-il lui aussi professeur ?

Palafox sourit et dit :

— Entre nous, je me prépare à lui apprendre que l'université lui propose la chaire de droit canon.

— Mais c'est excellent ! s'écria le Français avec un enthousiasme non feint. Puis-je attendre avec vous cet heureux jeune homme ?

Les deux professeurs étaient pratiquement au centre du parvis.

— A la Sorbonne, dit le Français, nous voyons dans Salamanque le solide et permanent défenseur de la foi. Je crois que la prééminence de votre université tient à sa fidélité aux vérités permanentes. C'est pourquoi, cet après-midi, nous avons été tant choqués d'entendre un professeur de Salamanque soulever cette question.

— Vous faites erreur sur un point, rectifia Palafox. La prééminence de l'université tient à sa fidélité inébranlable à la vérité, et je cherche à découvrir quelles transformations nos nations doivent effectuer si elles veulent s'accommoder de la découverte du Nouveau Monde. Croyez-moi, l'Europe ne sera plus jamais telle qu'avant.

La notion même de bouleversement répugnait au Français, qui changea de sujet et demanda platement :

— Combien d'étudiants sont inscrits à Salamanque ?

— Cette année, nous en aurons sept mille, répondit Palafox. Hernan Cortés, vous le savez certainement, a fréquenté notre université et sa renommée a rejailli sur nous.

— Sont-ce là vos fils ? demanda le Français.

Deux jeunes Espagnols, l'aîné grand, austère et mince, le cadet robuste et souriant, s'avançaient avec l'assurance de jeunes gens qui ne savent rien de la désillusion.

— Antonio ! Timoteo ! appela Palafox.

A l'enthousiasme qu'il manifestait, le Français constata que le professeur était extrêmement fier de ses fils.

— C'est l'aîné le prêtre ?

— Bien sûr.

— Et le cadet sera soldat ?

— Telle est la règle dans les familles espagnoles.

— Votre père doit être content de vous, dit le Français en s'adressant aux jeunes gens.

— Je le suis, fit Palafox. N'ont-ils pas belle allure ?

Le professeur français ne répondit pas, il comparait l'aîné, Antonio, aux nombreux jeunes Français qu'il avait aidés à rejoindre le ministère de Jésus-Christ ; très vite, il sut qu'Antonio Palafox n'était pas de la même trempe. Toutefois, ce jeune homme ferait sans aucun doute un prêtre remarquable ; ce ne serait jamais un dévot, préoccupé par les mystères ultimes de sa religion, ni un curé de campagne chargé d'apporter aux paysans les lumières de la foi. Ce serait plutôt un administrateur ou un haut responsable des sphères politiques de l'Eglise. Il débute professeur, se disait le Français, et il terminera conseiller de l'empereur ou du pape. Après tout, Borgia était pape, et d'origine espagnole.

Les présentations faites, le professeur français prit par le bras Timoteo, le futur militaire, et lui dit sur le ton de la conspiration :

— Votre père a des nouvelles de grand intérêt pour votre frère. Conduisez-moi jusque chez vous, nous les y attendrons.

Le professeur Palafox proposa à Antonio :

— Allons sur la grand-place boire un peu de vin.

— Cela vous ressemble bien peu, lui répondit son fils. Des années durant, vous avez tenté de nous détourner du vin. Ces nouvelles doivent être spectaculaires.

— Elles le sont, en effet.

Le père ouvrit la marche en empruntant les rues anciennes et étroites de Salamanque, ces mêmes rues qui avaient vu passer soldats romains et carthaginois, Vandales et Maures. Le professeur Palafox n'en pouvait plus de garder le silence.

— Ça s'est décidé aujourd'hui ! s'écria-t-il.

— Quoi ?

— Lors d'une réunion officielle ; juste avant notre assemblée, tu as été choisi pour être notre prochain professeur de droit canon.

A la surprise du père, le fils ne réagit pas. Il s'ensuivit un moment de gêne, que le père chercha à combler en répétant d'une voix faible « ... de droit canon ».

Les deux hommes se trouvaient à présent dans la plus étroite des ruelles menant à la grand-place. Le jeune prêtre s'arrêta brusquement et retint son père par le bras.

— Je ne puis enseigner, car je vais rejoindre Cortés, au Mexique.

Le professeur Palafox fut abasourdi. Il s'efforça de parler, mais il se sentait suffoquer entre les murs rapprochés des maisons, et sous l'effet des bouleversements de l'époque. Il regarda son fils et imagina le radieux avenir qui aurait pu être le sien ; une chaire d'enseignement, le contact avec des universitaires venus de toute l'Europe, une calotte de cardinal, peut-être même une charge auprès du roi.

— Antonio ! s'écria-t-il. Ton univers est ici. Que ton frère parte au Mexique.

— J'y suis appelé, répondit le prêtre.

— Appelé ? Mais par qui ? Tu ne sais rien du Mexique !

— Je ne vous en ai jamais parlé, répondit calmement le jeune homme en continuant de bloquer la ruelle, mais j'y pense depuis de nombreux mois. Si vous me demandez qui m'a appelé, je puis simplement vous répondre que c'est Dieu.

Le professeur Palafox haussa les épaules et porta ses regards vers la grand-place. Il entrevoyait les scènes familières de la vie de Salamanque : les muletiers descendus des collines avec leurs barriques de vin ; les orfèvres anversois dans leurs échoppes ; les professeurs d'Oxford en bonnet rouge ; et les belles peu farouches qui errent avant la tombée de la nuit. C'était là le carrefour du monde et voici que son brillant fils l'abandonnait pour tenter l'aventure au Mexique.

— Ne veux-tu pas y réfléchir ? demanda-t-il à Antonio.

— Non.

A ce moment, le soleil couchant projeta de tels rayons d'or sur la grand-place que le professeur entrevit des océans et des montagnes et des indigènes au visage doré. « C'est le Mexique », murmura-t-il, et il reconnut que, s'il avait été plus jeune et plus audacieux, lui aussi aurait accompagné Cortés dans ces contrées lointaines. Il dissipa la tension en éclatant de rire.

— Allons trinquer à la santé du Mexique ! s'exclama-t-il en saisissant son fils par le bras.

Assis, les yeux glissant sur le spectacle majestueux de la grand-place, le professeur se mit à se moquer *in petto* de lui-même : « Tantôt, je plaide afin que nous nous ajustions aux réalités du Mexique. Je suis assez persuasif, mais je ne convainc personne. Et maintenant que mon fils me propose de nous ajuster aux réalités du Mexique, justement, je prends peur. Nous autres, humains, sommes vraiment stupides. »

Le jeune prêtre but plusieurs gorgées de vin avant de reposer son verre et de se lancer dans une explication passionnée.

— Je travaillerai six ou huit ans au Mexique, mon père. La raison fondamentale pour laquelle j'entreprends cela est mon désir d'aider à instaurer le règne de Dieu dans le Nouveau Monde, mais j'ai aussi une raison plus personnelle ; je crois que l'avancement dans le sein de l'Eglise et de l'Etat sera donné en préférence à ceux qui connaissent le Mexique.

Le bon sens de ce raisonnement n'échappa pas au professeur Palafox.

— Quand tu reviendras, fit-il observer, tu auras deux fois plus de valeur pour l'Eglise... et pour l'Espagne.

— Vous devrez me réserver la chaire, dit son fils.

— C'est du domaine du possible. (Il claqua des doigts afin qu'on leur apportât encore du vin.) Ce sera passionnant de te savoir travailler aux côtés du capitaine Cortés à l'édification du Mexique, tandis que moi, je resterai ici, à l'université, tentant d'expliquer ce qui se passe dans le monde des affaires et de la morale.

A cette remarque, le jeune prêtre plissa le front.

— J'ai croisé sur mon chemin maître Mateo qui pestait contre certains arguments que vous auriez avancés lors de votre réunion. Il disait à plusieurs de ses compagnons : « Ce damné Palafox va s'étrangler avec son Mexique ! » Qu'entendait-il par là ?

— Nous avons eu une controverse, répondit le professeur.

— Quelle dispute le Mexique peut-il susciter ?

Palafox prit le pichet des mains du garçon d'auberge et versa deux grands gobelets de vin.

— Je soutiens, Antonio, que l'émergence du Mexique transforme bien des choses que nous pensions fixées à tout jamais.

— Par exemple ? demanda Antonio.

— Prends ton cas. Tu vas aux armées en tant que prêtre. Quelle est ta responsabilité devant le roi, l'Eglise, l'armée et les Indiens ?

— C'est fort simple, dit le jeune homme. En premier lieu, je me dois de sauver les Indiens au nom de Dieu, et cela prend le pas sur tout le reste. Deuxièmement, je serai chargé de veiller sur l'âme de nos soldats. Troisièmement, j'aiderai à conquérir de nouvelles terres pour notre roi.

— Fort bien, acquiesça le professeur dont les yeux brillaient de contentement. Mais que feras-tu lorsque ton premier devoir, à savoir la conversion des Indiens, entrera en conflit avec ton troisième devoir, qui est de gagner des terres nouvelles ?

— Il n'y aura nul conflit, affirma le prêtre.

— Tu es encore très jeune, Antonio, dit en souriant le professeur Palafox. Tu ne peux imaginer les conflits et la confusion qui te guettent. C'est de ce genre de choses dont j'ai débattu aujourd'hui.

Un peu assommé par le vin, Antonio ne voyait pas à quoi son père voulait faire allusion, mais il se rappelait clairement une chose.

— Mon père, le prévint-il, quand maître Mateo s'est emporté contre vous, il ne parlait pas à la légère. En fait, il allait dire quelque chose d'important quand il m'a vu. Je ne comprends toujours pas ce que vous avez pu dire à propos du Mexique, mais prenez garde.

— Je vais t'exposer simplement la chose. Quand une grande richesse s'impose dans une situation établie, de nouveaux concepts se révèlent utiles pour la gérer. Notre glorieuse nation est tombée sur cette richesse...

— Tombée ? s'étonna Antonio. Je dirais plutôt que Dieu, dans Sa grande sagesse, a permis à Son peuple chéri de découvrir...

— C'est ainsi que tu dirais ? lui demanda Palafox.

— Certainement, répondit Antonio.

— Rentrons annoncer la nouvelle à Timoteo, suggéra Palafox. Puisque tu pars pour le Mexique, c'est lui qui sera le prochain professeur.

Les deux hommes quittèrent la grand-place et, par des ruelles étroites, gagnèrent d'un pas titubant une place plus petite qui dominait le Tormes et l'antique pont romain qu'empruntait la principale route vers le sud et Séville. Ils s'engouffrèrent dans une maison d'apparence modeste dont l'intérieur sombre menait à un petit patio décoré d'une statue romaine retrouvée à Salamanque, d'un fragment de marbre grec et d'un cheval de bronze qui avait été fondu à Tolède, capitale de l'Espagne. Toutefois, c'étaient les fleurs qui donnaient son originalité au patio : si certaines poussaient en rangées tirées au cordeau, d'autres croissaient à profusion dans des pots de terre. C'était le jardin privé d'un homme qui aimait la nature et, dans le souvenir de frère Antonio, il avait toujours apporté une certaine sérénité aux Palafox.

Au moment même où les deux hommes entraient dans cette aire de tranquillité, Antonio avoua :

— Voici bien ce qui aurait pu me retenir de partir pour le Mexique. J'aurais aimé être professeur dans cette ville et hériter de votre jardin. (Puis il secoua la tête comme pour mettre de l'ordre dans ses idées.) Mais il y a aussi le Mexique, et je crois que c'est un jardin d'une tout autre taille.

— Tu reviendras un jour pour hériter de celui-ci, dit le professeur. Lorsque tu seras évêque.

— Bien sûr ! acquiesça le prêtre.

Il allait encore parler, mais se tut en découvrant son cadet, accompagné du professeur français, assis sur l'un des bancs du jardin.

Le jeune Timoteo, vingt-deux ans et avide de ce que l'avenir lui réservait, se leva.

— Le professeur Desmoulins et moi avons parlé de votre réunion de ce jour, mon père.

— Pourrais-je vous entretenir seul ? demanda le Français en latin.

— Je n'ai rien à dissimuler à mes fils, répondit Palafox.

A la façon dont le professeur espagnol indiqua à ses fils de s'asseoir auprès de lui, le Français comprit qu'il n'y avait pas de femme dans cette maison et que c'était un veuf qui avait servi à la fois de père et de mère pour ses enfants.

— Fort bien, dit Desmoulins en hochant la tête. Peut-être vaut-il mieux que ces jeunes gens entendent ce que j'ai à dire. Leur influence pourrait être décisive. (Il toussota et, fort de son âge avancé, adopta une attitude paternaliste.) Jeunes gens, cet après-midi, alors que votre père attendait pour informer l'un de vous de sa nomination à l'université, j'ai eu l'occasion de le gourmander — doucement, cela va sans dire — sur les idées hérétiques qu'il avait avancées lors de notre assemblée.

Au mot « hérétiques », Antonio leva les sourcils et se pencha vers le Français.

— Vous avez bien dit « hérétiques » ?

— J'emploie ce mot à présent alors que je ne l'ai point fait cet après-midi, répondit le Français, parce qu'après votre départ du parvis de l'université, j'ai été rejoint par trois autres professeurs dont je ne puis divulguer les noms, et il était de leur opinion, laquelle fut premièrement exprimée par maître Mateo, dont vous connaissez l'esprit scrutateur, que dans son discours votre père s'était montré terriblement proche de l'hérésie.

A ce mot terrible, Timoteo se rapprocha de son père, comme pour le protéger, mais Antonio recula.

— Je suis donc venu, reprit le Français, pour prévenir votre père que, demain, des espions assisteront à son cours magistral et en rapporteront les propos à maître Mateo. Si votre père est homme de prudence, il reviendra sur sa théorie.

Dans un silence gêné, chacun attendit que le professeur Palafox prenne la parole.

— La spéculation est-elle hérésie ? dit-il enfin.

— Certaines choses sont réglées à tout jamais par la loi divine, lui rappela le professeur Desmoulins.

— Mais le mouvement des affaires et les forces en jeu...

— N'achevez point votre phrase, le pria le Français. (Il se leva pour partir et dit aux garçons :) Il est de votre devoir de veiller sur votre père, car il s'est engagé dans un raisonnement qui pourrait le mener à l'hérésie.

Près de la porte d'entrée, il leur dit encore :

— J'aimerais que vous m'accompagniez à la leçon de demain. Je souhaite que vous perceviez par vous-mêmes les dangers qui le menacent.

Antonio expliqua que cela lui était impossible parce que lui-même enseignait à cette heure, mais Timoteo s'empressa d'accepter cette invitation.

— Je tenterai d'identifier les espions à l'écoute de mon père, dit-il, et tous quatre rirent comme si c'était là une bonne plaisanterie.

La salle de cours était typique de l'époque, très vaste, avec un sol de terre battue sur lequel les étudiants s'asseyaient devant des bancs de bois faisant office d'écritoires. Dans chaque banc étaient gravés des noms de jeunes filles, dont certaines avaient vécu et étaient mortes à

Salamanque plus d'un siècle auparavant : elles qui avaient enflammé l'imagination des jouvenceaux étaient devenues poissonnières ou tisserandes avant de finir mendiantes sur la grand-place.

La salle était éclairée par une unique petite fenêtre, qui projetait la froide lumière du nord sur l'écritoire d'un clerc chargé de veiller au bon déroulement du cours et, parfois, de lire des extraits de textes latins que le professeur Palafox, debout sur une sorte de chaire, s'appliquait à commenter. Ce matin-là, le clerc lisait un texte du célèbre philosophe cordouan, Averroès, qui avait en 1190 donné sa propre interprétation de la célèbre remarque de saint Augustin : « Qui ne préférerait voir son office empli de viande plutôt que de souris ? Cela n'est pas étrange, car l'homme paiera souvent plus pour un cheval que pour un serviteur, pour un anneau que pour une servante. »

La grande salle fit silence quand le professeur Palafox prit la parole. Sans s'impliquer personnellement, il fit référence à Aristote et à saint Thomas d'Aquin. Il compara Averroès à saint Augustin et cita les commentaires de doctes savants de Bologne et d'Oxford. Son érudition était énorme, car, sans la moindre note, il exposa en vingt minutes toutes les vues sur la question, rapportant bien souvent des phrases entières au mot près.

Vint ensuite le moment où il lui fut demandé d'exprimer sa réaction personnelle à ce texte. Nul ne bougea quand il appuya fermement les mains sur le bois de la chaire.

— Je pense avec saint Augustin que l'homme prudent paiera souvent davantage pour un anneau ingénieux que pour une servante travailleuse, car la valeur que les hommes accordent à un objet est déterminée non pas par un critère de qualité qui leur est extérieur, mais bien par leur propre désir dudit objet et par l'estimation du bien que sa possession leur apportera.

Les membres les plus critiques de l'assemblée soupirèrent de soulagement en entendant Palafox se ranger aux idées traditionnellement enseignées à Salamanque ; certains trouvèrent même du plaisir à la brillante manière dont il accorda son exposé aux décisions du pape de Rome.

> Notre Eglise repose en terrain solide lorsqu'elle condamne l'usure et y voit un acte immoral où l'or et l'argent procurent un profit pour lequel ils n'ont accompli aucune œuvre constructive. Seule une créature vivante peut, en plein accord avec les lois de Dieu, engendrer une autre créature vivante. L'or et l'argent, choses inanimées, ne peuvent être autorisés à procréer.

Quand les savants applaudirent à cette preuve irréfutable de son orthodoxie, Palafox en profita pour faire taire les derniers doutes relatifs à la pureté de sa doctrine, et il confirma à nouveau le dogme de Salamanque :

> Au moment de mettre un terme à cette fructueuse réunion, réaffirmons cette vérité permanente qui veut que ces questions délicates seront

résolues, ainsi qu'elles l'ont toujours été, par notre écoute attentive de la volonté de Dieu, notre étude appliquée de Sa sainte parole et les textes éclairés de Son Eglise. Il est inconcevable que la vérité puisse résider en dehors de ces sources, et il est de notre devoir de réconcilier notre comportement en affaires avec la vérité telle qu'elle nous est révélée. Il ne peut y avoir ainsi nulle dissension entre les marchands et l'Eglise, les paysans et leur roi, Bologne et Oxford. Nous avons tous l'obligation d'œuvrer dans la conscience de l'Eglise.

Ces sentiments évitèrent au professeur Palafox d'être taxé d'hérésie. Ils soulagèrent les angoisses du professeur Desmoulins et permirent au jeune Antonio de quitter Salamanque l'esprit léger.

Le premier jour du mois de mai de l'an 1524, Antonio Palafox, religieux de l'ordre des franciscains, s'attarda pour la dernière fois dans le patio fleuri de la maison du professeur et suivit la rivière afin de rejoindre les hommes d'armes qui allaient entreprendre leur longue et périlleuse marche vers Séville. Il était accompagné de son père, un homme qui ne craignait pas d'exprimer ouvertement ses émotions aux moments cruciaux de l'existence et qui, par conséquent, pleurait, et de Timoteo au corps robuste, partagé entre la prêtrise et l'armée. Les trois hommes marchèrent vers le pont romain, où un groupe disparate de voyageurs recevait les consignes du capitaine chargé d'assurer leur sécurité.

— Veux-tu bien prier pour nous ? demanda à son fils le professeur Palafox.

Les trois hommes se tinrent à l'écart des autres tandis que le jeune prêtre de grande taille bénissait les siens.

— Vous là-bas, cria le capitaine, ce cheval est pour vous !

Avec agilité, frère Antonio monta l'animal et se dirigea vers la tête de la colonne, d'où il se retourna pour adresser un ultime regard à son père, aux tours de l'université de Salamanque et aux petites ruelles dont il ne foulerait plus le sol.

— En avant ! cria le capitaine, et la petite troupe traversa la pont.

Parvenu sur l'autre rive, le capitaine délaissa la route principale, qui longeait les marches occidentales de l'Espagne, pour obliquer vers le sud-est, dont il lui faudrait franchir les montagnes inhospitalières avant d'atteindre Tolède, ville où les rejoindraient d'autres voyageurs en route pour Séville. Il chevauchait le long de la colonne et répétait : « Nous pénétrons en terre dangereuse, obéissez aux ordres ! » Ceux qui allaient à pied, mais aussi les chariots brinquebalants qui transportaient bagages et hommes d'armes, resserraient la colonne.

Frère Antonio découvrit à quel point le printemps pouvait être beau en Espagne. Au-dessus de lui volaient des oiseaux rouge et or dont la pointe des ailes paraissait avoir été trempée dans le bronze. Ces guêpiers du plateau central étaient exquis dans la lumière du soleil, et le jeune prêtre se demanda avec tristesse s'il verrait d'aussi exquises créatures au Mexique.

Les flancs des collines étaient couverts d'ajoncs dorés, protégés par d'antiques pins dont les branches les plus basses étaient arrachées par les paysans pour alimenter leurs feux. Les chênes-lièges rabougris, dont la précieuse écorce était ôtée année après année, abritaient des faucons, oiseaux rapides qui faisaient régner l'ordre dans le ciel ainsi que l'Espagne le faisait sur les océans.

Où qu'Antonio portât ses regards, ce n'étaient que coquelicots et boutons-d'or, bleuets et pâquerettes — la campagne tout entière semblait reproduire, en plus grand, le patio paternel. Mais ce qui l'impressionna le plus fut ce qu'il n'avait jamais vu auparavant, et dans ses Mémoires, dont je tire ce récit, il y trouve une sorte de bénédiction après son départ de Salamanque : « Il y avait constamment devant nous, tandis que nous chevauchions, une race d'hirondelles qui plongeaient et virevoltaient en travers de notre route comme si leurs ailes nous souhaitaient bonne chance. »

Ce n'était pas rien, en ce printemps 1524, d'être un jeune Espagnol qui quitte la meilleure université du monde pour aller à la découverte des merveilles incomparables de cette nouvelle colonie espagnole qu'était le Mexique. L'Espagne était alors la première nation du monde et nul concurrent ne se manifestait à l'horizon. Elle contrôlait le territoire de l'Europe et régnait sur les océans. Le Nouveau Monde appartenait à l'Espagne, et les mines du Mexique ou du Pérou commençaient à déverser sur Séville ce flot constant d'or et d'argent qui ne cesserait d'enrichir les possédants. Les universitaires les plus renommés étaient espagnols, de même que les plus grands amiraux, les plus hardis changeurs et les plus habiles tisserands. En 1524, l'Angleterre n'était qu'une puissance chétive et la France une terre déchirée par la dissension. L'Allemagne n'existait pas et les Etats italiens n'étaient que des pièces rapportées sous la domination espagnole.

Il y avait encore plus important : l'Espagne était le bras droit de l'Eglise catholique et la source dont les papes tiraient leur puissance séculière et leur sécurité. Le peuple espagnol, libéré définitivement du joug de l'islam en 1492, savait apprécier les bénédictions de l'Eglise et désirait, plus que tout autre peuple européen, lui consacrer sa vie et ses richesses.

En conséquence, être un jeune et vigoureux Espagnol en 1524, c'était se trouver au centre même de la puissance du monde, fort de la conviction de représenter la première nation de toute la terre et la religion qui confondrait bientôt les schismatiques. C'était dans cet esprit que les Espagnols s'étaient lancés dans la colonisation du Mexique, et frère Antonio fut enchanté quand le capitaine de l'expédition réprimanda trois marchands flamands qui se rendaient à Séville et leur apprit comment ils devaient se comporter.

— Il faudra que vous me surveilliez ces étrangers, murmura au prêtre le capitaine, et le prêtre acquiesça.

C'est dans cet état d'esprit plein d'arrogance que frère Antonio entreprit la traversée des sierras, qui se dressent entre Salamanque et Tolède. Alors que les chariots abordaient en craquant la voie nord, le prêtre entrevit son avenir : il consacrerait six à huit années à la christianisation du Mexique, après quoi il retrouverait l'enseignement et chercherait à assurer sa carrière au sein de l'Eglise. Mais quand la petite troupe redescendit par le flanc sud, elle fut attaquée par des coquins qui écumaient la région. Dans la bataille qui s'ensuivit, trois bandits furent tués et frère Antonio fut appelé pour administrer l'extrême-onction à une brute au visage velu qui souhaitait recevoir le dernier sacrement. Pendant quelques nuits, la vision de l'agonisant vint hanter le prêtre, et il pensait : « Les hommes ne vivent pas toujours ainsi qu'ils l'auraient voulu, peut-être celui-ci aurait-il aimé être un honorable marchand. »

Une nuit, alors qu'il recherchait la chaleur d'une mince couverture jetée sur le sol caillouteux, il leva les yeux vers le ciel obscur et vit, dans son demi-sommeil, les pics gothiques des montagnes se tendre en se tordant vers les étoiles : de ce spectacle naquit le rêve d'être le bâtisseur d'immenses cités dans les plaines du Mexique. Chacune de ces villes ressemblait à ces gravures sur bois du siècle précédent qui représentaient la ville sainte de Dieu, mais chaque fois que frère Antonio se frottait les yeux pour mieux les voir, leurs tours redevenaient les sommets des montagnes où ils campaient. L'aube se leva sur la sierra et lui prouva que ses tours imaginaires n'étaient que des crêtes montagneuses et il se secoua comme pour se débarrasser de son rêve. Il ne put s'empêcher de rire en pensant qu'il n'allait passer que huit ans au Mexique, mais qu'il en faudrait bien soixante pour édifier la ville dont il avait rêvé. La nuit suivante, la vision revint, plus forte que jamais, et il se réveilla tremblant de frayeur. « Vais-je quitter l'Espagne à tout jamais ? » se demanda-t-il, le cœur battant.

Dans ce semblant de rage nourrie par l'idée de ne peut-être jamais revenir en Espagne, le jeune prêtre se laissa emporter par son cheval. Il franchit les derniers cols et arriva dans la chaude plaine fleurie où coulait le Tage. L'allégresse s'empara de tous et ceux qui avaient déjà fait le voyage éperonnèrent leurs montures, de sorte que le capitaine dut demander au prêtre rêveur d'accélérer le train.

— Allons en tête de la colonne ou nous allons manquer le spectacle, lui dit-il.

— Lequel ? fit Antonio, qui pensait toujours à sa ville.

— Vous verrez.

Le capitaine lança son cheval au galop et arriva au sommet d'une colline. Antonio l'y rejoignit et put alors contempler l'un des plus beaux panoramas d'Europe, une merveille qui avait étonné les Romains, les Vandales et les Maures depuis près de deux mille ans : le spectacle de Tolède dressée sur son rocher, presque entièrement ceinte par le fleuve et ses gorges impressionnantes. Nulle autre ville ne pouvait se comparer à Tolède, et dans l'architecture un peu rude qui se dessinait derrière ses murailles — la bastide avait soutenu quatre-vingts sièges, durant parfois jusqu'à trois ans —, toute la magnificence de l'Espagne resplendissait au soleil.

Lorsqu'il découvrit ce panorama unique, frère Antonio exulta.

— J'appellerai ma ville ainsi que celle-ci !
— Quelle ville ? lui demanda le capitaine.
— Celle que j'ai pour mission d'édifier au Mexique, expliqua Antonio comme s'il avait définitivement décidé de passer là-bas le restant de ses jours.
— Il faudrait commencer par y arriver, grogna le capitaine. Il y a des pirates.
Frère Antonio rit de cet avertissement et éperonna son cheval.
— Hé, qu'est-ce qui vous presse ? demanda le capitaine.
— Il faut entrer dans Tolède avant la fermeture des portes.
— On n'atteindra pas les murailles avant la nuit, dit le capitaine en riant.
Dresser le camp à l'extérieur de la ville avait quelque chose de si décevant que le jeune prêtre demanda si une marche forcée n'y ferait rien.
— Avec tous ces chariots ? se contenta de répliquer le capitaine.
Cette nuit-là, alors qu'ils campaient près du Tage, sous les murailles de Tolède, Antonio fut profondément affecté par un songe qui aurait une influence persistante sur sa vie. Voici ce qu'il écrivit à ce propos :

> Tout au long de la nuit, j'ai entendu de mystérieux oiseaux chanter dans les ténèbres, des oiseaux que je ne connaissais pas et dont je ne savais rien du plumage, mais qui ont pourtant conversé avec moi. De la rive du fleuve silencieux sur laquelle nous avions dressé nos tentes, je percevais les voix des habitants de la ville fortifiée, je voyais des lumières scintiller sur les remparts ; il m'arriva même d'entendre un veilleur crier : « Ho, Esteban ! » et je passai plus d'une heure à tenter d'imaginer Esteban et ce qu'il pouvait faire à Tolède cette nuit-là.
>
> J'observai la ville à chaque phase de la nuit et je me rendis alors compte, incapable que j'étais de dormir après les émois de cette journée, que la plupart des hommes vivent à l'extérieur d'une ville fortifiée et ne sont conscients de la vie qui s'y mène que par des sons assourdis ou des lumières tremblotantes dont ils ne comprennent pas le sens. A moins qu'ils n'entendent un homme crier : « Ho, Esteban ! » sans pour autant savoir jamais qui a crié et pourquoi et qui est cet Esteban et ce qu'il faisait.
>
> Et il me parut que nous vivions dans ces ténèbres, en dehors de la cité, par notre seule ignorance. Nous ne savons rien ni de la vie présente ni de la plénitude de Dieu qui nous attend, et il serait sage que nous tâchions de quitter l'obscurité pour la ville de lumière, là où les voix se parlent franchement, d'homme à homme, d'homme à Dieu.
>
> Tandis que ces pensées m'assaillaient, un âne se mit à braire, car c'était presque l'aube, et je reposais sur mon paquetage, les yeux tournés vers la ville fortifiée. Et je me disais : « Les bienheureux qui sont dans la ville cette nuit n'apprécient pas vraiment où et qui ils sont, et peut-être n'échoit-il qu'à nous, qui dormons sous les murs et attendons d'être reçus, d'apprécier pleinement la grandeur de la ville. »
>
> Le jour se leva et nos porteurs firent grand bruit pour réunir notre troupe avant l'entrée dans la ville. Et je pensais : « Une cité ne peut être véritablement occupée que par ceux qui en apprécient la signification, et cela n'a nulle importance qu'un homme se trouve en dehors ou au-dedans

> aussi longtemps qu'il a une aspiration. » J'en conclus que la foi était de cette trempe et qu'elle seule peut sauver les hommes ; car lorsque, vers neuf heures, nous franchîmes la porte et les puissantes murailles, la ville n'était à l'intérieur rien de ce que j'avais imaginé. J'étais plus heureux à l'extérieur, cette nuit-là, accompagné des oiseaux et vivant de l'espoir d'en connaître l'intérieur, car Tolède est autrement plus fascinante vue de l'autre côté du fleuve que de l'intérieur de ses murailles.

En 1524, Tolède valait plus par sa grandeur spirituelle que par ses richesses ; en effet, elle avait récemment souffert de révoltes intestines, qui avaient provoqué la destruction de nombreux édifices et de bien des trésors. En la reconstruisant, l'Eglise catholique avait fait de cette ville la capitale spirituelle de l'Espagne, et c'était là que siégeaient les rois de ce pays. Elle recélait des bibliothèques, ainsi que des écoles artistiques, mais aussi des forges où l'on fabriquait le plus bel acier du monde.

La puissante cathédrale — plus une forteresse qu'une église — fit forte impression sur le frère Antonio, car elle lui rappelait une chose que son père lui avait dite à propos de l'Espagne et qu'il avait par la suite oubliée. Il était agenouillé devant le maître-autel et remerciait le Seigneur de l'avoir aidé à franchir les montagnes quand un mendiant, qui attendait impatiemment que sa longue prière fût terminée, l'interrompit d'une voix rauque :

— Mon père, si, comme ils le prétendent, vous faites route pour le Mexique, allez donc prier près du pilier qui est à votre droite.

— Pourquoi donc ? lui demanda le jeune homme.

— Pour vous protéger des pirates, chuchota le mendiant.

— Comment est-ce possible ?

— Parce que c'est le pilier d'Abou Walid, le saint musulman que nous révérons à Tolède, et il vous sauvera de ses compatriotes, qui sont tous des pirates.

Le vieux mendiant lui demanda la charité avant de s'éloigner pour parler à d'autres du musulman qui avait sa place dans une cathédrale de la chrétienté.

Le soir même, alors qu'il dînait dans un monastère franciscain, Antonio chercha à savoir comment un musulman pouvait être vénéré comme saint à Tolède. Un vieux prêtre lui expliqua alors que plusieurs siècles auparavant, quand juifs, chrétiens et musulmans vivaient ensemble à Tolède, le roi Alphonse avait donné aux musulmans sa parole qu'ils pourraient y résider sans y être inquiétés ; dès qu'il fut parti pour la guerre, son épouse souleva les chrétiens et les Maures furent massacrés. A son retour, le roi Alphonse se sentit obligé de faire exécuter la reine, mais avant qu'il le pût, Abou Walid, chef respecté des musulmans, vint le trouver pour lui faire entendre raison : « Roi Alphonse, lui dit-il, ce soulèvement est la cause d'esprits qui se sont échauffés. La reine et ses courtisans doivent recevoir ton pardon. Nous leur avons déjà accordé le nôtre. »

Le vieux franciscain acheva ainsi :

— A l'heure où nous portons la force de l'Espagne en des terres lointaines et notre religion à des peuplades étranges, ce serait une bonne chose que de se rappeler Abou Walid de Tolède. Il est mort en musulman, fidèle à la parole du Prophète, mais il est également mort en saint chrétien parce qu'il nous a enseigné la charité.

— Abou Walid s'est donc converti à notre foi ? demanda Antonio.

— Nous l'avons fait pour lui, dit le vieux prêtre de manière fort équivoque.

— Mon père parlait exactement de la même façon, dit en riant Antonio.

— Connaissait-il Abou Walid ?

— Non. Il parlait des marchands. Il soutenait qu'ils faisaient l'œuvre de Dieu et devaient être ramenés dans Son sein. Il discutait souvent de cela avec les autres professeurs.

— Quel est donc le nom de votre père ?

— Palafox, de Salamanque.

Une ombre passa sur le visage du vieux prêtre.

— Quand vous arriverez à Séville, dit-il après un instant, écrivez à votre père et conseillez-lui d'être plus mesuré dans ses raisonnements. Au palais du cardinal, il y a eu des enquêtes à son propos.

— Vraiment ? dit Antonio. Mais puisque vous avez pu faire entrer un musulman dans notre foi, vous pouvez aussi...

— Ah oui, mais c'était il y a cinq siècles. Aujourd'hui que les schismatiques sont partout... (Le vieil homme haussa les épaules.) Nous devons nous montrer plus prudents. Les juifs, les Arabes, les adeptes de Luther, les usuriers... Je crois que l'Eglise ne fut jamais assaillie par plus d'ennemis.

Le lendemain, frère Antonio fut envoyé par le capitaine dans une résidence privée aux lourdes portes ornées de pentures et aux fenêtres munies de barreaux ouvragés ; là l'attendait un gentilhomme qui allait être d'une importance considérable pour les Palafox et dont les descendants allaient également avoir un rôle prépondérant dans ma vie. Cet homme de cinquante-six ans était le marquis de Guadalquivir, l'un des héros qui avaient contribué à chasser les musulmans d'Espagne. Le roi Ferdinand et la reine Isabelle lui avaient confié la responsabilité de contenir dans Grenade la dernière armée maure et d'en venir à bout, ce qu'il avait fait avec éclat en 1492. En guise de récompense, il avait reçu un titre, et aussi de vastes terres le long du fleuve Guadalquivir. Grand, très brun, des moustaches légèrement tombantes, il se leva de son fauteuil de cuir pour accueillir Antonio, et saisit avec force la main du jeune homme.

— Vous êtes déterminé à vous rendre au Mexique ? lui dit-il sans ambages.

— Oui.

— Bien. J'ai des lettres pour le capitaine Cortés qui concernent le salut de l'âme des Indiens. Emportez-les avec vous pour qu'elles arrivent à bon port.

— J'en serai honoré, dit calmement le prêtre.

Le marquis remarqua son air plein d'autorité et pensa : « J'aime les prêtres qui se comportent en soldats. » Cette opinion favorable l'amena à se lancer dans une discussion des affaires de l'Etat plus longue qu'il ne l'avait escompté.

— Le roi[1] m'a demandé d'imaginer un moyen pour amener les Indiens à l'Eglise. Il est assez difficile de parler avec le roi. Il parle mal espagnol, et moi-même je ne parle ni français ni allemand. Mais nous nous sommes mis d'accord sur un principe : les Indiens demeureront sur leurs terres et celui qui possédera les terres possédera également les Indiens ; quant à leur vie spirituelle, cela vous regardera, vous, les prêtres. Vous voyez une raison pour laquelle cela ne pourrait fonctionner de la sorte ?

— Aucune, dit frère Antonio avec enthousiasme. Les hommes qui s'occuperont des Indiens seront de bons catholiques et auront sans cesse à l'esprit l'importance de leur charge, et les prêtres seront à même de mettre un terme à tout abus qui pourrait survenir. Ainsi, nous éloignerons les indigènes de la barbarie d'une part et de l'idolâtrie d'autre part.

— Cela ne sera pas aussi simple, le prévint le marquis.

C'est ainsi que débuta une passionnante série de conversations entre Guadalquivir et le jeune prêtre, conversations au cours desquelles furent abordés tous les aspects de sa mission au Mexique. Plus Antonio fréquentait le vaillant militaire, plus il comprenait pourquoi l'Espagne régissait le monde.

C'est dans la demeure fortifiée du marquis qu'Antonio vit pour la première fois une dépêche émanant du capitaine Cortés, un rapport sur les expéditions lancées en direction de l'ouest et du sud, mais aussi une spéculation sur les richesses à découvrir sur ces terres nouvelles. A un moment, le marquis jeta les feuillets un peu souillés sur sa table de travail.

— D'après ses dires, s'écria-t-il, ils n'ont pas l'air de sauvages. Mon père, qu'adviendra-t-il si nous traitons avec des êtres civilisés que nous devons considérer comme nos égaux et non pas avec de ces barbares que vous qualifiez d'enfants perdus dans la nuit ?

— Vous avez lu ce qu'on raconte sur leurs dieux, répondit Antonio.

Ces quelques mots suffirent pour étouffer l'espoir radieux que le rapport de Cortés avait fait naître chez le marquis.

Le vieux militaire revint pourtant plusieurs fois sur ce sujet.

— Mon père, seules deux choses importent : amener des âmes à Jésus-Christ et fonder une riche communauté. Dans vos entretiens avec le capitaine Cortés, rappelez-lui cela. Quand j'ai conquis les musulmans, ma première tâche fut de leur assurer que l'Espagne avait besoin d'eux. Lors de notre arrivée à Cordoue, je vous montrerai comment j'ai défait les Arabes.

1. Charles Quint, empereur d'Allemagne mais aussi roi d'Espagne sous le nom de Charles Ier. Elevé aux Pays-Bas, il parlait français et flamand, puis il se familiarisa avec l'espagnol et, plus difficilement, l'allemand. (*N.d.T.*)

— Vous voulez dire que vous venez avec nous à Séville ? demanda Antonio avec une fougue qui enchanta le vieux militaire.

— Ma maison se trouve à Séville. Mes filles y vivent. Les terres que le roi m'a accordées bordent le Guadalquivir, d'où le titre que je porte. Cette chevauchée vers le sud me permettra de vous mieux connaître, et cela me sera assurément très profitable. (Antonio apprécia le compliment, mais le militaire le tapa alors sur l'épaule.) A votre retour du Mexique, vous devrez travailler auprès du roi. Il a besoin d'hommes de votre trempe.

— A mon retour, rectifia Antonio, j'aimerais travailler à vos côtés.

La caravane qui sortit quelques jours plus tard de la ville fortifiée de Tolède ne ressemblait nullement à celle qui avait quitté Salamanque. La route n'avait rien d'une piste peu sûre perdue parmi les montagnes ; c'était au contraire la voie principale qui reliait la capitale de l'Espagne à son principal port de commerce. Les soldats étaient au nombre de quatre-vingt-dix et plus de la moitié possédaient des montures ; tous avaient l'air altier et digne qui sied à la cour d'Espagne. Un convoi de seize chariots emportait de grosses quantités de marchandises destinées au Mexique ; au milieu du cortège, bien protégé par les soldats, un carrosse aux portes frappées d'armoiries bleu et or abritait le marquis, son secrétaire et le jeune Antonio Palafox qui, jour après jour, avait écouté le vieux militaire lui exposer sa théorie sur le gouvernement des terres nouvelles.

— Quand les musulmans régnaient sur l'Espagne depuis l'Afrique du Nord, expliqua le vieux militaire, c'est leurs pires crapules qu'ils nous dépêchaient. Nous agissons de même au Mexique. Les meilleurs soldats demeurent ici. Prenez l'exemple du capitaine de cette troupe. Vous ne verrez jamais homme meilleur. Eh bien, il n'ira pas au Mexique. Les nobles que nous avons délégués auprès de Cortés, qui sont-ils ? Il n'y a personne de valeur parmi eux.

Antonio sentait bien que le marquis, dont le titre ne remontait qu'à 1492, était irrité par les véritables grands d'Espagne, anoblis depuis parfois plusieurs siècles.

— Le seul groupe qui délègue des hommes de première catégorie, reprit le militaire, c'est l'Eglise. (En espagnol, les mots étaient autrement plus impressionnants : *hombres de la primera categoría.*) Quand vous parviendrez au Mexique, Antonio, vous vous rendrez compte que vous êtes plus intelligent et plus loyal que les individus qui vous entourent. Soyez vigilant et veillez à ce que ces terres soient pourvues d'un bon gouvernement.

— Que peut faire un prêtre ? s'enquit Antonio.

— Ce que peut faire un prêtre ? (Le marquis lui donna un coup de coude dans les côtes.) Quand j'avais la charge de soldats forts en gueule... j'avais horreur des prêtres qui venaient nous trouver parce que je savais qu'ils chercheraient à les discipliner. Enfin, c'est du passé. (Il se tourna vers son secrétaire.) Avez-vous remarqué, frère Tomás, que chaque fois que nous parlons de bâtir des villes nouvelles, les yeux de ce jeune prêtre s'illuminent comme des chandelles ? A quoi rêvez-vous, Antonio ? Allez-vous édifier une immense cité sur tout le Mexique ?

— Je rêve surtout d'âmes, aujourd'hui plongées dans les ténèbres, répondit Antonio.

— Hier, quand notre carrosse a basculé, j'ai été très impressionné par la façon dont tu t'es servi de pierres pour faire levier.

Presque inconsciemment, le marquis s'était mis à utiliser le *tú* espagnol plus familier ; dès lors, il ne s'adressa plus au prêtre que comme s'il était son propre enfant.

— Je n'ai pas de fils, dit le vieux militaire, et c'est vraiment dommage, car mon nom est digne d'être perpétué. J'ai des filles et elles me donneront des petits-fils. Tout est bien, donc.

A l'approche de Cordoue, joyau de la puissance musulmane en Espagne, le vieux marquis fit remarquer :

— Souviens-toi toujours que cette ville est le modèle de ce que doit être un gouvernement espagnol. Nous avons combattu les Maures à Cordoue pendant six cents ans. Nous les avons défaits, certes, mais nous avons préservé leur ville, leurs mosquées, leur langue et leurs coutumes de table. Plus nous absorbions leur vie et plus nous nous fortifiions. Au Mexique, nous devons agir de même.

Le vieil homme parlait avec une telle conviction sur ce thème nouveau que frère Antonio lui demanda :

— Lors de la conquête des Maures, avez-vous fait l'expérience de... de...

Le général posa la main droite sur le genou du prêtre.

— Pendant la conquête de Grenade... au moment de la victoire... (Il hésita.) Il y avait un jeune Maure particulièrement insolent... Il s'était battu avec beaucoup de courage... (A nouveau, il s'arrêta. Ce récit lui était pénible, mais il parvint tout de même à le mener à bien.) Un homme fait souvent des choses qu'il regrette, sais-tu ? Celles qui impliquent des femmes, il les oublie avec le temps, car c'est dans la nature humaine. Mais les abus qu'il commet sur d'autres hommes reviennent le hanter. Plus il vieillit, plus il y pense.

— Qu'avez-vous donc fait du jeune Maure ? demanda Antonio.

— Dès que nous l'avons capturé, je l'ai fait garrotter, répondit le général. Et, depuis lors, je ne cesse de me demander ce que ce jeune chef aurait pu accomplir en Espagne. Quand nous avons voulu nommer un musulman à la tête de la région de Grenade, où était-il ? Oui, où était-il, ce jeune homme plein de bravoure ?

Le vieux général se frotta les mains comme pour se les laver et, par là même, se débarrasser de ces pensées pénibles.

Ensemble, le marquis et le prêtre pénétrèrent dans l'ancienne cité impériale des Arabes, devenue aujourd'hui une bourgade somnolente. Comme ils progressaient dans les rues étroites, le marquis montra du doigt des centaines de souvenirs mauresques ; il n'en existait pas de tels dans les villes du nord comme Salamanque.

— Une des raisons pour lesquelles nous régnons sur le monde, dit le marquis, est notre faculté d'absorber ce que nous conquérons tout en restant profondément espagnols.

— Je pensais que notre grandeur était plutôt le fait de notre amour de Dieu et de Sa Sainte Eglise, dit simplement Antonio.

— Tu as peut-être raison.

La caravane se reforma pour la dernière étape de cinq jours, celle qui menait à Séville. Au soir du dernier campement, Antonio dit :

— Je regrette de voir s'achever notre voyage.

— Il a été bon, se contenta de grogner le vieil homme, comme s'il ne voulait pas aborder ce sujet.

Mais Antonio, qui retrouvait chez le général toute l'humanité de son père, déplorait sincèrement la fin de leur association.

— Voyager à vos côtés, ajouta-t-il, fut pour moi comme retrouver mon père.

— Mes filles n'ont pas le moindre entendement sur les sujets que nous avons évoqués.

A nouveau, le marquis semblait vouloir mettre un terme à leurs entretiens.

— J'espère qu'une fois au Mexique, je pourrai accomplir quelques-unes des choses dont nous avons parlé, insista Antonio.

— Tu auras de la chance si tu accomplis quoi que ce soit.

Antonio regarda les tours de Séville s'élever lentement au-dessus des plaines qui bordent le Guadalquivir. La vue de la plus grande de toutes ramena cependant le vieux général à son sujet de conversation de prédilection.

— C'est une tour mauresque, la plus belle d'Espagne. Quand nos prêtres ont décidé de bâtir une cathédrale, ils l'ont placée au pied de la tour mauresque, ont aspergé d'eau bénite cette dernière et se la sont ainsi appropriée. Voilà qui était intelligent.

Quand, enfin, la caravane s'arrêta sur l'agréable place qui s'étend au pied de la tour, le capitaine de la troupe vint s'incliner devant le général et lui annonça :

— Nous sommes arrivés, monsieur le marquis.

Antonio put alors découvrir la ville la plus riche du monde.

Il était fasciné par cette cathédrale, achevée cinq ans seulement auparavant, et il passa quelque temps à en étudier les détails. Le marquis s'approcha de lui.

— Lorsque les prêtres voulurent commémorer la rédemption de Séville, ils proclamèrent : « Nous allons bâtir une église si grande que tous ceux qui la verront s'écrieront, en parlant de nous, que nous étions des insensés ! »

D'un portail, les deux hommes admirèrent une nef d'une longueur si étonnante qu'elle paraissait ne pas se terminer par quelque mur lointain, mais bien dans l'ombre même de la foi.

— Si un homme veut honorer Dieu, murmura Antonio, son monument doit être de proportions dépassant toute mesure.

— Pauvre capitaine Cortés ! dit le marquis en lui tapant sur l'épaule. Où va-t-il trouver l'argent nécessaire aux folies que tu envisages ?

Après que les voyageurs eurent rendu hommage aux gloires jumelles de Séville — sa tour mauresque et sa cathédrale chrétienne —, l'attention du marquis fut attirée par une immense plate-forme de bois qui occupait toute une extrémité de la place.

— Qu'est-ce que cela ? gronda-t-il.

Il était l'un des principaux magistrats de la ville, et plusieurs personnes de son escorte se pressèrent pour lui murmurer une réponse à l'oreille. Le visage du marquis se fit grave et il prit Antonio par le bras.

— Revenons au carrosse, dit-il simplement.

— Je dois reprendre mon cheval, expliqua le prêtre, et trouver le monastère franciscain.

— Tu habiteras chez moi, grommela le marquis, et j'ai de nombreux chevaux.

Il tira le jeune homme étonné à l'intérieur du carrosse, puis il ouvrit les rideaux pour qu'Antonio pût admirer la grand-place et le formidable mur de pierre qu'ils franchirent pour pénétrer dans une cour paisible plantée d'orangers. Des valets se hâtèrent de prendre en charge les chevaux et d'accueillir le héros de Grenade.

La résidence qu'ils parcouraient étonna le jeune prêtre originaire du nord : il n'avait en effet jamais vu la subtile grandeur de l'architecture mauresque s'appliquer à une demeure privée. Si je me permets de décrire de manière assez détaillée ce qu'il vit en ce soir de mai 1524, c'est uniquement parce qu'un soir de mars 1932, je me suis retrouvé dans la même cour, sous de semblables orangers, à m'émerveiller devant ces murs couverts d'arabesques, ces voûtes mauresques et ces plafonds de bois dont les dessins étaient aussi étrangers à ma culture qu'ils l'étaient à Antonio, quatre siècles auparavant.

Pour rejoindre la pièce commune, il fallait passer sous des arches de marbre vert et pourpre, fouler des dallages orange, frôler des murs au noir et blanc éclatant. La salle proprement dite était décorée de centaines de petits carreaux de céramique multicolore ; la fontaine de pierre massive qui en occupait la partie centrale était en marbre d'Afrique et représentait des lions et des serpents du désert. Par trois fenêtres haut placées, la lumière venait caresser ces dentelles de marbre, les plus belles choses qu'Antonio eût jamais vues, certainement. Mais les merveilles de ce genre se comptaient par dizaines dans cette maison.

— Ce n'est pas une demeure, murmura le jeune prêtre, c'est un mirage.

Du mirage tenait également la jeune femme qui entra précipitamment pour accueillir son père.

— Leticia, dit gravement le marquis en guise de présentation. Et voici le frère Antonio Palafox, de Salamanque. Il est en route pour le Mexique et je donnerais cher pour l'accompagner.

Dirigé très tôt vers la prêtrise, Antonio ne savait pas grand-chose des jeunes filles. L'apparition de Leticia le laissa bouche bée. Ses mouvements gracieux, sa façon d'incliner doucement la tête et de lui sourire le troublaient, de même que le troublait la robe de soie qui mettait en valeur la forme exquise de son corps. Ce fut cependant son sourire, tantôt timide et tantôt éclatant, qui le ravit totalement. Il était en présence d'une jeune fille propre à troubler les rêves des jeunes gens et, s'il ne se rendit pas compte de ce qui lui arrivait, elle sut instantanément qu'elle lui plaisait. Malgré une éducation irréprochable, charmer ce jeune homme lui procurait un grand agrément ; qu'il fût prêtre n'y changeait rien.

Après avoir salué son père, elle tendit les mains en direction d'Antonio et lui demanda doucement :

— Voulez-vous voir ce que nous avons fait dans notre petit jardin ?

Antonio secoua la tête.

— J'ai déjà vu votre jardin, dit-il en indiquant la cour spacieuse plantée d'orangers.

— L'on m'avait bien dit que les maisons du nord n'avaient qu'un seul jardin, dit-elle en riant et en se moquant gentiment de lui. A Séville, cela ne nous conviendrait pas.

Sur ce, elle entraîna Antonio et son père dans un jardin intérieur orné de fleurs et de colonnes provenant des villes romaines qui parsemaient le littoral méridional de l'Espagne bien avant la naissance du Christ. L'architecture du jardin était mauresque, toutefois, et d'une complexité bien supérieure à tout ce qu'Antonio avait pu voir jusqu'ici.

Il observa les colonnes anciennes et dit au marquis :

— Elles ont quelque chose de païen.

— Elles sont païennes, répondit le marquis.

Il allait s'étendre sur ce point quand arriva un chevalier porteur d'un message du gouverneur.

— Vous-même et le prêtre êtes invités à participer aux cérémonies de demain, l'informa le messager.

Apparemment, les cérémonies avaient quelque rapport avec la structure édifiée sur la grand-place. Le général fronça les sourcils.

— Est-ce là un ordre ? gronda-t-il.

— Oui, répondit le messager.

— A quelle heure ? fit Guadalquivir.

— Le train du gouverneur se rassemble à cinq heures et demie du matin.

— C'est bien, dit sèchement le général.

Le messager repartit.

— En quel honneur ces cérémonies ? demanda Antonio.

Avant même que le marquis pût parler, sa fille laissa échapper :

— Ils vont brûler des hérétiques.

— Leticia !

— C'est la vérité. Cinq d'entre eux sont retombés dans l'erreur après une précédente conversion. Il y a aussi deux juifs qui rejettent la doctrine de l'Eglise et disent qu'ils mourront fidèles à leur propre foi.

— Où as-tu entendu pareilles choses ? gronda le marquis.

— C'est le père Tomás qui me l'a dit, expliqua-t-elle.

— Va plutôt t'occuper du dîner, lui suggéra le général.

A son hésitation, il était clair qu'il ne savait pas si Leticia lui obéirait, mais elle le fit cependant et passa tout près du prêtre en murmurant :

— Vous verrez que j'avais raison.

Les deux hommes déambulaient dans le jardin, s'enivrant de ses parfums. Antonio était fasciné par la tour mauresque dont le sommet pointait au-dessus du mur. Ils ne dirent rien pendant plusieurs minutes, puis le marquis fit remarquer, d'une voix un peu hésitante :

— C'est très pénible, ce qui va avoir lieu demain...

Visiblement, il ne se sentait pas libre de parler ouvertement. Le jeune prêtre chercha à le rassurer.

— Vous savez, je suis franciscain...

— Je l'avais oublié, dit le général en poussant un soupir de soulagement. Puis-je parler en toute franchise ?

— A propos des hérétiques ?

— Toi aussi, tu es inquiet ?

— Cela ne se pratique pas encore à Salamanque... je veux parler des bûchers, dit Antonio avec une extrême précaution.

— C'est nécessaire, comprends-tu ? dit Guadalquivir qui restait ainsi dans la ligne officielle. Nous devons extirper les juifs telle de la mauvaise herbe.

— Et les musulmans.

— Et les adeptes de Luther.

— Ainsi que tous les ennemis de l'Eglise.

— Nous sommes d'accord, reconnut Guadalquivir. Mais quand les bûchers ont commencé, il n'était pas question de...

— Que voulez-vous dire ? s'étonna Antonio.

Le général ramassa une petite branche et la fit claquer contre sa jambe.

— Je désire autant que quiconque voir brûler les juifs, commença-t-il d'une voix forte, mais...

Il était évident qu'il n'avait pas le courage de mener à bout sa remarque. Alors qu'Antonio cherchait à porter la conversation sur quelque sujet moins grave, il aperçut un vol d'hirondelles, peut-être plus de trois cents, qui tournoyaient autour de la tour mauresque avant de piquer pour rejoindre leurs nids. Il observa quelques minutes les oiseaux, puis il dit :

— Vous savez, monseigneur, que la lutte contre l'hérésie a été confiée aux dominicains. Il était entendu qu'ils se limitent aux juifs et aux Maures, mais, depuis une bonne dizaine d'années, ils se montrent plus hardis.

Il y eut un silence pénible, au cours duquel les dernières hirondelles regagnèrent leurs nids. La nuit tombait sur Séville.

Dans la pénombre, le prêtre ajouta :

— Quand l'Eglise a voulu demander au Saint-Père de circonscrire l'action des dominicains, de nouvelles difficultés sont apparues avec Martin Luther, et les dominicains sont aujourd'hui plus arrogants que jamais.

Sans regarder le prêtre, mais prenant garde à ce que personne n'entrât dans le jardin, le général dit à voix basse :

— Demain, pour la première fois, ils brûleront des Espagnols... comme toi et moi.

— Comment le savez-vous ?

— Des messagers sont venus à Cordoue. Deux hommes de ma connaissance vont mourir. L'un d'eux s'est battu avec moi devant Grenade.

— Vous ne pouvez rien pour eux ?

— Rien, dit simplement Guadalquivir. Le jugement aurait dû être mis à exécution la semaine dernière. J'ai essayé d'y échapper en retardant mon retour, mais les dominicains ont exigé ma présence pour apporter à la condamnation un caractère public et ils ont ajourné l'exécution.

— Vous voulez dire qu'il n'y aura ni juifs ni Maures ? demanda Antonio.

— Rien que des Espagnols, répondit le marquis.

La suite des événements n'allait pas lui donner raison.

— Hohé ! appela Leticia depuis l'intérieur de la maison.

Elle portait une chandelle dont la flamme dansante rehaussait encore sa beauté naturelle. Elle déboucha dans le jardin et annonça :

— Le dîner est prêt, père.

Mais il était apparent qu'elle s'adressait non pas à son père, mais au jeune prêtre. Elle s'approcha de lui à la lueur de sa chandelle et éveilla en lui des pensées qui n'avaient rien de pieux. « On dirait une vestale, se dit-il. Elle ressemble à ces hirondelles qui virevoltent autour de leur nid. » Des images de villas romaines, de vierges et de chambres de jeunes filles le hantèrent toute la nuit ; il ne put dormir, il continuait de la voir, avec sa robe légère qui flottait derrière elle, et la nuit passa ainsi, dans la plus étrange rêverie.

A quatre heures du matin, les yeux tout ensommeillés, il se leva afin de prononcer, comme de coutume, ses premières prières. Du deuxième étage du palais mauresque, il aperçut la plate-forme édifiée sur la place. Des hommes disposaient des fauteuils dont le haut dossier portait l'emblème de la Sainte Inquisition. La gravité de ce jour fit qu'Antonio pria plus longuement que d'habitude, et c'est près de la fenêtre que le trouva, à cinq heures, le domestique chargé de le réveiller.

Le jeune prêtre mit ses plus beaux vêtements et mangea abondamment car le marquis l'avait prévenu qu'il serait impossible de se restaurer de la journée. Il souhaita le bonjour à la fille de son hôte, laquelle assisterait également aux cérémonies ; dans la cour, il vit le marquis monter un superbe étalon arabe pour rejoindre les autres nobles dont la présence était requise afin de conférer toute autorité à ce qui allait se dérouler.

A cinq heures et demie, les nouvelles cloches de bronze de la tour mauresque se mirent à sonner avec lenteur pour appeler à se rassembler des milliers de spectateurs ; celui ou celle qui regarderait attentivement comment l'Eglise se débarrassait de l'hérésie se verrait ainsi accorder quarante jours d'indulgence plénière. Au lever du soleil, l'immense place était noire de monde ; des familles entières étaient là, avec leurs enfants, lesquels étaient encouragés à courir en tous sens car ainsi, épuisés, ils dormiraient pendant les heures de chaleur ardente de la mi-journée.

A six heures, un petit canon tonna. Les cloches retentirent avec plus de vivacité et les grandes portes de bois de l'Alcazar, la forteresse mauresque proche de la cathédrale, laissèrent passer la lente procession des condamnés, quarante et une personnes qui, pour une raison ou une autre, avaient été reconnues coupables par les juges de l'Inquisition. Nul appel n'était possible, ni devant le roi ni même devant le pape. Les premiers à déboucher sur la place n'étaient pas les condamnés eux-mêmes, mais un groupe de représentants officiels de la ville et de l'Eglise, accompagnés de soldats et de quatre clercs de l'Inquisition, lesquels portaient des coffrets d'argent recouverts de velours, contenant la liste des crimes imputés aux condamnés. Venaient ensuite huit frères dominicains, dont l'effet sur le public avait quelque chose d'électrique, car chacun avait un long bâton de chêne terminé d'anneaux d'argent qui s'agitaient furieusement quand les prêtres abattaient les hampes de bois sur le pavé. Ce son terrifiant annonçait l'apparition des condamnés.

Les quarante et un malheureux avaient déjà passé près de trois années dans des cachots en attente d'être jugés et leur visage avait quelque chose de spectral. Ceux qui s'étaient désespérément raccrochés à des religions interdites étaient très âgés et marchaient avec difficulté ; le châtiment qu'ils recevraient ne leur importait plus, mais il couvrirait de honte leur descendance. Chaque prisonnier portait quatre marques d'infamie : un petit cierge éteint, pour signifier que la lumière de l'Eglise n'éclairait plus l'âme du pécheur ; autour du cou, une corde dont les nœuds indiquaient qu'une centaine de coups de fouet au moins participeraient au châtiment ; un grand bonnet d'âne qui se balançait au gré des pas titubants des condamnés ; et surtout, une tunique en toile à sac jaune, avec une longue traîne qui balayait la poussière. Le devant de cette tunique était décoré d'une croix rouge et flamboyante. Pendant plus de cinquante années, la tunique serait exposée dans les églises d'Espagne avec le nom de l'hérétique qui l'avait endossée ; la honte rejaillirait sur toute sa famille : les descendants ne pourraient être présents aux offices religieux, devenir prêtres ou officiers, collecter l'impôt ou voyager outre-mer — ils ne pourraient qu'expier dans la pauvreté et le désespoir les péchés de leurs ancêtres.

A l'arrière de la procession, sept personnes attiraient plus particulièrement l'attention, car leurs bonnets d'âne étaient plus hauts que les autres et peints de flammes rouges et de démons. La foule qui se pressait pour voir les condamnés eut un mouvement de recul en découvrant ceux-ci. Chacun d'eux était assisté de deux frères dominicains, qui consolaient ceux qui avaient à la dernière minute abjuré leurs erreurs afin de mourir dans le sein de l'Eglise, mais faisaient des remontrances à ceux qui s'obstinaient toujours.

Après les condamnés arrivait, sur sa monture, le marquis de Guadalquivir ; son visage impassible avait tout du masque. Sur six beaux chevaux venaient des nobles de la région, puis les prêtres des diverses congrégations de Séville. Antonio Palafox se trouvait dans les rangs des franciscains. Dès qu'il arriva sur la place, il vit que l'un des meilleurs sièges de la plate-forme était occupé par Leticia.

La Sainte Inquisition rendait le plus impressionnants possible ces jugements dominicaux, elle y voyait un excellent moyen de terrasser l'hérésie. Devant la multitude assemblée, la messe fut dite par un prêtre qui implora la bénédiction divine sur ce qui allait suivre ; après quoi le Grand Inquisiteur se leva et, s'adressant aux condamnés dans leurs robes d'infamie, prêcha pendant plus de deux heures et demie sur le thème de la honte dont ils s'étaient couverts et du chagrin qu'ils avaient causé à l'Eglise.

Quand il eut terminé, les deux premiers assesseurs du tribunal s'avancèrent avec solennité vers deux lutrins parés de velours noir et, de là, proclamèrent à tour de rôle les terribles accusations portées contre les condamnés. Comme il fallait plusieurs minutes pour chacun d'entre eux et que les malheureux étaient au nombre de quarante et un, la cérémonie traînait en longueur.

Les coupables étaient divisés en trois catégories. Ceux qui avaient offensé l'Eglise de manière sérieuse mais pas cruciale — en volant des fonds lui appartenant ou en pratiquant ouvertement l'adultère — étaient condamnés à deux ou trois cents coups de fouet ainsi qu'à une ou deux années de prison. Avec une intense joie, la plupart de ceux-ci apprirent que leurs tuniques jaunes ne seraient pas exposées dans les églises, ce qui signifiait qu'ils pourraient un jour retrouver la communauté sans porter préjudice à leur descendance. Sur quarante et un, dix-neuf reçurent cette indulgence. Dès que la décision fut annoncée, on ralluma leurs cierges pour indiquer qu'ils avaient regagné le sein de l'Eglise.

Quinze des condamnés, ainsi que leurs familles, eurent droit à un jugement plus terrible. Ils avaient commis des offenses majeures à l'égard de l'Eglise ; certains étaient des juifs qui s'étaient publiquement convertis au catholicisme, mais qui avaient continué de pratiquer en secret leur ancienne religion, et leurs voisins s'étaient empressés de les dénoncer à l'Inquisition ; d'autres étaient mahométans et avaient agi de la même façon ; d'autres encore avaient écouté et suivi l'enseignement pervers de ce moine dément qu'était Martin Luther ; deux enfin avaient composé des poésies mystiques que l'on ne pouvait pas franchement qualifier de subversives, mais qui devaient certainement l'être. Ces quinze personnes avaient été dépouillées de tous leurs biens, elles avaient reçu de soixante à cent coups de fouet chacune et avaient été condamnées au cachot à vie ; mais surtout, leurs tuniques allaient être à tout jamais exposées dans les églises de la région.

— Et quand les robes que vous portez se déferont avec le temps, lut l'un des clercs, d'autres seront tissées à leur image et présentées à leur place de telle sorte que votre infamie sera connue de tous aussi longtemps que durera la Sainte Eglise.

Leurs cierges furent tout de même rallumés.

Les assesseurs en arrivaient à présent aux sept malheureux qu'assistaient toujours les prêtres infatigables. Avec une douleur non feinte, les représentants de l'Inquisition informèrent le gouvernement civil que ces sept-là avaient tant persisté dans leurs erreurs que l'Eglise n'espérait plus en leur régénération :

— C'est pourquoi nous abandonnons le prisonnier Domingo Tablada aux autorités civiles, dit l'assesseur en reprenant la formule consacrée.

Cela signifiait tout simplement que l'intransigeant n'avait plus aucune relation avec l'Eglise et que la mort sur le bûcher lui serait infligée par l'autorité civile. Tout au long de son emprise sur l'Espagne, la Sainte Inquisition n'exécuta jamais elle-même un seul criminel.

C'est en fin d'après-midi que le maire de Séville fit savoir au marquis de Guadalquivir que sa présence était souhaitée lors du supplice par le feu, lequel devait avoir lieu dans un champ extérieur à la ville et proche du fleuve. Le général dissimula sa répugnance et fit venir son cheval ; il demanda que l'on en trouvât un pour frère Antonio, et les deux hommes se dirigèrent vers le lieu réservé à l'exécution. Ce faisant, ils doublèrent le train des carrosses des familles nobles. Derrière la vitre de l'un d'eux, Leticia leur adressa un signe de la main. Le vieux marquis fit semblant de ne pas la voir, mais le prêtre de Salamanque lui rendit son salut, extrêmement troublé par le fait qu'une jeune fille pût assister à pareil spectacle.

Au bord du Guadalquivir, non loin d'un bouquet d'oliviers, sept poteaux avaient été plantés dans le sol et entourés de tas de bois sur lesquels des marches grossières avaient été installées, qui menaient aux petites plates-formes destinées aux prêtres et aux condamnés. Les sept hérétiques furent menés vers les sept bûchers.

Pour cinq d'entre eux se déroula une cérémonie qui affecta profondément la multitude assemblée dans le champ. Avant l'embrasement, les prêtres dirent les dernières prières. Quand le clergé indiquait que tel homme ou telle femme était sauvé, un cri joyeux s'élevait. Un représentant de l'Inquisition grimpait à toute allure les marches de bois et, de son flambeau, rallumait le cierge du condamné pour signifier qu'il mourrait dans le sein de l'Eglise. Plus important encore pour la foule, et surtout pour le condamné, deux bourreaux apparaissaient de derrière le bûcher et, de leurs mains puissantes, garrottaient le prisonnier, lui épargnant ainsi d'être brûlé vif. Une fois la strangulation achevée, les bourreaux sautaient à bas du bûcher, y mettaient le feu et immolaient les corps sans vie des hérétiques réconciliés.

Sur les deux derniers bûchers, où se tenaient une femme de confession juive et un ami chrétien du marquis, aucune réconciliation ne fut possible. Les quatre prêtres chargés de ces âmes retorses priaient et pleuraient à chaudes larmes.

— Je vais mourir ! s'écria la juive. Alors que ce soit dans la foi qui est la mienne !

— Regarde ces flammes terribles, l'implora un jeune prêtre au visage baigné de larmes.

— Laissez-moi mourir, répétait la femme avec obstination.

— Non ! Non ! répétait le prêtre.

Quand il fut clair que les supplications de celui-ci ne servaient à rien, les bourreaux firent descendre les deux religieux. L'un d'eux leur obéit, mais l'autre s'accrocha à la robe jaune de la femme. « Abjure ! Abjure ! » hurlait-il comme un possédé, mais elle refusa et les bourreaux durent l'en arracher pour mettre le feu.

Les premières flammèches apparaissaient déjà. Le prêtre se précipita à nouveau vers la juive pour la supplier. Les bourreaux l'écartèrent à nouveau quand le feu lui lécha les doigts.

Pendant plus de dix minutes, la juive demeura immobile et silencieuse, mais quand les flammèches se changèrent en flammes véritables, son bonnet d'âne et ses cheveux s'embrasèrent et la fumée la fit suffoquer. Elle poussa alors un cri perçant et le prêtre s'effondra à terre, abîmé dans la prière.

Un représentant de l'Inquisition qui le regardait murmura à un assistant :

— Quel spectacle déplorable !

— Nous ne lui demanderons plus d'assister les condamnés, répondit l'autre à son supérieur.

— Qui est-ce ?

— Un franciscain, dit l'assistant avec un dégoût certain.

Son supérieur hocha la tête d'un air qui en disait long, puis consacra toute son attention au septième bûcher. Le marquis de Guadalquivir était monté sur la plate-forme pour s'entretenir avec le condamné.

— Esteban, renie-toi, le suppliait le marquis. Martin Luther est un imposteur. Il ne t'apporte pas le salut.

— Je suis comme cette juive, répondit le condamné. J'ai ma propre religion.

— Epargne-toi cette agonie, insista le vieux militaire.

— J'ai déjà vécu le pire, et ton tour viendra.

— C'est ton ancien général qui te parle : je t'ordonne d'abjurer ta foi !

— Je te mets au défi et lui aussi je le mets au défi, dit le prisonnier en indiquant le prêtre.

En entendant ce nouveau blasphème, le bourreau lui plaqua la main sur la bouche. Le marquis et les deux prêtres furent éloignés. Le feu fut allumé et l'homme qui allait mourir vit les flammes refuser de prendre aux bûches. Il éclata de rire. Le vieux général regarda son ami et se demanda quel démon s'était emparé de lui. Enfin, le feu prit et les flammes léchèrent rapidement les vêtements et le visage du condamné. Il ne poussa aucun cri.

Le représentant de l'Inquisition avait attentivement observé le comportement du marquis.

— Il y en a un autre que nous ferions bien de surveiller, dit-il à son assistant.

— C'est le héros de Grenade, le prévint celui-ci.

Le représentant de l'Inquisition serra les dents.

— Nul n'est jamais trop puissant.

C'est un fait établi, dans l'histoire de ma famille, qu'en ce jour du printemps de l'an 1524 où mon ancêtre, frère Antonio Palafox, voyait brûler sept hérétiques à Séville, une autre de mes ancêtres, altomèque celle-ci, en l'occurrence la Dame-aux-Yeux-gris, expliquait secrètement à sa petite-fille le mystère des nouveaux dieux qui allaient bientôt sauver de la barbarie la Cité-de-la-Pyramide et le Mexique tout entier :

— C'est une Mère aimante, répétait la Dame-aux-Yeux-gris en montrant l'image qu'elle chérissait, et voici son Fils, qui est venu dans la douceur afin de nous sauver.

L'enfant, l'Etrangère, ne pouvait comprendre, car elle n'avait jamais connu de dieu de pitié, de sorte que la Dame-aux-Yeux-gris dut reprendre son explication :

— Nous souffrons ici sous la poigne de dieux mauvais et les hommes meurent constamment. Mais bientôt, les dieux aimables des nouveaux arrivants occuperont nos temples, et c'en sera fini de l'injustice.

Elle ne pouvait rien dire de plus, mais, tandis qu'elle serrait sur sa poitrine le parchemin enluminé, elle sentait les larmes couler sur ses joues. « Combien de temps devrons-nous encore attendre le dieu de pitié ? » priait-elle en silence.

Ce soir-là, à Séville, tandis que la Dame-aux-Yeux-gris attendait ce dieu dans la chaleur de midi du Mexique, frère Antonio, l'agent du salut qu'elle espérait tant, abandonnait, le cœur lourd, la plaine du châtiment. Devant lui, dans le même esprit de confusion, chevauchait le marquis de Guadalquivir, mais les foules qui entouraient leurs chevaux ne semblaient pas connaître une égale détresse. Ces hommes et ces femmes s'étaient repus du spectacle des bûchers qui avait mis un peu de piment après une semaine plutôt maussade, et leur satisfaction donnait raison aux nombreux responsables qui pensaient qu'une bonne exécution publique de temps à autre ne pouvait que relever le moral de la cité. De plus, cela démontrait la cohérence de l'Espagne au moment même où elle rassemblait ses forces pour aller sauver le Nouveau Monde ; le Mexique se trouvait peut-être fort loin, mais sa présence se faisait constamment sentir à Séville, où les galions mouillaient dans le fleuve au vu de chacun.

Frère Antonio était révolté par la façon dont la populace avait réagi aux exécutions, mais néanmoins impressionné par son sentiment de loyauté à l'égard de l'Eglise et de la nation qui la soutenait. Les vrais ennemis tels que Martin Luther se trouvaient à l'étranger et il fallait des mesures très strictes pour les empêcher de souiller l'Eglise et le pays. Il ne doutait pas qu'il rencontrerait le même genre d'adversaire au Mexique ; il espérait seulement que le courage de les affronter ne lui ferait pas défaut. Pourtant, tout en exprimant ce vœu, il revoyait le jeune prêtre qui avait vainement tenté de sauver la juive des flammes qui la consumaient, et pas les exécuteurs qui avaient parlé de Dieu et de l'humanité en ce terrible après-midi.

C'est dans un tel état d'esprit que frère Antonio rentra en ville et suivit le marquis qui longea la cathédrale, passa au pied de la tour mauresque et traversa la place avant de regagner son palais. Arrivés devant la haute muraille qui protégeait la résidence, ils constatèrent que les portes étaient grandes ouvertes et que le carrosse de Leticia la déposait dans la cour aux orangers. Elle vit son père s'approcher et l'attendit tandis que le carrosse roulait vers sa remise. Puis elle courut en criant :

— Vous aviez fière allure dans la procession, mon père.

— J'ai été surpris de te voir... surtout aux bûchers, dit-il d'un air réprobateur.

Ses paroles n'eurent que peu d'effet sur Leticia, qui entra dans la demeure.

— Je meurs de faim. Venez, nous allons dîner.

Mais le marquis était profondément troublé par la mort de son vieux compagnon et il ne pouvait arracher à sa mémoire le souvenir de cet homme perdu au milieu des flammes.

— Nous dînerons un peu plus tard. Le père Antonio et moi serons au jardin.

Il entraîna le prêtre dans son jardin privé, et les colonnes romaines lui rappelèrent les poteaux auxquels on avait attaché les hérétiques. Dès qu'il fut seul avec le jeune prêtre, il abandonna les précautions qui avaient marqué sa conversation de la veille.

— Nul ne peut prédire comment cela se terminera, fit-il, très agité. Quand je suppliai mon ami d'abjurer sa foi, les dominicains m'observaient. Je pourrais être le suivant... à moins que ce ne soit l'empereur.

Il déambula pendant plusieurs minutes dans le jardin avant de s'écrier :

— Antonio, quand tu seras au Mexique, empêche cette calamité de prendre racine !

— Cette calamité ?

Le prêtre eut un mouvement de recul, mais le vieux marquis n'avait pas envie de battre en retraite.

— Oui, cette calamité qui consiste, depuis une vingtaine d'années, à brûler les juifs et les Maures.

— Hier soir, dit le prêtre, nous disions que l'Eglise devait arracher comme une mauvaise herbe les juifs et les Maures qui pratiquent en secret leurs rites abominables.

— Les exiler ? Les emprisonner ? Peut-être, fit le marquis. Mais les brûler vifs ? Non !

— Je garderai vos pensées secrètes, dit le prêtre sur la défensive.

— Ne t'en fais pas pour moi. Je suis un vieil homme et j'ai toujours eu le désir de combattre les ennemis susceptibles de provoquer la ruine de l'Espagne.

— Vous considérez comme ennemie la Sainte Inquisition ? demanda le prêtre, les lèvres sèches.

— Oui.

— Mais hier soir...

— Hier soir, je n'avais pas vu un ami brûler vif ! déclara avec force le vieil homme.

Vêtue d'une robe de soie et de dentelle resserrée à la taille, Leticia apparut pour annoncer le dîner. Une fois encore, son père la pria d'attendre. Comme elle se tenait dans l'encadrement de la porte d'une pièce illuminée, frère Antonio tomba dans le piège qu'elle avait conçu. Le jeune homme plein de vigueur voulait jouir du spectacle délicieux qu'offraient ses formes ravissantes, mais le prêtre avait reçu l'ordre sacré de ne pas convoiter la chair. Heureusement, le marquis le prit par le bras et l'entraîna à l'autre bout du jardin.

— L'important, père Antonio, quand tu atteindras le Mexique, sera de te servir de ton influence pour empêcher ce qui advient ici. Fais-m'en la promesse.

Mais Antonio regardait par-delà le marquis, en direction de la porte, et ses pensées étaient si embrouillées — l'attaque portée contre l'Inquisition était aussi inattendue que la silhouette de la jeune fille — qu'il sentit la tête lui tourner et qu'il éprouva le besoin de quitter le jardin. Il passa devant Leticia, qui ne bougea pas, de sorte qu'il dut la frôler, et gagna la cour. Il demanda aux serviteurs de lui ouvrir le lourd portail et partit en courant, criant par-dessus son épaule qu'il reviendrait plus tard.

Nous savons par des documents de famille que, dans la profonde agitation sexuelle et spirituelle qui était la sienne, il déambula le long du Guadalquivir et revint sur le lieu des exécutions. Là, les habitants de la ville avaient fouillé les débris calcinés pour les revendre à titre de souvenirs, ceux provenant du bûcher de la juive étant évidemment les plus prisés. Pendant près d'une heure, il observa cette sinistre besogne, puis il regagna le cœur de la ville et cette rue qui, depuis plus de mille ans, ravissait tous ceux qui visitaient Séville, cette ruelle étroite et tortueuse qui portait le nom de Sierpes. Partant de l'hôtel de ville, elle se fraye un chemin entre des échoppes dont les étages supérieurs sont souvent reliés les uns aux autres ; elle passe devant les cafés où dansent les gitanes ; elle traverse des marchés gorgés de fruits et de poissons. C'est là qu'œuvrent les orfèvres, les libraires et les artisans qui sculptent les rosaires. C'est la voie la plus étonnante de toute l'Espagne.

Si Antonio Palafox avait été un muletier de Salamanque ou un étudiant en congé, il eût été pratiquement normal qu'il recherchât cette rue célèbre. Mais la présence d'un jeune prêtre seul dans la nuit provoqua quelque surprise. Dans l'un des cafés, une gitane haussa les épaules et dit à ses compagnons : « Pourquoi pas ? »

Elle suivit Antonio et, dans une partie obscure de la rue Sierpes, l'aborda.

— Tu aimerais voir ma chambre ?

Il la regarda dans l'ombre et se rendit compte de la force de son désir de la rejoindre. « Oui », dit-il, et elle quitta la rue Sierpes en lui faisant signe de marcher discrètement derrière elle. Ce qu'il fit avec désir et appréhension.

Elle devait redouter qu'il perdît courage, car elle se retourna et le prit par la main. C'était la première fois qu'une fille d'âge mûr se comportait ainsi avec lui et il se sentit rassuré. Mais dès qu'ils furent dans sa chambre près du fleuve, il vit ce que l'habitation avait de misérable et la fille de pitoyable en dépit de sa fulgurante beauté. Il en éprouva une profonde répugnance et s'enfuit.

Il déambula dans la ville pendant trois heures, tourmenté par les événements de la journée : le sermon passionné du responsable de l'Inquisition, les bûchers, les essais désespérés du jeune prêtre pour sauver la juive, le souvenir de Leticia dans l'encadrement de la porte et la rencontre répugnante avec la gitane. Il était plus de minuit quand il se rendit compte qu'il avait faim et sommeil et il revint au palais. Il frappa à la porte et s'étonna de la voir s'ouvrir si vite. Il découvrit alors Leticia qui l'attendait avec un plateau d'argent. Elle lui offrit du vin et du fromage et, tout en dînant, il constata qu'elle portait encore sa robe de soie et de dentelle serrée à la taille. Son repas achevé, elle prit une bougie et le conduisit non pas chez lui, mais dans sa chambre à elle.

Pendant tout le temps nécessaire à la préparation du galion qui ferait voile vers le Mexique, le marquis remarqua que sa forte tête de fille et le jeune prêtre étaient tombés amoureux l'un de l'autre ; il savait fort bien que le vent n'était pas le seul responsable des bruits qu'on pouvait entendre la nuit dans sa maison. Il était conscient que la coutume espagnole exigeait qu'il fît quelque chose pour l'honneur de sa fille, mais il avait déjà bien marié ses filles aînées et trouvait toute la procédure assez ridicule ; avec Leticia, il laisserait parler la nature. De plus, il n'était aucunement gêné par l'idée qu'un prêtre pût prendre femme. La coutume était très répandue en Espagne jusqu'à la fin du siècle précédent ; Ferdinand et Isabelle avaient tenté d'y mettre fin, sans grand succès il est vrai. Il y avait donc encore en Espagne de nombreux prêtres qui vivaient avec femme et enfants. Le marquis imaginait que les conditions seraient assez semblables au Mexique.

Le jour prévu pour l'appareillage du galion, le marquis emmena une dernière fois Antonio dans le jardin aux colonnes.

— As-tu demandé à ma fille de t'accompagner au Mexique ? lui demanda-t-il de but en blanc.

— Je ne pourrais me présenter à Cortés avec une épouse, dit Antonio en rougissant.

— Certes, grogna le vieux soldat, mais là-bas, les choses ne sont pas différentes d'ici. Un peu plus tard...

— Un peu plus tard, je serais fier d'être votre fils, dit Antonio.

— Tu es déjà mon fils, dit le marquis. Leticia a du caractère. Mon avenir ici est incertain. Il vaudrait mieux qu'elle fût en sécurité au Mexique.

Ensemble, le marquis, Antonio et Leticia se rendirent au port où le galion s'apprêtait à descendre le fleuve avant de gagner la haute mer. Près du flanc du bateau, ils se dirent adieu. Le jeune prêtre avait très envie d'embrasser Leticia, mais ils n'avaient cessé de le faire toute la nuit durant et ils se contentèrent de se regarder les yeux dans les yeux.

Antonio était trop inexpérimenté pour évaluer la hauteur des sentiments de Leticia à son égard et le plaisir qu'elle avait tiré de leurs nuits. En tout cas, il était très ému à l'idée de la quitter. Les derniers préparatifs de départ s'achevaient. Il souffrait le martyre à l'idée de la laisser. Puis, soudain, il serra les poings.

— Dieu me pardonne cette erreur, murmura-t-il. Qu'elle n'appartienne plus qu'au passé !

Et il tourna le dos à Leticia.

Le capitaine cria des ordres, les amarres furent remontées et, bientôt, le galion s'éloigna de la rive, chargé de clous et de chevaux, d'objets de cuir damassé et d'épées en acier de Tolède, mais aussi de lettres de créance de la part de l'empereur.

Au dernier instant, Antonio se précipita vers le bastingage pour entrevoir Leticia, mais elle était montée dans le carrosse de son père.

— Leticia ! hurla-t-il, comme un jouvenceau éperdu d'amour.

Elle l'entendit et, du bout de ses doigts agiles comme les ailes des hirondelles, elle lui envoya un baiser.

11

Les ancêtres espagnols : au Mexique

Ces années-là, les traversées entre Séville et Veracruz n'étaient pas menacées par les pirates anglais, hollandais ou français désireux de s'approprier les richesses de l'Espagne ou les métaux précieux du Nouveau Monde, de sorte que le mois passé sur l'Atlantique constituait une expérience somme toute assez agréable. Matin et soir, Antonio disait les prières. Il conversait avec le capitaine, qui avait déjà effectué le voyage par deux fois, et regardait le navigateur inscrire chaque jour sur un parchemin le lent cheminement du galion. C'était une introduction plutôt douce à un univers et à un mode de vie nouveaux.

Antonio fut impressionné par sa première vision du Mexique : un volcan enneigé qui émergeait majestueusement des nuages recouvrant l'océan. Plus tard, il rapportera les sensations éprouvées en cette occasion : « J'avais l'impression que le doigt de Dieu me montrait ma nouvelle demeure et, par une terrible prémonition, je savais que, dès l'instant où je poserais le pied sur cette terre puissante, sous ce doigt, je n'en pourrais plus jamais repartir. »

Il arriva au port marécageux de Veracruz et, avant même que la barque qui devait le conduire à terre eût fait trois mètres, il fut couvert d'insectes bourdonnants qui lui infligèrent une centaine de piqûres extrêmement urticantes. Tel fut son premier contact avec les moustiques. Une fois à terre, il trouva de la boue, de la saleté et une végétation si dense qu'on ne pouvait s'y frayer un chemin qu'à coups de hache ; il vit aussi quelques colons espagnols présentant des plaies d'allure inhabituelle. Un prêtre de Salamanque, véritable épave, s'avança en titubant et en pleurant de joie à la vue d'un frère.

— Je rentre au pays... sur ce vaisseau, bredouilla le prêtre malade, mais avant même qu'il pût expliquer pourquoi, il se mit à tousser et à cracher du sang ; sur ce, un soldat livide et amaigri l'emmena.

Antonio fut encore plus impressionné par les premiers Indiens qu'il rencontra. Ils se regroupaient pour inspecter les nouveaux arrivants. Nus pour la plupart, courtauds, le visage inexpressif, on ne trouvait pas sur leurs traits la supériorité physique ou intellectuelle censée caractériser les adversaires de Cortés ; c'étaient, il l'apprit plus tard, des habitants de la jungle que les Espagnols avaient assujettis aux travaux forcés. Il lui devint alors évident que de faux récits avaient circulé en Espagne pour attirer les jeunes gens dans ce pays étrange au climat malsain.

Le soupçon céda la place à la certitude. En 1524, le port de Veracruz était déjà devenu ce qu'il allait être pendant des siècles d'occupation espagnole : un des havres les plus laids et les moins hospitaliers du littoral atlantique, la porte déplorable d'un noble territoire. Antonio passa là trois misérables journées, dans la chaleur intense et les nuées de moustiques, sans rien entrevoir de la grande civilisation qu'il était venu christianiser. Sans exception aucune, tous les Indiens qu'il voyait étaient des brutes épaisses, et les Espagnols, des aventuriers désabusés. Dans une pièce sordide emplie de cafards, il écrivit sa première lettre à son frère, Timoteo, et témoigna du dégoût que lui inspirait ce pays. Même si le ton en est un peu rude, cette épître occupe une place importante dans l'histoire littéraire du Mexique, car elle témoigne en toute honnêteté de la vie quotidienne de l'époque.

> Nous mangeons des plats curieux préparés dans la crasse, nous nous battons contre des insectes dont la malice est supérieure à la nôtre et nous sommes constamment suivis par une horde d'indigènes, qui sont les créatures les plus basses et les plus mesquines que Dieu ait pu mettre sur cette terre. Nombreux sont ceux qui se disent trompés et si j'étais toi, Timoteo, et non un représentant de l'Eglise, et si quelqu'un m'invitait à rejoindre Cortés au Mexique, je m'empresserais de lui répondre non, car c'est une terre maligne, à moins que l'on n'ait du goût pour les insectes qui mordent avec fureur. Ce qui m'a le plus impressionné, me semble-t-il, c'est l'air qui paraît inhabituellement lourd, comme s'il était comprimé et pesait sur chaque chose. On respire, et l'air que l'on inhale est chaud et humide. On sue toute la journée, mais le poids de l'air accroît sur soi l'humidité. De l'océan, pour notre première vision du Mexique, nous avons contemplé un volcan majestueux qui se dressait au-dessus des nuages, mais à terre, il n'y a rien, absolument rien, qui puisse inspirer l'esprit ou réjouir le cœur. Nous vivons au pied de ce volcan, dont les pentes nous sont à tout jamais dissimulées, noyées dans un vert labyrinthe de jungles où les arbres ne donnent pas de fruits. Je ne trouve de réconfort qu'en une seule chose. Les brutes que je vois, ces Indiens à la peau brune, ont plus besoin de la grâce salvatrice de Jésus-Christ que tout être que j'ai pu rencontrer jusqu'ici ; d'être celui qui apportera la lumière divine à ces regards vides est ma seule consolation parmi les innombrables déceptions que me vaut le Mexique.

Le désenchantement d'Antonio se perpétua pendant la longue marche de Veracruz à la capitale, car la route était laide et périlleuse, et les Indiens croisés en chemin, bien moins civilisés que ceux du port. Une fois, cependant, au cours d'une nuit à la fraîcheur apaisante, le jeune prêtre se réveilla pour remettre en place ses couvertures qui avaient glissé ; par une trouée dans la voûte des arbres, il vit un pic gigantesque, blanc comme neige et parfait dans sa beauté conique, se dresser en toute sérénité vers le ciel. Il n'en crut pas ses yeux, mais, avant même qu'il pût admirer de nouveau l'apparition, les nuages enveloppèrent la montagne. Pendant plusieurs jours, il ne revit plus rien, ce qui ne manqua pas de le conforter dans son opinion qu'il se trouvait sur une terre de chimères.

Au onzième jour, le groupe de nouveaux arrivants sortit de la jungle ; laissant derrière eux les entrelacs de végétation et les insectes, ils débouchèrent sur un plateau plus vaste que tous ceux qu'ils connaissaient en Espagne, ceint de volcans encore plus majestueux que celui qu'Antonio avait cru découvrir dans la nuit et couvert de champs soigneusement entretenus qui témoignaient d'une société organisée. Dans la fraîcheur matinale, les Espagnols sentirent que l'humidité oppressante des régions côtières n'avait plus cours : c'était maintenant l'air vif et pur des plateaux d'altitude.

Au grand dam d'Antonio, la petite troupe évita les villes que Cortés avait conquises lors de sa marche sur la capitale. Au nord, c'était Tlaxcala, ville étonnante qu'entourait une muraille de brique. La puissante Puebla et la sainte Cholula se cachaient quelque part, plus au sud, mais leur force se manifestait en tout lieu, dans la qualité des routes et des canaux, dans la richesse des plantations. De temps en temps, ils croisaient des groupes d'Indiens de belle stature, bien vêtus, et Antonio observa leur visage pour le trouver peu différent du sien et marqué d'une égale intelligence.

Le jugement qu'il portait sur le Mexique commençait à se tempérer, ainsi que le montra la deuxième lettre qu'il adressa à son frère, Timoteo :

> Je crois m'être trop emporté à Veracruz lorsque j'ai qualifié cette terre de barbare, car les régions d'altitude offrent une tout autre impression, et le long de routes bien pavées, l'on rencontre des hommes de belle nature et de grande capacité. Amener de tels hommes à Dieu constituerait une grande victoire, et je suis à présent impatient alors que j'étais déprimé. Je crois tout de même que ce changement est en grande partie dû à l'air plus salubre que nous respirons depuis que nous avons quitté la jungle. Ici, parmi les volcans, il semble gonfler nos poumons et nous inciter à aller de l'avant. Depuis trois jours, je suis émerveillé par la beauté de cette contrée.

L'histoire de notre famille accorde une importance autrement plus grande à la missive qu'il envoya à Leticia, demeurée à Séville, par l'intermédiaire d'un marin qui faisait le voyage de retour :

> Je n'ose point vous appeler ma bien-aimée, car les règles de ma vie et de mon sacerdoce me l'interdisent. Mais lors des gardes de nuit à bord du vaisseau, dans la touffeur végétale de la jungle et dans cette contrée où les volcans me dominent tels des phares, je suis tourmenté par nos nuits passées ensemble. Ce matin, au sortir de la jungle, alors qu'une nouvelle terre s'ouvrait devant moi, j'ai nourri la folle pensée que le Mexique avait besoin de femmes comme vous, des femmes dotées à la fois de grâce et de courage, des femmes capables de bâtir une nouvelle nation sur un

continent nouveau, et mon cœur s'est écrié : « Elle devrait être ici ! » Oui, si vous étiez ici, même si le mariage nous était impossible, je connaîtrais une force extraordinaire. Dans mon imagination, vous êtes au Mexique.

C'est au quatorzième jour de son périple que frère Antonio éprouva des sensations qui ne devaient plus jamais s'effacer de sa mémoire pendant les cinquante-six années qu'il allait passer au Mexique. Vers midi, la petite troupe approcha de l'immense lac de l'autre côté duquel se dressait, resplendissante, la cité de Mexico. Même si ses plus hautes tours païennes avaient déjà été abattues par ses conquérants, elle présentait toujours un visage imposant aux nouveaux venus émerveillés par sa grandeur.

De loin, sa couleur générale était celle de l'or clair que venait briser le vert des arbres innombrables. Les maisons et les édifices publics étaient de hauteur inégale, ce qui donnait à la ville un air ondulant convenant parfaitement à une métropole bâtie au bord de l'eau. Il y avait sur ces rives un mouvement constant de bateaux dont les passagers portaient des vêtements de couleurs vives parés de plumes chatoyantes. Mais ce qui caractérisait surtout cette ville, c'était l'impression d'extrême solidité qu'elle dégageait, impression qui se renforçait à chaque pas que les Espagnols faisaient sur la chaussée de pierre qui franchissait le lac.

Les soldats qui découvraient la grande cité se disaient : « Elle a déjà été pillée, quelle chance ont eue les premiers venus ! » Mais Antonio, fidèle à l'engagement manifesté à Salamanque, pensait : « Quelle ville admirable à conquérir pour Dieu ! » Dès qu'il put voir plus en détail les maisons et se rendre compte de la beauté de ce que les Aztèques avaient accompli, il comprit que tous les sacrifices consentis pour le salut de cette terre seraient largement compensés.

Il se trouvait à présent dans la zone où abondaient les petites embarcations et il put en détailler la cargaison : poissons, myriades de fruits étranges, maïs, textile tissé orné de fils d'or et de plumes multicolores. Et il se dit que, même à Salamanque, il n'avait jamais vu pareilles richesses. Pour la première fois, l'idée l'effleura que cette contrée rude et violente qu'était le Mexique, avec ses volcans impressionnants, serait un jour plus puissante que l'Espagne. Des affrontements spirituels de très grande importance se dérouleraient ici et, avec les générations futures, le Mexique s'imposerait davantage au monde que sa terre maternelle. « Je dois immédiatement faire venir Timoteo, se dit-il, c'est le genre d'homme que ce pays requiert. »

Il était devant les portes de la ville et, depuis les tours de guet, des Espagnols adressaient leurs salutations aux nouvelles troupes. En apprenant leur arrivée, le capitaine Cortés s'empressa de les accueillir. Très respectueux, le conquérant salua d'abord le prêtre et c'est avec plaisir qu'il apprit qu'Antonio était originaire de Salamanque. Puis il passa rapidement en revue les soldats pour se faire une idée de leur valeur ; il était engagé dans de vastes et nouvelles conquêtes qui faisaient déjà flotter l'étendard de l'Espagne sur le Guatemala et en envisageait d'autres afin de consolider tous les territoires situés entre la ville de Mexico et ce qu'on appellerait plus tard la Californie.

Satisfait des soldats qu'on lui envoyait, Cortés prit le prêtre par le bras et l'emmena au cœur de la ville. Là, pendant trois années, Antonio assista le conquérant en tant qu'administrateur.

Deux événements majeurs survinrent durant le séjour d'Antonio dans la capitale. En 1525, à peine un an après son arrivée au Mexique, il reçut une lettre angoissée de son frère, Timoteo, lequel lui apprenait que leur père, le professeur de Salamanque, avait été arrêté par la Sainte Inquisition pour cause d'hérésie :

> Après ton départ, Antonio, notre père n'a cessé de répéter dans ses cours qu'avec la découverte de grandes richesses au Pérou et au Mexique et le coût extraordinaire de leur exploitation, de nouvelles manières de financer les industries se devaient d'être conçues ; bien qu'il eût toujours la prudence d'ajouter que les idées nouvelles qu'il proposait ne pouvaient être développées qu'en accord avec l'enseignement de l'Eglise, nombreux furent ceux qui interprétèrent ses paroles comme une justification de l'usure, de telle sorte que maître Mateo, son implacable adversaire dominicain, réussit à l'accuser publiquement d'hérésie. L'Inquisition l'a jeté dans l'une de ses geôles, où j'ai pu le visiter et le trouver de belle humeur, même si son bras droit avait été brisé sous la torture. Il pense qu'il s'en tirera avec quelques coups de fouet et une réprimande, mais d'autres redoutent de le voir emprisonné à vie ou même exécuté. Si tu connais quelqu'un auprès de qui nous puissions trouver du secours, interviens dès maintenant, car toi et moi sommes également en danger.

Antonio fut très ému par la lettre de son frère, car il savait fort improbable qu'un homme accusé d'hérésie pût échapper au châtiment, et il se représentait fort bien les tortures atroces auxquelles son père était soumis dans le but de lui faire reconnaître son péché. Antonio déambulait dans les rues du Nouveau Monde et il ne pensait qu'à l'Ancien. Il regrettait que son père se fût montré aussi disert sur des sujets qui n'avaient pas vraiment d'intérêt, mais qui le mettaient cependant en opposition avec l'enseignement de l'Eglise. Pourquoi lui fallait-il spéculer sur de tels problèmes ? se répétait-il incessamment.

En réponse à la demande d'aide de son frère, Antonio rédigea le projet d'une longue supplique destinée au marquis de Guadalquivir — le brouillon existe encore dans nos archives familiales —, mais il ne l'envoya pas. Il se rendit compte que, d'un côté, le marquis ne pourrait rien, et que, de l'autre, ce gentilhomme déjà suspect aux yeux de l'Inquisition n'était pas le recours idéal et que toute intervention de sa part ne pourrait que nuire au professeur Palafox. Antonio était impuissant à aider son père et devait se contenter d'attendre les rares vaisseaux qui accostaient à Veracruz avec des nouvelles d'Espagne.

Il réfléchit cependant à ce qui risquait de leur arriver, à son frère et lui, si leur père était convaincu d'hérésie et si sa tunique d'infamie était exposée dans la cathédrale de Salamanque. Lui-même, Antonio, déjà prêtre, ne pouvait être écarté du clergé, mais il n'aurait plus jamais d'avancement et on le regarderait toujours d'un œil soupçonneux. Le cas de Timoteo était plus sérieux : il n'était pas dans les ordres, il n'était pas non plus dans l'armée, et une condamnation de la Sainte Inquisition lui fermerait à tout jamais l'une et l'autre carrière. Il était par conséquent essentiel que Timoteo se décidât rapidement.

En proie au doute et à l'appréhension, Antonio se promenait un jour non loin du palais de Cortés quand il rencontra un Indien altomèque venu de l'ouest du pays pour apporter du minerai d'argent, ce métal qui avait indirectement réussi à faire jeter en prison le professeur Palafox et à mettre en danger son fils cadet. Antonio demanda à l'Indien s'il pouvait examiner l'argent et il le soupesa dans sa main. « Mon père avait raison, murmura-t-il. Voilà le vrai pouvoir, et il est en prison parce qu'il a parlé en sa faveur. Eh bien, ce pouvoir, je l'aurai pour moi-même. »

En cette seconde, debout au bord d'un canal de la ville de Mexico, frère Antonio Palafox acquit la conviction que détenir l'argent, c'était aussi détenir l'autorité et le pouvoir. D'instinct, il savait que, quelque part à l'ouest, probablement sur le territoire insoumis qui s'étendait autour de la Cité-de-la-Pyramide, se situaient des mines d'argent de toute première importance, et il croyait aussi que, si sa famille pouvait s'approprier ces mines, elle serait en situation de s'opposer à toute condamnation de l'Inquisition.

Le soir même, il envoya à son frère, toujours à l'université de Salamanque, une lettre que possède encore la famille Palafox :

> Mon très cher frère Timoteo,
>
> Ce jour, je me suis assuré de la véracité de certaines rumeurs. N'en dis mot à personne sous peine de châtiment, mais quelque part, à l'ouest, les Indiens altomèques détiennent un secret qui pourrait être capital pour notre famille. Enrôle-toi sur-le-champ au service du capitaine Cortés et viens me rejoindre au Mexique, où je te confierai ce que je sais déjà.
>
> Ton frère, Antonio.

Il espérait que Timoteo comprendrait la nécessité de s'enrôler dans l'armée avant que l'Inquisition n'ait rendu son jugement ; il nourrissait néanmoins certaines appréhensions, car il savait que l'amour que son frère portait à leur père pourrait l'empêcher de quitter Salamanque alors que le destin du professeur n'était pas encore scellé.

Les décisions de la Sainte Inquisition n'étaient jamais prises à la hâte, et il n'était pas inhabituel que des affaires traînent pendant trois ou quatre ans. Les dominicains étaient sans pitié une fois l'hérésie prouvée à leurs yeux, mais ils ne voulaient pas juger arbitrairement de la culpabilité des accusés et étudiaient sans hâte tous les indices leur permettant de condamner ou d'acquitter. Il va sans dire que, durant ces années, ceux sur qui ils enquêtaient étaient emprisonnés, extraits de leurs cellules périodiquement pour subir la torture lorsque les dominicains cherchaient à éclaircir un point du témoignage quelque peu obscur. L'acquittement pur et simple était inconnu, mais chaque année, des centaines de prévenus s'en tiraient à bon compte avec seulement quatre ou cinq séances de torture, une forte amende et l'humiliation publique ; après quoi ils recouvraient leur qualité de citoyen à part entière. C'était évidemment une telle issue que l'on espéra ardemment pour le professeur Palafox tout au long des quatre années qu'il passa au cachot, de 1525 à 1529.

Pendant deux ans, frère Antonio Palafox œuvra avec diligence pour convaincre le capitaine Cortés de sa fidélité à l'Eglise et à l'empereur, de sorte que le maître du Mexique lui déclara que son avenir en ce pays était assuré, quoi qu'il advînt à son père. Il donna même à son jeune assistant des responsabilités supplémentaires. Dès que Palafox éprouva moins d'inquiétude, il suggéra discrètement à Cortés de le laisser partir sur le territoire des Altomèques. Cortés lui répondit que ces Indiens étaient les plus dangereux de tout le Mexique et il refusa l'idée de Palafox.

— Je ne dispose pas de capitaine qui puisse vous accompagner, dit-il.

— Je pourrais être ce capitaine, répliqua Antonio.

— Vous seriez certainement meilleur que ces imbéciles que nous envoyons, dit Cortés en riant, mais vous demeurerez mon prêtre.

En 1527, Cortés accéda enfin à la demande d'Antonio et une expédition fut organisée. C'est donc en tant que prêtre-soldat que le premier Palafox aborda la haute vallée ; un capitaine quelconque avait été nommé à la tête des troupes, et Cortés savait que le frère Antonio établirait très vite sa supériorité. Voici ce que le prêtre-soldat écrivit lorsqu'il découvrit la capitale altomèque :

> L'envie de construire une grande cité au Mexique me tenait depuis que j'avais vu Tolède, en Espagne, et quand je découvris la ville de Mexico, je fus heureux de constater que mon nouveau pays pouvait fournir les briques, les maçons et les artistes nécessaires à l'édification d'une ville entière. Mais je m'étais toujours imaginé partant de rien, dans une plaine déserte où ne poussent que le cactus et le maguey, et lorsque je m'enquis auprès de soldats qui avaient exploré pour le compte de Cortés : « Où est la contrée sauvage dont personne ne veut ? », tous me répondirent : « C'est la terre des Altomèques. Elle est aussi redoutable que ses habitants. » C'était avec cette destination à l'esprit que je menai ma mule sur les grossières pistes indiennes et assurai aux soldats que nous serions bientôt arrivés. Et puis, un matin, après avoir franchi un col qui nous amena dans une vallée d'altitude, nous découvrîmes avec étonnement une formidable cité altomèque surplombée d'une pyramide ; avec ses temples innombrables, ses jardins et ses maisons, cette métropole n'avait plus besoin que d'une cathédrale et d'un nom. Je demandai au capitaine d'ordonner à ses hommes de faire halte et je m'écriai : « Cette ville s'appellera Toledo ! » sur quoi nous tombâmes à genoux pour remercier le Seigneur, et nous nous trouvions toujours dans cette position quand les Altomèques nous attaquèrent.

La conquête de la Cité-de-la-Pyramide exigea quinze semaines de combats ininterrompus, semaines au cours desquelles le capitaine incompétent perdit plusieurs fois courage et aurait abandonné le siège si frère Antonio ne le lui avait interdit. Les Altomèques étaient des ennemis terrifiants, qui arboraient des coiffes de plumes et des masques d'aigle. Ni les chevaux, ni les balles, ni la bravoure espagnole ne les décourageaient, et ils paraissaient se moquer du nombre de guerriers qu'ils pouvaient laisser sur le terrain. Leur défense de la Cité-de-la-Pyramide devint l'un des hauts faits de l'histoire du Mexique, car il n'y eut en fin de compte ni vainqueurs ni vaincus. Une trêve honorable fut signée sur le principe altomèque que « cela pourrait continuer à tout jamais et ce serait pure folie, car nous sommes tous deux des peuples forts ». La signature du traité fut, par la suite, représentée sur des peintures murales par des artistes indiens tels que Rivera et Orozco, lesquels voyaient dans la durée de ce siège la preuve du courage de leurs ancêtres. A plusieurs reprises, mon père a mentionné dans son ouvrage, *La Pyramide et la cathédrale,* que de toutes les tribus mexicaines, les Altomèques n'avaient jamais été vaincus par les Espagnols ; quand j'étais enfant, il m'apprenait à être fier de mon sang altomèque, car c'était le sang des héros.

A la même époque, mes oncles Palafox me disaient aussi : « N'oublie jamais, Norman, que c'est un Palafox qui a pris le contrôle de cette ville. Alors que les autres étaient sujets à la panique et battaient en retraite vers Mexico, frère Antonio tenait bon. Lis donc ce qu'il a écrit à propos de ces combats :

> Lors du siège survenait quotidiennement un étrange événement dont chaque armée semblait tirer vigueur. Chaque matin de ces quinze amères semaines, une demi-heure environ avant l'aurore, au sommet de la pyramide qui domine la ville, un tambour se mettait à battre, dont l'écho retentissait dans toute la ville et dans tout notre campement. Et ce tambour ensorcelait tous ceux qui l'entendaient, car c'était pour les Altomèques l'appel de leurs dieux épouvantables à leur offrir de nouveaux sacrifices humains, lesquels avaient lieu au sommet de la pyramide afin que tous nous pussions voir, et nous observions avec horreur que les sacrifiés n'étaient apparemment pas des esclaves, mais les plus braves guerriers que nous ayons affrontés le jour précédent, car il nous était parfois donné de les reconnaître, du moins le croyions-nous. Les condamnés ne se débattaient pas et ne semblaient en rien s'opposer à leur destin, au contraire ils marchaient joyeusement vers la dalle de pierre où des prêtres maudits, couverts de sang, allaient leur arracher le cœur. Pour nous autres, Espagnols, ce tambour nous incitait à de nouvelles batailles, et chaque fois que nous l'entendions, je rassemblais les chefs de notre troupe et disais des prières pour les malheureux qui allaient être sacrifiés et aussi, si nos prières étaient d'une quelconque utilité, pour que quelques-unes de ces victimes accèdent au ciel.

Pendant les huit premières semaines, la haine des Espagnols à l'égard des sacrifices humains auxquels ils étaient contraints d'assister ne reposait que sur un outrage fait aux bonnes mœurs, mais le début de la neuvième semaine connut des événements qui stupéfièrent les

Espagnols et les décidèrent à humilier enfin cette cité arrogante avant d'en raser définitivement la pyramide. A l'aube, le tambour avait entonné son chant sinistre et frère Antonio appelé le capitaine à prier avec lui, quand il découvrit, à sa grande horreur, que le sacrifié du jour était l'un de ses compagnons, fait prisonnier avec d'autres quelques semaines plus tôt. Il y eut, cette fois-ci, une violente révolte autour de l'autel et, dans le camp espagnol, les prières ne prirent fin que lorsque les soldats eurent vu leur ami subir les affres de la mort.

Dès cet instant, la bataille pour la Cité-de-la-Pyramide dégénéra dans la barbarie, car chaque matin les Espagnols s'assemblaient pour voir, fous de rage et impuissants, le prêtre indien arracher le cœur d'un nouveau camarade ; au cours de la journée, les envahisseurs tuaient — sans trop se hâter — tous les Indiens qu'ils attrapaient. L'horreur suprême survint pendant la onzième semaine : sur les murailles de la ville, bien en vue des Espagnols, défilèrent des Altomèques emplumés accompagnés de trois soldats espagnols. C'était du moins ce qu'il semblait, jusqu'à ce qu'il devînt évident que les trois Espagnols n'étaient pas vivants : ils avaient été écorchés vifs, la tête restant attachée à la peau, et des prêtres altomèques avaient endossé leur peau blanche et posé leur tête sur la leur, pour que les morts puissent déambuler et donner toute l'apparence de la vie !

Des groupes d'Espagnols fous de rage se précipitèrent vers les murailles pour venger leurs camarades, mais ils furent repoussés. Ce soir-là, frère Antonio ôta de l'esprit de ses compagnons toute envie de lever le camp :

— Nous sommes opposés à des démons de l'enfer, prêcha-t-il, et nous avons été choisis par Dieu pour humilier cet ennemi, détruire ces temples et convertir à Jésus-Christ tous ceux que nous pourrons.

Les jours suivants, ce fut frère Antonio qui conduisit les troupes, et sa grande silhouette un peu voûtée, toujours vêtue de noir, devint le symbole de la détermination de ces hommes. Mais quand la quinzième semaine débuta, la situation paraissait bloquée : les Altomèques ne montraient aucun signe de faiblesse et continuaient de sacrifier des Espagnols à l'aube ou de les exhiber à midi, tandis que les soldats du prêtre poursuivaient le siège et s'adonnaient à leurs propres tortures.

C'est alors que, le jeudi, à neuf heures du matin, eut lieu ce que l'on a coutume d'appeler le Miracle de Toledo. Après ce qui, vu du camp espagnol, ressemblait à une rixe, une femme très digne d'une cinquantaine d'années se présenta à la porte principale en compagnie d'une petite fille. A leur grand étonnement, les Espagnols virent qu'elle arborait un étendard de parchemin représentant la Sainte Vierge et l'Enfant Jésus. Un cri s'éleva et le combat cessa. Le frère Antonio et le capitaine sortirent des rangs. Avec beaucoup de solennité — comme à chaque fois que l'événement serait reconstitué —, la femme et l'enfant s'approchèrent du prêtre et des soldats.

« C'est un miracle ! » cria-t-on parmi les hommes. Et quand la femme arriva tout près de frère Antonio, celui-ci s'agenouilla devant l'étendard, le porta à ses lèvres et le baisa, ainsi que chaque nouveau gouverneur allait le faire pendant quatre siècles.

L'occupation de la ville fut réglée par les interprètes et la femme appela les chefs militaires ; ils ratifièrent l'accord, dans lequel ils ne voyaient pas une reddition, car leur désir de combattre était intact, mais une décision prise par deux parties égales. Avant midi, frère Antonio put conduire ses hommes jusqu'à la pyramide, qu'il escalada en compagnie de la femme, de seize vétérans espagnols et d'une cinquantaine d'Indiennes. Une fois parvenus au sommet, Espagnols et Indiennes mirent à sac les temples, brisèrent le tambour et, à l'aide de longues perches, renversèrent les idoles hideuses.

En cinq jours, les Espagnols détruisirent plus de deux mille statues altomèques, brûlèrent des centaines de mètres de peaux tannées sur lesquelles était écrite l'histoire de la ville et effacèrent pratiquement toute trace de culture. Pris d'une véritable frénésie religieuse, frère Antonio avait incité ses hommes à tout saccager, mais au matin du quatrième jour, alors que beaucoup de choses étaient déjà perdues, la Dame-aux-Yeux-gris et sa petite-fille vinrent trouver le prêtre ; par le truchement d'un interprète, elles lui dirent qu'il devait les accompagner. Elles le menèrent à une crypte du palais où étaient cachés les codex revêtant la plus grande valeur — on peut les voir aujourd'hui au Vatican — et le supplièrent d'épargner ces témoignages de la vie des Altomèques. Tout ce que j'ai raconté à propos de mes ancêtres indiens, de leurs triomphes et de leurs défaites, je le tire des rares documents précieux que la Dame-aux-Yeux-gris parvint à sauver.

Voilà ce qui se passa en 1527, année où la Dame-aux-Yeux-gris conclut un accord de paix avec frère Antonio et lui confia le parchemin représentant la Vierge et l'Enfant. Grâce à l'intervention de la reine, la pacification des Altomèques fut extrêmement rapide et, avant la fin de l'année, Antonio acheva son église fortifiée et entreprit la conversion massive du peuple. Il était cependant dérangé par le refus de la Dame-aux-Yeux-gris de se faire baptiser dans le sang du Seigneur ou de permettre à sa petite-fille de suivre ce rite.

— Je suis chrétienne depuis six ans, répétait-elle avec obstination tout en brandissant le parchemin qui avait déclenché sa conversion.

— C'est impossible, disait Antonio en bon puriste, puisqu'il n'y avait pas de prêtres à l'époque.

— Nous ne discuterons pas de cela, rétorquait-elle.

Bien qu'elle jouât un rôle considérable dans la christianisation de son peuple, elle refusait pour elle-même le sacrement du baptême.

Un jour, frère Antonio lui dit :

— Toi qui as été assez puissante pour obliger tes généraux à se rendre...

— Nous ne nous sommes pas rendus !

— Je veux dire que si tu as été assez forte pour mettre un terme à la guerre, pourquoi ne l'as-tu pas fait plus tôt ?

— Pour une excellente raison. Nos hommes sont des guerriers. Mon père était le plus brave de tous les généraux altomèques et, si nous avions cédé tout de suite, nous vivrions aujourd'hui dans la honte. Nous vous avons affrontés jusqu'à la trêve et notre vie est maintenant honorable.

Un jour, elle eut un étrange commentaire :

— Les hommes sont des hommes, et ils sont vraiment heureux quand ils vivent ainsi. Nos hommes voulaient s'éprouver face aux Espagnols.

— Qu'as-tu fait pendant toutes les semaines qu'a duré le siège ? demanda frère Antonio.

— Chaque matin, quand battait le tambour, répondit la reine, je posais le parchemin à terre et je m'agenouillais en compagnie de ma petite-fille. Nous priions.

— Au même instant, je priais aussi, lui avoua le jeune prêtre. Pour quoi priais-tu ?

— Pour ta victoire, répondit la reine avec simplicité.

— Dans ce cas, pourquoi n'as-tu pas fait mettre plus tôt un terme au siège de la ville ? répéta le prêtre avec quelque irritation.

— Parce qu'il y a un temps pour chaque chose. Si toi-même n'avais pas consacré une certaine quantité de sang et de courage à la prise de cette ville, tu n'aurais pas pleinement apprécié le moment où tu y es entré.

— Je vois... fit-il simplement avant de revenir sur le point qui l'obsédait. Dame-aux-Yeux-gris, lors du prochain service, tu dois être baptisée.

— Cela m'est arrivé il y a déjà bien longtemps, dit-elle. Dans le sang.

— Le baptême véritable a lieu dans l'amour du Seigneur, argumenta-t-il.

— Je connais cet amour depuis sept ans, répliqua-t-elle. C'est avec cet amour que je t'ai donné cette ville quand tes soldats se sont révélés incapables de s'en emparer.

— Laisse-moi au moins baptiser l'enfant, supplia le prêtre. Elle vivra longtemps dans cette ville et devrait par conséquent être chrétienne.

— Elle est déjà chrétienne, insista la reine.

— Qui l'a faite ainsi ?

— Moi-même.

Elle fut confortée dans cette attitude le jour où, se promenant dans la ville, elle tomba sur un groupe de jeunes filles qui riaient avec des soldats espagnols et attendaient apparemment la venue d'un prêtre.

— Que faites-vous là ? leur demanda-t-elle.

— Nous voulons être baptisées, dirent les filles.

— Et pourquoi donc ? s'enquit-elle.

— Parce que nous souhaitons avoir des enfants avec les Espagnols, expliquèrent les filles, mais ils refusent de dormir avec nous tant que nous ne sommes pas baptisées.

La reine n'apprécia pas cet argument. Plus elle voyait de jeunes filles céder au baptême pour devenir les partenaires sexuelles des Espagnols, plus elle répugnait à faire baptiser sa petite-fille, encore loin d'être nubile.

« Tu ne dois pas regarder les Espagnols », ne cessait-elle de répéter à la fillette. Quand frère Antonio se rendait chez elle, dans le vieux palais des rois altomèques, afin de discuter de l'âme de l'enfant, la Dame-aux-Yeux-gris le rabrouait.

— Nous sommes chrétiennes depuis des années, expliqua-t-elle lors de l'une de ses visites, et la seule chose qui justifierait le baptême ne s'applique pas à ma petite-fille.

— De quoi parles-tu ? lui demanda le prêtre.

— De la voir dormir avec un Espagnol, dit crûment la Dame-aux-Yeux-gris.

— C'est donc pour toi la seule chose qui puisse inciter au baptême ? s'écria le prêtre.

— Quand on est déjà chrétienne, oui.

Frère Antonio préféra changer de sujet et aborder la question qui le travaillait depuis un certain temps.

— Je vois que ta petite-fille arbore de nombreux bracelets de cérémonie.

— Les filles en portent toujours, lui fit remarquer la reine.

— Ceux-ci sont d'argent...

— La famille royale a toujours porté de l'argent, expliqua la Dame-aux-Yeux-gris.

— Et où le trouvait-elle ? demanda frère Antonio, qui s'efforçait de dissimuler son impatience.

— Je ne l'ai jamais su.

— Voyons, tu as certainement entendu...

— Le roi le savait, sans aucun doute, mais moi...

— Est-ce que les Altomèques possèdent une mine ?

— Ce genre de chose ne m'intéresse en rien, dit la reine en guise de conclusion.

Toutes les questions qu'Antonio lui posa par la suite se heurtèrent à la même attitude. Elle avait très vite compris — ce que sa petite-fille écrira bien des années après nous l'a montré — que le jeune prêtre était embrasé par la soif du métal précieux et elle avait décidé d'utiliser son refus comme une pression sur lui. En revanche, nul ne sut jamais si elle connaissait ou non l'emplacement des mines. Sa petite-fille dira que, selon elle, la reine n'ignorait rien. En tout cas, le secret fut bien gardé.

La plupart des chroniqueurs s'accordent d'ailleurs pour dire que la Dame-aux-Yeux-gris savait où se trouvait la mine, car, quand frère Antonio supplia les Altomèques de trouver assez d'argent pour fondre une statue de la Vierge, la reine trouva l'idée excellente et le minerai nécessaire fut promptement livré, quoique Antonio ne découvrît jamais sa provenance.

Mais lorsqu'il renouvela sa demande afin que des quantités importantes de minerai fussent envoyées en Espagne, il essuya un échec.

— Pourquoi les Altomèques enverraient-ils de l'argent à un roi qui réside en Espagne ? lui demanda la reine d'un air soupçonneux.

— Parce que c'est le plus grand roi de toute la chrétienté, expliqua Antonio.

— Il n'est pas notre roi, rétorqua la Dame-aux-Yeux-gris.
— Mais si, et vous êtes tous ses enfants.
— Notre roi est Dieu, qui vit aux cieux, trancha la reine.
L'argent n'arriva plus, ce que le prêtre trouva très fâcheux.

Deux années durant, frère Antonio se consacra à la construction de son premier bâtiment, lequel symbolisait sa double responsabilité : amener des terres et des esclaves au roi, amener des âmes à Dieu. Il contraignit les Altomèques à devenir les esclaves du roi, mais ne les fit travailler qu'à l'édification de la cathédrale, qui, sous sa surveillance constante, devint une sorte d'église-forteresse aux murs de plus d'un mètre cinquante d'épaisseur et aux portes flanquées de verrous énormes afin d'interdire le passage aux Altomèques belliqueux. Pour les soldats espagnols, une petite église de bois se trouvait bien à l'abri à l'intérieur du fortin, et c'est ce qui valut à cette construction le nom d'église-forteresse. Aujourd'hui, l'église a bien entendu disparu, mais la forteresse demeure, et c'est le long de sa muraille sud que l'on peut voir l'un des plus intéressants vestiges de la pacification du Mexique. Je veux parler de l'austère autel extérieur, édifié par les Altomèques à qui frère Antonio avait appris à utiliser les outils provenant d'Espagne. Au tout début de l'occupation, on pensait qu'il était trop dangereux d'admettre les Indiens au cœur d'une église-forteresse — ils auraient pu se révolter soudainement et massacrer les Espagnols —, mais les prêtres n'oubliaient jamais qu'ils étaient au Mexique pour convertir les indigènes, et c'est ainsi que fut imaginé le concept d'autel extérieur. Un couloir ne permettant que le passage d'une seule personne était ouvert dans la muraille : le prêtre pouvait ainsi rejoindre la chapelle extérieure, où quatre ou cinq mille Indiens se réunissaient en plein air afin d'entendre la parole du Christ. Si les Indiens se rebellaient, ils pouvaient tuer le prêtre qui se tenait devant eux, mais ne pouvaient en aucun cas pénétrer dans la forteresse par le couloir étroit, lequel était facile à obstruer de l'intérieur.

Ce n'était pas tout. Chaque fois que le prêtre officiait à l'extérieur, une compagnie de soldats occupait les créneaux, de sorte qu'au moindre problème, ils pouvaient tirer pratiquement à bout portant sur la foule. Pendant les onze premières années de son service à Toledo, le prêtre-soldat ne s'adressa jamais aux Indiens sans s'assurer qu'une vingtaine d'hommes armés étaient prêts à décharger leurs mousquets sur les fidèles.

Ce n'était toutefois ni le fort ni l'autel qui obnubilait Antonio. Il emmenait constamment des détachements de soldats dans les collines, à la recherche de l'argent qu'il savait être là, mais chaque fois le précieux métal lui échappait. Quand l'évêque Zumárraga arriva de Mexico pour inspecter l'église-forteresse, il se montra si impressionné par la façon dont frère Antonio avait soumis la vieille cité païenne qu'il émit le désir de ramener le jeune prêtre avec lui dans la capitale.

— Votre énergie nous est nécessaire, lui dit Zumárraga.

— Mon office est auprès des Altomèques, répondit Antonio avec modestie.

Dès que l'évêque eut regagné sa capitale, Antonio fut libre de se livrer à nouveau à sa quête obsessionnelle des mines. Toujours en vain. Son échec était rendu plus pénible encore par le fait que, de temps en temps, des Altomèques convertis se présentaient à lui porteurs de bijoux en argent, et cela le rendait furieux qu'ils connussent le secret des mines et pas lui.

En 1529, les événements prirent un tour autrement plus dramatique en Espagne. Au cœur de l'été, frère Antonio apprit que son père avait finalement été reconnu coupable par la Sainte Inquisition ; étant donné la gravité de son hérésie qui sapait la stabilité financière de l'empire — un péché qui avait, de plus, un arrière-goût de luthéranisme —, il était mort sur le bûcher sur la place publique de Salamanque. On avait tout de même daigné l'étrangler avant que les flammes ne l'atteignent.

Antonio passa plusieurs semaines dans une sorte d'hébétude. Curieusement, il pensait non pas à son père, mais au petit jardin que les Palafox cultivaient depuis plusieurs générations. Il voyait les fleurs envahies par les mauvaises herbes et, dans la cathédrale, la tunique d'infamie qui portait le nom de son père et punissait à tout jamais la famille Palafox. Il pensait alors à son frère cadet, Timoteo, et à ce qu'il risquait ; il priait pour que l'ardent jeune homme se maîtrise. Il espérait que Timoteo était déjà entré dans l'armée ; sinon, tout engagement lui serait impossible, et il serait réduit à la mendicité ou au brigandage. Enfin, il pensait à lui-même et à la façon dont sa carrière dans l'Eglise était à tout jamais brisée par la décision du Saint-Office. Il resterait prêtre, certes, mais n'accéderait jamais aux hautes charges. Il se résigna alors à passer le restant de sa vie au Mexique, perdu dans l'obscurité de Toledo, sans espoir de revoir jamais Leticia ; mais ce fut aussi alors qu'il crut plus que jamais que la renommée de sa famille pouvait être sauvée par les mines d'argent qu'il était déterminé à trouver.

La Dame-aux-Yeux-gris, qui avait toujours observé frère Antonio avec intérêt, vit non sans appréhension les transformations qui affectaient le jeune prêtre. Lui qui avait toujours été plein de vie et prompt à résoudre le moindre problème était désormais sans enthousiasme. Il paraissait redouter tout particulièrement les courriers venus de la capitale et elle le soupçonnait d'attendre des nouvelles encore pires que celles déjà reçues. Il perdait plaisir à la conversation et emmenait ses hommes faire de longs séjours dans les montagnes, toujours à la recherche de ces fameuses mines d'argent.

Un jour qu'il regagnait son église-forteresse, elle se rendit dans ses appartements et lui demanda sans ambages :

— Frère Antonio, que s'est-il passé ?

Il lui rapporta alors l'exécution de son père, à Salamanque. La douloureuse surprise que manifesta la femme l'étonna.

— Veux-tu dire, fit-elle à voix basse, qu'en Espagne on brûle vifs les gens ?

— Oui, avoua-t-il d'un air gêné.
— Mais la Vierge... commença-t-elle en désignant la statue qui constituait le seul ornement du mur nu.
— Ils font cela pour La protéger, voulut-il expliquer.
La femme altomèque le regarda droit dans les yeux.
— Dans ton pays, ils font donc exactement ce que nous avons fait dans le nôtre.
— Oh non ! protesta le jeune prêtre avec véhémence. Même s'ils ont fait cela à mon propre père, c'est uniquement pour protéger...
— Ils font comme nous, répéta la femme sans détourner les yeux du prêtre.
Dès lors, une sorte d'égalité parfaite s'établit entre les deux individus, et la question du baptême ne se posa plus jamais.

Timoteo Palafox était entré dans l'armée avant que son père fût condamné pour hérésie et il échappa ainsi au bannissement qui frappait chaque membre de la famille d'un hérétique. Il lui était cependant impossible de monter en grade ou de connaître la moindre promotion. En 1529, toujours ignorant du fait que son père avait subi la peine capitale pour ses idées libérales, il débarqua à Mexico dans son fringant uniforme de porte-étendard. Il pensait pouvoir rejoindre son frère à Toledo, mais le capitaine Cortés donna des ordres très différents :
— Les Indiens d'Oaxaca, une importante colonie du sud, se montrent rebelles. Formez une compagnie et pacifiez-les.
Timoteo voulait refuser cette mission peu engageante, mais Hernan Cortés n'était pas homme à accepter la contradiction.
Ce fut donc dans la lointaine Oaxaca qu'Antonio alla à la rencontre de son frère. Quand il le retrouva dans la simple cabane de torchis qui lui servait de quartier général, il apprit que Timoteo avait mis tant de temps à arriver au Mexique qu'il ignorait tout de la fin tragique de leur père.
— De terribles nouvelles, mon frère. Les ennemis de notre père ont été impitoyables. Ils l'ont emprisonné jusqu'à ce que l'Inquisition le condamne.
— On l'a brûlé ? s'écria Timoteo.
— Ils ont eu pitié de lui. Il a été garrotté avant que le feu ne s'allume.
Pendant plusieurs minutes, Timoteo déambula dans la cabane, les veines du cou gonflées par la colère.
— Nous vengerons cette ignominie. Sa tunique jaune s'affichera toujours à Salamanque pour proclamer sa disgrâce et la nôtre, mais par la force de Dieu...
— Ne blasphème pas !
— Par la force de Dieu qui animera ton bras et le mien, nous purifierons le nom de notre père et le nôtre. Jure-le, Antonio !
Dans une misérable cabane perdue dans une jungle étouffante, les deux frères s'apprêtèrent à prêter serment. Très raides, la main posée

sur le symbole de leur fonction — Antonio sur sa bible, Timoteo sur son épée —, ils répétèrent les paroles du soldat :

— Nous purifierons le nom des Palafox. Quel que soit le prix à payer. Que cette souillure disparaisse à tout jamais.

Puis ils se regardèrent en serrant les dents.

Antonio sortit un sac de toile qu'il avait préparé à Toledo et en versa le contenu sur la table de fortune.

— C'est de l'argent ? lui demanda Timoteo.

— Le plus pur, m'a-t-on dit. C'est lui, nos balles.

Timoteo, fougueux et prêt à agir, fit passer l'argent d'une main dans l'autre comme pour le soupeser.

— Où est-ce qu'on l'a trouvé ? demanda Timoteo.

— Je l'ignore.

L'officier prit le prêtre par son surplis et cria :

— Alors pourquoi tu m'as appelé ici ?

— Pour découvrir les mines, répondit Antonio avant de dérouler une carte représentant Toledo et la vallée d'altitude où se dressait la ville. L'argent semble toujours venir de là.

Avec la prescience qui caractérisa si souvent son œuvre au Mexique, il posa le doigt sur l'endroit exact où se situerait un jour la Mineral.

— Il nous faut donc mettre la main sur ces terres, grogna Timoteo en faisant les cent pas dans la cabane.

— C'est bien mon intention, dit le prêtre. Ces terres-ci sont pauvres et je les ai déjà réservées à l'Eglise. (Il indiqua une région d'où l'argent n'avait aucune chance de provenir.) Celles-là sont meilleures, tu devras les faire attribuer à notre famille quand tu te rendras à Toledo.

— Comment pourrais-je y aller ? tonna Timoteo. Le capitaine Cortés m'a nommé ici !

— Le capitaine Cortés m'a nommé dans la capitale, répliqua calmement le prêtre, mais je suis tout de même à Toledo. Tu feras comme moi.

Cette nuit-là, les deux frères rédigèrent six brouillons de lettre pour Cortés, mais aucun ne semblait convaincant. Finalement, vers l'aube, Antonio décida que Timoteo devait adresser une missive franche et directe à son supérieur. Il dicta et Timoteo écrivit :

> Estimé capitaine,
>
> Puisque mon dévot frère, l'illustre frère Antonio, a œuvré avec tant de diligence pour apporter la paix aux Altomèques et la gloire à votre mission, moi, porte-étendard Timoteo Palafox, demande à être envoyé avec un petit détachement afin de protéger mon frère dans son saint exercice parmi les païens...

Sa requête fut favorablement accueillie et, fin 1530, Timoteo fut convoqué à Mexico où le capitaine Cortés lui apprit personnellement la bonne nouvelle. Le grand conquistador ne fit cependant pas preuve de beaucoup d'enthousiasme.

— Votre demande est acceptée de vous rendre à Toledo afin de servir de bras armé à votre frère. (Avant que Timoteo pût exulter, le maître du Mexique ajouta :) N'écrivez rien chez vous à ce sujet. J'ai reçu des instructions de Séville suite à la disgrâce de votre père. (Il prononça ces mots avec un certain dégoût.) J'ai reçu l'ordre de vous dégrader, Palafox. Vous n'occuperez plus jamais le rang d'officier dans les armées de l'Espagne.

— J'ai la permission de m'asseoir ? demanda le jeune soldat d'une voix faible.

— Accordée. Et je vais vous donner un peu d'espoir. En tant que soldat ordinaire, vous pourrez faire beaucoup en montrant valeur, détermination et obéissance. Soyez un modèle pour ceux qui sont moins intelligents que vous.

— Mais comment m'appellera-t-on si je n'ai pas de grade ?

Les deux soldats discutèrent quelques instants de ce point et Cortés se souvint d'un titre utilisé naguère dans les armées espagnoles : dans notre langue, on pourrait le traduire par « sergent ». De sorte que, quand Timoteo fit route vers l'ouest, en quête de la mine d'argent de Toledo, ce n'était plus en qualité de porte-étendard destiné un jour à devenir général : c'était le sergent Palafox, jeune homme bouillonnant de colère, de haine et déterminé à découvrir le trésor qui laverait la réputation de sa famille.

Dès que le sergent arriva à Toledo, il se lança dans la recherche de la mine. Accompagné d'une poignée de soldats, il traversa des rivières et grimpa sur des collines d'où il surplombait l'église-forteresse de son frère. Il ne trouva rien. Ce qui le rendait furieux, c'est que chaque fois qu'il rencontrait des Indiens dans leurs villages, des femmes habitant des huttes misérables portaient des bracelets d'argent.

— Demande-lui comment elle les a eus ! criait-il à son interprète.

— On les lui a donnés.

— Qui cela ?

— Elle dit que c'est son oncle.

— Trouve-le !

On amenait le vieillard devant Timoteo et même sous la torture, il ne disait jamais comment il s'était procuré les bijoux en argent. Fou de rage, Timoteo aurait volontiers saccagé le village pour trouver d'où venait l'argent, mais les autres soldats l'en empêchaient.

Timoteo écumait les environs depuis moins d'un mois quand frère Antonio fut abordé par une petite Indienne de neuf ans qu'il reconnut : c'était l'Etrangère.

— Ils ont pris ma grand-mère !

Elle conduisit le prêtre à la caserne : Timoteo et quatre soldats étaient en train de torturer la Dame-aux-Yeux-gris, ligotée à un banc.

— Qu'est-ce que vous faites ? tonna le prêtre.

— Elle sait où est l'argent, répliqua Timoteo.

— Laisse-la partir !

La femme fut libérée. Dès qu'elle fut debout, elle se frotta les épaules pour faire circuler le sang ; elle ne remercia pas le prêtre, mais lui sourit d'un air un peu triste.

— Tu peux t'en aller, lui dit Antonio.

— Vous vous comportez vraiment comme nous, dit la reine en prenant sa petite-fille par la main.

En 1532, Timoteo, pressé par son frère de trouver l'argent, mais gêné par son interdiction de faire usage de la torture, entreprit une expédition en direction de la Vallée-des-Morts, d'où les Altomèques avaient lancé leur conquête de la Cité-de-la-Pyramide ; il y trouva bien plus de bracelets d'argent que partout ailleurs, ce qui le convainquit que les mines tant convoitées n'étaient pas loin. Toutefois, il ne put rien tirer des Indiens de la vallée. Peut-être sur l'ordre de la Dame-aux-Yeux-gris, ils refusaient de parler de l'argent ; ils ne donnaient pas de nourriture aux soldats et ne travaillaient pas pour eux. Un jeune guerrier alla jusqu'à frapper Timoteo quand celui-ci voulut lui prendre sa femme.

Par représailles, le sergent Timoteo Palafox et ses soldats parcoururent la vallée, abattant tous ceux qu'ils rencontraient et mettant le feu aux habitations. Quelques Altomèques réussirent à s'enfuir, mais plus de six cents Indiens furent tués ce jour-là et près de deux mille bracelets d'argent furent récupérés sur leurs cadavres.

De retour à Toledo, Timoteo pénétra dans l'église-forteresse et déposa son butin devant son frère.

— On a commencé à trouver de l'argent, lui dit-il simplement.

Mais des messagers secrets, arrivés avant lui, avaient informé la Dame-aux-Yeux-gris du massacre, et elle se tenait aux côtés du prêtre quand le sergent exhiba les bracelets. L'accueil réservé au jeune soldat ne fut pas des plus chaleureux.

— Tu voulais de l'argent ! cria Timoteo sur la défensive.

— Mais pas ainsi, répondit frère Antonio. Pas en massacrant des centaines de personnes.

— Tu crois que c'est facile, peut-être ?

— C'étaient des Indiens que j'avais baptisés ! s'exclama le prêtre. Ils faisaient partie de notre communauté.

— C'étaient des sauvages, rétorqua Timoteo, et ils nous ont attaqués.

— C'est faux ! hurla Antonio.

— Alors tu la crois ? dit le soldat. Plus que ton propre frère ?

Frère Antonio se rendit compte qu'il n'était pas bon de se quereller devant un témoin altomèque et il dit calmement :

— Il ne doit plus y avoir de massacres, Timoteo.

— Ils savent où est l'argent, répliqua le sergent d'un air mauvais. (La Dame-aux-Yeux-gris ne put s'empêcher de sourire, ce qui mit Timoteo dans une colère noire.) Frère, chasse-la de cette ville. Elle est en train de t'empoisonner !

L'influence qu'exerçait la Dame-aux-Yeux-gris sur le prêtre ne se manifesta pleinement que quelques années plus tard, mais Timoteo avait parfaitement appréhendé la situation. Il devint l'ennemi juré de la reine, et elle le lui rendit bien.

Pendant encore plus de quatre ans, le sergent Timoteo Palafox fouilla les collines et ne trouva rien. Chaque fois qu'il revenait dans l'église-forteresse, son frère promenait devant lui sa longue silhouette tandis qu'il tempêtait.

— Tant que tu échoues, notre famille vit dans la disgrâce, lui rappelait le prêtre.

— Mon frère, disait Timoteo, j'ai cherché partout, mais en vain !

— Il est pourtant là !

— Ils doivent le faire venir du nord, suggérait Timoteo.

— Non ! Ne dis jamais cela. Il est là, sous nos pieds ! criait le prêtre comme à chaque fois.

Et puis, un jour de 1536, à l'issue d'une conversation de ce genre, Timoteo dit sans s'énerver :

— Fort bien. S'il est là, va le chercher. Moi, je garderai la forteresse.

C'est ainsi que, pendant toute l'année, les habitants de Toledo virent leur prêtre parcourir les collines à dos de mule à la recherche d'un trésor qu'il ne devait jamais découvrir.

C'est en revenant d'une expédition de ce genre que frère Antonio eut une idée qui, à long terme, allait faire davantage pour la fortune des Palafox que la découverte ultérieure de l'argent. Il invita son frère dans la pièce où il faisait sa toilette.

— Timoteo, tu dois épouser une fille d'Espagne, une dont le nom soit si prestigieux que la disgrâce de notre père en sera effacée. Tu la feras venir ici et, en guise de dot, nous demanderons deux cent cinquante mille arpents au roi. Ces terres t'appartiendront en toute légalité et, un jour, nous trouverons les mines.

— C'est une bonne idée, dit le soldat, mais je ne connais pas de jeune fille en Espagne.

— Moi si, s'écria le prêtre, et sa réputation est si grande que le roi ne pourra que nous donner ces terres !

Il convoqua un artiste indien à qui il demanda de faire un portrait ressemblant de Timoteo, puis il envoya cette image au marquis de Guadalquivir, accompagnée d'une lettre qui est toujours en possession de notre famille :

> Il semble fort improbable qu'une jeune fille aussi bien née et aussi belle que Leticia ne soit point encore mariée, mais si c'était le cas, je vous écris afin de vous demander sa main au nom de mon frère, le capitaine Timoteo Palafox. Pour parler franc, monseigneur, mon père a été brûlé pour hérésie à Salamanque, et vous auriez toute raison de refuser d'allier votre noble famille...

— Tu dois vraiment écrire ça ? demanda Timoteo.

— Ce sera décisif pour le marquis, répondit Antonio sans révéler à son frère les vues libérales du vieux militaire.

Dans son impétueux désir d'offrir à son frère une épouse capable de renflouer la fortune familiale, Antonio oublia de réfléchir à l'acte terrible qu'il commettait : faire venir au Mexique une femme qu'il avait aimée, non pas pour la véritable raison — son désir de l'avoir à nouveau auprès de lui —, mais pour une raison plus ostensible, à savoir donner une fiancée à son frère. Il ne pouvait prévoir les angoisses que cela lui causerait.

Il rédigea une seconde lettre, qu'il adressa au roi en personne :

> C'est pourquoi, sire, vu la nature guerrière de ces Altomèques dont les incursions fréquentes mettent en danger les territoires de Votre Majesté, vu également mon désir constant d'amener à Dieu ces païens rétifs, je demande humblement que ces terres rebelles participent à la dot de la fille du marquis de Guadalquivir, lequel vous servit si bravement dans votre combat contre les Maures. S'il en est ainsi, je puis vous assurer que les troupes placées sous mon contrôle apporteront la paix, la quiétude et l'amour de Jésus-Christ dans cette partie de votre royaume.

Au reçu de ce courrier extraordinaire en Espagne, le roi se trouva confronté à un dilemme de taille : s'il approuvait le mariage et le don des terres, il courait le risque d'éveiller la colère des dominicains de l'Inquisition, lesquels avaient condamné les Palafox ; mais en rejetant cette requête, il repoussait l'un des hommes en qui il avait le plus confiance et sur qui il avait compté aux époques de grande décision, le marquis de Guadalquivir. Il ne prit sa décision qu'après avoir longuement étudié la lettre d'Antonio. Il toucha ainsi au cœur du problème : « Le prêtre promet de mettre de nouvelles terres sous mon contrôle et d'amener des âmes à Jésus-Christ. Demande accordée. Que le mariage ait lieu et que la dot l'accompagne. »

C'est ainsi que les frères Palafox entrèrent en possession de quelque cent mille hectares.

Le décret royal autorisant cette prise de propriété parvint à Toledo bien avant l'arrivée de Leticia, car son départ de Séville avait soulevé des protestations de la part des parents du petit noble qu'elle avait épousé huit années auparavant. C'était un jeune homme de belle allure, qui occupait une position non négligeable dans l'armée, mais il avait perdu la vie dans une escarmouche contre des troupes protestantes alors qu'il se battait pour le roi aux Pays-Bas. Maintenant ses parents désiraient que sa veuve, Leticia, et ses enfants demeurent auprès d'eux, en Espagne.

Elle les choqua en déclarant crânement :

— Mes enfants peuvent rester avec vous. Quant à moi, j'irai au Mexique.

Même la mise en garde de son père ne la dissuada pas. Son arrivée à

Toledo fut encore retardée par toutes sortes d'embûches de la part de ses beaux-parents, mais la dot fut accordée à la date fixée par le roi.

Frère Antonio s'assura alors que les terres susceptibles d'abriter du minerai d'argent tombaient bien dans l'escarcelle Palafox, alors que celles sans intérêt revenaient à l'Eglise ou au roi. Grâce à ce stratagème, le sergent Palafox prit possession d'immenses territoires autour de Toledo, mais aussi des neuf mille Indiens qui y vivaient ; il les considéra comme ses esclaves et les traita comme tels.

Timoteo fut l'un des premiers Espagnols du Mexique à prendre réellement conscience de la puissance que procuraient les terres et les Indiens. C'est pourquoi il fit forger six fers ayant la forme d'un P majuscule, et veilla à ce que, chauffés à blanc, on les appliquât sur la joue droite des Altomèques qui lui appartenaient. Ainsi, pendant deux générations, les hommes de Toledo purent-ils montrer du doigt un Indien et dire sans se tromper : « Celui-ci appartient aux Palafox. »

Ce fut la Dame-aux-Yeux-gris qui rapporta cette méthode barbare à Antonio. Elle amena au prêtre une paysanne cruellement brûlée.

— Que lui est-il arrivé ? s'écria Antonio, épouvanté.

— C'est ton frère, dit la Dame-aux-Yeux gris avec une égale répulsion.

— Il l'a frappée ?

— Il l'a marquée au fer. C'est l'initiale de ton nom de famille, P comme Palafox.

Elle s'exprimait calmement, sans passion, mais il y avait beaucoup de tristesse dans sa voix.

— Quand je me cachais avec la femme de mon fils, enceinte de l'Etrangère, nous étudiions le parchemin qui représentait vos dieux et priions pour leur venue chez nous, car c'étaient les divinités les plus douces que nous eussions jamais imaginées. Maintenant, j'ai vu comment tes hommes tuaient, et je me suis dit : Ils ont dû laisser leurs dieux en Espagne. Et puis j'ai appris que, là-bas, ils avaient brûlé ton père...

Pour la première fois, elle raconta comment plusieurs femmes altomèques dont elle-même étaient allées nuitamment détruire la déesse-mère à laquelle des milliers d'hommes avaient été sacrifiés. Elle posa sur lui ses yeux sombres, douloureux, et se mit à pleurer.

— Six ans avant ton arrivée dans cette ville, nous nous étions purifiées de ces abominations. Pourquoi n'en font-ils pas autant en Espagne ?

Sa question était si terrible que frère Antonio se précipita hors de la pièce pour donner des ordres :

— Allez dans les villages. Récupérez les fers qui représentent cette lettre d'infamie. Quand vous les aurez tous, rapportez-les-moi.

Un jour de juin, il fit allumer un immense brasier et y jeta tous les fers pour qu'ils y fondent.

Fin 1537, la belle et jeune veuve Leticia de Guadalquivir débarqua à Veracruz, d'où elle entreprit le long et pénible voyage vers Toledo. Là, par une radieuse matinée, sous un ciel des plus accueillants, elle se retrouva face aux deux frères. Elle était alors encore plus séduisante qu'à l'époque où Antonio l'avait connue, à Séville. Les années avaient adouci ses traits, l'avaient rendue plus femme, et la mort tragique de son mari lui avait conféré une certaine maturité, mais Antonio voyait bien à sa manière impérieuse qu'elle était toujours déterminée à régner seule sur son univers personnel.

Elle s'avança automatiquement vers Antonio comme pour renouer leur idylle passée. Le prêtre la mit en garde d'un signe de tête discret et, avec un petit sourire, elle se détourna d'Antonio pour s'approcher de Timoteo.

— Vous devez être le beau jeune homme du portrait que l'on m'a envoyé, dit-elle, et avec l'aisance gracieuse qu'elle manifestait déjà étant jeune fille, elle l'embrassa sur la joue.

L'après-midi même, sous le regard curieux de dizaines d'Indiens, le couple entra dans l'église-forteresse, où Antonio attendait pour les marier. Je les imagine très bien tous les trois, en ce jour fatidique, car j'ai souvent entendu mes parents, du côté Palafox, raconter la scène. Ma belle-mère, doña Isabel, de la branche espagnole, la rapportait en ces termes : « C'était il y a quatre cents ans, mais ç'aurait pu être hier. Antonio, le prêtre, grand, mince et sombre, solennel. Palafox, plus petit, plus trapu, tout du soldat. Et entre eux, une femme radieuse, d'une trentaine d'années peut-être. Comme leurs émotions devaient se mêler ! On dit dans notre famille qu'au moment de réciter les prières du mariage, Antonio faillit s'évanouir, mais son frère le rattrapa de justesse. " Pas ici ", lui dit le soldat, et le mariage fut consacré. » Ma belle-mère achevait toujours ainsi son récit : « Ce que personne n'a remarqué à l'époque, c'est qu'en mettant un terme à la cérémonie, frère Antonio s'écria d'une voix forte : " Capitaine Palafox, vous voici désormais uni à Leticia ! " Il n'avait pas le droit de lui donner ce titre, mais peu importe. Dès cet instant, on ne l'appela plus que capitaine. De même que Timoteo s'était approprié les terres des Palafox, Antonio lui offrait le titre de capitaine. Ah, nous étions des malins, Norman. »

Le soir du mariage, la Dame-aux-Yeux-gris dit à sa petite-fille, alors âgée de dix-sept ans :

— Ces frères ont mal agi, l'Etrangère.

— Pourquoi ? dit la souple jeune fille aux longues tresses, toujours désireuse de mieux connaître les Espagnols.

— Le prêtre a marié son frère à une fille dont il était jadis amoureux, lui expliqua la vieille femme pleine de sagesse.

— Il te l'a dit ?

— Pas avec des mots.

— Qu'as-tu vu alors ?

— Son élan, son hésitation, dit la reine à qui les larmes montaient aux yeux. Les Espagnols se rendent la vie vraiment difficile. Ils aiment un système de dieux qu'ils ne soutiennent pas. Ils adhèrent à des principes qu'ils ne comprennent pas.

— Pourquoi le prêtre ne prend-il pas cette fille si c'est elle qu'il aime ? demanda l'Etrangère.

— Ce serait trop simple pour un Espagnol, répondit la reine.

Ce que je vais maintenant raconter ne se trouve bien entendu pas dans les chroniques espagnoles ou altomèques, mais cela fait partie intégrante de ma tradition familiale. La première fois que j'ai entendu cette histoire, c'était de la bouche de ma propre mère, qui n'était pas friande de commérages. Pendant trois ans, de 1537 à 1540, frère Antonio Palafox vécut une sorte d'enfer : très amoureux de la femme de son frère, qu'il avait connue intimement à Séville, il avait lui-même officié et prononcé les paroles sacramentelles qui scellaient leur mariage.

Comme le roi David, il envoya son général à la bataille avec l'espoir que l'ennemi le tue et que la femme de Timoteo lui revienne alors. Toutefois, Timoteo à des lieues de Toledo et Leticia dans l'église-forteresse, seule et visiblement désireuse de recevoir ses visites, il ne se laissa pas aller à trahir son frère. Leticia lui fit clairement comprendre qu'il serait le bienvenu dans ses appartements, et malgré lui, il se rappela la nuit passée dans le jardin mauresque de Séville. Et le désir l'embrasa, mais il n'approcha pas sa chambre. Dès que l'on entendit le cheval du capitaine Palafox hennir à la porte de la forteresse, le prêtre prit sa mule et quitta la ville par une autre issue.

Antonio cherchait toujours l'argent, et les Indiens des contrées plus éloignées voyaient souvent passer ce grand prêtre grisonnant qui avait franchi le cap de la quarantaine. Il avait jadis été le symbole de l'autorité parmi les Espagnols, et ce n'était plus qu'un homme irrésolu, seul, déchiré par les conflits intérieurs. Une fois, il se rendit dans la Vallée-des-Morts, avec l'espoir que le tueraient les Altomèques qui avaient survécu au massacre perpétré par son frère, mais les Indiens savaient qu'il était leur et ils lui donnèrent à manger. Le lendemain, il leur lava les pieds. Pleurant à chaudes larmes, il leur demanda pardon : ils avaient déjà pardonné. Par la suite, les éclaireurs indiens le surveillèrent dans ses pérégrinations au milieu des collines. La nouvelle de son comportement inhabituel parvint à Toledo, et le capitaine Palafox se demanda s'il n'allait pas devoir renvoyer en Espagne son frère devenu fou.

La Dame-aux-Yeux-gris avait d'autres projets. Dès que la nouvelle se répandit que le prêtre fou revenait à la forteresse sur sa mule, elle courut aux murailles et contempla sa silhouette émaciée. Il était amaigri et avait le regard halluciné. Ses longues jambes traînaient dans la poussière et sa mule le dirigeait. Elle le regarda mettre pied à terre, se rendre au réfectoire afin de s'y restaurer, puis dans ses appartements pour s'y baigner. Quand il ressortit, lavé et rasé, ayant recouvré son air de prêtre, elle embrassa sa petite-fille sur le front et lui murmura ce simple mot : « Maintenant. »

Quelques minutes plus tard, la mince jeune fille, vêtue de sa plus simple robe de lin et des fleurs dans les tresses, alla à la chapelle où priait le prêtre.

— Frère Antonio, je suis venue me faire baptiser.

Le prêtre la regarda et lui demanda :

— Ta grand-mère t'a enfin donné son consentement ?

— Non, dit-elle avec une modestie affectée, je le fais de mon propre chef.

— Pourquoi ? s'écria joyeusement le prêtre en lui prenant les mains.

— Parce que j'ai appris comment tu as imploré le pardon des Indiens dans la Vallée-des-Morts.

Le prêtre sentit des larmes lui brûler les yeux. Dans ce monde de confusion morale, la conversion d'un Indien lui apparaissait comme un solide point de référence, un élément auquel son esprit pouvait s'attacher. Il l'emmena triomphalement dans le couloir percé dans la muraille et la conduisit à la chapelle extérieure, où se trouvaient les fonts baptismaux. Normalement, l'Etrangère aurait dû attendre qu'il y eût plusieurs dizaines de candidats à la conversion — frère Antonio baptisait toujours en grande pompe —, mais le prêtre était si heureux qu'il officia sur-le-champ.

Quand le sacrement lui fut donné, frère Antonio posa à nouveau la main sur la tête de la jeune fille.

— Désormais, dit-il avec une exaltation dont lui-même ne comprenait pas le sens, tu ne seras plus l'Etrangère, mais María de l'Assomption.

Il lui fit de nouveau emprunter l'étroit tunnel. Dans l'obscurité de la muraille, il la sentit près de lui et s'arrêta ; par accident, peut-être, elle se heurta à lui. Ils s'enlacèrent et cédèrent à leurs appétits. Plus d'une heure plus tard, ils réapparaissaient dans la chaude lumière de Toledo, cette ville qu'ils allaient régir de concert pendant plusieurs décennies.

Quand les frères Palafox furent confortablement installés auprès de leurs épouses — Timoteo avec la fille d'un noble espagnol et Antonio avec une princesse altomèque —, ils se remirent à chercher la mine d'argent qui, ils l'espéraient, laverait le nom de leur père. Un jour de 1541, Timoteo s'en retournait les mains vides à Toledo. Il se trouvait en un point d'où il apercevait la forteresse et la pyramide; dévalant la colline ainsi qu'il l'avait fait de nombreuses fois, il fit rouler un petit rocher, lequel en révéla un autre d'un genre qui lui était inconnu. Il l'examina attentivement et conclut la joie au cœur qu'il s'agissait de minerai d'argent. Il s'empressa de le porter à son frère. Les deux hommes pulvérisèrent la roche avant de la réduire à une petite masse d'argent.

Antonio chercha à dissimuler son exaltation et demanda d'un air dégagé :

— Où est la mine ?

— Il ne semble pas que c'en soit une.

— Bah, fit Antonio en se mordant la lèvre, nous la trouverons certainement.

— J'ai bien regardé, mais je n'ai rien vu, dit Timoteo, et ce fut le début de la véritable frustration des Palafox.

Il est quand même vrai qu'entre 1540 et 1550, Timoteo allait découvrir plusieurs dépôts d'argent assez intéressants, et il est incontestable que jusqu'à la fin de sa vie, il put envoyer chaque année au roi d'Espagne l'équivalent de vingt mille douros, travaillant ainsi à son avancement dans la hiérarchie militaire et à celui de son frère au sein de l'Eglise. Mais le filon principal, que les frères savaient pourtant exister dans les alentours, lui échappait toujours. Souvent, le soir, Antonio, devenu entre-temps évêque, déroulait ses cartes et lui demandait : « Dis-moi, Timoteo, as-tu cherché dans cette vallée ? » Et invariablement Timoteo lui répondait que oui.

En 1544, quand il apparut que les gisements d'argent apporteraient un revenu modeste mais constant, l'évêque Palafox canalisa son énergie vers ce qui allait être la troisième obsession de son existence. Il emmena son frère sur les remparts sud de la forteresse et lui montra les terres hérissées de cactus, au-delà de ce qui avait jadis été la Cité-de-la-Pyramide.

— C'est là, dit avec sérénité l'évêque Palafox, que je bâtirai notre nouvelle ville.

— Pour une tribu de misérables Indiens ? lui demanda Timoteo.

— Pour la gloire de Dieu, répondit le prêtre. Après nous, des êtres civilisés vivront dans cette ville, et nous élèverons des monuments d'une splendeur telle que le nom des Palafox sera honoré à tout jamais.

— On a déjà construit une forteresse, fit remarquer Timoteo.

— Vois-tu ce tas de rochers ?

— Derrière l'arbre ?

— Et cet autre tas ?

— Je l'aperçois à peine, dit le soldat.

— Ils marquent les limites de ce qui sera le Palais du Gouvernement, expliqua Antonio.

— C'est trop loin du fort pour qu'on puisse le défendre.

— Quand nous aurons fini, le fort ne sera plus d'aucune utilité.

— Ces Altomèques ne seront jamais...

— Devant le Palais du Gouvernement, poursuivit l'évêque, je pense à une grande place publique. Tu vois ces roches là-bas ?

Timoteo essayait d'imaginer une ville, mais il n'y parvenait pas. Le projet était trop ambitieux.

— Facile à dire quand il n'y a rien...

— J'envisage de lancer tout de suite la construction d'un édifice très particulier qui occupera toute la partie occidentale de la grand-place. Ce sera la gloire de notre ville.

— Quel genre d'édifice ?

— Une cathédrale, répondit le prêtre.

— Tu veux dire... d'ici... à ce que tu appelles le Palais du Gouvernement ? Tu es devenu fou ?

— A Séville, dans l'attente du départ, j'ai visité la cathédrale. As-tu pris la peine d'en faire autant ?

— Oh oui ! fit Timoteo avec une certaine nostalgie.

— Quand les prêtres de Séville ont entrepris d'édifier cette immense structure, expliqua Antonio, ils annoncèrent à leurs ouailles : « Nous allons construire une église si grande que ceux qui viendront après nous nous croiront fous ! » Eh bien, c'est une folie de ce genre qui m'affecte désormais.

— Une cathédrale... d'ici à là... Antonio, où vas-tu prendre les fonds ?

Le prêtre prit son frère par les épaules et le regarda droit dans les yeux.

— Selon toi, pourquoi t'ai-je ainsi poussé à trouver de l'argent ? lui demanda-t-il.

— Notre famille... commença le soldat. (Puis il comprit tout.) Tu as dessiné les cartes de sorte que les mines m'échoient... et pas à l'Eglise !

— Je voulais que notre famille soit responsable de la construction, dit le prêtre. Parce que je suis déterminé à effacer la honte qui la souille. Tu crois que je t'ai donné neuf mille esclaves pour ton seul plaisir ? Timoteo, tu vas mettre ces Indiens au travail, non pas pour toi-même, mais pour l'édification de Toledo, de sorte que lorsque toi et moi ne serons plus de ce monde, les gens diront : « Voici la ville des Palafox, serviteurs de Dieu ! »

En 1544 débuta véritablement la construction de Toledo. Le Palais du Gouvernement fut achevé cette année-là ; après quoi frère Antonio soudoya le vice-roi en lui versant une somme en argent si énorme que le dignitaire décida de passer outre la condamnation du professeur Palafox et de nommer son fils Timoteo, qui avait été dégradé par Cortés, gouverneur du vaste district de Toledo. Lors de l'investiture de Timoteo, son frère lui dit à voix basse :

— L'honneur de notre famille sera bientôt lavé.

La vaste place centrale fut donc édifiée selon les plans d'Antonio et le premier concert public y fut donné en 1549, avec des musiciens altomèques qu'il avait lui-même fait répéter. La construction de la vaste cathédrale était déjà entamée, mais cela n'était pas apparent, car pendant les cinquante premières années, ses angles étaient si éloignés les uns des autres qu'il était difficile d'imaginer qu'ils concernaient le même édifice. On traça des routes ; les petites églises proliféraient ; la Maison de Céramique s'éleva vers la fin de la vie de l'évêque ; partout où passait Antonio surgissaient des bâtiments d'une telle beauté que l'on put se demander comment ce prêtre ascète avait accédé à un tel sens esthétique. Un professeur d'architecture français dit d'ailleurs de lui : « De l'église-forteresse originale à la Maison de Céramique, nous assistons à la trajectoire impeccable d'un maître bâtisseur. L'évêque Palafox prit une ville indienne et la transforma en un joyau d'architecture hispanique, tout en faisant preuve du plus grand respect pour les traditions locales. Toledo est un monument qui témoigne de son goût très sûr pour ce qui est de l'alliance de deux cultures. »

Dans son désir de construire, Antonio était soutenu par María, laquelle disait : « Mes ancêtres étaient, eux aussi, d'insatiables bâtisseurs. Je pense qu'il doit en être ainsi de tous les grands peuples. Ils éprouvent le formidable besoin de laisser la face de la terre différente quand ils en partent de ce qu'elle était quand ils y arrivèrent. » Plus tard, quand les bâtiments administratifs et ecclésiastiques furent terminés, elle dit :

— Nous avons construit pour le gouverneur, pour les prêtres et pour Dieu. Je désire à présent que nous bâtissions une petite chose pour mes Indiens.

Elle fit pression sur l'évêque jusqu'à ce qu'il accepte de tracer les plans d'un couvent où les jeunes Indiennes pourraient se consacrer à l'Eglise et leurs aînées trouver un dernier asile. Mais, comme Antonio, elle ne voyait pas les choses en petit, et le couvent occupa toute la partie orientale de la place; il fut très actif jusqu'en 1865, année où l'empereur Maximilien le transforma en Théâtre impérial. María n'oublia jamais les conseils de sa grand-mère : « Tu dois chercher et trouver l'homme capable de te donner l'amour qui a marqué toute ta famille ; si tu le trouves, attache-toi à lui à tout jamais, plus fort que tu ne t'attacherais à ta famille, ton dieu ou ton pays. » Elle fut ainsi l'une de ces irréprochables épouses que les Indiens du Mexique offrirent à leurs conquérants espagnols, et son union avec le prêtre entraîna de nombreux bonheurs, de même que l'union du Mexique et de l'Espagne fut infiniment plus bénéfique que négative.

Frère Antonio et María eurent quatre enfants ; ainsi débuta la moitié mexicaine du clan Palafox. Un de leurs trois fils devint un brillant homme d'Eglise qui, à son tour, trouva une jeune Indienne qui l'aida à régir la vie ecclésiastique de Toledo. C'est principalement grâce aux vertus de María qu'Antonio réussit à surmonter la honte attachée au nom des Palafox. Le désir ardent qu'il éprouvait pour sa belle-sœur s'émoussa rapidement quand il compara ses manières relâchées à la sérénité et à la serviabilité de son épouse indienne. Moins de dix années plus tard, il regrettait déjà d'avoir arrangé un tel mariage pour son frère.

Antonio n'épousa jamais légalement María ; aucune convention ne le lui permettait et elle ne fut jamais considérée comme sa compagne légitime. Elle était tout simplement doña María, la femme la plus gracieuse de tout Toledo. Si des dignitaires venaient de Mexico afin de discuter affaire avec l'évêque, ils pouvaient fort bien passer trois jours en palabres sans jamais la voir; mais lorsqu'un accord était signé, l'évêque Palafox présentait sa princesse altomèque par ces simples mots : « Voici doña María », et chacun comprenait que c'était elle la maîtresse des lieux.

Ce fut elle qui organisa le dernier baptême de tous les Altomèques — tous, sauf sa grand-mère, qui résista jusqu'à la fin. La vieille femme fut enterrée près de la tombe de son père, le général Tezozomoc ; elle acquit l'immortalité avec la fête religieuse qui, chaque année, commémore le jour où elle sortit de la ville, accompagnée de l'Etrangère, et portant fièrement le parchemin représentant la Vierge Marie et l'Enfant Jésus.

Doña María parvint surtout à donner un équilibre à la vie de l'évêque Palafox. Elle lui démontra à quel point il était ridicule de venger un père en essayant d'amasser le plus d'argent possible, surtout quand ce père avait perdu la vie en tentant de montrer que le métal précieux devait être considéré de manière intelligente et réfléchie. Si les frères Palafox connurent leur rédemption au Mexique, ce n'est pas en mettant au jour des filons d'argent, mais en s'insérant profondément dans la communauté et en faisant de cette partie du Mexique un havre de justice et de religion.

Pendant toutes ces années ensoleillées que doña María passa auprès de l'évêque, aucun Indien ne fut tué ; même s'il est vrai que ceux qui appartenaient au capitaine Palafox étaient esclaves, ils étaient néanmoins protégés par l'Eglise.

En 1580, à l'âge de quatre-vingt-deux ans, l'évêque Palafox mourut comblé. Tout au long de sa vie, il avait pu mener à bien les différentes missions qu'il s'était imposées : il avait lavé l'honneur de sa famille, pacifié et converti les Altomèques, fondé la ville de Toledo et orné sa place centrale de splendides bâtiments. Peu de temps avant sa mort, alors qu'il venait d'achever la Maison de Céramique — considérée par beaucoup comme son chef-d'œuvre architectural —, l'évêque Palafox envisageait, entre autres choses, un aqueduc de type romain qui apporterait en ville l'eau des collines et des vallées. Quand il s'éteignit, les murs de la cathédrale avaient déjà quelque six mètres de hauteur. S'ils avaient failli à trouver le filon principal, Timoteo et lui avaient tout de même repéré des dépôts mineurs, des veines qui leur avaient permis d'adresser de grandes richesses à leurs souverains. Sa plus grande consolation fut toutefois de savoir que son œuvre serait reprise par sa descendance.

Un fils du capitaine Palafox succéda tout naturellement à son père au poste de gouverneur, établissant ainsi un précédent qui fit du Palais du Gouvernement le monopole des Palafox. De même, le cadet des garçons conçus par Antonio et María fut ordonné prêtre avant de devenir le deuxième évêque Palafox. Les terres accordées au capitaine Palafox virent augmenter leur superficie, jusqu'à atteindre plusieurs centaines de milliers d'hectares.

A la mort de son mari, doña María entreprit son œuvre personnelle. De sa chambre, au premier étage de la Maison de Céramique, elle pouvait contempler la ville imaginée par son compagnon, et elle se mit à réfléchir à l'étrange relation qui s'était installée entre les Espagnols et les Indiens. Doña María développa l'idée selon laquelle la grandeur du Mexique serait assurée par l'union suivie des représentants des deux peuples ; tout ce qui s'y opposerait ne pourrait qu'être nuisible à la nation. Cela l'incita à écrire l'histoire de son peuple, et ses travaux eurent une influence énorme sur le développement du pays, car ils étayèrent la thèse de ceux qui déclaraient que les Indiens étaient déjà civilisés quand eut lieu la conquête du Mexique.

J'ai lu de nombreux ouvrages sur ce sujet, et les historiens se sont souvent montrés très durs avec l'Espagne quand elle prétendait avoir colonisé le Nouveau Monde, et plus particulièrement le Mexique, dans le but d'amener des âmes à Dieu ; l'alliance du prêtre et du soldat a souvent été ridiculisée, surtout par les auteurs protestants qui, comme mon père, n'éprouvaient que mépris pour la rationalisation à l'espagnole. Mais j'ai étudié les archives de la famille Palafox pour comprendre précisément comment s'y prenaient les deux frères et ce qu'ils firent de leur énergie et de leur argent. Force m'est donc d'admettre que Timoteo, le militaire bouillonnant, marquait effectivement ses Indiens à la joue et les traitait en esclaves, quand il ne massacrait pas purement et simplement les Altomèques, mais chacune de ses mauvaises actions fut condamnée par son frère et, en guise de repentance, il l'aida non seulement à édifier la ville de Toledo, mais aussi à financer les grandes bâtisses qui bordent la place centrale.

Comment les frères Palafox répartissaient-ils les sommes que leur procuraient leurs petites mines ? Voici ce qu'en disent les documents. Sur cent grammes d'argent extraits par Timoteo des collines de Toledo, soixante allaient directement au roi d'Espagne afin de soutenir l'opposition catholique à l'Angleterre infidèle ; les vaisseaux de l'Invincible Armada n'auraient pu être affrétés si l'argent du Mexique n'avait atteint Madrid. Trente grammes étaient attribués à l'évêque Palafox pour l'agrandissement de Toledo et la soumission des tribus altomèques ; les dix derniers grammes étaient conservés par les frères Palafox, illégalement parfois, afin de purifier leur réputation familiale.

L'évêque dépensa fort peu pour lui-même. Il mena une vie frugale, combattit le paganisme des Indiens et leur fit empiler des pierres pour la plus grande gloire de Dieu. Chaque fois qu'un prêtre rencontrait des difficultés dans une paroisse voisine, l'évêque n'hésitait pas à envoyer les troupes de son frère pour mettre fin aux troubles et châtier les responsables.

Aucune autre tribu du Mexique ne fut plus rapidement pacifiée, aucune ne fut mieux accueillie dans le sein de l'Eglise, aucune ne fut traitée avec moins de brutalité que celle des Altomèques sous le regard de l'évêque Palafox. Un Altomèque de Toledo fut l'un des tout premiers Indiens à être ordonné prêtre au Mexique. Le premier foyer pour femmes âgées fut construit sous l'égide de l'évêque et, à Toledo, on pouvait se promener sans crainte la nuit alors que d'autres régions du Mexique étaient encore de véritables champs de bataille. Quand je pense à mes ancêtres Palafox, je me dois de conclure que ces hommes — mais aussi bon nombre d'Espagnols, me semble-t-il — donnèrent aux colonies espagnoles un gouvernement qui n'avait rien à envier à ce que l'Angleterre ferait plus tard en Amérique ou la France au Canada.

Pendant les siècles qui suivirent la mort des premiers frères Palafox, l'arbre généalogique de cette puissante famille mexicaine fut assez embrouillé, mais on distingue habituellement deux branches possédant chacune ses caractéristiques propres. Les descendants du gouverneur Palafox préservèrent la tradition en n'épousant que des Espagnoles, et cette branche familiale, aujourd'hui représentée par don Eduardo, veilla aux intérêts commerciaux du clan ; la descendance de l'évêque

Palafox et de sa princesse indienne continua d'épouser des Indiennes et de produire des dignitaires de l'Eglise, ainsi que des artistes, des poètes et des architectes. Il est toutefois remarquable que les deux branches du tronc Palafox, celui purement espagnol et celui en partie indien, partagèrent la grande fortune de leur clan et se considèrent toujours comme de vrais cousins.

Il semble qu'il y eut toujours un évêque Palafox qui contracta une alliance avec une Indienne. En 1640, le troisième évêque acheva la cathédrale pratiquement telle que son grand-père l'avait imaginée un siècle auparavant. En 1726, un de ses descendants construisit le magnifique aqueduc qui assura la prospérité de la ville. Et en 1760, ce fut un évêque Palafox qui abattit la vieille façade de la cathédrale pour la remplacer par le chef-d'œuvre de marbre churrigueresque dont j'ai déjà eu l'occasion de parler.

Avant d'édifier cette façade, qui allait coûter quatre millions de pièces d'argent — cette somme comprenant les nouvelles sculptures et décorations intérieures —, la branche commerçante de la famille décida de passer à l'action, et les résultats obtenus furent spectaculaires. En 1737, les petites mines étaient dirigées par Ignacio Palafox. Comme tous ses ancêtres, il recherchait le filon principal, qui se trouvait obligatoirement non loin de là.

Alors qu'il revenait les mains vides de sa quatre-vingt-seizième expédition dans les collines, Ignacio s'arrêta sur une butte du haut de laquelle il avait une vue imprenable sur la vallée de Toledo et sa pyramide. Il laissa paître ses mules et renvoya à la maison domestiques et chevaux. Il regardait les mines d'où une quantité somme toute modeste d'argent avait été extraite depuis deux siècles. Ignacio Palafox était furieux de constater que sa famille n'avait pas réussi à découvrir un important gisement. « Pourquoi ne pas envisager le problème sous un angle totalement différent ? se dit-il. S'il existe bien un filon caché, comme nous l'avons toujours pensé, où peut-il se dissimuler pour que ces affleurements soient là où nous avons ouvert nos mines ? » Il tendit le doigt en direction de chacune d'elles, les relia par des traits imaginaires et essaya d'imaginer une structure souterraine, mais en vain. « C'est au petit bonheur la chance », conclut-il.

Il détourna son regard de la vallée et observa ses mules qui arrachaient l'herbe de la colline. Elles semblaient aller en tous sens. « Le hasard, c'est bon pour elles, reprit-il, mais la localisation de l'argent n'est pas hasardeuse, elle doit correspondre à un système. »

Il passa en revue tout ce qu'il savait des veines et des dépôts, mais aucune structure logique n'émergea. Cette nuit-là, il ne redescendit pas en ville, mais resta dans les collines auprès de ses mules. Trois jours et trois nuits durant, il tenta de se représenter la relation que les mines connues pouvaient entretenir avec un filon souterrain. Le dernier soir, une idée nouvelle s'imposa à lui : « On a toujours eu tort de croire que le filon résidait au milieu des petites mines. Il se situe certainement d'un seul côté et ne fait qu'affleurer à cause de la forme du terrain. » Il observa le paysage avec un œil nouveau et remarqua une très légère inclinaison d'ouest en est. « C'est sûrement là ! s'écria-t-il. Et on n'y a jamais regardé ! »

Cette constatation marqua la genèse du grand puits de plusieurs centaines de mètres auquel travaillèrent mon père et mon grand-père et qui est aujourd'hui désaffecté.

Ignacio Palafox creusa sur plusieurs dizaines de mètres de profondeur sans jamais trouver d'argent, et sa famille en conclut qu'il était devenu fou. Son oncle, l'évêque de l'époque, l'encouragea toutefois à continuer, mais avant de lui accorder autre chose que son soutien moral, il fit une sorte de pacte.

— Si je te fournis les fonds nécessaires, dit-il, tu dois me promettre qu'avec ce que tu découvriras, tu t'engages à embellir la cathédrale.

— Je ferai en sorte que des feuilles d'or soient appliquées sur les statues, répondit Ignacio.

— Ce n'est pas un peu de dorure que je veux, répliqua l'évêque. Si j'avance les sommes et que tu trouves le filon, je renouvellerai tout l'intérieur de la cathédrale et le referai en argent ; j'abattrai également la façade pour en édifier une de marbre.

Ces projets dépassaient largement l'imagination d'Ignacio.

— Et combien cela va-t-il coûter ?

— Quatre millions de pesos, dit l'évêque, mais en fin de compte, toi et moi aurons la plus belle église du monde.

— C'est facile que d'imaginer dépenser des millions quand on ne possède rien, remarqua le mineur en haussant les épaules.

— Ne t'inquiète pas.

L'affaire fut conclue. Au cours des années qui suivirent, l'évêque protégea Ignacio du reste de sa famille. En 1740, les prières de l'évêque et les pioches des manœuvres portèrent leurs fruits : à quelque cent quatre-vingts mètres de profondeur fut identifié le filon qui allait finalement rapporter plus de huit cents millions de dollars. Les sommes furent réparties dans les proportions fixées par Antonio et Timoteo Palafox : 60 % pour le roi, 30 % pour l'Eglise et 10 % pour Ignacio. Il prit sur la part qui lui revenait quatre millions de pesos et les consacra à la réfection de la cathédrale.

Ce furent des années bénies pour les Palafox. Les trésors qu'Ignacio envoya au roi lui valurent le titre de comte. Les comtes Palafox jouèrent un rôle capital dans l'histoire du Mexique, ils soutinrent un régime colonial de plus en plus menacé par les Mexicains désireux de se libérer de l'emprise espagnole. L'évêque qui transforma la cathédrale fut fait archevêque. Comme on le disait plaisamment à Toledo, la mitre était transmise de père en fils.

Deux traditions familiales furent préservées : dans la branche comtale, les garçons n'épousèrent que des Espagnoles ; et tous les garçons, qu'ils fussent espagnols ou à demi indiens, franchirent l'Atlantique pour aller étudier à l'université de Salamanque, que des Palafox fréquentaient déjà avant l'an 1300. En 1961, bien entendu, il n'y avait plus de comtes au Mexique, ce genre de titre ayant été supprimé à la mort de Maximilien, mais à Toledo, les « comtes » Palafox affichaient toujours un comportement empreint d'une grande noblesse. Je suis fier d'appartenir à leur famille, même si je n'ai pas moi-même vraiment contribué à leur gloire. En tout cas, je jure que, pour témoigner de leurs hauts faits, je me montrerai le plus honnête possible.

12

Les coiffeurs

Après la mort de Paquito de Monterrey dans l'arène et notre visite nocturne des catacombes, je retrouvai ma chambre d'hôtel à près de deux heures du matin. Avant de me mettre au lit, je jetai machinalement un coup d'œil par la fenêtre. Trois hommes se glissaient discrètement hors de l'hôtel en direction du parking. Cela m'étonna un peu, mais pas autant que la composition du trio : le vieux Veneno venait en tête, suivi de Chucho et de Diego, ce dernier affublé d'un sac en toile. Victoriano, la vedette de l'équipe, n'était pas là.

J'eus une réponse instantanée à la question que je me posai : « Si ces trois-là sortent à cette heure-ci, ça a sûrement rapport avec les taureaux, et c'est certainement une affaire louche dans laquelle Victoriano ne doit pas tremper. » Oui, c'était ça ! L'occasion s'offrait à moi d'assister à une cérémonie à laquelle fort peu d'aficionados ont pu participer. Je remis mon pantalon et mes chaussures et dévalai l'escalier pour m'élancer vers le parking.

Comme je m'y attendais, ils ne s'y rendirent pas directement. Ils traversèrent la grand-place comme pour aller à la cathédrale, s'assurèrent qu'il n'y avait personne et foncèrent vers le parking, où ils s'engouffrèrent dans leur grosse Chrysler couleur crème : Chucho au volant, Veneno à côté de lui et Diego sur la banquette arrière. Le moteur eut des ratés avant de démarrer. Je jaillis alors de l'ombre et ouvris la portière du côté du conducteur.

— Alors, on va jouer les coiffeurs ? leur dis-je.

Les trois toreros se regardèrent et Chucho haussa les épaules.

— Comment avez-vous deviné ? me demanda Veneno.

— Facile. Vous n'avez pas emmené Victoriano pour qu'il ne soit pas mêlé à vos combines. Dans le corral de Toledo, il n'y a de la place que pour deux groupes de taureaux. Les bêtes de dimanche vont arriver dans la nuit et vous voulez être là pour les intercepter. Je me trompe ?

— Pour un Norteamericano, vous êtes plutôt malin, grogna Veneno.

— Je peux venir ? Je n'ai jamais vu ça.

Chucho haussa à nouveau les épaules et Diego ouvrit la portière arrière d'un coup de pied. « Montez », dit-il, et nous filâmes dans la nuit.

Il était deux heures et quart, des mariachis erraient encore dans les rues, suivis de nombreux curieux. Il fallut donc rouler lentement, cependant dès que cela fut possible, Chucho écrasa l'accélérateur et, dans un rugissement, nous passâmes devant la chapelle extérieure où, quelques heures plus tôt, je m'étais installé en compagnie de Mrs Evans. Nous projetâmes de la poussière et des graviers sur les dernières maisons de Toledo avant de prendre la direction de l'ouest. Cette route menait à Guadalajara, distante de quelque deux cent trente kilomètres. Comme tous les toreros, les Leal étaient des conducteurs agressifs.

Sur le siège avant droit, pareil au capitaine d'un navire, était assis le vieux Veneno, chenu et rude. A côté de lui, au volant, se tenait le péon Chucho, un manteau coûteux jeté sur les épaules comme une cape. Son mince et beau visage le faisait ressembler à l'un de ces hommes de la Renaissance peints par Ghirlandajo.

Chucho était un conducteur habile, qui aimait vraisemblablement sentir son corps parcouru par les trépidations du moteur. Ses mains étaient sans cesse en mouvement sur le volant et la grosse voiture roulait à belle allure, mais toujours dans les limites de la sécurité. Dès que nous eûmes laissé derrière nous les villages regroupés aux abords de Toledo et franchi les collines qui ceignaient la vallée d'altitude, nous arrivâmes sur l'un de ces immenses rubans droits qui caractérisent les routes rurales du Mexique, et Chucho m'étonna en se calant au dossier de son siège, en bloquant les épaules et en ôtant les pieds des pédales du véhicule.

— Qu'est-ce que vous faites ? lui demandai-je en espagnol.

— Vitesse de croisière, expliqua-t-il.

Il me montra, sur le volant, un bouton qu'il venait d'activer et qui allait maintenir la puissante Chrysler à vitesse constante.

— On va à combien ? dis-je.

— Quatre-vingts.

Je remarquai alors que le compteur n'avait pas été modifié en kilomètres et que nous roulions, par conséquent, à quatre-vingts miles, c'est-à-dire pratiquement cent trente à l'heure. Des fermes surgissaient hors de la nuit, le bétail nous considérait d'un œil curieux. La voiture accélérait automatiquement, coupait les gaz quand on abordait une descente, les remettait dès qu'il y avait une montée. Sur les lignes droites, nous roulions à cent trente, et nous prenions les virages doux à la même allure. Chucho arrêtait le système de pilotage automatique dès que les virages se faisaient plus serrés, et il réduisait de lui-même la vitesse. Cela n'empêchait pas le banderillero de prendre à cent à l'heure des virages qu'il eût été prudent de négocier à soixante-dix tout au plus.

— Où envisagez-vous d'intercepter les taureaux ? demandai-je après un virage de ce type et lorsqu'il eut réenclenché le pilotage automatique.

— Au village de Crucifixión, répondit Diego, assis à côté de moi.

— Vous allez les arranger là-bas ?

— Si le contremaître n'est pas là. Sinon, il faudra trouver autre chose.

— Qui est-ce qui travaille comme contremaître pour Palafox ces temps-ci ? dis-je.

— Toujours le même, Cándido.

La mâchoire de Veneno se contracta.

— Si Cándido est là, dis-je, votre expédition tombe à l'eau.

— Peut-être bien, admit Diego, mais peut-être qu'on pourra s'arranger avec cette vieille crapule.

— Avec Cándido ? fis-je en riant.

— Avec n'importe qui, grogna Veneno. (Sans quitter la route des yeux, il ajouta pour ma gouverne :) Après ce qui s'est passé aujourd'hui, on a deux mots à dire à ces taureaux.

— Vous voulez dire... Paquito ?

Les trois toreros se signèrent.

— Oui, grommela Veneno. On va devoir causer aux taureaux de Palafox, et si Cándido essaye de nous en empêcher...

Il y eut un silence lourd de signification et je vis Chucho serrer les dents à son tour. Comme aucun des Leal ne semblait désireux de parler de cela, je changeai de sujet.

— En tant qu'écrivain, c'est-à-dire en homme qui ne connaît pratiquement rien en matière de tauromachie, je me demande quelque chose. Est-ce qu'il ne vous arrive pas de trouver ce que vous allez faire un peu...

Volontairement, je n'achevai pas ma phrase.

— Vous pensez que c'est déshonorant ? dit Veneno.

— Je n'ai pas prononcé ce mot, mais il me semble assez approprié.

— L'honneur, je vous expliquerai ce que c'est, lâcha Veneno, les yeux braqués sur la route.

Nous approchions à grande vitesse du croisement où nous quitterions la route de Guadalajara pour nous diriger plus au sud, vers l'élevage du señor Palafox. C'est là que nous intercepterions les taureaux, à hauteur du village de Crucifixión. Il y avait un virage à gauche assez serré, et, de toute évidence, Chucho ne reprendrait qu'à contrecœur les commandes de son véhicule. D'un léger signe de tête, le vieux picador fit comprendre à son fils que le virage était pour bientôt ; Chucho lui indiqua tout aussi discrètement qu'il avait compris et qu'il ne ralentirait pas. J'aurais volontiers protesté, mais le calme impressionnant des toreros m'en empêcha.

Chucho serra le volant et tourna un peu le cou avant de se caler sur son siège et de placer le pied gauche au-dessus de la pédale de frein, au cas où... A cent trente à l'heure, nous abordâmes le croisement. La Chrysler s'était positionnée sur la droite, elle dérapa en faisant hurler ses pneus, puis se remit dans l'axe de la nouvelle route. Ce fut, je dois l'avouer, un moment de doute exquis, qui précéda un sentiment de triomphe. Maintenant que nous roulions sur une bonne route que personne ne fréquentait, Chucho put augmenter la vitesse de croisière et nous fonçâmes vers le sud à cent quarante-cinq à l'heure.

— Les gens qui suivent les corridas, reprit Veneno comme s'il ne s'était rien passé entre-temps, sont au courant de ce que sont l'honneur et le déshonneur, et la pire chose qu'on puisse dire d'un matador, c'est qu'il manque d'honneur. Chucho pourra vous en parler mieux que moi.

— Un taureau exécrable à Guadalajara, fit simplement remarquer Chucho, en se massant l'épaule droite de la main gauche.

— Le taureau vous a pris à l'épaule ? lui demandai-je.

— Il m'a pris partout, répondit-il en riant. Ou plutôt, il m'aurait pris partout si je n'avais pas sauté la barrière.

— En 1912, dit Veneno d'une voix un peu mécanique, comme si le ruban d'asphalte l'hypnotisait, je suis allé en Espagne pour être le picador du grand matador mexicain Luis Freg, qu'il repose en paix. (Les Leal se signèrent au souvenir de l'un des hommes les plus braves ayant jamais revêtu le costume de lumière.) Freg était un homme d'honneur tel qu'il n'en existe plus. Soixante-sept blessures pendant tout le temps où j'ai travaillé pour lui. A l'hôpital, dans l'arène sur des jambes flageolantes, retour à l'hôpital...

» En 1914, il était si grièvement blessé qu'il ne pouvait plus toréer et il m'autorisa à m'engager auprès d'autres matadors. J'ai été pris par Corchaíto, le " bonhomme de liège ", et croyez-moi si vous voulez, il était encore plus brave que Luis Freg. C'est de l'honneur de cet homme que je veux parler.

» Corchaíto n'était pas brave parce qu'il était stupide ou ignorant. Vous vous rappelez comment il s'est imposé sur la scène tauromachique ? Un jour que je n'oublierai jamais, il faisait un mano a mano avec Posada. Au deuxième taureau — c'étaient des Miura, des bêtes énormes —, le pauvre Corchaíto a été atteint, mais il a bourré un bout de tissu dans sa blessure et a quand même tué son taureau. Ovation du public et transport à l'infirmerie. Au troisième taureau, Posada, qui était meilleur torero, se tourna vers les spectateurs après une belle passe et le taureau l'a pris par-derrière. En trois coups de corne, le taureau l'a tué, en pleine arène.

» Le matador le plus âgé était mort et le plus jeune sérieusement blessé. Les autorités voulurent suspendre la corrida, mais Corchaíto est sorti de l'infirmerie en déclarant : " Ces gens ont payé pour voir mourir six taureaux et ils ne seront pas déçus. " C'est ainsi qu'il a estoqué le taureau de Posada, puis le quatrième, le cinquième et le sixième avant de s'effondrer et d'être ramené à l'infirmerie, pratiquement à l'agonie.

Il y eut un instant de silence alors que nous foncions vers le sud et passions devant des fermes endormies.

— Je dirais que Corchaíto a fait preuve d'honneur.

— Oui, dit Veneno, mais ce n'est pas là où je voulais en venir.

— Ah bon ?

— Avec un homme d'honneur, il y a toujours quelque chose à raconter. Quand j'ai demandé à Freg la permission de m'engager auprès d'un matador espagnol, il s'est soulevé de son lit de douleur et m'a demandé lequel. Je lui ai répondu que je pensais à Corchaíto. « C'est bien, m'a-t-il dit, c'est un brave et je ne voudrais pas te voir travailler pour quelqu'un qui ne l'est pas. »

» Ce jour d'août, donc, on se trouvait à Carthagène avec deux des meilleurs matadors de l'époque et Corchaíto a dit à son équipe : " Aujourd'hui, on va tuer des taureaux dans le meilleur style. " Avec Distinguido, le cinquième taureau de la journée, il travaille magnifiquement à la muleta — des naturelles, des passes de poitrine, des moulinets — et il est sûr d'obtenir au moins une oreille, sinon les deux. Il donne l'estocade sans hésitation, un peu trop en arrière peut-être, mais le taureau s'écroule, mortellement blessé, et il suffisait d'un coup de poignard pour l'achever.

» Mais Corchaíto, comme je vous l'ai expliqué, était un homme d'honneur. Il appelle alors ses hommes et dit d'une voix forte, pour que tout le monde l'entende des gradins au soleil : " Remettez-le sur pied. Quand mon taureau meurt, c'est toujours dans les règles. " On a eu du mal, mais on a pu remettre le taureau sur ses quatre pattes. Cette fois-ci, Corchaíto a porté ce que je prenais pour une magnifique estocade, mais quand Distinguido est tombé, Corchaíto a étudié longuement le point de pénétration de son épée, après quoi il nous a crié : " Redressez-le encore une fois. Je suis un matador et je ne tue qu'avec mon épée. "

» Le taureau était légalement mort, mais on a réussi à le redresser pour la troisième fois. Vous savez que les taureaux apprennent vite. Quand Corchaíto s'est avancé pour lui donner ce qu'il croyait être une estocade parfaite, le taureau l'a pris au torse, il l'a projeté par trois fois en l'air en le rattrapant sur ses cornes, puis il l'a jeté sur la barrière avant de le soulever encore par deux fois. Quand nous avons emporté Corchaíto à l'infirmerie, j'ai posé mon chapeau de picador sur sa poitrine pour que les gens ne s'évanouissent pas en voyant le trou béant. Le sang coulait des bords de mon chapeau. Avant même d'atteindre l'infirmerie, il était mort, le cœur pratiquement arraché. Voilà ce que l'honneur fait faire à un homme.

Nous filions sur la route sombre, entraînés par une force qui ne paraissait pas dépendre de nous et contre laquelle nous ne pouvions rien. Quand nous rencontrâmes un groupe de poulets assoupis sur le macadam encore chaud, je crus que Chucho allait couper le pilotage automatique et essayer d'éviter les volailles terrorisées. Il n'en fut rien. Il crispa davantage les doigts sur le volant et continua tout droit dans un envol de poulets, de piaillements, une nuée de plumes, des impacts de corps sur le pare-brise. La voiture ne dévia pas d'un pouce. Cela me rappela Benito Mussolini : il roulait à toute allure dans la campagne italienne en compagnie d'un journaliste américain, Ralph Ingersoll, me semble-t-il. La voiture percuta et tua un enfant dans un village, mais le Duce ordonna à son chauffeur de ne pas ralentir. « Ne vous retournez jamais », dit-il à l'Américain. Et je compris que si Chucho avait heurté un enfant et pas des poulets, il aurait peut-être poursuivi son chemin sans le moindre regard pour sa victime.

— Combien d'hommes avez-vous vu mourir dans l'arène ? demandai-je au vieux picador qui ôtait les plumes collées sur son costume.

— Mon père, tout d'abord. Ensuite, Corchaíto. Ignacio Sánchez Mejías. Balderas. Trois débutants dont le nom ne vous dirait rien, trois banderilleros, deux picadors et un vendeur de coussins. Aujourd'hui, Paquito.

Nous nous tûmes et nous contentâmes de rouler sur la route désertée. Chaque fois que nous nous approchions d'un village, je me disais que nous devrions ralentir, mais Chucho bloquait le compteur à cent dix ; parfois, nous entrevoyions des paysans abasourdis qui dormaient au bord du chemin et ne se réveillaient que pour nous voir passer comme l'éclair.

A trois kilomètres environ d'un village, un incident dramatique faillit se produire. Nous nous trouvions sur une ligne droite quand, devant nous, un peu sur la gauche, une vache se prépara à traverser. Nous ne pouvions que rentrer dedans. Nous la vîmes tous les quatre au même moment, mais je fus le seul à crier.

Si nous heurtions cet animal à cent dix à l'heure, la voiture n'y résisterait pas et nous serions tués. Le moindre écart pour l'éviter et la voiture ferait des tonneaux dont nous ne sortirions pas vivants.

Les Leal ne parlèrent pas. Ils ne bougèrent pas. Ils se contentaient de regarder fixement la vache qui occupait maintenant tout le milieu de la route. Je ne savais pas ce que Chucho avait en tête, mais, à la dernière seconde, il calcula très précisément la position de la vache et, d'un habile coup de volant, nous fit dévier vers la droite. Les roues gauches ne quittèrent pas le macadam, ce qui nous évita l'accident. Malgré tout, la masse de la Chrysler frappa la vache en pleine tête, lui brisant la nuque. Son corps fut projeté en travers de la route.

La grosse Chrysler se stabilisa. Chucho vérifia le compteur et eut l'air satisfait de constater que la vitesse était la bonne. Diego baissa la vitre pour jeter un coup d'œil à la portière. « Cabossée », dit-il simplement avant de remonter la vitre. Le vieux Veneno n'avait pas bronché.

Les Leal eurent la délicatesse de ne pas me reprocher mon cri ; je les observais et je compris que ces toreros qui affrontent le danger lors de chaque corrida ne pouvaient se laisser impressionner par un incident aussi mineur. Chucho conduisait de nuit une puissante Chrysler et il était de sa responsabilité de négocier tous les dangers qui pouvaient se présenter. S'il n'en avait pas été capable, Diego aurait pris le volant, et il aurait réagi de même lors de la rencontre avec la vache. Les toreros étaient des hommes qui côtoyaient sans cesse le danger et en connaissaient parfaitement les limites. Je n'appréciais pas vraiment leur façon de conduire, je ne l'approuvais pas, mais j'avais choisi de les accompagner et n'avais par conséquent rien à dire.

— Dites-moi, Veneno, est-ce que vous sous-entendez que Corchaíto n'aurait pas dû faire preuve de tant d'honneur ? repris-je.

— Ce n'est pas ça, dit le vieux picador. Des hommes comme Luis Freg ou Corchaíto n'auraient pu avoir une conduite déshonorante même s'ils l'avaient voulu. Ils n'avaient pas le choix. Vous avez déjà vu

Freg toréer ? Parfois, il fallait le porter dans l'arène, ses jambes avaient tellement de bandages qu'elles l'empêchaient de marcher.

Il était évident que nous avions épuisé le sujet, pour l'instant tout au moins, et c'est en silence que nous abordâmes le petit village altomèque de Crucifixión, où les Leal envisageaient d'intercepter les taureaux de Palafox. C'était visiblement un petit bourg sans grand intérêt, où vivaient quelques centaines de personnes. Notre voiture arriva sur la place centrale et je découvris une buvette éclairée par une ampoule nue, mais, à ma grande surprise, nous ne nous arrêtâmes pas là. La Chrysler s'engagea dans une petite rue et stoppa. De là, nous pouvions surveiller la place sans être vus.

— On va attendre ici, dit Chucho.

— Diego, ordonna Veneno, va voir si les taureaux sont arrivés.

Le jeune torero descendit de voiture et referma délicatement la portière. Il jeta un coup d'œil à la carrosserie endommagée par la rencontre avec la vache, puis se dirigea vers la place.

— Ce que je voulais dire, reprit brusquement Veneno, c'est qu'on devrait toujours garder à l'esprit ce qu'est l'honneur. Mon père a fait frissonner le Mexique, mais les taureaux l'ont tué. Freg était un homme d'honneur et les taureaux en ont fait une pelote à épingles. Corchaíto aussi, il avait de l'honneur, et il s'est fait arracher le cœur. Ce garçon, aujourd'hui, savait ce qu'était l'honneur, et ce soir on chante pour lui, mais il ne peut plus entendre.

Cette conception de l'honneur, assez proche de celle de Falstaff et tout aussi raisonnable, me fit réfléchir sur ma propre interprétation de cette notion. Je me rendais bien compte que l'une des grandes caractéristiques de mon existence était mon esquive perpétuelle des responsabilités — mon mariage, le défi d'écrire un ouvrage important ou tout au moins d'essayer, l'appartenance à un pays. Je n'étais pas Corchaíto pour mourir pour un principe. Je n'étais pas Juan Gómez, qui menait ses propres batailles avec une dignité que je n'avais d'ailleurs pas. Finalement, je n'étais pas fier de moi, mais je n'eus pas l'occasion de me pencher plus longuement sur la question : il y avait du remue-ménage sur la place du village. Je crus que les taureaux de Palafox étaient arrivés, mais je m'étais trompé. D'un village encore plus petit que Crucifixión, comme je l'appris plus tard, un groupe d'Altomèques avait amené un ouvrier qui était tombé du toit de l'église et avait failli se tuer. Ils erraient depuis le coucher du soleil et le blessé s'était évanoui à deux reprises. Il était maintenant trois heures du matin ; l'homme était inconscient, sur le point de mourir.

— C'est quelque part par là ! s'écria l'un de ses compagnons en désignant la rue où nous étions garés.

Le groupe se dirigea vers nous et un homme en sortit pour nous demander :

— C'est bien là qu'habite le docteur ?

Nous n'eûmes pas le temps de lui répondre, les autres se pressaient et j'aperçus le visage blême du blessé.

— Je ne suis pas d'ici, dit gravement le vieux Veneno, mais je vais me renseigner.

Lentement, il ouvrit sa portière et posa le pied sur la chaussée sablonneuse. Son allure austère impressionna les Altomèques, qui le suivirent comme des serviteurs zélés.

— Holà ! lança Veneno d'une voix profonde. Vous savez où est le docteur ?

Il n'y eut pas de réponse et il réitéra sa question. Une lumière s'alluma, une voix féminine et stridente retentit.

— Arrêtez ça !

— Où est le docteur ? demanda encore une fois Veneno, d'un ton plus impérieux.

— Vous êtes juste devant sa porte, beugla la femme. Le docteur Castañeda.

Les Indiens tambourinèrent à la porte du médecin, une fenêtre s'éclaira à l'étage. En attendant, j'observai la maison. C'était une petite bâtisse de terre, aux fenêtres maculées de chiures de mouches depuis un bon demi-siècle. Au-dessus de la porte, des impacts indiquaient que les hommes du général Gurza avaient fait des ravages dans le village ; il manquait aussi près d'un quart des carreaux de céramique qui entouraient la porte.

Le rez-de-chaussée s'alluma, la porte s'ouvrit en craquant, et apparut un vieil homme en bretelles, les pieds nus, qui paraissait aussi sale que ses fenêtres. Il avait l'air épuisé, mais accueillit tout de même les Altomèques et leur misérable fardeau.

Le sol de son cabinet était en terre battue. Il y avait quelques chaises bancales et, au mur, les inévitables photos de femmes en noir et d'hommes arborant la moustache. Les portraits étaient naturellement couverts par la poussière des ans. Le corps inerte de l'ouvrier fut déposé doucement sur une table branlante et le docteur Castañeda entreprit de le déshabiller. Le fémur et le tibia droits étaient cassés, des fractures ouvertes, mais il y avait plus grave, et le médecin le remarqua immédiatement. Un autre os saillait, blanc et rouge, hors du bas-ventre du malheureux. Le docteur Castañeda secoua la tête et les Indiens se mirent à chuchoter entre eux.

Je fus très étonné par ce qui advint alors. Le praticien s'approcha d'une petite vitrine, comme on en trouve chez les épiciers pour y mettre les bonbons à l'abri, fit coulisser la porte et fouilla dans un tas d'instruments médicaux plus sales les uns que les autres. Entre les forceps, les abaisse-langue, les ciseaux et les pinces hémostatiques, le médecin choisit ce dont il avait besoin, souffla dessus pour ôter la poussière et les chiures de mouches, l'essuya sur sa chemise et se mit à l'œuvre. Dès qu'un instrument n'était plus utile, il le jetait dans l'armoire de verre.

Veneno se pencha vers moi.

— Vous comprenez à présent pourquoi les matadors n'aiment pas être blessés en dehors des grandes villes ? me dit-il d'une voix grave. Vous imaginez être opéré des intestins avec ce genre de bistouri ?

Ses deux fils regardaient le praticien avec une certaine fascination et, en voyant Chucho se signer, je me dis qu'il devait avoir l'expérience de semblables soins.

Après ses premières observations, le docteur Castañeda se tourna vers les Altomèques.

— Je crains qu'il n'y ait pas grand-chose à faire, dit-il.

— Il ne peut pas mourir ! s'écria l'un des Indiens en prenant le docteur par le bras. Il a quatre enfants !

— Tout le monde a quatre enfants, répondit le vieux médecin.

Il fouilla dans sa vitrine et je me dis que, bien des années auparavant, il devait prendre grand soin de ses instruments, ainsi qu'on le lui avait enseigné. Quand on voyait ce qu'il était devenu...

Il essuya un instrument en le coinçant entre son bras et sa taille, puis il revint auprès du blessé pour tenter de faire rentrer l'os qui pointait hors du ventre. Alors qu'il s'y exerçait, l'homme soupira par deux fois, fut pris de soubresauts et mourut.

— Dieu du ciel ! murmura Veneno.

Les trois Leal firent le signe de croix et il me semblait que, dans ce cabinet minable de Crucifixión, nous approchions davantage la réalité de la mort que nous ne l'avions fait au cours de l'après-midi dans les arènes de Toledo. Un torero ne courtise pas la mort, mais il sait qu'il tente la Faucheuse et celle-ci ne surgit jamais à l'improviste ; en revanche, le paysan qui travaille dans les champs peut espérer vivre une soixantaine d'années. Quand la mort le prend de manière arbitraire, cela nous paraît plus terrible. Un des hommes se mit à pleurer doucement, comme si c'était une part de lui-même qui venait de disparaître.

— C'est son frère, nous expliqua l'un des Altomèques, et, maintenant, il se retrouve avec des enfants en plus à nourrir.

Dans la rue conduisant à la place, deux hommes accompagnaient un prêtre qui portait des vêtements civils.

— Le *padre* est ici, dit l'un des hommes, mais le frère du défunt répondit :

— Aucun curé ne touchera à mon frère.

Mis au courant des réticences du frère, le prêtre hésita, puis se prépara à repartir, mais le docteur Castañeda rangea ses instruments dans la vitrine, claqua la porte et s'écria :

— Mon père, quand un homme meurt dans ma maison, je veux un prêtre !

Il se fraya un chemin parmi les Indiens et saisit le prêtre par le bras.

— Pas pour mon frère ! reprit le frère du mort.

Il y eut une discussion confuse, après quoi le frère fut tenu à l'écart par ses amis. Le docteur Castañeda revint vers l'ouvrier décédé que tenaient toujours trois Altomèques.

— On ne me paiera pas, alors il mourra comme je l'ai décidé. Ce n'est plus ton frère, c'est un cadavre qui va à la rencontre de Dieu.

— Pas mon frère ! hurla l'Indien. Il va en enfer, oui !

— Oh ! ferme-la ! dit l'un des Indiens en lui plaquant sa main sur la bouche.

Le prêtre ignora cette scène désagréable pour y avoir déjà assisté des dizaines de fois et se mit à prier pour le défunt, à le bénir et à recommander son âme à Dieu. Le docteur Castañeda le remercia vivement. Dès que le prêtre fut parti, le frère échappa à ceux qui le retenaient, se précipita vers la table et cracha sur le cadavre.

— Il est en enfer ! hurla-t-il. C'est là qu'il veut être et moi aussi, je le veux ! Il est mort et il laisse quatre enfants, et ce n'est pas un fumier de prêtre qui pourra grand-chose pour lui !

Veneno me surprit en traversant la petite pièce crasseuse pour aller gifler le frère.

— Ne parle jamais comme ça des prêtres et de la mort ! s'écria d'un air menaçant le vieux picador avant de se signer.

Nous retournâmes à la Chrysler et vîmes en silence les Altomèques emporter à pied, vers leur village, le corps roulé dans un drap. Comme l'avait pressenti le docteur Castañeda, personne n'avait d'argent pour régler ses honoraires. Il épousseta quelque peu la vitrine, contempla son misérable cabinet et éteignit la lumière.

Quand la procession funèbre se fut éloignée, nous laissant seuls auprès de la voiture, j'oubliai le cabinet médical et regardai les autres maisons du village, toutes plus misérables les unes que les autres. Devant un garage traînaient des outils hors d'usage, un robinet coulait goutte à goutte à côté de toilettes sans nom. Un peu plus loin, l'école n'était qu'une cabane aux fenêtres brisées.

C'était cela, le Mexique rural, presque aussi pauvre et abandonné que ce que j'avais pu voir à Haïti. Savoir que le parti politique mexicain qui dirigeait le pays depuis si longtemps se faisait appeler le Parti national révolutionnaire[1] me hérissait : il prêchait la justice sociale pour tous et remportait élection sur élection, mais ne tenait jamais ses promesses et n'était rien de plus qu'une impitoyable oligarchie. Quelques individus se repassaient la présidence ; ils y accédaient quasiment pauvres comme Job et s'en allaient au bout de six ans avec des centaines de millions, le plus souvent placés dans des banques suisses. Ces prétendus révolutionnaires dépouillaient le pays, le laissant ou même le poussant à s'enfoncer dans la pauvreté la plus crasse. Peu de nations avaient été dirigées de manière aussi cynique et cela n'avait rien d'étonnant si tant de paysans cherchaient à entrer aux Etats-Unis pour y trouver un travail correctement payé et un logement décent. Je n'étais pas fier de ce que mon pays avait accompli depuis ma naissance.

Pourtant, je l'aimais, ce pays, avec ses couleurs et sa musique, ses amitiés chaudes et ses villes chatoyantes bien plus anciennes que celles des Etats-Unis. En voyant mes amis fortunés jouir de leurs privilèges, je me suis souvent dit qu'il n'y a pas d'autre pays au monde où puisse mieux vivre un fils de famille dont le père exerce une charge gouvernementale et en profite grassement. Bien sûr, il lui faut porter des œillères pour se cacher la pauvreté environnante, mais c'est apparemment facile, car nombreux sont ceux qui y parviennent.

1. Depuis 1946 : le Parti révolutionnaire institutionnel (P.R.I.). (*N.d.T.*)

J'avais assisté à ce phénomène à Cuba dans les années 1950, alors que les riches oisifs étaient indifférents à la pauvreté, et je n'avais pas été surpris que Fidel Castro pût engager sa révolution. J'avais de nombreuses raisons d'en vouloir à Castro pour son attitude récente, il m'avait menti sur des points importants et incité à écrire des imbécillités sur Cuba, mais je devais reconnaître son charisme et je craignais que la majeure partie de l'Amérique latine, toujours en quête d'un sauveur, ne se mît à imiter Cuba. Le Mexique n'échappait pas à cette règle.

Un regard sur le petit village altomèque de Crucifixión m'obligeait à admettre que mes vaillants ancêtres indiens avaient été tristement marqués par le XXe siècle. Les retombées matérielles de l'industrialisation avaient été lentes à parvenir aux Indiens du Mexique. Mexico et Toledo étaient des villes agréables, au charme unique, mais il existait un millier de villages comme Crucifixión, où les Indiens étaient privés de tout ce qui permet de mener une vie décente. Les noms mêmes de ces villages — Crucifixión, Encarnación, Santiago de Compostela, Trinidad — témoignaient de la trahison qu'avaient endurée les Altomèques, et lorsque je comparais la civilisation dont ils s'étaient dotés au XIVe et au XVe siècle à ce qu'ils possédaient aujourd'hui, je leur accordais le droit de se révolter.

— A votre avis, pourquoi ces villages sont-ils si pauvres ? demandai-je.

— Pourquoi ? (Veneno renifla pour exprimer le mépris que lui inspirait tout ce qui était indien.) Ils préfèrent vivre comme des porcs.

Il cracha par la portière.

— Moi aussi, je dirais la même chose, fit Chucho en tendant la main en direction des tours d'une église assez grande pour recevoir huit fois plus de fidèles que n'en abritait Crucifixión. Mais ils ont de belles arènes.

— C'est vrai ! s'écria Veneno avec enthousiasme. Tu te souviens de ton passage à Crucifixión, Chucho ? C'étaient des taureaux de San Mateo.

— De La Punta, rectifia Chucho avec calme. Je ne l'oublierai jamais.

Il y eut un instant de silence au cours duquel je me souvins que cette corrida avait eu lieu alors qu'on ne savait pas encore qui deviendrait matador, de Chucho ou de Victoriano.

— Tu as été très fort, ce jour-là, fit le vieux Veneno.

Et je me demandais ce que Chucho éprouvait en cet instant, s'il en voulait à son père d'avoir fait de lui un péon, s'il avait connu les mêmes affres que moi, qui avais souhaité être romancier et n'étais que journaliste.

Son sort et le mien n'étaient pas vraiment identiques. On l'avait relégué à un statut secondaire et moi, je m'étais peu à peu abandonné à la sécurité d'une activité que je n'avais pas consciemment choisie. J'étais le seul responsable, et encore ! Il y avait tout de même le lourd sous-entendu de mon père pour qui je ne pourrais jamais l'égaler. Le père de Chucho s'était emporté, le mien m'avait souri avec indulgence.

— Chucho, vous ne regrettez jamais... commençai-je.

En tant que journaliste, je ne me gênais pas pour poser les questions les plus douloureuses, mais je ne pus achever ma phrase.

— Voilà Diego, dit Veneno.

Il traversait la place en courant, avec la grâce qui caractérise les toreros. Diego regarda autour de lui pour s'assurer qu'on ne le suivait pas, puis il s'engagea dans la rue où nous l'attendions.

— Les taureaux sont arrivés, dit-il.

— Et Cándido ? lui demanda Veneno.

— Cándido aussi. Il est à la buvette.

Veneno fit claquer ses doigts et il se tourna vers moi.

— Clay, vous connaissiez bien Cándido, non ?

— Il a travaillé pour mon père.

— Vous pouvez lui faire une proposition ?

— Pour jouer les coiffeurs ?

— Oui, fit Veneno assez sèchement.

— Il ne m'écoutera pas, le prévins-je.

— Il faudra bien, insista Veneno.

— Je vais essayer, dis-je. Mais il aime les taureaux comme vous aimez vos fils.

Veneno et moi sortîmes de la Chrysler pour nous diriger vers la place. Nous n'avions fait que quelques pas quand le vieux picador s'arrêta et appela Chucho.

— Cándido me déteste, dit-il. Un jour, j'ai tué un de ses taureaux, une bête affreuse. En tant que picador, je n'en avais pas le droit, et il ne me l'a jamais pardonné. Vas-y, Chucho. Il t'écoutera peut-être.

Nous nous rendîmes à la buvette, où une bande de noctambules s'étaient réunis pour bavarder avec les hommes chargés des taureaux. Alors que je m'approchais du cercle de tables, je vis, garé au bord de la place, un gros camion sur le plateau duquel étaient posées six lourdes caisses de bois cerclées de fer. Presque malgré moi, je quittai la buvette et marchai en direction du camion ; j'avais parfaitement conscience de participer à une opération illégale que je n'approuvais d'ailleurs pas. Je savais que le fait d'épointer les cornes des taureaux — de les « afeiter », comme on dit, ou de les « arranger » — était un geste plutôt malhonnête et je n'étais là que pour voir comment cela se pratiquait, mais je me retrouvais maintenant totalement impliqué dans l'affaire et, je dois l'avouer, je n'étais pas très fier de moi. Tout près des caisses, je ressentis la force formidable des taureaux qui y étaient emprisonnés ; ils se pressaient contre les parois, soufflaient et donnaient de la corne contre les planches. Eux-mêmes devaient sentir l'angoisse qui m'étreignait. Ils s'immobilisèrent, puis l'un d'eux poussa un beuglement sourd des plus terrifiants.

J'allais m'éloigner quand une main se posa sur mon épaule.

— N'embêtez pas les taureaux, me dit une voix râpeuse, mais familière.

Je m'écartai un peu et me retournai pour découvrir un petit homme vêtu d'un pantalon de cuir, d'une chemise nouée à la taille, d'un foulard autour du cou et d'un large sombrero. Il avait des cheveux blancs, des yeux très sombres, un visage buriné et une grosse moustache. Il avait certainement plus de soixante-dix ans ; son attitude sévère était la même qu'à l'époque où je le fréquentais. Je n'étais alors qu'un enfant, et il était mon meilleur ami, mon fidèle conseiller. Je le retrouvais tel qu'il m'apparaissait à la Mineral, en ces années troublées.

— Cándido ! m'écriai-je. C'est Norman.

Il boitilla dans ma direction, ainsi qu'il l'avait fait la première fois où je l'avais rencontré, et me serra contre lui.

— Qu'est-ce qui vous amène ici ? dit-il sobrement en oubliant le tutoiement de jadis.

— Allons à la buvette, suggérai-je tout en le prenant par le bras.

Il vit Chucho et enleva aussitôt ma main.

— Vous êtes venu dans ce petit village, en pleine nuit, pour me parler de taureaux ?

— Asseyons-nous, dis-je, mais il refusa.

— Où est-il, le vrai responsable ? Il a peur de me regarder dans les yeux ?

— Attends, Cándido, on voulait seulement...

— Ho, Veneno, vieille crapule ! cria-t-il sur la place plongée dans l'obscurité. Vous vous cachez ?

— Mon ami, commençai-je sur un ton suppliant alors que des gens s'attroupaient pour voir ce qui se passait, Veneno a eu une idée et...

— Je connais les idées de Veneno, m'interrompit le contremaître de l'élevage Palafox. Pepe ! hurla-t-il à l'adresse d'un des hommes présents dans la buvette. Pepe ! Prends ton fusil et tire sur tous ceux qui s'approcheront des taureaux.

Un grand diable sortit de la buvette, prit son arme dans la cabine du camion et monta la garde.

— Allez, Veneno, ayez au moins le courage de vous montrer.

Il y eut un long silence, puis le claquement d'une portière de voiture. Veneno s'avança sur la place, presque aussi âgé que Cándido, presque aussi altier dans son port de tête. Il se dirigea vers Cándido et lui demanda de but en blanc :

— Est-ce qu'on peut s'occuper des taureaux ?

— Vous osez me demander ça ? s'écria Cándido, fou de rage.

— Il y aura de l'argent pour vous.

— Espèce de salaud ! hurla le contremaître. Pepe, tire-lui dessus !

Le grand diable ne fit pas un geste et quelqu'un se mit à rire dans la masse des curieux. Cela accrut la fureur de Cándido.

— Riez, oui, dit-il d'un air sombre. Mais vous savez pourquoi notre ami Veneno débarque ici en pleine nuit pour intercepter les taureaux ? C'est parce qu'il crève de peur.

La petite foule se resserra et j'observai le picador, qui ne semblait pas le moins du monde gêné.

— Hier, poursuivit Cándido, un homme est mort dans les arènes de Toledo, et Veneno est blanc comme un linge parce que, dimanche, son fils devra affronter ces taureaux. (Il désigna les six bêtes de Palafox enfermées dans les caisses.) Il est venu me soudoyer pour que je le laisse afeiter ces taureaux. (Il attendit quelques secondes que sa déclaration ait fait son chemin dans l'esprit des curieux, puis ajouta avec mépris :) Mes propres taureaux !

Veneno ne disait toujours rien. Cándido fit alors une chose à laquelle je ne m'attendais pas. Il se rapprocha de moi et tendit la main en direction du picador.

— Et cet individu a peur de me le demander personnellement. Il envoie un Américain. (Il se tourna brusquement vers moi et souleva ma chemise. Ma poitrine apparut, ainsi que la longue cicatrice blanche qui la barrait.) Dans le temps, reprit Cándido dont les longues moustaches vibraient d'émotion, cet Américain était un homme d'honneur. Regardez cette cicatrice ! Je sais qu'il l'a reçue en affrontant le plus grand taureau que Palafox ait jamais produit, Soldado !

Parmi les curieux, certains possédaient quelques notions en matière d'histoire de la tauromachie, et cette information extraordinaire — un Américain qui avait combattu Soldado ! — leur arracha des cris admiratifs. Ils se pressèrent pour mieux voir la cicatrice que ce taureau de légende m'avait laissée en travers de l'estomac, une quarantaine d'années auparavant.

— Vous n'avez jamais rencontré Soldado, protesta l'un des hommes venus de la buvette.

— Si, dis-je en remettant ma chemise dans mon pantalon.

— Norman Clay, en tant qu'homme d'honneur, dites à vos comparses de rentrer chez eux, me demanda Cándido avec le plus grand calme.

— C'est uniquement pour...

Je ne pus achever ma phrase. Le vieux Cándido me frappa au visage, ainsi qu'il l'avait fait si souvent à l'époque où il m'éduquait.

— Assez maintenant ! cria-t-il.

Les badauds s'écartèrent pour nous laisser passer et nous regagnâmes la Chrysler. « Pepe ! Prends ton fusil et tire sur tous ceux qui s'approcheront des taureaux. » L'ordre de Candido résonnait encore à nos oreilles.

Nous reprîmes les mêmes places qu'avant : Chucho au volant, Veneno à côté de lui, Diego sur la banquette arrière, à gauche, et moi à droite. Nous nous taisions. Puis Chucho rompit le silence en marmonnant une prière, se signa et embrassa son pouce, ainsi que le font immanquablement les toreros avant de conduire une voiture. Avant de démarrer la Chrysler, sur le parking de Toledo, Chucho avait dû faire de même, car il n'avait pas manifesté la moindre panique en découvrant la vache au milieu de la route : « Je suis entre les mains de la Vierge, avait-il dû penser, et s'il est écrit que je dois mourir, eh bien, je mourrai. » Ce genre de pratique peut paraître délirant à l'Américain moyen, à qui l'on enseigne les rudiments de la sécurité routière, mais pas à un homme qui, comme moi, a travaillé dans les pays arabes. Avant d'effectuer un long trajet, les chauffeurs de camion murmurent une prière très brève, *Inch Allah,* puis foncent sur la route ; sur la calandre de leur véhicule, un panneau porte également l'inscription *Inch Allah*, ce qui signifie clairement : « Si vous êtes renversé par ce camion, c'était la volonté d'Allah, et pas parce que je suis mauvais conducteur. »

La Chrysler passa devant le camion des taureaux. Pepe avait toujours son arme à la main. Nous retrouvâmes bientôt la route de Toledo, compteur bloqué à cent dix. Nous ne fûmes pas longs à repasser par l'endroit où la vache avait été tuée ; son corps gisait toujours au milieu de la chaussée. Nous traversions certains villages à cent à l'heure et d'autres à près de cent cinquante quand la route était bien droite. De justesse, nous évitâmes un homme qui s'apprêtait à franchir la chaussée. Je ne pus m'empêcher de dire une courte prière et de m'en remettre, moi aussi, à la Vierge. La Chrysler rugissait dans la nuit comme pour confirmer le vieil adage : « La tauromachie ne sera jamais sans danger tant que les matadors se rendront aux arènes en voiture. »

— Vous avez vraiment rencontré Soldado ? me demanda enfin Veneno.

— Oui, dis-je, conscient du respect que cette information avait suscité chez le vieux picador.

— Comment était-il ? dit-il, fasciné par l'histoire de ce grand animal qui avait engendré quelques-uns des meilleurs taureaux de l'histoire du Mexique.

— Nous l'avions caché dans une grotte à la Mineral, lui expliquai-je.

— Je sais cela, fit Veneno. Il était vif ?

— Très.

— C'est à lui que vous devez cette blessure ?

— Oui, dis-je en riant. Ma mère a cru que j'allais mourir.

— Sa charge était rapide ?

— C'est comme ça qu'il m'a eu.

— Vous avez affronté Soldado ! répéta Veneno. Incroyable... Je suppose que peu de Mexicains peuvent en dire autant.

— C'est une des raisons pour lesquelles j'aime la corrida, expliquai-je. C'est pour ça que je vous ai accompagnés ce soir. Vous savez, je n'ai jamais vu le travail des coiffeurs et...

— Quand Cándido vous a frappé...

— Pourquoi je ne lui ai pas rendu son coup ?

— Oui.

— Cándido était comme un père pour moi, dis-je.

— Votre vrai père a vécu longtemps, me semble-t-il.

— Oui, mais c'est Cándido qui m'a peut-être le plus enseigné.

— C'est un homme de grand honneur, conclut Veneno, et comme je vous l'ai déjà dit, je méprise ce genre d'individu.

Les Leal se mirent alors à réfléchir au moyen de ternir l'honneur du vieux Cándido. Quand, à quatre heures du matin, nous débarquâmes en trombe à Toledo, Chucho s'engagea dans une petite rue où habitait un vétérinaire ; après lui avoir expliqué ce qu'il devait faire — et l'avoir grassement rétribué —, les Leal se rendirent sur un chantier où ils trouvèrent une glissière et de la corde. Ils allèrent ensuite aux arènes et se faufilèrent dans le premier corral, qui était vide, pour que Diego pût se cacher près de la cabane qui devait abriter le gardien des taureaux pendant que les bêtes attendaient la corrida. C'était de là que le vieux Cándido protégerait les taureaux de Palafox, ainsi qu'il le faisait depuis cinquante ans.

Veneno nous ramena, Chucho et moi, à la Chrysler que nous garâmes dans une rue discrète. Chucho prit un gros sac de toile et nous revînmes à pied vers les arènes. Je n'étais pas vraiment fier de participer à cette basse besogne, mais j'étais chargé d'écrire un reportage complet, ce qui me rendait non seulement désireux, mais réellement avide de voir comment la chose se déroulerait. Ce n'était peut-être pas très gratifiant, mais bien utile quand un Drummond vous demande sans arrêt « quelque chose de plus intérieur, de plus intime, qui prouve au lecteur que vous étiez bien là ».

Nous nous trouvions tout près du champ de foire où étaient regroupées les attractions du festival de Toledo et, bien qu'il fût quatre heures du matin, les visiteurs continuaient de s'amuser de façon bruyante. Au-dessus de nous tournoyait la grande roue. C'étaient partout des marchands de beignets graisseux, des stands de tir, des manèges, des jeux de massacre et des marchands de sucre d'orge. La note dominante était toutefois les groupes de mariachis qui allaient jouer inlassablement jusqu'à l'aube.

Je m'habituais tout juste au brouhaha quand le camion de Palafox s'approcha de la porte du corral. Habilement, le vieux Cándido manœuvra les portes des caisses ; l'un après l'autre, les taureaux de la corrida du dimanche empruntèrent le plan incliné qui menait au corral où les attendaient du fourrage et de l'eau fraîche. De notre cachette, nous pouvions entendre les bruits assourdis des animaux qui donnaient de la corne ou se poussaient pour avoir le meilleur point d'eau.

Le vétérinaire fit son entrée et annonça à Cándido qu'il devait l'accompagner à son cabinet pour certifier de la bonne santé des animaux ; dès qu'ils furent partis, Diego assomma Pepe d'un coup de bâton. Les Leal pouvaient librement jouer les coiffeurs. J'étais quant à moi de plus en plus impliqué dans cette vilaine histoire, mais je dois admettre que les principes moraux ne m'étouffaient plus : l'aventure était trop passionnante.

Aidés des bœufs des arènes dressés à faire manœuvrer les taureaux, les Leal s'occupaient du premier taureau, le poussant, le tirant dans le plan incliné où ils lui ligotèrent si solidement les pattes et la tête qu'il ne pouvait plus remuer. Le sac en toile fut ouvert et les Leal y prirent plusieurs outils très spécialisés, des scies et des limes. Chucho choisit l'une des scies et commença par la corne droite : il en ôta sept bons centimètres.

Dès que la corne droite fut terminée, Chucho attaqua la gauche et le vieux Veneno s'attela à la tâche la plus délicate de toute l'opération. Avec une grosse lime et une dextérité qui trahissait des années de pratique, il râpa la section de corne afin de lui redonner un aspect pointu. Le piton était très semblable à l'original, sauf qu'il se dirigeait quelque peu vers l'intérieur.

Quand la corne n'est que raccourcie, le taureau n'est pas long à s'adapter : il ne lui faut que quelques charges pour se rendre compte qu'il lui manque un certain nombre de centimètres. Ses nouvelles charges se font alors en conséquence. Mais il ne peut rien avec une corne discrètement inclinée vers l'intérieur. Il est évident que l'épointage est une pratique frauduleuse que réprouvent les vrais aficionados : elle détruit l'équilibre naturel entre l'homme et l'animal et avantage considérablement le matador. Ceux qui s'y adonnent sont qualifiés de *barberos* (barbiers ou mieux, coiffeurs) ; parmi eux, Veneno Leal était le plus habile de tous.

Ayant redonné forme à la corne droite, le picador laissa la place à Diego qui, avec du papier de verre très fin, apporta à l'extrémité un aspect quasiment naturel. Quelques gouttes d'huile appliquées avec un chiffon lui donnèrent du lustrant, une poignée de terre frottée dessus compléta le travail. Le premier taureau fut alors relâché.

Les Leal agissaient rapidement et en silence : il leur fallait afeiter les six taureaux pour que Victoriano fût réellement protégé. On ne pouvait savoir quelles bêtes le tirage au sort lui réserverait. Les lots étaient tirés à l'aveugle dans un chapeau, pour que le système soit honnête. Parfois, l'agent d'une vedette de la tauromachie essayait d'influer sur l'attribution des taureaux. C'était un peu ce que Veneno avait tenté lors de la répartition des taureaux de la corrida du vendredi, mais l'agent de Paquito de Monterrey était trop fin pour autoriser pareille pratique. Le taureau qui avait tué son jeune matador avait été honnêtement apparié et tout aussi honnêtement attribué. En face d'individus aussi rusés que Cigarro et Juan Gómez, Veneno ne pouvait rien espérer. Les trois taureaux que son fils affronterait dimanche prochain lui seraient donnés dans les règles, il était donc impératif que les six bêtes fussent « passées chez le coiffeur ». Aucune ne pouvait entrer en piste dans son état naturel.

En silence, les hommes modifièrent l'aspect des cornes des deuxième, troisième et quatrième taureaux. Ils eurent quelque mal à obtenir des bœufs qu'ils conduisent le cinquième taureau vers la glissière. Il leur fallut travailler très vite et Veneno n'était pas satisfait du résultat. Ils le relâchèrent tout de même et le taureau mutilé s'empressa d'essayer ses nouvelles cornes. On pouvait l'entendre frapper les planches du corral, mais il ne lui restait que trente-six heures avant la corrida et il n'aurait pas le temps d'apprendre à se servir de ses cornes épointées. Le matador qui le tirerait au sort se trouverait en face d'un adversaire relativement facile.

Les Leal allaient s'attaquer au dernier taureau quand j'entendis du bruit dans la rue.

— C'est Cándido, dit Veneno à voix basse.

— Police ! A moi ! cria le contremaître. Il y a quelqu'un avec mes taureaux !

La rue s'emplit de cris et de nombreuses personnes quittèrent la fête foraine pour voir ce qui se passait. Il valait mieux s'enfuir tout de suite si l'on ne voulait pas se faire prendre. Nous abandonnâmes donc le sixième taureau et rangeâmes nos instruments avant de courir et de sauter la barrière pour nous mêler à la foule. Pepe gisait toujours à terre, inconscient, son arme inutile à côté de lui.

Empruntant des rues où il n'y avait pas de policiers, nous regagnâmes la Chrysler et nous affalâmes sur les banquettes, pleinement conscients de l'illégalité de notre acte, mais tout heureux d'avoir réussi. Veneno nous ramena à la réalité : « Il y en a un qu'on n'a pas afeité », dit-il, et je savais que pendant la trentaine d'heures qui nous séparait du tirage au sort, il ne cesserait de se tourmenter.

— Cache le sac, ordonna-t-il, et Diego souleva la banquette arrière pour mettre le sac de toile dans une cachette toute préparée.

Puis, à ma grande surprise, le picador grogna :

— Chucho, conduis-nous aux arènes.

— Est-ce bien raisonnable ? lui demandai-je.

— On va rire un peu.

Nous roulâmes au milieu des curieux et vîmes, à la lueur des lampadaires, le vieux Cándido dont la moustache frissonnait plus que jamais.

— Ce maudit picador a arrangé mes taureaux ! hurlait-il.

— Ohé, Cándido ! lui cria Veneno par la vitre ouverte de la Chrysler.

— Vous ! C'est vous qui avez payé le vétérinaire pour m'éloigner !

— Vous éloigner d'où ? fit innocemment Veneno.

— De mes taureaux !

— Il s'est passé quelque chose ? demanda Veneno.

Le vieux contremaître explosa, mais avant qu'il pût parler, la foule s'écarta. La police avait amené sur place don Eduardo Palafox. Le propriétaire des taureaux avançait d'un pas lent.

— Qu'est-ce qu'il y a, Cándido ?

— Il a afeité nos taureaux, dit le contremaître en désignant Veneno.

— Où étais-tu ? s'enquit don Eduardo.

— Le vétérinaire m'a obligé à lui signaler...

— Quel vétérinaire ? Lui signaler quoi ?

Un homme fut poussé par des policiers.

— Celui-là, dit Cándido.

— Mais il n'est pas vétérinaire ! s'écria don Eduardo.

Veneno sourit. Le vrai vétérinaire, celui que nous avions contacté, n'était pas un imbécile. Plutôt que de se trouver mêlé à une affaire délicate, il avait demandé à son beau-frère de le remplacer. Tout le monde comprenait que Cándido s'était fait berner.

Les badauds riaient et le vieux contremaître, qui avait mal servi don Eduardo, fulminait littéralement. C'est alors que Pepe, son jeune assistant, arriva.

— Ils n'en ont arrangé que cinq, dit-il en se frottant la tête. Seulement cinq.

Cándido se calma. Il regarda Veneno, puis Chucho, Diego et moi.

— Alors, vous en avez oublié un ? Pepe, c'est lequel ?

L'assistant lui chuchota un nom à l'oreille ; le contremaître transmit l'information à don Eduardo et les trois hommes éclatèrent de rire avant de se tourner vers Veneno. Leurs rires redoublèrent, ils s'en tenaient les côtes.

— Attendez un peu de voir celui que vous avez oublié ! dit don Eduardo d'une voix secouée par le rire. Oui, Veneno, attendez un peu.

— Je viens d'arriver, dit le picador. Vous m'avez tous vu, j'étais en voiture avec mes fils.

— Arrêtez de nous prendre pour des imbéciles, lui lança Cándido qui avait brusquement recouvré son sérieux. Dieu sera seul juge. Dimanche, le Seigneur vous attribuera le taureau encore intact, celui que vous n'avez pas afeité. Et si vous connaissiez comme moi cette bête, vous en perdriez immédiatement le sommeil !

L'imprécation de Cándido fit mouche et je vis le vieux picador superstitieux serrer les dents.

— Je n'ai rien fait, répéta-t-il, je n'étais même pas là.

Les trois hommes de l'élevage Palafox échangèrent des regards et se remirent à rire. Leurs cris étaient si forts qu'ils couvraient les bruits de la fête foraine, et je savais que ce rire de dérision tourmenterait Veneno et ses fils jusqu'à l'issue de la corrida du dimanche.

13

Sur la terrasse

Quelle que soit l'activité autour de laquelle il se développe — musique, arts, danse, cinéma ou tauromachie —, un festival est toujours béni des dieux quand la ville qui l'organise possède un hôtel si important qu'il abrite les principaux participants et devient ainsi le centre d'intérêt de chacun. Les visiteurs s'y donnent rendez-vous, les admirateurs se pressent pour apercevoir leurs idoles et, si la cuisine est bonne, les critiques gastronomiques y font leurs retrouvailles et échangent des cancans. Dans le cas du Festival Ixmiq, ce lieu privilégié n'était autre que la Maison de Céramique. Ce qui rendait cet établissement irrésistible, c'était sa terrasse abritée par les deux ailes du bâtiment et idéale pour ceux qui désiraient consommer ou se restaurer en plein air.

Le samedi commença de manière plutôt agréable. J'étais en train de prendre mon petit déjeuner quand une voix charmante retentit à mon oreille.

— Vous permettez ? Mon père a bu un coup de trop hier soir, il n'est pas près de se lever.

C'était Penny Grim, toute pimpante dans son luxueux pull en cachemire gris bleuté et sa jupe écossaise ultra-courte ; ses bottes de cow-boy donnaient une touche d'élégance toute particulière à cette jeune fille sophistiquée de dix-sept ans.

— Où avez-vous trouvé ces bottes en crocodile ? demandai-je en l'invitant à ma table.

— Il y a un spécialiste à Tulsa, on trouve chez lui dix-huit sortes de cuir, cela va du lézard à l'autruche.

— Et Tulsa, c'est comment ?

— Plutôt pénible.

— Vous voulez en partir ?

— Je ne m'imagine pas y faire ma vie. (Elle hésita, considéra les implications de ce qu'elle venait de dire et ajouta :) J'y reviendrai peut-être un jour, quand je serai très vieille, vers la cinquantaine par exemple, pour être près de mes amis.

Elle me vit plisser les yeux.

— Je ne voulais pas vous offenser.

— J'ai cinquante-deux ans et je crois que j'ai largement fait la moitié du chemin.

Elle me tapota la main d'un air rassurant. Cette jeune fille avait vraiment beaucoup de tact.

— Je vous aurais donné la trentaine.

— Vous me parliez de Tulsa.

— Il n'y a pas grand-chose à en dire. C'est quoi, votre petit déjeuner ?

— Des petits pains et du chocolat chaud.

Cela la fit rire et elle dit :

— Peut-être que vous êtes *vraiment* aussi vieux que vous le prétendez. Du chocolat chaud !

Quand le serveur arriva, elle lui demanda des toasts sans beurre et un œuf à la coque.

— Vous surveillez votre poids ?

— Quand on est ronde comme un ballon à treize ans et que l'on se rend compte que les garçons n'aiment pas les grosses, il ne faut pas longtemps pour changer ses habitudes alimentaires.

J'avais du mal à croire qu'elle avait eu des problèmes avec son physique. Elle n'était pas belle — cela implique une sorte d'épanouissement —, mais très jolie, avec une ossature délicate. « La santé incarnée », voilà ce que j'avais écrit un jour à propos de Donna Reed. En un mot, elle était extrêmement attirante et j'enviais le jeune homme qui saurait gagner son cœur.

— J'attends toujours que vous me parliez de Tulsa, dis-je.

— Oh ! c'est parfait quand on est jeune ! Les chevaux. Les affaires des pétroliers. D'excellents établissements scolaires...

— Mais ?

— Mais je ne voudrais pas passer mes années d'activité entourée des gens que j'ai toujours connus. Je veux ce qu'il y a de mieux... à New York, Los Angeles, peut-être Londres ou Paris. Ou encore... j'ai vu un superbe reportage sur Florence à la télévision.

— Et vous feriez quoi dans une ville de cette importance ?

— Je participerais à ses activités, c'est tout. (Elle croqua dans son toast, arrivé bien avant l'œuf.) Financièrement, je n'aurai aucun problème. Il y a l'argent du pétrole de mon père et ma mère m'a laissé un beau compte en banque. Je ne veux pas gâcher tout ça.

Elle savait ce qu'elle voulait, c'était certain, mais elle n'avait fait qu'effleurer le sujet. J'insistai donc pour qu'elle se montre plus précise.

— J'ai tout le temps devant moi. Quatre années à l'université devraient m'apprendre quelque chose.

— Quelle université ?

— Mon père a toujours voulu que je fréquente des endroits qu'il qualifie de respectables. C'est-à-dire soit en Oklahoma, soit au Texas. Récemment, il a arrêté son choix sur la SMU de Dallas. Il paraît qu'il y a une super équipe de football, on peut vraiment en être fier, et il me voit très bien à la tête des majorettes.

— Bah, pourquoi pas ?
— J'ai la technique et aussi la silhouette, je crois. (Elle fit tourner entre ses doigts un bâton imaginaire.) Mais en classe, j'avais un prof d'histoire...
— Un établissement privé ?
— Oui. Ma mère y tenait beaucoup. Ce professeur savait nous ouvrir les yeux sur le monde, repousser les idées démodées. Quand j'ai appris qu'elle avait fait ses études au Smith College, dans le Massachusetts, j'ai décidé de m'y inscrire. J'ai passé l'examen d'admission et j'ai été reçue. Je pourrais balayer les toiles d'araignée de Tulsa...
— Vous avez donc choisi Smith, la Nouvelle-Angleterre... les jeunes gens de Harvard et de Yale ?
— Pas exactement. Quand papa a eu vent de ça, il est devenu complètement dingue. Il a contacté ses amis qui vivent dans l'Est pour qu'ils se renseignent sur Smith et ils lui ont répondu que c'était un établissement pour les filles qui ne voulaient pas ou ne pouvaient pas se marier. Il m'a rapporté leurs propos, en ajoutant avec un clin d'œil : « Et ils n'ont même pas d'équipe de foot... »
— C'est donc fini, le rêve d'éducation supérieure ?
— Ne méprisez pas la SMU. Une jeune fille peut y faire d'excellentes études...
— Et y trouver un Texan qui ferait un bon mari.
— Eh bien, oui. Cela rentre dans les projets de mon père — dans les miens aussi, naturellement.
— Qu'allez-vous étudier à la SMU ?
— Ce n'est pas encore sûr que j'y aille.
— Des problèmes d'admission ?
— Non. Mrs Evans est comme une mère pour moi. Son mari et mon père étaient associés dans certains contrats pétroliers, vous savez. Elle aussi, elle a fait son enquête sur Smith, et *ses* amis lui ont dit que l'on y dispensait un enseignement de tout premier plan. Elle pense pouvoir convaincre mon père de m'y laisser entrer.
— Et s'il refuse ?
Elle réfléchit quelques instants, se mordit le pouce gauche et tourna vers moi de grands yeux merveilleusement assortis à sa chevelure auburn.
— Un jour, Mr Clay, une jeune fille se transforme en une jeune femme. Cela survient, je pense, quand elle a entre seize et dix-huit ans. Elle doit alors faire son propre choix, sinon, comme le dit souvent papa à propos de ses affaires, « on foire tout le match ». (Elle rit.) Il adore le jargon sportif. Il me considère un peu comme son arrière, mais c'est toujours lui qui prend les décisions. Pour l'instant, mon problème est tout simple : j'ai obtenu de mon père qu'il m'emmène ici pour que je rencontre un matador, mais je n'ai pas de chance, surtout avec ce qui s'est passé hier... Vous connaissez bien Toledo, vous ne pourriez pas arranger cela ?
— Je ne suis pas intime avec les matadors, mais mon oncle

possède l'un des plus gros élevages taurins du Mexique et je pourrais me débrouiller pour que vous participiez à une fiesta, demain...

— Demain, ce sera trop tard. Hier, dans les gradins, j'ai entendu des jeunes filles parler d'une « vraie pointure » et quand je leur ai demandé de qui il s'agissait, elles m'ont répondu : « Fermín Sotelo, il torée demain. » J'aimerais beaucoup faire sa connaissance. J'ai essayé hier, mais l'autre matador s'est fait tuer et après ça... (Elle frissonna.) C'était horrible. Est-ce que cela arrive souvent ?

— Pour moi, c'était la première fois. J'ai pris beaucoup de photos, elles feront sensation à New York.

— C'est tout ce que cela vous a inspiré ? me demanda-t-elle.

— Mon travail consiste à réfléchir à ce genre d'événement avec la plume et l'appareil photo.

Elle allait émettre une réflexion quand elle ouvrit la bouche de stupeur.

— Mon Dieu ! fit-elle. C'est le destin. Il est là !

Je me tournai vers les deux grandes tables réservées aux matadors et leurs équipes pendant toute la durée du festival et je vis qu'il s'agissait effectivement de Fermín Sotelo, jeune homme adroit et assez beau qui venait tout juste de prendre l'alternative et était, par conséquent, matador à part entière. Il avait bien travaillé au Mexique, un peu moins bien lors de sa première tournée en Espagne, et l'imprésario local l'avait probablement engagé pour une bouchée de pain pour être le troisième homme de la journée. Son assurance, son port de tête altier et l'attention que lui prêtaient ceux qui l'entouraient, tout cela témoignait d'un matador en pleine ascension, et je comprenais pourquoi Penny avait une telle envie de faire sa connaissance.

— Vous pourriez me présenter ? me dit-elle d'une petite voix.

— Désolé, mais je ne le connais pas, répondis-je.

Peut-être allait-elle penser que je la trouvais trop jeune, trop immature pour fréquenter des matadors. C'est alors que j'aperçus León Ledesma dans sa cape noire et je l'appelai.

— Don León, prenez une chaise. Vous vous souvenez de Penny Grim, elle était avec nous aux catacombes.

Il se joignit à nous, adressa un sourire charmeur à Penny et mangea le restant de son toast.

— J'ai un problème, lui déclarai-je tout de go. Cette charmante jeune femme meurt d'envie de rencontrer un vrai matador et Fermín Sotelo est juste là, en train de prendre son petit déjeuner. Est-ce que vous ne pourriez pas amener Miss Grim à sa table — elle parle bien espagnol — et dire au matador que c'est votre nièce ?

— Je ferai mieux encore, je lui dirai que c'est ma fille adoptive et que s'il n'est pas gentil avec elle, j'écrirai sur lui des choses épouvantables.

Tout heureux de cette mystification, Ledesma prit Penny par la main et la conduisit vers la table où Fermín déjeunait en compagnie des hommes de son équipe. C'est alors qu'ils furent pratiquement précipités à terre par un groupe de jeunes Américaines gloussantes. Plus tard, on donnerait le nom de « groupies » à ce genre de personnes — un nom assez laid pour caractériser un style de vie tout aussi laid. Adolescentes pour la plupart, mais pouvant tout aussi bien avoir la vingtaine, ces jeunes femmes débridées poursuivaient les vedettes de cinéma, les athlètes célèbres, les musiciens de rock et, quand elles réunissaient assez d'argent pour s'offrir le voyage, les matadors mexicains. J'avais souvent eu l'occasion de les voir se jeter sauvagement sur des célébrités et leur promptitude à se glisser dans le lit du premier venu me stupéfiait. J'abhorrais ce type de conduite, c'était une insulte à la féminité et une honte pour notre nation.

Les jeunes hystériques se ruèrent sur la table du matador, ne laissant à Penny et à Ledesma aucune chance de passer. León revint donc vers moi en tenant toujours Penny Grim par la main.

— Dites-moi, Clay, comment se fait-il que chaque année, pour le Festival Ixmiq, nous voyons des hordes de superbes Américaines se précipiter ici ? Elles n'ont pas de distractions dans leur pays ? Pas de jeunes gens attirants ? Rien qui permette de rêver ?

Penny, qui se révélait bien plus adulte que je ne l'avais imaginé, répondit à ma place :

— Vous avez gardé le mot juste pour la fin, señor Ledesma. Rêver. Vous autres, Mexicains, avez bâti un mythe en faisant de votre terre natale le pays de l'aventure, des nuits étoilées et des sérénades à la guitare.

A ma grande surprise, elle se mit à chanter « South of the border, down Mexico way... », et il se joignit à elle, en espagnol.

Ce duo improvisé avait définitivement rompu la glace.

— Penny, dit Ledesma en claquant des doigts, je ne puis permettre à ces buses de m'empêcher d'approcher le matador Sotelo. (Il se leva, fit tournoyer sa cape et dit à la jeune fille :) Suivez-moi !

De son imposante stature, il écarta les admiratrices d'un bref mais sec :

— J'ai affaire avec le matador, écartez-vous, je vous prie !

Quand les jeunes filles furent parties, il dit à Sotelo :

— Maestro, j'ai avec moi une amie de l'Oklahoma, endroit terrible, banlieue du Texas, lui-même épouvantable. Miss Penny Grim parle espagnol, elle a assisté à la corrida d'hier et comprend les subtilités de votre art. Pouvons-nous nous joindre à vous ?

Sotelo, qui aurait été bien fou de refuser, se leva, tendit une chaise à Penny et en proposa une autre à Ledesma, lequel déclina l'invitation.

— Non, c'est une réunion de jeunes gens, fit-il avant de revenir à ma table.

Je n'entendais pas ce qu'ils disaient, mais ils formaient, c'était certain, un couple superbe, lui à l'aube d'une carrière prometteuse, elle une beauté en pleine éclosion. Bientôt leur conversation s'anima : Sotelo lui montrait les différents types de passe et lui mit une nappe entre les mains afin qu'elle l'imitât. Il l'enlaçait pour la guider et la jeune fille n'eut pas un mot de protestation.

La démonstration achevée, elle se leva et lui permit de lui baiser la main. Elle regagna notre table, et je notai qu'elle protégeait cette main comme si l'hommage déposé risquait de s'envoler.

En premier lieu elle remercia Ledesma.

— Vous avez été si gentil... de chasser toutes ces filles.

Il s'inclina et toussota.

— Je compte réfléchir à un grave sujet avec le petit déjeuner. Je me suis dit, fit-il en pontifiant au maximum, que les Etats-Unis sont vraiment bénis par le ciel. Ils ont une société des plus horribles, sinistre comme le brouillard au-dessus d'un marais, mais par-delà leurs rivages, quelle que soit la direction, il y a des lieux idylliques à visiter. A l'est, ce sont les Caraïbes. A l'ouest, Hawaii, au nord, l'Alaska. Et surtout, au sud, le plus beau de tous, *Méjico* ! (Il prononça à l'espagnole le nom de sa nouvelle patrie, sans dire le *x*, même si une loi votée en 1927 faisait de « Mexico », avec un x, le nom officiel de ce pays.) Je peux m'enorgueillir de cela parce que, vous le savez, je ne suis pas un *Méjican,* mais un pur *Español,* ce qui m'autorise à afficher une attitude supérieure.

Il avait accompagné ces dernières paroles d'un geste de la main qui signifiait qu'il n'ignorait pas ce que ses propos pouvaient avoir de prétentieux.

Il demanda alors à Penny quelle matière elle étudiait et elle lui répondit l'histoire.

— L'histoire ! s'exclama-t-il. Quel merveilleux cadeau vous me faites là, don Norman ! Me permettre de rencontrer cette splendide jeune femme. Elle pourra me dire si ma théorie est exacte. Est-ce la fadeur historique de la vie américaine qui rend Hawaii et *Méjico* si attirants ?

Bien décidée à ne pas laisser León l'écraser de sa supériorité intellectuelle, elle dit :

— Puisque vous vous enorgueillissez de prononcer correctement le nom de *Méjico,* vous devriez en faire autant avec nos îles. Ce n'est pas How-wah-yah, mais Houh-vah-i.

— Je saurai m'en souvenir. Maintenant, dites-moi la raison de cet exode constant de votre pays vers le nôtre.

— Il n'y a pas beaucoup de matadors à Tulsa, Oklahoma.

— Il n'y en a pas beaucoup non plus à Toledo.

— Ce qui nous attire ici, à plus de quinze cents kilomètres de chez nous, c'est un mode de vie différent. Quelque chose que l'on puisse goûter avant de se marier et de faire une fin.

Ses derniers mots furent couverts par le brouhaha qui accompagnait l'arrivée dans une limousine grise de l'une des femmes les plus remarquables de l'histoire de la tauromachie mexicaine. « La voilà ! » criait la foule réunie sur la grand-place. « *¡ Conchita ! ¡ Arriba ! ¡ Viva !* » On vit une femme grande et mince d'une trentaine d'années gravir les quelques marches qui menaient à la terrasse. Elle portait la tenue de prédilection des femmes de propriétaires terriens : bottes, jupe en whipcord gris, chemisier blanc brodé, veste de style militaire à boutons d'argent et, sur la tête, l'un de ces chapeaux noirs à larges bords qu'affectionnent les cavaliers andalous et qu'on nomme *sombrero* *chambergo* ou plus simplement *chambergo*. Elle avait beaucoup d'autorité et elle le savait.

Elle accepta la chaise qu'on lui offrit à la table centrale et fut immédiatement entourée d'hommes liés de près ou de loin à la tauromachie.

— Qui est-ce ? me demanda Penny, et je m'empressai de la renseigner sur l'une des gloires de la scène mexicaine.

— Vers 1930, lui dis-je, un jeune universitaire portoricain nommé Cintrón, membre d'une famille aisée d'où est également issu l'acteur José Ferrer, s'est vu nommer à West Point. Alors qu'il était dans l'armée, il a fait la connaissance d'une Américaine et l'a épousée. Ils ont eu une fille, Conchita, que voici.

— Pourquoi tout le monde se précipite-t-il sur elle ?

— Comme son père, elle aimait les chevaux et elle a appris toute petite à les dresser.

— Est-ce qu'elle se produit dans un cirque ?

— Non, elle fait quelque chose de bien plus remarquable. Grâce à des experts rencontrés au Chili et au Pérou, pays où vécut son père, elle est devenue une *rejoneadora* de toute première classe.

— Une quoi ?

— Elle affronte les taureaux à cheval. (Penny hoqueta de surprise et je poursuivis :) Oui, cet après-midi, cette femme d'allure frêle montera son cheval blanc et le guidera sans les mains, rien que d'une pression des genoux et des cuisses, pour combattre un taureau. Croyez-moi, Penny, vous serez sidérée.

— Vous voulez dire qu'elle va se présenter aux arènes cet après-midi ?

— C'est une star.

— Mais son nom ne figure pas sur les grandes affiches. Conchita Cintrón ?

— Vous le verrez sur les petites affiches, les nouvelles. Son nom y est gros. Elle fait sa tournée d'adieux des arènes mexicaines et, à la dernière minute, don Eduardo l'a persuadée de passer par Toledo. Son argument majeur ? « Conchita, nous vous ferons une *despedida* si grandiose que vous ne l'oublierez jamais. »

— Qu'est-ce que c'est ?

— Des adieux à la mexicaine pour un matador qui se retire. Cela vous tirera des larmes, j'en suis certain.

— Pourquoi ? Elle n'est qu'une inconnue pour moi.

— La musique qui joue *Las Golondrinas*, les accolades des vieux amis. Cela me fait quelque chose rien que d'y penser.

— Je trouve ça bizarre, une Portoricaine qui affronte des taureaux au Mexique.

— Regardez-moi, lui dis-je. Je suis né et j'ai grandi au Mexique, mais j'ai gagné ma vie en Europe et aux Etats-Unis. Et don León, il est né en Espagne, mais il s'est implanté au Mexique. On ne sait jamais où l'on peut atterrir. (Je la regardai fixement, comme Ledesma savait si bien le faire.) Qui peut dire où une belle fille comme vous, qui a tant d'atouts, fondera son foyer ? Et avec qui ?

Elle chercha à détourner la conversation.

— Elle est vraiment bonne ?

— Comme Babe Ruth au base-ball dans les années 20 et 30. *Número Uno.*

— Je pourrais la rencontrer ?

— Bien sûr. Nous sommes de vieux amis, je l'ai interviewée à plusieurs reprises pour des magazines. Le problème, c'est que je n'ai pas très envie de fendre cette foule, je ne suis pas assez brave.

Mais elle insista tant pour connaître cette femme exceptionnelle que je la pris par la main et tentai de briser le cercle des admirateurs. Heureusement, Conchita m'aperçut.

— Norman ! s'écria-t-elle en se levant. Dieu vous bénisse, vous me portez toujours chance ! (Sur ce, elle se précipita vers moi et m'embrassa sur la joue.) Mais qui est cette enfant ? Ne me dites pas que c'est votre nouvelle fiancée. Oh ! vous n'avez pas honte ?

— C'est la fille d'un ami de l'Oklahoma. Elle tenait à vous être présentée.

Pendant quelques secondes, ma pupille regarda Conchita, émerveillée, puis elle rassembla tout son courage.

— J'aime les chevaux, dit Penny. J'en ai toujours eu à moi.

— Vous montez alors ?

— Dans des rodéos, oui.

— Oh ! j'adore les rodéos ! Les comiques, les bouvillons, toute cette ambiance ! Vous avez une spécialité ?

— Le carrousel.

— Mais oui, toutes ces jolies filles qui tournoient en tous sens ! (Elle saisit Penny par les poignets.) Pour monter ainsi, il faut avoir des mains puissantes.

— Ce n'est pas mon cas... commença Penny.

Leur conversation fut interrompue par l'intrusion de groupies qui venaient d'apprendre l'arrivée de Conchita et souhaitaient lui demander des autographes.

Nous revînmes à notre table et Ledesma s'adressa à Penny avec beaucoup de sobriété, comme s'il était son oncle.

— Je vous connais depuis peu, Penny. Je vous ai vue ici, sur la terrasse, hier à la corrida, et surtout dans les catacombes. Et je me dis que vous êtes bien trop intelligente pour courir après des matadors mexicains.

— Mais cette dame n'est pas matador. C'est une... comment avez-vous dit, Norman ?

— Une rejoneadora.

— C'est quasiment la même chose, s'empressa de commenter Ledesma. Elle fait partie du paysage et ne peut que nuire à une jeune fille telle que vous.

— Vous n'aimez pas voir des femmes toréer ? demanda Penny.

— Je déplore ce spectacle, grogna-t-il. (Puis il afficha un sourire chaleureux et se tourna vers Conchita, qui lui rendit son salut.) Celle-ci n'est pas une femme, dit-il, c'est un ange. (Il reprit ses réflexions.) Les professionnels de la tauromachie mènent une vie très dure. Il y a dans chaque ville des filles pour leur courir après. Les Américaines en vacances ne leur laissent pas un instant de libre. Vous accrocher à eux ne vous apportera rien de positif, ce sera plutôt extrêmement négatif. (Il perdit son ton bonhomme et lança d'une voix sonore :) Eloignez-vous des toreros !

Elle reçut ce conseil sans sourciller et répliqua même avec un certain humour :

— Ça ne fait pas de mal de regarder.

— Même regarder peut être nocif ! rétorqua-t-il.

Elle paraissait complètement désarçonnée et je décidai de lui venir en aide.

— Je donne l'hospitalité à un matador — enfin, presque — qui me semble assez présentable. Je vous l'envoie tout de suite, dis-je avant de me retirer et de la laisser dans la plus grande perplexité.

Dans ma chambre, je tirai Ricardo hors de son lit.

— Descendez tout de suite. Penny Grim aimerait évoquer avec vous vos expériences de futur matador.

Il commença par hésiter, ce qui était aisément compréhensible.

— Son vieux va me massacrer si je m'approche d'elle, dit-il.

— Son père est un peu sonné depuis la nuit dernière, le rassurai-je, et il ne sera pas opérationnel avant longtemps.

— Je sais par expérience qu'on peut se remettre rapidement d'une cuite.

Mais lorsque j'ajoutai qu'elle ne serait pas difficile à trouver parce qu'assise en compagnie de León Ledesma, il bondit sur ses pieds, se rua dans la salle de bains, utilisa mes accessoires de rasage et, je le crains, ma brosse à dents, avant d'enfiler son pantalon. Aspirant torero, il ne pouvait pas laisser passer l'occasion de converser à nouveau avec le critique le plus redouté de tout le Mexique. Il lissa ses cheveux avec ma brosse et moi, je m'écroulai dans mon lit, où je m'endormis instantanément.

Il était trois heures quand je me réveillai et je descendis sur la terrasse pour y prendre une légère collation. Je constatai que Ledesma avait quitté ma table, mais que Ricardo Martín et Penny étaient en grande conversation. Ils formaient un beau couple, très attentifs à ce que disait l'autre, et je m'apprêtais à les laisser en tête à tête quand Penny m'aperçut et m'invita à les rejoindre.

— Après tout, c'est votre table. Il m'a raconté des choses passionnantes, la façon dont il est arrivé à la tauromachie, par exemple.

J'allais lui demander des détails quand je vis Mrs Evans, seule, et l'appelai. Assis autour d'un repas léger — nous ne voulions pas nous alourdir avant la corrida —, nous écoutâmes Penny nous répéter ce que Ricardo venait de lui raconter. Parfois, il la reprenait sur un détail. La voix de Penny avait une intonation qui trahissait l'intérêt qu'elle portait à ce nouveau compagnon.

— Quand Ricardo a obtenu son deuxième Purple Heart en Corée — c'est la décoration qu'on attribue aux blessés —, les Marines ont dit : « Ça ferait un recruteur idéal dans les écoles et les universités », et ils l'ont envoyé à San Diego.

— Ce boulot m'a tout de suite dégoûté, intervint Ricardo, et j'ai commencé à traîner aux environs de Tijuana. A dix-neuf ans, j'ai assisté à ma première corrida, et j'ai vu tout ce que je recherchais. Courage, drame, spectacle, en un mot tout ce que je ne trouvais pas auprès de mon schnoque de père et de ma midinette de mère. En 1957, des amis m'ont dit : « Le gros morceau, c'est le festival d'avril, à Toledo », et quand ils ont décidé d'y aller, je suis parti avec eux. Là, j'ai été époustouflé, trois corridas en un seul week-end, et j'ai décidé ici même, à côté de la statue de l'Indien, sur cette place, que je resterais dans ce pays et que je serais torero.

— De quoi avez-vous vécu ? lui demanda Mrs Evans. Je veux dire, de quoi vivez-vous ?

A cet instant arriva à notre table le père de Penny, Ed Grim, dont les yeux injectés de sang indiquaient qu'il était de mauvaise humeur et prêt à se bagarrer. Il lui fallut quelques minutes pour se rendre compte que sa fille s'intéressait de près à ce misérable qui avait quitté le corps des Marines des Etats-Unis pour devenir torero au Mexique.

Il reçut alors un choc terrible en entendant Mrs Evans, sa charmante voisine de Tulsa, veuve de son associé, expliquer en toute candeur :

— Je demandais au señor Martín...

— Qu'est-ce que c'est que cette histoire de señor ? Il s'appelle Martin et il vient de l'Iowa.

— C'est le señor Martín, insista-t-elle, parce qu'il veut montrer qu'il est un jeune homme très respectueux des coutumes mexicaines. D'autre part, il est originaire de l'Idaho, pas de l'Iowa. (Le pétrolier grogna et elle poursuivit :) Je lui demandais donc comment il gagnait sa vie en attendant de devenir professionnel.

— Je suis sûr que ça va me passionner, dit Grim.

— J'ai un peu honte d'avouer que, cinq mois après avoir pris la décision de rester ici à tout jamais, je revenais à la maison pour supplier ma mère de me laisser toucher le petit héritage de ma grand-mère, dit Ricardo avec un embarras certain. Quand je lui révélai ce que je comptais faire de cet argent, elle demanda à mon père s'il croyait que c'était une bonne idée de devenir un torero mexicain. Il a failli s'en étrangler. Je l'ai écouté déblatérer ses boniments et, quand il m'a déclaré : « Tu n'es plus mon fils ! », je lui ai répondu que je ne l'avais jamais été, et c'est à ce moment que j'ai décidé de m'appeler Ricardo Martín, un peu par respect pour ma mère, mais surtout parce que je ne me voyais pas faire carrière au Mexique sous le nom de Caldwell. Vous imaginez sur une affiche ?

Ma mère s'est montrée plus maline que je ne le pensais. Elle m'a dit : “ Il est hors de question que tu touches à ce que maman t'a laissé, mais je t'enverrai cinquante dollars par mois. ”

— Content d'apprendre que quelqu'un a du bon sens dans la famille, dit Grim à qui sa fille administra un coup de coude dans les côtes.

— Vous seriez étonné de découvrir à quel point l'on peut changer quand on ouvre vraiment les yeux, reprit Ricardo.

— Et quand on tend la main, ajouta Grim.

— Dites-moi, est-ce que vous vous en tirez ? demanda Mrs Evans.

— L'un de vous connaît le mot *pachanga* ? dit Ricardo. Je ne suis pas sûr qu'il figure dans le dictionnaire, mais je suis le roi des pachangas.

— Qu'est-ce que c'est ? s'enquit Mrs Evans, sincèrement curieuse.

— Une sorte de fête villageoise à laquelle tout le monde peut participer, une corrida complètement informelle sans arènes, sans picadors, sans même de costumes rituels. Les taureaux ont sept ou huit ans, des cornes démesurées, mais heureusement épointées. Ils pèsent dans les sept cents kilos, ce sont des bêtes monstrueuses. Si on ne se prend pas un coup de corne, on risque de se faire piétiner à mort.

— Cela me semble plutôt chaotique, dit Mrs Evans qui s'intéressait de près à la chose.

— Cela tient plus de l'émeute que de la corrida. Quand des émeutiers sont organisés, ils prennent la Bastille ; quand ils ne le sont pas, ils s'adonnent aux pachangas.

— Qu'est-ce que vous faites là-dedans ?

Ricardo la regarda d'un air un peu triste.

— Le travail d'un futur matador, c'est d'affronter des taureaux. N'importe lesquels, n'importe où. Dans une pachanga, on voit si on a le courage d'attendre les cornes sans bouger. Pour participer à la prochaine pachanga, je me rendrais à pied jusqu'à Oaxaca.

Chacun était impressionné par la sincérité des propos de ce jeune homme qui s'était vaillamment battu en Corée et avait refusé le bien-être du foyer familial pour se lancer dans cette dangereuse profession.

— Vous êtes un cas, ou est-ce qu'il y a beaucoup de jeunes gens comme vous ? lui demanda Penny.

— Il y en a toujours eu. Quelques-uns parmi les plus grands ont connu le même itinéraire, Juan Belmonte en Espagne, Juan Gómez ici même, au Mexique. Je crois que c'est partout pareil.

— Des Américains, je veux dire.

— Sidney Franklin a commencé comme ça. Il venait de Brooklyn. Il y a eu aussi Patricia McCormick.

Ces derniers mots firent exploser Ed Grim.

— Quoi, tu veux dire qu'une honnête jeune fille américaine est venue ici, qu'elle s'est montrée dans ces trucs idiots dont tu parles et qu'elle est devenue matador ?

— C'est exact, dit calmement Ricardo. Elle a participé à de vraies corridas et elle s'est révélée excellente.

— Le monde ne tourne plus rond, grommela Ed. Quant à toi, ma petite, tu vas te tenir à l'écart de ces matadors !

— Le señor Ledesma m'a dit exactement la même chose, fit Penny en souriant.

— Ce bonhomme commence à me plaire.

Mrs Evans voulait ramener la conversation sur le sujet qui l'intéressait. Elle sourit à Martín et lui dit :

— Vous parlez un anglais fort correct quand vous voulez.

— Il y a de bonnes écoles en Idaho et ma mère m'a appris à lire.

— Et vous abandonnez toute votre éducation passée pour devenir matador ? insista Mrs Evans d'un air très maternel.

— Il n'y a pas grand-chose à abandonner, vous savez. Je n'aurais jamais pu faire des études supérieures. Je ne serais même pas devenu officier si j'étais resté chez les Marines. Vous voyez, je n'avais pas grand-chose à perdre.

— Si vous rêviez de progresser, pourquoi n'avez-vous pas profité de la prime que touchent les GI ? Cela aide à parfaire ses connaissances et à trouver un bon travail.

— Je l'ai fait, je vous l'ai déjà dit.

C'en était trop pour Ed.

— Tu veux dire que tu as fait *semblant* d'aller à l'école pour devenir torero ? A quoi tu joues, là ?

— On en a déjà parlé hier. Et puis, je ne joue pas, je suis un ancien Marine qui vous collera son poing dans la gueule à la première occasion.

— Penny, on fout le camp d'ici ! C'est pas un endroit pour une jeune fille !

— Je reste, dit-elle. J'aime bien ces gens, ce sont mes amis.

— Je t'ai dit de venir avec moi !

— Et elle, elle a dit qu'elle restait, dit calmement Ricardo. Au revoir, Mr Grim.

Ed Grim quitta bruyamment la table. Sa fille ne bougea pas et le regarda s'éloigner. Mrs Evans se tourna alors vers nous.

— Je ne voudrais pas que vous sous-estimiez Ed Grim, c'est un pétrolier très puissant.

— Cela ne lui donne pas le droit de commander à tout le monde, dit Ricardo.

— Jeune homme, Ed Grim s'est battu pour que les ouvriers du pétrole bénéficient de l'assurance médicale, de salaires décents et du droit, s'ils le souhaitaient, de s'inscrire à un syndicat.

— Un syndicat qu'il s'est, bien entendu, empressé de combattre, ajouta Penny.

— Alors, vous rêvez de faire de grandes choses ? demanda Mrs Evans en regardant Ricardo droit dans les yeux.

— Oui, surtout depuis que je vois la mesquinerie presque partout.

— Au festival...

— J'irai en douce voir comment Victoriano et Gómez s'en tirent. On apprend toujours en regardant les meilleurs.

— Oui, mais lundi matin, quand la fête sera finie ?

Un sourire radieux éclaira son visage et il prit Mrs Evans par la main.

— Vous comprenez vraiment la tauromachie, vous. Chaque jour, c'est un lundi matin. Eh bien, je retournerai à Mexico et je chercherai à savoir quand et où a lieu la prochaine pachanga. Je me débrouillerai pour trouver le village et, un jour, il se passera quelque chose.

— Et s'il ne se passe rien ?

— Je veillerai à cela.

— Ah ? Et comment ?

— J'ai un plan !

Nous restâmes silencieux pendant quelques minutes — nous, c'est-à-dire la veuve d'un riche pétrolier de Tulsa et un journaliste de cinquante-deux ans aux revenus plus que convenables —, frappés tous deux par la précarité de la situation financière de Ricardo.

— Vous avez dit que vous iriez « en douce » voir la corrida de demain, dit Mrs Evans. Comment comptez-vous vous y prendre ?

— J'ai mon idée là-dessus.

Je pensais qu'elle allait lui prêter un peu d'argent. Juste à cet instant, Ed Grim revint vers notre table avec deux grosses valises. Il était suivi des Haggard, eux-mêmes porteurs de valises.

— On rentre au bercail, annonça-t-il assez fièrement. (Il déposa l'un des bagages auprès de Penny.) On a décidé que les corridas, c'était un truc barbare et qu'on ne veut plus voir ça. Penny, tu viens avec nous. Et toi, Elsie, tu viendrais aussi si tu avais un peu de bon sens.

— Je ne viens pas, dit Penny sans la moindre hésitation. (Elle posa la main sur sa valise.) J'ai toujours rêvé de passer une journée dans un ranch mexicain et Mr Clay m'a dit qu'il pourrait arranger ça. Je reste.

— Eh, une minute ! protestai-je. Je vous ai dit cela avant de savoir que votre père s'en allait. Croyez-moi, le Festival Ixmiq n'est pas l'endroit idéal pour une jeune fille de dix-sept ans, toute seule de surcroît.

— L'an prochain, je serai à l'université, et je suis assez grande pour savoir ce que je veux !

Penny était inflexible. Elle ne rentrerait pas à Tulsa avec son père et les Haggard. Elle était résolue à rester auprès des matadors et, quand son père parut sur le point de l'attraper à bras-le-corps pour la traîner vers la Cadillac, Mrs Evans eut la bonne idée d'intervenir.

— Ed ! Je reste ici et Penny peut rester avec moi. C'est une adulte et puis, l'automne prochain, elle te quittera bien pour faire ses études, non ?

— Dans une université digne de ce nom, pas une pachanga mexicaine !

Il comprit qu'il ne tirerait rien de Penny et que nous la soutenions tous. Furieux, il fouilla dans sa poche au risque de la déchirer et jeta sur la table ses billets pour les arènes.

— Prenez ça ! Quant à toi, Elsie Evans, ton mari doit se retourner dans sa tombe !

— Sûrement oui. (Elle se fit plus conciliante.) Ed, ta petite fille a grandi. Si Millicent était encore avec nous, elle te dirait, comme moi, de la laisser décider par elle-même. Ne t'inquiète pas, je veillerai sur elle.

Ed ouvrait la portière de sa voiture quand il se rendit compte qu'il ne pouvait pas quitter sa fille comme ça, pas sur un coup de colère. Il revint vers nous et la serra dans ses bras.

— Tu es une sacrée fille, lui murmura-t-il. Ne fous pas tout en l'air. (Il l'embrassa avant de se tourner vers Mrs Evans et moi.) C'est de l'or pur, vous savez, je compte sur vous.

Quand Ed Grim et les Haggard furent partis, Mrs Evans dit en riant :

— Comment est-ce que je vais rentrer ? Ça fait longtemps que je ne conduis plus.

Sans même attendre une réponse, elle poussa les huit billets d'entrée au milieu de la table. Penny prit les deux qui lui revenaient et les rangea dans son sac. Mrs Evans tendit les six autres à Ricardo.

— Ils sont à vous, dit-elle simplement.

Il les aligna sur la table et hocha la tête.

— Six billets... Tout à l'heure, il y avait des touristes qui demandaient à tout le monde de leur vendre des places au noir. Cinquante dollars pour la corrida d'aujourd'hui, cent dollars pour celle de demain. (Mrs Evans eut un mouvement de protestation.) La mort, ça fait grimper les prix. Cent cinquante plus trois cents, ça fait quatre cent cinquante dollars, suffisamment pour que je ne coure pas les pachangas pendant un an. (Il se leva brusquement et alla embrasser Mrs Evans.) Ma mère approuverait ce que vous faites.

— C'est Ed Grim qu'il faut remercier, dit Mrs Evans, pas moi.

Cette aimable discussion fut interrompue par le passage entre les tables d'un matador qui avait déjà revêtu son costume. C'était un homme pour qui j'avais la plus grande admiration, et je l'appelai pour faire les présentations.

— Mes amis, voici Pepe Luis Vásquez, le Mexicain. Malheureusement pour lui, l'Espagne a un torero qui porte le même nom, mais le vrai matador, vous l'avez devant vous.

Ricardo était très ému de se trouver en sa présence. Il se leva et, de l'index, indiqua plusieurs points sur le costume du matador.

— Ici, une blessure. Là, une autre. Dans le milieu, on le surnomme, avec beaucoup de respect, « la pelote à épingles ». Aucun matador n'a survécu à autant de blessures. Regardez. Ici, la corne aurait pu être fatale, mais les toubibs l'ont sauvé. Et là. Huit ou neuf coups de corne dans les fesses. Et là encore, à la jambe...

— Il dit la vérité ? s'enquit Penny.

Pepe Luis s'inclina et, dans un très bon anglais, répondit :

— Dans des circonstances plus favorables, je pourrais vous en donner la preuve.

— Je ne demande qu'à voir, répliqua-t-elle sans se démonter.

Je me fis la réflexion que la señorita Penny n'avait pas froid aux yeux.

Nous discutâmes quelques instants. C'était un solide torero, qui n'avait rien d'une star sublime, il est vrai, mais qui avait toujours affronté dignement les taureaux, quels qu'ils fussent. Grâce à lui, qu'il fût en deuxième ou troisième position sur l'affiche, on était certain d'assister à une belle corrida.

Il venait à peine de partir quand l'un des phénomènes vieillissants de la scène mexicaine passa parmi les tables. C'était Calesero, le matador d'Aguascalientes qui aidait chaque année les habitants de Toledo à élaborer le programme du Festival Ixmiq. Un gentleman de la profession, élégant dans l'arène, un maître de la cape, assurément, mais pas vraiment à l'aise avec l'épée. Les aficionados venaient aux arènes dans l'espoir de le trouver dans un de ses bons jours, quand, avec ses passes magistrales, son jeu de jambes, son corps mince et arqué, il tirait des merveilles d'un taureau. Il me salua d'un geste noble de la tête, et je ne cherchai pas à le retenir.

Tout simplement, en se retrouvant à la table de Ledesma à la Maison de Céramique, Mrs Evans, Penny et Ricardo avaient pu voir de près les quatre héros de la journée : Conchita, l'adorable créature ; Calesero, le gentilhomme vieillissant ; Pepe Luis Vásquez, le valeureux ; et enfin Fermín Sotelo, la nouvelle étoile qui pointait à l'horizon. L'après-midi était riche de promesses.

Comme nous nous levions de table pour nous rendre aux arènes, Ledesma et moi fûmes interpellés par mon oncle, lequel soumit au chroniqueur un dilemme d'ordre moral.

— Don León, j'ai conscience que ni Calesero ni Pepe Luis ne vous ont rétribué comme il se doit.

— C'est exact, dit Ledesma avec une certaine froideur.

— Ce festival est très important pour notre ville. Et pour moi, personnellement. Pour m'aider, cher ami, à vendre tous les billets pour demain, ne pourriez-vous vous contraindre à écrire quelque chose d'aimable sur leur performance d'aujourd'hui ?

— Chanter leurs louanges alors qu'ils n'ont pas payé ? Impossible !

Il fit mine de s'en aller, mais don Eduardo ne pouvait prendre le risque d'une critique désagréable.

— León, vous êtes un homme d'honneur. Admettons qu'ils n'ont pas songé à vous, en un mot qu'ils vous ont porté offense. Si je paie à leur place, la chose serait-elle possible ?

Ledesma ignora mon oncle et se tourna vers moi :

— Le señor Clay sait que je respecte Calesero et Pepe Luis, car ce sont des hommes de courage et de dignité. Aurai-je le désir de le signaler à propos de la corrida de cet après-midi ? Oui, don Eduardo, je ferai de mon mieux pour défendre votre festival. (Sans regarder mon oncle, il tendit la main, et je suis sûr que don Eduardo y déposa quelques billets.) Ce sont deux hommes dont l'honneur n'est plus à prouver. Je les aime. Les louer quand ils ne m'ont pas gratifié ? Impossible. Témoigner de leur comportement honorable ? Je ne pourrais faire moins.

Sur ce, les deux amis se serrèrent la main.

Ce fut une chance pour moi que nous nous soyons attardés, car cela permit à un petit télégraphiste de me remettre un message en provenance de New York :

> Clay, Toledo. Photos sensationnelles. Article sur le Mexique terminé. Pouvez revenir. Drummond.

Je relus plusieurs fois ces mots. Les bruits de la fête résonnaient à mes oreilles comme pour m'appeler aux arènes. J'étais assis seul sur la terrasse et je repensais à l'audace de Ricardo Martín qui voulait être matador, à celle de Penny Grim qui ne craignait pas d'affronter les foudres de son père pour aller au bout de ses rêves. Je comparais leur audace à ma prudence et je n'étais pas très fier de moi. J'en avais assez des articles pleins de clichés, que j'écrivais si facilement et si bien. Je me souvenais d'un texte que j'avais rédigé en Indochine, à l'époque où les Français y faisaient la guerre. J'avais développé les positions des uns et des autres et ne m'étais absolument pas impliqué. Mon photographe avait pris un superbe cliché d'un paysan : il travaillait dans les rizières et levait les yeux vers le soleil. J'avais intitulé cet article : « Quel avenir pour Pham Van Dong ? » Cette formule, « quel avenir pour... », je l'avais reprise à propos d'un paysan coréen confronté à la guerre, d'un Pakistanais après de terribles inondations qui avaient fait des milliers de victimes. Tout le monde semblait avoir un avenir, quel qu'il fût, sauf moi.

Ce que je souhaitais au plus profond de moi, c'était écrire un livre aussi bon que celui de mon père, un livre qui parlerait de nos ancêtres indiens, de nos nobles évêques espagnols, des habitants de Toledo qui reposaient dans les catacombes et, surtout, des révolutions et des guerres qui avaient déchiré Toledo quand j'étais enfant. Oui, c'était cela : un petit Américain au cœur de la révolution rurale mexicaine, qui voit tout et ne comprend rien.

Ma grande décision serait pour plus tard. Pour l'heure, je ne voulais pas rater le début de la corrida. Je trouvai un téléphone, appelai le service du télégraphe à Mexico et adressai le message suivant à New York :

> Drummond. Heureux pour les photos de Paquito. Mais vous vous trompez. Le Mexique, ce n'est pas fini. Ça ne fait que commencer. Je reste.

Comme je marchais vers les arènes, je regrettai qu'il n'y eût pas un photographe pour prendre un cliché de moi avec, au second plan, la splendide façade de la cathédrale et la statue de mon père. L'intitulé de cette photo était tout trouvé : « Quel avenir pour Pham Van Clay ? »

14

Un samedi de grisaille

Un touriste allemand, fier à juste titre de ses connaissances en matière de tauromachie acquises en Espagne, qualifia cette deuxième journée de « samedi de grisaille », car la rencontre avec les six taureaux fut terne et léthargique. Aucun torero ne fut tué, aucun ne fut envoyé à l'hôpital pour blessure majeure. On n'accorda ni oreilles ni queue, et les aficionados ne le demandèrent d'ailleurs pas. Ni les matadors ni les taureaux ne passèrent à la postérité. Ce fut une corrida banale entre toutes.

Personnellement, j'y pris un certain plaisir. On n'exigeait de moi ni texte ni photos et, assis au deuxième rang entre Mrs Evans et Ledesma, je pouvais observer Penny Grim qui, au premier rang, regardait avec enthousiasme les deux toreros avec qui elle avait bavardé, le matador Fermín Sotelo et la rejoneadora Conchita Cintrón.

L'ensemble de la corrida fut inintéressant, certes, mais cet adjectif ne s'appliqua en aucun cas à la prestation de Conchita. Don Eduardo avait promis que ses adieux à Toledo seraient inoubliables. Dès l'instant où les grandes portes s'ouvrirent pour permettre aux participants de défiler dans toute leur splendeur, même Ledesma, qui pourtant n'aimait pas voir un rejoneador, de quelque sexe qu'il fût, dut reconnaître que cette femme qu'il avait comparée à un ange était tout simplement superbe.

En tête du défilé, montée sur un grand cheval blanc, elle était tout de gris vêtue — mi-bottes, pantalons protégés par d'épaisses jambières de cuir qui lui montaient jusqu'aux hanches, veste militaire sur un chemisier blanc orné de dentelle, cravate fine et, surtout le chapeau cordouan à larges bords. Sur son magnifique étalon, elle semblait appartenir à une autre époque.

Ce cheval ne servait qu'au défilé. Les bêtes avec lesquelles elle affronterait le taureau étaient plus petites et beaucoup plus maniables. Mais le cheval de parade avait, lui aussi, beaucoup de mérite : il s'avançait sur le sable de l'arène d'un pas dansant et changeait régulièrement de pied ; quand Conchita arriva de notre côté, le cheval se dirigea vers don Eduardo et posa un genou en terre comme un courtisan devant son seigneur.

Penny s'écria :

— Il m'a saluée !

Son erreur était pardonnable parce que j'avais moi aussi l'impression d'avoir été personnellement salué, et je suis certain que Mrs Evans et Ledesma ressentirent la même chose. Tout ce que je puis dire, c'est que ce fut une entrée fort remarquée.

Le défilé terminé, Conchita lança son cheval blanc au galop, fit le tour de l'arène et franchit le portail pour revenir quelques secondes plus tard sur un cheval de même robe, de plus petite taille. Elle se plaça de notre côté et attendit la sonnerie de clairon. Quand la petite porte rouge s'ouvrit, un gros taureau noir se précipita dans l'arène en secouant furieusement la tête à la recherche de l'ennemi.

De même que les matadors à pied jaugent le taureau, lors du premier tiers, avec une grande cape jaune, Conchita brandit un javelot, à l'extrémité duquel était fixé un fanion, et elle plaça le leurre devant la bête, l'agitant pour l'inciter à charger. Au cours de cette manœuvre, la cavalière se devait d'avoir le bras droit vigoureux et le cheval, la faculté d'anticiper où le taureau allait frapper et de l'éviter.

— Comment peut-elle s'approcher autant du taureau sans se faire toucher ? demanda Penny.

— C'est un problème d'intersection de trajectoires, lui expliqua Ledesma. Le cheval et le taureau ont chacun la sienne.

Quand vint pour Conchita le moment de poser les banderilles, le cheval modifia de lui-même sa course, sans être guidé par les rênes, parce que la rejoneadora avait les deux mains occupées par les fuseaux qu'elle devait ficher dans la nuque du taureau. Penny admira la fluidité du mouvement du cheval et du taureau à l'instant où leurs trajectoires convergèrent : l'extrême danger et la beauté de l'exécution étaient à couper le souffle.

— Oh ! s'écria Penny en me saisissant par le bras. C'est extraordinaire !

Je compris qu'elle était fascinée par cette femme qui réussissait dans un domaine habituellement réservé aux hommes.

Pour la deuxième paire de banderilles, le cheval fut applaudi quand il se dirigea vers Penny et s'inclina comme devant une princesse de conte de fées ; Conchita dédia les banderilles à la jeune fille tandis que les « olé » fusaient de toute part.

Penny se retourna vers nous. Elle était aux anges.

— Vous avez pris une photo, Mr Clay ?

Je hochai la tête, ce qui accrut encore son plaisir.

Après une superbe démonstration de ses capacités à cheval, Conchita entreprit de mettre à mort le taureau avec son javelot, appelé *rejon de muerte,* mais comme cela se passe dix-neuf fois sur vingt, elle échoua à trois reprises. Il lui fut donc permis de mettre pied à terre et de renvoyer son cheval au corral avant de terminer à pied. L'estocade fut correcte, mais pas spectaculaire, et l'on dut faire appel à l'homme au stylet pour donner le coup de grâce en tranchant la moelle épinière.

La despedida ne devait pas s'achever sur cette mise à mort. Dès que le taureau fut traîné hors de la piste, le cheval de parade de Conchita fut ramené et elle se tint à ses côtés tandis que de nombreux dignitaires entraient dans l'arène pour rendre hommage à cette femme radieuse. Le maire était là, ainsi que le gouverneur de l'Etat, le général responsable de la place de Toledo, don Eduardo, propriétaire de l'élevage Palafox, Léon Ledesma, chroniqueur numéro un, et plusieurs personnalités du monde taurin. On prononça des discours, on offrit des fleurs et, sur un signe du maire, l'orchestre, étoffé pour la circonstance, attaqua la valse d'adieu triste et douce du Mexique qu'est *Las Golondrinas* (les hirondelles). Les notes limpides s'envolaient dans l'air et les spectateurs se mirent à pleurer en silence ; quand le cheval blanc sortit de la piste, indiquant par là que Conchita ne s'y produirait jamais plus, les yeux de Penny s'emplirent de larmes.

Ce fut alors l'apothéose. De caisses bien cachées s'échappèrent deux nuées de colombes blanches et une femme à la voix rauque s'avança pour chanter cette chanson qui m'a toujours bouleversé, *La Paloma* (la colombe). Elle aurait été composée en l'honneur de la princesse Charlotte, fille du roi de Belgique, qui partit en exil après l'exécution de son époux, l'empereur Maximilien. Deux lignes du texte m'impressionnent plus particulièrement :

Si à ta fenêtre se présente une colombe blanche,
Montre-lui de la tendresse, car ce sera moi.

— Prenez un mouchoir, me dit Penny. Vous avez le nez qui coule.

— Ce sont des larmes, lui dis-je. Regardez Ledesma.

Les yeux du chroniqueur brillaient également.

C'est ainsi que mon amie Conchita Cintrón fit ses adieux à une ville où elle avait souvent toréé avec courage et élégance. Quand elle quitta la piste pour la dernière fois, je vis Penny se mordre en silence les articulations des doigts.

— Dire que j'ai rencontré une telle femme, me dit-elle doucement. Dire qu'elle m'a saluée. Rien que pour ça, je ne regrette pas le déplacement !

Succéder à une cérémonie aussi émouvante était une épreuve difficile pour les trois matadors inscrits au programme de l'après-midi, mais une despedida doit suivre le passage du torero qui fait ses adieux. Les six rencontres furent mornes, mais il s'y glissa un élément de surprise tel que Penny s'en souviendrait longtemps, même après que l'image de Conchita serait effacée de sa mémoire.

Ainsi que je l'avais expliqué aux Américains au moment où il était apparu sur la terrasse, Calesero était un notable au sein de sa profession : s'il n'en fut jamais le Premier ministre, il en fut le secrétaire d'Etat fidèle et digne de confiance. Lorsque le tirage au sort lui attribuait un bon taureau, il était capable d'un travail exceptionnel, mais lorsque, aujourd'hui par exemple, le taureau se révélait difficile, ses exploits ne pouvaient qu'être limités. Quelques passes élégantes, deux paires de banderilles moyennes sans rien de sensationnel et une mise à mort correcte — rien de condamnable, certes, mais rien de très louable non plus. Et cet homme de grande intégrité à qui la chance n'avait pas souri reçut les applaudissements polis qu'il méritait.

On pouvait toujours compter sur Pepe Luis Vásquez pour un spectacle de bravoure et, aujourd'hui, il entreprit d'aller tout de suite vers son taureau, dès sa sortie sur le sable. L'idée n'était pas bonne, car la charge de la bête avait trop de puissance. Le taureau bouscula la cape de Pepe, puis fit de même avec le matador. La foule retint son souffle à la vue du sang qui couvrait sa jambe et Calesero se précipita vers les péons qui entraînaient déjà le blessé. L'importance de la blessure ne pouvait le laisser indifférent : la coutume voulait en effet que lorsque l'un des plus jeunes matadors était blessé au point de ne pouvoir continuer, c'était le doyen d'âge — dans le cas présent, Calesero — qui devait reprendre son taureau, en plus des siens, bien entendu. Cette perspective n'enchantait personne, ni la foule ni le matador, car ce n'était pas un homme d'une très grande force physique qui, de plus, n'aimait pas se donner ainsi en spectacle.

Heureusement, la corne droite du taureau n'avait fait qu'effleurer la jambe gauche de Vásquez ; très impressionnante, l'effusion de sang fut très vite arrêtée à l'infirmerie. Calesero et Fermín Sotelo, le troisième matador, prirent en charge les étapes suivantes en menant le taureau aux picadors et en posant les banderilles. Pepe Luis fut de retour pour le dernier *tercio*, la jambe bandée, mais prêt à porter l'estocade. Il fut vaillant, il fut bon même, en effectuant une série de passes au cours desquelles le taureau lui frôla la poitrine. Les premières acclamations de l'après-midi retentirent. En revanche, il n'eut pas beaucoup de chance avec l'épée, et la foule bâilla lors de la mise à mort.

Les spectateurs étaient impatients de voir comment s'en tirerait le nouveau, Fermín Sotelo. Il était décidé, mais son taureau ne l'était pas, et je trouvai assez triste que ce jeune homme dût prouver sa valeur à un public inconnu. Il ne réussit même pas à démontrer sa compétence. Il ne put enchaîner de passes intéressantes, la pose de banderilles fut des plus quelconques et le dernier acte se révéla pathétique, avec un taureau blessé qui marchait lourdement dans l'arène tandis que Fermín cherchait désespérément à conclure. Une sonnerie de clairon avertit le matador que le temps imparti pour la mise à mort était écoulé. Ce fut le premier *aviso*.

Un deuxième aviso retentit bientôt et Fermín courut littéralement après son taureau ; il en vint à bout juste à temps. Ce fut une conclusion pénible qui s'effectua dans un silence dramatique. Sans musique, sans huées, sans cris. Les péons survinrent avec leurs mules pour nettoyer le sable.

— Voilà des combats sans intérêt, dit Mrs Evans. Mes amis de l'Oklahoma ont eu bien raison de s'en aller. Devant un tel spectacle, ils se seraient mis en colère.

— Ce que vous venez de voir, lui dit Ledesma, arrive dans toutes les corridas. Comme ces parties de base-ball au cours desquelles il ne se produit strictement rien, ces matchs de football où aucune équipe ne construit le jeu. Il y a même des buts qui ne soulèvent pas le moindre enthousiasme. Les histoires d'amour, on peut en dire tout autant, de même que les romans que vous lisez. C'est propre, c'est professionnel, mais on s'en fiche royalement.

— Vous exprimez votre conception de la vie, señor Ledesma ?

— Ce n'est pas ma conception, mais la vie qui est comme ça. Elle est terne, la plupart du temps. Quels sont les événements marquants au cours d'une saison sportive, d'un âge de la vie ?

— On peut tout de même espérer, dit Mrs Evans, surtout quand on vient d'Oklahoma. Au fait, je me demande toujours qui va conduire ma Cadillac...

Penny, exaltée depuis que Conchita et son cheval l'avaient saluée, souhaitait que la journée continue à se dérouler sur le plan de l'émotion la plus intense.

— Alors, c'est pour quand le feu d'artifice ? demanda-t-elle.

— Si je considère, lui répondit Ledesma, l'intérêt que vous portez aux matadors, il vaudrait peut-être mieux qu'il n'y en ait pas. La plupart du temps, un matador est tout à fait satisfait quand la corrida s'est terminée sans encombre. Il se contente d'espérer que la prochaine sera meilleure. (Il sourit à Penny, ajusta sa cape et l'interrogea :) Ce n'est pas la même chose quand on a un rendez-vous ? On a souvent hâte que ça se termine et que le prochain soit plus palpitant, non ?

— Peut-être, mais vu ce que coûtent les billets d'entrée... On a droit à un certain professionnalisme, non ?

— Ah, le facteur économique à présent ! C'est vous qui en avez parlé, pas moi, et je vais vous exposer le point de vue de l'homme puisque c'est ainsi. Il vous sort, il dépense pas mal d'argent et la soirée est complètement inintéressante. Est-ce qu'il doit se faire rembourser pour avoir effectué un mauvais choix ? Certainement pas, et vous non plus, d'ailleurs. Il y a encore trois taureaux et nous assisterons peut-être à quelque chose d'intéressant. Votre matador, Fermín, nous obligera peut-être en se prenant une corne dans l'œsophage.

— Quelle horreur ! s'exclama Penny en se cachant les yeux.

— Voilà les réponses que méritent des questions de ce genre, poursuivit Ledesma, impitoyable. Souhaitons que les jeunes filles comme vous n'épousent pas des maris décevants pour découvrir, la soixantaine venue, que le bal est bientôt fini.

Un silence s'abattit sur les interlocuteurs.

— Et Conchita ? reprit Penny, sur ses gardes. Est-ce qu'elle aussi s'est montrée mauvaise ?

— Pour l'amateur véritable, les rejoneadoras ne comptent pas, dit Ledesma sans se démonter. Mais si vous me demandez comment son cheval s'est comporté, je vous répondrais qu'il a été passable, à la limite de l'acceptable. (Puis il ajouta :) Naturellement, si vous me disiez : « Vous êtes amoureux de Conchita ? », je vous avouerais ceci : « Depuis le premier jour où je l'ai vue toréer à Guadalajara. »

Avec son deuxième taureau, Calesero s'engagea dans une belle série de passes au cours desquelles l'homme, la cape et le taureau ne semblaient plus faire qu'un. Voilà qui justifiait enfin le prix du billet d'entrée, mais il voulut recommencer après le travail du picador, et le résultat fut des plus médiocres. Les vingt minutes du combat s'écoulèrent sans le moindre élément mémorable.

Pepe Luis Vásquez, dont le bandage était visible sous l'étoffe déchirée du costume, se mit en position à l'endroit même où le premier taureau l'avait blessé. Le public retint son souffle. Pepe Luis attendit que le taureau fût pratiquement sur lui pour tomber à genoux et nous offrir un superbe *farol*, une passe au cours de laquelle la cape tenue à deux mains s'élève au-dessus de la tête du torero comme une flamme qui jaillit, d'où le nom de farol, c'est-à-dire lanterne.

Cette belle passe lui valut des applaudissements nourris. Il avait montré qu'il avait du courage, et je l'acclamai plus longuement que quiconque, car je savais ce que ces bravos signifiaient pour lui. Malheureusement, il ne sut pas poursuivre dans le même style ; son taureau était si intraitable que Pepe Luis Vásquez ne put exécuter que des passes de routine destinées à enchaîner les phases du combat. Il prit toutefois trop de temps et un aviso retentit. Désireux d'accélérer, il sombra dans la plus grande confusion. Si une personne détestant la corrida avait voulu tourner un film dans le but de la condamner définitivement, elle n'aurait pu mieux choisir que cet après-midi. Pepe Luis ne subit pas l'affront de voir son taureau sortir vivant de l'arène — pour être ensuite abattu au corral, sa viande étant distribuée aux pauvres de la ville —, mais il connut le silence terrible par lequel les vrais aficionados manifestent leur ennui.

La triste prestation de Pepe Luis était finie et, assis aux côtés des deux femmes de l'Oklahoma, j'observais Fermín Sotelo. Il serrait les dents, bien décidé à sauver l'honneur, d'autant plus que Penny ne le quittait pas des yeux. Quand il passa devant nous, elle lui cria en espagnol : « *¡Buena suerte*[1], *matador !* » mais il regarda droit devant lui, comme s'il ne l'avait pas entendue. Vexée, Penny se tourna vers Mrs Evans.

— Non mais, pour qui il se prend ? Après son taureau minable de tout à l'heure, il n'a pas le droit de...

— Penny ! protestai-je. Réfléchissez un peu. C'est un Mexicain au Mexique. Son devoir est de faire plaisir aux Mexicains, pas à vous. Un matador débutant n'a pas intérêt à prêter trop d'attention à une Yankee.

— A la télévision, j'ai vu aux actualités un fameux matador espagnol dédier son taureau à Ava Gardner et tout le monde l'a acclamé !

1. *Suerte* : chance, mais le mot désigne aussi les différentes phases d'une corrida. (*N.d.T.*)

— Quand vous reviendrez l'année prochaine aussi célèbre qu'Ava, vous aussi, vous aurez votre taureau.

Ma remarque qui se voulait humoristique ne changea pas son humeur. Mais juste avant la sortie du taureau, Fermín se tourna vers Penny et lui adressa un clin d'œil ainsi qu'un discret signe de tête, puis il s'avança sur la piste pour observer l'irruption de la bête et j'entendis alors Penny murmurer à l'oreille de Mrs Evans :

— Faites des vœux pour qu'il soit formidable !

Deux cœurs natifs d'Oklahoma accompagnèrent le jeune homme dans sa lutte.

Avec une bravoure qui égalait celle démontrée par Vásquez lorsqu'il s'était agenouillé devant le taureau, Fermín ne laissa que deux passes à ses péons, puis il se lança dans une belle série de véroniques. Ici, la cape est présentée devant la tête du taureau, mais cette passe doit son nom à la sainte femme qui essuya le visage du Christ sur le chemin de croix. Les véroniques furent si belles que j'acclamai Fermín comme des centaines de spectateurs.

— Vous voyez, Penny ! m'écriai-je. Il va nous donner un chef-d'œuvre. Ce garçon sait ce qu'il fait.

— C'est un homme, dit Penny. Regardez !

Il était actuellement en train d'exécuter trois superbes *chicuelinas* avec la cape très basse. C'était remarquable, et je l'applaudis. Si j'insiste tant sur la grande cape magenta utilisée en début de corrida et sur la muleta rouge dont on se sert lors du dernier tercio, c'est parce que je m'intéresse à la tauromachie depuis l'âge de huit ans et que j'ai vu toréer tous les grands artistes mexicains et la plupart des maîtres espagnols. Pour moi, l'art tauromachique tient tout entier dans ce travail de cape, grande ou petite, et plus particulièrement lorsque le tissu, le matador et le taureau ne font qu'un. Ce sont alors des moments de beauté extrême tels qu'il n'en existe dans aucun sport.

J'apprécie plus particulièrement le moment où le taureau a chargé le cheval et a été repoussé par le picador. Surpris et, pour la première fois de sa vie, réellement blessé, le taureau se dégage et cherche un ennemi à affronter, quel qu'il soit. Le matador est là, qui l'attend et qui sait qu'il va rencontrer un animal tout à fait différent. Jusqu'à maintenant, le taureau était curieux, et les passes pouvaient s'appuyer sur cette curiosité, mais il est à présent enragé : sa puissance est décuplée et ses cornes terrifiantes. C'est là qu'un matador peut exposer son art et sa bravoure, quand le taureau furieux n'est plus qu'à une quinzaine de centimètres de lui. Avec de la magie dans les poignets et une maîtrise suprême de ses pieds, il donne passe sur passe jusqu'à ce que la foule crie « *¡ Olé !* ». Parfois la cape est devant lui et parfois de côté, parfois même derrière, voletant comme un papillon ou encore traînant à terre, ce qui n'est peut-être pas très beau en soi, mais utile à qui veut affaiblir les muscles du cou du taureau et le préparer à baisser la tête en vue de l'estocade finale.

J'aime à regarder un tel travail et, comme je partageais mon plaisir avec les deux Américaines, Penny me demanda, les yeux illuminés par la prestation de Fermín :

— Vous pourriez faire ça, Clay ?

— J'ai pratiqué de semblables passes devant Soldado, lui répondis-je. C'était le meilleur de tous les taureaux, et aucun torero au monde ne peut se vanter d'une pareille chose.

Elle fut très impressionnée.

Heureusement pour elle, Fermín attaqua la dernière phase avec une passe à couper le souffle qui prouvait bien qu'il était un matador digne de ce nom. Il attira le taureau pas très loin de l'endroit où nous étions assis. Dissimulant dans son dos l'épée qu'il tenait de la main droite, il garda la muleta très basse et fit plusieurs fois défiler le taureau. Satisfait d'avoir l'animal sous son contrôle, il leva le morceau d'étoffe pratiquement à hauteur de son menton, se tint très droit et nous offrit l'une des grandes passes de la tauromachie, un *pase de pecho* (passe de poitrine, appelée parfois passe de mort). La figure est spectaculaire, car les cornes du taureau frôlent quasiment la tête du matador. Dans le cas présent, Fermín, convaincu d'avoir un taureau sûr, tenta cette variante étonnante qui consiste à « faire les comptes » : ignorant le taureau qui fonçait sur lui, il avait le regard fixé sur les gradins, comme s'il dénombrait les spectateurs payants. La chance lui sourit. Le taureau le frôla, puis Fermín tourna lentement la tête dans notre direction, le visage grave. Je pris une photo à l'instant précis où le taureau effleurait les traits tendus de l'homme, et je dois avouer que c'est un cliché dont je suis particulièrement fier.

Avec cette noble passe, je savais que Fermín avait remporté haut la main la corrida de ce samedi et peut-être même de tout le festival, et puis j'entendis Penny s'écrier : « Oh non ! » Alors que tout le monde admirait encore la remarquable passe de poitrine de Fermín, le taureau vit quelque chose remuer dans les gradins et se lança vers la barrière, fou de rage d'avoir frappé l'étoffe et non pas l'homme qui la tenait. A nouveau, il ne rencontra pas d'homme, mais le bois dur, et c'est avec un craquement sinistre que sa corne droite se brisa net au niveau du crâne. La foule frémit, car le dernier acte était irrémédiablement gâché. Normalement, le matador se précipite au-dessus de la corne droite pour enfoncer l'épée ; cette corne étant arrachée, l'art et le danger disparaissaient avec elle.

Dans les riches arènes, où les imprésarios peuvent s'offrir le luxe d'amener un taureau de rechange, les clairons sonneraient, les bœufs entreraient en piste et le taureau céderait la place à son remplaçant. Ce n'était pas le cas à Toledo, et l'affrontement le plus palpitant de la journée allait se conclure de manière pathétique : un matador doué estoquant un taureau désarmé.

— Qu'est-ce qui va se passer ? me demanda Penny.

— Votre ami va devoir tuer son taureau, mais cela n'aura plus de sens.

— Ce n'est pas juste, gémit-elle, et je vis effectivement des larmes briller dans ses yeux.

Elle n'imaginait pas à quel point cela allait être difficile pour Fermín.

Ce taureau, apparemment privé de son moyen de défense, allait montrer aux aficionados de Toledo de quelles ressources peut disposer une bête de pur sang espagnol. Il avait perdu une corne et savait qu'il devait se défendre avec une vigueur toute particulière. Quand Sotelo se mit en position pour pratiquer une mise à mort qui aurait dû être des plus faciles, le taureau réagit en défendant son garrot vulnérable, repoussant l'épée d'un coup de tête ou l'envoyant en l'air en relevant subitement le front.

Désespéré, Fermín refit quelques passes pour contraindre le taureau à abandonner ses défenses, en vain. Le taureau gardait la tête haute et repoussait l'épée. Derrière la barrière, le manager lui lançait des conseils, et la foule lui criait de se hâter, car les clairons allaient se faire entendre. Il y avait aussi Calesero, très calme, qui lui prodiguait des encouragements :

— Tu peux y arriver, Fermín. Prends garde à sa corne gauche, il y met toute sa force.

En donnant ce conseil, Calesero savait aussi qu'il lui faudrait intervenir en cas d'échec de la part de Fermín. C'était là la tradition, et il y était préparé, même si c'était une triste fin.

J'observais Penny tandis que les efforts de son matador ne débouchaient sur rien et j'avais l'impression qu'elle était dans l'arène à ses côtés. Le temps s'écoulait, et rien ne se passait. Même les péons de Fermín lui crièrent d'arrêter ses passes et de porter l'estocade. Le matador était obstiné ; le héros de tout à l'heure se couvrait de ridicule, tout ce qu'il tentait échouait. Penny serrait les poings et Mrs Evans la consolait doucement.

Le taureau qui, jusqu'à présent, s'était fixé de l'autre côté de la piste, du côté des gradins au soleil, entreprit de traverser l'arène et se dirigea vers nous comme pour dire à Penny : « Tu voulais me voir mourir ? Eh bien, me voici ! » Il s'arrêta juste en face de nos places, si bien que tout ce qui suivit se déroula pratiquement dans le giron de Penny et la jeune femme aurait pu toucher Fermín de la main. Elle l'entendait jurer et souffler. Alors résonna le premier aviso.

— Oh non, ce n'est pas juste, se lamenta-t-elle.

Elle avait raison, son matador n'était en aucun cas responsable de ce qui lui arrivait, mais la sanction des clairons s'abattait sur lui seul. « Courage ! courage ! » criait-elle. Et elle gémissait parce que ses efforts restaient vains.

Les minutes s'écoulèrent péniblement et ce fut le deuxième aviso.

— Estoque-le, lança calmement Calesero.

Livide, Fermín s'y résolut enfin. Le jeune matador, qui n'avait jamais vécu pareille situation, se planta fermement sur le sable, se dressa sur la pointe des pieds et fit trois tentatives qui échouèrent lamentablement. Chaque fois, il toucha l'os. Les autres toreros avaient compris quelle était sa stratégie et l'encourageaient.

Calesero espérait sincèrement que Fermín ne connaîtrait pas la honte d'un troisième aviso.

— Tu as encore le temps d'essayer une fois. Vas-y tranquillement.

Au moment précis où les clairons allaient sonner, Fermín entama sa course. L'aviso mit un terme à la corrida. Dans un ultime geste d'héroïsme désespéré, Fermín tenta l'impossible. Le taureau avait anticipé son geste et, d'un coup de tête, il projeta en l'air l'épée qui, heureusement, ne retomba pas dans la foule — il est déjà arrivé que des spectateurs des premiers rangs soient tués net —, mais se ficha dans le sable. Le matador n'avait plus droit à son taureau et les bœufs allaient intervenir pour ramener celui-ci au corral, où il serait mis à mort.

Agissant comme tout matador qui entend le troisième aviso matérialiser sa honte, Fermín voulut courir après le taureau et le terminer avant sa sortie de piste, mais Calesero et Pepe Luis l'en empêchèrent. Son propre banderillero lui dit :

— Laisse-le, Fermín. Tu as fait ce qu'il fallait. C'est la faute à cette foutue barrière...

Tête basse, le jeune matador regagna l'endroit où il avait laissé sa cape et ses autres épées. Il allait ramasser son matériel quand une voix s'éleva des gradins. Il vit Penny.

— Vous avez été héroïque, matador, dit-elle d'une voix brisée. C'est le destin qui vous a volé votre taureau.

Il lui tourna le dos et se précipita hors de l'arène avant de traverser la cour où attendaient les chevaux et de retrouver sa voiture. A toute allure, il rentra à la Maison de Céramique et monta dans sa chambre pour se changer et quitter cette ville de malheur.

C'est ainsi que s'acheva ce que le touriste allemand qualifia justement d'après-midi de grisaille. Il y avait eu peu d'exploits véritables et aucun trophée n'avait été accordé. La musique ne joua pas pour annoncer la fin de la corrida, les gens ne se regroupèrent pas pour discuter. De quoi auraient-ils pu parler, d'ailleurs, en dehors des quelques passes de Calesero, de la bravoure de Pepe Luis et de la passe de poitrine de Fermín ? La foule se dispersa en silence, pas parce qu'elle était frustrée ou dégoûtée, mais parce qu'elle n'avait *rien* vu.

Ledesma nous dit au revoir.

— Je dois m'atteler à une tâche bien plus ardue que vous ne l'imaginez. Je dois raconter ce qui s'est passé. (Il sourit à Mrs Evans et ajouta :) Comme votre bavard ami américain, le señor Clay, vous l'a certainement appris, don Eduardo me paie pour écrire au monde que cette journée fut un triomphe à part entière.

— Mais c'est impossible, dit-elle d'un ton bougon.

— Il le faudra bien, pourtant. Vous devez tout de même admettre que chaque torero a fait quelque chose de remarquable, même si ce n'était pas grandiose. Je ne mens jamais, vous savez, je ne fais qu'oublier les tristes vérités qui pourraient nuire au négoce de don Eduardo.

Penny était atterrée. Les autres spectateurs n'étaient pas dans le même état : ils avaient vu une rejoneadora toréer honnêtement, ce qui est somme toute assez rare, et faire ses adieux de surcroît. Mrs Evans avait bénéficié de deux intéressantes conversations, l'une avec Ledesma et l'autre avec Ricardo Martín. Penny s'était identifiée à un matador et avait eu le malheur d'assister à sa chute. Mais c'était une jeune femme forte et elle me le prouva à nouveau en insistant pour que nous trouvions Fermín.

— Regagnons l'hôtel avant son départ.

— Où doit-il aller ?

— A Torreón, c'est lui qui me l'a dit. Il y torée demain.

Elle me raconta tout ce que lui avait confié Sotelo lors de leur brève conversation sur la terrasse.

— Je pensais l'y emmener dans la Cadillac de Mrs Evans, mais il a refusé en prétextant que les matadors ne se font jamais conduire par des femmes, surtout par des Américaines, me semble-t-il.

Quand nous arrivâmes à la Maison de Céramique dont la terrasse était bondée de monde ayant assisté à la corrida, Penny me pria de la conduire à la chambre de Fermín. Nous le trouvâmes en train de boucler ses bagages avant de partir vers le nord du pays. Ignorant les péons qui rangeaient les costumes dans des valises spéciales, elle s'approcha de lui et le serra dans ses bras en pleurant. Il la consola, puis me la confia :

— Prenez soin d'elle, me dit-il, c'est une princesse.

Sans autre forme d'adieu, il se précipita vers sa limousine. Penny courait derrière lui. Bien entendu, ce n'était pas une vraie limousine, un matador débutant n'aurait pu s'en offrir une. C'était une vieille guimbarde, assez spacieuse pour abriter six personnes, que recouvrait une couche de peinture éclatante.

Penny le rattrapa avant qu'il ne fermât la portière.

— Don Fermín, l'entendis-je dire en espagnol, vous avez été très brave. Je m'en souviendrai toujours quand je repenserai à cette journée et à mon voyage au Mexique.

L'air grave, il la repoussa doucement et s'adressa à moi :

— Si vous êtes son oncle, veillez bien sur elle, car c'est une perle rare.

Il claqua la porte et la voiture disparut dans un nuage de poussière.

En revenant vers la terrasse, je la pris par l'épaule.

— Je suis fier de la façon dont vous vous êtes comportée au cours de la corrida. Vous n'oublierez jamais cela.

— Comment un taureau qui n'a qu'une corne a-t-il pu se montrer aussi diabolique ? dit-elle au bord des larmes. Avec mon matador...

— Parce qu'il a fait ce pour quoi il a été élevé, dis-je. Lui aussi, il a fait son travail.

15

Les ancêtres américains : en Virginie

Quand un homme est issu de trois lignées différentes — dans mon cas une indienne du Mexique, une espagnole et une virginienne — il peut se targuer dans chaque branche d'environ mille cinq cents générations d'ancêtres, si l'on compte trente ans par génération. Je pourrais, pour décrire mon ascendance, commencer à n'importe quelle époque de mon choix. Je suis remonté assez loin dans la branche indienne, jusqu'au VIe siècle. Pour ce qui concerne mes aïeux espagnols, j'ai jugé suffisant de ne reprendre leur histoire qu'à partir du début du XVIe siècle, à Salamanque.

Quant à mes antécédents américains je peux relater tous les faits significatifs depuis 1823, année de naissance d'un bébé de sexe masculin dans la famille Clay, laquelle exploitait une plantation de coton près de Richmond, la capitale de la Virginie. Au nord-est de cette ville s'étend une vaste zone marécageuse couverte d'arbres serrés, striée de ravines et jonchée de souches pourrissantes. Appelée le Wilderness (le désert), elle est peuplée de dindons sauvages, de cochons, de magnifiques oiseaux et de quelques couguars, et ses eaux sont exceptionnellement poissonneuses. C'est une région peu accueillante, mais génération après génération, les Clay s'y sont implantés et ont apprécié ses beautés inattendues.

La plantation de notre famille, Newfields, se situait à l'extrême limide nord-est du Wilderness, là où, au XVIIe siècle, on pouvait déboiser des terrains presque plats pour les transformer en champs immenses où cultiver le coton. A l'est coulaient les rivières qui rejoignaient la Chesapeake puis l'Atlantique, et à l'ouest la route qui courait jusqu'à Richmond après avoir traversé le Wilderness.

Par une journée du printemps 1823, Joshua Clay sortit en courant de la demeure familiale, sauta en selle et lança son cheval dans l'allée frangée d'arbres, puis sur la route qui s'enfonçait dans le Wilderness et menait à Richmond. Il traversa les rues au galop jusqu'à son club, où il annonça aux amis présents : « C'est un garçon ! Je vais l'inscrire sur la liste des postulants au Troisième de Virginie ! » Quelques membres témoins de cette scène avaient accueilli Joshua lui-même dans le célèbre régiment quarante ans plus tôt.

Aussi loin que s'en souvienne Richmond, les Clay de Newfields étaient connus pour leur capacité à gérer les mille arpents de terre de la plantation. Leur compétence englobait l'agriculture et la culture du coton aussi bien que l'art de ferrer les chevaux, la charpenterie, l'irrigation et l'administration des esclaves noirs. Joshua Clay en possédait environ deux cents, qu'il traitait décemment et dont le labeur édifiait la modeste fortune de la famille.

Le patriotisme des Clay parlait de lui-même : ils avaient servi sous les ordres du colonel George Washington dans ses batailles sur la Frontière contre les Indiens, sous ceux du général Washington à Valley Forge, et avec Andrew Jackson à La Nouvelle-Orléans après que les Anglais eurent incendié notre capitale pendant la guerre de 1812. Les Clay avaient également joué un rôle dans l'administration de la Virginie et une branche de la famille avait conduit un groupe de colons pour fixer la frontière du Kentucky, puis y était restée pour participer à la construction de cet Etat.

En 1823, à la naissance de mon grand-père, il n'y avait aucune guerre en cours. Les Clay consacrèrent ces années de paix à la prospérité de la plantation, abattant les grands arbres qui empiétaient encore sur leurs champs et créant des liens commerciaux solides avec des négociants cotonniers de Liverpool. Ils exploitèrent aussi de façon fructueuse le bois des arbres du Wilderness en le débitant et en le revendant aux charpentiers des villes voisines telles Richmond et Washington. Les terres familiales ne se trouvant qu'à une vingtaine de kilomètres de Richmond, les Clay venaient souvent dans cette cité animée. Dès que leur nouveau-né eut deux semaines et fut capable de supporter le voyage, la famille se rendit à Richmond pour voir des amis qui préféraient la vie citadine. C'est là que l'oncle Clay, clergyman de l'Eglise épiscopale, baptisa le bébé Jubal Clay.

Ce prénom avait donné lieu à débat au sein de la famille, car le père de l'enfant en aurait préféré un de consonance plus militaire, comme Gédéon, qualifié de guerrier redoutable par le Seigneur lui-même; mais la mère, jeune femme délicate qui aimait les livres, la peinture et la musique, implora son mari d'accepter le prénom Jubal, dont la Bible disait : « Il fut le père de tous ceux qui jouent de la harpe et du chalumeau. » Lorsque son époux consulta la Genèse pour retrouver cette citation, il lut : « Tsilla enfanta Tubal-Caïn, qui forgeait toutes sortes d'instruments tranchants d'airain et de fer », aussi conclut-il ce pacte avec sa femme : « Tu peux l'appeler Jubal si tu le désires, et je l'appellerai Tubal. » Et c'est ainsi que l'enfant grandit. Il pouvait jouer des instruments de musique auxquels sa mère l'initiait, mais il était aussi capable d'aider son père pour ferrer les chevaux ou forger les outils que réclame une plantation.

Avec le temps le prénom choisi par la mère prévalut, en partie parce qu'elle eut un second fils que son mari put appeler Gédéon, comme le guerrier qui avait vaincu les Madianites. Néanmoins ce nom de baptême eut peu d'influence puisque Gédéon devint banquier.

En 1846, Jubal, marié, vingt-trois ans, un fils, commençait à ne plus se satisfaire d'une vie dévolue à la direction de la plantation. Grâce aux conseils éclairés de son père il était devenu un outilleur habile, un technicien inventif, un administrateur d'esclaves averti qui revendait les travailleurs improductifs aux voisins peu méfiants et achetait des adolescents noirs des deux sexes aptes à procréer tout en accomplissant leur part de travail dans les champs. Il aimait passer ses soirées à faire de la musique avec sa mère et son épouse, les deux femmes jouant du piano et lui d'une clarinette importée d'Allemagne. Il appréciait également ses déplacements à Richmond, pour traiter avec des hommes d'affaires, rendre visite à son frère banquier ou assister aux pièces de théâtre et aux concerts variés donnés en ville.

Aussi plaisantes fussent-elles, ces distractions ne lui faisaient pas négliger son travail à la plantation, où sa femme Zephania se montrait tout aussi efficace que lui dans la gestion des femmes esclaves. Elle leur apprenait à coudre, repriser, tisser, cuisiner, et ainsi les Clay vivaient et mangeaient bien, et ils étaient impeccablement vêtus. Cette agréable situation aurait pu continuer indéfiniment si Jubal, lors d'un de ses voyages à Richmond, n'avait dîné avec un groupe de militaires qui parlèrent avec une certaine chaleur des événements qui menaçaient l'Etat récemment admis du Texas, et aussi toute la nation.

— C'est intolérable ! disait un major. Quand j'étais membre des forces d'inspection de l'armée et que nous essayions de définir où il convenait de bâtir des forts dans nos nouveaux territoires, je n'ai entendu que des plaintes sur les menaces continuelles que les Mexicains font peser sur nos frontières.

— Les Texans avaient pourtant donné une bonne raclée aux Mexicains, il me semble ? s'étonna un officier de marine.

— Ce type nommé Santa Anna n'est pas n'importe qui, expliqua le major. C'est leur président, leur plus grand général, et il a remporté de son côté quatre ou cinq victoires remarquables sur les Texans. Mais depuis que Sam Houston est entré dans notre Sénat, les Texans se sont repris et l'ont défait. Et ils ont gagné leur indépendance.

— Et ils sont devenus une nation libre.

— Pour un temps, corrigea le major. N'en tirons pas de conclusions définitives. La bataille décisive n'a pas engagé plus d'un millier d'hommes d'un côté comme de l'autre. Une escarmouche sérieuse, disons, mais qui a suffi. Et il faut reconnaître le mérite des Texans : ils ont remporté la victoire en ne perdant que six de leurs hommes.

Un chiffre aussi ridicule laissa Clay incrédule.

— Vous avez bien dit « six » ?

— Comme je l'ai expliqué, ce n'était qu'un gros accrochage, en somme, répondit le major.

Clay insista :

— Mais vous dites que c'est ce même Santa Anna qui crée des problèmes actuellement ?

— Quand il est revenu chez lui, il a refusé de reconnaître que le Mexique avait perdu cette bataille, donc la guerre et le Texas. Il conserve l'espoir de le reprendre.

Plusieurs hommes posèrent la même question : « A-t-il des chances de réussir ? », et la réponse vint aussitôt, sans équivoque :

— C'est un excellent stratège. Si nous le laissons prendre l'avantage, il pourrait causer de réels ravages sur la frontière sud.

— Que devons-nous faire, selon vous ?

— D'après ce qu'on dit, le président Polk attend que Santa Anna entre au Texas. A présent c'est un territoire américain, et... (il frappa sa paume gauche de son poing droit)... dans ce cas c'est la guerre. Nos troupes déferlent sur le sud et écrasent ce prétendu Napoléon.

Ses auditeurs approuvèrent avec des hochements de tête.

Un homme qui faisait le négoce du coton avec l'Angleterre prit la parole :

— Il est du devoir de chacun d'entre vous de réfléchir posément à la situation. Imaginez cette frontière du sud. L'Alabama, le Mississippi et la Louisiane ne touchent pas le Mexique, à la différence de toutes les terres plus à l'ouest. Je pense qu'on pourrait y cultiver le coton, et la partie détenue par le Mexique est la plus riche. Croyez-moi, gentlemen, si nous pouvions stopper ce Mexicain en le battant à plate couture et lui imposer les termes du traité de paix qui s'ensuivrait, nous pourrions prendre ces terres et nous assurer ainsi des sources de richesse inespérées.

Le silence de son auditoire lui prouva qu'on ne partageait pas sa vision des choses, et il estima ne pas s'être expliqué assez clairement. Aussi reprit-il :

— Les terres que nous gagnerions sur le Mexique pourraient être utilisées à la culture du coton, gentlemen, et où pousse le coton il faut des esclaves. D'où viendraient-ils ? On ne peut plus les faire venir d'Afrique ou de Cuba. Nos lois et les navires britanniques nous l'interdisent. Alors où les nouveaux propriétaires chercheraient-ils leur main-d'œuvre ? Pas en Géorgie, ni dans les deux Caroline, où ils ont besoin de chaque esclave. Quant à l'Alabama et au Mississippi, on ne peut dénombrer plus de dix Nègres inemployés. Non, gentlemen, les nouveaux propriétaires devraient venir chercher leurs esclaves ici, en Virginie. Nous produisons de moins en moins de coton. Chacun de vous possède des esclaves en surnombre. Imaginez les prix que vous en tireriez si de nouvelles exploitations de coton se créaient !

Si Jubal Clay était un homme d'affaires avisé, capable d'entrevoir les possibles avantages financiers découlant d'une guerre victorieuse contre le Mexique, comme ses ancêtres il avait avant tout l'âme militaire. C'est pourquoi il demanda au major :

— Comment pensez-vous que la situation va se développer ?

— On dit que le président Polk va lever des volontaires, pour l'infanterie, la cavalerie et la marine, afin d'aller donner une leçon à ces Mexicains.

— Où puis-je m'enrôler ? s'enquit aussitôt Clay.

— L'annonce publique n'a pas encore été faite, mais je puis vous assurer que notre Troisième de Virginie offre quelques postes intéressants, de capitaine ou plus si vous avez déjà suivi une formation militaire.

— L'expérience dans la milice compte ?

— Bien sûr. Quel âge avez-vous, Clay ?

— Vingt-trois ans.

— Je pourrais vous engager demain, mais, à votre âge, vous devrez vous contenter du rang de lieutenant.

— Durant des générations ma famille s'est battue avec le rang de capitaine, je ne pourrais accepter moins.

Le major se renversa dans son fauteuil, considéra un moment Clay, puis baissa les yeux sur la table avant de répondre :

— Eh bien, sans nul doute j'aimerais compléter mon effectif avec des gens de votre valeur, mais le grade de capitaine, à vingt-trois ans ?

A son étonnement, il vit un large sourire s'épanouir sur le visage de Clay.

— Si vous consultez vos archives, vous constaterez que j'appartiens à votre régiment depuis 1823.

— Vraiment ?

— Vraiment.

— Dans ce cas, dit le recruteur, si vous êtes décidé, demain à cette même heure je vous nommerai capitaine au Troisième de Virginie.

Clay salua et déclara :

— Comme mon père et le père de mon père.

Mais alors qu'il quittait la table, le négociant en coton prit Jubal à part et lui dit :

— Capitaine Clay, avant que vous ne partiez pour le Texas, vous devriez réfléchir sérieusement à cette stratégie de revente de vos esclaves aux nouveaux territoires, après une victoire sur le Mexique. Prenez les mesures adéquates dans les années à venir, et vous en moissonnerez les profits dix fois plus longtemps.

Si Clay avait demandé son affectation dans le régiment virginien une semaine plus tôt, il aurait servi, comme il le pensait, le long de la frontière entre le Texas et le Mexique, sous le commandement du général Zachary Taylor qui s'apprêtait à conduire l'invasion vers le sud et le cœur du Mexique. Mais il rata cette occasion de côtoyer nombre de jeunes hommes comme lui destinés à la gloire dans les années 1860.

A cause de ce retard, il se retrouva non dans un train en route pour le Texas mais sur un navire, un transport de troupes qui appareilla du port militaire de La Nouvelle-Orléans pour une rapide traversée jusqu'à Veracruz. Il était prévu que les Américains débarqueraient sous le feu ennemi puis avanceraient dans la jungle par les pistes pour atteindre Mexico. Une fois la capitale ennemie prise, la guerre serait finie. Les soldats du corps expéditionnaire étaient certains de défaire les Mexicains en un mois tout au plus, et ils étaient impatients d'engager le combat pour en terminer au plus tôt.

Le général placé à la tête de ces troupes se nommait Winfield Scott.

Le commandant en chef de toutes les forces américaines au Mexique était un militaire de soixante ans aux cheveux blancs, impressionnant tant par son physique que par son caractère et connu pour son tempérament volcanique. Il était persuadé que tout le gouvernement de Washington et les officiers qui le secondaient complotaient contre lui. Mais ses références de soldat étaient indiscutables : il s'était battu au Canada, avait montré son héroïsme pendant la guerre de 1812, avait servi contre les Indiens et occupé tous les postes importants en temps de paix. Scott était indiscutablement le meilleur soldat de la nation et il avait l'intention avouée de faire de la campagne mexicaine l'apothéose de sa carrière militaire, et peut-être même un tremplin vers la présidence.

Bien avant d'embarquer sur le navire qui devait le mener à sa destinée, Scott entreprit de constituer un état-major fiable. Conscient qu'il aurait besoin d'un adjoint de confiance pour copier les documents confidentiels dont il bombarderait ses supérieurs civils de Washington, il chercha activement l'homme de la situation. Un matin il repéra Jubal Clay prenant de l'exercice sur le pont. Le capitaine lui parut un jeune homme de bonne allure, racé, net d'aspect et visiblement le produit d'une bonne éducation.

Lorsque Clay passa en courant auprès de lui, Scott gronda à son adresse :

— Vous, jeune homme ! Avez-vous la main sûre ?

Clay s'arrêta net et, se retournant, reconnut le général.

— Je tire depuis mon plus jeune âge, mon général, répondit-il.

— Je veux seulement savoir si vous êtes capable d'écrire une page lisible ! tonna Scott.

— Oui, répondit humblement Clay.

Il ne fallut à Clay que quelques jours de travail dans les quartiers du général pour découvrir que Winfield Scott, qui assumait pleinement son rôle prépondérant dans la hiérarchie militaire de la nation, manquait pitoyablement d'assurance dans ses relations personnelles, tout en affichant une arrogance qui frôlait parfois le ridicule. Après une semaine à ses côtés, Clay jugea que le général était quelqu'un d'assez insupportable, mais également un homme fait pour commander. Et il se dit que cette campagne serait rondement menée.

Très vite il apprit que Scott avait en horreur toute personne occupant un poste de pouvoir. Républicain conservateur intransigeant, il détestait tout particulièrement le président Polk, un démocrate libéral, ainsi que le général Zachary Taylor, un autre démocrate qui semblait lui aussi guigner la présidence. Toutefois, il réservait son mépris le plus profond à Gideon J. Pillow, un avocat insignifiant venu d'une petite ville du Tennessee et dont l'incompétence était telle que Clay ne pouvait comprendre l'acharnement de Scott contre lui.

— Je vais vous dire pourquoi, rugit un jour le général. Parce qu'il était l'associé de Polk et que le président l'a détaché à mon état-major pour m'espionner !

Après que Scott eut désigné trois ou quatre autres espions parmi ses généraux, Clay se permit de demander :

— S'ils sont tous ligués contre vous, comment se fait-il qu'ils vous aient désigné pour commander le corps expéditionnaire ?

— C'est très simple ! Parce qu'ils savent que je suis le meilleur pour cette affaire, et le seul capable de forcer Santa Anna à la reddition, et parce que c'est exactement ce que je vais faire !

Chaque jour Clay devait endurer les preuves de l'incroyable vanité de son supérieur et sa détermination à combattre tout personnage officiel pour conserver ce qu'il estimait être ses prérogatives absolues. Il en vint à se demander si un tel homme saurait conduire ses troupes avec efficacité, mais lorsqu'en mars 1847 la flotte de guerre américaine se massa devant le port fortifié de Veracruz, le jeune capitaine eut la preuve du génie militaire de Scott.

— Compte tenu de ces fortifications, dit un autre officier, une attaque en règle de ce port nous coûterait des pertes énormes. Je ne veux pas déclencher un tel carnage.

Scott ne le désirait pas plus. Aussi imposa-t-il un blocus magistral qui interdisait à tout navire ennemi de ravitailler Veracruz. Puis il concentra toute la puissance de feu des navires de guerre américains pour pilonner les positions ennemies. Après quelques jours de ce traitement, les troupes débarquèrent et ne rencontrèrent qu'une résistance symbolique. La route de l'Altiplano leur était maintenant ouverte jusqu'à Mexico qui se préparait à l'assaut. Clay estima la durée de leur progression à deux ou trois semaines, le siège à autant, ce qui mettait la reddition de l'ennemi à la mi-mai au plus tard.

Quelle surprise ce fut pour mon grand-père ! Mars passa, puis avril, mai et juin, et le général Scott se frayait toujours un passage dans la jungle mexicaine, empruntant des chemins escarpés, se heurtant à la résistance de forts bien défendus et de cités formidables comme Puebla. Si les généraux à ses ordres l'exhortaient à presser l'allure, Scott répondait avec mauvaise humeur :

— Quand j'atteindrai la capitale, je veux que la bataille soit déjà gagnée. Nous devons avoir tous les avantages de notre côté. Je veux un affrontement rapide, et décisif.

Clay utilisait au mieux les lenteurs de leur approche, d'une façon qu'il n'aurait pas imaginée. Un éclaireur mexicain qui avait proposé de guider Scott dans son pays dans l'espoir de gagner la nationalité américaine par la suite, un certain Pablo Mugica, découvrit qu'il avait lui aussi du temps de libre. Contre un peu d'argent il proposa à Clay de lui apprendre l'espagnol, et quand juin céda la place à juillet, puis lorsque le mois d'août approcha, Clay s'étonna de ses connaissances de base en espagnol, connaissances qu'il mit à profit dans l'interrogatoire des prisonniers.

C'est pendant cette longue et fastidieuse progression que mon grand-père se familiarisa avec les multiples merveilles que recèle le Mexique : grands volcans qui percent le ciel, jungle impénétrable, petits villages aux murs d'un blanc éclatant, vallées baignées de sérénité, églises vieilles de plusieurs siècles, et partout ces péons aux vêtements blancs étriqués, accompagnés de leur âne.

Plus il apprenait à connaître le Mexique, plus il appréciait ce pays. Alors que jamais il n'avait envisagé de vivre dans un endroit au retard culturel si considérable, il se sentait attiré par la beauté de ces contrées et le charme essentiel d'une vie fondée sur des valeurs catholiques. Quand les autres Américains, s'épuisant comme lui dans l'interminable ascension, se plaignaient ou maudissaient ce pays d'enfer, il ne se mêlait pas à leurs récriminations. Le génie militaire des généraux ennemis ne l'impressionnait pas — avec leur énorme supériorité numérique ils auraient dû être capables de repousser Scott jusqu'à la côte atlantique — mais les gens qu'il rencontrait, il les aimait.

Son expérience à l'état-major de Scott ne cessait de l'étonner ; le général se consumait de haine pour Polk, Pillow et Zach Taylor à mesure que l'expédition rencontrait des obstacles. Chaque jour il soupçonnait un peu plus la présence d'espions à leur solde auprès de lui, non sans raison d'ailleurs, car il était littéralement entouré d'hommes, en majorité délégués pour des raisons politiques, qui espéraient son échec et parfois même manœuvraient dans ce but. Mais il était également secondé par des généraux aussi déterminés que lui à la victoire. Toujours surpassés en nombre par l'adversaire et confrontés à une artillerie excellente dirigée par des officiers mexicains formés en Europe, les subordonnés de Scott agissaient résolument et avec la plus grande efficacité, malgré leur commandant en chef qui semblait s'ingénier à dénigrer leurs compétences dans ses rapports écrits. Chaque fois qu'il lisait la dernière diatribe de Scott contre ses généraux, Clay se demandait comment ceux-ci pouvaient obéir encore à ses ordres.

Toutefois, Clay voyait également les efforts que Scott mettait à déceler chez ses jeunes officiers ceux qui avaient l'étoffe de futurs généraux. Alors il surenchérissait sur leurs talents, leur donnait des affectations de choix et rapportait leurs succès à Washington. Des années plus tard, lorsqu'il voulut rédiger un jugement mûri des qualités militaires de Scott, Clay écrivit : « En lisant ses rapports de 1847 sur ses subalternes, il apparaît qu'il était très désireux de signaler ces jeunes officiers qui se révéleraient les plus grands généraux de la guerre civile quinze ans plus tard, en 1862. Il était fier d'avoir à ses côtés P.G.T. Beauregard, décela très vite les capacités de George C. McClellan et mentionna avec enthousiasme six ou sept autres jeunes soldats qui deviendraient des généraux importants. »

Son appréciation la plus perspicace concerna un jeune capitaine, Robert E. Lee. Dans les dépêches qu'il devait recopier, Clay lut souvent l'opinion louangeuse de Scott envers ce jeune Virginien : « S'est magnifiquement distingué lors du siège de Veracruz... Infatigable... Comportement héroïque sous un feu roulant... Officier promis à un brillant avenir. » Mais le texte dont Clay se souvint le mieux et qu'il cita souvent à sa famille se trouvait à la fin d'un message où il faisait l'éloge de George McClellan et P.G.T. Beauregard : « Le capitaine Lee, ingénieur, a également assumé d'importantes charges, jusqu'à ce qu'il perde connaissance consécutivement à une blessure et deux nuits sans sommeil aux batteries. »

Il fallut beaucoup de temps à Scott pour aller de Veracruz à la capitale, du 27 mars au 14 septembre, mais une fois là il remporta une série de victoires éclatantes, et Jubal vit quel formidable général il était. Rien ne donna plus de satisfaction à Clay que l'aide qu'il apporta à la rédaction du rapport destiné à Washington, car il laissait apparaître un homme admirable autant qu'un grand chef militaire :

> Notre dernière victoire nous ayant amenés aux portes de la capitale mexicaine, elle-même faiblement défendue, nous pensions que le général Scott nous donnerait cet ordre : « Foncez, balayez les forces adverses et fêtez une victoire bien méritée. » A l'étonnement unanime il nous fit arrêter, s'entretint avec ses généraux puis déclara en ma présence : « Nous ferons halte ici deux jours afin de donner au gouvernement mexicain très éprouvé le temps de reprendre son souffle et son courage. J'ai décidé cela pour deux raisons : dans les jours à venir nous devrons discuter avec ces hommes pour parvenir à une paix honorable, et ils se comporteront de manière plus raisonnable s'ils ont conservé le sens de l'honneur. Et l'histoire m'a appris que lorsqu'une armée conquérante pénètre dans une ville après un siège prolongé, des choses horribles risquent de se produire. Incendies, pillages, meurtres, viols. Ce sont des agissements qui ne se produiront pas sous mon commandement. Nous attendrons que les esprits se calment, les leurs comme les nôtres. »
>
> Deux jours plus tard, comme prévu, un petit contingent de nos forces attaqua une porte secondaire défendue par une force ennemie restreinte. Après un bref combat nos hommes enlevèrent la position. Les Mexicains eurent l'impression qu'ils avaient honorablement défendu la ville, et quand nos troupes y pénétrèrent pour l'investir, en ordre et drapeaux claquant au vent, il n'y eut aucun incendie, meurtre ou viol.

Jubal fit une autre observation sur la guerre du Mexique :

> Lors de l'ultime bataille de Chapultepec, à la fin du siège, s'est produit un incident qui m'a toujours empli de perplexité. L'engagement fut assez confus et dura plusieurs heures, car l'ennemi avait l'avantage du nombre et de la position, mais nous finîmes par nous imposer. Plus tard nous apprîmes qu'un groupe de cadets d'un collège militaire situé sur la colline avait refusé d'abandonner cette position avantageuse alors que leurs instructeurs et les cadets plus âgés la quittaient. Faisant preuve d'un héroïsme remarquable ces jeunes hommes parvinrent à repousser un temps nos attaques, pour finir par être submergés par le nombre. Six d'entre eux périrent durant l'engagement. Lorsque le récit de leur patriotisme se répandit dans Mexico, ils devinrent objet d'une légende et furent dénommés « *los Niños héroes* ». Des années plus tard, quand je fus devenu citoyen mexicain, les gens me demandèrent : « Si vous étiez présent lors de la bataille de Chapultepec, qu'avez-vous pensé de *los Niños héroes* ? » et au début je répondais : « Nous ne les avons jamais remarqués », car ce sujet m'était trop douloureux. Je recevais alors des regards tellement sombres que je finis par dire : « Si vous aviez eu une brigade

supplémentaire de ces enfants, nous n'aurions jamais gagné », et cette formule faisait grand plaisir à mes interlocuteurs.

Si j'insiste ainsi sur le rôle de mon grand-père dans la guerre du Mexique et ses relations avec le général Scott, c'est parce qu'il en découla un événement qui détermina la seconde moitié de sa vie. Peu après la fin des hostilités, Scott fit venir Jubal et lui dit :

— Major Clay, aucun membre de mon état-major n'a eu une conduite aussi admirable que vous. Vous avez mon entière confiance. Je vous confie le commandement d'un détachement de cavalerie de douze hommes avec leur sergent pour une mission inhabituelle. J'ai demandé au général Santa Anna de vous délivrer un sauf-conduit afin que vous chevauchiez vers le nord-ouest jusqu'à Toledo, une ville minière qui porte le même nom que la cité espagnole. Je veux savoir de quelle sorte sont ces mines, en particulier si on en extrait du charbon ou du fer. D'après moi, c'est à environ trois cents kilomètres d'ici. Prenez de l'argent, des vivres, des munitions, n'oubliez pas vos yeux et vos oreilles, et bonne chance !

C'est ainsi qu'à la fin du mois de septembre 1847 la troupe de quatorze cavaliers commandée par mon grand-père quitta Mexico en direction de Toledo, aussi éloignée à l'ouest de la capitale que Veracruz l'était à l'est. S'il avait fallu six mois pour aller de Veracruz à Mexico, la guerre était finie et ils pouvaient maintenant progresser à leur allure, non sans se méfier néanmoins d'éventuels tireurs rebelles ou de bandits qui pourraient les attaquer. Comme mon grand-père se plut à le dire à mon père des années plus tard, ce fut un voyage marqué par la vision grandiose des volcans derrière eux et de magnifiques panoramas devant eux. Ils traversèrent des sites historiques tels que Querétaro, virent ici et là une petite pyramide ou d'autres vestiges de l'occupation passée et atteignirent des régions stériles où poussait le cactus, une plante que les Virginiens ne connaissaient pas.

Les vents de novembre rafraîchissaient agréablement l'atmosphère quand ils atteignirent une crête d'où ils purent contempler leur destination, la célèbre ville minière de Toledo, avec une grande pyramide sur sa droite et un aqueduc élégant qui en partait pour rejoindre les limites de la ville. Ils découvrirent la grand-place entourée de bâtiments coloniaux dont une cathédrale, et d'un côté une construction de planches rouges imitant un colisée romain. Lorsque mon grand-père expérimenta son espagnol sur un homme avec sa mule qu'ils croisèrent, celui-ci déclara :

— C'est là qu'ils courent avec les taureaux.

Et quand Jubal demanda :

— Et où sont les mines ?

L'homme répondit avec fierté :

— Derrière la ville, au nord.

Dans cette direction mon grand-père ne put distinguer qu'une vague masse de cabanes.

— *¿ Dónde está la cárcel ?* s'enquit mon père auprès d'un autre homme quand ils arrivèrent aux abords de la ville.

Le Mexicain contempla la troupe et répondit par une autre question :

— *¿ Quién es el prisionero ?*

Jubal avait confondu le mot *cárcel,* prison, avec *cuartel,* les quartiers militaires ! La méprise expliquée, tout le monde en rit, et le Mexicain héla quelques amis pour leur expliquer que ces Américains voulaient aller en prison. C'est ainsi que mon grand-père entra dans la ville coloniale de Toledo au son de rires sonores.

L'officier commandant la garnison conseilla aux nouveaux venus de s'installer dans une hostellerie occupant un des bâtiments les plus célèbres de la région, la Maison de Céramique, belle construction donnant au sud sur un agréable jardin et au nord sur un paysage extraordinaire, l'énorme pyramide de Toledo. Pendant les trois semaines de son séjour, Jubal put ainsi contempler la place, vieille de seulement trois cents ans, ou la masse menaçante de la pyramide, présente depuis treize siècles. Il s'en délectait.

Il expliqua aux Mexicains qu'il était venu pour visiter toutes leurs célèbres mines et ceux-ci rectifièrent :

— Il n'y a qu'une seule mine, señor, mais elle est importante.

Et ils formèrent une caravane montée, l'emmenèrent quelque douze kilomètres plus au nord par une route large mais sinueuse jusqu'à un site à flanc de coteau, sans rien de particulier sinon plusieurs baraques basses en pisé aux toits de branches d'arbres entrelacées avec des lianes et cimentées de boue. Aucune construction imposante n'était visible qui aurait pu être associée à une mine, mais il remarqua une grande surface circulaire sillonnée de chemins étroits qui menaient tous à un grand trou sombre, au centre. Tel était donc l'aspect de la célèbre Mineral de Toledo, aussi renommée en Espagne qu'au Mexique. En Espagne, on associait ce nom à plusieurs mines, sans doute parce que personne ne pouvait croire qu'une seule fournisse autant d'argent.

— Seulement de l'argent ? demanda Clay, et ses interlocuteurs acquiescèrent.

» — Pas de fer ? et ils répondirent par la négative.

» — Pas même dans les collines avoisinantes ? et de nouveau, son espoir fut déçu.

Ayant obtenu aussi vite les renseignements qu'il était venu chercher, il aurait pu repartir pour la capitale, mais il prit une heureuse décision :

— J'aimerais voir cette mine de plus près, dit-il, et il s'attarda à Toledo dont les habitants ne lui ménagèrent pas leur coopération, car ils étaient à juste titre fiers de leur trésor.

Ils le conduisirent auprès d'un ingénieur espagnol, un homme maigre et nerveux aux cheveux blond roux qui ne mesurait pas un mètre soixante et qui parut réellement ravi de renseigner un visiteur aussi bien informé :

— Mine ? Ingénieur ?

Lorsque Clay répondit « *Abogado* », l'Espagnol lui répondit qu'il appréciait les hommes de loi, et Clay se frappa le front du plat de la main.

— *Algodón,* corrigea-t-il pour expliquer qu'il cultivait le coton, et cette nouvelle méprise déclencha les rires.

La baraque où il rencontra le directeur de l'exploitation n'était distante que de quinze mètres du puits de mine, mais la démarche posée et lente de l'Espagnol à l'approche du trou incita Clay à la plus extrême prudence. De l'excavation huit Indiennes menues émergèrent, chacune portant sur la tête un panier empli de ce que Clay supposa être le minerai sombre chargé d'argent.

Les femmes s'éloignèrent sans bruit sur leurs pieds nus, le visage impénétrable ne laissant filtrer aucun sentiment. Clay et l'ingénieur s'avancèrent jusqu'au bord du puits, et l'Espagnol désigna une solide plate-forme de planches où son visiteur pouvait s'allonger sur le ventre et contempler les profondeurs de la Mineral de Toledo. L'expérience était impressionnante : s'il voyait le mur sombre du puits, il ne pouvait distinguer le fond où les mineurs indiens détachaient le minerai remonté ensuite par les femmes dans leur panier. Il n'y avait que l'obscurité, une vision de l'enfer, car de temps à autre montaient du puits des volutes d'une fumée grise. Très loin audessous, dans les entrailles de la terre, quelque chose semblait brûler.

Puis, sortant lentement des ténèbres peut-être soixante mètres plus bas, huit autres Indiennes apparurent, le panier sur leur tête, et tandis qu'il observait le mouvement ondulant de leur progression, il eut l'impression qu'elles marchaient dans le vide car il ne distinguait aucun escalier. En regardant mieux, il vit ce qu'il n'avait pas remarqué jusqu'alors : contre la paroi circulaire du puits, formant une spirale apparemment infinie, des marches de pierre étroites avaient été taillées, des siècles plus tôt, pour les milliers d'Indiens, hommes et femmes, qui avaient peiné ici.

La surface réduite que chaque marche offrait aux pieds du grimpeur — pas plus de cent dix centimètres carrés — avait de quoi effrayer Clay, de même que l'aspect lisse de la paroi, patinée par la pression de millions de mains posées contre le roc pour prendre appui dans une ascension aussi périlleuse. Il pensa qu'il devait être encore plus dangereux de descendre, car, dans ce cas, le poids du corps vous tirait en avant, et le moindre faux pas... Il s'imaginait plongeant tête la première dans l'abîme. Alors qu'il frémissait d'horreur à cette idée les femmes atteignirent le bord du puits, les paupières clignant sous l'agression du soleil. Elles suivirent le sentier menant au fourneau sans marquer la moindre pause, et Clay jugea qu'elles étaient comme un matériel fiable, docile et bon marché. Elles lui rappelaient ses esclaves qui récoltaient le coton, à la seule différence que ceux-là travaillaient à la lumière du jour. Au moment où l'ingénieur entama la descente dans le puits avec Clay, mon grand-père s'était préparé à découvrir quelque chose d'exceptionnel, et il ne fut pas déçu. Bien des années plus tard, il devait dire à sa famille, en Virginie ou au Mexique : « Ce fut une des journées les plus extraordinaires de mon existence, et c'est un adjectif que j'emploie avec parcimonie. »

Cette année-là, la mine approchait les trois cent quatre-vingt-dix mètres de profondeur, et la descente fut aussi périlleuse qu'il l'avait pensé, mais l'Espagnol lui montra comment progresser avec un minimum de risques, pour peu qu'on garde son épaule droite pressée contre la paroi. Cette plongée au ralenti dans l'enfer lui sembla interminable; néanmoins, à près de cent quatre-vingts mètres de profondeur, le puits s'ouvrit sur une caverne fort vaste : suffisamment d'espace pour une petite ferme, et la hauteur de la voûte aurait permis l'édification de granges de belle taille.

— Vous avez trouvé une veine importante ici? demanda Clay. (Comme l'ingénieur acquiesçait, il ajouta :) Mais plus bas elle s'amenuise de nouveau?

— Elle disparaît.

Clay s'arrêta au bord du puits qui s'enfonçait plus loin dans le sol, toujours aussi étroit, et l'ampleur de la décision prise ici plus d'un siècle auparavant l'abasourdit.

— Vous voulez dire qu'en voyant que la veine se tarissait, quelqu'un a eu le courage de déclarer : « Plus bas on doit retomber sur l'autre partie de la veine », et que sur ce simple espoir ils ont creusé plus profond dans le roc?

— La décision n'était pas si difficile à prendre. En Espagne, le roi recevait un rapport mensuel sur la situation de la Mineral de Toledo. Il tablait sur notre production d'argent, et quand il s'est rendu compte qu'elle baissait il a ordonné de creuser plus profond. Et les Indiens ont creusé.

Lorsque Clay demanda jusqu'à quelle profondeur, l'ingénieur lui répondit : « Vous verrez » et ils reprirent la descente des marches étroites, en se serrant toujours sur la droite pour assurer leur équilibre. Une trentaine de mètres plus bas, ils arrivèrent à la seconde caverne qui se trouvait à près de deux cent dix mètres en contrebas et se révéla moins grande que la première, bien que de dimensions encore supérieures à celles d'une salle de bal.

— Ils ont creusé ici pendant des années, dit l'ingénieur tandis qu'ils atteignaient les trois cent quatre-vingt-dix mètres de profondeur. C'est ici qu'ils ont découvert la véritable richesse de Toledo.

La vue de Jubal s'accoutumait à la faible lumière dispensée par les torches fumeuses, et il constata qu'ils n'étaient pas dans une simple caverne de mine mais dans un véritable village souterrain disposé en un cercle d'environ cinq cents mètres de diamètre. Trois douzaines de mineurs indiens et leurs chefs d'équipe mexicains travaillaient comme ils l'auraient fait à l'air libre, dans une exploitation à ciel ouvert. Il y avait une forge pour affûter les outils servant à creuser le roc, des bacs d'eau, un espace plat avec des tables qui ressemblait à un restaurant, et plus loin, dans la pénombre, des entrepôts. Mais ce furent les ânes qui étonnèrent le plus Clay : ils transportaient de gros morceaux de roc de la zone d'extraction à un endroit où on les réduisait en taille avant de les remonter en surface.

— Comment faites-vous descendre et monter les ânes ? Ils ne peuvent emprunter l'escalier en spirale, n'est-ce pas ?

— Ils ne sortent pas.

— Jamais ?

— Jamais. Quand ils meurent, on treuille leur cadavre hors de la mine.

Clay suivit des yeux les ânes qui avançaient laborieusement dans la semi-obscurité, puis il tourna son attention vers les hommes et demanda :

— Et les Indiens ? Ils restent ici à perpétuité ?

— Ils n'y sont pas forcés, répondit l'Espagnol. Ils peuvent remonter s'ils le désirent, mais l'ascension a de quoi faire peur, vous le constaterez par vous-même, et certains préfèrent rester au fond. Bien sûr, quand ils deviennent trop vieux pour travailler nous les encourageons à partir, toutefois il en est qui préfèrent rester ici et s'employer à de menus travaux. Et certains aiment trop leur âne pour accepter de l'abandonner.

— Comment font-ils descendre les animaux ici ? voulut savoir Clay.

L'Espagnol demanda aux mineurs s'ils attendaient un âne aujourd'hui, et ils répondirent par l'affimative. Après plus de deux heures durant lesquelles Clay inspecta la caverne et s'étonna de ses mille particularités, le contremaître donna un coup de sifflet. Un Indien se mit à battre un tambour et les femmes portant les paniers sur leur tête interrompirent leur ascension. Toute activité avait cessé dans la mine depuis une vingtaine de minutes quand Clay entendit des bruits d'un corps heurtant la paroi et des grattements, le tout ponctué de braiments, et bientôt il vit apparaître, dans une boucle de corde qui descendait lentement, un âne récalcitrant qui agitait les pattes. Enfin délivré, l'animal fonça au hasard dans la caverne, puis fit le tour de ce champ rocailleux où il passerait le restant de sa vie. Avec la corde libérée, les mineurs confectionnèrent une sorte de panier qu'ils emplirent d'objets devenus inutiles ici, et après avoir donné le signal convenu en tirant sur la corde, les battements du tambour retentirent de nouveau et le lourd balluchon fut hissé lentement vers la surface, heurtant le puits étroit en chemin.

Quand les femmes eurent repris leur ascension, Clay demanda :

— Certaines d'entre elles vivent également ici, au fond ?

— Si elles ont monté et descendu plusieurs fois avec leur charge, elles sont autorisées à dormir ici. Bien sûr, elles vont accoucher à la surface, mais quelques-unes particulièrement têtues restent au fond malgré tout.

— Et celles qui sont enceintes grimpent cet escalier avec le panier rempli de minerai ?

— Nous les surveillons de près. Lorsqu'une femme atteint le septième ou le huitième mois de sa grossesse, nous lui confions des tâches moins dures à la surface. Alimenter le fourneau de minerai, par exemple.

— Depuis combien de temps cet escalier existe-t-il ?

— Ils m'ont dit que les Indiens avaient découvert de l'argent ici en 1548. Donc, dans un an, les premières marches du puits auront trois cents ans d'existence.

— Et si une des femmes, ou un homme, glisse d'une marche ?

L'Espagnol haussa les épaules et leva les mains dans une attitude d'impuissance totale, puis il dit :

— Nous avons toujours surveillé l'état des marches de très près, et si nous en localisons une qui a occasionné des accidents nous faisons descendre le tailleur de pierre pour la refaire, bien que cela prenne du temps et nous coûte cher. Et, bien entendu, nous recommandons la plus extrême prudence pour monter comme pour descendre. (Il expliqua que les accidents mortels étaient plus nombreux lors des descentes à vide que pendant les montées, quand les Indiennes étaient chargées de leur panier de minerai.) Elles prennent moins de précautions en descendant, et elles vont trop vite.

— Où trouvez-vous les Indiens pour votre main-d'œuvre ?

— Dans les premiers temps, ce sont les criminels qu'on envoyait ici, mais nous nous sommes rendu compte qu'on ne pouvait leur faire confiance : ils se montraient enclins à des comportements dangereux. C'est pourquoi les ingénieurs ont cessé de les prendre dans le personnel.

— Comment les ont-ils remplacés ?

— Nos missionnaires ont persuadé certains des convertis de travailler ici en expliquant qu'ainsi ils seraient proches d'une église. Et quand nous n'avions pas assez de volontaires — ce qui s'est produit à mon époque —, les soldats amenaient de force des tribus entières. Si vous vouliez discuter avec tous les mineurs de fond qui sont ici, il vous faudrait connaître une douzaine de dialectes différents.

— Et ceux que les soldats conduisaient ici par la contrainte n'ont jamais protesté ? En Amérique, il arrive parfois que nos esclaves entrent en rébellion...

— Il en est de même ici. Cette mine a été le théâtre de quelques tueries, dont certaines particulièrement horribles. Toute l'équipe des Blancs massacrée, ou les Indiens d'une tribu qui ont éliminé tous ceux d'une autre. Et nous devons rester vigilants en permanence. Quelquefois un homme qui est devenu... (Il se tapota le front pour signifier la folie.) Il peut très bien se dissimuler dans une des cavernes vides que vous avez vues lors de la descente, et lorsque passe un contremaître qu'il déteste ou un autre Indien promu au poste qu'il convoitait, il attend que l'homme soit engagé dans l'escalier, il bondit sur lui et l'entraîne dans le vide.

— Ce genre d'incident s'est produit depuis que vous travaillez ici ?

— Le mois dernier. Nous devons constamment rester sur le qui-vive.

Ce que voyait Clay, en particulier la livraison de l'âne, lui suggéra cette réflexion : « Si l'on pouvait descendre un animal avec une corde, pourquoi ne pas utiliser le même système pour remonter le minerai ? » Il posa la question, et l'Espagnol lui répondit aussitôt :

— Les cordes coûtent cher. Elles s'usent vite. De plus le treuillage serait très long. Les femmes reviennent beaucoup moins cher.

Au moment d'entamer la longue ascension vers la surface, Clay était tourmenté par de multiples visions désagréables : quelque Indien ayant perdu la raison qui le saisissait dans le plongeon mortel ; l'âne qui venait aujourd'hui d'être condamné à servir jusqu'à sa mort sous terre ; et, plus effrayant que tout, l'image d'une communauté entière vivant, travaillant, se reproduisant dans les entrailles de la terre. Il essayait d'estimer le nombre des Indiens qui avaient péri dans la Mineral de Toledo, et soudain le destin parallèle des esclaves de la plantation de Newfields le frappa. Il ne tarda pas à calmer les remords de sa conscience. « Après tout, se dit-il, c'est Dieu qui a voulu que les races inférieures travaillent pour la race supérieure. Et puis, ces Indiens mènent sans doute une existence bien préférable ici à celle qu'ils auraient dans leurs montagnes. » Mais quand il atteignit l'air libre et qu'il goûta enfin la lumière du jour, il ressentit une vive douleur dans les jambes. « Comment font ces femmes ? » Et quand il vit la file de huit Indiennes qui suivait le chemin vers le fourneau, il murmura :

— Vous êtes plus fortes que je ne le serai jamais.

En prenant congé de l'ingénieur, il lui dit :

— Je désirerais voir plus en détail votre exploitation. Elle semble très bien tenue.

A son retour dans ses quartiers, à la Maison de Céramique, une surprise l'attendait, qui allait rendre cette expédition aussi mémorable que fructueuse. En effet, don Alipio Palafox, de l'éminente famille espagnole qui avait concouru à transformer cette ancienne ville altomèque en une cité chrétienne moderne, l'attendait pour lui souhaiter la bienvenue à Toledo, que l'Espagnol considérait comme un fief des Palafox. C'était un homme proche de la quarantaine, à la vigueur empreinte de grâce naturelle, les cheveux noirs, le sourire éblouissant dans un visage nettement plus sombre de peau que celui du natif espagnol moyen. Il accueillit Jubal avec l'empressement de celui qui veut présenter ses respects au héros conquérant :

— Avec cet incapable de Santa Anna à la tête de nos troupes, la victoire vous était acquise. Avez-vous déjà vu un général commettre autant d'erreurs ? Au lieu d'envoyer ses forces ici et là, il aurait dû les concentrer à l'intérieur du pays pour défendre la capitale.

— Nous avons eu de la chance de gagner, répondit Clay avec modestie. Et la victoire n'a pas été aisée, car vos soldats ont combattu très vaillamment.

— Où avez-vous appris un espagnol aussi excellent ?

— Don Alipio, vous avez dû être diplomate dans quelque capitale étrangère ! J'ai appris un peu de vocabulaire et quelques phrases usuelles durant notre avancée de Veracruz à Mexico.

— En aussi peu de temps ? Assurément vous avez le génie des langues.
— Don Alipio, combien de temps pensez-vous qu'il nous ait fallu pour accomplir cette marche ?
— Je n'en ai aucune idée. Par ici, nous n'avons pas suivi le déroulement de la guerre. Santa Anna en déclenche toujours une quelque part. Combien de temps, alors ?
— De mars à septembre. On peut apprendre beaucoup d'espagnol en sept mois.
Ils s'installèrent à une table sur la terrasse ouverte de l'hôtel qui faisait face à la place centrale et, sans forfanterie mais avec beaucoup de fierté pour son ascendance, don Alipio expliqua pourquoi les Palafox étaient une famille importante ici :
— Deux frères Palafox immigrèrent de Salamanque ici, vers 1520, peu après Cortés. Antonio, le prêtre, devint évêque de Toledo. Son frère, Timoteo, le soldat, se fit mineur. Quel duo ! L'évêque construisit la première église fortifiée, à l'endroit où se dresse à présent la cathédrale. Et Timoteo trouva l'argent pour payer son édification.
» Jugeant que c'était là une bonne façon de lier les affaires du Seigneur et celles du roi, les frères transformèrent alors l'église fortifiée en une belle cathédrale. Ils construisirent également le Palais du Gouvernement à l'autre bout de la place, et cet élégant bâtiment là, près de la cathédale.
— Ils ont en quelque sorte créé cette place, n'est-ce pas ? fit Jubal et, voyant le sourire approbateur de don Alipio, il ajouta : Ne me dites pas qu'ils ont aussi construit cet hôtel ?
— Un train de mules parti d'Acapulco est passé ici en 1575, chargé des produits du galion venant annuellement de Manille, et a livré par erreur un paquet ici. Il n'y avait pas d'adresse, mais le destinataire devait être une quelconque église. Les Palafox ont ouvert le colis et trouvé ce magnifique ensemble de cinquante-quatre carreaux de céramique bleu et jaune que vous voyez sertis dans ce mur.
— Les frères se sont approprié ces carreaux ?
— Que faire d'autre ? Et quand la femme de l'un d'eux a vu la qualité de la céramique...
— L'évêque était donc marié ? s'étonna Jubal.
— Capitaine Clay, cinq Palafox ont été consécutivement ordonnés évêques de Toledo, chacun étant le fils du précédent. A cette époque, on n'était pas aussi pointilleux. Et je vous dirai mieux : leurs cinq épouses étaient toutes des Indiennes altomèques. Il n'y avait pas une Espagnole dans le lot. C'est la raison pour laquelle j'ai le teint plus sombre qu'il n'est habituel, et je m'en enorgueillis. Mais les descendants de Timoteo ont toujours épousé des filles venues d'Espagne, *casta pura* en quelque sorte, et il y a eu quelques rebuffades mutuelles entre les femmes des deux branches. Celles de Timoteo se vantaient de n'avoir pas une goutte de sang indien, et mes aïeules rétorquaient : « Nos ancêtres étaient reines de cette ville quand Salamanque était habitée par les vaches. » Mais les hommes de ma famille mirent fin à ces querelles en disant :

branche espagnole a fait la fortune de la famille, mais notre branche altomèque l'a consacrée à Dieu. » Une répartition équitable.

— Pourquoi votre lignée de prêtres a-t-elle toujours épousé des Altomèques ? demanda Clay.

— La raison est très simple. Ils convertissaient les jeunes filles, les baptisaient, les éduquaient, les voyaient grandir et tombaient amoureux d'elles. De nos jours, les deux branches entretiennent de bonnes relations. (Don Alipio marqua un temps de silence puis ajouta, en désignant la silhouette de pierre qui surveillait la place comme si elle commandait toujours la ville :) Je dois admettre que je ressens une immense fierté à contempler la statue de cet Indien. C'est un de mes ancêtres, Ixmiq. Il régnait sur ces contrées vers l'an 600. Notre tribu était pacifique, et les autres l'avaient surnommée affectueusement la tribu des Bâtisseurs ivres. Ixmiq et ses hommes ont construit les premiers édifices sur lesquels nous, les Palafox, avons rebâti par la suite. (Dès qu'il eut prononcé ce nom, il corrigea :) J'ai pris l'habitude de me considérer comme un Palafox. Pourquoi ? Parce que le nom est resté. Durant sept générations, celles des cinq premiers évêques et les deux suivantes, nous n'avons eu que des mères indiennes dans nos ancêtres. Peut-être suis-je plus un descendant d'Ixmiq que des Palafox. Ou mieux, peut-être suis-je un bon mélange des deux.

Palafox proposa qu'ils prennent leur boisson et aillent s'installer sous le porche arrière de la Maison de Céramique. Tandis qu'ils passaient dans le magnifique couloir orné du sol au plafond de carreaux de céramique multicolores, il commenta :

— Ces premiers carreaux de céramique que s'approprièrent les deux frères furent scellés dans le mur, mais tout le monde les admirait tant que les femmes de notre famille, les Indiennes comme les Espagnoles, en tombèrent amoureuses, et bientôt chaque train de mules venant de Veracruz apportait ici des carreaux de céramique importés d'Espagne, les dorés que vous voyez ici. Puis une des femmes, je ne sais laquelle, dit : « Faire venir ces carreaux d'Espagne ou de Manille est ridicule. Les Indiens d'ici peuvent en faire de plus beaux. » Et c'est ainsi qu'est née la célèbre industrie des céramiques de Toledo. Toutes les autres couleurs que vous voyez sont produites ici. (Ils s'installèrent confortablement dans des fauteuils importés d'Espagne et Palafox dit :) Regardez cette pyramide ! Elle règne sur le paysage et sur nos esprits. Ma mère chantait une chanson qui remonte à l'époque de Nopiltzín, le grand roi, vers l'an 900.

Il se renversa dans son siège, ferma les yeux et se mit à fredonner dans une langue inconnue de Clay. Sa voix chevrotait un peu et Jubal remarqua ses poings crispés. Lorsqu'il eut fini, l'Américain dit avec calme :

— Ces paroles doivent être très anciennes.

— Elles le sont, mais elles n'auraient aucune signification pour vous. Si je vous les traduisais, vous ne leur trouveriez aucun intérêt.

— Oh, mais si ! lui assura Clay.

Alors son hôte se mit à chantonner doucement :

Car ta renommée disparaîtra, grand Nopiltzín, et toi,
Puissant Tezozomoc, où sont tes chants de triomphe ?
Je ne crie plus tes louanges, mais repose en paix
De retour dans tes foyers.
Toi que je pleure, et que jamais je ne reverrai.
Je reste affligé sur cette terre
Tandis que tu reposes dans ton foyer.

— Quand cette pyramide a-t-elle été construite ? demanda Clay.

— Bâtie en l'an 600, répondit Palafox avec gravité, dégradée en 700, restaurée en 800, presque détruite vers l'an 900, et vers l'an 1000 un groupe d'arrivants a agrandi et perverti cette noble construction.

— Perverti ? Je pensais que partout dans le monde les pyramides étaient des constructions religieuses.

— Nous n'aimons guère aborder ce sujet. Vous vantez-vous de vos guerres de religion ? Ou nous de notre Inquisition ?

Pendant quelques minutes ils contemplèrent en silence le monument massif.

— Quel est ce bâtiment bas sur la gauche ? s'enquit Clay.

— Je vous y emmènerai un jour, répondit Palafox avec enthousiasme.

— Dites-moi, pourquoi donc vous montrez-vous d'une telle courtoisie envers moi ? Il y a deux semaines nous étions encore des ennemis mortels.

Palafox éclata d'un rire chaleureux.

— Parce que nous sommes semblables. Vous êtes venu ici pour voir à quoi ressemble vraiment votre ennemi, et moi je veux savoir si les Américains sont réellement humains.

Ce soir-là et jusque tard, ils dînèrent ensemble sur la terrasse de l'hôtel. Il était près de minuit quand don Alipio aborda un sujet auquel il avait souvent pensé :

— Regardez cette place, señor Americano, elle a été le théâtre de bouleversements continus. Je n'arrive pas à croire que votre armée l'ait négligée. En 1151, les nouveaux Altomèques y ont soumis les vieux Bâtisseurs ivres. En 1527, les Espagnols ont mis en déroute les Altomèques. En 1811, c'est sur cette place que les Mexicains ont tiré sur les Espagnols, et qui investira cet endroit l'année prochaine, nul ne peut le prédire. Mais la vie de cette place continue, avec sa cathédrale bâtie sur les ruines d'un sanctuaire indien, et ses cloches résonnent toujours, sa façade magnifique est célèbre dans le monde entier et le vieil Ixmiq continue de veiller sur la place.

Dans les jours qui suivirent, don Alipio emmena Clay jusqu'à la pyramide dont l'or et l'argent l'impressionnèrent beaucoup, mais c'est l'un des élevages appartenant aux Palafox, situé à une douzaine de kilomètres au sud-ouest de Toledo, qui lui valut sa plus grande surprise. Les terres n'étaient pas délimitées par une clôture, mais ils passèrent un beau portail de pierre derrière lequel on voyait un groupe de petites baraques de clayonnage et de boue et les bâtiments habituels d'une ferme. Don Alipio ordonna à un garçon d'écurie de leur préparer des montures fraîches qu'ils prirent pour parcourir environ deux kilomètres plus au sud. Là Clay vit au loin de nombreux taureaux d'un noir de jais. Les animaux étaient de petite taille, nettement inférieure à celle des taureaux de Virginie et même des vaches laitières des Clay. En revanche, ils étaient dotés de cornes formidables qui saillaient de leur crâne à l'horizontale. Jubal comprit qu'il observait pour la première fois de sa vie les fameux taureaux de combat espagnols.

— Vous ne les parquez pas dans un enclos ? demanda-t-il.

— Si on ne les importune pas, ces taureaux ne sont pas dangereux.

— Et nous pourrions les approcher à cheval ?

— Oui, ils voient dans le cheval un autre animal, et si le cheval ne les gêne pas ils ne lui feront aucun mal. Mais si vous descendiez de selle, vous leur montreriez deux pattes au lieu de quatre, et ils deviendraient méfiants. Ils risqueraient de venir vous bousculer de leurs cornes. Pas par agressivité, en fait, par simple curiosité. N'empêche, la corne vous transpercerait et pfft ! vous seriez mort.

— Mais pourquoi des taureaux de combat au Mexique ?

— Tout ce qui vient d'Espagne a du succès ici, et un jour prochain nous n'aurons plus simplement des hommes intrépides qui défient les taureaux pour la beauté du geste, mais des hommes et des femmes qui gagneront leur vie en affrontant ces animaux dans des arènes. En ce moment même, mon frère et moi construisons une arène derrière la grand-place de Toledo. Je vous la montrerai ce soir. Souvenez-vous, nous dînons ensemble.

— Où avez-vous eu ces taureaux ? demanda Clay.

Don Alipio ne cacha pas son contentement :

— Il y a longtemps, notre famille était très proche du marquis de Guadalquivir, à Séville. Sa fille Leticia vint au Mexique pour prendre mari dans la branche espagnole de notre famille. Il avait élevé des taureaux en Espagne. Pour nous aider à démarrer un élevage ici, l'actuel marquis a envoyé en cadeau une douzaine de bêtes, il y a de cela dix-sept ans.

— Et c'est sa marque sur ces animaux ? dit Clay en montrant du doigt le G majuscule souligné d'un trait ondulant symbolisant le fleuve Guadalquivir sur la robe noire des taureaux.

— Sur les animaux les plus vieux, oui. C'est une marque réputée, mais regardez les taureaux les plus jeunes. (Sur un veau, Jubal distingua la nouvelle marque, un P dont le bas de la hampe était barré d'un trait épais.) Nous espérons que ce fer connaîtra le même lustre dans les arènes mexicaines, dit don Alipio.

— Vous pensez que beaucoup d'arènes verront le jour ?

— Oui, beaucoup, répondit l'éleveur avec assurance.

— Vous devez posséder de vastes terres ici, pour laisser les taureaux ainsi, en liberté.

Ils burent des verres d'eau fraîche qu'un Indien qui les avait suivis leur servit d'un seau, puis Palafox répondit, non sans quelque fierté :

— Le premier évêque et son frère s'étaient adjugé plus de cent mille hectares au nom de la famille. En vingt-cinq ans la propriété s'était étendue à un peu plus de cent cinquante mille hectares, et en 1740 nous avions plus de quatre cent mille hectares. Puis est venue la révolution de 1810, et on nous a confisqué beaucoup. Actuellement notre domaine s'étend sur environ deux cent mille hectares.

Mon grand-père était stupéfait.

— C'est encore énorme ! Aux Etats-Unis vous posséderiez la plus grande partie de la Virginie !

— Mais à chaque fois que des troupes traversent la grand-place de Toledo, cent mille hectares nous échappent.

Ce soir-là, le dîner qui se déroula dans la résidence des Palafox en ville constitua pour un intrus américain une occasion inespérée de connaître le genre de vie d'un notable mexicain. Dans une vaste cour ceinte d'un mur de pisé hérissé de dents de verre se dressait une demeure spacieuse bâtie sur une élévation qui permettait d'apercevoir la pyramide par-delà le mur. Trois autres couples de la famille conviés chez don Alipio et son épouse attendaient, dans le jardin entouré d'un haut mur et agrémenté du murmure bucolique de l'eau sur les rochers, l'arrivée de Clay. Ils ressemblaient à l'idée que l'Américain se faisait maintenant des Palafox : des hommes d'allure impeccable et visiblement épargnés par la nécessité de passer leurs journées en selle, des femmes très soignées, aux manières réservées. Il n'aurait pu donner d'âge à aucun, mais il devinait que tous avaient bien moins de soixante ans. Il les sentait quelque peu gênés, ou plus probablement déconcertés de se trouver invités à rencontrer un officier américain moins d'un mois après la fin de la guerre, et ils devaient supposer qu'il ne parlait pas espagnol. Comme la plupart des Mexicains cultivés, ils maîtrisaient le français mais aucun n'entendait l'anglais, considéré comme la langue vulgaire du commerce et des Américains. Lorsque don Alipio leur annonça : « Le capitaine parle très bien l'espagnol », leur réserve se dissipa un peu et ils s'ouvrirent lentement à une discussion sur les termes probables du traité de paix.

Un Palafox qui paraissait plus âgé que don Alipio prononça cette mise en garde :

— Le Mexique s'est résigné à la perte du Texas, mais jamais nous n'accepterons d'abandonner la Californie. Nous avons besoin de ses ports sur le Pacifique.

— C'est exact, approuva un autre. Certes nous avons Acapulco, mais ce n'est pas un port important, et il est isolé de la majeure partie du pays par la jungle et les montagnes.

Clay se permit alors sa première observation :

— Lorsque nous avons effectué cette marche interminable, il m'a semblé que Veracruz était elle aussi bien isolée des hauts plateaux où nous nous trouvons actuellement.

Les hommes voulurent alors savoir comment les Américains s'y étaient pris pour enfoncer les défenses mexicaines. Dès ses premières explications, Jubal vit qu'ils n'étaient pas vraiment intéressés par le sujet, car l'un d'entre eux dit :

— Au Mexique, nous avons constamment de ces guerres. Il en devient difficile de se tenir au fait de leur déroulement.

Et un autre surenchérit :

— Vous souvenez-vous comment, il y a quelques années, votre père et le mien ont marché avec une telle bravoure pour couronner Iturbide empereur du Mexique ? Il l'est resté deux ans, puis Santa Anna l'a assassiné.

— Non, corrigea le premier Palafox, ce n'est pas Santa Anna qui l'a tué. Il n'était même pas là au moment du meurtre. Mais il a poussé ses hommes contre l'empereur et ils ont accompli la sale besogne.

A ce moment, comme l'a noté mon grand-père dans les brefs Mémoires laissés à sa famille, ils rentrèrent dîner car venait le moment auquel les Mexicains prennent leur repas du soir, onze heures. Lorsqu'ils eurent pris place sur les lourds fauteuils tendus de peau de mouton autour de la grande table de chêne, la señora Palafox dit, de sa place à une extrémité de la tablée :

— Nous avons pour notre hôte un divertissement spécial.

Et elle fit signe à une servante qui revint dans la salle à manger accompagnée d'une fillette d'une huitaine d'années vêtue du costume national dont le charme était extraordinaire : une jupe flottante qui descendait jusqu'au sol, de nombreux jupons de dentelle, un corsage aux couleurs vives, un châle magnifique, un peigne planté haut dans sa chevelure, et une bague brillante au majeur de chaque main.

Don Alipio entoura les épaules de la fillette de son bras et dit avec fierté :

— Je vous présente notre Alicia, notre petite *china poblana*. Elle va maintenant narrer à notre invité venu du nord la légende de cette belle tenue.

D'une voix au timbre musical, l'enfant se mit à réciter :

— Il y a bien des années, sur le galion venant de Manille, arriva à Acapulco cette très belle dame chinoise, vêtue comme vous me voyez vêtue ce soir. Elle vint en esclave, mais son charme était si grand que tout le monde l'aima et elle épousa le roi, et toutes les dames de la cour durent s'habiller comme elle. Aujourd'hui, c'est devenu notre costume national.

Elle salua sobrement chaque couple, adressa une révérence à sa mère et sortit de la pièce.

— Quelques corrections mineures, dit don Alipio. Nous n'avons pas eu de roi au Mexique depuis Montezuma, et les dames n'étaient pas tenues de s'habiller comme l'esclave chinoise. Elles le faisaient par goût, mais Alicia a dit vrai, c'est le costume national pour les jolies filles.

Et chacune des épouses du clan Palafox confessa conserver encore maintenant comme des trésors les *chinas poblanas* qu'elles avaient portées dans leur jeunesse.

Sans doute me suis-je trop étendu sur la relation de cette soirée, en particulier sur cette robe portée par une enfant de huit ans, mais ce vêtement précis est justement devenu l'un des trésors chéris de ma famille, et Jubal, qui n'était pourtant pas homme enclin au sentimentalisme, a écrit peu avant sa mort : « J'avais vingt-quatre ans cette nuit où je soupai chez les Palafox, et j'avoue avoir été frappé par la sérénité qui régnait dans leur magnifique demeure. Ils paraissaient à peine conscients qu'une guerre venait d'avoir lieu. »

Cette nuit-là, alors que le sommeil lui échappait dans sa chambre à la Maison de Céramique, Jubal chercha à définir les raisons qui poussaient les Palafox à se montrer aussi attentifs envers lui. Il n'eut pas à attendre longtemps une réponse. Le lendemain, les trois hommes dont il avait fait la connaissance au souper se présentèrent à l'hôtel et lui proposèrent de chevaucher en leur compagnie jusqu'à la Mineral, puisqu'il avait manifesté le désir de la visiter une seconde fois. Sur place, ils commencèrent à lui expliquer de quelle façon cette précieuse propriété pourrait devenir une des plus riches mines du monde si elle bénéficiait de l'apport de capitaux américains, mais aussi du savoir-faire de certains ingénieurs.

Un homme qu'il devina être le frère de don Alipio ne lui lâcha pas le bras tout en précisant :

— Nous n'avons pas besoin que de fonds, mais aussi de machines. Ils en fabriquent de très perfectionnées en Suède, m'a-t-on dit. Mais, plus que tout, il nous faut le concours d'hommes jeunes et talentueux tels que vous. Ai-je raison de penser que vous avez étudié l'exploitation minière ?

— J'ai appris en m'y essayant chez moi, en Virginie, après avoir lu quelques manuels édités en Angleterre et en Allemagne.

— Est-ce pour cette raison que votre général vous a envoyé ici ? Est-il assez brillant esprit pour comprendre une occasion d'affaire quand elle s'offre à lui ?

— Le général Scott méprise tout ce qui est en rapport avec les affaires, répondit Clay.

Les Mexicains rirent :

— Tout comme nos généraux, qui sont aussi fous.

En moins d'une heure les Palafox avaient détaillé à mon grand-père toutes les installations de surface et indiqué lesquelles pourraient être remplacées ou améliorées si des fonds étaient débloqués. Puis ils demandèrent :

— Imaginez que vous dirigiez cette mine. Que feriez-vous ?

— Je ferais construire un mur de pierre autour de l'entrée de la mine, disons de un mètre de haut, avec un portail pour accéder au puits.

— Pourquoi une telle disposition ?

— J'aime que les choses soient bien faites. Ou plutôt, j'estime que certaines choses doivent être faites, simplement.

— Seriez-vous d'accord pour descendre une nouvelle fois dans la mine ?

— Sans hésitation. C'est pour cette raison que je voulais revenir ici. Cet endroit est magique.

Pendant la descente il essaya de détecter les degrés de pierre qui devaient être réparés.

Arrivé à la caverne inférieure, il vit comme de vieilles connaissances les ânes, les Indiens qui travaillaient à la paroi, les femmes qui transportaient les paniers emplis de fragments de minerai, la haute voûte et le début du puits qui mènerait les mineurs jusqu'à la prochaine salle à creuser. Il explora celle où il se trouvait et découvrit les paillasses inconfortables sur lesquelles dormaient les Indiens qui préféraient ne pas remonter à la surface chaque nuit, et cette vision lui fit envisager toutes les améliorations qu'un véritable ingénieur des mines pourrait entreprendre ici.

— Quels problèmes cela poserait-il de passer à une section carrée pour le puits ? demanda-t-il à l'un des Palafox.

— Vous voulez dire de la surface jusqu'ici ?

— Oui. C'est une des choses qu'il faudrait faire.

— Vous feriez mieux de le lui demander, dit l'homme en désignant l'ingénieur espagnol, mais don Alipio intervint d'un ton sans réplique : « Il n'y connaît rien » et la question de Clay resta sans réponse.

— Eh bien, reprit Jubal, si le puits était carré et si nous trouvions une machinerie adéquate, et je suis sûr qu'en Angleterre ils fabriquent ce qui conviendrait ici, vous pourriez installer un long treuil avec une cabine au bout, ce qui permettrait de remonter directement le minerai.

— Quel serait l'avantage d'un tel dispositif ?

— Eh bien, ces femmes n'auraient plus à monter et descendre toutes ces...

— Elles l'ont fait toute leur vie, capitaine. C'est leur façon de vivre, je veux dire : de gagner leur vie. Si vous les remplaciez par des machines importées d'Angleterre, de quoi vivraient-elles ?

Durant l'ascension, Jubal eut la possibilité d'examiner chaque degré de pierre à mesure qu'ils se présentaient à hauteur de ses yeux. Arrivé en haut, il dit aux Palafox :

— J'ai noté quatre marches qui auraient grand besoin d'être retaillées.

— Nous surveillons leur état régulièrement, répondit l'un d'eux. Si un incident se produit, nous serons là dans l'après-midi.

Mon grand-père resta trois semaines à Toledo et partit à la découverte des alentours. Il découvrit la Vallée-des-Morts d'où les Altomèques avaient lancé leur action contre les Bâtisseurs ivres, et il put se faire une idée de l'impression qu'avaient pu faire, en 1151, les bâtiments de Toledo sur ces conquérants étrangers. Il retourna également à l'élevage où vivaient les taureaux de combat des Palafox et grimpa deux fois au sommet de la pyramide pour tenter de se faire une image des scènes effrayantes dont elle avait été témoin. Mais il passa le plus clair de son temps sur la grand-place pour en savourer la beauté, et la splendeur de cette cité coloniale se grava dans son esprit.

Quand vint le moment du départ, les Palafox ne manquèrent pas de lui dire qu'ils espéraient qu'il ferait un rapport favorable au général, ce qu'il promit. Il présenta ses respects à chacune des épouses Palafox, et il salua la petite Alicia en s'inclinant profondément.

— Adieu, señorita china poblana, dit-il, et il partit.

Sur le chemin du retour vers Mexico, sa troupe dut affronter non pas l'armée mexicaine, qui honorait parfaitement son sauf-conduit, mais les bandits qui infestaient les axes de communication et savaient qu'attaquer un groupe d'Américains, au prix de certains risques, certes, pouvait se révéler payant. Une vingtaine de kilomètres après Querétaro, où les riches voyageurs étaient souvent repérés sur la route de la capitale, les brigands passèrent à l'action. Un feu nourri fut échangé pendant près d'une demi-heure, mais Jubal et le sergent prirent si bien la situation en main que les attaques furent repoussées par leurs hommes et se soldèrent par deux morts du côté de l'agresseur et aucune perte pour les Américains. Le combat avait été sérieux, et il valut à Clay des félicitations et une médaille.

Dès son retour auprès du général il constata l'état lamentable de son supérieur. Toujours persuadé que tous complotaient contre lui — ce qui n'était pas totalement faux —, Scott avait fait arrêter trois des généraux sous ses ordres, dont l'espion personnel du président Polk, le général Pillow. Ceux-ci ripostèrent à leur tour et portèrent contre Scott des accusations graves. Les démocrates libéraux de Washington virent là une occasion de ruiner les ambitions présidentielles de ce républicain conservateur acharné. Ils firent tomber les charges pesant sur les trois généraux et portèrent les accusations contre Scott devant la haute cour martiale. Clay aida Scott à rédiger la protestation qu'il adressa au quartier général : « Jamais un général n'a accompli autant avec si peu de moyens, pour être ensuite aussi violemment insulté et humilié par sa hiérarchie. »

Plus tard, lorsqu'il racontait cet épisode, il concluait :

— Et je voulais y ajouter mon propre post-scriptum : « Vous devriez avoir honte de traiter ainsi un général », mais lorsque j'en ai parlé à Scott il a repoussé mon offre d'une phrase : « C'est ce qui arrive quand des politiciens veulent diriger une guerre. »

Mon grand-père narrait cette autre histoire relative à la période passée dans l'état-major de Scott :

— Le matin de mon départ, au petit déjeuner, il était en quelque sorte déjà aux arrêts. On l'accusait d'avoir dérobé des fonds, ou quelque chose de ce genre, et au moment où je prenais congé il m'a dit :

» — Vous savez, Clay, je ne voulais pas faire carrière dans l'armée. En 1807 je me suis inscrit au barreau, et je croyais alors ma vie toute tracée. Mais je débutais à peine quand la frégate anglaise *Leopard* a agressé notre navire le *Chesapeake*. Je n'ai appris la nouvelle que tard ce soir-là, et en pleine nuit j'ai réussi à acheter un solide cheval de bataille, j'ai galopé quarante-cinq kilomètres dans l'obscurité et j'ai emprunté l'uniforme d'un soldat de ma taille. A l'aube je me suis proposé comme volontaire dans une unité de cavalerie. Jamais je ne regarde en arrière, Clay, et quand ce fatras sera résolu, ce qui ne saurait tarder, j'en ai la conviction, je me propose de devenir le chef des forces armées des Etats-Unis.

» — Comment cela se pourrait-il ? lui ai-je demandé.

» — S'ils ont un peu de jugeote ils verront que je suis le meilleur homme disponible, et de loin. Et ils seront forcés de me choisir.

» Et les choses se déroulèrent exactement comme il l'avait prédit. Quand notre guerre civile éclata — celle-là même que les Européens appellent guerre de Sécession —, il se vit attribuer le commandement de toutes les forces de l'Union, et il œuvra magnifiquement pour mettre en place le plan qui signa la défaite du Sud. Avec ses cent cinquante kilos, sa propension aux malaises, sa méfiance envers tous et la haine qu'il inspirait comme peu de militaires, Scott fut l'architecte de la victoire de l'Union, et le Confédéré que j'étais et qui luttait contre sa stratégie maudit son nom chaque fois qu'il était prononcé.

Durant les treize années qui suivirent son départ du Mexique — de 1848 à 1861 —, Jubal Clay, tout en prenant conscience des efforts déployés par les politiciens du Nord pour ôter aux planteurs sudistes tels que lui le droit de posséder et d'employer des esclaves, mena une vie agréable à Newfields, son royaume cotonnier sis au nord-est de Richmond. La plus grande partie des mille hectares familiaux avait été débarrassée des arbres qui appartenaient naguère au Wilderness. Soigneusement sélectionné et préparé, son coton atteignait des prix records à Liverpool ; ses esclaves étaient redevenus passifs, après quelques troubles fomentés par des agitateurs nordistes ; avec sa femme Zephania, leurs deux fils et leur fille, ils menaient l'existence aristocratique des planteurs de Virginie. Chez eux ils invitaient la bonne société de la région et participaient aux soirées musicales où s'illustraient la mère de Jubal au piano, malgré ses soixante-dix ans passés, et Zephania au violoncelle, instrument qu'elle apprenait, tandis qu'il jouait de la flûte. On comptait dans le voisinage nombre de voix agréables, féminines et masculines, ce qui permettait d'offrir aux relations alentour des concerts variés et de grande qualité.

Mais, chaque mois venait le moment marquant de la vie de société de Jubal et Zeph, comme tout le monde surnommait son épouse ; ils se rendaient à Richmond où les distractions et les rencontres étaient variées. Des hommes d'affaires formés dans les meilleures universités nordistes côtoyaient des hommes d'Eglise importants ou des personnalités politiques issues de la Tom Jefferson's University de Virginie. Il régnait cependant, sur chaque réunion à Richmond, une atmosphère pesante, créée par les militaires sortis de West Point. C'étaient des hommes d'honneur qui, dans ces années de fièvre, devaient affronter un des plus graves dilemmes qu'on puisse rencontrer : dois-je rester fidèle à cette armée qui m'a formé ou à mon Etat de naissance, qui m'a nourri et a instillé en moi ces valeurs que j'ai faites miennes ? En 1860, lors d'une soirée, un colonel nommé Longstreth et qui avait participé à la guerre du Mexique avec deux jeunes officiers qu'il admirait, déclara au groupe où se trouvait mêlé Clay :

— Je n'ai jamais vu de Virginien plus racé que le jeune Robert E. Lee. C'est un cadet de West Point dévoué à la cause militaire, et aussi un Virginien intransigeant. Si la situation s'aggrave, ce que je redoute chaque jour un peu plus, il devra faire un choix bien difficile : combattra-t-il pour le Nord ou pour le Sud ? J'ai également remarqué un autre individu, un rustre agressif et barbare venu d'un quelconque Etat de l'Ouest qui se nommait Grant. Il est lui aussi sorti de West Point, mais en ce qui le concerne je n'ai pas de doute : il choisira le Nord. J'ai apprécié Lee, et j'ai détesté Grant pour sa grossièreté générale, mais je pense que tous deux sont des soldats honnêtes, chacun à leur façon.

Cette idée de deux hommes sortis de West Point et prenant deux directions radicalement opposées avec chacun des motifs plus que suffisants fascina Clay.

— Peut-être des hommes comme moi ont-ils eu plus de chance , dit-il. Nous ne sommes pas allés à West Point et nous n'avons donc pas baigné dans les idées nordistes. Nous sommes restés chez nous, et nous avons aiguisé notre loyauté envers la Virginie, la Caroline ou la Géorgie. Quant à notre formation militaire, nous l'avons reçue pendant la guerre du Mexique. Notre choix est simple : si le Nord commet le moindre faux pas à notre endroit, c'est la guerre.

— Vous l'attendez ?

— Non. Il me semble évident que la prospérité du Nord comme du Sud dépend d'une période prolongée de paix.

Nombreuses furent les approbations dans le groupe, et un planteur nommé Anderson émit une observation intéressante :

— Des deux nations... (il pesa longuement la validité du terme) oui, car j'estime que nous sommes devenus deux nations distinctes, que nous l'ayons voulu ou non, des deux nations donc, le Sud a beaucoup plus à gagner que le Nord d'une longue période de paix.

La théorie n'avait rien d'évident pour la majorité de l'auditoire, composé d'ardents partisans du Sud, et un des planteurs rétorqua :

— Expliquez-vous, Anderson. Il me semble à moi que notre position est très forte, avec notre monopole du coton dont l'Europe a besoin.

— Non, contra Anderson, la vérité est que chaque jour qui passe nous accorde une chance de plus de devenir plus puissants que le Nord.

— Seigneur ! Voudriez-vous laisser entendre que le Nord est plus puissant que nous ?

— Monsieur, je maintiens que la présente période de paix joue en notre faveur. Mais seul un fou oserait prétendre qu'aujourd'hui nous sommes aussi puissants qu'eux.

Ces propos antipatriotiques exaspérèrent le planteur :

— Allons, Anderson ! Regardez les bilans. Nous faisons deux fois plus d'argent qu'eux avec l'Europe. Notre structure commerciale est nettement plus solide, et notre système de gestion et d'exploitation bien supérieur. Financièrement, nous sommes dans une position dominante.

Anderson était un homme posé d'une cinquantaine d'années qui avait voyagé dans le Nord, et il ne se laissa pas détourner des conclusions qu'il avait si soigneusement élaborées d'expérience :

— Hélas ! la capacité de survie d'une nation ne se mesure pas aux dépôts bancaires. Ce sont les usines qui comptent, les kilomètres de lignes ferroviaires, l'approvisionnement des villes, et par-dessus tout le nombre d'hommes jeunes susceptibles d'être enrôlés.

— Nulle part dans le Nord ils n'ont des hommes capables de vaincre les nôtres ! s'exclama un autre planteur.

— C'est vrai, mais quinze hommes qui déferlent à la suite sur un tireur d'élite finissent par le submerger.

— Voilà une théorie bien dangereuse, mon cher Anderson, intervint un homme d'une trentaine d'années. Je me suis engagé hier pour diriger une compagnie, au cas où la situation le nécessiterait.

— Tout comme moi, répondit Anderson, et les autres rirent à l'idée d'un homme de cinquante ans s'enrôlant pour le service actif, mais il précisa : J'enseignerai à nos jeunes recrues la tactique militaire, et comment un de nos fils du Sud armé d'un bon fusil, d'un revolver et d'un sabre, et s'il est correctement entraîné, peut repousser quinze Nordistes... pour un temps.

Tandis qu'il chevauchait vers sa plantation ce soir-là, Jubal Clay trouva ses pensées assaillies d'images persistantes : « Des trains, des usines, un potentiel illimité de troupes. Et ces données s'accroissent de jour en jour. Diable, nous n'avons même pas un train qui aille au nord-est de Richmond, et nous n'en aurons pas avant la prochaine décennie... » Alors qu'il galopait dans le Wilderness, d'autres images lui apparurent : « Il y a là-haut des arrivants qui débarquent en masse des navires venus d'Europe, a-t-il dit. Pas d'entraînement ni de tradition, mais c'est dans le Nord qu'ils arrivent. Et ici ? La moitié des hommes sont des Noirs, et ils ne comptent pas. Pis encore, on peut les compter contre nous. » Alors qu'il sortait du Wilderness et apercevait les limites bien entretenues de Newfields, ce spectacle supplanta tous les autres : « Cette plantation sera la véritable raison du combat, si combat il doit y avoir. La préservation d'un mode de vie ordonné où une famille peut grandir en harmonie. »

Il avait toujours aimé le nom donné par ses aïeux à la plantation, Newfields *(Champs-Nouveaux)*, plutôt qu'un nom classique tel The Oaks *(Les Chênes)* ou The Pillars *(Les Piliers)*. Il imaginait ses ancêtres brûlant le tronc du dernier arbre, abattant la souche morte, coupant les branchages pour en faire un feu dont les cendres fertilisantes seraient épandues sur les terres gagnées. « Ce devait être passionnant, se dit-il en approchant de la grande demeure familiale. Voir naître ce champ nouveau et savoir que c'est grâce à votre labeur. Et quelle joie de contempler les premières fleurs de coton s'étendant à perte de vue, là où naguère il n'y avait qu'une forêt ! Cela donne un sens à l'existence d'un homme. »

Arrivé au portique blanc qui luisait au clair de lune, il confia son attelage au valet d'écurie noir et alla directement dans son bureau. Là il s'assit dans son fauteuil devant sa table de travail et sonna une servante. « Voyez si Mrs Clay veut bien me rejoindre ici. » Tandis qu'il attendait sa femme, les mêmes images défilèrent dans son esprit : « Les usines, les voies ferrées, les hommes, les esclaves, quinze contre un... » Le regard fixé sur le mur de la pièce, il songea : « De ce bureau, les Clay qui m'ont précédé ont construit notre petit royaume. Ils ont défriché les terres, planté le coton, acheté les esclaves qu'ils ont correctement employés, trouvé des marchés pour revendre leur production, élevé leurs enfants. Il est inconcevable que je puisse commettre des erreurs qui risqueraient de détruire tout ce qu'ils ont accompli. Et je ne les commettrai pas. »

Dès qu'elle entra dans la pièce sa femme l'interrogea :

— Que s'est-il passé à Richmond ?

Elle avait appris que si Jubal l'invitait dans son bureau plutôt que de la rejoindre dans l'agréable lingerie, cela signifiait quelque problème d'importance.

— Zeph, prends ce fauteuil. Ce sera peut-être long.

— Est-ce au sujet de ces champs que nous voulions acheter ? Il y a eu un problème ?

— C'est toute la Virginie qui risque d'avoir un problème. Le Sud dans son entier. Peut-être le pays lui-même.

— Jubal, que veux-tu dire ?

— Un militaire, du moins je pense qu'il l'est, a parlé avec beaucoup de sérieux du Nord et du Sud. Il a fait remarquer que le Nord possédait des usines pour produire les armes et la poudre, des voies ferrées pour les acheminer rapidement partout, et un nombre quasi illimité d'hommes pour utiliser au mieux ces avantages.

— Mais qui a dit que nous allions avoir une guerre ?

— Zeph, il m'a semblé que tous les hommes présents à cette réunion le pensaient, et si chacun avait pu exprimer le fond de sa pensée, je crois que la plupart auraient lancé cet avertissement : « Le Sud ne peut gagner sur le long terme, si la guerre s'éternise et que les Nordistes utilisent sans faiblir leurs avantages. »

— Alors pourquoi chercher la guerre ? (Jubal avait toujours apprécié le solide bon sens avec lequel son épouse abordait tout problème épineux.) Si les prévisions sont aussi sombres pour notre camp, pourquoi combattre ? Nos divergences avec le Nord ne peuvent pas être résolues autrement, par la conciliation ?

— Non ! C'est impossible ! Ces Nordistes se sont enfermés dans des positions tellement tranchées qu'ils ne peuvent en changer sans perdre la face.

— En est-il de même pour nous ?

— En ce qui me concerne, oui. Je ne peux accepter une situation qui ferait qu'aujourd'hui nous avons deux cents esclaves qui valent une fortune pour demain n'en avoir plus un seul et aucun moyen de faire fonctionner la plantation. On ne peut simplement pas exiger d'hommes qui ont passé leur vie à construire...

— Tu penses donc la guerre inévitable ?

— Non, dit-il après réflexion. Suivant la tradition familiale, je ne veux pas la guerre. Je veux trouver une solution raisonnable. (Mais aussitôt mon grand-père prononça une phrase que j'ai entendue à maintes reprises depuis dans la famille Clay :) Mais si on menace de détruire toute votre façon de vivre, vous devez réagir.

Ils poursuivirent cette discussion pendant toute la nuit, si j'interprète bien les notes laissées par Jubal, pour décider comment ils pourraient préserver l'unité familiale si mon grand-père venait à s'engager pour participer aux combats.

— J'ai trente-sept ans et rang de major dans le Troisième de Virginie. Tu as trente-quatre ans et tu es la femme la plus capable que je connaisse — dans tous les domaines. Quand je suis parti pour le Mexique tu as réussi à...

— Mais ce serait réellement une guerre, n'est-ce pas ?

— Toutes les guerres sont réelles, dit-il. (Et, se souvenant de la bataille de Chapultepec, il ajouta :) Une escarmouche de trois hommes contre six est réelle... Mais si le Nord est aussi puissant qu'ils le disent, et si nous nous montrons aussi bons combattants que nous savons l'être, ce pourrait être une guerre longue. Et les années passant...

— Des années ? (La voix de Zephania trembla et dit les mots qu'il avait eu peur de prononcer :) Nos garçons seraient en âge de...

Et il acquiesça.

Leur aîné, Noah, avait dix-sept ans, et Paul quinze. Si la guerre durait, avec le Nord jetant toujours plus de troupes dans la bataille, le Sud se verrait forcé d'enrôler des hommes de plus en plus jeunes... Cette révélation bouleversait tout.

C'est Zephania qui rompit le lourd silence :

— C'est l'horrible réalité : tu crois cette guerre inévitable...

— Oui. Les Nordistes y sont déterminés et nous autres Sudistes ne nous laisserons pas faire. Résultat ? La guerre.

— Et tu penses que nous pourrions perdre ?

— Je ne pourrais le dire à aucun homme, ce serait interprété comme du défaitisme, mais à toi je peux dire la vérité : nous courrons un très grand risque, oui.

Les époux Clay restèrent silencieux, remuant de sombres pensées. Quand le soleil se leva, Zephania toussota et reprit :

— Et les hommes ont-ils dit que si la guerre se déclenchait elle pourrait arriver jusqu'ici ?

— Nous n'avons pas abordé cette question. Nous ne l'avons même pas évoquée.

— Alors abordons-la maintenant. La guerre pourrait-elle descendre jusqu'ici ?

— Au Mexique j'ai appris une chose. Quand le général Santa Anna a commencé cette guerre au Texas, il aurait dû envisager la possibilité qu'elle se termine dans sa capitale, Mexico, mille kilomètres plus au sud.

— Nos troupes ne laisseraient jamais les Nordistes arriver aussi loin que Richmond, certainement pas !

— Nos troupes ne voudront pas que l'ennemi arrive aussi loin, tout comme les Nordistes ne penseront pas que nous puissions atteindre New York. Mais une fois les chiens de guerre lâchés, on ne peut pas savoir jusqu'où ils iront mordre.

— Oh ! Jubal, c'est trop horrible à envisager !

— Et pourtant nous l'envisageons, et je vois tout cela comme notre possible futur. Il y aura la guerre. Ces Nordistes la veulent. Je me porterai volontaire, peut-être cette semaine, et ensuite il faudra aller jusqu'au bout. Tu as déjà prouvé que tu pouvais diriger Newfields, pour autant que les esclaves ne prennent pas la situation comme un prétexte à révolte. A la longue, Noah et Paul endosseront eux aussi l'uniforme, ce qui signifie que toi et Grace — qui sera assez grande pour te seconder — devrez conserver notre petit royaume en l'état. Et quand la guerre prendra fin, nous nous retrouverons en paix et nous ferons de notre mieux pour rattraper le temps perdu. (Après un moment de silence il ajouta :) Les champs devront être entretenus. La broussaille repousse vite si l'on n'y prend garde pendant un moment, tu sais.

La guerre arriva, comme l'avait prévu Clay, mais à sa grande surprise elle ne fut pas déclenchée par quelque action insolente du Nord mais par des têtes brûlées sudistes qui ouvrirent le feu le 12 avril 1861 sur le fort Sumter, occupé par des troupes de l'Union à Charleston, en Caroline du Sud, et les contraignirent à se rendre. De ce moment il y eut deux bannières, le *Stars and Bars* et le *Stars and Stripes*, deux noms, la Confédération[1] et l'Union, et deux groupes de combattants opposés, Johnny Reb et Yank, le Sudiste et le Nordiste.

Comme prévu, Jubal Clay prit son poste de major dans le Troisième de Virginie et devint rapidement ce que je qualifiais dans mes guerres de « colonel léger ». Pendant les premiers temps, il semble qu'il ait combattu sans relâche, mais comme la plupart des engagements se produisirent lors de ce qu'on appela la campagne de la Péninsule, il défendit souvent Richmond et opéra dans des endroits familiers tels Mechanicsville et Gaines' Mill. Ainsi pouvait-il parfois s'arranger pour passer à Newfields voir Zephania et les enfants. Lors de ces courtes apparitions il répétait toujours : « Ce sera une guerre d'usure. En nombre nous sommes largement surpassés, mais un seul de nos hommes ayant appris à tirer dans la nature vaut six de leurs recrues inexpérimentées venues droit de leurs villes surpeuplées. En fin de compte, nous avons des chances de l'emporter. »

Comme il l'avait prédit, à la fin de la deuxième année, ses deux fils avaient revêtu l'uniforme gris des Sudistes. Lors d'un accrochage ordinaire, pendant ce qui deviendrait la grande victoire de Chancellors-

1. Le 8 février 1861, lors d'une convention tenue à Montgomery, en Alabama, sept Etats sudistes (la Caroline du Sud, le Mississippi, la Floride, l'Alabama, la Géorgie, le Texas et la Louisiane) avaient décidé de sortir de l'Union et de créer les Etats confédérés d'Amérique. Ils seront rejoints par la Virginie, le Tennessee, l'Arkansas et la Caroline du Nord. (*N.d.T.*)

ville pour les Confédérés, commentée officiellement en ces termes : « Nous avons repoussé les forces de l'Union avec des pertes minimes », une perte qui n'eut rien de minime pour les Clay fut celle de Noah. Et lors d'une autre victoire du Sud, dont le général dit : « Nos pertes sont restées à un niveau acceptable », le plus jeune Clay, Paul, comptait parmi les morts.

Après cette double tragédie, lorsque Jubal pouvait revenir quelques jours à Newfields, il s'évertuait à consoler Zephania de la perte de leurs fils, mais elle refusait de parler d'autres sujets que ceux concernant la survie de la plantation : « Les bateaux de guerre nordistes appliquent un blocus si féroce à nos ports qu'aucun navire ne peut acheminer notre coton en Europe. Des esclaves se sont enfuis pour rejoindre les armées du Nord. L'école de Grace a fermé. » Jamais elle ne voulut parler de leurs fils disparus, et leur connivence amoureuse mourut durant cette guerre.

Dans les premiers jours de mai 1864, il devint clair que Grant le Boucher, comme de nombreux Confédérés l'avaient surnommé, avait pour plan de se tailler par la force une route jusqu'au bas de la péninsule formée par le Potomac au sud de Washington, de passer à gué les rivières Pamunkey et Chickahominy et de frapper la Confédération en plein cœur par la prise de Richmond. Si elles suivaient cette route, ses troupes passeraient près de la plantation des Clay mais, surtout, elles essayeraient de pénétrer le Wilderness. A cette nouvelle, Clay s'était écrié :

— C'est de la folie ! Impossible de faire passer une armée par là !

Mais lorsqu'il voulut convaincre le haut commandement sudiste qu'il y avait erreur d'interprétation des plans nordistes, on lui répondit :

— Peut-être, mais c'est exactement la direction qu'il prend : droit sur le Wilderness.

Et en étudiant les cartes qu'on lui montrait, il comprit leurs nouveaux ordres :

— Colonel Clay, vous connaissez la région. Rassemblez tous vos hommes, les meilleures troupes du génie et tous les trappeurs, et rendez ce carrefour imprenable.

Et un index se posa sur un point bien connu de Clay, à moins d'une quinzaine de kilomètres de son foyer, un hameau insignifiant baptisé Cold Harbor, distant d'une vingtaine de kilomètres de Richmond et commandant la route qui y menait.

Clay et un encadrement d'officiers qui avaient chassé dans le Wilderness durant leur jeunesse prélevèrent sur les autres unités tous les soldats qui connaissaient bien cette contrée. A leur tour, celles-ci enrôlèrent les trappeurs de cinquante et même soixante ans pour les aider à créer autour de Cold Harbor un réseau défensif qui ne pourrait être enfoncé qu'en empilant les cadavres nordistes sur six rangées et en marchant dessus pour progresser. Même dans ces conditions, les soldats de l'Union devraient ensuite affronter des milliers de Confédérés équipés des armes qu'ils maniaient en experts : fusils, pistolets et couteaux. Si Grant attaquait Cold Harbor, il enverrait ses hommes à un massacre certain.

Mais ces précautions ne suffisaient pas à Clay, et lorsqu'il jugea son système de défense véritablement impénétrable, il fit mettre en position tous les canons disponibles de manière à couvrir tous les angles d'approche des derniers parapets et tranchées. Aucun soldat de l'Union ne pourrait arriver à Cold Harbor sans tomber sous le feu croisé d'au moins trois canons, dont les projectiles seraient bourrés d'un mélange mortel de pièces de métal, de bouts de chaînes, de plombs et même d'éclats de verre.

Quand je dis « impénétrable », je ne parle pas de ces horreurs techniques : sans que Clay le leur ait demandé, les hommes du Wilderness avaient transformé toute la zone qui devrait être traversée en piège naturel, un gigantesque abattis, pour employer ce mot français que mon grand-père ne connaissait pas, ni moi quand je l'entendis pour la première fois. La technique de l'abattis, utilisée par les paysans européens pour faire obstacle à la cavalerie de leurs seigneurs, a pour base un ensemble de solides perches de bois fichées en biais dans le sol et taillées en pointes de façon que tout homme ou toute monture attaquant vienne s'y empaler.

Au soir du jeudi 2 juin 1864, le colonel Clay inspecta le dispositif défensif dont il avait la charge et eut un sourire de satisfaction. Les neuf canons étaient en position pour balayer la zone dégagée de leur feu croisé. Les tireurs étaient en place. Le terrain devant eux était truffé de bombes qui exploseraient sous les pieds des assaillants, si ceux-ci parvenaient à passer les lignes de milliers de pieux fichés en terre qui constituaient les abattis. Au-delà, de chaque côté de la route venant du Nord que l'ennemi devrait emprunter pour descendre vers Richmond, s'étendaient le Wilderness et ses pièges : marécages, végétation inextricable, miasmes accentués par la chaleur lourde de juin, sentes qui serpentaient tant que vous finissiez par vous retrouver à votre point de départ. L'ordre donné par le général Grant à ses hommes était d'une clarté qui n'autorisait ni hésitation ni erreur d'interprétation :

— A 4 h 30 au matin du vendredi 3 juin, vous attaquerez les défenses de Cold Harbor afin de dégager la route de Richmond pour le gros de nos troupes.

Au quartier général confédéré, une simple ferme au-delà du carrefour stratégique de Cold Harbor, le colonel Clay déclara, avant de s'accorder un court repos à trois heures du matin, ce 3 juin :

— Grant le Boucher lui-même n'oserait pas un assaut frontal de nos positions ici. Je prie que nos flancs soient prêts, car je suis persuadé qu'il veut nous attaquer de face pour que nous engagions nos troupes, et bifurquer ensuite sur la gauche, en terrain plus favorable.

Il regarda vers l'est, où il supposait que Grant ferait obliquer ses forces, et marmonna une courte prière :

— Seigneur, protégez nos hommes là-bas. Ils risquent de vivre une journée terrible.

Il avait à peine fini que des trappeurs qui étaient restés cachés dans le Wilderness en sentinelles se précipitèrent dans Cold Harbor par une piste laissée ouverte à cet effet :

— Ils viennent droit sur nous !

Grimpant à un arbre, Clay vit avec horreur les troupes de Grant qui avançaient en effet directement vers les abattis et le terrain miné, en formation de bataille.

Dans les huit premières minutes de ce matin de juin, trois mille Yankees périrent. Durant la demi-heure suivante, quand la seconde vague d'attaque déferla par-dessus les cadavres de leurs camarades, cinq mille de plus moururent, sans aucune perte du côté des Confédérés. A neuf heures du matin, Grant le Boucher donna l'ordre de repli général à ses troupes, mais les commandants des diverses unités refusèrent, au risque de graves sanctions pour eux-mêmes.

A moins de cent mètres des lignes yankees, Clay entendit le clairon enthousiaste de l'ennemi annoncer une nouvelle charge face aux fusils confédérés.

— Doux Jésus ! s'écria-t-il. Ne permettez pas ce massacre !

Et quand aucun Nordiste ne quitta leurs tranchées improvisées, il pleura.

On admet généralement que la meilleure relation de la bataille de Cold Harbor est celle rédigée par mon grand-père quand il fut rappelé à Richmond et y fut décoré pour sa défense exemplaire de Cold Harbor. Je ne peux donc faire mieux que le citer :

Richmond, le 19 juin 1864

Ma Zeph chérie,

J'ai du mal à croire que les horribles événements de ces derniers jours ont eu lieu à quelques kilomètres seulement de Newfields où toi et Grace demeurez paisiblement. Si ma main tremble, c'est que je n'ai pas eu de vrai repos depuis six jours, et je ne me suis pas lavé depuis cinq. Au moment où cette lettre te parviendra, tu auras sans doute déjà appris que nous avons infligé une défaite terrible à l'ennemi. Grant le Boucher, qui avait promis de nous passer sur le corps sans ralentir, a été repoussé avec des pertes qui doivent éberluer même un esprit aussi sauvage que le sien.

Quand il est devenu évident qu'une bataille importante se préparait peut-être à ce carrefour anodin que tu connais si bien, Cold Harbor dans le Wilderness, le général Lee m'a donné pour tâche de disposer nos canons et nos hommes de façon à prendre l'ennemi sous un feu croisé, et j'ai utilisé pour ce faire les volontaires d'Alabama et les Virginiens du colonel Butler...

Clay poursuivait en détaillant à sa femme les préparatifs qu'il avait supervisés pour consolider les positions sudistes, et le carnage qui s'était ensuivi. C'est ce que rapporta mon grand-père dans les paragraphes suivants qui retint l'attention des historiens et des biographes :

L'assaut déclenché par l'Union à quatre heures et demie n'a duré qu'une trentaine de minutes, ce qui signifie que les pertes massives subies par l'ennemi l'ont été juste avant l'aube. Ce moment de la journée permettait aux commandants nordistes de demander une trêve afin de quitter leurs lignes et de venir sur le champ de bataille prendre leurs morts et leurs blessés, au nombre d'un millier au moins, deux mille d'après un de mes subordonnés. Mais s'ils étaient encore là quand le soleil brûlant monterait dans le ciel, leur souffrance deviendrait très vite torture.

En conséquence j'ai ordonné à mes hommes de ne pas tirer quand apparaîtraient les équipes d'ambulanciers, et aucun d'entre eux n'aurait désobéi, car ils ne voulaient pas poursuivre le carnage qu'ils avaient perpétré, même si celui-ci était explicable dans ces circonstances. Par cela j'entends que je partage l'avis d'un de mes hommes qui a dit : « S'ils ont été assez stupides pour avancer ainsi sous notre feu sans possibilité de riposte, ils méritaient de mourir. » Nous avons donc attendu que les brancardiers viennent ramasser les blessés. Aucun n'est venu.

A dix heures le soleil commençait à frapper fort et les blessés se sont mis à crier pour demander à boire, des soins, et l'arrivée des brancardiers, mais en vain. A midi la chaleur était insupportable, même pour nous qui étions pourtant à couvert. Tu dois comprendre, Zeph, que les blessés tombés entre les lignes étaient si proches des nôtres que je pouvais distinguer leur couleur de cheveux, et si j'avais connu leur nom j'aurais pu leur parler. Mais c'est eux qui m'appelaient : « Par pitié ! A boire ! Aidez-moi ! » Hélas ! je ne pouvais rien pour eux.

Il me faut t'expliquer les raisons de mon impuissance à aider ces pauvres bougres. La bataille n'était pas terminée. Aucun général de l'Union n'avait demandé de trêve, et aucun n'allait le faire, car c'eût été admettre leur défaite, et Grant s'y refusait. Et ainsi le soleil s'est couché au soir de ce vendredi 3 juin, une date qui restera dans les annales comme celle d'une grande victoire pour nous, et les blessés qui gisaient toujours entre les lignes, sur le champ de bataille, n'ont plus souffert de la chaleur. Mais à mesure que la fraîcheur du soir descendait, ils ont compris l'horreur de leur situation. Ils allaient passer la nuit là, sur ce sol qui peu à peu deviendrait froid, puis détrempé par la rosée. En comprenant cela ils se sont mis à supplier leurs camarades derrière eux comme leurs ennemis devant : « A boire ! Pour l'amour de Dieu, de l'eau ! » et durant toute cette nuit nous avons entendu leurs appels à un secours que nous ne pouvions leur apporter.

Zeph, ce souvenir emplit mes yeux de larmes. Je ne peux te décrire ce qu'ont été ces trois jours — samedi, dimanche et lundi —, avec ce soleil écrasant toutes ces heures, l'humidité de la nuit et les plaintes incessantes des blessés nordistes. Un de mes hommes, un fermier des environs de Frederick, a été tellement choqué par ces cris qu'il a enfreint mes consignes et s'est glissé sur le champ de bataille avec un seau d'eau. Rends-toi compte, Zeph, les blessés les plus proches n'étaient qu'à une dizaine de mètres. Les tireurs d'élite de l'Union lui ont tiré dessus, sans intention de le toucher je pense, car il a pu regagner nos lignes sain et sauf. Par la suite, nos hommes ont tiré eux aussi sur tous les Nordistes qui tentaient de pénétrer le champ de bataille. Et Grant ne demandait toujours pas de trêve.

Pendant la nuit de lundi, les cris sont devenus intolérables, puis nous avons entendu des coups de feu. J'ai alors inspecté les abords de nos lignes avec une lanterne à faisceau, et j'ai vu qu'un soldat de l'Union rampait d'un corps à un autre et achevait d'une balle ses camarades dont les corps blessés avaient le sang empoisonné par la gangrène ou le ventre atrocement gonflé. En l'éclairant ainsi j'ai commis un acte terrible, car un de mes hommes l'a aperçu et a abattu le Samaritain... Je ne peux poursuivre.

Zeph, je reprends la plume plus tard. Mardi matin, après quatre jours de cette situation épouvantable, Grant s'est finalement plié aux usages de guerre et a demandé une trêve, mais même alors il a retardé son application et il était plus de midi quand les drapeaux blancs sont apparus et que les équipes médicales sont sorties des lignes nordistes pour venir secourir les rares survivants. J'ai calculé que l'obstination de Grant avait ajouté à ses pertes neuf cents morts. Et j'espère qu'il y aura un enfer spécial pour un tel homme, un enfer écrasé de soleil, et sans eau.

Avec tout mon amour,
Jubal

Le général confédéré dirigeant l'aile gauche de Lee durant cette bataille était Jubal Early, un militaire de carrière bourru de quarante-huit ans venu des régions boisées de l'ouest de la Virginie. C'était un officier de cavalerie compétent, vétéran de nombreuses batailles, la plupart victorieuses, et il avait vu le comportement superbe de cet autre Jubal à Cold Harbor. Quand cet épisode fut terminé, il alla voir Clay, lequel fut honoré d'avoir attiré l'attention de ce vieux baroudeur.

— On m'a dit que j'allais être chargé d'une opération de quelque importance, fit-il en mettant pied à terre devant le quartier général temporaire de Clay, et j'aurais un atout de plus si j'étais secondé par un homme de votre qualité. (Et avant que Clay ne réponde, Early ajouta :) Vous possédez la grande plantation voisine, je suppose donc que vous êtes cavalier.

— Oui, mon général.

— Verriez-vous un inconvénient à ce que je demande au général Lee de vous transférer sous mes ordres ?

— Tout Virginien serait fier de servir à vos côtés, mon général, et moi le premier. J'ai quelques comptes à régler avec ce boucher de Grant.

— Vous êtes l'homme qu'il me faut, dit le général.

C'est sans autre délai que Jubal Clay passa sous les ordres de Jubal Early.

Ensemble ils se lancèrent dans une des plus grandes aventures de toute la guerre civile. L'opération consistait à foncer dans la vallée de la Shenandoah loin à l'ouest, presque jusqu'à la limite de la Pennsylvanie, s'emparer de Harper's Ferry, puis obliquer vers le sud-est dans une tentative folle de prendre Washington. Sept jours après la retraite honteuse de Grant à Cold Harbor, Clay chevauchait vers le nord en compagnie du général Early, pour prendre le train qui leur ferait passer les montagnes basses de Virginie. Ensuite ils galoperaient jusqu'à la Shenandoah, où d'importantes forces de cavalerie confédérée les attendaient pour amorcer leur raid intrépide.

Ce furent des jours de gloire ! Suivant les traces du grand Stonewall Jackson qui, en 1862, s'était déchaîné tout le long de cette vallée en échappant aux forces de l'Union envoyées pour l'anéantir, les troupes d'Early entrèrent en grande pompe dans la ville historique de Winchester par un après-midi ensoleillé, à la plus grande joie de la population massée pour les acclamer. A la tête des rangs de la cavalerie — « des hommes magnifiques vêtus d'uniformes magnifiques et montant des chevaux magnifiques », écrivit un journaliste local — venait le général Early sur un cheval blanc, resplendissant dans sa tenue célèbre dans tout le Sud : un large feutre blanc orné d'une longue plume neigeuse de dindon, un manteau blanc d'un lourd tissu importé lui descendant jusqu'aux chevilles, des bottes parfaitement cirées et son uniforme gris impeccable avec toutes ses médailles sur la poitrine.

Les fantassins étaient présentables, même si leurs uniformes étaient disparates, certains même en loques. Malgré tout leur tenue était propre grâce aux femmes qui suivaient les troupes, mais tandis qu'ils défilaient les habitants de Winchester remarquèrent avec tristesse que beaucoup de ces soldats n'avaient guère plus de quinze ans, et qu'ils étaient un nombre effrayant à marcher pieds nus.

La puissance de cette parade laissa une impression si forte sur le public qu'un journal écrivit : « Cette armée aurait pu passer fièrement les Portes du Paradis, ou déferler par les Portails de l'Enfer. » Pourtant, au crépuscule, les femmes de Winchester apportèrent au bivouac des paires de chaussures prises à leurs maris, frères ou fils.

Le colonel Clay reçut la mission de mener avec ses hommes, au nord de Winchester, des actions de dynamitage et de destruction par tous les moyens de la voie ferrée et des ponts de la Baltimore & Ohio Railroad, une ligne si utile aux forces nordistes qu'elle avait été surnommée « la Cavalerie de Grant ». Les Confédérés saluèrent les explosions qui transformaient un à un les points de cette ligne détestée en ruines impraticables.

Leurs hommes suivaient la route empruntée par Stonewall, et la réminiscence nourrissait leur fougue guerrière. Ils firent mieux que leur prédécesseur : ils se ruèrent au nord, bien au-dessus de Washington, prirent Harper's Ferry et obliquèrent alors vers l'est pour livrer bataille au général nordiste Lew Wallace qu'ils défirent rondement. Le 10 juillet, un mois après Cold Harbor, les deux Jubal, déjà victorieux dans maintes batailles et escarmouches, attaquaient Washington. En fait, ils prirent pied à l'extrême nord-ouest de la ville, mais c'était une tête de pont solide. Clay se coucha ce soir-là avec la certitude qu'ils ressortiraient bientôt de la ville, traînant Abraham Lincoln prisonnier, et qu'ainsi la guerre prendrait fin. Cette anticipation n'était pas tellement irréaliste, car plus tôt dans l'après-midi, alors que Clay et ses tireurs d'élite écrasaient la garnison d'un fort nordiste proche des lignes confédérées, ses hommes avaient concentré toute leur attention et leur tir sur les soldats, ignorant un civil de haute taille parmi eux, le président Lincoln venu voir en personne si ses troupes étaient ou non capables de repousser les forces de l'audacieux général Early. Clay et Lincoln s'étaient un moment trouvés à moins de trente mètres de distance.

Les généraux de l'Union réagirent aussitôt en lançant dans la défense de Washington tant de troupes fraîches que Jubal Early dut abandonner l'idée de prendre la ville. Il lui fallut se retirer pour ne pas sacrifier sa cavalerie, et lors du premier bivouac de leur retraite, Clay écrivit à sa femme :

> Zeph chérie,
>
> Nous avons remporté une série ininterrompue de victoires. Tu aurais été fière de moi si tu m'avais vu chevauchant avec le général Early. Nous avons atteint Washington et fait trembler de peur le gouvernement de l'Union. Ensuite j'ai mené une incursion en Pennsylvanie, et nous nous sommes emparés de Chambersburg, une ville importante. Je leur ai ordonné de payer des indemnités pour les maisons incendiées de citoyens paisibles favorables à notre cause. J'ai exigé 25 000 dollars, mais comme ils refusaient avec insolence de payer, j'ai brûlé la ville.

Son épouse ne reçut jamais cette lettre. Après son départ de Cold Harbor pour accompagner le général Early, une rumeur naquit chez les soldats de l'Union : Clay était celui qui avait imaginé les abattis et fait miner le terrain où tant des leurs avaient été blessés. Et ils disaient aussi : « Et qui a fait tirer sur nous quand nous tentions de secourir nos blessés ? Clay. » Alors qu'ils se retiraient du champ de bataille qui avait vu en quelques minutes une véritable hécatombe dans leurs rangs, la fureur les envahit et quand ils apprirent que Clay possédait la plantation qu'ils traversaient, les soldats fous de rage, ignorant les ordres de leurs supérieurs, se précipitèrent pour détruire Newfields par le feu.

Zephania et sa fille de quatorze ans se trouvaient à l'intérieur de la demeure lorsque les soldats de l'Union tirèrent dans les fenêtres. Grace s'échappa de la maison dès les premières flammes de l'incendie, mais sa mère refusa obstinément de l'imiter et voulut rassembler les effets précieux qu'elle ne pouvait supporter d'abandonner. Affolée, elle essaya même de bouger le piano pour le protéger du feu croissant. Quand elle courut enfin vers la porte l'incendie la cernait et il était trop tard.

Son mari, qui à présent battait en retraite après son attaque de Washington et l'incendie de Chambersburg, était continuellement en mouvement, si bien qu'aucun courrier ne pouvait lui parvenir de son foyer. La raison de sa hâte était l'arrivée dans la Shenandoah d'un nouveau et très brillant officier de cavalerie à la tête des forces de l'Union. L'ascension fulgurante de Phil Sheridan, engagé volontaire devenu général, avait été des plus spectaculaires, et sa chance dans la bataille était déjà proverbiale. Une de ses premières actions d'éclat fut de coincer l'armée d'Early à Winchester, la ville qui avait accueilli les Confédérés dans la liesse quelques semaines plus tôt. Lors de son premier passage Early fonçait vers le nord et ponctuait sa route de victoires éclatantes ; à présent il était en pleine retraite et cherchait à préserver la vie de ses troupes et la sienne.

Sheridan se montra un combattant féroce et acharné. A la fin de l'engagement, très violent, Early avait perdu quarante pour cent de son armée. Si le nombre des tués dans le camp nordiste était tout aussi lourd, il subsistait cette différence primordiale : l'Union disposait de réserves humaines quasiment illimitées, alors que le Sud était exsangue. Et les Nordistes étaient équipés de chaussures neuves spécialement créées pour l'usage militaire, tandis que de nombreuses jeunes recrues de Jubal Early marchaient nu-pieds.

Suivit une succession rapide de revers douloureux, infligés par un Phil Sheridan qui surpassait Early en habileté tactique. Leur retraite amena une nuit les deux Jubal dans l'école désertée d'un petit village. Tout en mangeant de maigres rations froides, ils ne purent s'empêcher de commenter la situation dramatique de la Confédération :

— La victoire est encore possible, affirma le général. Si nous parvenons à ramener nos troupes à Richmond pour aider Lee à défendre la ville, nous pouvons venir à bout de Grant. Ce n'est pas un militaire de grande valeur.

Clay, dont la haine pour Grant s'intensifiait à chaque bataille, s'écria :

— Ne peut-on le frapper directement ?

— Si nous pouvons l'attirer, comme à Cold Harbor, nous pouvons en venir à bout, répondit Early d'un ton résolu, et serrant les poings il répéta : Oui, en venir à bout ! En venir à bout !

Mais les deux hommes savaient que c'était leur armée qui était à bout, bien que jamais ils n'eussent accepté de l'admettre.

Un aide de camp leur apporta le courrier qui les avait enfin rejoints et Clay s'étonna de n'en voir aucune de Zephania. Puis il lut la courte missive qu'un de ses voisins lui avait adressée : « J'ai le triste devoir de vous informer que des renégats de l'Union ont incendié Newfields. Zephania a péri dans le sinistre, mais nous avons recueilli votre fille, Grace, qui est en sécurité chez nous. »

Anéanti, il tendit la lettre au général qui la lut en silence. Early ne s'était jamais marié et professait qu'un soldat combat mieux s'il n'est pas encombré d'une épouse. A maintes reprises il avait refusé à des officiers des permissions assez longues pour se marier : « Faites-le quand la paix sera rétablie et que votre femme pourra rester auprès de vous », mais par respect pour Clay il n'exprima pas son opinion.

— J'ai tout perdu, dit Clay, plus pour lui-même que pour Early. Mes fils, ma femme, ma plantation... (Un sort aussi cruel était plus qu'il n'en pouvait supporter. Il se frappa le front des deux mains.) O mon Dieu ! gémit-il. C'est une telle injustice ! En quoi ai-je mérité pareille accumulation de souffrances ?

C'est la conviction qu'un dieu déraisonnable l'avait puni sans motif et avec cruauté qui affermit l'amitié de Jubal Clay pour Early quand celui-ci fut pareillement blessé par une lettre insultante de Robert E. Lee qui l'informait que le commandement de son armée lui était retiré et confié à un de ses subordonnés. Datée du 30 mars 1865, alors que le monde s'écroulait, la missive contenait des phrases qui mirent en fureur le vieux guerrier.

> J'ai estimé nécessaire de vous relever de votre commandement. Vos revers dans la Vallée ont, je le crains, porté atteinte à votre influence, tant auprès des civils que des soldats... J'ai jugé que je ne pouvais m'opposer à ce qui semble être le courant de l'opinion... Je me dois de nommer un commandant qui inspire plus confiance à la troupe... Vous remerciant pour le courage et le dévouement que vous avez constamment manifestés à votre poste, je vous prie de croire à ma sincère considération.
>
> Général R. E. Lee

Inconsolables, les deux hommes, unis par leur haine du général Grant et une détermination farouche à mettre à genoux les forces du Nord, se traînèrent jusqu'à Richmond pour un ultime défi. Le général Early, qui n'avait plus son feutre blanc piqué d'une plume ni son long manteau, se vit confier un poste mineur, et Clay rallia son unité pour rester auprès de cet homme qu'il admirait de plus en plus. Jubal Early était un combattant doublé d'un homme d'honneur, et il jugeait scandaleux autant qu'injuste de se voir insulté par son propre gouvernement parce que le Nord avait la capacité de lancer des hordes de troupes fraîches contre lui.

Mais Clay restait avec Early pour d'autres raisons aussi, plus personnelles. Les remparts de sa vie avaient été abattus : il avait perdu son épouse chérie, ses deux fils, son foyer et maintenant la cause de sa nation. Tout avait disparu à l'exception de sa fille, et il n'avait que son honneur et sa détermination pour aider Jubal Early à combattre encore, malgré tout. Mais il s'appuyait sur un support fragilisé, car Early était aussi affligé que lui. Néanmoins le général gardait une loyauté indestructible pour leur cause, et quand le général Lee signa la défaite des Confédérés à Appomattox en avril 1865, Early et Clay refusèrent de déposer les armes. Rejetant la généreuse offre du Nord d'abandonner toute poursuite envers les officiers sudistes qui entérineraient la défaite, ils rétorquèrent d'une voix forte qu'ils étaient toujours en guerre et que jamais ils ne se rendraient à Grant le Boucher. Ils refusèrent de prêter allégeance à ce qu'ils nommaient le gouvernement nordiste, et devinrent des fugitifs traqués. Vêtus comme de modestes fermiers, ils fuirent la Virginie. Empruntant les chemins peu fréquentés et subsistant grâce à la générosité des patriotes du Sud, ils traversèrent les deux Carolines et la Géorgie et s'enfoncèrent à l'ouest, passèrent l'Alabama et le Mississippi pour entrer en Louisiane où ils espéraient rejoindre l'armée du général confédéré Kirby Smith qui combattait toujours. A leur arrivée dans l'Etat ils apprirent la triste nouvelle : « Le général a tenu aussi longtemps qu'il le pouvait, mais quand le Nord a envoyé une armée entière contre lui, il a été forcé de capituler. La guerre est finie, mais on les aura obligés à un sacré combat, pas vrai ? » et Early grogna : « Oui, un sacré combat. »

— Et où allez-vous maintenant, soldats ? leur demanda-t-on.

— Au Texas, répondit Early. Là-bas ils savent se battre.

— La guerre est finie là-bas aussi, firent les hommes de Louisiane. C'est fini dans tout le Sud. Vous devriez regagner vos foyers.

— Nous n'avons plus de foyer, rétorqua Early. C'était la Virginie. Avant.

Et les deux Jubal poussèrent jusqu'au Texas. Un soir alors qu'ils campaient le long de la Brazos, le médecin local, qui avait acquis le dernier modèle d'appareil photographique, leur demanda la permission de faire un portrait d'eux :

— Vous êtes des exilés confédérés, je me trompe ? demanda-t-il.

Et Early répondit :

— Je suppose qu'on peut nous définir ainsi, oui.

Le médecin les fit poser devant le tronc d'un chêne du Sud. Le cliché finit dans les collections de la Société historique du Texas, et dans les années 1930 quelqu'un la vit parmi d'autres et lança au conservateur :

— Ce ne peut être que Jubal Early ! Il est passé par ici naguère.

Sur la photo aux bords jaunis, on voit le célèbre fugitif, la cinquantaine, barbu, son large feutre remplacé par un chapeau plus modeste, le pantalon en coton de type mexicain tenu par une corde, la chemise informe, le cache-poussière de toile en guise de manteau, tenant à la main droite la canne qu'il utilisait en raison de ses rhumatismes. A son côté, vêtu de la même manière mais sans le chapeau ni le cache-poussière, se tient Jubal Clay, la mâchoire inférieure saillante comme pour défier le général Grant de l'approcher. C'est le seul cliché des deux Jubal durant leur exil volontaire et il joua un rôle inattendu, comme le prouvent les documents officiels.

Très fier du résultat obtenu avec son appareil photographique flambant neuf, le médecin avait exposé le cliché sur le mur de sa salle d'attente, où un homme au regard acéré la remarqua. « Eh ! Mais on dirait bien les deux fugitifs que recherche cet officier nordiste... » Et quand l'homme venu du Vermont pour imposer la loi fédérale dans l'Etat du Texas — autrement dit un profiteur nordiste — vit la photographie, il s'écria aussitôt : « C'est bien eux ! » Désireux d'empocher la récompense promise pour toute aide à la capture des deux Confédérés, il prévint l'officier commandant les troupes d'occupation nordistes stationnées dans cette partie du Texas.

Les deux Jubal auraient sans doute été pris si un Nègre travaillant comme homme de peine pour les soldats n'avait entendu leurs ordres et n'était venu les alerter dans la masure où ils se cachaient. Il savait que les fugitifs étaient deux Confédérés irréductibles, et il se doutait qu'ils venaient comme lui de Virginie. « Feriez mieux de décamper d'ici, ou ils vont venir vous arrêter. » Quand la troupe nordiste investit la région où avait été prise la photographie, les deux hommes étaient sur le chemin de Galveston où ils prirent un vapeur. Celui-ci les mena hors des Etats-Unis, aux Bahamas, puis aux îles Vierges et enfin à Cuba, où Early entendit des nouvelles qui lui rendirent son entrain : « Le Mexique est en pleine ébullition. L'empereur Maximilien a besoin de toute l'aide disponible. Il accueillerait à bras ouverts un soldat aguerri comme vous, Clay, sans parler d'un général ! » Sa décision fut vite prise. « Allons au Mexique, Clay. Tôt ou tard ce pays se retrouvera en guerre avec les Etats-Unis, et je veux être avec eux quand cela arrivera. » Avec le peu d'argent sauvegardé des dons de patriotes sudistes, il acheta un feutre à large bord et se fit confectionner par un tailleur une copie de son célèbre manteau :

— C'est un vrai général qui entrera au Mexique.

Mais il ne put persuader son ami de l'accompagner :

— J'aime le Mexique, dit Clay, et je pense que c'est un pays d'avenir, mais j'ai une fille quelque part près de Richmond, et je dois m'occuper d'elle.

Et les deux Jubal se séparèrent dans un port cubain, le général embarquant pour le Mexique tandis que le colonel prenait la direction des Etats-Unis, au risque de se faire capturer. Leur aventure commune avait été celle de vrais patriotes sudistes, et ils se quittèrent avec dignité et dans un respect mutuel.

Mais la proposition du général Early taraudait Clay. Alors qu'il remontait au nord du Texas avec mille précautions pour ne pas être pris, des images vivaces de la mine d'argent de Toledo le hantaient, et plus sa solitude de fugitif traqué s'accentuait, plus l'idée de la mine l'obsédait. « Là-bas, un homme pourrait trouver refuge... Si un homme n'avait plus de foyer, il pourrait travailler dans une mine et reconstruire sa vie. » Pourtant il ne fit rien pour transformer ce rêve en réalité, car en lui l'appel de la Virginie restait le plus fort.

Les expériences de Clay dans le Sud vaincu n'eurent rien d'agréable. Il débarqua à Savannah puis traversa sans hâte et déguisé la Géorgie et les deux Carolines jusqu'à la Virginie. En arrivant aux frontières de son Etat, ses épaules se voûtèrent sous le fardeau du chagrin. On reconnaissait en lui un soldat qui avait combattu pour défendre la cause confédérée, et sans lui poser de question tous ceux qu'il rencontrait l'aidaient de leur mieux. Il passa à Cold Harbor et contempla ce champ de bataille où il avait joué un rôle déterminant. Puis il parcourut la distance qui le séparait de Newfields et là, écrasé de douleur à la vue des ruines de la plantation familiale, il revit sa femme Zephania qui vaquait à ses tâches, ses fils qui jouaient, sa fille ceinte d'un tablier, les serviteurs qui s'affairaient... Tout cela avait disparu, à jamais. A partir de ce moment de désespoir infini, Jubal Clay fut un autre homme. Anéanti, le planteur du Sud, comme le colonel confédéré. A quarante-trois ans, il était devenu un homme dont l'unique lien subsistant était celui qui l'unissait à sa fille — un lien qui bientôt serait brutalement brisé.

Il retourna à Richmond, se glissa discrètement dans son club. L'endroit avait souffert de la défaite, mais il restait encore nombre de ses vieux amis d'affaires et de l'armée, et ceux-ci l'accueillirent avec chaleur quand ils l'identifièrent : « Racontez-nous la bataille de Cold Harbor et cette leçon cinglante que vous avez infligée à Grant. Et ce raid fulgurant avec le général Early le long de la Shenandoah ? Qu'est-il devenu après sa disparition, au lendemain d'Appomattox ? » Ils furent heureusement surpris d'apprendre que Clay était resté loyal à Early jusqu'au départ du général pour le Mexique.

En entendant cette dernière information, tous les membres du club voulurent prendre la parole, car chacun connaissait un ami planteur qui avait refusé de rester dans les nouveaux Etats-Unis où il était interdit de posséder des esclaves et où leur ancien mode d'existence avait été irrémédiablement détruit. Quelques-uns étaient partis au Canada, mais la plupart avaient pris la route du sud vers le Mexique, qu'ils qualifiaient de « pays où la liberté est encore respectée ».

— On vous a dit que Jake Tomlin a décidé de partir au sud ?

— Ça ne m'étonne pas. Son ami Adams lui avait envoyé de là-bas une lettre très alléchante. Des terres pour une bouchée de pain, et des centaines d'Indiens qui ne demandent qu'à travailler, pour presque rien.

— Saviez-vous que Henry Bailey avait transféré son bureau de négoce du coton à Veracruz ? Il livre toujours ses clients de Liverpool, mais maintenant c'est avec du coton mexicain.

— Jubal, je me souviens que vous avez servi sous les ordres du général Scott au Mexique. Comment avez-vous trouvé ce pays ?

Ses souvenirs des années 47 et 48 lui revinrent avec une force insoupçonnée.

— C'est un pays digne d'intérêt, pas du tout tel que nous l'imaginions à l'époque. Certaines villes éloignées des combats m'ont paru très habitables.

— Vous avez pu en visiter ?

Il faillit leur parler de Toledo, mais jugea qu'il serait ennuyeux d'expliquer les raisons qui l'avaient poussé à aller se renseigner sur une mine d'argent.

— Vous envisageriez d'émigrer là-bas ? voulut savoir un homme. Comme les autres ?

— J'avais la possibilité d'accompagner le général Early. Mais j'aime la Virginie, et quand je serai lavé de toute accusation j'aimerais travailler ici, reconstruire...

— Ce serait une bonne chose, Clay, approuva un autre membre du club. Ici vous êtes un véritable héros, et nous avons besoin de vous. (Et il répéta :) Un héros, oui. Ce qui se passe avec votre fille a dû vous surprendre.

— Que se passe-t-il ? Je la cherche, justement.

— Après l'incendie... nous avons enterré votre femme, Jubal... Votre fille a été recueillie par une famille de Richmond, et je l'ai souvent vue. Une vraie princesse du Sud, qui nous faisait honneur, comme à vous, Clay.

— Que s'est-il passé ?

— Quand les Nordistes ont remplacé notre gouvernement, ils ont envoyé ici un jeune officier frais émoulu de West Point, un lieutenant plein de prestance, et il a travaillé au bureau du gouverneur, enfin *leur* gouverneur. C'est un garçon intelligent, avec des manières irréprochables, qui nous a montré du respect alors que certains de ses supérieurs nous ont traités comme des chiens.

— Et puis ? pressa Clay, qui redoutait déjà la réponse.

— Eh bien... Ils sont tombés amoureux l'un de l'autre. Il était invité à toutes les réceptions, du moins celles que nous pouvions encore nous permettre, et tout le monde l'appréciait. Un excellent jeune homme, si l'on excepte son passé militaire... Et ils se sont mariés.

— Mariés ?

Il prononça le mot avec une telle intensité que pendant un moment personne n'osa parler, puis un membre du club qui avait lui aussi participé à la bataille de Cold Harbor dit :

— Le jeune Shallcross était aide de camp de Grant à Pamunkey.

Pendant deux jours mon grand-père ne put se résoudre à aller voir sa fille, alors même qu'il était prêt à courir le risque d'une arrestation pour avoir devant lui le dernier membre encore en vie de sa famille — et une arrestation était probable s'il était identifié par un fonctionnaire du gouvernement d'occupation. Mais sa curiosité et son amour pour sa fille étaient tels que le troisième jour il autorisa son camarade officier à Cold Harbor à l'emmener jusqu'à la petite maison qu'habitaient Shallcross et son épouse. Il attendit, caché derrière un arbre, tandis que son guide frappait à la porte d'entrée, était accueilli par un homme que Clay ne put voir et entrait. A l'intérieur, comme son ami le lui expliqua plus tard, fut conclue sur l'honneur une trêve :

— Capitaine Shallcross, vous me connaissez : major Abernethy, gracié par votre gouvernement.

— Bien sûr, major. Que puis-je pour vous ?

— Ici même, à Richmond, je connais un officier confédéré non gracié qui se cache.

A ces mots de mauvais augure, Shallcross leva les deux mains :

— Nous ne pourchassons plus les patriotes, major, aussi abusés qu'ils aient été dans leurs engagements. Je ne veux pas en entendre plus.

— D'anciens confédérés sont arrêtés tous les jours, rétorqua Abernethy.

— S'ils nous y forcent, ou s'ils ont commis des actes criminels par le passé.

— Je pense que vous voudrez rencontrer celui-là, mais je dois avoir votre parole d'honneur qu'il pourra repartir libre après cette entrevue.

— Vous n'aviez pas besoin de vous glisser chez moi pour l'obtenir. C'est promis.

Les deux soldats scellèrent cet accord d'une poignée de main, puis le major retourna sur le seuil de la maison et fit un signe. L'instant suivant Jubal Clay pénétrait d'un pas méfiant dans la petite pièce et découvrait son gendre. Devant le silence des deux hommes, le major rompit le silence :

— Capitaine Shallcross, j'ai l'honneur de vous présenter le colonel Clay, ancien du Troisième de Virginie.

Shallcross rougit, hésita une seconde puis tendit la main :

— Vous êtes le bienvenu ici, colonel. Je vais appeler votre fille.

Un moment plus tard, Grace Clay Shallcross les rejoignit dans la pièce — jeune beauté de seize ans, un elfe à la taille si fine qu'un homme eût pu l'encercler de ses deux mains. A la seconde où il l'eut face à lui, après trois ans d'une séparation douloureuse, Clay songea qu'elle était de ces femmes qui garderaient vivant le meilleur du Sud, car la défaite ne l'avait pas touchée, et ce constat lui réchauffa le cœur. Mais quand ils se furent assis tous quatre et qu'ils commencèrent à discuter, il sentit une terrible amertume remplacer peu à peu cette instinctive réaction d'amour.

— Comment se fait-il que ta mère n'ait pu échapper elle aussi à l'incendie ?

— Elle voulait sauver le piano. Les hommes ont essayé de la tirer au-dehors, mais elle a résisté et finalement ils ont été forcés de fuir à cause de la fumée... (Elle hésita puis ajouta :) Nous avons pensé que peut-être elle avait voulu mourir... avec les garçons disparus... la maison... et vous qui aviez peut-être été tué dans la défaite de la Vallée.

— Quand elle est morte nous étions toujours victorieux. Nous nous trouvions à Washington. (Sa voix se durcit, non contre sa fille mais envers celui qu'elle avait épousé. Il pointa un index accusateur vers le capitaine Shallcross et demanda :) Est-il vrai qu'il a été aide de camp du général Grant à Cold Harbor ?

Shallcross ne laissa pas sa femme répondre à sa place :

— J'y étais, colonel Clay, comme vous. Nous avons eu beaucoup d'estime pour votre réussite, ce jour-là. Le général Grant l'a dit.

— De l'estime pour moi ? A-t-il eu la moindre estime pour ses troupes qu'il a laissées à l'agonie en pleine canicule ?

Comprenant que cette question ne pouvait déboucher que sur une querelle, le capitaine Shallcross répondit :

— Colonel, je suis honoré d'avoir pour épouse une femme aussi merveilleuse que votre fille. Et si vous aviez été là à l'époque, je serais venu vous voir comme un homme d'honneur s'adressant à un autre homme d'honneur pour vous demander sa main. Je vous prie de me l'accorder, maintenant.

Et de nouveau il tendit la main vers Clay.

« Pendant quelques secondes terribles, rapporta l'ex-Confédéré qui avait arrangé la rencontre, les deux hommes se sont affrontés du regard. Shallcross d'un air presque implorant, Clay avec une aigreur croissante. Et Clay a dit d'une voix sinistre : " Je vais quitter cette maison souillée, et je ne te reverrai jamais, Grace. " Et sur ces mots, il est sorti. »

Avant de partir de Richmond, Clay se rendit chez un notaire et signa un acte en bonne et due forme par lequel il léguait les mille hectares de l'ex-plantation familiale à sa fille, Grace Clay, née sur les lieux en 1850. Une fois ces documents enregistrés il demanda qu'on prévienne sa fille après son départ, puis il retourna dans sa chambre où l'attendait une lettre qui bouleversa ses plans :

Cher colonel Clay,

Par les Brackenridge de Richmond, j'ai appris que le décès de votre épouse et la perte de votre foyer vous poussent à quitter le pays. Certes, toute personne connaissant la cruauté des épreuves que vous avez endurées comprendra votre décision, et ceux qui comme moi vous connaissent savent combien vous, plus que tout autre, aviez fait des joies partagées avec Zephania, votre incomparable épouse, l'essentiel de votre existence.

Néanmoins, Jubal, je me dois de vous rappeler qu'il existe un devoir supérieur, et je vous supplie de reconsidérer votre décision. Ne quittez pas votre patrie. Elle a grandement besoin de vous. Vous êtes un ingénieur et maîtrisez le savoir que nécessite la reconstruction de nos contrées ravagées. Il y a tant à reconstruire que nous pourrions travailler chaque jour jusqu'à minuit sans avoir accompli plus que le début de la tâche. Vous êtes indispensable pour ce redressement.

C'est pourquoi je vous implore et, si j'étais encore général, je vous ordonnerais de rester ici et de vous lancer dans les tâches qui s'offrent. Et si vous objectiez « Durant quatre années j'ai combattu le Nord, dois-je aujourd'hui aider l'ennemi à reconstruire ce qu'hier il a détruit ? », je pourrais seulement vous rappeler que souvent la sagesse du Tout-Puissant commande à l'homme de faire exactement le contraire de ce qu'il faisait dix semaines auparavant, et s'il a défendu son honneur il n'y a aucun déshonneur à obéir aux ordres dictés par Celui qui est plus puissant que tout humain. Je vous supplie de rester ici pour travailler, car je suis convaincu que c'est le labeur que Dieu veut pour nous.

Mais je suis préoccupé par l'oppression que subit celui qui doit revenir vivre là où la tragédie l'a frappé au plus cher de son être, et c'est pourquoi je veux que vous quittiez Cold Harbor et veniez à Lexington, où notre faculté a grand besoin de vos connaissances en mathématiques et en génie. Vous découvrirez une vie nouvelle à instruire nos jeunes hommes dont la tâche sera de rebâtir le Sud, et je me réjouirai de retrouver auprès de moi le remarquable colonel Clay.

Sereinement vôtre.
Robert E. Lee

Jubal relut trois fois de suite la lettre pour entendre de nouveau la voix grave de son ancien commandant, et il fut flatté que ce dernier lui offre un poste de professeur au Washington College, établissement ancien à l'excellente réputation, et la perspective de travailler de nouveau avec Lee l'enthousiasmait tant que la simple idée de dormir lui parut ridicule. Jetant une veste sur ses épaules, il sortit dans les rues de Richmond, cette cité pour la protection de laquelle il avait si ardemment combattu, et la perspective d'abandonner cette lutte ô combien honorable mouilla ses yeux de larmes. Il revit Lee, qui avait passé quatre ans à West Point sans aucun point de blâme — alors que Jubal Early en récoltait près de deux cents chaque année —, Lee le fringant capitaine de la guerre du Mexique, mais aussi Lee le vaincu. Il n'était pas aisé de se désolidariser d'un tel homme.

Puis l'image menaçante d'Ulysses Grant s'imposa soudain à son esprit, et tandis qu'elle chassait les souvenirs de Lee, Jubal Clay s'écria :

— Je ne peux pas vivre sur le même sol que cet homme !

Il se précipita chez un ami, voulut lui acheter un cheval qui lui fut offert, et au lever du soleil il quittait Richmond, toujours fugitif selon la loi, et conscient que plus jamais il ne reverrait sa ville bien-aimée, son commandant révéré ni sa fille.

16

Les ancêtres américains : au Mexique

Quand mon grand-père débarqua à Veracruz fin 1866 et gravit la route déjà empruntée avec le général Scott dix-neuf ans auparavant pour faire tomber Mexico, il pensait n'avoir aucune difficulté à retrouver son ami le général Early : « Cela va de soi. S'il porte toujours ce grand chapeau avec sa plume et son long manteau blanc, tout le monde saura où il est. » Utilisant ses notions d'espagnol, il questionna un gardien :

— Où pourrais-je trouver les soldats américains qui sont venus ici après la guerre ?

L'homme pointa un doigt :

— Dans cette petite église. Beaucoup d'Américains s'y réunissent pour boire toute la journée.

En entrant dans la cour de l'église entourée d'un haut mur en pisé, il découvrit les Confédérés et, au premier regard, sut qu'il avait rejoint les vaincus : débraillés, sales, pas rasés, certains en haillons. Seuls quelques-uns dans le groupe gardaient un maintien altier, et Jubal les reconnut comme ceux qui n'avaient pu demeurer dans un pays gouverné par des hommes comme Grant le Boucher. Il se dirigea bien sûr vers eux, mais les autres l'en empêchèrent en l'agressant de questions : « Quelles batailles as-tu connues ? Sous les ordres de qui as-tu servi ? Tu as été contraint de quitter l'Amérique ? » Certains, presque agressifs, attendaient visiblement ses réponses, et cette soif de nouvelles du pays trahissait leur solitude et la peur de n'être jamais autorisés à revenir sur leurs terres natales.

— Je suis virginien, répondit-il. Les Yankees ont brûlé ma plantation, ils ont tué ma femme et mes fils. Je suis comme vous. Je ne pouvais pas rester dans un pays dirigé par Grant et ses semblables.

Ils comprirent sa situation, car tous étaient sans emploi ni argent.

— Et comment espères-tu subsister ?

— Je cherche un ami. A Cuba, quand nous nous sommes séparés, il m'a dit de le rejoindre ici, qu'il aurait quelque chose à me proposer.

— Nous l'avons peut-être vu. A quoi ressemble-t-il ?

Jubal nomma le général Early, et des commentaires narquois fusèrent du groupe :

— Ce vieux Jube, il s'est fait botter le cul à Winchester, non ? En arrivant ici il parlait fort, il maudissait Grant et jurait qu'il ne retournerait pas dans le Sud. Le Mexique était sa nouvelle patrie, qu'il disait...

Un manchot du Tennessee au visage amer intervint :

— Il avait de l'allure avec son grand feutre blanc et cette plume, mais après trois mois il nous a dit : « Aucun homme sain d'esprit ne peut vivre dans ce pays de fous. Ils supplient ce type de venir d'Europe pour être leur empereur, et d'après ce qu'ils disent, il a bien assumé ce rôle. Mais maintenant ils veulent se débarrasser de lui. »

— Qu'est devenu le général Early ? insista Clay.

— Il a filé au Canada. Disait que c'était un pays convenable, qu'un homme pouvait respecter.

— Avait-il de l'argent ? s'enquit Jubal.

— Son frère resté aux Etats-Unis lui en a envoyé.

Pendant ces quelques jours passés dans la capitale, Clay apprit que plus d'une centaine de Confédérés, la plupart différents du groupe aigri rencontré dans l'église, avaient décidé de s'installer au Mexique. Ces autres exilés avaient trouvé du travail, et certains étaient venus avec des sommes d'argent considérables, ou pouvaient en disposer par l'intermédiaire de parents restés aux Etats-Unis, et Clay eut vite la certitude qu'ils étaient aptes à se rebâtir une vie agréable, surtout s'ils pouvaient acquérir des terres.

— Les Mexicains détestent le Nord tout autant que nous, lui dit un jour un Géorgien. Ils nous accueillent en frères. Si nous voulons nous intégrer, ils ne font aucune difficulté. (Avec un sourire il ajouta :) Et ils comprennent notre position envers les esclaves. Ils utilisent des mots différents, mais leurs Indiens ont à peu près le même statut.

Après quelques discussions de cette sorte, mon grand-père conclut deux choses dont il parla souvent à mon père : « J'ai vu que le Mexique ne nous acceptait que si nous avions de l'argent ou du travail, et que Mexico n'offrait aucun des deux. Je suis donc parti pour Toledo, avec l'espoir que les Palafox se souviendraient de moi. »

Les riches propriétaires ne l'avaient pas oublié. Quand trois membres de la famille qui avaient participé au mémorable dîner de 1847 vinrent voir Clay à la Maison de Céramique, il remarqua leur embonpoint et leurs cheveux grisonnants, et songea : « Eux aussi ont dû garder de moi le souvenir d'un jeune homme, et je reviens en vétéran de la guerre, en fugitif au visage marqué. »

Don Alipio serra mon grand-père dans ses bras et s'exclama :

— Quand il est venu la première fois, j'ai vu qu'il était fait pour Toledo et qu'un jour il reviendrait. Eh bien, voilà qui est fait. Et maintenant ?

Avec Jubal, ils furent sans détour. Le frère qui gérait la fortune familiale lui dit sans ambages :

— Oui, dix-neuf ans ont passé, et nous n'avons toujours pas de directeur compétent pour la Mineral. Señor Clay, c'est le destin qui vous ramène parmi nous. Pourriez-vous venir à la mine avec nous demain ? Nous avons besoin de vos conseils.

Après que les quatre hommes eurent inspecté le puits — beaucoup plus profond à présent, mais toujours avec les équipes d'Indiennes remontant le minerai par cet escalier incroyable —, le fourneau et les entrepôts en pisé, Jubal déclara :

— Ce qu'il faut faire est évident. Vous n'avez même pas construit le muret autour de l'entrée du puits.

— Nous en avons parlé, mais les directeurs successifs n'ont jamais semblé comprendre.

Jubal était un homme honnête, un des plus incorruptibles de cette période troublée, et il refusa de mentir aux Palafox :

— Je n'ai plus de plantation, plus de femme, d'enfants, ni de patrie. (Il marqua une pause, rit et avoua :) De plus j'ai peu d'argent. J'ai besoin d'un travail et je crois à cette mine. Pendant la guerre et ensuite, il m'est souvent arrivé de penser à ces cavernes d'argent.

Un accord satisfaisant pour tous fut conclu le matin suivant son arrivée à Toledo, mais il avait à peine entamé les innovations qui feraient de la Mineral une des premières mines du monde que la situation qu'il désirait le moins arriva : une autre guerre. Un matin, don Alipio arriva au galop à la Mineral.

— Clay ! Il faut que vous veniez, nous avons grand besoin de votre expérience.

Et, chevauchant vers la ville, son ami de cinquante-huit ans lui dit, avec l'ardeur d'un homme de dix-neuf ans :

— Querétaro a envoyé un message urgent. Ils ont besoin de toutes nos troupes. Ces maudits Indiens menacent d'assassiner l'empereur, et nous devons les en empêcher.

A Mexico, dans la cour de l'église, les Confédérés exilés avaient certes mentionné l'existence d'un empereur, mais Jubal n'avait pas vraiment prêté attention à leurs propos.

— Cet empereur n'a donc pas rempli son rôle ?

— Au contraire. Il a fait exactement ce que nous attendions de lui.

Jubal avoua ne pas comprendre, et don Alipio le regarda avec incrédulité. Un homme cultivé du pays voisin n'était pas au fait des transformations extraordinaires accomplies au Mexique ?

— Vous n'êtes donc pas au courant ? Après le départ du général Scott et de vos troupes, les libéraux créaient une telle pagaille que certains d'entre nous, des hommes de tout le Mexique comme mes frères et moi-même, envoyâmes une délégation auprès de l'empereur de France — j'en faisais partie — et nous lui demandâmes de nous trouver un jeune prince de qualité pour devenir notre empereur dans l'impartialité. Son choix fut excellent : Maximilien, de la maison royale d'Autriche. J'étais un des trois membres du comité qui alla à Vienne lui offrir la couronne, qu'il accepta. Avec l'impératrice Charlotte, la princesse belge, il a donné à notre pays ce qui lui manquait : la stabilité... (Le mentor de Clay dut juger qu'aucun Norteamericano ne pourrait jamais comprendre la politique mexicaine car il conclut :) Et maintenant ils veulent le fusiller, lui, le meilleur dirigeant que nous ayons eu.

A Toledo, ils trouvèrent une troupe armée d'une centaine de cavaliers, dont cinq autres Palafox, rassemblée sur la grand-place. Querétaro, considérée comme le bastion avancé de la capitale, se situant à environ cent trente kilomètres de Toledo, le corps expéditionnaire improvisé mettrait deux jours à y parvenir. On ajouta donc à la troupe un train de mules conduit par des Indiens pour transporter les tentes, les vivres et les munitions. Jubal, qui se trouvait fortuitement dans cette expédition militaire, se dit que jamais le général Early n'aurait agi ainsi, dans la fièvre du moment. Mais avant qu'il ait pu protester auprès de qui que ce soit, le groupe de Toledo s'ébranlait pour porter secours à l'empereur.

Le chemin de fer, qui avait étendu ses voies un peu partout dans le Mexique grâce aux capitaux anglais et français, n'atteignait pas encore Toledo, et pour cette raison la route de terre battue était en bon état. Pourtant Jubal se sentit exténué à la fin de leur première longue journée de chevauchée, alors que les Palafox paraissaient en pleine forme. Au crépuscule, Clay fut initié à une vieille coutume en usage dans l'armée mexicaine. Au moment du bivouac, des paysannes surgirent de nulle part avec de quoi cuisiner, et commencèrent aussitôt la préparation d'un repas chaud à base de haricots, de tortillas et de viande épicée. Certaines de ces femmes étaient venues de Toledo à dos de mulet, d'autres avaient suivi la troupe après son passage dans leur village ; c'étaient les *soldaderas,* celles sans qui aucune armée mexicaine ne fonctionnait.

L'expédition Palafox, ainsi qu'elle fut dénommée, arriva aux abords de Querétaro par l'ouest dans l'après-midi du 18 juin 1867. Elle fut stoppée par un contingent d'Indiens fortement armés et commandés par un colonel blanc très zélé venu d'Oaxaca qui ordonna aux arrivants de s'arrêter. Don Alipio s'avança vers lui.

— Aucune troupe armée n'est autorisée dans cette ville demain, prévint le colonel.

— Qui en a décidé ainsi ?

— Benito Juárez.

Don Alipio ne cracha pas de dégoût à ce nom, mais Clay vit qu'il en avait très envie.

— Etes-vous d'Oaxaca ? s'enquit Palafox, et devant le hochement de tête du colonel, Alipio grogna : Je m'en doutais. Vont-ils vraiment fusiller l'empereur ?

— La cour martiale l'a condamné. Pour le bien du pays.

— Devons-nous rester hors de la ville ?

— Oui.

L'expédition Palafox fit donc halte à l'entrée de la ville. Mais l'idée qu'un homme honorable comme l'archiduc autrichien, qui avait œuvré avec assez de cœur pour mériter la confiance des Mexicains, fût exécuté par une bande d'Indiens venus d'Oaxaca révoltait don Alipio, qui se sentait responsable d'avoir convaincu Maximilien d'accepter la magistrature suprême, et il proposa à Clay de se glisser sans arme dans la ville, comme tout civil.

— J'accepte, bien sûr. Mais dans quel but ferons-nous cela ?

— Pour voir ce qui se passe.

— Quoi qu'il se passe, que pourrons-nous faire ?

Don Alipio lui jeta un regard qu'il devait réserver aux interlocuteurs frappés d'imbécillité.

— Quoi faire ! Il s'agit d'apporter à un homme respectable un peu de consolation, d'être là au moment de son agonie. Venez !

Les deux hommes prirent une poignée de tortillas, posèrent leurs armes et laissèrent leurs compagnons. Ils quittèrent la route surveillée pour se faufiler dans la pénombre du soir jusqu'aux premières maisons de la ville endormie, en prenant garde aux éventuelles patrouilles. Ils marchèrent sans être remarqués jusqu'au centre, où don Alipio accosta un soldat sans éveiller sa méfiance :

— Où cela aura-t-il lieu ?

— On dit qu'il sera fusillé contre ce mur, là.

— Vous faites partie du peloton d'exécution ?

— Ils ne nous le disent jamais à l'avance... (Puis, soupçonneux :) Votre compagnon est un Norteamericano ?

— Il s'est installé ici après leur guerre. Il est citoyen mexicain, maintenant.

— Sale guerre, fit la sentinelle à Jubal, qui acquiesça :

— Bah, toutes les guerres sont sales.

Cette nuit-là ils dormirent sur les marches d'une église, et bien avant l'aube l'activité alentour les alerta. Une troupe d'une cinquantaine de soldats prit position tout autour de la place, qui n'était pas la grand-place de Querétaro. Tenant leurs fusils à l'horizontale devant eux, ils refoulèrent tous ceux qui étaient venus assister à l'exécution.

Au lever du soleil, des officiels et diverses personnalités traversèrent rapidement la place en se répétant que tout se déroulait comme prévu, puis par trois fois le groupe où s'étaient fondus Jubal et don Alipio fut repoussé un peu plus loin, jusqu'à ce que le Mexicain demande à un soldat s'il n'y avait pas un endroit où ils pourraient rester. A sa noble contenance, le soldat crut que don Alipio était un personnage important et les emmena tous deux à un endroit séparé du public par une corde. Là ils attendirent, et le soleil de juin était déjà haut quand l'agitation s'accrut brusquement.

— C'est maintenant, murmura don Alipio.

D'une caserne proche arriva un groupe de douze soldats à l'uniforme impeccable qui s'alignèrent face à un mur. En voyant le peloton se mettre en position, Jubal comprit qu'une exécution allait réellement avoir lieu, et il se tourna vers don Alipio.

— Mais pourquoi ?

Démoralisé, son ami laissa un journaliste proche d'eux expliquer :

— Ceux qui ont fait venir ce jeune prince ici ont bien agi. Toutes les nations européennes approuvaient ce plan qui devait rétablir le calme au Mexique, mais aux Etats-Unis on restait méfiant. Vous êtes norteamericano, n'est-ce pas ?

— Oui.

— La Doctrine de Monroe, hein ? Est-ce qu'elle ne préconise pas que l'Europe ne doit pas se mêler des affaires du Nouveau Monde ? Quand Maximilien est arrivé, vous étiez trop accaparés par votre guerre pour vous soucier de la nôtre, mais une fois la paix revenue chez vous... le Nord a gagné, je crois ? (Clay ignora la question.) Quand vous avez eu le temps de regarder au sud, vous vous êtes rendu compte que l'Europe intervenait dans les affaires mexicaines, et vous avez dit : « Il faut que cela cesse ! » Aussitôt tous les rois d'Europe ont eu peur, et ils ont retiré leur aide à Maximilien. Le résultat, vous le voyez maintenant, avec ce peloton d'exécution.

Alors que les soldats attendaient, certains pâles et nerveux, des gens commencèrent à sortir de ce qui avait été la prison de l'empereur, et eux aussi se placèrent face au mur. Puis un officier de haut rang apparut et se posta à côté des soldats alignés. Alors vinrent le prêtre et deux soldats encadrant l'Autrichien dont le règne sur une nation qu'il ne connaissait pas avait duré trois ans. C'était un homme grand et mince, de trente-cinq ans, à la prestance remarquable, en un mot impérial. Il avançait d'un pas ferme, avec une contenance hautaine proche du défi. Dans la foule, une voix cria : « Vive l'empereur ! » et, voyant que don Alipio allait faire de même, Jubal saisit le bras de son ami, qui se tint coi.

Un officier écarta le prêtre et offrit à Maximilien le bandeau rituel, qu'il refusa. Le regard fixé devant lui comme s'il voulait voir la grêle de plomb se ruer sur lui, Maximilien se tint droit dans le soleil matinal et regarda l'officier commandant le peloton lever son épée, lancer l'ordre et baisser le bras d'un geste vif. Les soldats tirèrent. La plupart des projectiles atteignirent sans doute leur cible car l'empereur s'écroula instantanément, sans un cri. La ridicule aventure voulue par l'empereur Napoléon III et les monarques européens venait de prendre fin avec cette tragédie.

Alors que les membres de l'expédition Palafox regagnaient Toledo, attristés et furieux de la façon dont avait agi Benito Juárez, l'adversaire indien de Maximilien, Jubal jugea :

— Nous, Américains, sommes autant responsables de sa mort que les Mexicains.

Quand ils établirent le campement le soir venu et que les soldaderas préparèrent à manger, don Alipio déclara, d'une voix songeuse :

— Les Norteamericanos auraient pu le sauver, s'ils l'avaient voulu. Mais ils avaient d'autres sujets de préoccupation.

Et cette fois Jubal put répondre :

— Avec des gens comme Grant aux commandes du pays, ils ne feront jamais ce qui convient.

Pendant les six premiers mois de travail à la Mineral, Jubal s'attela si diligemment à la modernisation de la mine qu'il passa peu de soirées en ville. Il commanda en Ecosse de nouvelles machines, en Suède un système plus performant pour la séparation du minerai, et dans le nord des Etats-Unis des pièces usinées par les nouvelles industries. Avec une certaine répugnance pour ce dernier achat, mais il dut admettre que les prix étaient trop intéressants pour s'en passer. Un des aménagements qui lui tenait le plus à cœur fut l'érection d'un mur circulaire d'un mètre vingt de hauteur autour de la bouche du puits, avec une large ouverture pour permettre le passage des Indiennes et de leur chargement de minerai. Rien n'était encore prévu pour mécaniser leur tâche, et en voyant ces femmes chargées comme des baudets Jubal sentait son cœur se serrer. « Pourquoi les hommes ne font-ils pas ce travail ? » demandait-il souvent, et la réponse rituelle qu'il recevait ne le contentait pas : « Parce que, de temps immémoriaux, c'est ainsi chez les Indiens. Les femmes accomplissent les travaux pénibles mais simples, comme labourer les champs ou porter le minerai, tandis que les hommes se réservent les tâches qui réclament de la réflexion, comme chasser, pêcher, guerroyer ou, dans les mines, creuser et concasser le minerai de façon adéquate. »

Pourtant Jubal modifia une des règles tacites de la Mineral. Jusqu'alors il fallait que trois ou quatre femmes tombent d'une marche pour que celle-ci fût réparée. Or Jubal empruntait l'escalier plusieurs fois par semaine, ce qui lui permit de l'examiner de près et de définir la cause des accidents : les degrés étaient trop hauts, ou trop étroits, ou bien leur arête était inégale. En faisant corriger ces défauts avant qu'ils ne provoquent des chutes, il sauva de nombreuses vies.

Un jour qu'il travaillait justement à ce problème avec un tailleur de pierres, une Indienne dut interrompre son ascension pour attendre qu'ils aient fini, et pour la première fois Clay put discuter avec une porteuse de minerai. A sa grande surprise elle répondit sans hésitation à ses questions. Il apprit qu'elle avait dix-neuf ans et que ses parents habitaient un village proche de Toledo. C'est là qu'elle avait été baptisée, et les prêtres l'avaient envoyée ici pour travailler, suivant ce qui était presque une tradition locale. Elle transportait le minerai depuis l'âge de quatorze ans et pensait continuer ainsi jusqu'à trente-cinq ans environ. Ensuite elle retournerait dans son village ou prendrait un emploi disponible au fond de la mine, dans les cavernes.

— Pourquoi cesserez-vous à trente-cinq ans ? s'enquit Jubal.

La jeune femme ne sut que répondre, et c'est le tailleur de pierres qui lui donna l'explication :

— A cause de ses jambes. Après cet âge, elles ne peuvent plus remonter. Enfin, elles le peuvent, mais à vide. (Il sourit à l'Indienne et ajouta :) Je ne pourrais pas remonter non plus, avec un tel chargement de minerai.

— Moi non plus, avoua Jubal après avoir soulevé le panier.

La jeune femme déclara qu'elle avait un nom indien, que Jubal ne comprit pas, mais aussi un nom de baptême donné par le prêtre :

— Ils m'ont appelée María de la Caridad. Nous sommes toujours María plus quelque chose, pour que la Sainte Vierge nous protège.

Son nom signifiait Charité, et on ne l'appelait que Caridad. Elle prononçait Kar-i-*thath,* avec une intonation douce et mélodieuse qui éveilla l'intérêt de Jubal, et pour la première fois il la considéra comme un autre être humain, une personne semblable à sa regrettée épouse, car Zephania donnait à son prénom abrégé, Zeph, cette même prononciation musicale. Dans cet instant l'Indienne ne fut plus une esclave chargée de minerai par les prêtres et son gouvernement, mais un individu à part entière, avec sa personnalité, ses aspirations et son âme.

Lors de conversations ultérieures avec Caridad, Clay apprit que sa lointaine ancêtre avait été une Altomèque de haut rang nommée la Dame-aux-Yeux-gris et qu'elle avait abattu les dieux anciens et terribles et préparé la voie au christianisme. Mais Caridad se demandait si cette nouvelle religion était en quelque domaine meilleure que l'ancienne :

— Ce sont les prêtres qui ont découvert cette mine et qui nous ont forcées à y travailler pour eux.

Jubal se renseigna, il découvrit alors que ce n'était pas Antonio, le premier Palafox à être devenu prêtre, qui avait créé ce système, mais son frère Timoteo, une sorte d'homme d'affaires qui avait géré la mine dans les premiers temps. Et quand il demanda des détails sur cette mythique Dame-aux-Yeux-gris, les Palafox lui répondirent :

— Elle a bien existé, et c'est elle qui a détourné son peuple des anciens dieux et qui l'a mis sur le chemin du christianisme. Elle a eu une bru très belle, Xóchitl, elle-même mère de l'Indienne surnommée l'Etrangère. C'est l'Etrangère qui épousa le premier Palafox, ce qui explique le teint mat que nous, ses descendants, avons. Les membres de la famille à teint plus clair descendent de l'autre frère, qui épousa une Espagnole, comme le firent ses enfants.

Mais pourquoi la lignée des Palafox descendant de la Dame-aux-Yeux-gris vivait-elle dans des palais tandis que celle de Caridad était esclave à la mine ? s'étonna Jubal. Comprenant qu'il manquait d'éléments pour débrouiller une histoire aussi complexe, il abandonna le sujet. Alors, un événement survint à la mine, qui lui montra que Caridad n'était pas une Indienne ordinaire et qu'elle avait peut-être autant de fierté que ses amis Palafox dont elle était sans doute une parente éloignée. Il travaillait dans une des cavernes les plus profondes, lorsqu'un groupe d'Indiens tenta d'arrimer un âne par un système compliqué de cordes, pour le descendre dans une caverne inférieure. L'animal était récalcitrant, et le contremaître, un certain Joshua doté d'une voix tonitruante, cria à Caridad, qui se trouvait non loin :

— Ne reste pas les bras ballants comme une imbécile ! Viens nous aider !

Elle essaya de glisser la corde sous le ventre de l'animal, mais celui-ci rua et toucha non pas l'Indienne, mais Joshua, qui repoussa violemment Caridad, en l'injuriant et en la frappant. Jubal s'interposa aussitôt. Il écarta Caridad, lui dit quelques phrases réconfortantes, puis aida le contremaître à attacher l'âne et à le descendre.

Occupé au treuillage, il n'avait pu voir la réaction de Caridad aux mauvais traitements de Joshua, mais lorsqu'il en eut terminé, il remarqua que le visage de l'Indienne s'était notablement assombri et qu'elle mordait sa lèvre inférieure au sang. Il jugea plus prudent de ne pas s'immiscer dans le contentieux de deux Indiens, et remonta à la surface par l'escalier maintenant sûr. En arrivant à l'air libre, il avait chassé l'incident de son esprit.

Quelques jours plus tard des femmes entrèrent dans son bureau en s'écriant :

— Señor, Joshua est tombé dans le puits. Il est mort.

Jubal descendit rapidement jusqu'à la caverne où étaient parqués les ânes. L'endroit était en plein émoi. Quelques questions lui apprirent que Caridad et d'autres Indiennes s'employaient à fixer le harnachement de cordes à un autre âne quand Joshua était tombé en arrière dans le puits.

— Don Jubal, c'était un mauvais homme, murmura une femme nommée María de la Concepción.

Il descendit alors à la caverne la plus basse pour interroger les mineurs, et l'un d'eux lui dit :

— Je l'ai vu tomber, et il criait « Caridad ».

Mais il ajouta lui aussi que Joshua était un mauvais homme, et que lui-même n'avait pas répété à ses compagnons le dernier cri du contremaître.

Jubal tira la conclusion que Caridad s'était vengée de Joshua, et plus tard il se rappela les propos de l'Indienne. Oui, se dit-il, elle avait bien la trempe d'une descendante de cette femme volontaire qui avait défié et détruit les dieux inacceptables de l'ancien temps.

Clay fut plaisamment surpris de recevoir une invitation des Palafox pour ce qui fut presque une répétition du repas de 1847, quand les propriétaires de la Mineral lui avaient proposé la direction de la mine. Les trois mêmes couples étaient présents, et après un verre sous la véranda, face à la pyramide, et les compliments des Palafox sur la façon dont Jubal avait amélioré le rendement et l'aspect de la Mineral, l'épouse de don Alipio dit, alors que tombait le soir :

— Alipio, demandez aux serviteurs d'éclairer.

Et des flambeaux imprégnés d'huile furent allumés le long du haut mur entourant les jardins. Dans cette ambiance agréable, avec les oiseaux qui saluaient le soir de leurs chants, le petit groupe discuta de sept à onze heures la mort de l'empereur Maximilien et les conséquences déplorables pour sa veuve, la princesse belge.

— J'aimais beaucoup son nom, si mélodieux, dit l'une des femmes. Marie Charlotte Amélie Augustine Victoire Clémentine Léopoldine.

— Elle n'avait pas de nom de famille ? s'enquit une autre.

— Sept prénoms suffisent.
— Mais vous n'avez pas dit ce qu'il est advenu d'elle.
— La douleur l'a brisée. Elle a perdu l'esprit, paraît-il.
— Ils l'ont fusillée, elle aussi ?
— Non, Juárez n'est quand même pas aussi cruel. Elle doit être exilée, je crois... C'est une bien triste affaire, mais nous nous en remettrons. Le Mexique a vu pire.

A onze heures ils passèrent à l'intérieur, dans la grande salle à manger avec ses sièges de chêne massif et ses serviteurs silencieux, mais avant que quiconque se fût assis, la señora Palafox annonça :
— Nous avons des invités de dernière heure.

Et par la large porte entra un couple d'une grande élégance. Tous deux approchaient la trentaine, l'homme vêtu d'un uniforme bleu et or, la femme d'une robe magnifiquement brodée de fils brun ou or qui donnaient une impression de miroitement dans la lumière vacillante.
— Notre gendre, le major Echeverría, et notre fille, Alicia, dit la maîtresse de maison à Clay. Je crois que vous avez rencontré notre fille lors de votre premier séjour ici.

Jubal resta sans voix, car à cet instant précis une servante fit entrer dans la pièce une fillette de sept ou huit ans habillée du même costume exquis de *china poblana* que celui porté par sa mère en 1847. En regardant l'enfant, Jubal sentit les années s'envoler, la guerre s'effacer, et avec elle les terribles pertes qu'il avait subies. De nouveau il était un fringant soldat de vingt-quatre ans ayant participé aux victoires éclatantes du général Scott trois mois plus tôt.

Le repas dura de onze heures à une heure et demie du matin, et fut pour Clay un mélange de torture et de ravissement, car s'il se réjouissait de voir en Alicia une mère et une épouse rayonnantes, il était aussi égaré en pensant que la fillette qui l'avait tant impressionné vingt ans auparavant et qui dans sa mémoire était restée si adorable avait pris sa place dans un monde dont il serait à jamais exclu.

Dans le murmure poli des conversations autour de lui, il songea : « Pourquoi exerce-t-elle une telle fascination sur moi ? Se peut-il qu'elle représente tout ce que j'ai perdu dans l'incendie de Newfields ? Est-elle Zephania réincarnée ? Mais bon sang, non. C'est Alicia elle-même. Mon Dieu, qu'elle est belle ! » Et il faillit éclater de rire devant les excès de son imagination. « C'est à cause de cette robe, se dit-il. Cette Chinoise a dû hanter bien des esprits au Mexique. Et elle me hante toujours... »

Ses yeux se posaient continuellement sur la fillette, et la mère le remarqua.
— Vous semblez fasciné par la robe de ma fille, dit-elle soudain. Reconnaissez-vous celle que je portais moi-même il y a tant d'années ?
— J'espérais que c'était la même, oui.

Il allait expliquer pourquoi mais Alicia répondit :
— C'était celle de ma grand-mère. Elle a vu quatre générations.

Par la suite il se surprit à couler de brefs regards en direction d'Alicia, et il vit qu'elle avait atteint l'exceptionnelle beauté physique que promettait la fillette de naguère, enrichie d'une sorte de force spirituelle. Et elle parlait avec beaucoup de bon sens :

— Cette pauvre Charlotte. Elle aurait dû deviner que leur folle aventure ne pouvait se terminer que dans le malheur. Jamais aucun étranger ne pourra diriger le Mexique, tout simplement parce qu'il ne peut nous comprendre — surtout s'il vient d'Autriche.

— Elle était belge, la corrigea la señora Palafox.

— Je pensais à Maximilien, expliqua la fille. Il n'aurait pas dû amener une créature comme elle dans un pays aussi sauvage. (Ce dernier adjectif déclencha les protestations de son père et de ses oncles, mais Alicia défendit sa position avec esprit.) C'est pourtant ainsi que je conçois les choses. Les horreurs vues par cette pyramide, dehors. Notre aïeul Timoteo qui marquait tous les Indiens au fer rouge, sur la joue. Les atrocités commises par cet infâme Cortés. Et les aberrations de Santa Anna, et nos onze présidents en treize ans... Je vous le dis, notre pays est maudit.

— Malgré tout le mépris que j'ai pour Juárez, je pense qu'il est capable d'apporter un peu de stabilité à ce pays. Du moins, prions pour qu'il y parvienne.

Le dîner prit fin sur cette note d'espoir, et les Palafox félicitèrent encore Jubal.

— Votre travail a dépassé nos espérances. Et si nous pouvons faire venir le chemin de fer ici, nos intérêts seront garantis.

— Ce dernier point est de votre ressort, messieurs. Vous connaissez les gens à qui appartient la décision.

Au moment de prendre congé, il salua le major Echeverría d'une poignée de main, puis s'inclina devant Alicia, sans oser la toucher, mais elle lui prit la main d'autorité.

— Nous sommes très heureux que vous soyez venu, dit-elle.

Il cherchait quelque chose à répondre quand la fille d'Alicia vint lui faire la révérence et dit, d'une voix flûtée :

— Nous sommes très heureux que vous soyez venu, brave Americano.

Et tous applaudirent.

Dans les jours suivants l'image d'Alicia Echeverría hanta l'esprit de Jubal. Elle lui rappelait tout ce qu'il avait perdu en Virginie : sa femme, son foyer, son mode de vie et la compagnie de ses enfants. La nuit il dormait mal, et pendant la journée les tâches qui la semaine précédente l'emplissaient de satisfaction le rebutaient. Il ne cessait de penser à la señora Echeverría et à sa fille, et l'enfant se confondait avec la petite Alicia vue vingt ans plus tôt. Cette obsession le déroutait, mais il n'oubliait jamais un fait réel : Alicia, cette image de la perfection, était l'épouse d'un autre et resterait donc pour toujours hors d'atteinte. Pourtant sa présence l'accompagnait partout, au point qu'il finit par faire quelque chose qu'il n'aurait pu expliquer à personne.

Depuis presque deux siècles, traditionnellement, se déroulait sur la grand-place une fiesta au mois d'avril. C'est la version moderne de cette ancienne célébration que je suis venu photographier en 1961, et bien qu'elle ait maintenant dégénéré essentiellement en trois corridas très prisées des touristes américains, à l'époque de mon grand-père cette manifestation conservait encore beaucoup de son caractère religieux. En 1868 donc, alors qu'il transformait la Mineral en une exploitation productive, il passa en ville au moment de la fête. En temps normal il aurait ignoré les attractions et les divers stands, mais ce jour-là il s'intéressa à un groupe de musiciens comme il n'en avait encore jamais entendu. C'était un petit orchestre itinérant composé de sept hommes de la région. Ils jouaient des airs entraînants au tempo marqué, avec des cordes agréables et les deux meilleurs trompettistes que Jubal eût entendus. Ancien militaire il avait une certaine expérience en la matière. Le violoniste chantait d'une joyeuse voix de fausset.

Clay se délecta de leur musique au point qu'il suivit un temps l'orchestre qui déambulait sur la place pour récolter des pièces de monnaie. Devant un stand proposant des poupées, il se figea net. Les musiciens oubliés, il contempla une poupée de grande taille et assez rudimentaire mais vêtue d'une splendide *china poblana* exacte dans tous ses détails. La robe était une véritable œuvre d'art, au contraire de la poupée qu'elle habillait. Le meilleur et le pire de ce que le Mexique peut produire.

— Combien, señora ?

Quand la vendeuse lui énonça un prix inférieur à un dollar américain, il n'hésita pas et paya. Et comme il n'était pas habituel ici qu'on enveloppe une telle marchandise, il poursuivit sa promenade avec la grande poupée sous le bras.

Il n'avait pas fait trois pas qu'on l'interpella. Il se retourna et se retrouva face à la señora Echeverría et sa fille. A cet instant, Alicia comprit pour quelle raison mon grand-père avait acheté cette poupée, et elle le gratifia d'un sourire amical, comme pour dire : « Moi aussi, j'ai été très impressionnée par vous. » Jubal se rendit compte que son penchant secret venait d'être trahi par son achat, et il rougit violemment. Il voulut cacher la poupée dans ses bras, mais Alicia posa sa main sur lui dans un geste apaisant et dit :

— C'est une très belle poupée, señor Clay, et elle me ressemble quand j'avais l'âge de ma fille.

Elle baissa les yeux vers sa fille, qui souriait à Jubal.

Les mois suivants à la Mineral furent déprimants pour mon grand-père. Le travail n'avançait pas comme prévu, la production stagnait et les réparations n'étaient pas menées dès que Jubal détectait un point faible. Surtout il était perturbé par la poupée qu'il conservait chez lui, et mortifié d'avoir révélé son secret à Alicia. La poupée devint le symbole de ce qu'il avait perdu de plus important : une relation profonde avec une personne du sexe opposé.

Clay décida qu'il irait sans doute mieux s'il parvenait à améliorer la situation à la mine, et il songea qu'avec deux mécaniciens capables, il pourrait mener à bien toutes les réparations nécessaires. Il se souvint alors du groupe de Confédérés rencontrés à Mexico, et il en parla aux Palafox :

— Si l'un d'entre vous acceptait d'aller à cette petite église de la capitale — elle est facile à trouver — et de me ramener deux bons mécaniciens...

— Pourquoi n'y allez-vous pas en personne ? dirent-ils.

Et il se retrouva chevauchant jusqu'à Querétaro, où il prit un train pour Mexico. A la petite église où se rassemblaient naguère les Confédérés, il ne trouva personne. Il apprit que les Américains se réunissaient maintenant dans diverses *cantinas*, et au cours de sa tournée, il se rendit compte que les bons travailleurs avaient rapidement déniché un emploi, tandis que les autres s'enivraient chaque soir et subsistaient avec l'argent venant des Etats du Sud.

« Où pourrais-je embaucher deux mécaniciens compétents ? » s'enquit-il, et la perspective d'un emploi stable était si attrayante pour les Confédérés les plus sérieux que plusieurs qui avaient eu de bonnes places dans le Vieux Sud se proposèrent. Jubal en choisit deux qui semblaient de confiance, l'un de Caroline du Sud, l'autre d'Alabama, et les emmena à Toledo. Ce double engagement marqua le début de l'afflux d'expatriés confédérés qui s'installèrent autour de la Mineral. Les deux hommes embauchés par Jubal se révélèrent d'excellents travailleurs, qui finirent par épouser des femmes de la région et eurent des enfants qui parlaient et se comportaient comme de vrais Mexicains. L'exemple de telles familles attira d'autres Confédérés, jusqu'à ce que la région abrite de nombreux vétérans qui, tous, considéraient Jubal Clay comme leur chef et leur porte-parole, car il avait été colonel et dirigeait la mine.

Ces hommes prirent l'habitude de se réunir de temps à autre pour échanger leurs souvenirs de guerre. Certains s'étaient trouvé à Gettysburg, d'autres avaient assisté au sac d'Antietam, et tous éprouvaient une satisfaction macabre à l'idée que le colonel Clay avait œuvré à la sanglante victoire de Cold Harbor ou à l'incendie de Chambersburg. Comme un de ces exilés qui avait chevauché avec Jeb Stuart durant ses raids intrépides le dit un jour : « Il nous est arrivé de gagner aussi. »

En 1869 ces hommes apprirent, l'amertume au cœur, que le général Grant était devenu président, car cela leur rappelait trop que la fortune lui souriait toujours.

Peu à peu cette poignée de loyalistes abandonna le rêve de retourner un jour combattre le Nord, mais certains juraient encore de rallier le Canada si ce pays décidait de marcher contre son voisin. Pourtant le patriotisme sudiste de Jubal fléchit nettement quand un nouveau venu leur annonça :

— Le général Early a quitté le Canada. Il a accepté le pardon présidentiel et il travaille maintenant à la tête d'un groupe de joueurs à La Nouvelle-Orléans.

Clay se refusa à le croire et ne cessa de se renseigner pour enfin apprendre une version plus détaillée, de source sûre : « C'est vrai, les deux généraux, Beauregard et Early, travaillent dans les salles de jeu en Louisiane. Pas comme on pourrait le craindre. Ils sont payés par l'Etat pour s'assurer que les loteries ne sont pas truquées. Ils ne pouvaient trouver meilleures garanties que des noms comme Beauregard et Early. »

Aussi dur qu'il travaillât à la Mineral, Jubal ne pouvait chasser Alicia de ses pensées, mais le cours des événements le priva de sa présence. Le major Echeverría avait lié son avenir à celui de Porfirio Díaz, que les Palafox soutenaient depuis des années et qui promettait de mettre un frein aux excès perpétrés par le président indien Benito Juárez. Díaz était sur le point de ramener le calme dans le pays, et le major le suivit à Mexico, emmenant avec lui femme et enfant.

Juste avant de quitter Toledo, Alicia eut un geste surprenant. En voyant la *china poblana* chérie comme un trésor par quatre générations féminines dans sa famille, elle céda à une impulsion et l'empaqueta avec un mot hâtivement écrit : « Señor Clay, vous êtes un ami cher et loyal que nous apprécions tous. Je prie pour que vous trouviez une bonne épouse et beaucoup de bonheur. Cette robe est un souvenir. Alicia Palafox Echeverría. » Puis elle donna le colis à un des serviteurs indiens et lui dit :

— Portez ceci à la Mineral et laissez-le dans la chambre du señor Clay.

Et elle partit pour Mexico.

De retour dans ses quartiers, mon grand-père fut surpris : « Je me suis demandé ce que pouvait être ce cadeau, raconta-t-il plus tard à sa famille. Et quand je l'ai ouvert et que j'ai vu la robe, j'étais tout aussi décontenancé. Mais ensuite j'ai lu le billet... » Jamais il ne dit à ses proches ce qu'il avait fait du présent d'Alicia, mais moi, au moins, je le sais, car j'en ai toujours la preuve matérielle. Il alla voir un sculpteur sur bois et lui commanda une poupée, de la taille d'une enfant de huit ans. Il la vêtit de la robe chinoise et la conserva jusqu'à sa mort. Mon père, John Clay, en hérita, et elle se trouve maintenant dans mon appartement de New York.

Le vœu d'Alicia, que mon grand-père interpréta comme un ordre de prendre femme, arriva à une période de son existence où il commençait lui aussi à envisager une nouvelle union. En permanence, ses camarades confédérés qui avaient épousé une Mexicaine lui prouvaient qu'une union durable pouvait se créer même entre un rebelle protestant et une catholique. Et à cette même époque, les circonstances le poussèrent à beaucoup fréquenter María de la Caridad. Agée maintenant de vingt-quatre ans, elle s'était lassée d'escalader l'escalier périlleux et ne le faisait pas plus que nécessaire, passant parfois la nuit au fond de la mine, avec les ânes et les Indiens qui avaient décidé de rester là. Un de ces hommes qui n'avaient pas vu le soleil depuis des années, Elpidio, lui expliqua pourquoi il ne remontait jamais à la surface :

— Le prêtre m'a envoyé ici et le señor Clay me fait travailler tellement dur qu'ils m'ont volé le soleil. Peu m'importe de savoir quel jour je mourrai.

Ce commentaire amer la toucha à un tel point que le soir suivant elle remontait pour rapporter la complainte d'Elpidio à Jubal. Tandis qu'il écoutait la jeune femme lui détailler la vie souterraine des mineurs, il se mit à réfléchir à sa mentalité d'esclavagiste de Virginie. Pendant quelques semaines il n'aborda pas le sujet, se contentant de visiter les cavernes chaque jour et de relever les conditions éprouvantes dans lesquelles vivaient les Indiens. Mais un soir, alors qu'il entamait l'ascension de cet escalier si dangereux, il sentit des mains invisibles serrer sa gorge, et la sensation s'accrut à chaque marche gravie. Il fit halte dans la caverne supérieure, désertée plus d'un siècle auparavant. Et c'est là qu'il émit sur lui-même ce jugement impitoyable : « Le jour où nous les faisons descendre dans cette mine, nous les condamnons à mort ! » Ce fut un moment d'intense culpabilité.

Le lendemain matin il alla parler aux Palafox :

— Il existe maintenant des machines capables de treuiller une cage emplie de minerai hors du puits, pour ensuite la redescendre avec des mineurs. Nous devons en installer une, quel qu'en soit le coût.

Ils acceptèrent, d'autant plus facilement qu'il ajouta :

— Et il existe maintenant des câbles métalliques pour remplacer les cordes de chanvre.

Immédiatement, Clay définit les caractéristiques techniques d'une cage pouvant passer dans le diamètre existant du puits et embaucha des ouvriers pour raboter la paroi là où elle gênait. De la sorte, il fit de la Mineral une des premières mines humaines du Mexique. Pendant la période d'activité frénétique où l'on installa la nouvelle machine, il vit souvent Caridad qui aidait à superviser les montées et descentes de l'escalier promis à la désaffection. Elle comprenait instantanément ses directives et lui fut d'une grande aide pour expliquer aux autres Confédérés les traditions et les goûts des Indiens. Quand le nouveau système fut prêt à fonctionner, Caridad était devenue l'assistante officieuse de Jubal.

A la fin de ces aménagements, Clay organisa deux fêtes : la première à la Maison de Céramique, pour les personnalités locales et les amis des Palafox, animée par un orchestre de mariachis ; la seconde fut beaucoup plus calme et réunit tous les Confédérés de la région, employés ou non de la Mineral. Conscient que beaucoup d'épouses mexicaines seraient présentes, Jubal invita également Caridad, car il désirait lui montrer sa gratitude pour toute l'aide apportée.

Le clou de la soirée offerte aux Confédérés fut la déclaration d'un clergyman de l'Eglise baptiste venu d'Alabama et qui faisait un tranquille prosélytisme protestant auprès des Indiens, catholiques fervents :

— J'apporte de magnifiques nouvelles du Nord, dit-il. Leur président Grant se révèle le dirigeant le plus stupide et le plus corrompu qu'ils aient jamais eu. Un trou-du-cul doublé d'un voleur.

Après les applaudissements, un homme appartenant à une importante famille de Caroline du Nord demanda, l'air accablé :

— Pourquoi n'a-t-il pas montré ces dispositions quand il nous combattait ?

Jubal vit avec quelle aisance les épouses mexicaines participaient à la réunion, discutant librement, plaisantant, se moquant de leurs maris trop volubiles.

— Quand je vous entends, vous autres *muchachos*, dit une des épouses devenue parfaitement à l'aise dans la langue de son époux, j'ai du mal à me souvenir que vous avez perdu cette guerre.

— Mais en 1868, rétorqua son mari, nous avons pris soin de vous autres, *paisanos !*

Et l'échange fut salué d'un rire général.

Vers la fin de la soirée, Caridad prit Jubal à part et lui dit dans son mauvais anglais, sans cacher son amertume :

— Toujours pareil. Vous donnez grande fête pour Palafox, avec orchestre mariachi. Vous donnez grande fête pour Américains, beaucoup de bière. Mais rien pour Indiens. Nous faisons le travail, vous avez vu. Vous sans honte ?

Jubal avait honte, mais en tant que planteur de Virginie, il était abasourdi qu'une femme de couleur, quasiment une esclave, se permît de lui parler aussi librement. Bien sûr, sur sa plantation, quand les esclaves avaient bien travaillé, il arrivait qu'il distribue une ration de bœuf, et que Zephania aide les femmes à préparer quelques gâteaux aux noix pacanes, néanmoins aucun esclave n'aurait jamais eu le front de l'exiger, surtout une femme. Pourtant la réflexion lui apparut si juste qu'il se sentit fautif.

— Vous avez raison, dit-il en prenant sa main. J'ai besoin de votre aide... Et j'ai besoin de vous aussi.

— Oui, je le vois, murmura-t-elle en guise de réponse.

Ils ne s'unirent pas immédiatement. Sans bruit elle vint s'installer chez lui et arrangea son logement. Dans les jours qui suivirent, ses deux principaux collaborateurs confédérés lui dirent, chacun de leur côté : « Vous ne le regretterez jamais, Jubal », et leurs femmes conseillèrent avec fermeté à Caridad : « Apprends l'anglais. »

Leur mariage eut lieu dans une des chapelles de la cathédrale et non dans la chapelle extérieure où les Indiens venaient à l'époque des premiers évêques Palafox. Quelque temps après ils eurent un fils, qui serait mon père. En le nommant John, Jubal expliqua :

— J'ai toujours détesté mon prénom, ce truc sorti de l'Ancien Testament. Et je trouve que ceux donnés par les Mexicains à leurs enfants sont encore pires : Hilario, Alipio, Cándido... Je veux le prénom le plus simple qui existe. Sam conviendrait, mais les femmes l'appelleraient Samuel. Peut-être John. C'est biblique aussi, bien sûr, mais on n'y pense pas.

Et ce fut John.

Quelques années plus tard Jubal reçut un courrier surprenant posté à Cold Harbor. Grace Clay Shallcross lui annonçait qu'à son grand bonheur son mari, devenu avocat de premier plan et bénéficiant de contacts importants dans le gouvernement grâce à son service auprès du général Grant, avait économisé assez d'argent pour la ramener sur les terres de son enfance et bâtir une réplique, ou plutôt une version améliorée de Newfields. La lettre se terminait sur ces mots : « Votre esprit plane sur ces lieux, père ; ce sont les mêmes champs, le même coton, et pour une bonne part les mêmes Nègres, qui travaillent maintenant contre salaire. Je vous en prie, venez chez nous pour partager notre joie. »

Caridad, qui pouvait maintenant lire aisément l'anglais, mesura l'ampleur de la menace représentée par cette missive, et elle ne protesta pas quand il la brûla sans même noter la nouvelle adresse. Son fils John ne mit jamais les pieds sur la plantation, pas plus que le fils de John, moi-même.

L'acte de Jubal qui eut le plus de retentissement sur la vie à Toledo — car avec le temps la mine s'était tarie et tout ce qu'il y avait édifié périclitait — se produisit en 1890, alors qu'il était dans un âge avancé. Il assistait à la fête de printemps sur la grand-place et il lui apparut soudain que cette manifestation pouvait prendre une ampleur tout autre. Il se rendit chez les Palafox, tous devenus fort vieux, et ensemble ils firent des plans ambitieux pour la prochaine fête :

— Nous pourrions organiser des Jeux floraux pour tous les poètes de la région. Il y aurait des danseurs venus d'Oaxaca, dans leurs costumes bariolés. Nous pourrions acheter trente stands, tous de la même taille, et les conserver d'année en année...

Ils lâchaient la bride à leur imagination car ils savaient ne plus voir beaucoup d'autres fêtes annuelles. L'idée la plus novatrice vint de don Alipio :

— Les taureaux de Palafox sont devenus les meilleurs de tout le Mexique, tout le monde le reconnaît. La ville aimerait agrandir la place principale. Nous l'y aiderons. Et pour que la fête soit bien réelle, nous organiserons trois grandes corridas, une vendredi, une samedi et une dimanche.

— Et nous donnerons un prix de cent pesos au meilleur orchestre de mariachis, dit Jubal.

L'idée plaisait à ses amis, mais les Palafox qui géraient les fonds demandèrent :

— Où trouverons-nous ces cent pesos ?

— Je les offrirai. Vous ne savez pas ce que signifie mon prénom dans la Bible ? Le père de tous ceux qui jouent de la harpe et du chalumeau, c'est-à-dire de la flûte.

— Mais il n'y a aucun de ces instruments dans un orchestre de mariachis, objecta quelqu'un.

— Les trompettes les remplacent très bien, assura Jubal.

Quand fut venu le moment de concevoir les affiches colorées annonçant la fête, Jubal en proposa une sur laquelle il avait inscrit le mot « Festival », qu'on prononcerait comme « Mineral », avec l'accentuation sur la finale. Mais en voyant ce projet, les Palafox protestèrent :

— Ce mot n'existe pas en espagnol. Fiesta, Festivo, mais pas Festival.

D'autres lui confirmèrent qu'il avait utilisé un mot inconnu dans le vocabulaire espagnol usuel, mais il s'entêta :

— Ce mot a un son chantant, et les étrangers qui viendront à Toledo pour la fête comprendront ce qu'il veut dire.

Et le mot resta.

Mon grand-père ne mourut pas heureux. Il était protégé par une femme admirable, son fils était maintenant un homme respectable et respecté et, sous la dictature de fer de Porfirio Díaz, le pays coulait des années paisibles. Comme un signal marquant la fin de cette époque, dans la ville de Monterrey, un anarchiste tenta d'assassiner Díaz, mais frappa l'attelage du colonel Echeverría, le tuant ainsi que son épouse, Alicia. Trois mois plus tard Díaz avait abdiqué et l'infâme général Gurza dévastait le nord et le centre du Mexique, tandis qu'Emiliano Zapata faisait de même dans le sud.

Jubal resta inconsolable. Alicia Palafox était devenue pour lui un membre de sa famille. A certains moments, elle était pour lui la fillette de huit ans vêtue de la *china poblana,* à d'autres l'épouse à la beauté délicate qu'il avait vue en revenant à Toledo, ou encore la dame gracieuse qui sur la grand-place l'avait surpris avec la poupée, la personne sensible qui lui avait envoyé la robe et le billet, précieusement conservés. Je crois juste de dire qu'à leur façon discrète et distante, ces deux-là s'étaient aimés, mais peut-être devrais-je trouver un terme plus adéquat. Ce dont je suis sûr, c'est de la permanence du souvenir d'Alicia Palafox dans notre famille. Elle y reste aussi vivante que ce jour terrible où elle fut tuée, ce jour où le Mexique commença à se déchirer.

Je suis né en 1909 et j'ai quitté définitivement le Mexique en 1938. On comprendra donc que j'ai été témoin de la révolution qui ravagea le pays durant ces années. Pourtant ce qui suit ne sera pas mon histoire, mais celle de mon père, John Clay, car il vit les tragédies successives non avec les yeux d'un enfant, mais avec ceux d'un adulte. C'est aussi la relation de la façon dont Toledo dans son ensemble réagit, puisque notre famille y demeura durant les troubles. Afin de mettre un peu d'ordre dans une situation assez confuse, je définirai les personnages au rôle important ou fréquent, et certains des événements auxquels ils participèrent.

Figure dominante de la rébellion, le général Saturnino Gurza, individu massif d'un mètre quatre-vingts, à la bedaine proéminente. Fier d'être un péon, il portait son costume traditionnel : sandales, pantalon blanc large et froissé, chemise blanche à col ouvert, foulard rouge et énorme sombrero de paille.

Son visage était en rapport avec son corps : large et rond, les cheveux lui cachant les yeux et une moustache dont les pointes tombantes dépassaient la ligne de la mâchoire inférieure. En plusieurs occasions je l'entendis donner des ordres, et je me souviens de sa voix rude. Chacune de ses phrases semblaient se terminer sur un rire sardonique, comme s'il se délectait des horreurs qu'il commettait.

Gurza était né pauvre, dans l'une de ces provinces désolées du nord du Mexique qui bordent les Etats-Unis, pays à l'encontre duquel il nourrissait une haine inextinguible. Enfant, il terrorisait ses camarades et, à l'âge de dix-neuf ans, il s'était proclamé colonel et combattait pour qui le payait. Quelque temps plus tard il se déclarait général, rang qu'il mérita bien vite par ses capacités. Depuis sa jeunesse il n'avait cessé de guerroyer, contre qui ou quoi il paraissait l'ignorer. Il devint célèbre sous l'image du général aux deux cartouchières croisées sur la poitrine, un lourd fusil à la main gauche et un rictus aux lèvres. Quand cet impressionnant personnage faisait irruption, il commandait le respect.

Dans ses activités illégales, Gurza parvenait toujours à gagner le soutien d'une armée de dissidents loqueteux appelés *los descamisados* (les sans-chemise) qui aimaient servir sous ses ordres quand il razziait les villes entre la frontière américaine et Mexico. De plus il réussissait à s'approprier un nombre apparemment illimité de ces trains qui sillonnaient maintenant tout le pays. Quelle que soit la compagnie ferroviaire à laquelle il les volait, ces convois se ressemblaient tous : une locomotive poussive dont le réservoir d'eau pouvait être aisément troué par les balles ennemies, parfois une voiture de voyageurs, un fourgon aux fenêtres protégées d'épais barreaux puis une série de wagons plates-formes — dont certains étaient flanqués de barrières basses — et l'inévitable wagon de queue d'où ses soldats pouvaient abattre tout être vivant manqué par leurs compagnons. Trois voies ferrées traversaient maintenant Toledo, l'une menant à la capitale, une autre à Guadalajara et la dernière à San Luis Potosí. Il était donc prévisible que nous subirions souvent le passage du général Gurza, dont le nom bref était aisé à retenir.

En fait, durant ma jeunesse, la vie de Toledo fut tellement liée aux exploits de ce redoutable personnage que, dans mon esprit, Toledo et Gurza étaient devenus indissociables. Ses incursions en ville étaient inévitables, car lui et son armée vivaient sur des trains, ce qui l'amenait à Toledo très fréquemment. Ses forces y entrèrent en action en quatre occasions terrifiantes : en 1914, quand les religieuses furent massacrées ; en 1916, quand il tua notamment cinq hommes de ma famille ; en 1918, quand il incendia la ville et exécuta nos prêtres ; et en 1919, quand il détruisit la mine. (Entre-temps, il était venu à la Mineral pour y saisir de l'argent et pendre un de nos mineurs.) La fois suivante, il me prit sur ses genoux comme l'aurait fait un oncle affectueux.

Il y eut d'autres passages, bien sûr, car il bougeait continuellement, poursuivant ou poursuivi selon les occasions, celles-ci et leurs dates restant très confuses pour moi. Ce que je peux affirmer, c'est que dans mon enfance je le voyais comme un ogre, dans mon adolescence comme une terreur, et ensuite comme le Mexicain le plus remarquable que j'aie connu.

A Toledo, Gurza avait clairement désigné ses ennemis : les Palafox, avec leurs grandes demeures et leurs vastes terres ; mère Anna María, la supérieure du couvent situé au nord de la ville, connue de plus comme membre de la famille Palafox, ce qui la rendait doublement haïssable ; et le père Juan López, prêtre malingre aux yeux fuyants et au teint maladif qui brûlait du désir de voir son église dispenser la justice à ses Indiens. A cette époque le père López tenait un rôle mineur à la cathédrale où quatre autres prêtres se partageaient la tâche de nourrir spirituellement les familles nanties de la région.

Le général avait associé chacun de ces ennemis à un ou plusieurs édifices, et quand il venait se déchaîner à Toledo, il n'avait aucun mal à trouver une cible à la mesure de sa violence. Le couvent de mère Anna María était une construction de la fin du XVIIIᵉ siècle offerte par les Palafox de l'époque. Bâtie sur une colline au nord de Toledo, on y avait le meilleur point de vue de la région, sur la pyramide et la mine, et aussi sur la ville et la contrée au-delà. Avec ses cloîtres et ses tours basses, le couvent était en lui-même une œuvre d'art, mais le paysage sur lequel il trônait suffisait à lui conférer de l'attrait.

Le terne père López travaillait à la cathédrale et y était logé de façon très modeste. Les possessions des Palafox comprenaient la Mineral, leurs belles demeures enceintes de hauts murs et l'élevage de taureaux. Mais c'est la ville elle-même, parce qu'elle représentait un refuge indépendant proche de Mexico, qui constituait la cible principale pour un assaillant. Toute armée en maraude et capable d'investir Toledo envoyait ainsi un message de menace à la capitale : « Serez-vous les prochains ? » Si bien que les forces gouvernementales essayaient parfois de prévenir de telles attaques en encerclant Toledo pour la défendre, mais des manœuvres aussi vaines rendaient seulement les armées conquérantes plus féroces encore lorsqu'elles entraient dans Toledo.

Il serait utile que je puisse dire qui combattit qui durant ces années chaotiques, mais je fus incapable de voir clair dans la situation alors, et je le suis encore maintenant. En 1911, le dictateur Porfirio Díaz fut renversé par le rêveur Francisco Madero, lequel fut bientôt assassiné par des gens plus pragmatiques. Puis un certain Victoriano Huerta se battit contre Venustiano Carranza, que mon père n'aimait pas, pour la suprématie. Quand les trois célèbres bandits — Pancho Villa, Emiliano Zapata et Saturnino Gurza — prirent les choses en main, l'enfer ravagea le Mexique entier. Enfin Carranza fut assassiné et c'est un nommé Obregón qui prit le pouvoir, pour être assassiné lui aussi. Et en 1934, sombre date pour l'histoire du Mexique et pour les Clay, Lázaro Cárdenas, radical à demi fou, devint président, signant notre exil.

J'espère que vous avez pu vous repérer dans tous ces bouleversements successifs car, comme je l'ai dit, je n'en ai personnellement jamais été capable. Je ne savais qu'une chose : le général Gurza venait et repartait. Quand il venait des gens mouraient, et quand il repartait des gens pleuraient les morts. Notre premier aperçu de Gurza eut lieu en 1914, alors que j'avais cinq ans. Un de ses trains ouverts approcha de

Toledo par le nord et un guetteur se précipita dans la ville en criant la terrifiante nouvelle : « Le général Gurza arrive ! » Mon père, devenu directeur de la Mineral à la mort de mon grand-père, m'emmena alors avec ma mère dans l'une des pièces les plus sûres de la maison.

— Restez ici, quoi qu'il arrive.

Et, sur ces paroles, il partit protéger la mine.

Père n'avait pas à s'inquiéter de cette incursion par le nord, car le train emprunta la voie qui contournait la pyramide par l'ouest, ce qui faisait passer le convoi non loin du couvent. Et quand les maigres forces gouvernementales arrêtèrent le train à la limite de Toledo, Gurza entra dans une telle rage qu'il se retourna contre le couvent. Les portes fragiles en furent brisées, toutes les religieuses furent molestées et sept abattues. Gurza aurait particulièrement aimé exécuter la mère supérieure, Anna María, car c'était une Palafox, mais il ne put la trouver. Au risque de leur propre vie — qu'elles perdirent d'ailleurs —, des sœurs dévouées l'avaient cachée.

Je l'ai dit, j'avais à l'époque cinq ans, et si je me remémore l'horreur qui frappa ma famille à cette nouvelle, je ne compris pas les euphémismes que mes parents employèrent pour parler de la tragédie. Ils utilisèrent la formule espagnole *violado las monjas* (violé les religieuses) pour décrire ce qu'avaient subi les sœurs avant d'être abattues, et peut-être valait-il mieux que je ne comprenne pas, en effet. Toutefois, quand Gurza revint, la fois suivante, je savais que les religieuses avaient enduré un traitement atroce avant d'être assassinées. Les viols étaient fréquents sur le passage des tueurs de Gurza.

En conséquence de ce massacre, mon père acheta deux revolvers et nous en apprit le maniement, à ma mère et à moi :

— Ce sont des bêtes fauves. Tirez-leur dessus si jamais ils passent de ce côté de la pyramide et tentent d'entrer dans la maison. (Et prenant ma mère à part, à une distance suffisante, croyait-il, pour que je n'entende pas :) S'ils sont sur le point de vous capturer, utilisez ces armes contre eux. S'ils sont trop nombreux, retournez-les contre vous.

A six ans j'appris à charger, entretenir et utiliser un revolver. Et la nuit je rêvais que je menaçais de mon arme le général Gurza, que je n'avais encore jamais vu, et que je l'étendais raide mort quand il essayait de violer ma mère.

En 1916, j'eus l'occasion de voir le sinistre général. Il descendit de nouveau par le nord, cette fois sans rencontrer aucune opposition. Arrêtant le train en pleine ville pour s'assurer une fuite rapide en cas d'offensive des troupes gouvernementales, il rassembla tous les citoyens de Toledo, y compris ceux de la Mineral, sur la grand-place. C'était un jour caniculaire de juillet, et nous attendions, écrasés par le soleil et la crainte.

— Ne dites rien. Ne faites rien. N'attirez surtout pas l'attention sur vous, nous murmura mon père.

Et dans une passivité abjecte nous regardâmes les lieutenants de Gurza lire des listes de propriétaires importants, tous ceux qui possédaient plus de cent mille hectares. Les soldats les entraînaient vers la partie de la place qui fait face à la cathédrale. Là, Gurza les poussa contre le mur d'une des tours et se mit à les accuser d'une voix si haineuse que j'en fus terrifié :

— Bonnes gens de Toledo ! Ces hommes, vous les connaissez, ils ont volé vos terres, ils vous en ont chassés et vous ont transformés en esclaves ! N'est-ce pas vrai ?

Et de la foule s'élevèrent plusieurs voix :

— Oui ! C'est vrai !

Alors il se tourna vers un de ses officiers :

— Lis cette liste !

Et l'homme, que rien ne désignait comme officier, se mit à déclamer :

— Aureliano Palafox, trente mille hectares. Belisario Palafox, vingt mille hectares. Tómas, dix mille hectares...

Et la litanie se poursuivit avec ceux qui n'avaient que quelques centaines d'hectares. Récemment, en repensant à ces chiffres, je me suis demandé comment les Palafox avaient acquis de telles superficies. Je n'avais pas conscience que nos terres s'étendaient aussi loin.

Le dernier nom lu, Gurza interpella un de ses hommes :

— Et comment ont-ils accaparé toutes ces terres ?

— Ils les ont volées ! hurla l'autre en réponse.

— A qui ?

— Aux péons !

— Et que faisons-nous à ceux qui ont dépouillé les honnêtes gens de leurs terres ?

— Nous les fusillons !

La tension du moment était telle que de nombreuses voix reprirent dans la foule :

— Fusillez-les !

— Mon Dieu, murmura mon père, ils vont le faire... (Et, se tournant vers ma mère :) Couvrez ses yeux.

La main de ma mère se plaqua sur mon visage, mais par un espace entre ses doigts je pus voir d'un œil le général Gurza, ses cartouchières brillant au soleil, qui donnait l'ordre de tirer. Les fusils tressautèrent, les canons fumèrent et les propriétaires s'écroulèrent. Le sang maculait le pied du mur de la cathédrale.

Croyant l'exécution terminée, ma mère ôta sa main, et je pus alors voir clairement que l'un des condamnés avait été blessé seulement — dans les années suivantes j'appris que cela arrivait souvent lors des exécutions massives. Le général Gurza dégaina son revolver, marcha jusqu'au rescapé et lui logea une balle en pleine tête. Cinq Palafox avaient été tués. Leur politique d'accumulation des terres, entérinée par le gouvernement légal, avait signé leur arrêt de mort.

Les corps furent laissés en plein soleil jusqu'au crépuscule, Gurza permit enfin à la population de rentrer chez elle, mais avant de quitter la place, j'eus l'occasion d'observer de près le mur de la cathédrale. Les projectiles l'avaient grêlé d'impacts. Durant les dix ans qui viendraient, des milliers de murs seraient pareillement marqués.

Quel effet eut sur notre famille cette exécution publique ? Une sorte d'apathie s'abattit sur nous. Mon père refusait de croire qu'il avait été témoin du massacre, dont la brutalité calculée le révulsait. Ce soir-là il ne put rien avaler au repas. « J'ai toujours la nausée », dit-il. La réaction de ma mère fut très différente. Une rage contenue l'avait envahie. Mais elle était une Palafox, la fille d'Alicia Palafox dont la robe chinoise avait tant captivé mon grand-père Jubal. La vue de parents — l'un était son oncle — abattus simplement parce qu'ils possédaient des terres lui apparut comme un avertissement : un jour elle risquait d'être exécutée pour les mêmes raisons. Elle parla de notre éventuel départ de la Mineral, qui de notoriété publique était un bien des Palafox, mais nous insistâmes pour rester.

— C'est mon travail, argumenta mon père. Il est respectable et je traite convenablement nos employés.

Nous nous accrochâmes donc à notre foyer et à notre occupation, mais nous vivions maintenant dans l'appréhension. Si sept religieuses et neuf propriétaires terriens pouvaient être abattus sans procès — les sept pour leurs croyances, les neuf pour leur richesse —, n'importe quoi pouvait nous arriver.

A huit ans, c'est-à-dire en 1917, j'avais inventé un jeu assez macabre que tout enfant aurait pu jouer à cette époque de turbulences. Dans les quotidiens et les magazines relatant les différents aspects de cette guerre sans fin, j'entrepris de suivre la carrière des principaux chefs qui retenaient mon attention. Ainsi, lorsqu'un dossier était terminé, j'avais un résumé représentatif de sa vie tumultueuse mais aussi un aperçu du Mexique agonisant. Je fis neuf de ces compilations, chacune identique aux autres ; celle d'un jeune lieutenant nommé Freg est restée gravée dans ma mémoire comme résumant parfaitement cette période :

1910 (quotidien) Le brave lieutenant Fermín Freg, commandant l'assaut qui mit en déroute les ennemis rebelles du bien-aimé protecteur de la nation, Porfirio Díaz.

1911 (magazine) Le major Freg, loyal défenseur de Francisco Madero, l'homme qui a chassé du Mexique le dictateur haï Díaz.

1913 (magazine) Le lieutenant-colonel Freg dans la garde d'honneur du général Huerta, qui a ordonné l'exécution de Madero.

1913 (brochure) Le colonel Freg, aide de camp du général Carranza, qui a chassé le général Huerta du pouvoir.

1914 (livre) Les généraux Prado, Gurza et Rubio signent le Pacte des Trois Généraux.

1915 (grosse brochure) Le colonel Freg commande le peloton d'exécution du général Prado.

1916 (gros livre) Le général Freg est acclamé après sa magnifique victoire à San Luis Potosí.

1917 (gros volume, pleine page en couleurs violentes) Le corps du général Freg, fusillé par les troupes restées loyales au général Prado.

Ces biographies sont monotones tant elles sont prévisibles. Les dernières photos d'hommes tels que Madero, Carranza, Zapata et Obregón, chacun ayant été acclamé pendant quelques années, les montrent baignant dans leur propre sang, tués par un ancien compagnon d'armes.

Dans cette sinistre collecte, je fus assisté par ma grand-mère María de la Caridad, maintenant veuve de plus de soixante ans et toujours aussi attentive au bien-être de sa famille et de ses Indiens, dans l'ordre. Elle vivait avec nous, en parfaite harmonie, et aidait ma mère à m'élever. Curieusement, elle parlait mieux l'anglais que ma mère et fit tout pour que je l'apprenne au même titre que l'espagnol. Grâce à elle je grandis totalement bilingue, sans accent dans aucune des deux langues.

J'ai déjà dit que la caractéristique principale des Clay de Virginie était leur patriotisme ardent, mais je n'en avais jamais vu la manifestation par moi-même. Je croyais donc la légende familiale, mais en 1917, alors que le général Gurza razziait toujours notre région, l'attention de mon père se tourna vers les événements en Europe, où le kaiser voulait refaire le monde. Un corps expéditionnaire américain venait d'y être envoyé pour lutter contre les Allemands, et mon père fit ce commentaire : « Il était temps. » Il prit l'habitude de se réunir avec des amis à Toledo pour suivre la situation sur le Vieux Continent. Un soir, au souper, il s'exclama : « Si on menace votre façon de vivre, il vous faut réagir ! » Le lendemain il se rendait en hâte à l'ambassade des Etats-Unis à Mexico, où il apprit qu'il pouvait se porter volontaire pour servir en Europe, bien qu'il n'eût pas la nationalité américaine.

— Je pourrais être incorporé au régiment de Virginie ?

— Si vous payez le prix du télégramme, vous le saurez.

Il reçut l'approbation et revint à Toledo avec des nouvelles qui nous ébahirent :

— L'attaché militaire de l'ambassade m'a obtenu une affectation d'officier. Je dois immédiatement me présenter à Fort Dix. (Et il ajouta :) Graziela, vous et mère saurez vous occuper de la Mineral durant mon absence.

Il consola ma mère qui commençait à pleurer, et me dit :

— Prends soin d'elle pendant que je suis là-bas.

— Tu disais que tu ne voulais jamais revoir les Etats-Unis, sanglota-t-elle.

— Je ne le fais pas pour les Etats-Unis mais pour la Virginie.

Et il partit pour l'enfer des tranchées, dans le nord de la France.

Pendant son absence notre famille acheta une carte détaillée de la région où il combattait, et avec des épingles et des flèches nous suivîmes ses exploits supposés, avec une certaine justesse dans nos estimations du lieu où il se trouvait. Mais nous ignorions que, lors de la dernière offensive contre les lignes allemandes, il fit preuve d'une bravoure qui lui valut médaille et citations.

Son courage au feu eut une conséquence inattendue. En épinglant la médaille sur l'uniforme de mon père, le général déclara : « Cela vous ouvre automatiquement droit à la citoyenneté américaine. » Et, suivant le principe fort judicieux qui veut « qu'en des temps agités, deux passeports valent mieux qu'un », il accepta cette offre, si bien qu'à son retour il put dire : « Enfin, je suis virginien. »

On était en 1918 et il n'était revenu que depuis quelques semaines lorsque l'état permanent de guérilla au Mexique le happa de nouveau, car le général Gurza essayait pour la troisième fois de prendre Mexico. Encadrés par quelques troupes fédérales, les patriotes locaux tentèrent en vain de l'arrêter au nord de notre ville. Cette résistance le rendit fou furieux et il mena un de ses trains jusqu'au cœur de la cité, tandis que les troupes d'un autre train l'encerclaient. Alors commença ce que les historiens ont appelé le sac de Toledo. Il s'en prit d'abord à la cathédrale, bijou de l'architecture coloniale. Il mit en position un petit canon et tira à de nombreuses reprises sur les huit colonnes frontales, en détruisant certaines et endommageant les autres. Avec beaucoup de peine ses hommes réussirent à abattre le portail central. Ils se précipitèrent à l'intérieur et saccagèrent à coups de crosse toutes les décorations dans les chapelles. Les statues furent brisées, les tableaux lacérés, l'autel totalement détruit dans leur frénésie. En moins d'une heure, un des plus beaux édifices du Mexique fut dévasté.

Quand les vandales entrèrent dans la pièce où étaient rangées les tenues sacerdotales brodées d'or, trois jeunes prêtres restés à Toledo voulurent protéger ces trésors. Les soldats les assommèrent puis les traînèrent au-dehors, où ils crièrent à leurs camarades sur la place :

— Qu'allons-nous faire de ceux-là ?

— Fusillez-les ! ordonna le général Gurza.

Alignés contre le mur de la cathédrale, les trois prêtres furent aussitôt abattus par un peloton d'exécution.

Les violences se multiplièrent un peu partout dans la ville. De vieilles bâtisses furent incendiées, d'autres saccagées. Les magasins furent pillés. On viola des femmes en pleine rue. Fou de carnage, un homme qui avait naguère travaillé pour le vieux don Alipio, l'éleveur, hurla : « Allons nous occuper de ces maudits taureaux ! » et il mena un important groupe de soldats qui attendaient dans le deuxième train jusqu'à l'élevage des Palafox, où ils massacrèrent méthodiquement ces fiers taureaux noirs importés d'Espagne par don Alipio. Le carnage terminé, le meneur cria : « La bonne viande au peuple ! » et des Indiens apeurés, témoins de la fusillade, furent pressés de découper des quartiers de viande. L'élevage disparut sous les couteaux anonymes.

A la fin de cette journée d'horreur, Toledo avait appris la sinistre leçon : jamais la ville ne devait faiblir dans son soutien au général Gurza. Sa mission accomplie, le train repartit vers le nord.

Le départ du général Gurza laissa Toledo dans la stupeur. Des gens hébétés erraient dans les rues en essayant d'évaluer les ravages, et à la Mineral nous eûmes des échos des horreurs qui avaient été perpétrées. Mes parents étaient d'humeur sombre. « Est-ce la fin de notre monde ? Toledo peut-elle se remettre d'un tel désastre ? » et je voyais bien que ma mère ne croyait pas possible notre avenir ici, mais mon père nous rappela que la famille avait toujours son foyer à la Mineral, et son bien-être matériel. Deux survivants avaient échappé au massacre ; ils avaient conservé la vie en restant cachés.

Le premier était le père López, le prêtre indien décharné de la cathédrale. Au plus fort de la furie, il avait réussi à se dissimuler dans la petite pièce attribuée aux prêtres indiens qui officiaient pour les péons. Si ces religieux dépendaient de la cathédrale, ils n'avaient pas de statut réel car les prêtres réguliers refusaient de les reconnaître. Deux jours durant il avait eu trop peur pour faire savoir à quiconque qu'il était encore en vie, trop peur que les hommes de Gurza l'attendent. Ignorant qu'il était le seul serviteur de la cathédrale survivant, il finit par se glisser hors de sa cachette pour tenter de se mêler incognito aux gens sur la place. Mais dès qu'on l'identifia, son apparition fut interprétée comme un miracle : « Nous étions certains que vous étiez mort. Comment leur avez-vous échappé ? » Il fit de son mieux pour ne pas trahir son secret, et après quelque temps on le laissa tranquille. Mais il n'avait plus nulle part où aller. Il savait que les religieuses du couvent avaient fui, et il supposait que la plupart des prêtres de Toledo avaient été massacrés par les soldats qui voulaient chasser le clergé catholique de tout le Mexique.

Un possible retour de Gurza le terrorisait et lui interdisait de rester à Toledo, aussi prit-il le chemin du nord jusqu'à la Mineral. Je fus le premier à l'apercevoir et à le reconnaître à ses manières furtives. « P'pa, c'est le père López ! » m'écriai-je, et quand mes parents me rejoignirent ils virent que je disais vrai, mais ils n'avaient jamais eu de contact avec lui et ne ressentirent pas de responsabilité particulière. C'est alors que grand-mère Caridad déclara : « C'est un des bons prêtres », ce qui décida mes parents à le recueillir. C'est ainsi que les Clay devinrent les protecteurs du dernier prêtre catholique de la région et, malgré le risque qu'ils savaient prendre, lui procurèrent une cache au sein des installations minières, après avoir ordonné au personnel de taire sa présence.

L'autre rescapé du sac de Toledo nécessita un sauvetage plus compliqué. Une nuit, don Eduardo Palafox, accompagné d'un contremaître de son ranch au sud-ouest de la ville, contourna prudemment le couvent dévasté puis la pyramide et, comme le père López, vint frapper à notre porte. Il nous raconta une histoire singulière :

— Ils ont tué tous nos taureaux, supprimé la race Palafox. Mais un veau mâle a survécu. Il était avec sa mère et bien que les hommes de Gurza aient abattu celle-ci, les balles ont manqué le veau. Si nous pouvons le garder, nous pourrons remonter la lignée, si la paix revient un jour.

— Elle reviendra, assura père.

Et il entreprit d'assurer la survie de l'animal. C'était l'année où il avait introduit les premiers véhicules automobiles à la Mineral, et c'est dans un camion que don Eduardo, son contremaître, mon père et moi-même partîmes par la route de Guadalajara en direction de l'élevage, mais quand nous atteignîmes le raccourci qui nous aurait conduits à l'entrée principale, le contremaître dit :

— Non, tout droit sur six kilomètres.

A un certain endroit, il dirigea mon père à gauche, et après un court trajet assez cahotant nous atteignîmes le lieu où deux autres contremaîtres munis de lanternes sourdes maintenaient avec des cordes un veau fougueux. Avec habileté, ils firent grimper l'animal à l'arrière du véhicule, et nous reprîmes le chemin de la ville.

Pendant le trajet de retour, mon père discuta à voix basse avec don Eduardo, et je ne pus saisir leur conversation. Alors que nous arrivions par l'ouest aux limites de Toledo, nous fîmes une chose tellement étonnante que des années plus tard nous en riions encore. Le véhicule alla jusqu'à la Mineral et, suivant les indications de mon père, roula jusqu'à un crassier qui cachait l'entrée d'une grotte. Là, le veau fut descendu dans une cachette souterraine propre et agrémentée d'une réserve de fourrage. L'animal s'ébroua et racla le sol de ses cornes pas encore totalement sorties, puis il trottina dans son nouveau royaume.

— Il s'appelle Soldado, le petit soldat, dit le contremaître. Protégez-le. Il est précieux.

C'est ainsi qu'à neuf ans je devins le gardien d'un des meilleurs taureaux de combat d'Espagne — un jeune camarade plutôt agréable, en vérité, et dont les cornes perçaient à peine —, un animal de compagnie comme un enfant n'ose en rêver. Il était entêté et devint si puissant que de temps en temps j'étais incapable de le diriger où je le voulais, que je le pousse ou le tire. Mais à l'évidence il aimait ma présence et paraissait ravi de me voir après une absence. Je pense qu'il comprenait sa nécessaire retraite dans cette grotte, et bien que rapidement lassé de nettoyer derrière lui, j'en vins à le considérer comme mon taureau et à le regarder avec la satisfaction d'un père tandis qu'il poursuivait sa croissance.

Parfois, en prenant toutes les précautions pour ne pas attirer l'attention, le contremaître venait voir comment grandissait Soldado, et à le voir si prometteur, il s'enhardit à dire à père :

— Il est temps que nous le sortions de là. Nous pensons avoir trouvé un endroit où le cacher, dans un coin reculé de l'élevage. Nous aurons bientôt un troupeau.

C'est cette déclaration qui me fit agir d'une façon qui m'étonne encore maintenant. Je savais avoir à ma garde un taureau de combat de pure race espagnole — les hommes me le répétaient constamment —, et je fus vite dévoré du désir de voir si Soldado était capable de combattre comme ces gros taureaux durant le festival d'été dans les arènes de Toledo.

Le temps passant, cette idée devint une véritable obsession et je volai à ma mère une nappe à carreaux rouges, l'apportai dans la grotte, où la lumière était suffisante pour mon expérience, et tentai de copier ce que j'avais vu les grands matadors faire. Je brandis à deux mains la nappe devant moi, frappai le sol du pied gauche et attendis la charge. Soldado réagit comme prévu, et du plat de son front me projeta contre la paroi, où je m'écroulai mollement. J'avais vu des matadors subir ce traitement et se relever, je fis donc de même et représentai le tissu au taureau, en avançant. Soldado fonça de nouveau et me repoussa encore contre le mur de roc. Cette fois je sentis les deux chocs, celui de ses petites cornes à mi-corps et la paroi contre mon dos. Mais un matador est un homme qui affronte les taureaux, même s'ils le malmènent, et je me remis en position, mais cette fois en présentant la nappe sur le côté, bras gauche tendu, main droite près de la cuisse opposée. Soldado se rua sur le tissu, me frôlant au passage.

Privé de public pour saluer ce que je savais être une passe correcte, je me gratifiai d'un « *¡ Olé !* » sonore. Mais l'exclamation attira l'attention du taureau qui me chargea derechef. Or j'avais noué la nappe autour de ma taille et Soldado me heurta de plein fouet. Non seulement il me jeta à terre mais il me piétina et m'assena quelques coups de corne qui, s'il avait été adulte, auraient pu être mortels. Je garde en souvenir une légère cicatrice sur la poitrine.

Quand mon père, don Eduardo et le contremaître vinrent chercher Soldado pour l'emmener à l'élevage, ils comprirent que j'avais effectué des passes avec lui et s'emportèrent :

— Tu ne sais donc pas que ça gâche un taureau ? hurla Pedro en m'assenant une tape sèche sur le haut du crâne. Tu as commis une chose terrible !

Et de nouveau il me frappa.

— *¡ Basta !* cria mon père en m'écartant, et j'ai rarement apprécié davantage d'entendre ce merveilleux mot espagnol pour « assez », car le contremaître avait la main lourde.

Tandis qu'ils faisaient monter Soldado dans le camion et m'autorisaient à les accompagner, le contremaître m'expliqua l'intelligence inhabituelle que possédaient les taureaux de combat espagnols :

— Une fois qu'il a chargé un homme avec une cape et n'a heurté que le tissu après trois ou quatre passes, il comprend qu'il ne touchera pas son adversaire de cette façon. Et très vite il est assez intelligent pour diriger ses cornes non vers la cape mais vers l'homme. (Le contremaître me stupéfia par ce qu'il dit ensuite :) Donc tu as peut-être gâché Soldado. Tu lui as appris à frapper l'homme, et il ne l'oubliera jamais. Dans trois ans, quand il entrera dans les arènes, ce sera un tueur de matadors.

J'eus la nausée à l'idée que j'avais d'une certaine façon détruit mon ami, mais père me sauva d'une observation judicieuse :

— Réfléchissez une minute. Soldado sera votre géniteur. Un animal de grande valeur, que vous n'auriez jamais envoyé dans les arènes de toute façon.

Et je me sentis mieux quand le contremaître reconnut :

— Ce taureau pourrait être sensationnel comme reproducteur.

Nous quittâmes la route qui menait à l'entrée principale de l'élevage jusqu'à un endroit où des hommes à cheval nous attendaient. Soldado sortit du camion, il courut ici et là, alla renifler les chevaux, les reconnut comme des êtres de sa sorte et se mêla à eux comme un agneau docile. Alors qu'il s'éloignait au trot vers la sécurité d'herbages lointains, le noir de son corps contrastant avec la robe des chevaux rouans, je le hélai, mais il ne regarda pas en arrière.

Plus tard, comme le savent les aficionados de tout le Mexique, Soldado devint le reproducteur le plus célèbre de l'histoire taurine du pays, le père de bêtes qui assurèrent la gloire des Palafox. A cette époque je me taillais un franc succès en disant à mes interlocuteurs, d'un ton détaché :

— Quand j'ai affronté Soldado, il m'a renversé trois fois de suite.

Ils me regardaient avec des yeux ronds. Alors j'ajoutais :

— Mais j'ai ensuite exécuté une très belle véronique.

Et leur respect m'était acquis.

Pendant qu'à la Mineral je protégeais Soldado du général Gurza, l'autre hôte secret de la famille, le père López, nous mettait tous en danger en reprenant ses activités religieuses, alors que nombreux étaient ceux qui approuvaient la persécution des prêtres par le gouvernement, définie comme un « élan pour libérer le Mexique de la tyrannie catholique ». Sur ce sujet, qui semblait déchirer la nation, notre famille était divisée selon trois opinions. Ma mère, une Palafox conservatrice, était fortement procatholique. Mon père, baptiste de Virginie, nourrissait plus que des réticences envers l'Eglise catholique. Et moi, qui ne connaissais pas grand-chose à la religion, j'approuvais les hommes qui comme le père López accomplissaient une œuvre utile parmi leurs ouailles, mais je désapprouvais les autres prêtres qui fulminaient lorsque j'accompagnais ma mère à la messe. En bref, je ne savais trop que penser.

Le père López nous faisait courir de grands risques, car il sillonnait la zone rurale au nord de la Mineral et rassemblait tranquillement de petits groupes de croyants, dans une grange ou une cuisine, pour célébrer la messe. Il ne portait aucun ornement sacerdotal, bien sûr, et il apparaissait tellement pitoyable qu'il avait parfois des difficultés à convaincre les péons de sa qualité de prêtre. Un jour que je l'accompagnais, je vis des larmes dans ses yeux tandis qu'il s'efforçait de persuader la demi-douzaine de personnes réunies dans une cuisine qu'il était bien autorisé à dire la messe.

— Dis-leur, Norman, m'implora-t-il. Dis-leur qui je suis.

Et de mon espagnol parfait, qui les rassura, je narrai sa survie miraculeuse aux tueurs de la cathédrale. Alors ils l'entourèrent et il se mit à prier.

Par chance, lui et moi étions absents pour un autre voyage missionnaire quand les hommes du général Gurza envahirent la Mineral à la recherche de mes parents. Ils les trouvèrent sans grande peine, les traînèrent au-dehors et les collèrent contre un mur dans l'intention évidente de fusiller ces agents des Palafox. C'est alors que ma grand-mère arriva en courant. « Non ! Non ! » s'écria-t-elle, et un des soldats du peloton d'exécution, qui avait travaillé avec elle à la mine, s'exclama : « C'est une des nôtres ! » Et mes parents échappèrent de peu à la mort.

Caché derrière des buissons au sommet de la colline voisine, tremblant comme une feuille, je vis les hommes de Gurza ligoter mes parents et ma grand-mère à un arbre pour les empêcher de gêner la mission qu'ils devaient remplir. Ils prirent sur trois mules lourdement chargées de gros paquets, et le père López murmura aussitôt : « De la dynamite ! » et en effet je vis les bâtons qui étaient jetés à l'intérieur du puits. Puis on déroula une longue corde, d'autres bâtons y furent fixés à intervalles réguliers et on la fit glisser dans le puits. Cette opération terminée, les hommes de Gurza allumèrent une mèche qui courait le long de la corde et en même temps lancèrent quatre bâtons allumés dans le vide. Durant quelques secondes rien ne se produisit, puis une déflagration titanesque ébranla l'air et la mine trembla sur elle-même.

L'explosion déclencha des incendies dans les diverses cavernes, et les hommes de Gurza jetèrent dans le puits qui vomissait une épaisse fumée toutes les pièces de machines que grand-père et ses mécaniciens confédérés avaient construites ou celles achetées en Angleterre par mon père. L'équipement entier de la mine fut précipité dans les flammes. Ensuite les soldats tranchèrent les câbles retenant la cage installée par mon père, et celle-ci alla s'écraser au fond du puits. Pour finir, ils poussèrent la superstructure de la cage dans le gouffre qui plus jamais ne serait une mine.

Leur mission accomplie, les soldats détachèrent les trois prisonniers, et de ce que je vis je déduisis qu'ils expliquaient à mes parents leur chance que la vieille Caridad ait été là, car avant de partir un des hommes l'embrassa.

Avec le père López, nous rejoignîmes mes parents pour constater les dégâts, et je crois que tous nous entérinâmes alors la fin d'un mode de vie — à la mine, sur la grand-place et à Toledo en général.

— Quels que soient les prêtres qui pourront venir pour rouvrir la cathédrale, déclara le père López, ils ne seront plus capables de dire aux gens ce qu'il faut faire ou comment penser.

Mon père et moi sondâmes les profondeurs rougeoyantes du puits, et il me dit :

— Jamais nous ne pourrons le remettre en état. Regarde l'escalier...

— Mais il y a encore de l'argent en bas, fis-je.

— Le filon était presque épuisé, corrigea-t-il. Sans la cage et la machinerie qui la treuillait, nous ne redescendrons jamais au fond.

Et je compris que la *veta madre* (la veine mère) était tarie.

Ma mère avait vu plusieurs des membres de sa famille assassinés par Gurza ou ses hommes. Elle savait que les survivants devraient accepter une vie très différente de l'ancienne, et c'était une femme assez énergique pour s'adapter. La mine hors d'usage, je devrais peut-être quitter la Mineral. Je savais mon école détruite par les rebelles, et nombre des parents de mes camarades exécutés et leurs vastes demeures incendiées, aussi ne pouvais-je deviner ce qui serait décidé pour mon avenir immédiat. Chacun d'entre nous avait des raisons personnelles de désespérer, mais un point recueillait notre accord unanime : le général Gurza était un monstre qui avait ravagé Toledo comme un barbare d'Asie centrale venu réduire le reste du monde en cendres. Le père López pensait qu'il appartenait à Dieu de châtier l'infidèle sanguinaire. Mon père souhaitait sa pendaison. Ma mère pleurait le meurtre de ses proches et répétait sans relâche qu'un vengeur viendrait. Avant de trouver le sommeil, je passais des heures au lit à m'imaginer surprenant Gurza dans un village, occupé à se vanter de ses dernières ignominies. Mes revolvers braqués, j'avançais vers lui d'un pas inexorable et grondais d'une voix plus basse que la mienne ne l'était : « Voilà pour le massacre de nos taureaux, bête immonde ! » et j'avais la satisfaction de l'entendre implorer ma pitié avant d'appuyer sur la détente.

Gurza dut entendre mes menaces, car il y répondit en saccageant horriblement trois villages et en fonçant vers Sinaloa dans son train de mort. Ses succès continuels, même contre les Américains envoyés contre lui, constituaient pour nous une terrible frustration et, pour notre plus grande peine, une raison de joie et de fierté parmi nos péons. Mon père s'écriait : « Que quelqu'un l'écrase ! » et la famille approuvait ce choix, du moins presque en totalité. Je remarquai que si, avec le père López, nous maudissions Gurza pour sa brutalité, grand-mère Caridad restait silencieuse. Mais un jour on nous rapporta trois victoires successives de Gurza sur les troupes américaines du général Pershing, et elle ne put contenir sa joie :

— Il fait le travail pour nous !

Comme nous restions bouche bée à la dévisager, elle comprit qu'elle ne pouvait nous abuser plus longtemps. Nous étions réunis dans le patio ceint de trois murs, le quatrième ayant été abattu pour permettre de surveiller la mine, et jamais je n'oublierai notre étonnement quand elle désigna le muret entourant l'entrée du puits :

— Gurza a accompli une grande action pour le Mexique en détruisant cet enfer.

Père était tellement abasourdi par les paroles de sa mère qu'il ne pouvait articuler un mot. Mais ma mère, dont l'importance s'était affirmée au sein de la famille Palafox depuis le massacre de ses oncles et de ses cousins, réagit :

— Comment peut-on dire une telle horreur !

Caridad continua à désigner le puits, à présent et pour toujours silencieux, et déclara de la même voix qu'avait dû avoir son ancêtre la

Dame-aux-Yeux-gris quand elle avait décrété la destruction des anciens dieux :

— C'était un endroit voué au diable. Il devait être détruit.

Mon père s'était repris :

— Que dites-vous, mère ?

Elle lui répondit avec force :

— J'ai été conçue dans ce qui était alors la caverne la plus profonde, le seul endroit où ma mère et mon père pouvaient être ensemble. Les mineurs l'ont appelée la Caverne de Caridad. J'ai vécu là, en compagnie des ânes qui ne reverraient jamais la lumière du soleil, et je ne montais ces terribles marches que pour porter le minerai à la surface.

— Mais nous avons installé la cage, protesta mon père. Ces jours affreux ont disparu.

— Et pourquoi n'a-t-on pas construit la cage il y a cent ans ? Il y a cent vies ?

— Ces choses prennent du temps, intervint le père López.

Avec une fureur qui nous surprit, elle se tourna vers le prêtre et dit, dents serrées et poings crispés :

— Vous avez été pires que les directeurs de la mine. Où croyez-vous qu'ils trouvaient cette réserve inépuisable d'Indiens ? Où Jubal se procurait-il ces jeunes filles indiennes qui travaillaient avec moi ? Auprès de vos prêtres dans les villages. Ils envoyaient les gamines peiner à la mine en les convainquant que c'était leur devoir.

— Les Indiens ont toujours travaillé à la Mineral, rétorqua le père López.

Pour la première fois, je me rendis compte qu'il ne cédait pas quand elle se déchaînait contre lui sous le prétexte qu'il protégeait son Eglise d'accusations qu'il avait déjà entendues. J'avais dix ans alors, et bien que je ne pusse totalement comprendre les arguments complexes des quatre adultes, je constatai que mon père défendait tout ce qui avait pu se passer à la mine, le père López l'Eglise, ma mère le rôle bénéfique des Palafox pour Toledo, tandis que grand-mère Caridad répétait que le général Gurza était un homme bien meilleur que ce qu'ils pensaient. A certains moments j'eus l'impression qu'ils discutaient pour me convaincre, moi qui étais la seule personne du groupe sans idée précise, et j'écoutais chacun avec un égal intérêt.

Le père López, que nul n'avait jamais pris très au sérieux, déployait mille finesses pour me faire comprendre ce qu'il disait. Après avoir participé à une conversation générale sur les droits comparés des Indiens et des propriétaires, il me prit à part et dit :

— Norman, ne vois-tu pas que ce sont les grands propriétaires qui nous donnent l'argent pour entretenir la cathédrale ? Ils ont un droit sur de grandes terres parce qu'ils savent comment les utiliser. Un Indien ? Que peut-il avec son *milpa* ? (C'était le mot désignant une petite parcelle de terre appartenant à une famille, un mot que j'entendais très souvent ces derniers temps.) Dans son milpa, il fait pousser juste assez de maïs pour les tortillas que fait sa femme. Mais le grand propriétaire produit plus de maïs que celui utilisé par sa femme, et avec l'argent qu'il gagne il soutient l'Eglise.

M'ayant vu discuter avec le prêtre, grand-mère m'attira elle aussi à l'écart :

— Ne crois jamais un prêtre quand il parle d'autre chose que de Jésus-Christ. Il ne pense jamais qu'à son Eglise, quel que soit le sujet. Et ce sont les prêtres qui nous ont jetés au fond de la mine.

Les discussions continuaient et je voyais que mon père écoutait avec attention les deux avis pour comprendre pourquoi le père López et grand-mère jugeaient les derniers événements sous un angle aussi différent. Un après-midi, alors que nous dînions dehors à un endroit d'où nous pouvions admirer l'aqueduc construit par un des évêques Palafox près de deux siècles plus tôt, il dit lentement, comme si chaque mot venait séparément à son esprit :

— Elles sont belles, ces vieilles arches de pierre de notre aqueduc, lui qui porte l'eau et la vie de la pyramide à la cathédrale — de vous, mère, à vous, père López...

Et pendant quelques secondes il prit la main des deux adversaires. C'est à cet instant particulier, je le comprends maintenant, que l'idée de son magnifique livre germa en lui — *La Pyramide et la cathédrale,* les deux forces qui avaient façonné l'histoire du Mexique jusque-là, l'ancienne religion et la nouvelle, l'héritage indien et l'apport européen.

Je crois que nous restâmes environ trois semaines dans les ruines de la Mineral, car les images de ces jours tranquilles sont encore vivaces dans ma mémoire : les grandes cheminées du fourneau sans plus de fumée, le bâtiment où le minerai était traité détruit et silencieux à jamais, la masse sombre de la pyramide, les arches de l'aqueduc et au loin les lignes vagues de Toledo. C'était un paysage de conte de fées juste avant l'arrivée de l'ogre qui va bouleverser le rêve.

Si je ne me trompe pas en estimant que mon père conçut l'idée de son livre pendant ces trois semaines de 1919, il devait avoir fort à faire, car après les arguties vigoureuses entre le père López et grand-mère, ma mère leur rappela soudain que c'étaient les Palafox qui avaient introduit la civilisation et le christianisme à Toledo :

— Ils ont découvert le filon-mère et ont construit la Mineral. L'un d'eux a créé l'aqueduc. Tous ces bâtiments que vous voyez à l'horizon, les écoles, les églises, sont nés de leur volonté. Sans eux, Toledo ne serait encore qu'un village de cabanes en pisé. (Après un instant de réflexion, elle ajouta :) Et nous avons construit les arènes, et les installations où sont élevés les taureaux Palafox.

Et il me sembla qu'elle considérait cette dernière contribution comme aussi importante que l'érection de la cathédrale.

Le désir de chaque adulte de me rallier à sa position ne faiblissait pas, et durant la quatrième semaine cette lutte incessante provoqua un événement dramatique dont je me souviens aussi bien que s'il s'était produit hier. Le père López me proposa de l'accompagner lors d'une de ses visites secrètes aux catholiques, dans un des villages au nord de la pyramide. Nous marchâmes longtemps sous le soleil, et quand nous arrivâmes nous étions las, affamés et assoiffés. Nous vîmes alors comment les villageois, si pauvres qu'ils n'avaient quasiment rien à eux, s'agitaient pour nous trouver à manger. Puis le père López suggéra qu'ils s'assemblent pour une messe. Et lorsqu'ils répondirent : « Nous espérions votre venue pour cette raison », là, au centre du village, avec des guetteurs armés disposés alentour pour donner l'alerte si des soldats haïssant l'Eglise approchaient, ce petit homme sans tenue distinctive et sans cathédrale pour sacraliser son rôle prit un petit livre qui aurait pu causer sa mort et lut ces phrases que je connaissais presque par cœur tant ma mère les avait souvent répétées. Elles ne signifiaient rien pour moi, mais pour ces Indiens assemblés elles signifiaient tout, car lorsqu'il eut fini ils se précipitèrent pour baiser ses mains et poser les leurs sur le missel. C'était une preuve de foi d'une intensité dont je n'avais jamais été témoin. Le service terminé, ils restèrent avec nous pour parler des événements stupéfiants de ces derniers jours.

— La Mineral va rouvrir ?

— Le père du garçon dit que non.

— Qui est ce garçon ?

— Un des nôtres. Sa grand-mère est Caridad, vous la connaissez.

En effet, et leur opinion à son sujet était visiblement favorable.

— Restera-t-elle à la Mineral ?

— De nos jours, qui peut dire ? répondit le père López.

— Moi je sais une chose, intervint un péon. J'étais à Aguascalientes et j'ai entendu dire que le général Gurza a perdu des batailles contre les Norteamericanos à la frontière et qu'il va battre en retraite et établir son quartier général à Aguas.

— Que Dieu protège Aguascalientes s'il y arrive ! s'exclama une femme.

Plusieurs hommes se signèrent, mais le père López fit venir l'informateur devant lui :

— Qui a dit que le général Gurza conduisait ses trains vers le sud ?

— Des hommes du nord qui passaient à Aguas dans leur fuite devant ses soldats. Ils pillent et massacrent, vous le savez.

N'ayant aucune envie de retourner à Toledo en cette fin d'après-midi où nous risquions de croiser des patrouilles militaires, nous attendîmes le coucher du soleil et, tandis que je déambulais dans le village, je vis des enfants de mon âge armés de fusils, et chaque maison où j'étais invité à entrer me donna l'impression d'être une petite forteresse.

— Nous aimons Notre Seigneur Jésus-Christ, me dit une des femmes, et nous mourrons plutôt que de laisser les hommes de Gurza détruire notre village et notre église.

— Pourquoi ne pas avoir dit la messe dans l'église ? dis-je.

— Elle a été condamnée par les soldats pour nous en interdire l'accès. Et dire la messe là tous ensemble pourrait être dangereux.

Comme je m'étonnais de ce jugement, une femme vint vers moi et me dit, en me regardant droit dans les yeux :

— Vous autres de la Mineral ne savez donc pas ce qu'ils ont fait à San Cristóbal ?

— Non.

— Les troupes de Gurza ont surpris les habitants en plein office. Ils ont barricadé les issues de l'église et l'ont incendiée.

— Avec les gens dedans ?

La femme acquiesça, imitée par les autres.

La nuit venue, nous prîmes le chemin de la pyramide pour obliquer ensuite vers l'est et la Mineral, où ma famille anxieuse voulut savoir où j'étais allé.

— A San Isidro, avec le père López, pour dire la messe.

— Irresponsable ! s'écria aussitôt ma mère. Faire courir un tel risque à un enfant !

Et grand-mère se tourna elle aussi vers le père López :

— Vous ne l'auriez pas volé, s'ils vous avaient pris ! Un prêtre en compagnie d'un jeune garçon !

L'émotion des premiers instants retombée, mon père s'adressa calmement à moi :

— Tu as bien fait. Il faut que tu voies tout, c'est ton pays aussi, mais à ta place je ne renouvellerais pas trop cette expérience. Il y a beaucoup de gens qui détestent les prêtres et la religion.

Cette amère période de notre vie fut brusquement interrompue par l'arrivée d'un groupe d'experts venus du Nevada pour examiner les niveaux inférieurs de la Mineral et voir si la mine pourrait être remise en état. Ils amenèrent leur propre cage, le système de câble ainsi qu'une machinerie très puissante et de taille étonnamment réduite. Ils descendirent à deux ou trois. Leur activité passionnait tant ma grand-mère qu'elle restait à l'entrée du puits pour surveiller les montées et descentes de la cage. Le quatrième jour elle me prit par la main :

— Ils ont dit que nous pouvions descendre.

Nous grimpâmes donc avec les experts dans le système improvisé, le sifflet retentit et la lente plongée dans les profondeurs de la terre commença.

Je n'avais visité les cavernes inférieures qu'une fois auparavant, quand elles étaient encore peuplées de mineurs et d'ânes, et découvrir celle-ci ainsi désertée me parut étrange.

— C'est ici que dormaient les hommes qui ne remontaient jamais, m'expliqua Caridad. Là, je me reposais quand j'étais trop fatiguée. Nous gardions les ânes dans ce coin...

Lorsqu'elle eut fini j'avais une vision claire de la vie dans ces cavernes. Alors que les ingénieurs venus du Nevada faisaient une pause, grand-mère s'arrangea avec eux pour que nous les attendions dans la caverne supérieure. La cage nous prendrait au passage, à la fin de la journée.

— Je veux que tu saches ce que c'était, Norman, me dit-elle. En particulier l'escalier.

Et elle commença à gravir les degrés de pierre qu'elle avait si bien connus, en me tenant la main. Je gardai l'épaule en contact avec la paroi lisse du puits, et mes pieds aussi loin du bord que possible. C'était une expérience terrifiante pour un enfant de dix ans, et la peur me saisit, mais Caridad me réconforta :

— Ne regarde pas en haut. Une marche après l'autre. L'épaule contre la roche.

J'étais incapable de lui obéir, la lumière du jour était si lointaine et les marches tellement étroites que la panique me paralysait. Je m'écrasai contre la paroi et murmurai :

— Je ne peux pas.

Quand elle se retourna pour m'encourager, elle vit que j'étais réellement incapable de bouger tant était grande ma terreur.

Elle n'essaya pas de descendre à mon niveau, l'étroitesse de la marche où je me tenais l'interdisait. Elle tourna simplement ses pieds pour être en mesure de mieux m'aider.

— Nous allons avancer ensemble, doucement, dit-elle d'une voix si réconfortante que je crus être sauvé, mais dès qu'elle voulut me tirer vers le haut, je criai que je voulais descendre. (Alors, avec une détermination presque féroce elle me dit :) Monter est plus facile. Si nous descendions je ne pourrais pas t'aider.

Terrorisé par le gouffre de ténèbres en bas et la frêle tache de lumière au-dessus qui révélait les irrégularités de la paroi, j'étais incapable du moindre mouvement, mais la voix rassurante de la vieille femme qui avait effectué ce trajet mille fois me parvint alors :

— Norman, il a toujours été plus facile pour moi de monter que de descendre.

Sa main guidant la mienne je repris l'ascension, à pas prudents, mon cœur battant furieusement dans ma poitrine.

Nous atteignîmes la caverne située à mi-hauteur du puits. Nous quittâmes l'escalier et je m'enivrais de ma liberté de mouvements retrouvée. Pour prouver que ma peur enfantine avait disparu, je sautillai à droite et à gauche, et revins même me pencher au bord du vide pour observer ces marches périlleuses que je venais de gravir. Ma grand-mère eut alors des paroles singulières :

— Quand je serai morte, on te parlera du jour où un homme méchant est tombé d'ici, de cet endroit où tu te tiens. On te dira qu'on a toujours pensé que je l'avais poussé. (Elle marqua un temps d'arrêt, prit ma main et ajouta :) Et c'est vrai. Mais il y a des situations où il faut le faire. Quand les hommes méchants n'écoutent pas.

— Faire quoi ? demandai-je.

— Ce qui doit être fait.

Les experts ne devaient pas remonter avec la cage avant une bonne heure, et nous avions amplement le temps d'explorer cette caverne qui avait été le centre de l'existence de Caridad dans sa jeunesse. Quand nous nous reposâmes sur un tas de pierres, elle dit :

— Tu as entendu le père López et ta mère discuter de la façon dont ils avaient essayé d'aider les Indiens. Tu la vois. (Elle désigna la caverne baignée dans une pâle lumière.) C'est ici qu'ils vivaient, Norman, et si quelqu'un te pose des questions, maintenant tu pourras répondre.

Pendant quelques minutes, elle parla sans interruption de la situation critique des Indiens, et soudain elle me surprit en déclarant d'un ton véhément :

— C'est faux, tu sais, quand nous parlons de moi comme d'une Indienne, du père López comme d'un Mexicain ou de toi et de ton père comme de Norteamericanos. Nous sommes tous *mestizos*, sang-mêlé, et nous devrions le reconnaître.

Je lui demandai ce qu'elle voulait dire, elle répondit :

— Quand les Espagnols sont arrivés, qui étaient-ils ? Des hommes et des femmes et des enfants ? Non, seulement des hommes. Est-ce qu'ils allaient finir leur vie tout seuls ? Non, non ! Ils ont épousé des Indiennes, comme ton grand-père Jubal m'a épousée. Dès le début ils ont été sang-mêlé. Je ne suis pas une pure Indienne. Je crois que je n'ai jamais vu un seul pur Indien de toute mon existence. Tous sang-mêlé.

— Mère m'a dit que ses ancêtres Palafox ont toujours épousé des gens venus des familles nobles d'Espagne. Elle dit qu'elle est une pure Espagnole.

— Elle aime le croire, mais les livres disent : « Tous les Palafox de l'Eglise se sont mariés à des Indiennes », et je le crois.

— Pourquoi en veux-tu autant au père López ?

— Pas à lui. C'est un homme bon, je pense. Mais les autres prêtres nous ont envoyés, nous autres Indiens, au fond de la mine. (Soudain elle se tut, frissonna et contempla le puits avec la même peur qui m'avait habitée cinquante minutes plus tôt.) Si une femme avec un panier tombait de l'escalier plus haut, elle hurlait, nous courions jusqu'au bord, là où tu es, et nous voyions son visage quand elle passait devant nous. Nous voyions ses yeux, sa terreur. Parfois il y en avait deux en une semaine. Et si personne ne réclamait le corps, on l'enterrait dans une des cavernes abandonnées, comme celle-ci.

Nous restâmes assis un long moment, silencieux, puis son oreille exercée détecta un mouvement plus bas. Les experts du Nevada nous avertissaient qu'ils désiraient pousser un peu plus longtemps leurs investigations, et Caridad parut accepter ce retard comme un délai bienvenu. Elle prit ma main et dit, dans son espagnol chantant :

— Norman, il ne faut pas croire ce qu'on raconte sur le général Gurza. Oui, parfois il tue des gens. Oui, il brûle des bâtiments détestables. Mais c'est un homme bon. Fais-moi confiance, Norman, c'est un homme bon.

Mais l'affirmation me parut ridicule.

— Mes parents et le père López disent tous que c'est un monstre. Je le déteste.

— Ne les écoute pas, me réprimanda-t-elle. Fais-toi ta propre opinion. Les mestizos, les gens comme moi, nous l'acclamons tous. Il fait le travail pour nous — il punit les riches, il chasse les prêtres, il aide les pauvres. Et quand les Norteamericanos essaient de le capturer, il les ridiculise. C'est notre héros, Norman, et tu ne comprendras jamais ton Mexique si tu crois les mensonges des riches qui le conspuent.

Une heure durant elle me raconta la vie dans les villages indiens, la misère des familles de péons qui s'échinaient à cultiver un peu de maïs. Elle m'expliqua comment l'arrivée d'un train de Gurza redonnait l'espoir aux pauvres d'une région, et pourquoi ils priaient pour sa victoire.

— Tu es contre les prêtres et les cathédrales, objectai-je, et maintenant tu dis que tu pries.

— Nous prions la Vierge de Guadalupe, pas le prêtre qui nous réclame de l'argent dans la cathédrale.

La distinction était trop subtile pour un garçon de dix ans, mais je me souviens de son insistance à dire du général Gurza qu'il était un ami du vrai Mexique, ce qu'elle réaffirma quelques jours plus tard quand elle apprit que le train de Gurza faisait route vers Toledo et risquait d'y arriver bientôt. A ma grande perplexité, les femmes déclarèrent qu'il venait non du nord, comme auparavant, mais du sud-est. Cette nuit-là, pendant le souper, mon père dit :

— On dit que ce monstre de Gurza a tenté d'attaquer Mexico et qu'il a été repoussé. S'il bat en retraite vers nous, il sera sans doute de méchante humeur...

Et il nous recommanda la plus extrême prudence.

Le lendemain, des éclaireurs gouvernementaux rapportèrent que Gurza approchait de notre ville, et mes parents commencèrent à barricader la maison et à cacher tous les objets de valeur. Grand-mère gardait son flegme coutumier. Alors que tous s'employaient à protéger notre foyer, elle m'emmena le long d'un chemin qui suivait l'aqueduc jusqu'à la partie de Toledo habitée par les plus démunis. Je découvris alors les masures où s'entassaient plusieurs familles, les enfants qui allaient pieds nus, la pompe sale à laquelle tout le monde venait tirer l'eau à boire, et la misère des pauvres dans une nation en guerre. Tandis que nous parlions avec des femmes connues de Caridad, j'eus le sentiment très fort que ces gens espéraient la venue du général Gurza, car alors leur condition s'améliorerait. Il était leur héros, et tandis que nous marchions dans le quartier j'entendis la dernière ballade composée en son honneur :

Brave général Gurza !
Son train va partout.
Bon général Gurza !
Il combat pour notre cause.
Juste général Gurza !
Il donne l'argent aux pauvres.
Brave général Gurza !
Il n'a peur de personne.

Alors que ces paroles simplistes allaient crescendo, je perçus un lointain grondement qui s'élevait du sud-est, et des hommes arrivèrent en courant.

— Le général Gurza arrive ! crièrent-ils. Son train passe la dernière courbe !

Avant que ma grand-mère puisse me mettre en sécurité, le train qui portait les marques d'une douzaine d'assauts des troupes régulières, mexicaines et américaines, débouchait en ahanant sur la place où Caridad et moi nous trouvions, retenus par la foule grouillante de péons. J'étais terrifié.

Mais cette fois c'était un Saturnino Gurza bien différent qui entrait à Toledo. Sévèrement battu devant Mexico par les troupes loyales au nouveau président, Carranza, il venait se réfugier dans un endroit sûr et ne cherchait plus le danger comme naguère. Je me trouvais à moins de sept mètres de son train quand celui-ci s'arrêta, et lorsqu'il en descendit pour parler aux péons dont il recherchait le soutien, je fus l'une des premières personnes sur qui ses yeux se posèrent. Il passa sa grosse main dans mes cheveux, se pencha vers moi au point que son large sombrero me frôlait et que les balles de ses cartouchières cognaient contre moi, et me demanda :

— Toi, mon jeune ami, viendras-tu avec moi dans mon train dans quelques années ?

J'étais trop apeuré pour parler, car j'avais devant moi le diable en personne, qui me provoquait. Mais Caridad me poussa du coude et répondit à ma place :

— Il viendra avec vous, général, et ce sera un bon combattant.

— Tu sais tirer ? demanda-t-il, et quand Caridad lui assura que j'étais une fine gâchette il arracha l'arme d'un de ses hommes et me la tendit : Entraîne-toi, mon jeune ami. Nous aurons besoin de toi.

Pour l'instant, ajouta-t-il, il avait surtout besoin de vivres, de médicaments et de toutes les munitions disponibles à Toledo. Tandis que ses hommes se dispersaient pour exécuter ses ordres, il prit une chaise à la terrasse d'un café et alla s'asseoir au milieu de la place, en criant d'une voix tonitruante :

— Personne n'a une bière pour le sauveur de la ville ?

Et il se délecta de voir les péons courir pour satisfaire sa demande. Il s'adressa encore à moi tout en buvant sa bière :

— Comment t'appelles-tu, fils ?

Caridad répondit aussitôt à ma place :

— González, Victoriano González.

— Victoriano ! rugit-il en m'ébouriffant de nouveau les cheveux. C'est un signe ! Cent victoires nous attendent dans le nord !

Et il m'installa sur ses genoux, comme si j'étais véritablement son fils. Je posai l'arme qu'il m'avait donnée en travers de mes cuisses et restai immobile, coincé entre ses cartouchières qui me donnaient l'allure martiale.

Conscient qu'il ne pouvait s'attarder à Toledo, car les troupes de

Carranza, supérieures en nombre, étaient lancées à sa poursuite, il me rendit à Caridad en déclarant :

— *Tenemos cosas que hacer en el norte* (nous avons à faire dans le nord).

Dès que ses hommes eurent vidé les boutiques, il remonta à bord de la vieille locomotive qui l'avait conduit à tant de victoires et donna le signal du départ. Le convoi s'ébranla lentement hors de la ville, comme s'il allait à contrecœur à la rencontre des batailles qui l'attendaient.

Bien sûr, père apprit notre présence à Toledo lors de l'arrivée de celui qu'il appelait « le bandit assassin », et il tança sa mère pour avoir pris un tel risque avec moi :

— Si Gurza avait su qu'il était un Palafox, il l'aurait certainement abattu.

Aussi ni Caridad ni moi ne lui avouâmes que Gurza m'avait pris sur ses genoux et invité à le rejoindre dès que j'aurais l'âge de tenir une arme. L'affaire en resta là, me laissant totalement désorienté. Caridad ne dit rien non plus à mon père du pistolet que m'avait offert Gurza, et qu'elle avait caché.

Celui qui prit la nouvelle du passage de Gurza à Toledo avec une consternation affolée fut le père López.

— Tu veux dire que son train est entré en pleine ville ? me demanda-t-il plusieurs fois, et comme j'acquiesçais : Et il n'a tué personne ? Ses hommes n'ont commis aucun massacre ?

— Ils étaient très occupés à chercher du ravitaillement.

— Pas d'incendie ?

— Ils étaient très occupés.

Saisi d'une agitation extrême, le père López parla avec mes parents du général Gurza et de son influence sur le Mexique, en particulier sur l'Eglise catholique :

— Plus il massacre de religieuses et plus tenace est la foi de nos gens.

— Vous en avez la preuve ? rétorqua mon père.

— Quand je passe dans les villages, tous les habitants me reconnaissent comme l'homme qui aide à maintenir la flamme de leur foi.

— Si les hommes de Gurza vous prenaient, ils vous colleraient contre le mur le plus proche pour vous fusiller.

— Rien de bien nouveau. S'ils vous prenaient en sachant que vous êtes un Palafox, même chose.

— Je ne veux pas que mon fils vous accompagne de nouveau dans une de vos tournées. C'est trop dangereux.

— Je sais. Je voulais qu'il voie le vrai Mexique, mais une fois suffit.

J'assistais à cet échange et je compris que le père López voulait en dire plus et qu'il se retenait. Ce soir-là, deux hommes vinrent à la Mineral, porteurs d'affreuses nouvelles que nous écoutâmes avec le cœur battant la chamade :

— Des hommes sont arrivés à Toledo pour nous raconter ce qui s'est passé quand les troupes de Gurza sont entrées dans San Ildefonso, une petite ville au nord d'Aguascalientes. Comme ce qu'on dit qu'il a fait à Toledo. Le train est arrivé en ville. Il n'y a pas eu de fusillade, pas de viol, pas de meurtre. Ils ont volé d'abord les vivres et ont vidé les magasins. Ce n'était que le commencement...

— Que s'est-il passé ? demanda mon père.

Je regardai grand-mère pendant que les hommes d'Aguas répondaient :

— Horrible. Certains de nos hommes à San Ildefonso, des patriotes partisans du président Carranza, ont tiré sur Gurza. Mais ils l'ont manqué et ont tué un de ses lieutenants à sa place. Ç'a été le signal de la fusillade la plus violente que vous ayez jamais vue. Un véritable enfer. Ensuite ils ont massacré tous les prêtres et toutes les religieuses qu'ils trouvaient. Ceux d'entre nous qui ont pu s'échapper ont décidé d'aller alerter les autres villes. Les hommes de Gurza détruisent toute notre ville.

Les mains de grand-mère s'étaient crispées sur ses genoux, mais elle ne dit rien. Le père López insista pour avoir des détails et assaillit les hommes d'Aguascalientes de questions :

— Combien de prêtres ont-ils trouvés ? (Et il tressaillit en entendant le nombre de tués.) Combien de religieuses ?

— Seulement trois. Les habitants ont caché les autres.

— Elles ont été tuées ?

— Mutilées d'abord. Ensuite achevées.

— Je crois que nous devrions dire une prière pour les martyrs, déclara le père López d'un ton serein.

Et nous baissâmes la tête. Grand-mère fit de même et serra ma main dans la sienne. A la fin de la prière fervente que nous murmurâmes, je l'entendis dire amen elle aussi.

Les jours suivants furent très tendus, car chacun à Toledo comprenait combien nous étions passés près du sort de San Ildefonso. Ce point fut d'ailleurs relevé par mon père, un soir :

— Vous voyez, mère, ce qui aurait pu arriver quand vous avez emmené Norman à Toledo.

— Il nous a laissés en paix, non ? répliqua-t-elle.

Je voyais bien la profonde détresse qu'éprouvait le père López du massacre des trois religieuses, car il répéta à de nombreuses reprises :

— Tuer des hommes, s'ils ont tiré sur ses troupes, cela je peux le comprendre, même le meurtre d'une religieuse dans la folie d'un moment. Mais les traquer comme des chiens traquent un lièvre, c'est...

Et il ne finissait jamais sa phrase, car les mots lui manquaient pour décrire une telle horreur.

Un peu plus tard, il apprit que le général Gurza avait gardé son train à San Ildefonso, puisque la ville saccagée était maintenant sous son entier contrôle, pour en faire la base d'où il partirait punir les troupes gouvernementales ou déloger les Américains du Mexique. Le père López y vit un défi non aux hommes de San Ildefonso, mais à Dieu lui-même.

— C'est un sacrilège, dit-il. L'œuvre de l'Antéchrist.

Au souper, qu'il prenait avec nous après être revenu au crépuscule de ses expéditions, il répétait sans cesse à mes parents :

— Cet homme est vraiment l'Antéchrist et Dieu le punira.

Je crois que mes parents finirent par se lasser de ces malédictions divines car mon père lui dit un soir :

— Mais, père, si vous ne pouvez forcer Dieu à le châtier, pourquoi ne pas oublier ce monstre ?

Et López répondit :

— Peut-être Dieu veut-il que nous agissions en son nom et que nous punissions Gurza.

Quand il comprit que les Clay commençaient à regretter de l'avoir pris sous leur protection, le père López devint nerveux. Il gardait un mutisme complet à table. Il s'absentait des nuits entières. Un matin que nous nous étions levés tôt, et alors qu'il se préparait à partir poursuivre son œuvre missionnaire, il mit un soin particulier à me dire au revoir. Je notai qu'il était particulièrement tendu et qu'après avoir quitté la Mineral il prenait la direction du nord-ouest au lieu d'aller vers les villages qu'il visitait habituellement. J'attendis un peu puis le suivis. Mais il surveillait toujours les environs quand il partait ainsi pour une de ses dangereuses missions. Il se retourna et me vit.

Il rebroussa chemin en courant vers moi, l'air presque joyeux, et m'embrassa.

— Norman, tu es venu pour me donner du courage !

Et sans plus m'expliquer ce que signifiait cette formule, il m'autorisa à l'accompagner tandis qu'il se dirigeait vers l'ouest, derrière la pyramide. Nous approchâmes bientôt de la voie ferrée qui menait à Aguascalientes.

— Où allez-vous ? demandai-je.

— Là où Dieu m'enjoint d'aller.

Il me surprit alors en sortant de sous sa chemise en coton un paquet.

— Tu dois me pardonner, Norman, mais j'ai volé ton pistolet.

Et il me montra comment il l'avait démonté, en gardant chaque pièce dans un petit sac de papier pour le remonter plus tard. Il vit ma réticence à lui céder l'arme, et me dit d'un ton doux :

— C'est un pistolet maudit, Norman. Son pistolet, le pistolet de l'Antéchrist, et il ne t'amènerait que du malheur. Donne-le-moi avec ta bénédiction.

Et là, près des rails où personne ne pouvait nous entendre, je prononçai une phrase que mère m'avait apprise :

— Moi, Norman, te donne à toi, Juan, ce pistolet, et avec lui ma bénédiction.

Me serrant contre son cœur et refoulant ses larmes, ce cher et bon prêtre qu'il n'était pas facile d'aimer, car c'était un homme difficile aux idées parfois ennuyeuses, me baisa le front et murmura :

— Quand tu seras adulte, Norman, ne recule jamais devant ce qu'il est juste de faire, car c'est à cela qu'on voit un homme.

Sur ces mots il me fit faire demi-tour et me donna une légère poussée entre les omoplates pour que je reprenne le chemin de la maison. La dernière fois que je le vis, il marchait d'un pas décidé le long de la voie ferrée, en direction du nord, avec en sa possession le pistolet que le général Gurza m'avait donné.

Trois jours plus tard la nouvelle se répandit dans tout le Mexique et les Etats-Unis. A San Ildefonso, ville ravagée par le général Gurza une semaine auparavant, un paysan sans chaussures avait tiré de sous sa chemise un pistolet et fait feu presque à bout portant sur Gurza, le tuant net. Fous de rage, les gardes du corps du général avaient frappé le meurtrier au point que son cadavre était impossible à identifier. Mais dans les jours qui suivirent, les hommes du président Carranza répandirent la rumeur que l'arme de l'assassin faisait partie de celles volées dans une armurerie près de Mexico, ce qui tendait à prouver, dirent-ils, que le révolutionnaire cruel avait été abattu par un de ses propres hommes.

Mes parents virent dans ce meurtre une intervention divine, et ils attendirent d'en discuter avec le père López. Ma grand-mère avait quant à elle une autre interprétation :

— Comme une vieille dame qui tricote au soleil, le général Gurza avait épuisé son écheveau. Il avait terminé son travail. Il a libéré le Mexique.

Puis elle m'emmena dans sa chambre, et d'un petit sac de voyage tira une photographie prise par un homme à Toledo l'après-midi où j'avais rencontré le général Gurza. Elle me montrait perché sur ses genoux, son large visage avec ses longues moustaches et son sombrero penché vers moi tandis qu'il me donnait le pistolet que j'étais supposé utiliser pour défendre sa cause quand j'aurais quatorze ans. C'était un cliché excellent.

— Garde-la précieusement, Norman. Un jour tu seras fier de l'avoir, car c'est peut-être la dernière photo de notre grand leader.

Ensemble nous chantâmes alors à voix basse la *Ballade de Saturnino*, avec son rythme insolent :

Noble Saturnino !
Il chevauchait le train.
Héroïque Saturnino !
Il a combattu « Blackjack » Pershing.
Prodigieux Saturnino !
Il a couvert de honte Carranza.
Immortel Saturnino !
Il nous a offert la liberté.

La dernière phrase était martelée sur un staccato qui défiait le monde entier, et quand le chant prit fin, en manière de bénédiction, grand-mère prit la photo un instant, la contempla puis la baisa.

— Quand je peinais dans les cavernes, dit-elle, je rêvais d'un tel homme, mais je croyais qu'il viendrait sur un cheval blanc, comme Zapata. Celui-là est venu dans un vieux train rouillé.

La fin de l'histoire des Clay au Mexique peut être rapidement narrée. Le père López ne réapparut pas, et mes parents en déduisirent qu'il avait dû être tué dans un des villages où il allait dire la messe. Nous ne reparlâmes pas de lui. Grand-mère finit par apprendre que le pistolet que m'avait offert le général Gurza avait disparu, mais elle ne m'interrogea jamais à ce sujet. Les experts miniers du Nevada revinrent deux fois pour étudier la mine avant d'abandonner. Lors de leur dernière visite, le chef du groupe dit à mon père :

— A l'occasion, nous aidons l'American Petroleum. Ils possèdent de grands champs pétrolifères à Tampico, et l'autre jour ils m'ont dit qu'ils aimeraient trouver un Américain digne de confiance...

— Je ne suis qu'à moitié américain. Je suis né mexicain, et j'ai gardé cette nationalité aussi.

— Ils le savent. Et ils m'ont demandé si je pensais que l'idée de représenter leurs intérêts dans cette région du pays vous tentait.

— De quoi s'agissait-il ?

— Si j'ai bien compris, vous les aideriez à trouver du personnel qualifié, ou de jeunes hommes qui ont fait leurs études aux Etats-Unis, ou qui pourraient être envoyés en formation au Texas ou en Oklahoma.

— Il n'y a pas de puits de pétrole à Toledo. C'est un curieux travail.

— Il y a des gens à Toledo. Les réserves de pétrole sont telles que l'American Petroleum prévoit de rester au Mexique jusqu'à la fin du siècle. Ils ont besoin de quelqu'un comme vous dans leur équipe.

Les hommes de l'American Petroleum vinrent à Toledo pour discuter avec mon père et ils virent immédiatement que son expérience à la Mineral était exactement ce dont ils avaient besoin pour garantir leurs intérêts au Mexique.

Notre famille n'eut pas à quitter Toledo à cause du nouvel emploi de mon père, ce qui lui laissa le temps de rédiger le livre *La Pyramide et la cathédrale* qui le rendit célèbre et lui valut une statue dans un coin de la grand-place. De l'entrée de notre maison, nous pouvions voir les deux édifices, et leur histoire courait dans nos veines. C'était un livre noble, qui l'est resté, un regard au cœur du Mexique, et j'ai toujours aimé le passage où il dresse le portrait de Jubal Clay en compagnie de ses camarades confédérés, dans les dernières années de sa vie :

> Chaque année, le 9 avril, ces Confédérés qui avaient refusé de vivre sous la domination du Nord et du général Grant et s'étaient réfugiés ici, dans le climat sain de Toledo, se réunissaient pour marquer, et non pas célébrer, le jour où Robert E. Lee avait capitulé devant Grant le Boucher, à Appomattox.
>
> Quelqu'un proposait un toast : « Au jour où le monde s'est arrêté ! » et ils buvaient en silence, mais toujours un autre lançait : « Au jour où le Canada envahira le Nord. Ce jour-là, nous serons là pour l'aider ! » Et ils buvaient joyeusement, en s'exclamant : « Oui, nous serons là ! » A la première réunion après l'élection de Grant à la présidence, Jubal proposa son propre

toast : « Nous pouvons reprendre courage après l'élection de Grant le Boucher, car cela prouve qu'il y a un Dieu. Il a donné à ces salopards ce qu'ils méritaient. Voyons le gâchis que fera Grant de son pays comme il l'a fait de son armée à Cold Harbor. »

Mais les années passèrent, les exilés vieillirent, et Jubal remarqua le phénomène suivant : « Chaque homme qui évoque ses batailles clame avoir combattu sous les ordres de Stonewall Jackson, Jeb Stuart ou Massa Robert lui-même. Comme aucun d'entre nous n'admet avoir combattu sous les ordres d'un général ayant perdu des batailles, je me suis souvent demandé comment nous avions fait pour perdre la guerre. »

Avec le temps, mon père devint indispensable pour l'American Petroleum, laquelle lui offrit des primes annuelles en actions de la compagnie. Notre famille se trouva ainsi dans une position financière solide, sinon spectaculaire. Comme le dit le président de la compagnie lors de la remise annuelle des primes :

— La meilleure chose que John Clay ait jamais faite pour la compagnie a été ce livre. Il a prouvé aux Mexicains que nous n'étions pas seulement des gens respectables, mais aussi un peuple de culture qui appréciait le mode de vie mexicain. Clay est notre résident mexicain, et nous l'apprécions à sa juste valeur.

Grâce aux conseils de mon père, les affaires minières prospérèrent si bien dans le centre du Mexique que l'American Petroleum décida de s'intéresser davantage à la Mineral, pour voir s'il n'existait pas un filon inexploité au-dessous de ce qu'on appelait maintenant la Caverne de Caridad, à la cote –400. Les experts du Nevada revinrent avec un nouvel équipement qui leur permit de sonder plus bas encore. Ils ne trouvèrent rien. Néanmoins les autres projets de mon père valurent des gains considérables à la compagnie.

On imagine sans peine le désarroi de mon père quand le radical libéral Lázaro Cárdenas devint président en 1934 et menaça d'expropriation toutes les compagnies pétrolières étrangères. Dans les lettres qu'il m'adressait à l'université — j'étais à l'époque en troisième cycle —, il m'expliquait pourquoi le Mexique plongeait vers une nouvelle révolution. La même année il m'annonça le décès de grand-mère Caridad, « une femme admirable qui a combattu jusqu'à la fin ». Il ajouta qu'elle m'avait laissé un message sibyllin : « Dites à Norman de conserver la photographie. Chaque année elle devient plus précieuse. » A mesure que le nationalisme prenait de l'ampleur au Mexique, et aussi la volonté de mettre un terme à la mainmise des Etats-Unis sur l'exploitation pétrolière, il était évident que l'image de Saturnino Gurza se transformait lentement mais sûrement en celle d'un des grands héros du pays. Les chefs pusillanimes qui s'étaient opposés à lui, tels Carranza, Huerta ou Obregón, devenaient des personnages sans envergure tandis que la stature de Gurza grandissait chaque année. Grand-mère avait eu raison dans sa vision de l'histoire mexicaine, et le père López s'était trompé.

Mais la disparition de grand-mère me posa un problème épineux, car je devenais la seule personne vivante à savoir que le père López avait eu une mort de martyr, et la connaissance de la vérité m'était un fardeau. Dans la période tumultueuse après l'assassinat de Gurza, il était sage de garder ce secret, car le révéler aurait pu mettre en péril notre famille et aussi l'Eglise catholique en général. En effet, on aurait pu croire qu'elle avait encouragé l'attentat. A présent le poids de la vérité reposait sur ma seule conscience, et souvent je contemplais ce cliché remarquable, le dernier pris de Gurza comme l'avait prédit Caridad, et je le voyais se modifier sous mes yeux. Le général Gurza, cet homme qui me tenait sur ses genoux, était devenu un des pères fondateurs du Mexique nouveau. Je décidai qu'en temps opportun je révélerais l'histoire de cette photographie ainsi que celle du pistolet. En attendant, je fis tirer six copies d'excellente qualité que je rangeai dans différents endroits.

En 1938, Cárdenas prononça l'expropriation des puits de pétrole. L'American Petroleum fut expulsée du Mexique, privée de ses énormes profits par une simple signature présidentielle. Peu de temps après mon père, l'auteur d'un livre respecté sur le Mexique, quittait définitivement ce pays. Toujours loyale aux Palafox, ma mère refusa de l'accompagner, mais le temps venu, je suivis l'exemple de mon père, au point même de laisser derrière moi une femme du clan Palafox. Père désirait que ma mère nous rejoigne, mais elle ne voulut pas abandonner la demeure ancestrale. Un autre argument de poids dans sa décision fut sa religion. Lors de son mariage avec mon père, ils avaient conclu un arrangement mutuel selon lequel elle resterait catholique, libre à lui d'embrasser sa religion quand le temps lui paraîtrait venu. Il avait toujours repoussé le moment de sa décision, et ni grand-mère Caridad ni lui ne m'avaient poussé à embrasser le catholicisme de mère ou le protestantisme de père. Quand j'eus onze ans, Caridad me déclara :

— J'ai toujours été une bonne catholique, comme ma famille avant moi, et la seule chose qu'ait jamais fait la religion pour moi a été de m'envoyer au fond de la mine.

Notre départ se passa sans amertume, du moins en ce qui me concerne. Mes parents se respectaient, mais mon père déclara qu'il ne pouvait continuer à vivre dans un pays qui accaparait la propriété privée sans compensation correcte, tandis que ma mère affirmait impensable pour elle de vivre dans un pays comme les Etats-Unis qui avaient volé non pas une propriété, mais tout le nord du Mexique. Quand je lui demandai ce qu'elle entendait par cette formule, elle me répondit :

— Je veux dire ces régions que vous appelez Texas, Nouveau-Mexique, Arizona et Californie. Vous les avez volées, mais un jour nous marcherons sur le nord pour les reprendre.

A cette époque, mon père n'était pas le seul à devoir faire des choix dramatiques. J'avais épousé une Palafox ravissante de la branche espagnole, et elle aussi jugea incompréhensible d'accepter un exil aux Etats-Unis et d'abandonner tout ce qui faisait de Toledo un foyer merveilleux, avec les avantages attachés au nom de Palafox. Elle refusa de m'accompagner. Aussi, quand père et moi quittâmes Toledo pour nous installer en Alabama, nous savions tous qu'une réconciliation était très improbable. A cette époque un homme décidait de l'endroit où sa famille vivrait, et en conséquence je n'envisageais pas un instant de rester à Toledo avec ma mère.

Père avait choisi Montgomery parce que c'était une jolie ville du Sud peuplée de gens dignes de confiance qui pensaient toujours que le Sud aurait dû gagner la « guerre entre les Etats », comme ils l'appelaient, puisqu'ils estimaient que le conflit avait opposé deux entités nationales distinctes, une esclavagiste, l'autre antiesclavagiste.

— Il n'y a pas eu rébellion, jeune homme, me sermonna un lointain cousin à mon arrivée. C'était une guerre entre égaux, mis à part que nous avions toute l'éducation morale et la culture, alors qu'ils avaient les voies de chemin de fer et les usines.

Je fus heureux en Alabama jusqu'au jour où je découvris parmi les raisons de l'installation de mon père à Montgomery le fait qu'il se trouverait tout près du Mexique quand éclaterait la guerre. Il était en effet persuadé que le président Roosevelt franchirait bientôt la frontière pour reconquérir les puits de pétrole, et il voulait participer à l'action. Quand il devint évident que le président préparait effectivement une guerre, non contre le Mexique mais contre l'Allemagne, il confia à ses amis du Club confédéré :

— Mon Dieu ! Il se trompe de guerre !

Une fois de plus, un Clay se sentit trahi par les Nordistes.

A Montgomery, il s'abandonna à de nombreux regrets, non pour la façon dont on le traitait mais parce qu'il jugeait indécent de vivre sur sa pension et les actions de l'American Petroleum alors qu'il les avait trahis de manière aussi manifeste.

— Ils m'avaient engagé pour maintenir de bonnes relations avec le gouvernement mexicain, et je n'ai rien pu faire quand Cárdenas nous a volé toute l'opération et des centaines d'années d'exploitation pétrolière. J'ai échoué sur toute la ligne.

Et quand ses éditeurs new-yorkais lui demandèrent un avant-propos sur le Mexique actuel pour un tirage spécial de *La Pyramide et la cathédrale,* il leur répondit : « Le Mexique actuel peut aller au diable. » Ils réagirent par un courrier urgent : « Ne dites pas cela en public. » Et il ne le dit pas.

Vous avez maintenant l'arbre généalogique de ma famille. Des bâtisseurs indiens en 600, des érudits espagnols en 1498, des patriotes virginiens seulement en 1823, mais vous avez fait la connaissance détaillée de Jubal, mon grand-père invaincu, et de John, mon père philosophe. Quant à moi, je suis né à Toledo en 1909 d'une mère Palafox et d'un père fils d'émigré de la Confédération. J'ai vécu les soubresauts de la Révolution et j'ai émigré de nouveau aux Etats-Unis à temps pour grogner :

— Si Hitler et Tojo veulent détruire notre mode de vie, nous ferions mieux de réagir.

En 1942 j'ai servi dans le Pacifique en qualité d'aviateur, et en 1950 comme correspondant de guerre en Corée.

Quand j'eus le sentiment que je devais abandonner ma femme à Toledo, une décision qu'elle provoqua, et non moi, elle s'arrangea habilement pour faire annuler notre mariage en prenant pour prétexte que je ne voulais plus vivre avec elle, ce qui était exact d'un point de vue technique. J'ai regretté notre séparation, j'en ai souffert, mais je n'y pouvais rien.

A l'instar des descendants de ces soldats confédérés qui se réfugièrent au Mexique en 1866, je n'ai jamais pu décider si j'étais un Mexicain ou un Norteamericano. Je suis né citoyen mexicain et dans ma jeunesse j'ai mené dans ce pays une vie passionnante. Adulte, j'ai gagné la nationalité américaine par ma participation à la Seconde Guerre mondiale. Mais je retourne au Mexique dès que j'en ai l'occasion, car la grand-place de Toledo au clair de lune, entourée d'édifices qu'ont bâtis des membres de ma famille espagnole, ou cette fabuleuse Mineral rajeunie par mon grand-père, ou encore la sombre pyramide commencée en 650 par l'infatigable Ixmiq, voilà des choses qui m'émeuvent plus que tout ce que je pourrais voir ailleurs. Même si je passais par Cold Harbor pour contempler le lieu où grand-père Jubal conçut le plan le plus horrible de son existence, je doute d'être affecté aussi profondément que lors d'une visite de cette place où le général Gurza commit ses crimes avant de m'offrir mon pistolet.

17

A la lueur des torches

Quand un festival s'étale sur trois journées, la deuxième nuit est bien souvent la plus plaisante. Des amitiés se sont nouées. Les visiteurs ont découvert les restaurants agréables. Les spectateurs peuvent déjà comparer six matadors. Il n'y a pas cette atmosphère mélancolique qui s'attache à la dernière soirée. Le jour décline vite après la mort du dernier taureau du samedi et la nuit arrive avec toute sa magie : je ne connais pas de grand-place en Espagne ou au Mexique plus appropriée pour la fête que celle de Toledo.

De proportions harmonieuses, elle est assez vaste pour accueillir des foules importantes, mais pas assez pour perdre son aspect intime. J'ai visité des dizaines de villes de par le monde. Bien des places, celle de Salamanque par exemple, sont plus grandes que celle de Toledo ; certaines, comme à Carthagène, sont entourées d'édifices plus imposants ; d'autres, et je pense à la grand-place de Madrid, ont joué un rôle historique important. Le majestueux Zócalo de Mexico, avec sa cathédrale dédiée à la Vierge de Guadalupe, est certainement la plus grandiose de toutes les places que j'ai vues.

La grand-place de Toledo possède une incomparable marque de supériorité : elle est, avec une précision quasi magique, à l'échelle de l'expérience humaine, des dimensions et des capacités de l'être humain. On peut se tenir auprès de la statue d'Ixmiq, au nord, et garder le contact avec ce qui se déroule au pied de l'effigie de John Clay, mon père, pourtant située au sud ; si vous entrevoyez une jolie fille, vous n'avez qu'à attendre quelques instants, et elle passera devant vous.

Cette place a cependant un inconvénient majeur pour de nombreux habitants de Toledo. La grande avenue qui la borde sur sa partie occidentale et la sépare de la cathédrale a récemment été rebaptisée par des hommes politiques : elle s'appelle désormais Avenida Gral. Gurza, en l'honneur du célèbre bandit qui, dans d'autres parties du Mexique, passe pour un héros, mais que Toledo a toujours rejeté en raison du régime de terreur qu'il a fait planer sur notre cité.

Le mot *Gral.* m'a toujours fasciné et, enfant, il m'a fallu bien des années avant de comprendre que c'était l'abréviation de *General.* Le Mexique adore ses généraux et toute ville digne de ce nom se doit de posséder une Avenida Gral. Ceci ou Cela. Ma grand-mère était une farouche partisane du général Gurza, ou plutôt de ce que cet homme avait tenté de faire, et c'est ainsi que j'en suis venu à accepter le nom de cette avenue.

En cette plaisante soirée, sous les étoiles, une grande scène de bois avait été édifiée sur l'avenue, juste devant le portail de la cathédrale. C'était là qu'Héctor Sepúlveda, le poète manchot si convaincant lors des Jeux floraux de jeudi soir, devait donner un spectacle dont il était l'auteur et qu'il avait intitulé « Ici, sur cette place ». J'avais vu les affiches et je m'étais imaginé que ce serait une sorte de « Son et Lumière », comme celui que j'avais admiré quelques années auparavant sur la place de la Bastille, à Paris : c'était un spectacle total, un harmonieux mélange de théâtre, de chant et d'effets pyrotechniques. Je m'étais dit que les Mexicains ne pouvaient qu'exceller dans ce domaine et j'avais acheté un billet.

Les coutumes hispaniques étant ce qu'elles sont, les producteurs de l'œuvre avaient dû prendre une décision des plus délicates. Fallait-il commencer à huit heures du soir, avant que les gens n'aillent dîner, ou à une heure du matin, quand ils ont justement fini de manger ? Le poète altomèque avait été fort sage en optant pour la seconde solution. Le public risquait d'être très excité à l'issue de la corrida et de ne pas tenir en place pendant la représentation. On s'était donc décidé pour une heure.

Ce délai me fournit l'occasion d'admirer les ombres qui envahissaient la grand-place, et chaque nouvelle nuance de ténèbres faisait naître un orchestre de mariachis. L'un après l'autre, les groupes apparaissaient sur la place ou dans les rues adjacentes, et l'on eût dit un concert d'oiseaux, où chacun entonnait sa propre mélodie.

Bercé par ce fond musical j'éprouvais un plaisir bien réel à observer les événements autour de moi. La veuve Palafox faisait le tour des tables sur la terrasse pour s'assurer que tout était en ordre : c'était vraiment rassurant de constater la permanence du quotidien. Comme pour démontrer l'exactitude de cette pensée, don Eduardo vint répandre des balivernes sur ses taureaux qui allaient combattre le lendemain. « Précieux, don Norman, je puis te le jurer, si les matadors sont à la hauteur de leurs adversaires, naturellement. » Depuis une vingtaine d'années, à chaque Festival Ixmiq, il disait cela de ses taureaux, même s'il savait qu'ils étaient au mieux acceptables. J'allais rire de ce mensonge flagrant quand je me souvins que nombre de taureaux de Palafox jugés tout juste passables par les experts avaient semé la panique dans les arènes. Il n'était jamais bon de se moquer de don Eduardo — ou de ses bêtes.

Il s'assit un instant à ma table et me prit par surprise en me demandant :

— Norman, tu ne regrettes jamais Magdalena ?

Il évoquait l'une de ses nièces, la demoiselle Palafox à qui j'avais été marié cinq ans, et je sentais que je devais dire des choses aimables sur son compte. Je n'eus d'ailleurs pas à me forcer car elle avait été une bonne épouse.

— Quand je suis en Amérique, j'ai parfois le sentiment de ne l'avoir jamais connue. Mais ici, à Toledo, sur cette place où je l'ai courtisée, mon cœur pourrait facilement se briser.

Il soupira, car lui aussi se souvenait de Magdalena, une des meilleures Palafox de sa génération, aujourd'hui en exil à Madrid.

— Sérieusement, Norman, tu devrais songer à aller à Madrid et à la ramener à Toledo. Et pendant que tu y es, pourquoi ne pas revenir au pays, toi aussi ?

Comme je ne savais que répondre, il haussa les épaules, se leva et poursuivit sa tournée.

Les deux Américaines descendirent sur la terrasse pour y dîner, et je les invitai à se joindre à moi. Je vis tout de suite que la jeune Penny ne s'était pas remise du départ de son matador ; elle avait les yeux rouges d'avoir trop pleuré. Heureusement, León Ledesma choisit cet instant pour faire son entrée. Il s'enroula dans sa cape d'un air mélodramatique comme s'il se demandait si nous étions dignes de jouir de sa compagnie. Mrs Evans l'interrompit dans ses réflexions en l'interpellant.

— Señor critique, qu'avez-vous écrit sur la corrida de cet après-midi ?

— Vous voulez vraiment le savoir ? (Il nous rejoignit et, sans nous laisser le temps de répondre — son désir de jouer la vedette était flagrant —, il dit :) De la divine Conchita, j'ai écrit : « Ses adieux à Toledo et à nos cœurs ont été empreints de la grâce dont elle a toujours fait preuve, et nous avons pleuré son départ. »

— Oui, mais qu'avez-vous dit de sa prestation ? insista Mrs Evans.

— Un chroniqueur digne de ce nom ne s'intéresse pas à un rejoneador, de quelque sexe qu'il soit. J'ai montré que je l'aimais, cela suffit, n'est-ce pas ?

— Et de Calesero ?

— Un homme d'honneur. Un distingué citoyen d'Aguascalientes, une des villes que je préfère, et un homme qui peut être très bon à la cape, mais pas trop avec l'épée. Pour les hommes que je tiens en estime, j'ai deux mots de passe : *detalles,* détails, et *pinceladas,* coups de pinceau délicats. Voir Calesero effectuer trois de ses merveilleuses passes devant un vrai taureau vaut mieux que voir un gugusse parader devant un taureau complaisant.

— Et Pepe Luis Vásquez ? J'ai du respect pour ce jeune homme.

— Cela vous honore. Il est l'un de ces honnêtes artisans qui redonnent du crédit à l'art de la tauromachie. On peut compter sur lui. Avec lui, vous êtes certaine qu'il déploiera d'honorables efforts et, quand il tire un bon animal, il obtient les deux oreilles parce que le cœur du public est avec lui. En le respectant, señora Evans, vous êtes devenue une véritable aficionada. Mais selon vous, qu'est-ce que j'ai pu écrire sur ce nouveau venu qu'est don Fermín ?

— Il vous a rétribué ?

— Normalement. Mes mots sonnent mieux en espagnol, ils sont plus poétiques.

Il lut ses commentaires sur Fermín avec une telle verve dramatique que Mrs Evans dut l'arrêter.

— Je vous en prie, mon espagnol n'est pas assez bon. Je ne comprends pas un mot de ce que vous racontez.

— Vu ce que j'écris, cela vaut parfois mieux, dit-il en repliant son papier. En un mot, je disais que ce jeune homme avait un avenir aussi prometteur que celui de Gaona ou d'Armillita au même âge.

Je poussai un petit cri d'étonnement, car c'étaient deux des plus grands matadors du Mexique. Il s'empressa d'ajouter :

— Je n'ai pas écrit qu'il *était* aussi grand, seulement qu'il avait des chances de le devenir.

— Et s'il ne vous offre rien la prochaine fois ? s'enquit Mrs Evans.

— Alors je dirai : « En dépit des riches promesses qu'il nous a laissé entrevoir à Toledo, il se révèle aujourd'hui manquer totalement de classe. »

Mrs Evans se délectait du côté exhibitionniste et sardonique de Ledesma et elle lui demanda s'il se joindrait à nous pour la représentation de ce soir.

— J'exècre les spectacles de patronage, dit-il d'un air méprisant. (Puis il s'inclina aussitôt devant les deux femmes :) Cependant, vous accompagner me serait si agréable que je ne peux que vous escorter.

Là-dessus, il s'en alla.

Au cours du dîner, les ampoules électriques de la grand-place s'éteignirent et des hommes profitèrent de cet instant d'obscurité pour allumer avec des brandons une multitude de torches disposées un peu partout. Une telle nuée de lucioles par une nuit d'été me replongeait dans l'innocence de l'enfance. La place était plongée dans un charme si envoûtant que tout ce qui pourrait survenir pendant la représentation serait caressé par l'aile de la magie.

Il était maintenant près d'une heure du matin et les gens affluaient vers la scène improvisée. Les huit grands piliers de la cathédrale avaient été incorporés au décor, les grandes portes pourraient s'ouvrir et se refermer au rythme de l'action.

La veuve Palafox prévint ses clients qu'ils avaient intérêt à se hâter s'ils ne voulaient pas manquer le début. Ledesma nous rejoignit, offrit son bras droit à Mrs Evans, son bras gauche à Penny, et les entraîna vers la grand-place. Don Eduardo et moi fermions la marche. Nous arrivâmes devant la cathédrale juste à temps pour nous installer aux places qui nous étaient réservées ; don Eduardo, Ledesma et Penny au premier rang, Mrs Evans et moi au deuxième, un peu de côté, tout à ma satisfaction, car cela me permettait de parler un peu de Penny avant le début du spectacle, Penny pour qui j'éprouvais un intérêt croissant.

— Je crois que c'est une fille hors du commun, dis-je. Même si elle a encore des aspects un peu rugueux...

— C'est l'air de Tulsa. En grandissant, cela peut donner des femmes très fortes.

— Vous croyez qu'elle en a la possibilité ?

— La façon dont elle s'est récemment conduite avec son père me le laisse à penser, dit-elle après un instant de réflexion. Elle est plus mûre que je ne l'ai jamais été. (Elle me raconta ce qui s'était passé entre le père et la fille.) Un jour, Ed est entré à la maison alors que Penny était encore en classe. Il cherchait un outil et pensa qu'elle l'avait peut-être emporté dans sa chambre. Il ne l'y trouva pas, mais il vit au mur un de ces grands posters en couleur qui font la joie des adolescents : une nymphette rousse d'une quinzaine d'années, à peine vêtue, avec le texte suivant : « Les blondes ont plus de plaisir, mais les rousses en ont plus souvent. » Il n'a pas touché à l'affiche, mais quand Penny est rentrée, il lui a demandé : « Est-ce que ça veut dire ce que je pense ? » et elle lui a répliqué : « Sûrement si tu as l'esprit mal placé. » Il n'a rien dit, mais le lendemain, lorsqu'elle est rentrée de classe, l'affiche n'était plus là. Elle était furieuse. « Je croyais qu'on s'était mis d'accord pour que tu ne rentres pas dans ma chambre », dit-elle, ce à quoi il répondit tranquillement : « Ce n'est pas le genre de chose qu'on regarde avant de se coucher. » Elle eut la présence d'esprit de se soumettre, et l'incident fut clos. Quelques jours plus tard, elle lui dit :

» — Les Haggard et Mrs Evans vont au Mexique le mois prochain, et j'irai avec eux.

» — Pas sans ma permission.

» — Si, papa. Et ne fais pas d'histoire.

» — Et pourquoi, au Mexique ?

» — Dans le journal de dimanche dernier, ils disaient que le Festival Ixmiq organisé par la ville de Toledo allait être un des clous de la saison.

» — Qu'est-ce que tu as à faire d'un festival mexicain ? D'abord, c'est un pays arriéré.

» — Il y aura des corridas et je veux rencontrer un matador.

» Le pauvre Ed a littéralement explosé et m'a demandé aussitôt de venir puisque je suis un peu la tutrice de Penny.

» — Elsie, qu'est-ce qu'elle a, cette môme ? Elle veut aller avec toi au Mexique pour connaître un matador.

» Je lui ai répondu :

» — Quand j'avais son âge, je mourais d'envie de rencontrer John Barrymore. Et puis, un enfant n'a pas l'obligation de faire le bonheur de ses parents.

» — Voilà autre chose ! Et c'est quoi, son obligation, à Penny ?

» — Devenir une femme qui ait de la maturité et du caractère. Etre elle-même.

» Cela me fut pénible, mais j'avouai à Ed que je croyais que mon fils aurait été plus heureux s'il avait eu plus de personnalité.

» — Ed, si tu veux vraiment la garder, laisse-la partir, lui ai-je dit. A moins que tu ne veuilles faire d'elle une de ces riches héritières qui font la bringue à Paris ou à New York.

— Comment l'a-t-il pris ? demandai-je.

— Il m'a embrassée et m'a dit : « Eh bien, en route pour le Mexique... si je peux le supporter. » Visiblement, il n'a pas pu, comme vous le constatez, ajouta-t-elle en riant. C'est comme ça que nous voyons à côté du señor Ledesma une jeune fille dont le caractère s'affirme de jour en jour. Le Mexique lui a été bénéfique, à moi aussi d'ailleurs. J'en avais autant besoin qu'elle.

Sur ce, les mariachis lancèrent une sonnerie de trompettes. Puis le poète manchot, vêtu simplement comme un péon, sortit de la cathédrale et descendit les marches avant de se placer au centre de la scène, où il déclama :

Voici la Maison de Dieu
Edifiée par les évêques Palafox.
C'est là que les lois de Dieu
Ont été promulguées.
C'est là que nous prions depuis quatre cents ans,
C'est là que nous avons été baptisés.
Là, nous nous sommes mariés
Et nous avons payé la dîme.
C'était un lieu saint.

Soudain, de l'intérieur de la cathédrale, surgirent trois groupes de trois hommes vêtus de tuniques noires, qui chantaient d'une voix gémissante, l'un après l'autre :

LES PRÊTRES : Nous sommes les trois de Toledo.

Des premiers rangs du public s'élevèrent les voix graves de deux douzaines d'hommes et de femmes en costumes de péon. Ils symbolisaient le peuple, celui de Toledo, celui de tout le Mexique. Leurs voix mêlées avaient beaucoup d'autorité.

TOUS LES PRÊTRES : Nous sommes trois prêtres de Toledo.

LE PEUPLE : Puisse leur âme reposer en paix.

PREMIER PRÊTRE : Nous avons servi Dieu et le peuple du Mexique, comme on nous l'avait demandé.

LE PEUPLE : Puisse leur âme reposer en paix.

DEUXIÈME PRÊTRE : Nous avons apporté la pitié au peuple, nous lui avons apporté la justice.

LE PEUPLE : Ces trois justes nous ont instruits, ils nous ont baptisés. Et à l'heure de notre mort, ils nous ont placés dans les bras du Seigneur.

TROISIÈME PRÊTRE : Nous sommes les trois prêtres qui furent assassinés devant ces murs.

Chaque groupe gagna une partie de la façade, là où avaient eu lieu les exécutions de 1914, et les mariachis jouèrent une complainte.

LE PEUPLE : Puisse leur âme reposer en paix, puissent ces justes trouver le repos éternel.

Les prêtres demeurèrent devant le mur et la musique se fit plus martiale : c'étaient les chants de marche que j'avais entonnés avec ma grand-mère pendant la Révolution, « Adelita » et « Jesusita en Chihuahua », tandis qu'un important groupe de soldats dépenaillés venait de derrière la cathédrale.

LES SOLDATS : Nous sommes les braves soldats qui ont sauvé la ville de Toledo.

LE PEUPLE : Qu'ils reçoivent des décorations.

LES SOLDATS : Pendant onze années, nous nous sommes battus pour sauver le Mexique, nos femmes ne nous ont pas connus et nos fils ne nous sont pas nés.

LE PEUPLE : Dans les champs désolés, ils se sont battus, aux abords de la ville, ils ont résisté, et ils sont morts en obéissant aux ordres.

LES SOLDATS : Mais nous sommes aussi ceux qui ont brûlé Toledo, qui ont détruit la cathédrale qui nous accueille ce soir.

LE PEUPLE : Puisse leur âme reposer en paix, cette paix qu'ils n'ont jamais connue.

LES SOLDATS : Nous sommes ceux du peloton qui a exécuté les prêtres devant ces murs, comme on nous l'avait demandé.

LE PEUPLE : Dieu plein de bonté, pardonne-leur.

Huit soldats s'avancèrent, brandirent leurs fusils et formèrent le peloton qui allait massacrer les prêtres. Un officier les rangea à son commandement, leva son sabre et l'abaissa... en silence. Il n'y eut pas de détonation, mais les prêtres s'écroulèrent. Je crois que chacun fut heureux de ne pas avoir à subir le bruit de la fusillade.

LE PEUPLE : C'était un acte qu'ils n'auraient jamais dû commettre.

Le poète se lança alors dans un texte fort long qui contait l'autre aspect de l'histoire des prêtres, comment ils avaient parcouru la campagne à la recherche des villages indiens, amenant ainsi les indigènes à Dieu et aux mines où ils seraient esclaves. Un groupe d'Indiennes se mit à danser et à chanter sa propre version de la conquête :

LES FEMMES : Nous avons dansé pour le dieu de la pluie, nous avons chanté pour les divinités de la nature.

LES PRÊTRES : Et nous sommes venus pour vous sauver.

LES FEMMES : Avant nous ne travaillions jamais dans les mines.

LES PRÊTRES : Nous voulons faire de vous de bonnes citoyennes.

LES FEMMES : Nous ne quittions pas nos enfants.

LES PRÊTRES : On a besoin de vous dans les mines. La vie est ainsi.

LES FEMMES : Nous nous affaiblissons. Nous nous épuisons dans les grossesses.

LES PRÊTRES : On a besoin de vous dans les champs de coton... dans les mines.

LES FEMMES : Dans les mines, nous périssons. Permettez-nous d'être libres.

LES PRÊTRES : Silence. Saint Paul a dit qu'en de telles affaires la femme doit rester silencieuse. Nous vous conseillerons. Votre vie est dans les mines.

Huit soldats se détachèrent des autres et formèrent le peloton. Tous chantèrent, sur un rythme extrêmement lent :

LES SOLDATS : Ce sont ceux du peloton, pas nous, ce sont eux qui ont arraché les sept religieuses à leur couvent.

LES RELIGIEUSES : Nous sommes les sept de Toledo, les sept qui ont servi le peuple, qui se sont occupées des enfants abandonnés, qui ont servi le peuple de maintes façons.

LES SOLDATS : Ce sont ceux-là qui ont retrouvé les religieuses qui se cachaient, pas nous.

LES RELIGIEUSES : Quand nous avons vu les armes pointées vers nous, nous savions que la fin était proche, mais personne n'a crié ou tenté de s'enfuir. Nous étions dans les mains de Jésus.

LES SOLDATS : Ce sont ceux-là qui ont fait cette chose terrible, pas nous. Nous n'en avons pas donné l'ordre.

A cet instant, les huit soldats du peloton firent face aux sept religieuses, et un officier à l'uniforme éclatant brandit son sabre. Quand il l'abaissa, les hommes tirèrent et une formidable explosion nous ébranla tous. Les religieuses s'effondrèrent.

LE PEUPLE : Seigneur, pardonne à ces soldats. Ils n'ont pas donné l'ordre fatal. Seigneur, accueille en ton sein ces sept religieuses. Elles étaient les petites fiancées de Jésus.

Les mariachis entonnèrent un chant révolutionnaire d'un tel réalisme que l'on imaginait parfaitement les pillages, les viols et les incendies. Puis ils attaquèrent un air plus serein. Des hommes entrèrent sur scène, groupés autour de quelqu'un qui ressemblait de façon frappante au général Gurza.

LE GÉNÉRAL GURZA : Je suis l'homme... pas le général... pas le révolutionnaire. Je suis l'homme qui devait prendre des décisions.

LE PEUPLE : Puisse son âme reposer en paix. C'était un enfant du Mexique.

LE GÉNÉRAL GURZA : Je devais incendier Toledo. L'ennemi était sur mes talons. Je devais le priver de cette ville.

LE PEUPLE : Dieu lui pardonnera. C'était un acte de guerre.

LE GÉNÉRAL GURZA : Je suis celui qui a donné l'ordre d'exécuter les trois prêtres. Mort à leurs évêques corrompus... ils conspiraient contre nous... contre la Révolution.

LE PEUPLE : Puisse son âme reposer en paix. C'était un patriote.

LE GÉNÉRAL GURZA : Ce n'est pas moi qui ai ordonné qu'on exécute les religieuses. C'est celui qui porte ce bel uniforme, oui, c'est lui qui l'a voulu.

Quand l'officier salua, il y eut des huées dans le public ; les sept religieuses revinrent à la vie, le peloton se prépara une nouvelle fois à les exécuter, mais le général Gurza s'interposa et leur fit baisser les armes sous les acclamations des spectateurs.

LE GÉNÉRAL GURZA : Dans ma colère, j'ai parcouru en tous sens le Mexique. Et pour mon honneur, j'en ai refusé la présidence, car je n'étais qu'un simple soldat.

LE PEUPLE : C'était un patriote, puisse son âme reposer en paix.

Le poète, convaincu que des cyniques ricaneraient en entendant le général se justifier, lui avait écrit une réplique qui lui permettait de fustiger les spectateurs des premiers rangs :

LE GÉNÉRAL GURZA : Ne vous moquez pas de moi. Vous qui souriez, savez-vous où vous êtes ? Regardez ce panneau. Qu'y est-il écrit ? Je ne sais pas lire, mais je connais ce panneau. Avenida Gral. Gurza. C'est dans mon avenue, sur ma terre, que vous êtes en ce moment. Le peuple de Toledo savait ce qu'il faisait quand il a donné mon nom à cette avenue.

LE PEUPLE : Il a raison. Il est pardonné. Puisse son âme reposer en paix.

LE GÉNÉRAL GURZA : Je ne cherchais pas la paix, je cherchais la guerre qui nous libérerait.

LE PEUPLE : Accordez-lui la paix. Il nous a sauvés.

La séquence suivante m'étonna et me réjouit à la fois. Pendant l'après-midi, un technicien avait dû grimper à l'échelle pour dissimuler un haut-parleur près de la tête de la statue de mon père et lorsqu'un acteur invisible prit la parole, ce fut comme si les mots sortaient tout droit de la bouche de mon père. C'était merveilleux.

JOHN CLAY : J'ai observé et j'ai écrit.

LE PEUPLE : Il a dit la vérité. C'était un Norteamericano, mais il a dit la vérité.

JOHN CLAY : Nul n'est jamais venu en vain me trouver. Ma maison était un refuge.

LE PEUPLE : Il a accordé refuge au père López. Puisse l'âme de ces deux hommes reposer en paix.

JOHN CLAY : J'ai observé et j'ai écrit, j'ai dit : « Jamais le Mexique ne connaîtra la paix. »

LE PEUPLE : Et il a dit : « Jamais l'Indien ne sera éduqué. »

LES PRÊTRES : Et il a dit : « L'Eglise quémande et vole, elle trompe et menace. »

LE PEUPLE : Puisse Dieu avoir pitié de son âme.

LES SOLDATS : Et il a dit : « L'armée massacre et viole, elle vole et incendie. »

LE PEUPLE : Et il a dit : « Ô Mexique, je suis le fils du cactus et du maguey ! »

Le faisceau lumineux braqué sur la statue diminua d'intensité, un personnage impressionnant, portant un costume chamarré et bardé de médailles, s'avança lentement au centre de la scène. Il parla d'une voix calme :

MAXIMILIEN : Moi aussi, j'étais un étranger, et j'ai aimé le Mexique.

LE PEUPLE : Il a cherché à régner dans la sagesse.

MAXIMILIEN : Quand les Français m'ont abandonné et conseillé de m'enfuir, j'ai réfléchi trois jours durant.

LE PEUPLE : Il a choisi de se battre seul, pour le Mexique tout entier. De son plein gré, il a marché vers la tombe.

MAXIMILIEN : Je n'ai pas faibli. J'avais pris ma décision et je n'ai pas faibli.

Les huit hommes du peloton d'exécution se rangèrent devant Maximilien. L'officier leva son sabre, puis l'abaissa. Une terrible détonation retentit et Maximilien s'écroula à terre.

TOUS : Puisse Dieu lui accorder la paix de l'âme. Puisse-t-il trouver la paix.

LE PEUPLE : Puisse son âme trouver la paix, car c'était un homme de dignité.

LES SOLDATS : On nous a souvent ordonné de former le peloton d'exécution. Dans tout le Mexique, nous avons œuvré pour la paix.

UN SOLDAT : Mais nous n'avons jamais choisi nos victimes. Nous ne donnions jamais d'ordres. Mais lui en donnait.

UN OFFICIER : J'ai fait ce que l'on me demandait. Notre mission était d'apporter la paix au Mexique.

LE PEUPLE : Puisse-t-il lui aussi trouver la paix. Il n'a fait que ce qu'on lui demandait.

De l'autre côté de la grand-place, un autre haut-parleur avait été installé, près de la tête de la statue d'Ixmiq, cette fois-ci. Grâce à l'éloignement et au registre profond de l'acteur, il semblait que la voix sourdait de la nuit des temps. Ce n'était pas la voix de l'Ixmiq qui avait édifié cette ville au VIe siècle. Non, c'était celle d'Ixmiq, l'Indien massacré par les Espagnols :

IXMIQ : Je suis Ixmiq, l'Indien, celui qu'on a crucifié.

LES PRÊTRES : Puisse Dieu guérir ses blessures. Puisse la Vierge le consoler.

IXMIQ : A l'heure de mon agonie, il n'y avait pas de prêtres pour me consoler, car c'étaient eux qui m'avaient condamné.

UN PRÊTRE : Puisse cette âme qui souffre trouver la paix.

IXMIQ : Quand le sang de mes jambes a coulé dans mes yeux, nul soldat ne s'est battu pour moi.

LE PEUPLE : Comment le sang de ses jambes a-t-il pu lui couler dans les yeux ?

IXMIQ : Les Espagnols m'ont crucifié la tête en bas. Ma tête me pesait et mon sang m'étouffait.

LES SOLDATS : Repose en paix, Ixmiq, repose en paix.

LE PEUPLE : Pourquoi t'ont-ils fait cela ?

IXMIQ : Les prêtres ont dit que lorsque Jésus a été crucifié, il s'est relevé et est monté au ciel. Quand j'ai été crucifié, je suis mort, tout simplement. Je n'étais pas un dieu. « Regardez, criaient-ils, ce n'est pas un dieu ! »

LE PEUPLE : Comment le savaient-ils ?

IXMIQ : Ils m'ont laissé suspendu à ce poteau pendant sept mois... je me suis desséché... mes pieds se sont changés en poussière... le peuple voyait bien que je n'étais pas un dieu.

LES SOLDATS : Trouve le repos, Ixmiq.

IXMIQ : Gardez vos paroles de réconfort, je ne m'afflige pas, car de mes cendres est né un peuple mélodieux.

Les mariachis jouèrent alors une des musiques les plus célestes qu'il me fut jamais donné d'entendre ; deux trompettes sonnaient à l'unisson.

TOUS : Celui qui a été crucifié a trouvé la paix.

IXMIQ : Sur la grand-place de Toledo, mon âme erre toutes les nuits.

TOUS : Celui dont le corps a fini par brûler a trouvé la consolation. Où le cactus et le maguey se rencontrent, mes rêves et mes espoirs s'entremêlent.

Cette phrase déclencha un véritable pandémonium. A l'autre bout de la place, mon père protesta d'une voix perçante :

CLAY : J'ai écrit ces mots, tu me les as volés.

Ce à quoi, sur la partie nord de la grand-place, Ixmiq répliqua de sa voix profonde qui semblait jaillir des entrailles de la pyramide :

IXMIQ : Qui es-tu pour parler de vol, toi qui es à moitié espagnol et à moitié norteamericano ? Les deux parties de toi-même n'ont-elles pas envahi ma terre et volé tout ce que tu as vu ? Ta moitié espagnole m'a volé mon argent et ta moitié américaine m'a pris mes terres du nord. La honte soit sur toi !

CLAY : Ces deux moitiés t'ont aussi apporté la civilisation, une religion plus douce et des villes régies par un bon gouvernement.

IXMIQ : Tu as aussi apporté les bûchers qui m'ont consumé, la guerre qui a ravagé mes terres, l'esclavage dans les mines.

CLAY : Et nous t'avons apporté la paix.

LE PEUPLE : Puissent ces âmes emplies de dignité trouver la paix. Puisse leur controverse trouver un terme, car nous sommes tous coupables des choses dont nous devrions avoir honte.

Les deux voix désincarnées ne pouvaient plus s'arrêter et la nuit retentissait de leurs accusations. L'Indien Ixmiq récusait tout ce qu'avaient accompli mes ancêtres Clay et Palafox, et mon père se défendait d'une voix de plus en plus grave. C'était une étrange dispute que celle de ces deux hommes qui avaient tous deux aimé cette ville et ses habitants. Quand les mariachis plaquèrent des accords dissonants, les deux voix se lancèrent des mots qui n'avaient plus de sens. Puis, brusquement, ce fut le silence, que ne vint rompre qu'une voix féminine :

UNE FEMME : Seigneur Dieu, apporte la paix et la tranquillité à ces âmes tourmentées ainsi qu'à nous tous, car la vérité ne sera jamais révélée.

CLAY : Dans mon ignorance, j'ai écrit : « Jamais le Mexique ne connaîtra la paix. » Pardonnez-moi.

IXMIQ : Dans ma vanité, j'ai cru que nous pourrions contenir les Espagnols et les Norteamericanos. Pardonnez-moi.

LE PEUPLE : Que les lumières qui nous éclairent cette nuit dissipent l'ignorance. Trouvons la réconciliation et la paix.

UN PRÊTRE : Et puisse l'âme d'Ixmiq, qui a été crucifié, reposer sur le sein de Dieu, tout près de Jésus, qui fut aussi crucifié.

Le drame des temps passés fut interrompu par une scène qui tira des larmes à de nombreux spectateurs, moi y compris, car j'entendais parler grand-mère Caridad. Une sorte de grande caisse apparut de derrière les piliers ; elle abritait quatre Indiennes de petite taille.

LES FEMMES : Voici notre grotte. Nous sommes les femmes qui y ont vécu, année après année, sans jamais voir le soleil.

PREMIÈRE FEMME : On m'a prise dans ma maison dans les collines. « Travaille pour la gloire de Dieu », m'a dit le prêtre, et j'ai été emmenée.

DEUXIÈME FEMME : Je suis née dans cette caverne, je n'ai pas vu le soleil avant l'âge de quatre ans.

TROISIÈME FEMME : J'ai vécu avec les ânes. Eux aussi sont morts dans l'obscurité.

QUATRIÈME FEMME : Je suis tombée du haut des marches. En tombant, j'ai vu mes amies qui travaillaient dans les grottes.

TOUTES LES FEMMES : C'est nous qui avons arraché l'argent à la terre pour la gloire de Dieu et du roi d'Espagne.

LE PEUPLE : Puissent-elles trouver le repos après ces années de labeur.

TOUTES LES FEMMES : Les belles statues d'argent de la cathédrale, les objets d'argent, c'est nous qui les avons faits, pas les hommes qui les ont polis.

Une procession d'hommes déboucha de la cathédrale. Ils tenaient fièrement des objets sacrés et des statues d'argent.

LE PEUPLE : Voyez les trésors de notre église !

TOUTES LES FEMMES : Nous les avons portés sur notre tête, nos jambes pliaient sous ce fardeau.

LE PEUPLE : Puissent ces pauvres femmes trouver le repos. Puissent-elles trouver la lumière.

L'évocation ne s'acheva pas sur cette note sinistre. La musique triste que les mariachis jouaient pour les femmes céda la place à l'un des airs les plus riches et les plus endiablés de tout le Mexique. C'est alors que, des profondeurs de la cathédrale, surgirent cinq hommes de belle stature, vêtus comme des princes de l'Eglise.

LES ÉVÊQUES : Nous sommes les évêques Palafox. Nous avons donné ordre et beauté à cette place.

PREMIER ÉVÊQUE : J'ai bâti une église où se dresse aujourd'hui cet édifice grandiose.

LE PEUPLE : Dieu le récompensera pour son geste.

DEUXIÈME ÉVÊQUE : J'ai bâti le Palais du Gouvernement, pour qu'il y règne ordre et justice.

LE PEUPLE : Le monde le louera pour tant de sagesse.

TROISIÈME ÉVÊQUE : J'ai bâti ce théâtre qui était alors un couvent. Maximilien l'a transformé.

LE PEUPLE : Ceux qui aiment la danse et les joutes oratoires t'en sont reconnaissants.

QUATRIÈME ÉVÊQUE : J'ai bâti la Maison de Céramique pour que nous jouissions de la bonne chère en bonne compagnie.

LE PEUPLE : Tous ceux qui aiment la vie l'en remercieront.

CINQUIÈME ÉVÊQUE : J'ai bâti ce bel aqueduc pour assurer la survie de la ville.

LE PEUPLE : Tout peuple digne de ce nom le louera pour cette grande action.

Les évêques répondirent de la manière la plus inhabituelle à ces louanges populaires. Avec toute la dignité dont doivent faire montre des princes de l'Eglise, ils évoluèrent lentement pour exécuter une sorte de ballet, sans que leur torse ondule ou que leurs bras s'agitent. Ils se croisaient et se recroisaient, s'inclinaient comme des arbres sous la brise. C'était une danse étrange, d'une force extraordinaire, qui témoignait de toute la grandeur de l'Eglise et de la contribution exceptionnelle de ces hommes qu'étaient les Palafox. La pavane semblait prendre fin quand un coup de théâtre arracha des acclamations à la foule : de l'ombre sortirent cinq Indiennes, et chacune rejoignit son évêque, qu'elle ne quitta plus jusqu'à la fin de la représentation.

LES ÉVÊQUES : Nous n'étions pas des sots, il nous fallait des femmes pour perpétuer notre race.

LES FEMMES : Les évêques nous ont converties, ils nous ont baptisées et nous ont éduquées, ils nous ont regardées grandir et nous ont épousées.

LE PEUPLE : Loué soit le bon sens de l'homme. Puissiez-vous tous trouver la paix et la confirmation.

LES FEMMES : Avec ces bons évêques que nous avons aimés, nous avons eu de nombreux enfants, qui eux aussi ont contribué à bâtir cette place.

LE PEUPLE : Dieu bénisse le bon sens qui règne à Toledo.

Les cinq couples — hommes élancés et petites femmes — se lancèrent dans un ballet assez simple dans un premier temps, puis de plus en plus compliqué jusqu'à ce qu'ils aient donné un aperçu de toutes les danses populaires du Mexique. Pour les accompagner, les mariachis jouaient le plus fort possible et les arpèges incessants des deux trompettistes résonnaient aux quatre coins de la place. Chacun pouvait comprendre que les évêques aimaient sincèrement leurs épouses indiennes et que les fruits de leur union avaient été excellents. Quand la danse eut atteint son apogée, la musique cessa brutalement et, dans le silence retrouvé, tous les acteurs s'écrièrent : « Dieu bénisse Toledo ! » Je trouvais cette conclusion très forte, sans pathos inutile, mais je me trompais : ce n'était pas fini. Les mariachis plaquèrent trois accords et une douce lumière dorée vint inonder la scène tandis qu'un chœur entonnait un hymne religieux. Une voix solennelle annonça : « Apothéose de Paquito de Monterrey ! » et de l'intérieur de la cathédrale apparut un beau jeune homme en costume de matador, lui-même suivi d'une équipe de trois péons en costume et d'un impressionnant picador chevauchant un cheval blanc.

Le chœur entama le « Chant funèbre pour Paquito », nouvellement composé, et évoqua irrémédiablement le taureau cruel et injuste ainsi que la sainte mère qui se désespérait à Monterrey. Ce dernier détail suscita quelques rires de dérision, car chacun savait que la mère du héros avait jadis tenu un réseau de call-girls dans une ville du nord du pays. Mais les traditions tauromachiques se devaient d'être respectées. On ne fit pas entrer sur scène un vrai taureau, mais un homme coiffé de redoutables cornes noires tua le matador avec des gestes d'un très grand réalisme. Le chœur chantait et les trompettistes lançaient des appels désespérés qui auraient ouvert les portes même du ciel ; et, effectivement, les grandes portes de la cathédrale s'ouvrirent et six hommes vêtus de blanc vinrent chercher le corps du matador.

Quand la foule se dispersa, je cherchai le poète, Sepúlveda, pour le féliciter, mais ce fut lui qui me trouva le premier.

— Vous savez, je n'ai pas écrit le finale, on me l'a imposé.

Don Eduardo se mêla à nous.

— Tu n'as pas trouvé la fin magnifique ? C'est moi qui l'ai imaginée.

— C'était très émouvant, dis-je, désireux de rester poli.

— N'oublie pas ! s'exclama-t-il en me donnant l'accolade. Demain, après le tirage au sort, tout le monde a rendez-vous chez moi. Et vous aussi ! (Cette invitation s'adressait au poète manchot.) Quant à toi, me dit-il, débrouille-toi pour faire venir cette rouquine de l'Oklahoma, ça lui plaira, et moi, ça me plaira de la voir !

Il nous quitta pour aller convier d'autres personnes à ce qui était tous les ans l'un des moments forts du festival, et je me tournai vers Sepúlveda.

— Votre texte était d'une grande justesse. Je suppose que vous vous rendez compte que vous étiez le vrai vainqueur des Jeux floraux.

— Oui, dit-il en souriant. Et savez-vous pourquoi je n'ai pas protesté ?

— Non, pourquoi ?

— Parce que je savais ce que vous autres, les juges, ignoriez. Que cette représentation aurait lieu ce soir. Que choisiriez-vous, une récompense futile ou la passion qui a animé ce soir le peuple de Toledo ?

Il désigna de la main des gens agenouillés devant la cathédrale pour voir l'impact des balles des hommes du général Gurza. J'eus la surprise de découvrir parmi eux León Ledesma ainsi que Mrs Evans et Penny. Je les rejoignis.

— Votre père s'est taillé la part belle, me dit Ledesma. Ce fut magistral.

Mrs Evans ne partageait pas cet avis.

— La danse des évêques, seuls ou avec leurs femmes, quelle imagination, mais quelle synthèse de tout le reste.

— Le balancement de ces dix corps, renchérit Penny qui avait oublié son chagrin, ça m'a donné envie de danser avec eux. Je suis vraiment heureuse que vous m'ayez invitée.

Je voulais voir la grand-place plongée dans la nuit, une fois les torches éteintes, et je m'attardai un peu tandis que Ledesma raccompagnait les femmes de l'Oklahoma à la Maison de Céramique. Lucha González chantait dans le café situé juste à côté et des serveurs apportaient des consommations sur la terrasse. J'avais l'impression que, dans un festival de ce type, il est donné à chacun de rencontrer le compagnon qui lui convient, une image ou une idée chargée de signification. Cela ne m'était pas encore arrivé, mais tous les autres étaient déjà bénis des dieux, et j'étais sûr que mon tour viendrait.

Il était à présent deux heures et demie du matin. Le poète s'était révélé un maître avec ce poème narratif qui s'adressait à la sensibilité de la population et j'espérais que le texte intégral de son évocation serait un jour publié. Je m'occupais des droits littéraires de l'œuvre de mon père et je l'autoriserais à citer de larges extraits de *La Pyramide et la cathédrale.* Cela me fit d'ailleurs penser que les droits étaient valables pendant une période de vingt-huit années suivie d'une période équivalente ; ensuite, le texte pourrait être publié sans qu'il y eût besoin de la permission de qui que ce soit. Le texte original datait de 1920 et il tomberait dans le domaine public en 1976 ; je n'en avais plus le contrôle que pour quinze ans.

J'étais enchanté que le poète eût fait usage de la statue de mon père et de ses paroles, car cela me liait un peu plus à cette place splendide. Devant cette petite boutique, je m'étais assis sur les genoux du général Gurza et j'avais accepté son arme. Sur cette terrasse, mon grand-père avait rencontré don Alipio, avec toutes les conséquences que cela devait avoir pour nous. Là, enfin, j'avais admiré la statue de mon père le jour où elle avait été dévoilée.

Bien sûr, il y avait eu des moments plus pénibles. Ma famille avait été contrainte d'assister à l'exécution des prêtres ; nous avions trouvé le père López très affaibli après plusieurs jours passés sans manger ; et dans l'arène voisine, j'avais vu Paquito de Monterrey « tué par Bonito, ce taureau déloyal et déshonorant ». Sur ce banc, mon épouse, jeune, élégante et belle représentante des Palafox, m'avait dit qu'elle refusait de me suivre aux Etats-Unis, de même que ma mère, une Palafox elle aussi, avait refusé d'accompagner mon père en Amérique du Nord.

Alors que je déambulais sur la grand-place et que j'entendais les divers groupes de mariachis jouer dans les rues adjacentes dans l'espoir de trouver des touristes nostalgiques qui offriraient six ou sept dollars pour une sérénade, je m'exclamai :

— Je voudrais que cette nuit ne finisse jamais !

Un des mariachis dut m'entendre, car des musiciens sortirent de l'ombre. Leur chef, coiffé d'un large sombrero, me demanda en mauvais anglais :

— Vous vouloir musique pour bonne nuit ?

— Combien de chansons interpréterez-vous pour dix dollars américains ? lui dis-je en espagnol.

— Pour dix yanqui dollars, nous jouer jusqu'au chant du coq, mais vous nous dire quelles chansons vous vouloir.

Ce que je fis. Chaque fois que je donnais un titre, les hommes s'écriaient : « Il s'y connaît, celui-là ! » J'eus droit à une sérénade magistrale, dont les morceaux étaient exécutés avec tant de talent et de passion que de nombreux badauds se joignirent à nous alors que nous marchions lentement vers la Maison de Céramique. Tout y passa : « La Adelita », « Valentin de la Sierra », « La Cucaracha » avec ses allusions à la marijuana, « El Corrido of General Gurza » avec ses insultes au président Wilson, « Guadalajara » et deux de mes airs préférés, « Las Golondrinas » et « La Paloma », si déchirante. Ces chansons, souvenirs incomparables des années que j'avais passées au Mexique, je les emportais partout avec moi, au plus profond de mon cœur.

Près de la statue d'Ixmiq qui, une heure plus tôt, s'était mise à parler, les mariachis, heureux de me voir apprécier leurs chansons, mais aussi de récolter quelques dollars supplémentaires auprès des touristes qui traînaient par là, me firent une proposition :

— Maintenant, señor aficionado, vous allez danser pour nous.

Ils se lancèrent dans « Jarabe Tapatío », qui s'exécute autour d'un sombrero imaginaire posé sur le sol. Comme je me montrais assez gauche, le violoniste cala son instrument sous son bras et se joignit à moi. Nous tournoyâmes comme des fous, acclamés par les curieux, et il me semblait que les édifices de la grand-place dansaient également avec nous.

Après un vif crescendo, la musique cessa. L'homme au violon me rattrapa et l'on me laissa seul au pied de la statue d'Ixmiq, qui paraissait sourire de satisfaction devant un comportement aussi inattendu de la part de son descendant, le Norteamericano Norman Clay. Une idée me traversa l'esprit : si quelqu'un pouvait écrire l'histoire de cette place, de ses tragédies et de ses triomphes, il résumerait toute l'histoire du Mexique, celle que j'avais vécue tout au moins. Ixmiq hocha la tête d'un air approbateur, me sembla-t-il.

Les ampoules électriques choisirent cet instant magique pour se rallumer. Les torches s'éteignirent, et je compris qu'il n'y avait rien de tel que la réalité pour venir à bout des rêves.

18

Le *sorteo*

Il était environ dix heures du matin quand je ramenai Mrs Evans de la Mineral où le souvenir de mes ancêtres anglo-saxons imprégnait le fond du puits dont ils avaient tiré de si grandes quantités de minerai. Je m'apprêtais à la déposer à la Maison de Céramique pour qu'elle se repose un peu quand elle me lança :

— Qu'est-ce que vous comptez faire maintenant ?

— Eh bien, lui répondis-je, mon père et moi avons toujours aimé regarder les taureaux le dimanche matin avant que...

— Vous allez aux arènes ?

— En effet, fis-je sans enthousiasme.

Je me doutais de ce qu'elle allait me demander et j'étais certain que l'acte étrange auquel je voulais me livrer l'ennuierait au plus haut point parce qu'il lui serait totalement incompréhensible.

— Cela vous gênerait si je vous accompagnais ?

— Pas du tout, dis-je, car vous saurez raconter la chose dans les écoles de Tulsa. Vous posez de bonnes questions.

— Dites-moi la vérité, vous ne voulez pas vraiment de moi...

— Venez si vous voulez, mais je suis certain que cela vous ennuiera.

— Pourquoi ? Vous ne voyez pas que je suis devenue une enragée de corridas ?

— Allons ! dis-je en riant.

— Qu'allez-vous faire au juste ? demanda-t-elle en recouvrant son sérieux.

— Me rendre au corral et, comme une cinquantaine d'autres idiots, observer les taureaux pendant deux heures. C'est tout.

— Les observer ? Dans quel but ?

— Avant ce soir, ces six taureaux seront morts. Je veux découvrir dans leur comportement le détail qui me renseignera sur leur façon de mourir.

— Vous voulez parler de leur bravoure ?

— Entre autres choses.

— C'est-à-dire ? insista Mrs Evans.

— Vous tenez vraiment à ce que je vous explique tout ça ?
— Je suis affreusement curieuse.
Je me lançai donc dans un exposé qui aurait fait périr d'ennui la plupart des gens, mais pas elle.
— Cet après-midi, ces six taureaux seront opposés à deux hommes. Comment répartissez-vous ces six fauves en deux groupes de trois pour que l'un des matadors n'ait pas à affronter tous les bons et l'autre tous les mauvais ?
— Ces six taureaux sont donc très différents ?
— Autant que six individus pris au hasard dans une foule. Ce matin, donc, des connaisseurs vont se rendre au corral et étudier les taureaux, comparer leurs qualités et leurs défauts, estimer leurs possibilités quand ils débouleront dans l'arène.
— Est-ce qu'ils peuvent aboutir à des conclusions certaines ?
— Scientifiquement parlant, non. Mais ils peuvent se poser des questions du genre : Ce taureau n'a-t-il pas de défaut de vision ? Est-ce qu'il a une faiblesse dans un membre ? Et surtout, est-ce qu'il privilégie une de ses cornes ?
— Il faut deux heures pour ça ?
— Il faut toute une vie.
— Mais dans quel but ?
— Arriver à former un groupe de trois taureaux qui soit aussi égal que possible à l'autre groupe.
— Qui décide de la formation et de l'attribution des groupes ?
— Ah, c'est là la beauté du système. A votre avis, qui prend ce genre de décision ? Les péons de confiance des matadors. Quand tout le monde est d'accord sur la composition des groupes, on inscrit les numéros des bêtes sur des feuilles de papier à cigarette qu'on roule en boule et qu'on met dans un chapeau. Puis on tire au sort selon un ordre préétabli.
— Ça a l'air compliqué.
— C'est la façon de faire la plus honnête que l'on ait trouvée. Alors vous êtes certaine de vouloir venir ?
— Oui, avec impatience !
— Vous voulez emmener Penny ?
— Non. La pauvre petite broyait du noir hier soir et elle ne voulait pas se lever ce matin. Je crois que son histoire de matador l'a un peu déboussolée. Une jeune fille peut très mal réagir à ce genre de situation. L'année dernière, elle n'a cessé de se demander qui elle était et quelles étaient ses chances auprès des hommes. A dix-sept ans, elle est prête à passer à l'action et c'est un véritable camouflet qu'elle a subi hier. Laissons-la à ses chagrins d'adolescente. (La voix de Mrs Evans devint soudain plus vive :) Excusez-moi un instant, je ne veux pas débarquer là-bas comme un chien dans un jeu de quilles.

Sur ce, elle se précipita dans la cuisine de l'hôtel et en revint avec un panier empli de sandwiches et de bouteilles de vin. Une fois arrivée au corral, je m'étonnai de la façon dont cette femme se fit accepter de tous les habitués, et l'on nous installa à l'une des meilleures places. Les pieds posés sur le pourtour du corral, nous pouvions admirer les six taureaux de Palafox.

Un corral est une sorte de grande cour où six taureaux, frères de sang, séjournent pendant les deux ou trois jours qui précèdent la corrida. Quand le *sorteo,* le tirage au sort, est effectué, il est midi, et chaque taureau est conduit dans une sorte de loge obscure appelée *chiquero* ; il y demeurera cinq heures environ avant d'être libéré et de se retrouver sur la piste, sous le soleil éclatant. Déconcerté, apeuré peut-être, furieux en tout cas, il chargera tout ce qui lui permettra de s'affirmer.

Ces taureaux, tous nés en 1957, tous issus du même élevage, étaient très calmes, car ils étaient entre eux, ils avaient leurs habitudes et leurs odeurs. Je dus toutefois expliquer une chose à Mrs Evans.

— Vous voyez le taureau qui occupe cet autre corral ? C'est un San Mateo, il provient d'un élevage aussi célèbre que celui de Palafox. C'est une belle bête qui servira en cas de remplacement.

— Et quand cela se produit-il ? me demanda-t-elle, sincèrement intéressée.

— Si l'un des Palafox se brise une corne ainsi qu'on l'a vu hier ou, tout simplement, s'il refuse le combat. On envoie alors un groupe de six ou sept bœufs, d'énormes bêtes qui le font sortir de piste, et on lâche le taureau de rechange.

— C'est logique.

— Ce que j'essaie de vous faire comprendre, c'est que si l'on mettait le San Mateo dans le même corral que les Palafox, ces derniers sentiraient instantanément qu'il n'est pas l'un des leurs et qu'il représente une menace. En deux ou trois minutes, le San Mateo serait tué par les autres. Et vous subiriez le même sort si vous descendiez dans le corral : à l'odeur, à la silhouette, ils verraient en vous la menace.

— Ils ne s'attaquent jamais entre eux ? Je parle des frères de sang, naturellement.

— Non. Bon, cela arrive peut-être une fois tous les dix ans, mais personnellement je n'en ai jamais entendu parler. Souvenez-vous d'une chose, Mrs Evans. Ces taureaux sont par nature des animaux placides, ils n'ont pas l'envie de tuer qui que ce soit et ils n'en veulent pas à l'homme. Les bouviers qui s'en occupent ne risquent rien. C'est uniquement quand on les arrache à leur milieu et qu'ils se sentent en danger qu'ils deviennent terribles.

— Je suppose qu'on pourrait en dire autant de la plupart des gens.

A nos côtés, en ce dimanche matin, se trouvaient trois ou quatre dizaines d'hommes, des connaisseurs qui fréquentaient les taureaux depuis leur plus tendre enfance. Don Eduardo, l'éleveur, déambulait nonchalamment entre eux, répondant à leurs questions et donnant son avis sur ses bêtes. Vers onze heures, Juan Gómez, qui aurait à affronter trois de ces taureaux, arriva au corral et posa sur les bêtes son sombre regard d'Indien. Des admirateurs l'entourèrent et lui demandèrent lequel conviendrait le mieux à son style. Il se contenta de hausser les épaules et d'observer ses adversaires potentiels.

Mrs Evans dit tout haut ce que tout le monde pensait mais n'osait formuler. Je crois bien que seule une femme pouvait se permettre un tel commentaire :

— Il y a un taureau qui a les cornes bien plus longues que tous les autres.

La conspiration du silence était rompue et chacun porta ses regards sur le taureau nº 47, celui dont les cornes n'avaient pas été arrangées par les apprentis coiffeurs. Il se déplaçait lentement, majestueusement, comme s'il se savait différent et, surtout, redoutable.

— Ça vous plairait de le tirer, celui-là ? demanda à Gómez un vieil homme hilare.

— Je serais déçu du contraire, répondit Gómez sans quitter des yeux la bête aux longues cornes. Avec lui, on peut montrer ce qu'on vaut.

Je regardai mieux le fier animal. Sa différence avait quelque chose de fascinant et je me mis à poser des questions à don Eduardo ainsi qu'à Cándido, le contremaître taciturne. Je pus ainsi reconstituer, pour le plus grand plaisir de Mrs Evans, la vie de ce taureau qui attirait tant l'attention.

En 1907, soit deux ans avant ma naissance, une des meilleures vaches de l'élevage du marquis de Guadalquivir, près de Séville, mit bas un mâle dont l'histoire de la tauromachie mexicaine se souviendrait longtemps, un certain Marinero.

Vers la fin de l'année, il arriva au port de Veracruz avant d'être transporté en train jusqu'à la ville de Toledo ; là, des bœufs le conduisirent à l'élevage Palafox. Lâché parmi les vaches mexicaines, ce taureau hors normes produisit rapidement une descendance superbe qui allait donner naissance à quelques-uns des plus beaux chapitres de la tauromachie de ce pays. Carnicero, Sanluque, Terremoto, Rayito... ainsi s'appelaient ces taureaux Palafox qui reçurent d'innombrables coups de lance et crevèrent plus d'un cheval. Tous étaient fils de Marinero.

— Et c'est là que j'interviens, dis-je à Mrs Evans, sur le devant de la scène, pourrais-je même dire. En 1918, j'avais neuf ans. Toledo fut à nouveau pillée et, cette fois-ci, les hommes du général Gurza abattirent toutes les bêtes Palafox pour se ravitailler. Marinero fut du lot. Seul l'un de ses fils s'en tira. C'était encore un veau, on l'appelait Soldado, et il grandit à mes côtés dans une caverne dans la mine de mon père.

— Quoi ?

— Oui, l'un des plus célèbres taureaux de toute l'histoire du Mexique et votre serviteur avons partagé la même grotte. Mes parents l'y ont caché jusqu'à ce que les hommes de Gurza repartent en train.

— Ça a dû être terrible !

— C'était formidable ! Le taureau et moi, à l'écart du monde.

— Je faisais allusion à la Révolution. Le Mexique était à feu et à sang. J'ai lu des choses là-dessus, des hommes de l'Oklahoma étaient aux côtés du général Pershing. Mais parlez-moi de votre compagnon.

— Il est compréhensible que je m'identifie toujours à ce grand animal qui a acquis toute sa puissance chez nous. Grâce à lui, j'ai compris la psychologie du taureau qui se retrouve dans l'arène. J'ai joué avec Soldado quand il n'était qu'un veau, et c'est lui qui m'a porté tous ces coups quand j'ai continué de jouer avec lui, mais qu'il avait considérablement grandi. Quand j'assiste à une corrida, en Espagne ou au Mexique, je me console toujours en pensant que je suis le seul homme au monde à avoir affronté le père de tous ces taureaux. Naturellement, je ne précise jamais où et quand.

» Oui, dis-je à Mrs Evans, l'animal qui a survécu dans notre caverne à la Révolution est devenu le célèbre géniteur de cette noble caste. Son premier fils est né en 1920 et il a ensuite engendré une impressionnante lignée de taureaux et de vaches, dont les fils ont à leur tour semé la terreur dans les arènes du Mexique. Trois de ses descendants ont tué des toreros et nombre d'entre eux se sont fait remarquer par leur bravoure hors du commun. Vers 1923 naissait le premier petit-fils de Soldado ; dix ans plus tard, l'élevage Palafox pouvait fournir autant de rejetons de Marinero et de son fils Soldado qu'en demandaient les arènes mexicaines.

— Vous voulez dire que les taureaux réunis dans ce corral sont des arrière-petits-fils de votre Soldado ?

— Techniquement, peut-être, mais les traits héréditaires ont tendance à s'estomper chez les animaux, comme chez les hommes d'ailleurs. Ici, les unions consanguines ont engendré des animaux de grande taille mais de peu de bravoure. Les foules hurlaient de plaisir quand les taureaux Palafox déboulaient dans l'arène, mais leur jetaient des coussins quand ils les voyaient couards. La déception était immense. Après une ou deux années de débâcle, les Palafox ont compris que la lignée Marinero-Soldado s'épuisait. Il fallait faire venir d'Espagne un nouvel étalon.

» Au printemps de l'année 1933, le frère aîné de don Eduardo, don Fausto, fut envoyé à Séville afin d'acquérir un taureau auprès du marquis de Guadalquivir, et moi qui étais son neveu...

— Vous êtes un Palafox ?

— Naturellement. Je suis né citoyen mexicain, dans cette ville.

— Qu'est-ce que vous êtes aujourd'hui ?

— Américain. Grâce au fait que j'ai servi pendant la Seconde Guerre mondiale. Comme je vous le disais, mon oncle Fausto m'a emmené en Espagne et je l'ai aidé à sélectionner une bête de toute beauté qui a redonné de la vigueur à la lignée. Lorsque la cage où elle était enfermée a été déchargée, elle s'est renversée et Anselmo Leal a été grièvement touché. Il est mort plus tard des suites de cette blessure. Cet après-midi, Victoriano affrontera trois taureaux issus de celui qui a blessé son père. Vous verrez Victoriano dans toute sa puissance. Chaque fois qu'il rencontre un taureau Palafox, il se sent obligé de venger son père.

— Celui qu'il va falloir surveiller, intervint alors don Eduardo, c'est Veneno. Il ne faut pas que cette brute massacre nos taureaux avant le travail du matador.

Je racontai à Mrs Evans comment le père et le frère de Veneno avaient été tués par des taureaux Palafox et je lui dis qu'elle ne reverrait peut-être jamais un picador semblable à celui qui interviendrait cet après-midi.

— Vous voulez dire que cet homme à cheval peut tuer un taureau ? demanda-t-elle à don Eduardo.

— Un taureau ? Il les tuerait tous si on le laissait faire !

— C'est là que les dames entrent en jeu, dis-je pour ranimer son intérêt. Parlez-lui de la Reina, don Eduardo.

Après avoir mordu dans le sandwich que lui avait offert Mrs Evans, il dit :

— En 1942, nos taureaux présentèrent à nouveau des signes de décadence. En temps normal, je serais allé en Espagne pour en ramener un nouvel étalon, mais c'était la guerre et il était impossible de traverser l'Atlantique. Nous avons alors acheté vingt vaches à l'élevage mexicain de Piedras Negras, et ce sont ces bêtes redoutables qui ont renouvelé le sang des taureaux Palafox.

— Les vaches sont importantes, expliquai-je, parce que c'est d'elles que les taureaux tirent leur courage.

— Mais vous n'avez parlé que des taureaux... Marinero, Soldado, celui que vous avez choisi dans l'élevage de Guadalquivir. Je croyais que c'étaient les taureaux qui comptaient.

— C'est vrai, dit don Eduardo. Pour la structure générale, la solidité des cornes, l'endurance. Oui, c'est ce que nous apportent les taureaux. Mais comme vous l'a dit Norman, nous produisions des taureaux énormes vers 1933, parmi les plus beaux de tout le Mexique, et ils ne valaient strictement rien. Ce dont a le plus besoin un taureau de combat, c'est le courage. Et cela, c'est sa mère qui le lui transmet.

Mrs Evans désigna le taureau aux cornes intactes et demanda d'un air incrédule :

— Vous voulez dire que ses descendants...

— Il n'en aura jamais, l'interrompit don Eduardo. C'est un taureau de combat.

— Oui, mais est-ce qu'il n'a jamais...

— Bien sûr que non. Ce taureau n'a jamais approché une vache ou un homme à pied, il n'a fait que vivre parmi ses congénères. (Il avait prononcé ces derniers mots d'une voix suffisamment forte pour attirer l'attention du contremaître, lequel vérifia que personne d'autre n'écoutait. Satisfait de constater qu'il n'y avait aucune oreille indiscrète, Cándido fit les gros yeux à son employeur, qui baissa immédiatement d'un ton.) Rien n'a jamais dévoyé ce taureau, vous comprenez ?

— Et vous dites que son courage lui vient de sa mère ? insista Mrs Evans.

— C'est ainsi.

Sans s'en rendre compte, Mrs Evans se redressa légèrement. Sans doute pensait-elle que, chez les humains aussi, les mères déterminaient la nature du courage de leurs fils.

— En janvier 1947, dit don Eduardo avec un certain enthousiasme, naquit l'une des grandes vaches de l'histoire des Palafox. C'était une bête nerveuse, noirâtre, aux cornes effilées qu'on nomma la Reina, la

Reine. Elle comptait dans ses ancêtres Marinero, le taureau d'origine de Guadalquivir, et Soldado, celui qui avait grandi dans la caverne des Clay ; par sa mère mexicaine, elle remontait à ces animaux fougueux et assez laids de l'époque d'Hernan Cortés. La Reina était une vache remarquable, l'une des plus braves jamais nées au Mexique.

Il était près de midi, heure à laquelle le tirage au sort devait se dérouler, et je m'empressai de rapporter comment les Palafox s'étaient rendu compte de la valeur de cette vache. Cette bête noiraude avait deux ans quand les Palafox donnèrent une somptueuse réception dans leur demeure. Cela se passait en 1949, la paix était revenue et l'argent coulait à flots. John Wayne, l'acteur de cinéma, était présent, ainsi que les ambassadeurs de Grande-Bretagne et des Etats-Unis. Les festivités durèrent trois jours. Le dernier jour, les invités se rendirent dans la petite arène de l'élevage pour assister à la tienta. Le *tentador* n'était autre que Veneno ; sur son cheval, il tenait à la main une lance de chêne terminée par un petit fer. Il était secondé par son fils, Victoriano, et par le matador Armillita tandis que don Eduardo et son contremaître, Cándido, prenaient des notes, installés dans une loge improvisée.

Au signal de don Eduardo, la porte du corral fut ouverte et Flora, génisse de deux ans aux membres grêles, entra sur la piste. De l'autre côté se trouvaient le cavalier et sa monture. Il y eut un instant de silence angoissé quand chacun se demanda si elle allait se montrer brave : ces premières secondes étaient, en effet, décisives. Si la vache hésitait trop longtemps avant de charger ou si elle chargeait de manière hésitante, on la qualifiait de couarde et on lui interdisait de porter la descendance des meilleurs reproducteurs ; ses fils seraient immanquablement peu braves et n'auraient pas leur place dans l'arène.

En débouchant en pleine lumière, la génisse vit une silhouette étrange et la chargea de toutes ses forces. Nul n'applaudit, mais chacun soupira. La jeune bête farouche frappa le cheval et sentit le fer de Veneno s'enfoncer dans son épaule. Surprise, elle recula.

La deuxième épreuve devait se dérouler en silence, sans quelque forme d'encouragement que ce soit. La vache était blessée et du sang coulait. Elle gratta la terre du sabot gauche et don Eduardo trouva que cela s'annonçait mal. Il se tourna vers Cándido, qui, les yeux rivés sur cette bête, espérait qu'elle révélerait sa bravoure.

La vache revint vers le cheval pour s'arrêter quand la douleur se réveilla. C'est alors que, au grand étonnement du public, elle se rua sur le cheval et déchaîna toute sa fureur contre la monture et la lance qui, à nouveau, s'enfonçait dans ses épaules. Des touristes l'acclamèrent, mais les vrais connaisseurs les firent taire. Les Mexicains avaient vu ce que les Américains n'avaient pas remarqué : dès que le fer la touchait, la vachette faisait un bond de côté et se retirait. Elle refusait l'affrontement et Veneno n'y pouvait rien. Cette vache manquait de bravoure et ses fils ne contribueraient pas à la gloire de l'élevage.

« A écarter », nota Cándido dans son carnet. La destinée de la vachette était scellée.

Cette décision irrévocable ne mit cependant pas un terme à la tienta. Dégoûté, Veneno sortit de piste et mit pied à terre tandis que les deux matadors, Armillita et Victoriano, travaillaient de cape le petit animal. C'était une matinée ensoleillée et le chatoiement des capes avait quelque chose de poétique. Quinze fois, vingt fois, les matadors effectuèrent la même passe ; la génisse chargeait sans hésitation, ainsi qu'elle l'avait fait dès sa sortie du corral. Elle n'était pas dépourvue de noblesse et quelques-uns parmi les Américains la trouvèrent merveilleuse. Il n'en était pas de même pour Cándido et don Eduardo, qui savaient qu'elle avait refusé le fer. Elle avait peut-être de la noblesse, mais pas de bravoure. Il fallait l'écarter.

Don Eduardo prit alors la parole.

— La mise à l'épreuve méticuleuse d'une vache est absolument essentielle, señora Evans, car il est impossible de faire de même avec un taureau.

— On ne les conduit donc pas à l'arène à deux ans ?

— Oh non ! Si un taureau de deux ans était travaillé à la cape pendant deux petites minutes, il apprendrait que foncer sur ce morceau d'étoffe est inutile. Deux ans plus tard, confronté à l'homme au cours d'une vraie corrida, il s'en souviendrait et, après une ou deux passes futiles, il foncerait droit sur l'homme. Et il tuerait le matador à coup sûr.

— Vous voulez dire qu'aucun de ces taureaux n'a été mis à l'épreuve ? dit Mrs Evans en désignant les six bêtes qui devaient courir l'après-midi.

— Seigneur, non !

— Si l'on apprenait que don Eduardo a déjà travaillé ses taureaux à la cape, expliquai-je, les matadors refuseraient de les rencontrer.

— Des taureaux ayant connu la tienta tueraient à tous les coups leurs matadors, surenchérit don Eduardo.

— Donc, reprit Mrs Evans, tout ce que vous savez sur ces taureaux...

— C'est ce que leur mère nous a enseigné.

— Sachez quand même que l'on peut harceler un taureau de deux ans, dis-je, en le poursuivant à cheval et en le renversant d'un coup de lance.

— Dans quel but ?

— Pour voir s'il réagit. Mais cela se déroule en plein pâturage et il est probable qu'il ne se rend pas compte que le cheval est monté. Le taureau n'est pas blessé, mais il a le souvenir d'un ennemi à quatre pattes. C'est pour cela qu'il charge de bon cœur le cheval du picador.

— Et cette vache dont vous me parliez, dit Mrs Evans, la Reina, comment s'est-elle comportée ?

— John Wayne s'était installé à côté de moi, dit don Eduardo. Avant la sortie de cette vache, je déclarai au señor Wayne : « On ne vous en a pas encore montré une qui ait de la bravoure, mais tout espoir n'est pas perdu. » Quand la porte du corral s'est ouverte sur cette vache maigrichonne, j'ai su que c'était la bonne. A la fin de la tienta, j'avais les larmes aux yeux. C'était comme... (Il se moucha.) Cándido, raconte à la señora l'histoire de la Reina.

Le contremaître regarda l'Américaine et pensa qu'elle ne comprendrait rien. Il ne parla donc pas, mais don Eduardo se moucha à nouveau et expliqua :

— Ah, señora, si vous aviez un fils qui se révélait être un brave...

Je me crus obligé d'intervenir et de déclarer sèchement :

— Mrs Evans a eu un fils... très brave. Il est mort à la guerre.

Cela ne fit pas taire don Eduardo. Bien au contraire.

— Alors vous comprendrez de quoi je veux parler ! s'écria-t-il en lui saisissant la main. C'est une chose terrible, señora, une chose terrible et émouvante de contempler le courage et de savoir qu'il peut être transmis d'une mère à son fils. Cette vache, la Reina, c'était peut-être la plus maigre de toutes, mais quand elle a vu le cheval de l'autre côté de l'arène... elle n'a pas pensé à la poussière, au soleil ou à la lance. Elle s'est lancée au galop et a frappé le cheval à sept reprises. Ses épaules étaient en sang mais cela ne l'empêchait pas de réattaquer. Veneno l'a renversée, il l'a piquée à l'arrière-train, il a lâché sa monture sur elle, en un mot il a fait tout ce qui n'est pas concevable, mais elle continuait de le combattre. J'ai crié pour qu'on sorte le cheval, mais cela se révéla impossible, parce qu'elle le suivait partout. On ne pouvait pas ouvrir le portail.

» Armillita est entré en piste avec sa cape pour détourner l'attention de la vache, elle l'a jeté à terre et est revenue vers le cheval. Il a fallu faire entrer un autre matador. Les deux hommes ont enfin réussi à l'isoler dans un coin et on en a profité pour faire sortir le cheval.

» La vache saignait abondamment, mais cela ne la gêna pas pour se ruer sur les capes. C'était comme un rêve ! Raconte-leur, Cándido !

Le contremaître agita la main et reprit :

— Comme un rêve.

— Cependant, ce qui nous a le plus impressionnés fut sa façon d'apprendre. Elle avait renversé Armillita du premier coup. A chaque nouvelle charge, elle s'approchait un peu plus de lui. Armillita s'est mis à rire et a déclaré qu'il en avait assez pour aujourd'hui, mais la Reina s'est élancée derrière lui. J'ai fait appel aux aspirants qui traînent toujours dans ce genre de manifestation et ils sont descendus dans l'arène les uns après les autres. Elle les a tous renversés. Ses cornes n'étaient pas assez longues pour être dangereuses, mais son courage...

— Est-ce qu'elle vit encore ? demanda Mrs Evans.

— Elle est célèbre dans tout le Mexique, dis-je. Je ne me souviens pas de tous les détails. Son premier taureau a été immortalisé par Armillita — ce fut certainement la plus belle corrida de ces vingt dernières années. Qu'est-il advenu des autres ?

Don Eduardo avait hâte de reprendre la parole.

— Ses deux premiers rejetons furent des vaches, aussi braves qu'elle-même. Son premier taureau fut Relampaguito, « le petit éclair ». Comme Norman vient de vous le dire, il a été immortalisé. Son deuxième taureau et son troisième, immortalisés eux aussi. Son quatrième taureau est né en 1957. C'était le meilleur de tous. Il s'appelait Sangre Azul, « sang bleu ».

— Lui aussi a été immortalisé ? s'enquit Mrs Evans.

Je regardais don Eduardo quand elle posa cette question et je le vis grimacer : il était peu enclin à discuter de cela. J'ignorais ce qui était arrivé à Sangre Azul. Palafox par ma mère et par mon union à l'une des nièces de don Eduardo, je n'étais pas pour autant dans la confidence absolue. J'avais très envie de connaître l'histoire de ce grand taureau, mais don Eduardo put différer cette lourde tâche grâce à l'arrivée bruyante de León Ledesma, froufroutant dans sa cape noire.

— Vous êtes ici depuis des heures, je le vois bien, dit-il tout de suite à Mrs Evans. Les connaisseurs n'arrivent qu'à midi, quand le rideau se lève.

— Ceux qui s'y connaissent vraiment, dis-je sur le ton de la plaisanterie, veulent observer les taureaux pour voir comment ils vont être répartis — pour voir si leurs suppositions sont justes.

— Et qu'avez-vous vu de si passionnant, vous autres sorciers qui détenez la clef des mystères du règne animal ?

Je sortis de ma poche un bristol sur lequel j'avais inscrit les informations que j'avais moi-même relevées ou que je tenais de connaisseurs affirmés.

— Voilà, dis-je en montrant le carton à Ledesma et en rappelant à Mrs Evans que le numéro attribué à chaque taureau était visible sur ses flancs.

N° 29. 448 kilos. Afeité. 4 ans, 3 mois. Lent.
N° 32. 450 kilos. Afeité. Ombrageux. Vision droite plus faible. Réactions vives.
N° 33. 433 kilos. Afeité. Placide, laisse les autres décider. Explosif ???
N° 38. 463 kilos. Afeité. Lourd, lent. Tient plus du bœuf que du taureau. Puissant.
N° 42. 444 kilos. Afeité. Petites cornes. Très rapide. Antérieur gauche un peu faible.
N° 47. 473 kilos. Intact. Monstrueux. Prompt à attaquer. Dangereux.

Ledesma s'empressa de noter mentalement tous ces détails.

— Un groupe intéressant, don Eduardo, bien sélectionné et qui s'accorde aux styles des deux matadors. (Sur ce, il donna son opinion avec une telle vivacité d'esprit que j'en fus émerveillé.) Il y en a visiblement deux qui doivent être séparés des autres à cause de leur poids — le 38 gros et lent serait idéal pour Victoriano, le 47, encore plus gros, avec ses cornes puissantes, conviendrait très bien à Gómez.

Il expliqua alors quels taureaux Veneno souhaiterait pour son fils et lesquels Cigarro, porte-parole de Gómez, préférerait pour son matador.

— Gómez est ici, fit remarquer Mrs Evans. Il ne choisit pas lui-même ?

— Jamais. La répartition des taureaux est toujours le fait des agents. Gómez est d'ailleurs l'un des rares matadors à assister au sorteo.

Peu avant midi je priai don Eduardo de garder nos places. Je désirais montrer à Mrs Evans l'un des plus beaux témoignages du monde taurin, une plaque de bronze que les aficionados avaient achetée il y a plusieurs années de cela dans le but de commémorer une corrida historique. Elle était aujourd'hui enchâssée dans l'un des murs de la petite arène :

Hommage des aficionados de Toledo
au grand matador mexicain
Juan Silveti
en souvenir de sa rencontre dans cette arène
le 25 décembre 1931
avec le taureau Explosión
de Palafox

— J'assistais à cette corrida, dis-je à Mrs Evans. Silveti était un personnage étonnant. Toujours vêtu à la manière des vachers mexicains, avec un grand sombrero et un cigare. Mais il savait toréer, oh oui ! il l'a prouvé ce jour-là. Un chroniqueur a dit de lui : « Notre bien-aimé Juan a noué un ruban d'or autour des cornes du taureau et l'a conduit où bon lui semblait. » Il n'exagérait pas, croyez-moi.

Il y avait bien d'autres plaques, qui faisaient de cet endroit un mémorial du Festival Ixmiq où, au fil des ans, étaient venus les meilleurs matadors. J'ajoutai, pour la gouverne de Mrs Evans, que l'on devait à mon grand-père le véritable essor de ce festival aujourd'hui si populaire.

Les palabres débutèrent. Veneno et Cigarro firent de leur mieux pour s'assurer que les deux groupes de trois taureaux seraient aussi homogènes que possible. Comme je l'ai déjà signalé, nulle partie ne savait ce que lui réserverait le tirage au sort et il fallait donc que la répartition fût des plus honnêtes. En fin de compte et après que de nombreux experts eurent donné leur avis, il fut décidé que les taureaux n°s 29, 38 et 42 seraient dans un groupe, les 32, 33 et 47 dans l'autre. Dès cette annonce, Ledesma nous confia d'un air connaisseur :

— Veneno doit suer à grosses gouttes, il redoute au plus haut point que son fils tire le deuxième lot, celui qui contient le 47, le taureau encore intact.

Il avait raison. Une fois les numéros inscrits sur des feuilles de papier, celles-ci roulées en boule et placées au fond d'un chapeau, Veneno, représentant le matador le plus jeune, se signa et leva les yeux vers le ciel. Il ne regarda pas le chapeau et laissa le propriétaire de celui-ci diriger sa main. Il hésita quelques instants, comme si quelque indice mystérieux allait le renseigner, et sortit une boulette de papier. Il la déplia très méticuleusement et se figea. Pour Victoriano, il avait tiré le deuxième lot, avec ce terrible taureau qu'était le 47.

J'éprouvai en cet instant la plus extraordinaire sensation. Mon index droit se mit à me démanger, comme s'il avait hâte d'appuyer sur le déclencheur pour photographier le redoutable affrontement, comme s'il savait qu'une tragédie allait survenir et que je pourrais utiliser ce cliché pour illustrer l'article que je ne manquerais pas d'écrire. Dans toute l'histoire de la tauromachie, du moins dans ce que j'avais lu chez Cossío, autorité incontestée en la matière, il n'y avait jamais eu deux morts au cours de la même corrida, pas même au cours d'un festival se déroulant sur plusieurs jours. Rien ne me permettait donc d'anticiper l'accident tragique sur lequel reposerait mon article, mais je pouvais tout de même imaginer ce qui se passerait quand deux matadors aux styles si différents se retrouveraient face à des taureaux Palafox. Les bêtes de cet élevage étaient redoutables, elles avaient même tué, et le lot attribué à Victoriano était un cadeau empoisonné, avec son numéro 47 aux cornes non afeitées.

Veneno, conscient d'avoir desservi son fils, changea alors de tactique.

— Gómez torée bien avec les taureaux massifs, murmura-t-il à l'oreille de Cigarro. Je pourrais vous laisser le 47.

— Ces cornes, vous voulez vraiment vous en débarrasser, hein ? lui répondit l'agent de l'Indien avant de s'éloigner et de laisser Veneno dans l'angoisse.

Ledesma, Mrs Evans et moi-même avions entendu une partie de l'échange et nous pouvions imaginer le reste.

— Le sorteo est le seul moment de la corrida qui soit absolument honnête, expliqua Ledesma. Les cornes du taureau peuvent être arrangées, ainsi que vous l'avez vu. Le juge peut accorder des oreilles qui ne sont pas méritées. Et les critiques, fit-il en s'inclinant, peuvent même être soudoyés. Les matadors et les picadors peuvent être convaincus des pires tricheries, mais le sorteo est d'une honnêteté absolue. C'est pourquoi Veneno devrait avoir honte de ce qu'il a tenté pour protéger son fils.

Les six taureaux furent conduits dans les loges du toril, les chiqueros. Là, ils attendraient leur tour d'être envoyés dans l'arène. Puis la bête de rechange venue d'un autre élevage fut menée dans sa propre loge et les bœufs quittèrent les lieux.

Ledesma dit alors d'un air sombre :

— En plein jour, Veneno a perdu. Son fils se voit attribuer le pire taureau. Mais, dans l'obscurité, il a encore une carte à jouer.

— Pardon ? fis-je.

— Surveillons le 47 et vous en apprendrez peut-être plus sur notre passe-temps national.

Il sourit, conscient d'avoir employé une expression propre au base-ball américain. Ledesma était rusé comme un renard, mais je ne voyais absolument pas de quoi il parlait.

Il était midi vingt en ce dimanche matin et le tirage au sort était terminé. Les hommes continuaient de discuter entre eux. Don Eduardo en abordait certains pour les inviter aux festivités qui se tiendraient dans sa propriété avant le début de la corrida. En arrivant près de notre petit groupe, il dit :

— Ce ne serait pas une véritable fête sans votre présence. Venez avec la jeune fille rousse de l'Oklahoma, je vous en prie.

— Vous croyez que Penny sera à sa place ? demanda Mrs Evans.

— Ma chère Mrs Evans, dit don Eduardo en lui saisissant les mains, une célèbre starlette mexicaine sera également présente, et elle est à peine plus âgée que Penny. Elles formeront une paire internationale, une Mexicaine et une Norteamericana.

Son invitation était si chaleureuse que je dis à Mrs Evans :

— Essayons de la persuader d'oublier un instant son amour perdu.

— On ne devrait pas avoir trop de mal, me répondit Mrs Evans, à ma grande surprise. Elle a dépensé une fortune pour se constituer une garde-robe en vue d'un événement mondain de ce genre. (Quand nous eûmes regagné l'hôtel, elle me confia les clefs de sa Cadillac :) Vous trouverez deux gros bagages dans le coffre. Soyez gentil, faites-les monter dans notre chambre.

J'ouvris le coffre et y trouvai effectivement une énorme valise ainsi qu'un grand carton à chapeaux en cuir. Je les apportai à la chambre. Penny était toujours couchée. Elle avait l'air sombre.

— Je n'ai rien demandé, grommela-t-elle.

— Mr Clay, veuillez ouvrir les bagages, dit Mrs Evans.

Je m'exécutai et des étiquettes m'apprirent qu'ils venaient d'être achetés chez Neiman-Marcus, à Dallas, le plus grand des grands magasins de tout l'Ouest américain. A vue d'œil, le prix des valises devait avoisiner les quatre cents dollars : le contenant coûtait certainement plus que le contenu.

— Videz-les, je vous prie, dit encore Mrs Evans. Voyons un peu tout ce gaspillage.

Je compris alors ce que voulait dire être la fille d'un pétrolier milliardaire de l'Oklahoma. Chaque article était exquis, certes, mais ridiculement hors de prix. Quand la vendeuse de Dallas l'avait conseillée dans son choix, elle avait dit à Penny qu'elle serait la star de n'importe quelle fiesta, et tout permettait de penser qu'elle avait raison. Des bottes en cuir gris d'une finesse extrême étaient sans doute ce qu'il y avait de plus beau dans ce déballage.

— Tu avais déjà des bottes en alligator, lui dit Mrs Evans. Pourquoi cette autre paire ?

Pour la première fois depuis notre arrivée dans la chambre, la jeune fille se redressa dans son lit et fit preuve d'un certain intérêt.

— Elles sont très souples, dit-elle. Essayez.

Je les tordis entre mes doigts : elles étaient souples comme du tissu.

— Pour le rodéo, il faut ce genre de bottes, ajouta-t-elle.

— Vous avez déjà participé à des rodéos ? m'enquis-je. Vous avez attrapé des veaux au lasso ?

— Je suis dans le carrousel, dit-elle, et j'ai mon propre cheval.

Je continuai de vider la valise et j'en sortis une paire de chaussettes épaisses gris clair. Elles devaient lui arriver aux genoux. Puis ce fut le tour d'une jupe bleu pâle extraordinairement courte ; je ne pus identifier le textile, mais l'étiquette marquait 485 dollars ! Elle était à peine plus grande que ma main et tout unie. Penny bondit du lit en sous-vêtements et me prit la jupe.

— Je vais attendre dans le couloir, dis-je.

— Pourquoi donc ? fit-elle en riant. J'en ai encore moins quand je fais de la gym.

Qu'importe, je me détournai et lui passai un à un ses vêtements, tous très beaux, je dois l'avouer, et idéals pour une partie de campagne. Le chemisier que je lui tendis était vraiment remarquable. De la plus fine étoffe sud-américaine, il était brodé d'une multitude de fleurs de couleur or ou bleu pâle, si subtiles qu'elles en étaient à peine visibles. Elle enfila ensuite un gilet de cuir extrêmement fin dont la beauté était rehaussée par de petits crochets de bronze. Enfin venait un foulard d'alpaga si léger que je le sentais à peine peser dans ma main.

— Et maintenant, l'apothéose ! dit-elle en riant et en me désignant le carton à chapeaux.

J'en tirai un sombrero de femme, une coiffure d'une élégance étonnante qui avait nécessité six essayages chez un chapelier de Tulsa avant qu'elle soit pleinement satisfaite du résultat.

Elle inclina le sombrero sur sa tête et me sourit.

— Ce serait criminel de ne pas vous inviter, dis-je. (Puis j'ajoutai une observation dans laquelle j'espérais que Mrs Evans et Penny ne verraient pas une allusion macabre :) Penny, je voudrais vous photographier tandis que vous mettez ce gilet et ce sombrero. Il y a deux jours, dans une chambre semblable à celle-ci, j'ai pris des photos de Paquito de Monterrey alors qu'il se préparait pour marcher vers la mort. Vous, vous marchez vers la vie.

— Que voulez-vous dire ?

— Avec de tels atours, il ne peut se produire que de bonnes choses.

Elle se déshabilla et remit lentement ses vêtements tandis que je la mitraillais. Elle aussi croyait qu'un événement heureux surviendrait.

En route vers la voiture, je demandai tout bas à Mrs Evans :

— Vous avez une idée de ce que cela a pu lui coûter ?

— Ce n'est pas une idée, mais une certitude. J'avais un tel ensemble quand j'étais plus jeune. Je dirais mille huit cents dollars, bagages compris.

— A ce prix-là, on se guérit d'un chagrin d'amour.

— Quand on a dix-sept ans, une blessure de ce genre ne se referme pas, mais un sombrero de chez Jason Cree peut y contribuer. Mon mari en avait trois, et moi-même j'en ai deux.

Pour le plaisir des invités à la mise à l'épreuve des vaches de l'élevage de don Eduardo, des arènes avaient été construites, à la dimension d'arènes réelles, et une garden-party avait été organisée à l'ombre des grands arbres. Une salle avec deux billards et des chaises constituées de cornes de taureau soigneusement polies, d'assises de cuir fin et de coussins de laine écrue accueillait également les hôtes. Aux murs étaient exposées les têtes naturalisées de neuf bêtes ayant apporté la gloire à l'élevage. Sous chacune d'elles, une plaque indiquait le nom de l'animal, l'arène où il avait accédé à l'immortalité, la date de la corrida et le nom du matador qui l'avait affronté. Mrs Evans s'arrêta devant une tête.

— *Torpedo, 11 febrero 1881,* lut-elle. *Todos los trofeos, Mazzantini, Plaza de México.* Qu'est-ce que cela veut dire ?

— Tous les trophées, lui répondit don Eduardo avec fierté. Accordés par le président à un matador qui a fait des miracles. Deux oreilles, la queue et un sabot.

En 1903, Ciclón avait tué un jeune matador à Guadalajara et, en 1919, Triunfador avait pleinement justifié son nom en se rendant maître des arènes de Monterrey : il avait en effet renversé cinq chevaux et envoyé à l'infirmerie les trois matadors qui avaient tenté de le soumettre.

Toujours en éveil, Mrs Evans dit alors :

— Sur ces deux-là, on ne mentionne pas les arènes.

— Ce sont les deux bêtes dont je vous ai parlé, expliqua don Eduardo. Deux des plus grands. Nos étalons, Marinero, acquis en 1910 auprès du marquis de Guadalquivir, et Domador, dans les années 50. Ils avaient trop de valeur pour être envoyés aux arènes. Nous voulions les garder vivants.

Don Eduardo nous montra alors des documents qui, selon lui, nous amuseraient.

— Je doute qu'il y ait jamais eu une corrida semblable à celle-ci. Lors du tirage au sort, Tormento est revenu à l'un des plus extraordinaires personnages de la tauromachie mexicaine, je veux parler de Lorenzo Garza, le formidable *izquierdo,* le gaucher. Un garçon d'humeur fantasque. Quand il était dans ses bons jours, il justifiait son nom, Lorenzo El Magnífico, mais il pouvait aussi se révéler épouvantable. Avec Tormento, il a accédé au summum de son art. Les oreilles, la queue, un sabot et six tours de piste sous une nuée de fleurs. Avec son deuxième taureau, il fut alors si déplorable, si incapable qu'il déclencha une véritable émeute. On commença par jeter des coussins puis des chaises. Seize aficionados fous furieux sautèrent dans l'arène pour le corriger, mais dix-sept policiers accoururent pour lui venir en aide. Regardez ces deux photos qu'a prises l'un de mes amis.

Le premier cliché représentait El Magnífico brandissant des trophées tels que peu d'athlètes en recevraient jamais. Le second, la piste couverte de chaises brisées et de coussins tandis que les spectateurs furieux affrontaient la police en ordre de bataille. Le même matador, les mêmes taureaux, le même après-midi, la même foule.

— C'est cela, la tauromachie, dit don Eduardo. Une science inexacte.

— Regardez, Mr Clay ! s'écria alors Mrs Evans. Voilà votre taureau !

Et je levai la tête pour découvrir Soldado qui me contemplait. J'avais une boule dans la gorge et j'aurais été bien incapable de dire un mot.

— Je ne vois pas la Reina, dit alors Mrs Evans, qui avait déjà gagné une autre partie de la pièce. Vous avez pourtant expliqué que c'était la plus grande.

— Nous n'accrochons jamais de têtes de vache aux murs. Les hommes ne trouveraient pas cela correct.

— Cela fait trois jours que j'entends parler de ce taureau formidable, Sangre Azul, dis-je.

— Eh bien, fit don Eduardo après quelques secondes d'hésitation — comme s'il lui était pénible d'aborder ce sujet —, il est né en 1957 et a été marqué en 58 avant d'affronter les cavaliers et leurs lances en mars 59.

— Comment s'est-il comporté ?

— De manière phénoménale. Nous avons alors su que nous possédions un taureau exceptionnel. Il y a un an, nous l'avions déjà choisi pour le Festival Ixmiq qui se déroule en ce moment même. Il était le prototype même du taureau Palafox. Pas trop gros, il ferait dans les 450 kilos au moment du festival.

— Il n'était pas au corral aujourd'hui. Pourquoi ?

Don Eduardo se tourna vers les hommes qui tenaient le bar.

— Nous avons une photo de Sangre Azul ? leur cria-t-il. (Quelques secondes plus tard, l'un d'eux la lui remettait, et nous pûmes admirer un taureau de combat dans toute sa splendeur, exactement tel que don Eduardo nous l'avait décrit. Il répondit alors à la question qui lui avait été posée, non sans une certaine hésitation.) C'est une chose dont il est délicat de discuter en présence d'une dame, mais dans le monde taurin, voyez-vous, il nous arrive d'avoir un taureau que nous qualifions de *maricón*.

Incapable de continuer, il me demanda de poursuivre. Ce que je fis avec des mots choisis car, en 1961, le sujet était encore tabou.

— Les taureaux héritent une forte propension génétique à monter leurs congénères. Quand ils ne disposent pas de vaches, on voit parfois un taureau tenter de monter l'un de ses frères. Ce n'est pas rare, et le taureau ainsi sollicité se contente de s'éloigner.

— Je comprends, dit Mrs Evans.

— Mais parfois, intervint don Eduardo, un élevage se retrouve en possession d'un taureau pour qui cette activité ne relève pas de la curiosité mais de la fixation. Ce taureau devient alors un maricón. Comment dirais-tu, Norman ?

— Une « tapette ».

— Seigneur, vous êtes en train de me dire que ce superbe animal était une tapette ?

— Pas du tout. Ce que j'essaie de vous faire comprendre, reprit don Eduardo, c'est que la magnifique bête que vous avez vue ce matin, le 47, est absolument incurable. Malheureusement, nous ne l'avons pas compris assez tôt. Il a harcelé bon nombre de taureaux de sa génération, mais ils se sont assez facilement débarrassés de lui. Par contre, deux incidents fâcheux se sont déroulés. Le 47 a fait une véritable fixation sur Sangre Azul, qui le repoussait chaque fois qu'il se faisait monter. L'autre était furieux et, en janvier dernier, alors que les deux bêtes étaient au mieux de leur forme et déjà prévues pour le Festival Ixmiq, le 47 a poursuivi Sangre Azul sur tout le pâturage.

Avant même qu'on puisse intervenir, Sangre Azul a foncé sur le 47 et l'a sérieusement blessé, mais l'autre s'est servi magistralement de ses cornes et a tué net Sangre Azul.

Personne ne parla. C'est seulement après que nous eûmes regardé de nouveau la photographie de cette bête splendide que Mrs Evans dit :

— Ainsi, le 47 a déjà tué un adversaire. Est-ce qu'il s'en souviendra cet après-midi ?

— Il est impossible de le dire, fit don Eduardo, mais nous n'avons jamais ébruité ce qui s'était passé. La perte de notre taureau favori devait rester secrète.

J'appris ultérieurement qu'au moment même où nous avions cette conversation, Veneno, depuis sa chambre à la Maison de Céramique, appelait au téléphone l'un de ses amis, le grand banderillero Rolleri, aujourd'hui directeur des arènes de San Luis Potosí.

— Rolleri, qu'est-ce que tu sais de ce taureau dont les Palafox étaient si fiers — Sangre Azul, c'est ça ?

— Pas grand-chose, Veneno. Je l'ai vu au pâturage l'année dernière. Une belle bête. A l'époque j'ai même dit qu'il rapporterait les deux oreilles.

— Tu ne sais rien d'autre ? C'est important.

— Ah si ! En février ou en mars, j'ai rencontré un garçon qui travaille chez Palafox et je lui ai demandé comment allait Sangre Azul. « Il est parti », c'est tout ce qu'il m'a dit. Je ne sais pas ce qu'il entendait par là.

— Moi si, grogna Veneno, et j'aimerais avoir des précisions. Aujourd'hui, on affiche complet.

— *Buena suerte,* dans ce cas.

D'après ce que j'ai pu découvrir, Veneno a raccroché le téléphone et s'est précipité aux arènes avant de se faufiler près de l'endroit où sont gardés les taureaux. Innocemment, il a questionné un garçon qui travaillait pour don Eduardo.

— Quand Sangre Azul est mort, don Eduardo a fait monter sa tête ?

— Non, la perte de ce taureau l'a rendu malade.

— Lequel l'a tué ?

— C'est ce sale maricón, dit le garçon en désignant le 47.

— Seigneur, murmura Veneno. C'est celui qu'on n'a pas eu le temps d'afeiter. Il a déjà tué...

Il prit sa voiture et roula à tombeau ouvert jusqu'à la cimenterie installée à l'autre bout de la ville. Là, il alla chercher le sous-directeur.

— Il me faut un gros sac de ciment, tout de suite. J'ai des travaux en cours.

Le sac était si lourd qu'il dut se faire aider par un ouvrier pour le mettre dans le coffre de sa voiture. Sur le chemin du retour, le sac s'alourdit davantage, car Veneno s'arrêta près d'un petit ruisseau et, avec la boîte lui servant à ranger les sandwiches au cours des longs périples, il prit de l'eau et mouilla copieusement le sac. Il revint alors aux arènes, se gara près du patio où attendent les chevaux des picadors et héla le jeune garçon chargé des montures des Leal. « Dès que tu pourras, sors ce sac de la voiture. » Puis il s'empressa d'endosser son lourd costume de picador.

Chez don Eduardo, on nous conduisit vers la petite arène dont les gradins pouvaient accueillir une soixantaine de spectateurs. Penny ne se doutait pas qu'elle allait bientôt devoir montrer que son luxueux costume de *charro* n'était pas fait que pour la parade. Après que nous fûmes installés, don Eduardo demanda un air entraînant aux mariachis qu'il avait engagés, puis il se saisit d'un micro.

— Nous ne proposerons pas une tienta formelle — c'est-à-dire une mise à l'épreuve, pour nos amis norteamericanos. Cela exige trop de temps et trop de vaches, mais nous allons tout de même faire entrer dans l'arène trois ou quatre de nos meilleures bêtes. J'ai demandé d'être là à notre cher ami Calesero d'Aguascalientes — vous l'avez vu hier et vous pouvez l'applaudir à nouveau si vous le souhaitez. Il est d'accord pour diriger cette présentation, mais, comme vous le remarquerez, il n'arbore pas le costume de lumière. Celui-ci est réservé aux corridas. Non, il a revêtu aujourd'hui le *traje corto,* le costume court, réservé au travail de tous les jours.

La foule applaudit Calesero quand il s'avança au centre de l'arène. C'était un bel homme qui allait bientôt se « couper la coleta » : cette expression signifie que l'on prend sa retraite, la coleta étant la petite natte de cheveux que les toreros portent sur la nuque. Il avait des bottes de travail de belle facture, une culotte ajustée, un boléro et une chemise sans cravate ainsi qu'un chapeau cordouan. Il avait fière allure et sa présence ajoutait en qualité à cet après-midi.

Après s'être incliné devant les spectateurs des gradins et tous ceux qui se pressaient contre les barrières, il présenta celui avec qui il assurerait le spectacle, un jeune torero, dont la présence en ces heures m'étonna.

— Il ne devrait pas être ici, expliquai-je à Mrs Evans et à Penny, mais à l'hôtel, à se reposer. (Elles me demandèrent pourquoi.) Quand une corrida ne fait appel qu'à deux matadors — un mano a mano, comme tout à l'heure —, il est nécessaire d'engager un troisième matador, un homme de rechange au cas où les deux autres se feraient blesser avant la fin. On lui donne en espagnol le nom de *sobresaliente,* un remplaçant si vous voulez.

— Oui, mais cela n'explique pas ce qu'il fait ici, insista Mrs Evans.

Je me renseignai auprès de mes voisins. J'appris que le jeune Pepe Huerta, désireux de plaire aux personnages importants du monde de la tauromachie, avait accepté de faire une brève apparition chez don Eduardo.

— Après quelques passes, il retournera en ville et s'habillera pour le combat. Don Eduardo a mis une voiture à sa disposition.

Donc nous verrions non seulement Calesero, mais aussi ce jeune aspirant apparemment très prometteur.

Le trompettiste des mariachis emboucha son instrument pour sonner l'entrée de la première bête. La porte s'ouvrit sur une vache de deux ans, qui jaillit comme un boulet de canon avant de galoper en direction de Calesero, lequel déploya sa cape et la fit passer.

Elle fit volte-face et fonça à nouveau sur lui. Puis, après une série de passes très techniques, il l'emmena vers Huerta, lequel effectua à son tour quelques passes. Frustrée de n'avoir touché que de l'étoffe, la vache s'arrêta, furieuse, pour regarder tout autour d'elle. Don Eduardo profita de cet instant d'hésitation pour indiquer que les deux premiers amateurs désireux d'affronter la vache pouvaient remplacer les matadors. On vit ainsi se ruer sur la piste des garçons d'une quinzaine d'années qui, avec leurs capes d'emprunt, espéraient dominer la vache ainsi que l'avaient fait les toreros.

Seulement la vache se trouvait maintenant en présence d'adversaires plus à sa taille, et ses charges sans résultat lui avaient appris quelque chose. Elle se jeta sur le premier garçon, toucha l'étoffe et se retourna pour le bousculer avant de se ruer directement sur le deuxième garçon. Quelques secondes plus tard, il était à terre, lui aussi.

Les deux jeunes gens furent tout de même applaudis pour leur bravoure. Vint alors l'instant où tous ceux qui le désiraient, avec cape ou à mains nues, pouvaient descendre sur la piste et se mesurer à la vache. Ce fut une cavalcade assez gaie et la bête semblait s'amuser autant que les jeunes gens.

La trompette annonça que chacun devait quitter l'arène, à l'exception des deux matadors qui ramenèrent habilement la vache vers le portail. Une dernière fois, elle essaya de charger Calesero, puis elle disparut sous les acclamations des foules.

— Vous venez de voir une vraie vache Palafox, s'écria don Eduardo dans le micro. Ses fils seront des braves !

Une deuxième vache fit son entrée. Après quelques passes des professionnels, deux jeunes hommes furent invités à tenter leur chance. Ils étaient bien campés sur leurs pieds et maniaient habilement la cape, mais cela n'empêcha pas la bête de les renverser. J'expliquai à Mrs Evans et à Penny que cette vache n'avait pas vraiment de cornes et qu'un coup de tête de sa part équivalait plutôt à un coup de butoir.

La troisième vache entra et, quand Calesero constata dès sa première passe qu'elle chargeait sans hésitation, il fit signe à Huerta de l'entraîner vers une autre partie de l'arène. Il surprit alors Mrs Evans et Penny en se dirigeant vers les gradins et en s'adressant à la starlette :

— Divine señorita, m'aiderez-vous à vaincre ce brave taureau ?

Pour le plus grand plaisir des spectateurs, elle accepta, quitta les gradins et se débarrassa de ses souliers à talons aiguilles avant de prendre une extrémité de la grande cape rouge tandis que Calesero en prenait l'autre bout. Ils s'avancèrent avec lenteur sur le sable tandis que le jeune Huerta attirait l'attention de la bête vers le couple. Puis le sobresaliente se retira tout en restant prêt à voler au secours de l'actrice si les choses tournaient mal.

Tout alla pour le mieux. La vache vit flotter l'étoffe et fonça dessus, passant exactement entre l'actrice et le matador. Une image de conte de fées me vint à l'esprit : « C'est un chevalier, pensai-je, et elle, une princesse portant le hennin, qui tous deux affrontent un féroce dragon. »

Penny avait dû se faire le même genre de réflexion. Alors que l'exhibition prenait fin, elle dit tout haut, machinalement :

— Moi aussi, je pourrais le faire.

— Pardon ? dit don Eduardo.

— Oui, je pourrais le faire, répéta-t-elle comme si elle lançait un défi à l'actrice. N'importe quelle cow-girl, d'ailleurs.

— Vous êtes cow-girl ? Comme il y a des cow-boys ?

— Exactement.

Don Eduardo appela Calesero et les deux hommes se parlèrent par-dessus la barrière. Puis le matador, d'un geste ample, tendit la main à Penny. Elle hocha la tête, salua ses voisins et descendit vers la piste. En passant près de moi, elle me murmura :

— Vous aviez raison, ces vêtements sont un peu trop coûteux.

— Vous ne devriez pas faire ça, dis-je en la saisissant au poignet.

— Si elle le peut, moi aussi.

— Mais c'est une actrice de cinéma, elle se doit de...

— Je ne pensais pas à elle, fit-elle en se débarrassant de ma main, mais à Conchita.

Elle sauta la barrière avec agilité et se retrouva sur le sable.

Comme la petite foule l'acclamait, Calesero s'inclina devant elle et lui demanda en mauvais anglais si elle souhaitait retirer ses bottes, ainsi que la starlette l'avait fait.

— Non, répondit-elle, elles sont faites pour ça.

Penny et le matador s'avancèrent avec lenteur vers la bête et je me dis que c'était vraiment là une scène superbe. Un matador âgé, sur le point de prendre une retraite honorable, et une splendide jeune femme au caractère affirmé, tous deux magnifiquement vêtus. La cape rouge ! L'animal farouche ! Je mitraillai littéralement la scène. Pour ma dernière photo, je pris Pepe Huerta murmurant à Penny, juste avant l'arrivée de la vache :

— Les pieds bien plantés. Ne bougez pas. Tenez bien la cape.

Elle obéit, mâchoires serrées quand la vache chargea entre eux deux, mais vint la partie critique.

— Tournez avec elle ! cria Huerta. Plantez vos pieds !

A nouveau, la vache fonça sur la cape, mais Penny n'était pas prête et la bête la frappa à la cuisse droite et la projeta en l'air. Fort heureusement, elle ne retomba pas sur le sable. Huerta l'avait rattrapée dans ses bras et il enchanta la foule en l'embrassant sur la joue avant de la redéposer à terre.

« *¡ Toro !* » cria la foule, car la vache voulait se jeter sur le couple, mais Calesero détourna habilement son attention.

Je pensais que c'était la fin des exploits de Penny Grim, mais j'avais tort. Fâchée de s'être ainsi fait bousculer, elle reprit la cape et tendit l'autre extrémité à Huerta avant d'indiquer qu'elle était prête à recevoir une nouvelle charge. Calesero renouvela les conseils d'usage et la cape se souleva devant le mufle de l'animal. Huerta put alors embrasser de nouveau Penny avant de la prendre par la main et de la ramener vers les gradins sous les applaudissements frénétiques de tous les spectateurs. Et c'est ainsi que Penny Grim de Tulsa rencontra son troisième torero en trois jours et se fit deux fois embrasser par lui.

Elle se tenait à ses côtés, près de la barrière, et je ne pus m'empêcher de penser qu'ils formaient un très beau couple. Deux jeunes gens au regard vif, débordant de vitalité. L'essence même de la jeunesse !

Mon attention fut alors attirée par Ricardo Martín, qui avait visiblement appris par le téléphone arabe l'organisation de cette tienta et qui se frayait un chemin pour tenter quelques passes. Les employés de don Eduardo ne l'avaient pas remarqué. Comme Huerta prêtait plus d'attention à la jeune fille qu'à la vache, Ricardo s'empara d'une étoffe rouge posée sur la barrière et bondit sur le sable pour affronter l'animal déterminé et vigoureux. Privé du bâton qui, normalement, aurait dû tendre sa muleta, il se devait de nous donner l'une des passes les plus difficiles de tout le répertoire : l'étoffe tenue très bas de la main gauche, main droite dans le dos, il devait avancer lentement vers la bête et taper doucement du pied droit pour provoquer sa charge. C'était risqué, même avec une vache, mais il fit preuve de tant de perfection, de tant de style que les spectateurs se mirent à applaudir. Il ne bougea pas et seul un discret mouvement de sa main gauche accompagna le passage de l'animal. Puis, comme un vrai matador, il s'empressa de se retourner, avec une économie de mouvement, et présenta de nouveau l'étoffe basse à la tête.

En ces instants magiques, il annonçait au monde taurin qu'il savait ce qu'il faisait, et sa troisième passe fut encore plus approchée que les deux précédentes.

— Il s'y connaît, celui-là, dit quelqu'un non loin de moi.

Calesero alla à lui et le serra dans ses bras avant de le faire asseoir à côté de Mrs Evans. Son exhibition était terminée, mais Ricardo essaya de garder l'étoffe rouge. Un des hommes de don Eduardo le vit.

— Si ça ne vous gêne pas, je peux la récupérer ? lui dit-il.

Confus, Ricardo dut s'exécuter, mais Mrs Evans interpella l'employé.

— Combien vaut cette muleta ?

— Ce n'est pas bon marché, une vraie muleta. Il faut savoir la faire. Dix dollars.

Et il lui montra que ce qui semblait n'être qu'un simple carré de tissu avait une sorte de poche pour tenir le bâton ou l'épée dont se servait le matador, et aussi que des petites rondelles étaient cousues dans la bordure pour empêcher la muleta de flotter au vent.

— Si elle se gonfle, couvrant le matador, il peut devenir une cible sans défense et être tué. C'est une étoffe importante.

— Vous l'avez très bien expliqué, dit-elle en fouillant dans son sac. Voici dix dollars. La muleta lui appartient désormais.

Ricardo dissimula l'étoffe rouge sous sa chemise. León Ledesma m'interrogea du regard et je lui adressai un hochement de tête qui signifiait : « Eh oui, León, il espère jouer l'espontáneo cet après-midi. » Le gros homme soupira :

— Oh non, pas deux en deux jours ! Qu'est-ce que j'ai fait aux dieux ?

Comme nous quittions l'arène pour regagner notre voiture, l'employé qui avait cherché à reprendre la muleta à Ricardo Martín le saisit par le bras. Un instant, je crus qu'ils allaient se battre. Mais l'homme avait apporté un de ces bâtons que les matadors glissent dans la muleta pour la tenir ouverte. Il mesurait près d'un mètre de long, ce qui le rendait impossible à dissimuler sous une chemise, mais celui-ci était en réalité coupé en deux pour être rapidement reconstitué à l'aide de vis et d'écrous. Et il l'offrit à Ricardo.

— *¿ Hoy día, quizás ?* demanda l'employé. (Aujourd'hui, peut-être ?)

— *Sí.*

— *Buena suerte.*

Sur ce, il nous laissa pour se rendre aux arènes en compagnie des employés de l'élevage.

Pour rentrer, Mrs Evans demanda à Ledesma de s'asseoir avec elle à l'arrière. Je pris le volant de la Cadillac ; Penny s'installa à ma droite.

— Il est évident que Ricardo va essayer de descendre dans l'arène, non ? entendis-je dire Mrs Evans.

— Lui et quelques autres, répondit Ledesma.

— S'il fait cela et s'il se conduit aussi bien avec le taureau qu'avec la vache, en parlerez-vous dans votre article ?

— Je ne traite pas de ce genre de choses. Cela ne mène jamais à rien.

— On m'a dit que Gómez avait commencé comme ça.

— Oui, un sur mille... sur dix mille.

— Mais admettons qu'il fasse quelque chose de spectaculaire, qu'écririez-vous ?

— Je vous le répète, je ne traite pas de cela...

Je ne jurerais pas de ce qui se passa — je voyais leurs têtes dans le rétroviseur, pas leurs mains —, mais je suis persuadé que de l'argent circula, du papier-monnaie. Après un long silence, Mrs Evans reprit la parole.

— Selon vous, señor Ledesma, que coûterait-il à un jeune Américain pour devenir apprenti, puis matador — en supposant qu'il ait du talent, naturellement ?

— Eh bien, s'écria Ledesma, commençons par le commencement. Deux costumes, cinq mille dollars. Epées, capes, muletas, trois mille cinq cents. La cape réservée au défilé, deux mille cinq cents. Viennent ensuite les salaires des péons et des picadors, trois mille dollars par corrida. Les pots-de-vin, six mille dollars. Et puis tout le reste, la publicité, les critiques bien entendu, cinq mille dollars. Pour le manager, cela peut atteindre les dix-huit mille dollars. Voilà. Nos meilleurs matadors représentent une somme coquette, Mrs Evans.

— Mais pour un débutant, en étant plus raisonnable...

— Prenons le cas d'un bon torero, quelqu'un susceptible de décrocher quelques contrats, mais pas trop tout de même. Des costumes d'occasion, pareil pour les épées... cela devrait faire dans les neuf mille dollars.

— Un Américain pourrait s'en tirer avec neuf ou dix mille dollars ?

— Il aurait six ou sept occasions par an, pas plus. J'en ai connu qui avaient le double et qui n'ont jamais rien donné.

— Ceux qui ont réussi, ils sont nombreux ?

— A la rigueur, je dirais deux ou trois.

— Si le jeune Martín descend dans l'arène cet après-midi, pourrez-vous dire s'il a des chances d'y arriver en voyant ce qu'il fait ?

— Soyez réaliste, Mrs Evans. Ce sera catastrophique. Il aura déjà de la chance s'il approche le taureau. Les péons ne le laisseront pas faire.

— S'il y parvient ?

— Ah, Mrs Evans, vous êtes la lumière de ce festival et je vous apprécie énormément ! C'est pourquoi je vous donnerai mon opinion sans détour. Posez-moi vos questions.

— C'est très simple. S'il se comporte bien, l'écrirez-vous dans votre rubrique ?

— Je vous ai déjà promis de parler favorablement de lui à propos de ce qu'il a fait lors de la tienta. Cela pourrait donner ceci pour commencer : « Hier, dans la propriété Palafox, j'ai vu Calesero en traje corto effectuer de belles arabesques devant les vigoureuses vaches de don Eduardo, mais le point culminant de cette courte tienta fut la prestation de l'aspirant norteamericano, Ricardo Martín, qui prouva une fois de plus qu'il sait manier la muleta. Sans nul doute possible, c'est un jeune homme à suivre. »

— Vous l'aviez déjà vu ?

— Non, mais cela sonne mieux ainsi.

Je perdis le fil de la conversation et aussi de la transaction. J'entendis toutefois Ledesma répéter : « Seulement s'il approche du taureau. » Là-dessus, je m'engageai sur le parking, incapable d'imaginer ce qui allait se passer.

19

Sol y sombra

Mon article sur la tragédie survenue lors du Festival Ixmiq-61 était arrivé à New York, mes photos avaient bien atteint leur destinataire, j'étais libre de jouir de mon temps et de me contenter du rôle du spectateur. J'emportai tout de même mon carnet et mes appareils photo, au cas où il se passerait quelque chose de mémorable, mais je tenais surtout à ce que mes deux amies de l'Oklahoma finissent en beauté leur séjour à Toledo. Je m'étais attaché à Mrs Evans, qui paraissait avoir toutes les qualités d'une mère, et j'étais bien conscient que, deux ou trois dizaines d'années plus tôt, j'aurais prêté une attention plus que soutenue à Penny. Je considérais donc comme un privilège d'attendre en leur compagnie à l'extérieur des arènes tandis que la population s'amassait pour assister au formidable mano a mano entre Victoriano et Gómez.

— Ces deux entrées, marquées *Sol* et *Sombra*, c'est-à-dire Soleil et Ombre, sont le symbole même de la lutte, leur expliquai-je avant de leur montrer la différence très nette entre les deux groupes d'aficionados. Vous remarquerez que ceux qui possèdent des billets frappés du mot *Sol* — une foule plutôt bigarrée, non ? — empruntent la porte qui conduit aux places les moins chères. Ils seront installés face au soleil, déjà vif à cette période de l'année. Ils dissimulent leurs yeux sous leurs chapeaux, mais même ainsi, ils seront mal à l'aise pendant les trois premiers taureaux, et c'est avec plaisir qu'ils verront le soleil disparaître derrière les gradins opposés.

— Ils paient vraiment beaucoup moins ? me demanda Penny.

— Plutôt, oui, mais observez à présent ceux qui ont des billets marqués *Sombra*. Bien habillés, très nets. Admis par une porte ornée d'une statue représentant un taureau Palafox. Ils seront protégés du soleil tout au long de la corrida. Quand on est confortablement assis à l'ombre, il n'y a pas besoin d'être snob pour penser : « Regardez ces pauvres diables ! Ils sont en enfer et moi au ciel ! » Non, je vous assure que les pesos supplémentaires dépensés pour acquérir des places à l'ombre ne sont pas jetés par les fenêtres.

Il existait une troisième entrée, réservée à un certain nombre de privilégiés comme, par exemple, le chroniqueur Ledesma et le journaliste Clay. Nous aurions pu utiliser la porte des matadors ; ceux-ci attendaient dans un endroit clos avant le défilé dans l'arène. De là, une porte plus petite nous aurait permis d'accéder au *callejón,* où se passent énormément de choses : le manager fait des suggestions discrètes à son matador, les fonctionnaires transmettent les ordres du président. Parfois, un taureau saute la barrière et sème la panique. Il peut même y avoir des morts.

Ce jour-là, je n'empruntai pas l'entrée réservée, car je n'avais aucune raison de me trouver dans le couloir. Je m'assis derrière mes deux amies. Aussitôt, Penny se pencha vers moi pour me murmurer quelque chose à l'oreille.

— Mr Clay, le matador de réserve qu'on a rencontré tout à l'heure m'a dit que les grands matadors le laisseraient peut-être poser une paire de banderilles. Si tel est le cas, il m'a promis que le Mexique ne verrait pas une meilleure paire de toute la saison. Prenez une photo, je vous en prie. (Puis elle ajouta, plus doucement encore :) J'aimerais tellement que ça arrive...

Mrs Evans m'adressa à son tour sa requête.

— Si Ricardo saute dans l'arène, photographiez tout.

— J'espère que j'aurai assez de pellicule.

— Il vaudrait mieux.

La petite aiguille de l'horloge était pratiquement sur le chiffre cinq quand une fanfare composée de dix personnes entama la traditionnelle marche d'ouverture. Puis les deux trompettistes sonnèrent le début officiel de l'après-midi. Du côté exposé au soleil, une porte s'entrouvrit pour laisser la place à un cavalier. Il portait un costume à l'ancienne et montait un cheval blanc, qui se dirigea lentement vers nous. L'homme s'empara d'une grande clef avant de se rendre à toute allure vers la porte rouge que les taureaux franchiraient tout à l'heure. Puis le portail s'ouvrit en grand et entrèrent les trois matadors suivis de leurs cuadrillas, parmi lesquelles se comptaient deux picadors pour chaque torero. Venaient enfin une douzaine d'hommes en chemise blanche, les *monosabios* (contraction de *monos sabios,* singes savants), dont la tâche consistait à nettoyer la piste entre chaque combat.

Cette entrée grandiose ne trouve son équivalent dans aucun autre sport, dans aucun autre spectacle artistique. Même l'aficionado le plus blasé ne pouvait qu'être ému par l'apparition de ces trois matadors, si beaux dans leurs capes de parade resplendissantes, et de leurs péons, eux-mêmes arborant leurs plus belles capes.

Parvenu de notre côté, Victoriano s'avança vers l'actrice que nous avions vue au ranch et, en s'inclinant, lui offrit sa cape. Au même instant, Pepe Huerta, le sobresaliente, en fit de même avec Penny Grim. La cape de Huerta était quelque peu défraîchie et, surtout, infiniment moins coûteuse, mais le public applaudit sans discrimination. Un instant, le matador et son remplaçant prirent la pose devant les deux femmes et les appareils photo cliquetèrent. L'après-midi s'annonçait plutôt bien.

Juan Gómez, désireux de préserver son statut de premier matador, ne voulut pas être en reste. Il attendit que les autres aient terminé avant de marcher d'un pas lent vers le siège qu'occupait Lucha González. Avec toute l'onctuosité d'un courtisan du Roi-Soleil, il lui tendit sa cape quelque peu rapiécée tandis que les spectateurs chuchotaient entre eux : « C'est Lucha, la chanteuse de flamenco. Elle a dansé dans un film, vous ne vous rappelez pas ? C'était il y a plusieurs années. » Et l'arène l'applaudit.

Au signal du président, le clairon lança son appel plaintif et le silence s'abattit aussitôt sur l'assistance. La petite porte rouge s'ouvrit et le premier taureau Palafox surgit, tête relevée, déjà en quête d'une cible sur laquelle foncer. La corrida débutait.

Gómez se dirigea vers son taureau, le 42, celui pour lequel nous avions noté « petites cornes, très rapide », et tenta de s'imposer en exécutant une série de passes majestueuses, mais l'animal ne se prêta pas au jeu. Ce n'était pas un couard, cependant, car il attaqua furieusement les chevaux bien caparaçonnés. Gómez voulut en détourner le taureau par un ensemble de passes très élégantes, mais les tentatives du matador se révélèrent non seulement inutiles, mais quasiment ridicules. Le déplorable après-midi de Gómez commençait en cet instant, et le pire était encore à venir avec la stratégie complexe du mano a mano.

Après Gómez qui se retira après avoir démontré qu'il ne pouvait rien tirer de cet animal, Victoriano entra en piste et nous donna une suite de passes gracieuses qui lui valurent des applaudissements.

— Satané taureau, entendis-je Gómez dire à ses péons. Pourquoi il le charge et pas moi ?

Avec les picadors, ce fut la même chose. A la suite de la première pique, loin d'être excellente d'ailleurs, Gómez chercha sans succès à attirer l'animal à l'aide de passes spectaculaires. Le petit Indien aux jambes arquées se trouvait confronté à un terrible dilemme : demander au président de passer à la phase suivante, en sachant pertinemment que le taureau n'était pas suffisamment châtié, ou l'amener au deuxième picador dans l'espoir qu'il en viendrait à bout. Si le taureau s'en prenait au deuxième cheval, Victoriano pouvait exécuter ses passes. Gómez ne réfléchit que très peu de temps avant de laisser son concurrent, plus jeune et plus gracieux, tenter sa chance. Une fois encore, le taureau fut plus coopératif. Victoriano nous offrit deux séries de passes exquises où la cape semblait une sculpture mouvante et où la bête n'était plus l'adversaire du matador, mais son amie.

Avec les banderilles, Gómez se montra précis, mais pas exceptionnel ; il ne pouvait pas non plus se permettre d'engager des hommes qui le fussent. Pour son premier taureau, il plaça donc une paire insignifiante, mais il se sentait dans l'obligation de laisser Victoriano démontrer ce dont il était capable. Ses admirateurs applaudirent son geste, mais la chance ne sourit pas à l'Indien : aérien comme un ange, Victoriano se dressa sur la pointe des pieds et banderilla si bien que la foule l'acclama.

Il y a toujours un bref intervalle entre la pose de la dernière paire de banderilles et la troisième phase du combat. Ledesma en profita pour nous rejoindre. Il passa sa grosse tête entre Mrs Evans et Penny et me chuchota :

— Norman, vous feriez mieux de venir avec moi.

— Je me sens très bien ici, dis-je en désignant les deux femmes.

— Il y aura peut-être quelque chose qui vous surprendra, répliqua-t-il d'un air grave.

Sur ces mots sibyllins, il m'arracha à mes deux amies et me conduisit dans le callejón, d'où nous vîmes Gómez faire ce qu'il pouvait avec son taureau.

Quelque peu décontenancé par ce qui venait de se passer, le taureau n'était pas prêt pour le type de passes et de travail rapproché dans lequel Gómez excellait. Le matador ne réalisa pas d'exploits à la muleta et manqua par trois fois sa mise à mort.

Quand le taureau fut emporté hors de la piste, il entendit ce que les chroniqueurs appellent des *divisos*, des avis partagés : applaudissements pour sa bravoure et ses efforts, huées pour ses échecs.

Ce premier combat était en quelque sorte un prélude à la véritable corrida, car le deuxième animal, attribué à Victoriano, semblait avoir été envoyé par don Eduardo pour démontrer que tout taureau Palafox porte en lui la promesse d'une superbe performance. Lors du tirage au sort, j'avais noté pour le 33 : « Placide, laisse les autres décider. Explosif ??? »

J'eus le privilège d'assister à ce combat aux côtés de Ledesma, lequel me permit de lire par-dessus son épaule tandis qu'il notait les impressions qui lui permettraient de rédiger son article.

« Vic. deux superbes véroniques. Gómez aboutit enfin. Détourne le toro en deux belles passes. Vic. Magnifiques banderilles. Musique. Gómez seulement régulier. Vic. ouvre la faena [le travail], *farolazo de rodillas* [phase finale à genoux avec cape tournoyante au-dessus de la tête]. De mieux en mieux. Muleta derrière le dos, taureau sous le bras, quelques cm. Unique coup d'estoc. Chute. *Dianas* [musique traditionnelle de récompense]. Acclamations. Une oreille. Autre oreille. Nouvelles dianas. Applaudissements. La queue. Tour de piste. Deuxième tour. Troisième tour. Invite don Eduardo à se joindre à lui. Triomphant. Signaler son placement intelligent du toro. »

Quand je lui demandai ce que signifiait cette ultime remarque, je compris une fois de plus à quel point il pouvait être gratifiant de côtoyer un homme comme Ledesma. Il aimait la beauté de l'univers taurin, mais savait aussi en déceler les éléments les plus subtils.

— Observez toujours la façon dont Victoriano place son taureau au cours d'un combat. Chaque fois qu'il sent qu'il peut effectuer une belle série de passes, il indique à ses péons d'amener la bête vers le côté Sombra, pour que les spectateurs fortunés jouissent pleinement de ses prouesses. Avec un taureau dont il ne peut rien faire, ses hommes le conduisent vers la partie Sol et l'y laissent. Victoriano se déplace, bâcle quelques passes et finit le taureau le plus vite possible. Sol lui accorde des acclamations sans importance, Sombra le fait vivre. Il aime les gens riches, tout comme moi, je le reconnais volontiers.

— Est-ce que les autres matadors se comportent différemment ?

— Gómez. Voyez comment il orchestre son combat. Quand il envisage quelques grandes passes, il emmène son taureau vers Sol, car là sont les gens qui le soutiennent, ceux qui savent vraiment ce qu'est la tauromachie. Avec eux, pas de toc ni de chichis.

En une fraction de seconde, je me remémorai ce que j'avais vu depuis le début de la corrida. Oui, Ledesma avait raison : Victoriano était l'artiste de l'ombre, Gómez celui du soleil.

Le petit Indien avait été contraint d'entendre les vivats adressés à son adversaire et il lui fallait maintenant le surpasser ; il s'y employa, mais ses efforts avec son deuxième taureau demeurèrent vains. Pour lui, l'après-midi tournait à la débâcle.

Il y eut bien un splendide moment, mais Gómez n'y participa pas. Fidèle à la promesse qu'il avait faite à Pepe Huerta, le sobresaliente que la direction avait engagé pour une bouchée de pain à Guadalajara, Gómez laissa le jeune aspirant poser la deuxième paire de banderilles. Lui-même avait quelque peu gâché la première. Huerta avait dû répéter son geste au cas où l'occasion s'offrirait de prouver aux autres ce dont il était capable. Il prit les fuseaux engainés de papier violet, s'avança vers le siège de Penny et, tenant les banderilles dans la main gauche, harpons tournés vers la jeune fille, annonça qu'il lui dédiait sa prestation. La foule applaudit et Penny, tout excitée, me supplia d'une voix aiguë de prendre une photo.

Le cœur battant, les nerfs à fleur de peau, vêtu de l'unique costume décent qu'il possédait, Pepe marcha vers le milieu de l'arène. Les pieds joints, il sautillait parfois pour attirer l'attention du taureau. Celui-ci restait immobile et observait la silhouette qui se rapprochait de lui, bras tendus au-dessus de la tête. Subitement, il passa à l'offensive et se rua sur l'homme. Simultanément, Huerta courut vers le taureau, fit un tour complet sur lui-même, et se retrouva tout près de la bête. Il bondit en l'air, banderilles à bout de bras, et virevolta afin d'échapper aux cornes tout en clouant avec force les deux bâtons dans le muscle de la nuque.

Mon appareil photo automatique avait pris une bonne douzaine de clichés. Celui représentant la virevolte en l'air et la plongée des banderilles allait être diffusé dans tout le Mexique sous le titre « la paire de Toledo ». Dans l'agrandissement au format affiche offert à Penny Grim, il ornerait le mur de sa chambre à la SMU de Dallas ; juste à côté serait exposé un tirage de la photo montrant Huerta en train de lui dédier les banderilles. Penny Grim était venue au Mexique dans l'espoir d'y rencontrer un torero : elle y avait découvert un champion.

La performance de Huerta n'aida en rien Gómez ; avec la troisième paire, Gómez se montra assez pathétique en comparaison de ce que le remplaçant avait fait. Et avec l'épée, il fut brave mais manqua totalement de chance. Cette mise à mort peu satisfaisante ne suscita pas de divisos : il n'y eut que des huées.

Après la pause au cours de laquelle des mules nivelèrent le sable de la piste vint le deuxième taureau de Victoriano. Ce fut presque une réplique du premier : seule différence, il lui valut les deux oreilles. La foule exigea la queue à cor et à cri, mais celle-ci ne fut pas accordée. Le matador triomphant exécuta deux tours de piste, follement acclamé. Comme il passait devant moi, j'imaginai que le masque joyeux dissimulait une profonde angoisse, car il lui fallait encore affronter l'énorme taureau, le tueur.

Je manquai la piètre performance de Gómez avec son troisième taureau, car León Ledesma m'avait tiré par la manche avant même son entrée en piste.

— Nous allons peut-être voir une chose à laquelle peu ont assisté, me dit-il mystérieusement.

Il m'entraîna vers la partie ensoleillée de l'arène et nous franchîmes discrètement une petite porte rouge pour rejoindre les loges où les taureaux sont installés individuellement après le tirage au sort. Ils n'étaient plus que deux, le 38 avec son physique de bœuf, qui combattrait dans quelques instants, et le 47, le taureau non afeité qui avait tué Sangre Azul. Nous étions tapis dans l'ombre quand la porte de la loge du 38 s'ouvrit brusquement. Un employé frappa sur la paroi et le taureau de plus de 460 kilos s'engagea dans le passage étroit qui le menait à l'arène. Au moment où il sortit de l'obscurité, un garçon de piste lui planta adroitement dans la nuque une cocarde aux couleurs de l'élevage. Cette piqûre imprévue stimula la bête, qui déboula sous les acclamations de la foule. Mais il me fut impossible de m'intéresser davantage à lui, car Ledesma me conduisit jusqu'à un endroit d'où nous pouvions voir la loge du tueur.

Je me trouvais pratiquement face à face avec le taureau et je mourais d'envie de prendre en photo cette tête superbe — noire, puissante, avec ses petits yeux vifs et ses immenses cornes encore intactes. Je collai mon œil au viseur, mais Ledesma m'arrêta et m'indiqua d'un signe de tête que nous n'étions pas seuls. Trois hommes tapis dans l'ombre se tenaient juste au-dessus de l'arrière-train de l'animal.

Je connaissais bien Veneno et je le savais capable de tout pour augmenter les chances de son fils devant un ennemi de cette envergure, mais je n'aurais jamais envisagé qu'il pût faire une chose aussi répréhensible. Peut-être allait-il injecter un tranquillisant assez léger au taureau. Mais non, sa tactique était bien plus primitive, et c'était une stratégie dont j'avais entendu parler, mais que je pensais ne jamais avoir la possibilité de voir de mes propres yeux.

Immédiatement après la mise à mort du quatrième taureau, Veneno s'était empressé de rejoindre la cour où attendent les chevaux des picadors et les montures de réserve (au cas où il y aurait un accident). Là, il avait retrouvé Diego et Chucho, vêtus de leurs costumes de lumière, et ensemble ils avaient extrait de sa cachette le lourd sac de ciment gorgé d'eau. Péniblement, ils l'avaient hissé au-dessus des loges des taureaux et déposé à l'arrière de la loge du 47, juste au-dessus de ses reins. Gómez allait entamer le dernier tiers ; ils étaient fin prêts.

Dans dix minutes, ce puissant taureau allait jaillir dans l'arène et chercher à frapper Victoriano de ses cornes acérées, mais Veneno avait bien l'intention de réduire considérablement sa capacité à tuer. Ledesma et moi nous taisions.

« Maintenant », chuchota le vieux picador, et les trois Leal poussèrent doucement le sac, puis dans un ultime ahanement, ils le laissèrent tomber sur le train arrière de l'animal, la partie la plus vulnérable, à l'endroit précis où les membres postérieurs faisaient jonction avec les hanches. Le taureau émit un grondement et le sac glissa à terre. La bête rua comme pour chasser la douleur et, au bout de quelques secondes, elle s'y habitua. Elle était à nouveau prête à combattre, mais Veneno et ses fils savaient qu'elle avait perdu un peu de cette formidable énergie qui rend un taureau de combat si dangereux. Celui-ci serait ralenti, pas assez pour être inapte, mais suffisamment pour ne pas trouver dans ses postérieurs la possibilité de lancer une charge mortelle contre les hommes et les chevaux.

Comme Veneno et ses fils descendaient de leur perchoir pour reprendre leurs postes en vue du combat final, je me demandai si Victoriano, premier bénéficiaire de cet acte malhonnête, se rendrait compte que son taureau était désavantagé au point que l'affrontement en devenait inéquitable. J'espérais que non, car il m'apparaissait comme un individu honorable, mais dans l'univers de la tauromachie, qui peut être sûr de quoi que ce soit ?

León et moi revenions des loges quand nous entendîmes le premier *aviso* adressé à Gómez. Le deuxième retentit alors que nous regagnions nos places dans la ruelle. Nous arrivâmes à temps pour voir le malheureux Indien suer sang et eau pour fixer correctement le diabolique 38 et le finir à l'épée, mais le taureau refusait de coopérer, bien que sérieusement blessé par les tentatives précédentes du matador. Les pattes solidement plantées dans le sol, il vacillait mais n'entendait pas se coucher et mourir.

A bout de ressources, Gómez abandonna l'épée pour le poignard qui permet de frapper directement au bulbe rachidien. C'était là une opération des plus délicates, qui requiert chance et habileté. Il n'avait ni l'une ni l'autre et, à chaque coup de poignard, la foule criait d'un air lugubre : « *Tres, cuatro, cinco, seis...* » C'était humiliant et désespérant, mais Gómez ne se laissa pas distraire. A la neuvième tentative, il agita la muleta de sa main gauche pour attirer l'attention du taureau et banda les muscles de son bras droit. Le poignard toucha son but au moment où sonnait l'aviso final. Le taureau s'écroula.

Juan Gómez fit volte-face pour saluer le président, lequel lui rendit son salut. Tous deux savaient quels efforts il fallait déployer pour abattre un taureau puissant qui ne veut pas mourir.

Les clairons annoncèrent l'ultime combat.

Après ce dont nous avions été témoins, nous avions hâte d'observer le comportement du taureau. Il jaillit sur la piste en quête d'un ennemi, mais, c'était évident pour nous au moins, il évitait de prendre appui sur son postérieur droit. La douleur devait se réveiller à chaque pas, mais je fus surpris de voir avec quelle rapidité il y réagissait ou la dominait. Bientôt, il galopa à toute allure. Victoriano devait tout de même trouver que le taureau était légèrement plus lent que ce à quoi il s'attendait ; au moment décisif, une fraction de seconde peut faire la différence entre la vie et la mort.

Les yeux braqués sur ce taureau avec lequel je m'identifiais un peu, j'avais l'index posé sur le déclencheur de mon appareil photo, prêt à saisir chaque instant de son combat. Il fonça sur les capes qu'on lui présentait. Tant que le matador n'était pas entré en piste, il était de règle que les péons ne tiennent leurs capes que d'une seule main et les fassent traîner à terre pour attirer le taureau. Cette pratique offrait au matador la possibilité d'observer les réactions de son adversaire. Quand Victoriano passa à l'action, il put exécuter quelques belles passes avec un taureau prompt à attaquer. Mais je décelais toujours le défaut de la bête, sa patte droite un peu hésitante qui la ralentissait et donnait à Victoriano le temps de se remettre en position pour la passe suivante.

Satisfait, Victoriano prit l'une de ces décisions qui rendent sublime la tauromachie : il décida de tenter l'une des passes les plus belles mais aussi les plus dangereuses, une *mariposa* (papillon). Il lança la cape par-dessus sa tête pour qu'elle retombe dans son dos. Son visage, sa poitrine et son ventre n'étaient plus protégés. Un coup de corne et il était mort. Seules deux petites parties de cape de forme triangulaire étaient présentées au taureau, l'une guidée par la main droite et l'autre par la gauche, qu'il agitait successivement. Quand la partie gauche était visible, le taureau regardait dans cette direction. Puis la gauche disparaissait et la droite apparaissait, attirant l'attention de la bête dans cette nouvelle direction. Le matador traversa à reculons les arènes en compagnie du taureau, comme si l'homme et la bête dansaient un pas de deux. Soudain, sans prévenir, le taureau se jeta sur la partie gauche de la cape et passa sous le bras du matador, qui s'empressa de pivoter sur ses talons pour offrir le triangle droit à son adversaire. A deux autres reprises, le taureau chargea non pas l'homme, mais la cape, puis le matador fit virevolter sa cape d'une seule main, laissant l'animal immobile et perplexe. La foule ne put qu'acclamer les deux exécutants de cette danse fantastique.

Les clairons annoncèrent l'entrée du vieux Veneno, monté sur son énorme cheval blanc, et d'un second picador qui avait apparemment reçu l'ordre de ne pas s'interposer et de laisser Veneno travailler seul. Dans son pâturage, le taureau aurait ignoré le cheval, mais ici, c'était le cavalier qu'il voulait atteindre. Il fonça dessus avec une telle fougue que Veneno en aurait certainement été désarçonné si Victoriano n'était intervenu et n'avait détourné son attention en agitant sa cape.

Veneno put alors démontrer qu'il était toujours l'un des meilleurs picadors de tout le Mexique. Penché très en avant pour éloigner le taureau du cheval, il planta dans les muscles du cou la hampe de chêne terminée par un fer triangulaire. Quand il eut trouvé la bonne position, il se pencha encore davantage au point de se trouver au-dessus des cornes du taureau, et entreprit de faire tourner sa lance afin d'affaiblir au maximum le taureau avant sa rencontre avec Victoriano.

Ce que Veneno cherchait à faire n'échappa pas au président qui demanda qu'une sonnerie de clairon mette fin à la première pique. Sur ce, Veneno entreprit de faire danser la carioca à son taureau.

D'une pression du genou, il plaçait son cheval dans une position telle que le taureau ne pouvait se dégager ; il en profitait pour le châtier de manière démesurée tout en indiquant au président qu'il faisait de son mieux pour obéir aux ordres.

Cela me rappela ces matchs de catch où le méchant coince le gentil dans un coin du ring et lui inflige les pires sévices — torsion de nez, doigts dans les yeux, étranglement, etc. — tout en empêchant l'arbitre de s'approcher. Et quand ce dernier lui adresse un avertissement, le méchant lève les bras au ciel d'un air innocent et indigné. Que ce soit au catch ou à la corrida, le public adore ce genre d'ineptie.

Veneno laissa enfin le taureau s'échapper, et son fils arriva pour exécuter quelques belles passes tout en donnant à l'animal le choix du picador qu'il allait charger. Cependant le second picador manœuvra de telle sorte que le taureau revint encore une fois sur Veneno. Le vieil homme allait répéter son geste destructeur, mais le taureau s'élança avec une telle violence qu'il renversa le cavalier et sa monture. Comme s'il comprenait que son véritable ennemi était l'homme et non pas le cheval, il s'en prit au picador. Veneno était dans la pire position qu'on puisse imaginer : couché à terre, sans possibilité de s'enfuir — le moindre coup de corne le clouerait au sol. En un instant, Pepe Huerta et les péons de Gómez et de Victoriano se précipitèrent en faisant tournoyer leurs capes pour détourner le taureau.

La bête ne se laissa pas abuser. Elle délaissait les capes et visait toujours l'homme à terre, quand un nouveau défenseur se présenta. C'était Gómez, qui agitait sa cape devant lui comme une vieille femme qui défroisse son linge avant de le mettre à sécher. Ce geste d'une folle témérité sauva le picador. Lentement, le taureau suivit Gómez ; à tout moment, il pouvait transpercer la cape et tuer le petit Indien, mais Gómez continuait de détourner son attention. Les spectateurs qui s'y connaissaient un peu en tauromachie admiraient cet acte héroïque ; même ceux qui avaient compté lors de sa disgrâce — « *Cinco, seis* » — étaient maintenant muets de stupeur.

Victoriano, toujours certain de triompher de son rude adversaire, se fraya un chemin vers la victoire en plaçant une admirable paire de banderilles, puis en se dirigeant vers Gómez d'un air arrogant. Il tenait la deuxième paire dans la main droite et il tendit le bras gauche à l'horizontale avant d'y poser les fuseaux comme s'il s'agissait d'une offrande. Il invitait le petit Indien à tenter sa chance avec ce superbe taureau. Pris au dépourvu mais toujours très sportif, Gómez releva le défi.

Il prit les banderilles et vint se placer devant moi. « *Pañuelo ?* » me dit-il. Je lui donnai mon mouchoir et il effectua la même requête auprès de Ledesma. Le chroniqueur lui offrit son propre mouchoir en murmurant :

— *Buena suerte, matador.*

Gómez hocha gravement la tête, car il savait qu'il risquait sa vie.

Il se rendit au centre de l'arène de sa démarche un peu chaloupée, mit les deux mouchoirs dans sa bouche et brisa les banderilles de telle sorte qu'elles ne mesurent plus qu'une quinzaine de centimètres au lieu de soixante-cinq. Il enveloppa les extrémités cassées dans les mouchoirs et mit les deux fuseaux dans sa main droite avant de marcher lentement vers la bête.

— *Hé, toro,* l'entendis-je appeler. *Toro !*

Quand l'animal réagit enfin, Gómez décrivit un large cercle à la course, calculant soigneusement l'interception de leurs trajectoires mutuelles. Il bondit alors au-dessus des cornes et d'une seule main, ficha magistralement les deux banderilles courtes dans la nuque de la bête. Ce fut une démonstration à couper le souffle, un acte que seul un homme de grande bravoure peut exécuter, mais hélas ! son pied gauche toucha le postérieur droit du taureau qui traînait un peu et il tituba, suffisamment pour donner au taureau la possibilité de faire volte-face et de le frapper à l'aine droite.

En un éclair, les péons des deux matadors surgirent avec leurs capes virevoltantes, puis des infirmiers accoururent pour transporter Gómez à l'infirmerie située près de la chapelle. Là, des praticiens découpèrent la culotte moulante, nettoyèrent la plaie béante sans pratiquer la moindre anesthésie et firent une piqûre de ce qu'on a surnommé « l'amie du torero », la pénicilline du docteur Fleming. Il fut un temps où un matador affligé d'une telle blessure serait mort de septicémie quatre jours plus tard. Aujourd'hui, le blessé survivait. En recousant la plaie, les docteurs purent prédire avec certitude :

— Terminé pour aujourd'hui.

Ce à quoi un jeune assistant ajouta en s'adressant à une infirmière :

— Et pour cette saison.

Pour Juan Gómez, le Festival Ixmiq-61 s'achevait de manière désastreuse. Il ne triompherait pas à Madrid cet été. Dans les tribunes, Lucha González était morose, elle savait que ses chances de chanter le flamenco en Espagne étaient une fois de plus différées, sinon annulées à tout jamais.

D'autres modifications étaient intervenues dans l'arène. Le jeune Pepe Huerta occupait une place de plus en plus importante ; s'il survenait quelque chose à Victoriano, Huerta devrait le relayer et mener le combat à sa conclusion. Victoriano comprit que le jeune homme était désormais son associé et il l'invita à placer la troisième paire de banderilles ; il le fit moins élégamment que la fois précédente, mais tout de même assez bien pour recevoir des applaudissements.

Le moment tant redouté était arrivé. Victoriano n'avait plus personne pour le protéger et il lui fallait affronter directement ce puissant taureau dont le postérieur droit était peut-être affaibli, mais dont le caractère semblait plus résolu que jamais. Ce taureau avait de la défense. En dépit de ses appréhensions, Victoriano conserva sa noblesse. D'une allure fière, il se dirigea vers l'actrice et ôta sa mantera afin de lui dédier son taureau. Puis il pivota, jeta négligemment son couvre-chef par-dessus son épaule et s'en alla au combat. L'actrice ne s'attendait pas à une telle dédicace, mais elle saisit au vol la mantera et la pressa sur ses lèvres jusqu'à la fin de l'après-midi.

Victoriano se devait de tuer ce taureau de manière expéditive en s'exposant le moins possible à ses cornes redoutables. Le taureau, pour sa part, allait se défendre jusqu'à son dernier souffle. L'homme et la bête avaient chacun en réserve toutes sortes d'astuces.

Quand Victoriano chercha, eu égard à la qualité de sa prestation, à pratiquer quelques belles passes, le taureau, fatigué et quelque peu handicapé, refusa de se prêter au jeu et n'abandonna pas la position défensive qu'il avait adoptée.

— Finis-le comme tu peux, criait Veneno depuis le couloir, mais ce conseil avisé ne réussit qu'à inciter Victoriano à tenter une ultime passe.

En le voyant s'approcher, la bête attendit l'instant critique, puis elle chargea et attrapa Victoriano à la cuisse droite. De ma place, je trouvais que la blessure était sérieuse et qu'il faudrait la recoudre, mais pas autant que celle de Gómez.

Veneno prit son fils dans ses bras pour le porter à l'infirmerie. Je l'entendis lui dire :

— Tu vivras. Tu ne perdras pas ta jambe. (Il savait qu'il était capital d'empêcher le torero de penser qu'il pouvait mourir.) Tu vivras, Victoriano, et tu reviendras l'année prochaine, plus grand que jamais.

Alors que l'on emportait le matador, Mrs Evans me dit tout bas :

— Je crois que Ricardo va en profiter.

Le jeune Américain s'était rapproché de la barrière, prêt à profiter de la confusion générale pour sauter par-dessus. Je me préparai à prendre une photo, mais rien ne se passa.

Sur la piste, il n'y avait plus que le taureau, immobile, acculé à la barrière dans une attitude défensive, et le jeune Huerta qui traversait l'arène pour aller à sa rencontre. Sa tâche n'était pas aisée : il allait devoir mettre à mort cette bête extraordinairement dangereuse. Le jeune homme ignorait ce que Ledesma et moi savions, que le 47 avait tué le grand taureau Sangre Azul, mais il l'avait vu envoyer à l'hôpital deux des meilleurs matadors du Mexique. Il s'avançait lentement et réfléchissait à la façon de réussir là où Victoriano, pourtant plus aguerri, avait échoué.

Cette lenteur offrit à Ricardo Martín l'occasion qu'il attendait tant.

Après avoir discrètement reconstitué son bâton et l'avoir glissé dans l'ourlet de sa muleta, il adressa un imperceptible signe de tête à Mrs Evans et à Penny, lesquelles croisèrent les doigts. Puis il sauta la barrière et, avant qu'un péon ou un officiel pût l'arrêter, il tomba à genoux devant le taureau. La bête le chargea et le passa sous les acclamations de la foule. Ricardo tourna sur lui-même et reçut à nouveau le taureau, toujours à genoux.

Mais en plus du taureau, il lui fallait affronter tous ceux qui s'étaient élancés sur la piste pour l'intercepter et le jeter en prison. Il se mit à courir en tous sens pour échapper à ses poursuivants tout en exécutant hâtivement quelques passes. Le taureau était si surpris par ce qui se déroulait autour de lui qu'il ne pensait qu'à une chose, frapper de la corne l'étoffe rouge.

Le désordre s'amplifia avec l'apparition de six policiers, toutefois Ricardo avait sur tous un avantage certain : ils étaient terrifiés par les immenses cornes encore intactes. Courageux mais pas téméraires, ils couraient derrière le taureau, et s'enfuyaient dès que celui-ci faisait volte-face. Ricardo profita de ce tohu-bohu pour donner trois séries de deux passes à la foule en proie au délire.

Après la dernière série, Ricardo marcha jusqu'au taureau et le caressa sur la tête, juste entre les cornes, avant de s'en éloigner avec la démarche fière des authentiques matadors. Deux policiers en profitèrent pour s'emparer de lui et Ricardo fut emmené dans un enclos d'où on le conduirait ensuite en prison. Il sortit sous les vivats. Vaillant et intelligent, il n'avait pas été l'un de ces espontáneos tapageurs, mais un aspirant torero, et la foule savait faire la différence.

Le calme revenu, Pepe Huerta se dirigeait vers le taureau quand il fut à nouveau interrompu : la petite porte rouge réservée aux matadors s'ouvrit sur Victoriano, la jambe comprimée pour que la blessure ne saignât pas. Sa culotte avait été refermée à l'aide d'épingles à nourrice. Les mains vides, la tête nue, il s'avança d'un air peu assuré vers Chucho et Diego qui se précipitaient à sa rencontre. Il prit son épée et recouvrit son épaule gauche de la muleta, puis il attendit le taureau.

Je l'entendis dire à Pepe Huerta :

— Il est sous ma responsabilité. (Le jeune homme ne pouvait dissimuler sa déception, mais Leal le rassura :) Je t'aiderai à gagner un combat, mais celui-ci me revient.

Huerta dut se retirer, rendre son épée et reprendre sa cape.

Veneno avait compris ce que son fils allait tenter, et il s'écria, comme pris de frénésie :

— Non ! Ta jambe n'y résistera pas. Non, Victoriano !

Car il savait qu'un taureau ayant déjà renversé des hommes et des chevaux se souvient de ses victoires et ne désire qu'une chose : tuer quiconque l'approche.

Son fils avait pourtant recouvré tout son courage.

— C'est mon taureau et je le finirai, l'entendis-je lancer à son père. Puis il lui tourna le dos comme pour bien marquer son indépendance.

Seul, au milieu de l'arène, il n'était plus une marionnette que d'autres manipulent, mais un homme seul face à la mort. Le combat opposait une bête pleine de bravoure, affaiblie par des forces qui lui échappaient, et un homme qui s'était trouvé. A plusieurs reprises, l'animal avait dominé hommes et chevaux, et par deux fois le matador s'était vu couvert de lauriers pour la façon dont il avait toréé ; seul son troisième taureau l'avait blessé, et la lutte ne serait pas inégale.

Ce fut alors un instant mémorable, un de ces instants que je n'oublierai jamais même si mon appareil photo ne le fixa pas pour la postérité. Sa signification était en effet d'ordre moral et pas esthétique.

Victoriano trouva son ennemi là où il le souhaitait, devant les gradins placés à l'ombre : à cet emplacement, il avait entrepris quelques-unes de ses plus mémorables faenas. A son approche, le grand taureau se tourna lentement et alla se placer au point précis d'où il avait envoyé Gómez et Victoriano à l'infirmerie. Il peut paraître incroyable qu'un animal repère aussi rapidement les endroits où il a triomphé et ceux où il a souffert, mais j'ai assisté à d'innombrables corridas et j'ai souvent vu des taureaux espagnols réagir de manière aussi intelligente. Si le 47 pouvait se réfugier là où il le voulait, la victoire pouvait être sienne.

Le soleil allait se coucher et sur la piste s'allongeaient les ombres des deux adversaires, l'animal en proie à une douleur qu'il ne comprenait pas et le matador blessé, mais résolu.

Le taureau avait pris position devant les gradins au soleil, l'arrière-train appuyé à la barrière de bois. Il ne serait pas facile de l'en déloger, et tous ceux qui, comme moi, se trouvaient à l'ombre coururent dans le couloir pour mieux voir comment l'animal allait se défendre. Parmi tous ces gens, seuls Ledesma et moi savions comment le taureau avait été affaibli, et je ne pus m'empêcher de penser : « Protège-toi, mon vieux, tu as remporté la bataille. »

Ledesma remarqua mes yeux qui s'embuaient et il me serra le bras avant de m'inciter à regarder attentivement la façon dont Victoriano se proposait de résoudre cette terrible question : comment obliger le taureau à quitter sa position défensive ?

Quand je vis Victoriano, ce garçon avec qui j'avais sympathisé, s'approcher du taureau, je lui souhaitai le plus grand bien. Et puis je me rendis compte que mes vœux s'adressaient autant à l'homme qu'au taureau. Je compris ce que cela signifiait : ce combat devait s'achever de manière honorable.

Lentement, comme jadis, Victoriano s'avança vers le taureau. Il ne courut pas de côté ainsi qu'il le faisait pleutrement depuis un certain temps. Non, il se mouvait avec une autorité telle que l'animal tenta de comprendre la menace qui pesait sur lui. Il dégagea alors quelque peu son arrière-train de la barrière. Sa curiosité le perdit, il était désormais vulnérable. Il lui fallait sans cesse tourner sur lui-même pour faire face à son ennemi. Cela permit à Victoriano de le placer de manière acceptable. En une seconde, le matador se jeta sur lui pour l'estoquer, mais l'animal réagit très vite et, d'un puissant coup de tête, frappa Victoriano en pleine poitrine, de la partie médiane de la corne heureusement.

Veneno crut que le taureau avait encorné son fils et il bondit par-dessus la barrière pour aller à sa rescousse, aussitôt suivi de ses autres fils et de leurs capes. Les Leal remirent Victoriano sur pied et lui demandèrent de quitter l'arène pour se rendre à l'infirmerie, mais il refusa. Il réclama son épée tombée à terre et dit simplement :

— Je connais tous ses trucs. Le combat est terminé.

Et il se présenta à nouveau au taureau.

Le matador savait que l'animal ne disposait pas de toutes ses capacités à se défendre et il le contraignit à quitter son refuge. Là, il se mit de profil et bondit au-dessus de la terrible corne droite pour enfoncer l'épée jusqu'à la garde. Le taureau tituba, quelque peu hagard, mais toujours en quête de son attaquant.

Techniquement, la bête était morte, car la lame avait perforé un poumon et approché le cœur, mais sa terrible détermination à combattre était si grande qu'il refusa d'entendre le message de mort qui se diffusait pourtant dans tout son corps : « Couche-toi, brave taureau. Tu t'es bien défendu. Ne respire pas ainsi. Couche-toi. »

Il n'obtempéra pas. Ses membres branlants exécutaient une grotesque danse de mort et son arrière-train douloureux chercha à nouveau, mais en vain, la sécurité de la barrière. Ses trois pattes valides fermement plantées dans le sable, il rejetait toute idée de reddition.

Tous ceux qui se trouvaient dans le callejón n'oublieront jamais cette image. Nous aurions pu tendre la main et toucher l'animal. Par compassion mais aussi par respect pour ce grand taureau, Victoriano posa sa main sur sa tête massive, entre les deux cornes effilées, et le poussa doucement. Les pattes vacillèrent, les genoux cédèrent. Dans un ultime coup de tête, le taureau mourut.

Lentement, douloureusement, le visage blême, vidé de toute énergie, Victoriano traversa l'arène pour se présenter au président. L'épée dans la main gauche, la muleta sur l'avant-bras gauche, il leva la main droite comme quelque gladiateur venu saluer son empereur. Puis Veneno et ses fils accoururent pour le prendre dans leurs bras et l'emmener à l'infirmerie. Les gradins au soleil éclatèrent alors en applaudissements.

Ce fut bientôt l'ensemble des spectateurs qui réclama un tour d'honneur. La diane résonna et Victoriano se dégagea de ceux qui le soutenaient pour entamer un triomphal tour de piste. Au lieu de se tourner vers ses admirateurs du côté de Sombra, il revint vers la dépouille du taureau qu'on s'apprêtait à emporter. Il fit arrêter les mules et demanda que ce formidable taureau qui s'était noblement défendu jusqu'à la dernière extrémité pût aussi profiter des honneurs. C'est ainsi que les deux combattants firent côte à côte le tour de l'arène.

En passant devant la loge de l'éleveur, Victoriano vit don Eduardo Palafox trépigner sur place comme s'il craignait de ne pas participer, lui aussi, à l'hommage public. Le matador lui adressa un imperceptible signe de tête, et don Eduardo se catapulta littéralement hors de sa loge pour se joindre à la glorieuse procession tandis que fleurs et chapeaux commençaient à joncher la piste.

Victoriano allait gagner la porte de sortie quand il se rappela l'époque où il débutait dans la carrière.

— Amenez le garçon ! cria-t-il aux policiers.

Sa requête fut appuyée par les cris de la foule et Ricardo Martín surgit bientôt, menottes aux poings. Aux côtés de Victoriano, il fit lui aussi un tour d'honneur sur cette piste où il avait toréé avec courage et intelligence. Le sourire aux lèvres, les bras tendus au-dessus de la tête en signe de victoire, il jouissait des vivats qu'on lui adressait.

Mais lorsqu'il passa devant Mrs Evans, il ne put s'empêcher de s'immobiliser une fraction de seconde pour lui lancer un baiser, car, dans son esprit, c'était à elle qu'il avait dédié ce taureau.

Longtemps après que les autres eurent quitté l'arène, je demeurai dans le couloir, accoudé à la barrière protectrice, et je regardai la porte par laquelle Victoriano et le taureau 47 avaient fait leur sortie. Je me demandai quelle force les habitait, qui les avait poussés à faire montre de tant d'héroïsme.

L'homme et la bête avaient été incomparables, c'était une paire d'adversaires que le destin avait réunis pour ce festival. Et je ne pus m'empêcher de dire à voix basse :

— Ils ont fait cela pour toi, Clay, pour te rappeler les principes sur lesquels l'existence doit se fonder.

20

La Maison de Céramique

Si la soirée du samedi est, comme j'ai déjà eu l'occasion de le dire, la plus agréable du Festival Ixmiq, celle du dimanche, juste après l'ultime corrida, est de loin la plus déprimante, car elle préfigure le retour à la vie normale et à ses tensions inévitables. Cela s'avéra cette année-là encore, parce que le dernier combat avait été si chargé d'émotion que l'on ne pouvait que décompresser. Les personnes qui avaient participé aux festivités se retrouvaient sur la terrasse, comme si rien n'avait changé, mais on pouvait aisément déceler une certaine absence dans leurs regards, comme si les feux des trois dernières nuits n'y avaient laissé que des braises mourantes.

Ce fut une nuit d'expériences complexes, douces et amères à la fois, et aucune ne fut plus intense et plus complexe que celle à laquelle je me trouvai mêlé dès mon arrivée. L'air agité, Penny Grim s'entretenait avec León Ledesma, lequel lui disait apparemment des choses qu'elle ne souhaitait pas entendre.

— Dites-lui, Norman, comment nous appelons ces Américaines qui papillonnent autour des matadors.

— Vous nous l'avez déjà expliqué, ce sont des accompagnatrices en quelque sorte.

— Il y a un mot plus fort, plus précis. En espagnol, nous disons *putas*. Traduisez, je vous prie.

— Des putains. (Quand je la vis rougir, j'ajoutai :) Personnellement, je ne dirais pas cela.

— Et que diriez-vous alors ? me demanda Ledesma, une note de sarcasme dans la voix.

— Je parlerais de « jeunes filles légères qui échappent aux contraintes familiales ».

— On croirait entendre une très vieille dame ! Mais cette jeune fille-ci n'est pas légère, et avec Mrs Evans, vous et moi à ses côtés, elle n'échappe en rien aux contraintes familiales.

— Vous vous exprimez comme si vous étiez mes tuteurs, fit remarquer Penny. J'ai renvoyé mon père et je n'ai nullement envie de suivre vos directives. J'ai un rendez-vous avec lui ce soir et j'ai bien l'intention de m'y rendre.

Maintenant je comprenais. Habilement, au cours de la mise à l'épreuve organisée par don Eduardo, Pepe Huerta avait réussi à donner rendez-vous à Penny après la corrida, et elle attendait à présent qu'il quitte la chambre que la veuve Palafox lui avait cédée pour quelques pesos. Ledesma était décidé à ce qu'elle ne rejoignît pas, symboliquement, cette triste équipe de jeunes femmes avides de se jeter sur le premier torero qui passe. Les matadors étaient les chouchous de ces dames, les péons acceptables quand ils n'étaient pas trop vieux ; quant aux picadors, ils étaient trop âgés et trop gros. Un jeune torero prometteur comme Pepe Huerta constituait une proie de choix : lui qui aspirait à la grandeur s'auréolait à la fois de drame et de romantisme.

— Je suis bien de votre avis, Penny, dis-je au grand dam de Ledesma. C'est un fort beau jeune homme et la paire qu'il a placée... vous pouvez passer toute votre vie aux arènes sans rien voir de semblable.

— Vous avez pu prendre des photos ? me demanda-t-elle avec une intensité qui trahissait tout l'intérêt qu'elle portait à Huerta.

— Je dois en avoir une bonne douzaine. Je promets de vous faire agrandir les deux meilleures.

— Merveilleux. (Elle me toucha le bras avec tant de chaleur que je regrettai un instant de ne pas être l'objet de son attention.) Envoyez-les-moi. Une promesse, ça ne suffit pas.

— Je le ferai.

Ce disant, je vis Pepe Huerta arriver sur la terrasse. Il arborait le costume impeccable et la cravate noire et étroite qu'affectionnent les toreros. Quand il se pencha vers Penny, je vis qu'il portait dans le cou la petite tresse de cheveux qu'on appelle coleta. C'est peut-être l'un des jours les plus tristes dans l'existence d'un matador quand, aux accents de *Las Golondrinas*, cette pathétique chanson d'adieux, il s'avance au milieu de l'arène pour que le matador qui lui succède par ordre d'ancienneté prenne de longs ciseaux et lui coupe la coleta. Sa vie professionnelle est terminée. J'ai assisté par deux fois à cette cérémonie et j'y ai pleuré sans nulle gêne, car tout le monde pleurait autour de moi. Aussi, quand je vis que Pepe avait déjà la coleta, je compris qu'il prenait sa profession très au sérieux et que Penny était en présence d'un authentique torero.

L'harmonie de ce jeune couple avait quelque chose de fascinant : la jeune fille intrépide et le jeune homme hésitant mais fier aux prémices de sa profession. Ils s'assirent près de moi et parurent une fois de plus pencher l'un vers l'autre, ainsi qu'ils l'avaient fait à la tienta, comme si une force surnaturelle les dominait. J'en vins à regretter l'absence de Mrs Evans, car elle seule aurait pu tempérer cette ardeur.

Ledesma se montra fort poli.

— Je suis heureux que vous soyez venu, Pepe. Vous avez placé une paire de toute beauté.

— J'espère que les photographes ont saisi cet instant.

— Ne vous inquiétez pas, ce sera dans tous les journaux.

Les deux hommes parlaient espagnol, mais la conversation se déroula sans encombre : Penny avait appris cette langue à l'école, Ledesma savait l'anglais et Pepe avait une prononciation des plus correctes.

— Mr Clay a pris une bonne douzaine de photos couleurs, dit Penny. (Elle ajouta plus timidement :) Il m'a promis de m'en envoyer deux... pour mettre dans ma chambre.

— Il est vraiment dommage que l'espontáneo ait gâché le dernier taureau, dit Ledesma. Vous auriez pu en tirer quelque chose.

Huerta s'intéressa immédiatement à l'analyse du combat.

— Je suis sûr que j'aurais pu le toréer. Il traînait des postérieurs en chargeant, vous avez remarqué ? Veneno l'avait longuement châtié. Ralenti comme ça, j'aurais pu m'en arranger.

Ledesma me regarda et hocha la tête. Puis il se tourna vers Pepe et lui demanda :

— Et qu'est-ce qui vous amène à notre table ?

— A la tienta, la señorita Penny...

Il prononçait son nom avec un délicieux accent musical.

— Vous ne connaissez pas son nom de famille ? dit Ledesma avec une certaine froideur.

— Elle me l'a dit, Penny...

— Vous ne connaissez pas son nom de famille et vous venez ici...

— Señor Ledesma, elle m'a invité.

— Si son père était présent, vous lui demanderiez sa permission, n'est-ce pas ?

— Oui, bien sûr, mais... elle m'a dit qu'il était rentré au pays.

— Et qu'il me l'a confiée. Je suis — je pense que vous me comprendrez — son père sobresaliente.

En utilisant adroitement ce terme propre à la tauromachie, Ledesma reconnaissait implicitement le statut de matador à Huerta, mais il le prévenait aussi, et de manière très solennelle, qu'il ne devait pas continuer à jouer les chevaliers servants auprès de Penny Grim. La jeune fille ne se sentait en aucun cas concernée par cette remarque de la part du chroniqueur.

— Je lui ai demandé de m'accompagner à la fête, dit-elle en désignant les manèges et les baraques de foire dont on entendait les flonflons.

L'attention du groupe fut soudainement attirée par l'apparition des deux frères Leal, lesquels furent entourés d'une nuée de jeunes femmes dont le seul espoir était d'avoir un rendez-vous avec leur frère cadet, Victoriano.

— Il est toujours à l'hôpital ? demanda une blonde.

— Il est grièvement blessé ? s'écria une autre.

— Il pourra bientôt toréer ?

Leurs questions fusaient, en espagnol ou en anglais, et après quelques minutes de confusion, les deux Leal laissèrent les jeunes femmes les entraîner au centre de la grand-place. De la porte de l'hôtel, leur père, le vieux Veneno, voyait ses deux fils confrontés à une situation somme toute assez banale — une horde d'adoratrices, originaires pour la plupart des Etats-Unis, les harcelait.

— Voilà à quoi vous ne devez pas ressembler, dit Ledesma avec froideur tandis que les groupies disparaissaient derrière la statue d'Ixmiq. (Puis, se tournant vers le jeune torero, il ajouta sur un ton encore plus glacial :) Vous n'avez pas rendez-vous ce soir, Pepe. Je suis responsable de cette jeune fille et elle n'est pas en âge d'aller et venir sans chaperon.

Je me rendis compte avec étonnement qu'il s'exprimait comme le digne fils d'une famille espagnole de bonne éducation. Il protégeait sa petite sœur, laquelle ne pouvait sortir sans duègne, et si Mrs Evans avait été assez légère pour permettre à Penny d'aller à son rendez-vous, lui, Ledesma, se devait de corriger cette erreur.

Penny, on s'en doute bien, ne voyait pas du tout les choses du même œil. Elle était très attirée par ce jeune homme plus que respectable. Elle avait été ensorcelée par sa manière de planter les banderilles et ne comprenait pas pourquoi elle ne pourrait pas sortir avec lui ce soir ainsi qu'elle le faisait depuis quelque temps déjà avec des jeunes gens de Tulsa. Elle se proposait donc de maintenir son rendez-vous avec le sobresaliente. Elle se leva, mais se heurta à un double mur : celui de la coutume hispanique et celui de la tradition tauromachique.

Ledesma savait pertinemment qu'il ne pouvait empêcher Penny d'agir à sa guise, mais il était tout-puissant en ce qui concernait Pepe Huerta. Si celui-ci ignorait les ordres directs du chroniqueur, Ledesma détenait le pouvoir d'éloigner Huerta des cercles tauromachiques. Il pouvait aisément inviter les imprésarios à se passer de Pepe : « Aucun talent. Une paire ne fait pas l'homme. Vous pouvez l'éviter. » Il serait donc évité; pis encore, il serait rejeté. Des années s'écouleraient sans qu'on l'invite à toréer dans des arènes importantes. Huerta, Ledesma et moi savions que la réponse du jeune homme allait décider de sa carrière à venir.

— Je vous prie de m'excuser, señor Ledesma, j'aurais dû vous demander votre permission. (Huerta se leva et, se tournant vers Penny, ajouta :) Vous avez été très brave à la tienta, señorita, je ne l'oublierai jamais.

Avec un cri qui me déchira le cœur, à moi qui avais oublié ce qu'on peut ressentir quand on a dix-sept ans, Penny jeta les bras autour du cou de Huerta et l'embrassa sur la joue avant de le prendre par la main.

— J'aurai les photos de Mr Clay. Je suivrai votre carrière, Pepe, et je viendrai vous acclamer quand vous serez célèbre. C'était si merveilleux ! Ç'aurait pu être si merveilleux...

Sur ce, elle retomba sur sa chaise et se cacha le visage dans les mains.

D'un signe, je fis comprendre à Pepe qu'il devait se retirer, ce qu'il fit après s'être incliné devant Ledesma. Dès qu'il fut parti, Penny voulut se précipiter dans sa chambre, mais Ledesma la rattrapa par le bras.

— Il n'est pas question de sauter par la fenêtre, señorita Grim. Vous attendrez ici avec moi le retour de Mrs Evans.

Je les laissai sur la terrasse et cherchai à rattraper Huerta. Je le trouvai sous un lampadaire et nous bavardâmes quelques minutes.
— Vous avez été très bon aujourd'hui, Pepe. Cela suffit.
— Nous étions d'accord. Elle m'avait demandé ce rendez-vous.
Je sentais que mes expériences passées me donnaient le droit de le conseiller.
— Un homme doit parfois se résigner au silence quand il perd une femme.
— Je n'aurais pas dû me trouver là. La terrasse est réservée aux matadors, après tout.
— Après la paire que vous avez placée aujourd'hui, vous pouvez prétendre à vous installer où bon vous semble. Qu'allez-vous faire ?
— Je n'ai pas beaucoup de contrats...
— Combien par saison ?
— Six peut-être. Mais je crois que la paire d'aujourd'hui pourrait m'aider, si les journaux veulent bien en parler.
— Pepe, j'ai vu que vous alliez tenter quelque chose de très particulier et j'ai pris toute une série de photos. Si elles sont bonnes et que mon magazine décide de les publier, vous aurez plus de six contrats.
— Ne perdez pas la pellicule.
— Ne craignez rien, dis-je. Où allez-vous ?
— Récupérer mes accessoires. La cape de parade, c'est un homme de Guadalajara qui me l'a prêtée. Un taureau l'a eu par surprise, il ne peut plus toréer.
— Et ensuite ?
— J'irai à la gare routière, c'est de là que les camions partent pour Guadalajara. Les chauffeurs me connaissent bien. La route du dimanche soir... Je serai à l'aube à la maison.
— Pepe, je vais gagner beaucoup d'argent grâce à ces photos. Laissez-moi vous donner la part qui vous revient.
— Je n'en ai pas besoin, dit-il avec fierté. Je vis chez ma mère et je m'en sors très bien ainsi.
— Pepe, je vous en prie, vous avez gagné cet argent. Vous y avez droit.
— C'est une sorte de salaire ? me demanda-t-il en employant le mot espagnol *sueldo*.
— Oui, c'est cela, c'est votre sueldo.
Et avec une dignité qui me fit honte de le regarder dans les yeux, il accepta deux billets de dix dollars.

A mon retour sur la terrasse, je vis Mrs Evans en furie, caricature enragée de la veuve d'un pétrolier de l'Oklahoma.
— Clay ! Comment allons-nous faire pour sortir de prison ce pauvre garçon ?
— Il y a dix-huit mille personnes toutes prêtes à témoigner qu'il a violé la loi et qu'il a pratiquement saboté la fin du festival.

— Peu importe. Faites-le libérer sous caution.

— Sous caution ? Mais où va-t-il trouver l'argent pour la payer ?

— Je l'aiderai. C'est un bon garçon, il s'est bien conduit et je ne le laisserai pas croupir dans une geôle mexicaine.

— Mrs Evans ! Il est au Mexique de son plein gré. Et il est en prison parce qu'il en a pris le risque. Il le savait fort bien au moment de sauter dans l'arène. De plus, il ne croupira pas, comme vous dites.

Comme mes paroles ne la rassuraient pas, elle se tourna vers la veuve Palafox, qui abonda dans mon sens :

— Ce n'est plus comme dans le temps. On ne maltraite plus les gens en prison. On va le garder deux nuits pour lui flanquer la frousse et ce sera tout.

— Votre cousin, don Eduardo, il ne peut rien faire pour lui ?

— Il vient en aide à tout le monde, dit la veuve. Toledo lui appartient.

Mrs Evans insista tellement que la veuve Palafox téléphona au propriétaire de l'élevage, qui ne fut pas long à arriver.

— Que puis-je pour vous ?

Mrs Evans commença de lui exposer la situation, mais don Eduardo l'interrompit :

— J'étais là, vous ne l'ignorez pas. J'ai vu ce qu'il a fait à mon meilleur taureau. Il a gâché la fête. Laissons-le croupir en prison pendant deux ou trois mois, ça lui apprendra les bonnes manières.

C'était une solution qu'elle refusait par avance et elle évoqua la possibilité de contacter l'ambassadeur des Etats-Unis. Des amis, de riches pétroliers, lui avaient fourni une lettre d'introduction et elle n'aurait aucun mal à joindre le diplomate. Cette menace voilée impressionna don Eduardo, qui appela la veuve.

— Vous dites qu'il est dans notre prison ? (Et quand elle hocha la tête, il se leva et me fit signe :) Nous devons nous occuper de sa libération. Mais il faudra verser quelque chose. Norman, tu as de l'argent ?

— Pas à cette heure-ci. Demain, dès l'ouverture des banques...

— J'ai des traveller's checks, dit Mrs Evans, et elle accompagna don Eduardo et moi-même jusqu'à la prison, à l'autre bout de la ville.

Là, au milieu d'un groupe de poivrots arrêtés pour tapage pendant le festival et de quelques prostituées originaires de Mexico, nous trouvâmes Ricardo Martín confortablement installé en compagnie de trois Mexicains de son âge. Il relatait dans un assez bon espagnol ses exploits avec le taureau de Victoriano et joignait le geste à la parole pour mieux se faire comprendre. Il était très content de lui. Il avait réussi à sauter dans l'arène, à affronter le taureau et à prouver à tous qu'il savait ce que toréer voulait dire. Rares étaient les jeunes gens qui auraient pu en dire autant, et le prix à payer — deux ou trois jours de prison — ne lui faisait pas peur.

Mrs Evans l'avait imaginé dans quelque salle de torture médiévale et elle fut décontenancée par son attitude aussi détendue. Elle s'en tint malgré tout à la mission qu'elle s'était assignée : le libérer.

— Quelles sont les charges retenues contre lui ? demanda-t-elle au gardien.

L'homme haussa les épaules, regarda don Eduardo et ne répondit pas. Elle insista.

— C'est pas moi qui fais les inculpations, grommela-t-il. On me l'amène ici et c'est mon problème. Si vous voulez le faire sortir, c'est votre problème.

Don Eduardo acquiesça et dit qu'il allait appeler un avocat. Celui-ci arriva, accompagné d'un représentant du tribunal qui déclara que le señor Martín avait troublé la sérénité d'une réunion publique et qu'il encourait cinq jours de prison, s'il était reconnu coupable. Sa culpabilité ne faisait pas de doute, des milliers de personnes avaient été témoins. Mais s'il payait l'amende, il pouvait être élargi sur-le-champ.

— Quel est le montant de l'amende ? demanda Mrs Evans.

Le représentant du tribunal hésita, comme s'il testait les réactions de chacun.

— Deux mille cinq cents dollars américains, dit-il enfin.

Je m'étranglai et tout le monde en fit autant, Ricardo compris, mais don Eduardo explosa :

— C'est ridicule ! Deux cents, c'est bien assez.

— D'accord, dit le représentant par déférence pour le señor Palafox, deux cents, mais en dollars, hein ?

Mrs Evans ouvrit son portefeuille, en tira deux traveller's checks qu'elle signa, et le représentant demanda à don Eduardo :

— Je pourrai les toucher en liquide à la banque ? Dès demain matin ?

— Cela vaut mieux que des pesos, lui répondit mon oncle. (Il ajouta à notre adresse :) Dans le temps, j'aurais enfoncé la porte et je leur aurais dit quoi faire, je ne les aurais pas priés, et il n'aurait pas été question de traveller's checks, croyez-moi. (Il soupira.) L'époque de la responsabilité démocratique est peut-être meilleure, mais j'en doute. Le Trésor public ne verra jamais ces deux cents dollars. Il en donnera vingt-cinq au gardien et gardera le reste pour lui.

Ricardo demanda la permission d'aller dire au revoir à ses compagnons de cellule, puis il emprunta cinq dollars à Mrs Evans pour leur acheter des bouteilles de Coca. Elle lui donna l'argent. Nous regagnâmes tous la terrasse de la Maison de Céramique et Mrs Evans lança une série d'ordres :

— J'aimerais une table dans un coin tranquille. Clay, essayez de trouver la veuve Palafox, je vais avoir besoin d'elle. Ricardo, attendez-nous là-bas un instant, je vous prie. (Quand tout fut fait ainsi qu'elle le désirait et que la veuve Palafox eut pris place à côté d'elle, elle justifia son désir de tous nous rassembler.) Je suis coincée ici avec ma Cadillac et je n'ai personne pour me ramener à Tulsa. J'ai pensé demander à Ricardo de me servir de chauffeur. Je voudrais votre avis.

Don Eduardo et moi-même étions contre, la veuve Palafox vaguement pour.

— Toutes ces histoires qu'on lit dans les journaux, nous dit Mrs Evans, tous ces films où des jeunes gens s'en prennent à des femmes âgées... Vous croyez que je peux courir le risque ? Personnellement, je le pense, mais comment savoir si c'est un jeune homme sérieux et pas un dangereux psychotique ?

— Les terres que vous devrez traverser pour gagner le Texas sont plutôt tourmentées, dit de manière habile don Eduardo. Il y a encore des pirates de la route, comme dans le temps. Ce ne sera pas de tout repos.

— C'est exactement pour cette raison que j'ai besoin qu'un homme me protège.

— Norman ici présent serait pour vous un excellent compagnon.

— Oh là, désolé, m'exclamai-je, mais je n'ai pas le temps ! On m'attend à New York !

— Je pourrais vous donner l'un de mes employés de longue date, quelqu'un de tout à fait sûr, reprit don Eduardo, en anglais pour se montrer plus persuasif.

Mais Mrs Evans hésitait toujours.

— Je me demande si je peux faire appel à Ricardo.

— Je l'ai bien observé, dit la veuve. Il ne boit pas. Il m'a tout l'air d'un bon garçon. Si c'était ma voiture, je la lui confierais. Mais vous, señora Evans, vous avez beaucoup d'argent, c'est un risque supplémentaire.

— Faites venir le señor Ledesma, dit alors Mrs Evans. Il travaille trop dur sur ses notes. Je suis certaine qu'il sera d'un excellent avis.

León arriva, accompagné de Penny, et Mrs Evans nous étonna tous par le projet qu'elle exposa.

— Le señor Ledesma m'a permis de chiffrer le coût du financement d'un jeune Américain qui désire sincèrement devenir matador dans ce pays.

— Seigneur ! s'exclama don Eduardo. Vous avez perdu la tête ?

— Mon fils avait à peu près l'âge de Ricardo quand il est mort. Il avait toujours voulu faire quelque chose de grand, mais il n'a même pas eu le temps de savoir quoi. Ricardo sait ce qu'il veut. Et c'est être torero. C'est peut-être une ambition stupide, en tout cas elle est bien réelle. Il l'a démontré par deux fois aujourd'hui, ce matin, chez vous, don Eduardo, et cet après-midi aux arènes avec ce superbe taureau. J'ai donc pris la décision de l'aider.

— Est-ce qu'il n'y a pas un Norteamericano capable de raisonner cette femme ? demanda don Eduardo.

A mon grand étonnement, ce fut Penny qui émit une opinion.

— A son âge et avec l'argent dont elle dispose, si elle a envie de réaliser un rêve, qui peut l'en empêcher ? Combien cela coûterait-il ?

L'idée de voir quelqu'un devenir matador la captivait visiblement. Mrs Evans répéta la question à Ledesma, lequel résuma les chiffres qu'il lui avait fournis.

— En achetant ce qu'il y a de mieux, environ vingt mille dollars...

— C'est ridicule ! m'écriai-je. J'espère que vous n'y songez pas sérieusement, Mrs Evans ?

— Non, dit-elle, mais j'envisage de lui accorder cinq mille dollars la première année. Convenablement gérée, cette somme lui donnerait la chance de toréer. Après avoir vu Ricardo dans l'arène, le señor Ledesma m'a proposé de veiller sur cet argent. Pour lui, c'est un effort qui ne serait pas vain... et qui n'aurait rien de ridicule.

— Moi, je crois que c'est de la folie, grommela don Eduardo. C'est déjà difficile pour un Mexicain de devenir torero. J'en ai vu des dizaines échouer lamentablement. Quant à un Norteamericano... C'est insensé !

— Si je proposais de payer les études d'une jeune fille douée pour qu'elle devienne docteur en médecine, vous ne me prendriez pas pour une folle. Eh bien, je vais m'occuper des études d'un jeune homme doué.

— Il ne s'agit pas d'études, Mrs Evans. Il n'y a pas de diplôme. Ce sera un coup d'épée dans l'eau.

— J'ai tendance à penser que la guerre en Corée et les *pachangas* des villages mexicains — c'est bien ainsi que l'on dit ? — fournissent une éducation tout à fait adéquate.

— Vous lui en avez parlé ? demanda don Eduardo.

— Pas encore. Je voulais d'abord avoir votre avis sur mon problème de chauffeur.

Elle nous demanda de répondre par oui ou par non — de voter en un mot. Il y eut quatre oui, ceux de León, de la veuve Palafox, de Penny et d'elle-même, contre deux non, ceux de don Eduardo et de moi-même.

— C'est décidé! fit-elle joyeusement. Mr Clay, allez chercher Ricardo et annoncez-lui la bonne nouvelle.

Je m'apprêtais à rejoindre le jeune homme quand don Eduardo me tira par la manche et me dit en espagnol :

— Nous devons empêcher cette brave femme de commettre une terrible erreur.

Avant même que nous pussions parler, Mrs Evans nous prouva qu'elle comprenait bien mieux l'espagnol qu'elle le prétendait. Elle nous sourit d'un air condescendant, à mon oncle et à moi.

— Je vous remercie, messieurs. Vous avez été très aimables. (Puis elle s'adressa à Penny et à León.) Vous êtes devenus un peu mes propres enfants. Je n'oublierai jamais les heures que nous avons passées ensemble. (Sa voix se fit plus forte.) Je suis venue au Mexique parce que je voulais connaître autre chose que les vêtements de deuil et les soirées passées devant la télévision. (Elle posa les mains sur les miennes.) Ce spectacle devant la cathédrale, hier soir, c'est quand même mieux que la télé...

Elle s'interrompit quelques instants, mais nul ne chercha à rompre le silence.

— Quand mes amis de Tulsa m'ont abandonnée, reprit-elle, j'ai un peu pleuré et puis j'ai serré les poings. « Ils me rendent service ! » ai-je pensé. Je suis seule juge de mes problèmes, je suis seule à affronter la vie, et croyez-moi, elle est autrement plus coriace que des parties de bridge à Tulsa ! Je l'ignorais encore en quittant l'Oklahoma, mais je cherchais quelque chose qui ressemble à ce garçon.

— C'est un adulte, grogna don Eduardo. Pas très équilibré de surcroît.

— Mon fils était ainsi, pourtant je l'aimais. Maintenant, je vous en prie, Mr Clay, demandez-lui de venir.

Dès qu'il fut assis à notre table, Mrs Evans ne prit pas le risque de laisser l'un de nous s'exprimer en premier.

— Ricardo, dit-elle avec vigueur, vous vous en doutez certainement, nous parlions de vous, et nous sommes arrivés à deux conclusions. Dans moins d'une demi-heure, je veux que vous nous rameniez à Tulsa, Penny et moi. Je vous défraierai et vous donnerai quelque chose en plus. Ensuite, je vous consacrerai cinq mille dollars pour que vous deveniez matador. Je sais que vous avez du talent, nous avons pu le constater, et vous allez pouvoir concrétiser vos ambitions. (Avant même qu'il ait pu exprimer son étonnement, elle ajouta :) Voyez-y une bourse d'étude que je vous accorde en mémoire de mon fils. Et maintenant, allons faire nos bagages.

Elle se leva et je vis León lui décocher des regards admiratifs, car il approuvait sa démarche. Brusquement, elle lui prit les mains et les lui baisa.

— León, vous êtes le seul élément honnête du monde de la tauromachie, vous et le taureau. Tout le reste est horriblement corrompu. Don Eduardo envoie aux arènes des taureaux trop lourds. J'ai appris comment la famille de Victoriano a scié les cornes des taureaux et Mr Clay nous a parlé du sac de ciment qu'ils ont fait tomber sur les reins du dernier taureau pour le diminuer. Le directeur des arènes trompe tout le monde et les vendeurs de billets dépouillent le public. Vous êtes le seul à rester propre. Sans vous cacher, vous acceptez des sommes d'argent et vous écrivez en conséquence. Je sais que vous avez préféré Gómez. Le direz-vous dans votre chronique ?

— Quand Gómez me paie, j'écris ce qu'il faut.

— Par décence, vous devez tout de même exprimer un avis.

— Sur ses qualités artistiques, je ne me prononcerai pas. Mais je me montrerai prolixe pour évoquer sa bravoure quand il a voulu finir le taureau de Victoriano.

— Et Ricardo ? Vous ferez allusion aux passes qu'il a réussi à exécuter malgré tout le monde qui courait sur la piste ?

— Vous m'avez rétribué, n'est-ce pas ? Vous voulez lire ?

Sur ce, il jeta sur la table l'article qu'il venait de terminer, mais Mrs Evans se refusa à le prendre.

— Je vous fais confiance, León. Tout le monde, d'ailleurs. (Elle écarta son grand chapeau pour l'embrasser, puis elle se tourna vers nous, un sourire radieux aux lèvres.) Quel festival, hein ? dit-elle avant de monter faire ses valises.

Quand les trois voyageurs réapparurent, Ledesma se pencha vers moi.

— Je ne peux y croire. Vous m'avez vu monter sur mes grands chevaux pour défendre la vertu de Penny des assauts d'un futur matador mexicain, et c'est maintenant sa protectrice qui la jette dans une voiture de luxe aux côtés d'un futur matador américain. Le monde est encore plus fou que je ne l'imaginais.

Sa confidence m'incita à regarder attentivement la jeune Penny qui descendait les escaliers, chargée de bagages. Elle m'apparaissait plus vive, plus vibrante que jamais malgré toute la tristesse qui se lisait dans ses yeux rougis.

Mrs Evans remarqua l'intérêt que je lui portais.

— Merci, Mr Clay, vous avez été comme un père pour elle.

— Mais je n'ai pas toujours pensé en tant que père, lui répondis-je d'un air malicieux.

Penny rangeait ses affaires dans le coffre et je me dis que tous ses souvenirs ne tiendraient pas dans ses valises. Elle ramenait tant de choses avec elle : la mort dans les arènes, les spectres des catacombes, une femme-centaure lancée contre un taureau, un trompettiste indien, la danse angélique des cinq petites épouses des évêques Palafox, cette fabuleuse paire de banderilles que Pepe Huerta lui avait dédiée... Et maintenant, plus de quinze cents kilomètres en voiture dans un paysage hérissé de cactus en compagnie d'un ancien combattant qui savait ce qu'il voulait !

— A quoi pensez-vous ? me demanda Mrs Evans.

— Elle revient chez elle si différente de ce qu'elle était. En quatre jours, elle a mûri de deux ans.

— Il n'y a pas que cela. Penny et moi avons eu une longue conversation. J'ai ensuite téléphoné à mes amis du Smith College. Voilà ce que je leur ai dit : « Ma filleule, Penny Grim — je parle également au nom de son père —, a changé d'avis, je suis heureuse de vous l'apprendre. Elle désire entrer au Smith College dès septembre. Je vous confirme cela par écrit dès mardi. »

— Son père est au courant ?

— Non.

— Il va être fou de rage. Lui qui avait tout organisé pour qu'elle soit à la tête des majorettes de la SMU.

— Vous vous trompez, Mr Clay. Ed ne sera pas furieux, il sera soufflé, car il sait au plus profond de son cœur que j'ai raison.

— La ramener en compagnie de Ricardo, c'est tout de même risqué.

— C'est vrai, Mr Clay, mais cette jeune fille aura des problèmes dont vous n'avez pas la moindre idée. Un jour, elle sera immensément riche. Elle doit apprendre dès aujourd'hui à faire le bon choix, à analyser les hommes qu'elle rencontre, à planter dans son cœur des graines qui parviendront à maturité. Quand elle sera au Smith College avec, à proximité, les étudiants d'Amherst, mais aussi ceux de Yale et de Harvard, chacun d'eux saura qu'elle vaut des millions de dollars, et je vous prie de croire qu'elle devra faire preuve de discernement.

Nous nous approchâmes de la voiture. Ricardo était au volant, Penny déjà installée à l'arrière. Mrs Evans monta à côté d'elle.

— Cette petite fille sait exactement ce qui l'attend, confiai-je à Ledesma. Et elle jouit de chaque minute de son existence.

— Vous avez tort, Norman. Elle a cessé d'être une petite fille cet après-midi même, aux arènes, à l'instant où Pepe Huerta lui a dédié cette merveilleuse paire. Et maintenant, elle a peur. La grandeur de la vie s'est imposée à elle et elle n'en saisit pas encore tout le sens.

Penny devina que nous parlions d'elle. Elle baissa la vitre et nous envoya un baiser. La voiture démarra.

Comme la Cadillac s'engageait sur la route de Nuevo Laredo, ville frontière avec les Etats-Unis, la veuve Palafox nous dit à Ledesma et à moi-même :

— J'ai failli crier quand Penny a rangé son carton à chapeaux dans le coffre.

— Pourquoi donc ? lui demanda Ledesma.

— Il y a plusieurs années de cela, expliqua-t-elle, j'ai vu un film avec Robert Montgomery. Il jouait un jeune homme très gentil qui se lie d'amitié avec deux femmes seules. Son seul bagage, c'est un carton à chapeaux. Et peu à peu, on apprend qu'il contient une tête de femme. Je ne vais pas en dormir ce soir !

Quand la veuve Palafox et Ledesma nous eurent quittés, je ne fus pas mécontent de me retrouver seul avec don Eduardo. Le festival était achevé, mais il y avait encore une chose importante dont je voulais discuter avec lui.

— Par hasard, auriez-vous sur vous une clef du musée ?

— Naturellement, dit-il. Je m'en occupe.

Je lui demandai s'il daignerait m'y accompagner. Je tenais en effet à lui offrir une chose assez précieuse.

— Je ne me lasse jamais de cet endroit, car il est l'âme de notre ville, ajouta-t-il.

Je courus à ma chambre pour y prendre mon cadeau. Là, je remarquai que Ricardo, que j'avais gracieusement hébergé, était parti en emportant avec lui ma crème à raser et mon dentifrice ; il avait toutefois eu la délicatesse de me laisser mon blaireau.

Il n'y avait pas loin de l'Avenida Gral. Gurza à l'église abandonnée que don Eduardo avait transformée, avec l'aide du poète Aguilar, en musée Palafox. Arrivés devant le portail clos, don Eduardo ne prit pas la peine de se servir de sa clef. Il tambourina à la porte de chêne en criant :

— Aguilar ! Ouvrez-moi !

L'homme, ensommeillé, obtempéra — c'était une chose dont il avait visiblement l'habitude —, et mon oncle me fit entrer dans son musée taurin. Là se trouvaient exposées les têtes des taureaux qui avaient témoigné de la notoriété de l'élevage. Avec leurs cornes luisantes pour avoir été passées à la cire et à la laque, ils semblaient toujours sur la défensive, et je remarquai ceux qui avaient tué des matadors.

Don Eduardo me conduisit dans une autre salle.

— Regarde-nous ! Nous n'avons pas fière allure ?

Ce n'était plus des têtes naturalisées qui m'observaient, mais les portraits de mes ancêtres Palafox — les évêques, les généraux, les bâtisseurs de la fortune familiale. Je fus surpris de n'y voir aucune femme et je demandai pourquoi à don Eduardo.

— Dans notre histoire, me répondit-il sans détour, ce sont les hommes qui ont compté. Ils ont transmis le nom. (Ce à quoi il ajouta :) Mais nous ne sommes pas sectaires. Tiens !

Il me désigna deux agrandissements de Jubal Clay et de mon père, John. Eux aussi avaient joué un rôle capital dans l'héritage des Palafox et, comme j'observais leurs traits familiers, je me demandai s'il y aurait jamais une raison d'adjoindre ma photo à cette galerie de portraits. J'avais épousé une demoiselle Palafox, mais je l'avais quittée pour l'Alabama. Ou plutôt, elle m'avait quitté pour rester à Toledo.

J'en vins au but de ma visite. Je sortis d'un dossier un agrandissement, exécuté par un professionnel, d'une photographie que je lui présentai ainsi :

— Un document historique. Important pour les Palafox. Votre musée se doit de le posséder.

— Qu'est-ce que c'est ?

— C'est unique, vous verrez.

— Ce sont les escaliers de la Mineral ? On pourrait s'en servir pour montrer la profondeur des cavernes.

— Non, c'est tout à fait différent, dis-je.

Et je lui montrai la photo que ma grand-mère m'avait donnée, celle où je me tenais sur les genoux du général Gurza avec le pistolet qu'il m'avait offert.

L'oncle Eduardo émit un grognement, lui dont la famille avait tant souffert par la faute de Gurza.

— C'est bien celui à qui je pense ?

— Et à votre avis, qui est ce petit garçon ?

— Tu veux dire que c'est toi ? grommela-t-il en repoussant le cliché comme s'il était contaminé.

— Je vais vous expliquer. Gurza m'avait donné cette arme pour que je me rallie à sa cause quand j'aurais quatorze ans.

— Je suis surpris que tu l'aies même touchée.

— Et cette petite femme est grand-mère Caridad.

— C'était une Indienne, je n'en ai pas connu de meilleure.

— A votre avis, qu'est devenu ce pistolet ?

— Tu l'as perdu, j'espère.

— Grand-mère l'a rapporté à la maison et le père López, le petit prêtre que nous cachions à la Mineral, l'a volé. Il s'est rendu au nord, à San Ildefonso, et s'en est servi pour assassiner le général Gurza.

— On devrait édifier un monument à cette arme ! Mais Gurza ? Sa photo dans ce musée, dans cette ville ! Pas de mon vivant, en tout cas ! (D'un geste vif, il m'arracha la photo et la déchira rageusement avant de jeter les morceaux à terre.) Nous ne tolérerons pas d'obscénités ici !

Déçu de sa réaction, je revins vers la porte d'entrée.

— Je suis bien content de ne pas vous avoir apporté l'original. Dans quelque temps, vous regretterez votre geste

Je crus tout d'abord qu'il ne m'avait pas entendu. Il piétinait les fragments de la photo comme pour en faire disparaître toute trace.

— Ne t'avise pas de m'envoyer l'original, cria-t-il pourtant. Je le détruirai aussi. Et si tu daignes revenir l'année prochaine, épargne-moi tes amis de l'Oklahoma. Ils n'ont aucun sens de l'histoire, rien que des dollars ! Ils me dégoûtent !

Je voulus sortir, mais je me trompai de porte. Celle que j'ouvris me révéla une chose si horrible que je ne pus m'empêcher de pousser un cri. Avec ses traits hideux qu'éclairait la pâle lumière de la pièce d'à côté, une tête se dressait, monstrueuse, couverte de serpents et posée sur un corps difforme qui semblait réunir en lui tous les symboles destinés à terroriser les enfants.

— Assez effrayante, non ? dit don Eduardo, amusé par ma réaction.

— Qu'est-ce que c'est ? On dirait qu'elle vit.

— La déesse-mère. C'est ainsi que les Altomèques l'appelaient juste avant le débarquement de Cortés. C'est la déesse que les femmes de ta lignée, la Dame-aux-Yeux-gris et ses compagnes, ont brisée quelques années avant l'arrivée du premier évêque Palafox.

— Comment avez-vous pu transporter ici une statue aussi colossale ? dis-je après l'avoir regardée à nouveau. Vous avez abattu un mur ?

— Elle nous a été apportée par fragments. Un archéologue allemand les avait mis au jour au pied de la pyramide et nous les avons reconstitués dans cette salle.

— Vous laissez les écoliers entrer ici ? Ils doivent être morts de peur.

— Non, nous la leur cachons, ils ne pourront la voir qu'une fois adultes. Mais nous ne la chassons pas de nos esprits parce qu'elle aussi fait partie de notre histoire. Et plus particulièrement de ton héritage, Norman, vu que tu appartiens à la branche indienne de la famille.

Je risquai un dernier coup d'œil vers cette horreur.

— Il était temps que Cortés mette un peu d'ordre et de raison dans tout ça.

— Souviens-toi, me reprit-il, que ce sont les femmes de ta famille qui ont renversé cette ignominie.

De retour sur la terrasse, blessé par la façon dont don Eduardo avait traité mon cadeau et toujours ébranlé par la vision soudaine de la déesse-mère, j'avais besoin de compagnie. Je regardai alentour et ne vis personne avec qui évoquer les événements de ces jours derniers. Mrs Evans était partie. Epuisée par son travail à l'hôtel, la veuve Palafox était allée se coucher. Les deux héros du dimanche, Victoriano et Gómez, étaient à l'hôpital. Ledesma devait travailler à son compte rendu du festival. J'étais seul dans une ville pleine de spectres et de souvenirs.

C'est alors que du café populaire situé au bout de la terrasse s'éleva la voix de Lucha González, et les notes de son pseudo-flamenco m'attirèrent comme un aimant. Son numéro n'avait rien d'artistique — le chant était déplorable, la danse encore pire —, mais j'éprouvais de la compassion pour cette femme. Quand son matador s'était fait encorner, elle avait vu s'évanouir la perspective d'une saison dans les arènes espagnoles pour lui et, pour elle-même, la possibilité de se produire sur une scène madrilène. Encore deux années de Mexique et c'en serait fini — Gómez ne toréerait que dans des arènes mineures et elle serait condamnée aux cafés minables.

Elle m'aperçut debout près de la porte, me fit signe de prendre une chaise et de m'installer à une table déjà bondée. Son numéro s'acheva et elle me rejoignit.

— J'ai passé une demi-heure avec Juan à l'hôpital, me dit-elle. La blessure est profonde. C'est terminé pour cette année. Il n'est plus question de ce voyage en Espagne. Il comptait tant dessus, ses mano a mano avec Victoriano avaient plu à tout le monde. (Elle ne pleurait pas, mais ses yeux étaient lourds de lassitude.) Enfin, il se remettra. Grâce au ciel, j'ai ma voix et je sais danser, je continuerai à travailler.

— Mais bien sûr, Lucha. Les cafés ont toujours besoin de chanteuses et de danseuses. Vous êtes l'une des meilleures.

— Je ne pourrais pas le quitter, me dit-elle, même si l'on m'offrait un contrat en Espagne. On a besoin l'un de l'autre et Cigarro nous trouvera toujours quelque chose.

Le gérant du café la vit attablée avec moi, et n'eut pas un mot de reproche ; il se contenta de la regarder et de lui adresser un petit hochement de tête. L'air accablée, elle se leva, me posa la main sur l'épaule et reprit sa triste exhibition.

Je serais probablement parti si León Ledesma n'était arrivé à cet instant. Comme je lui faisais signe de me rejoindre, Lucha attaqua une chanson bruyante où l'on évoquait le destin d'une fille d'Acapulco.

— Voilà ce qu'il me faut après une rude journée ! s'écria León. Le tirage au sort, la mise à l'épreuve des vachettes, le sac de ciment, Ricardo dans sa prison dont il n'aurait jamais dû sortir, le départ de Mrs Evans et les articles à écrire. Et maintenant, le rossignol de Toledo ! Quel soulagement. Trouvons-nous une table plus près de la piste.

Il lança un baiser à Lucha. Pendant ce temps, un serveur s'adressait à deux consommateurs qui occupaient une table bien placée.

— Pardonnez-moi, l'entendis-je dire, mais le señor Ledesma, le grand spécialiste de la tauromachie, est ici et il désirerait...

Les hommes se levèrent, proclamèrent qu'il était leur chroniqueur préféré et lui demandèrent ce qu'il pensait de la prestation de Victoriano.

— Nous permettez-vous de vous offrir une copa, à votre ami et à vous-même ?

León dit que c'était très aimable de leur part avant de proposer de régler lui-même les consommations. Ce fut bientôt comme si nous nous étions toujours connus.

— Celui-ci est natif de Toledo, leur dit-il en parlant de moi, mais il a eu l'intelligence de s'en éloigner. Sa mère était une Palafox, savez-vous ?

Les deux hommes insistèrent pour que l'on boive du meilleur rioja, venu tout droit d'Espagne.

Survint alors une chose tout à fait inattendue. Il était près de cinq heures du matin, ceux qui avaient assisté au festival étaient encore nombreux dans le café. Ils applaudirent bruyamment la fin du tour de chant de Lucha qui vint s'asseoir avec nous, mais ils lancèrent des vivats quand monta sur la scène un petit vieillard qu'accompagnait un jeune guitariste. Dès qu'il les vit, Ledesma bondit pour serrer le vieillard dans ses bras et l'amener à notre table.

— Je vous présente Pichón. Du temps de ma jeunesse, à Barcelone, c'était le meilleur chanteur de flamenco de la ville. Vous savez d'où il tire son nom, Pichón ? Une superbe créature comme notre Lucha chantait *La Paloma.* Pichón s'est écrié : « Les *palomas* — les colombes — sont de doux oiseaux blancs pour les femmes aux yeux embués de larmes. Moi, je ne suis qu'un vulgaire pigeon ! » Il avait prononcé ce dernier mot de manière chuintante, « pichon », et le surnom lui est resté, Pichón.

Ils évoquèrent le vieux Barcelone pendant quelques minutes, après quoi León demanda :

— Et que nous chanterez-vous pour accueillir l'aube froide et grise ?

— « Peteneras », dit l'homme en reprenant sa place auprès du guitariste.

Ledesma et moi écoutâmes dans un silence quasi religieux, car il s'agissait d'une des chansons du répertoire qui expriment le mieux la détresse humaine. Comment pourrais-je l'expliquer à quiconque n'est pas de culture hispanique ? Un vieil homme assis sur une chaise, sur la place d'un village espagnol, voit s'avancer vers lui une jeune femme aussi belle qu'égarée. Il prononce alors des mots si poignants qu'ils s'appliquent à tous les villages, à toutes les femmes qui souffrent. Mais ces mots, il faut les entendre dans la bouche de Pichón ou des autres grands chanteurs espagnols, avec leur voix rauque, hésitante :

Où donc t'en vas-tu, jolie juive,
Dans tes si charmants atours ?

Je vais rejoindre mon Rebeco,
Qui est à la synagogue.

Tu ne l'y trouveras pas, jolie juive,
Car il est parti pour Salamanque.

Ah, pauvre de moi ! L'ont-ils appelé
Devant l'Inquisition ? Malheur sur moi !
Il ne verra pas cette robe jolie !

Rien qu'un vieillard, une chaise, un guitariste d'accompagnement, et cinq personnes attablées qui boivent du rioja : Lucha, Ledesma et moi, ainsi que les deux Mexicains qui nous avaient invités. La mélodie et les paroles s'écoulaient dans leur simplicité et nous, nous nous trouvions dans un autre lieu, en une autre époque. Quand Pichón passa à d'autres chansons, toujours avec cette voix rauque de travailleur qui revient des champs, la voix de Ledesma s'éleva, chargée d'émotion :

— Je l'ai entendu pour la première fois à Barcelone, c'était en 1937, la vie alors était belle en Espagne. J'avais fait mes débuts dans les journaux locaux, j'écrivais des critiques artistiques et tauromachiques. Le monde s'offrait à moi. J'avais un salaire honorable, je fréquentais les bars à tapas et les chanteuses, l'existence me souriait.

» Une nuit, j'ai demandé au chanteur : " Quelle est cette chanson ? " et il a voulu savoir si je l'appréciais. Quand j'ai répondu que oui, il m'a dit qu'elle s'intitulait " Peteneras ". " Qu'est-ce que cela signifie ? " lui ai-je dit, et il m'a expliqué que c'était le nom d'une jolie juive. " Pourquoi est-il au pluriel ? " ai-je insisté. " Elle s'appelait Petenera, mais ce que j'interprète, c'est un pot-pourri de plusieurs chansons composées en son honneur. C'est pour ça que c'est au pluriel. "

» Et puis, le général Franco est arrivé, et ceux d'entre nous qui voulaient rester libres sont allés se battre dans la petite ville montagneuse de Teruel. C'est là que s'est joué le sort du monde. J'étais du côté des vaincus. Mon père, ma mère et mes frères avaient été tués par les phalangistes, et je me suis enfui au Mexique.

L'évocation de ces jours tragiques eut un curieux effet, car il s'interrompit et me regarda comme si nous étions de parfaits inconnus. Puis il dit, non sans amertume :

— Oui, vous autres, visiteurs du Nord, qui avez d'excellents professeurs, d'excellents médecins, vous aimez venir ici et vous mêler avec condescendance de tout ce qui vous semble mexicain. Mais laissez-moi vous avouer quelque chose. Au plus profond de la nuit, je pleure sur Teruel et sur tout ce que j'y ai laissé. Mon Dieu, comme j'aimerais retourner là-bas et réclamer mon dû ! Mon chagrin ne m'aveugle pas, cependant, et je sais qu'il n'en sera jamais ainsi, et puis, une joie nouvelle au cœur, je remercie le Mexique. De tous les pays du monde, le Mexique a été le seul à accueillir les hommes qui, comme moi, se sont opposés à Franco. Cette terre est sanctifiée. Dix mille fonctionnaires mexicains sont pour moi des saints. Ils nous ont acceptés malgré l'avis défavorable du concert des nations. Alors, Mr Clay, ne venez pas voir notre festival pour nous ridiculiser. Le Mexique s'est révélé courageux alors que vous ne l'étiez pas.

— C'est vrai, dit l'un des deux Mexicains, dans les années 30, le Mexique a longuement discuté pour savoir s'il devait accueillir les libéraux espagnols comme vous, señor Ledesma, et nous l'avons fait.

— Et comme lui, dit Ledesma en désignant Pichón. (Le chanteur vint se joindre à nous.) Dites-leur comment nous nous sommes rencontrés.

— Quand les choses ont tourné mal, expliqua le vieil homme, j'ai quitté Barcelone en m'embarquant sur un cargo mexicain. Clandestinement, sans argent ni papiers. Je chantais pour quelques sous dans la capitale, juste de quoi me nourrir de tortillas, quand il est arrivé avec sa cape noire...

— Avec les premiers billets que j'ai touchés au Mexique, l'interrompit Ledesma, je suis allé trouver un tailleur et je lui ai dit : « Je veux une cape noire qui me donne l'air espagnol. » Cette cape-ci est ma troisième et le tailleur est toujours le même.

— Pourquoi ? demandai-je.

— Parce qu'en Espagne, j'étais un esprit libre et fier de l'être — je ne m'en suis jamais caché, au péril de ma vie. Ici, je voulais être espagnol et en rester fier. Bref, dès que j'ai entendu la voix de Pichón, j'ai reconnu mon vieil ami. Il n'a jamais roulé sur l'or, mais chaque fois que des exilés espagnols se réunissent, ils font appel à Pichón et ses chansons nous tirent des larmes en nous remémorant l'Espagne.

Enroulé dans sa cape, les yeux à demi dissimulés par son chapeau, il parlait lentement, comme dans un rêve.

— Une fiesta qui s'achève, c'est un cœur qui se brise. Avez-vous déjà assisté à la feria de Pampelune ? (Nous secouâmes tous la tête.) Huit jours de corridas, les meilleures du monde, à mon avis. Les taureaux sont lâchés dans les rues.

— J'ai vu ça en photo, dit l'un des hommes. C'est de la folie.

— La dernière nuit, après huit journées d'amitié, de beuveries et de tauromachie, que font les gens, à votre avis ? Ils allument des bougies, chacun porte la sienne, et ils défilent dans les rues comme des spectres dans une ville fantôme en chantant d'un air lugubre : « *¡Pobre de mí, se acabaron las fiestas de San Fermín* [pauvre de moi, c'est la fin des fêtes de la San Fermín] ! » Leur tristesse est telle qu'on croit que la fin du monde est imminente. (Il fit une pause.) Pendant ma première San Fermín, j'ai couru devant les taureaux et suis tombé amoureux d'une jeune Anglaise, mais elle est partie, et quand j'ai chanté « Pobre de mí », je le pensais vraiment et j'étais persuadé que tous les autres pleuraient mon amour perdu.

Le gérant du café s'approcha de nous, mécontent que les deux chanteurs fussent là, à bavarder.

— Allez, au boulot ! Ici, les clients veulent entendre de la musique !

Pichón se porta volontaire.

— Gómez n'est pas trop grièvement blessé, nous dit alors Lucha. Peut-être ne ratera-t-il que deux ou trois corridas. Je chanterai pour faire rentrer des sous. (Mais, comme chaque fois qu'elle s'entretenait avec des gens disposant de quelque pouvoir, elle revenait très vite à son cheval de bataille.) Gómez est blessé et je suis blessée aussi. Avec son succès, on devait aller en Espagne. Il aurait toréé, j'aurais chanté le flamenco.

Ledesma et moi savions que ses chances de décrocher un contrat en Espagne étaient pratiquement nulles : il y avait là-bas des centaines de filles plus jeunes et plus jolies qu'elle, meilleures danseuses et, surtout, meilleures chanteuses. Mais en dépit de ce que les gens comme nous lui disaient, elle persistait à croire que les patrons des cabarets madrilènes l'accueilleraient à bras ouverts.

— Pichón ! appela-t-elle. Je veux danser sur cet air-là !

Elle s'avança sur la scène minuscule. Le guitariste était installé dans un coin et Pichón sur sa chaise. Elle se plaça dans le faisceau du projecteur, s'imprégna du rythme et des paroles et se lança dans ce qu'elle appelait du flamenco. C'était pitoyable, cela manquait tellement d'émotion et de technique que ni Ledesma ni moi ne voulûmes la regarder. Mais bientôt, une sorte de sentiment d'indulgence supprima chez moi tout jugement critique. Nous étions en Espagne et nous écoutions du flamenco dans un authentique café sévillan. Le jeu du guitariste et la voix de Pichón étaient si réels qu'ils masquaient le côté grotesque de l'exhibition de Lucha González. Et je pensais : « Elle est comme les taureaux, la vie lui coupe les cornes et lui lâche un sac de ciment sur les reins, mais elle continue de chanter — pour aider un homme qui ne l'emmènera jamais en Espagne. »

— Pauvre fille, dis-je à Ledesma. Elle n'ira jamais à Madrid. Mais vous, quand y retournerez-vous ?

Ce qu'il me répondit, il devait l'avoir déjà dit aux dizaines de personnes qui lui avaient posé la même question.

— Pas avant la mort de Franco, et il m'a tout l'air d'être immortel.

Lucha avait cessé de danser et s'était remise à chanter, ce qui était assez pénible après la remarquable prestation de Pichón. Ledesma grimaça et tourna le dos à la scène. Je le trouvai un peu injuste.

— C'est dur de voir les rêves de quelqu'un partir en fumée, dis-je.

— Norman, enfin ! Ses rêves n'ont rien de légitimes, ils n'ont pas la moindre chance de se réaliser.

— J'ai entendu pire, elle aurait pu y arriver.

— Norman, mon cher ami, en Espagne, aucun artiste de flamenco ne cherche à chanter *et* à danser. L'homme chante et la femme danse. C'est ainsi. Lucha s'est torturée toute seule avec son phantasme pathétique, et cette façon qu'elle a de s'abuser m'est devenue insupportable.

Il se leva brusquement et sortit dans la rue. Je refusais d'être seul par cette triste nuit et je l'imitai, bientôt suivi des deux hommes qui nous avaient offert le rioja.

— Où allez-vous de ce pas ? grommela-t-il.

— Je veux dire au revoir à cette statue — celle de mon père. Saviez-vous que mon grand-père avait trouvé refuge ici en 1867, tout comme vous en 1939 ?

— Je croyais que votre père et vous-même aviez quitté le Mexique et repris la nationalité américaine.

— Pas « repris », au sens administratif du terme. Nous nous sommes battus pour cela, lui au cours de la Première Guerre mondiale et moi pendant la Seconde.

— Pourquoi avez-vous tourné le dos au Mexique ?

— Nous ne pouvions supporter la façon dont ces gens volaient des puits de pétrole qui nous appartenaient en toute légalité.

— Vous ne vous sentez jamais mexicain ?

— Quand je travaille aux Etats-Unis, le Mexique me semble à des années-lumière. Mais ici, sur cette place...

Tout en marchant, León et moi levions le pouce comme s'il s'agissait d'une bougie et nous chantions « Pobre de mí ». Les deux hommes nous imitèrent et c'est ainsi que nous arrivâmes devant la statue de mon père.

— León, dis-je dans le noir, mon grand-père et vous-même êtes jumeaux. Vous avez fui la tyrannie. Vous êtes des réfugiés qui recherchent perpétuellement un foyer, vous vous réunissez avec des amis pour entendre de vieilles chansons, vous pleurez la nuit sur les fastes du passé...

J'avais résumé sa vie avec tant de précision — la mienne aussi, d'une certaine façon — que nous n'éprouvions plus le besoin de nous attarder sur ce sujet.

— Marchons encore un peu, lui proposai-je. Jusqu'aux arènes. Là, vous me direz en toute franchise ce que vous avez vu aujourd'hui.

Tandis que nous franchissions la courte distance qui nous séparait des arènes et que je revoyais les affiches annonçant le Festival Ixmiq-61, l'un des deux hommes déclara :

— Moi, j'ai été témoin de la renaissance d'un grand matador mexicain. Victoriano a été prodigieux.

En espagnol, le mot *estupendo,* avec ses quatre syllabes bien martelées, sonnait brillamment. Son ami l'approuva.

— Il était vivant. Comme à sa meilleure époque. A vous donner des frissons.

Fidèle à cette habitude qui faisait de lui un chroniqueur respecté, Ledesma trancha net.

— Commencez toujours par le taureau. Nous en avons vu un qui ne pouvait être vaincu, quoi qu'il lui advînt. Nous avons vu ce satané Indien, Gómez, faire ce qu'il avait à faire et perdre toute chance de toréer en Espagne. Et, oui, nous avons vu Victoriano devenir un *matador de toros* et pas un maître à danser. Il y en a des choses à découvrir dans ces bâtiments, des rêves à caresser, des espoirs à nourrir...

En cet instant, il me parut qu'une formidable lueur illuminait tout le ciel de cette nuit qui s'achevait et animait les images dont je m'étais nourri depuis cinq jours : la pyramide avec ses divinités grotesques, la cathédrale et ses prêtres martyrisés, l'aqueduc aux arches gracieuses, la Mineral et ses cohortes de femmes. Et, surtout, la grand-place et ses soldats épris de rapine. Cette lumière fabuleuse donnait un sens à cette mosaïque disparate : si le taureau 47 pouvait être fidèle à lui-même jusqu'à la fin, si Gómez pouvait risquer sa carrière sur une paire de banderilles, si Lucha pouvait continuer de chanter malgré le déclin de ses rêves et si Victoriano pouvait recouvrer toute sa grandeur, je pourrais certainement m'atteler à la tâche qui m'attendait depuis si longtemps. Et puis, comme je m'ébrouais pour échapper à cet état de stupeur, je réalisai que cette lumière mystique n'était autre que le soleil levant. La réalité reprenait le dessus.

— Messieurs, il faut que j'aille au bureau du télégraphe, dis-je aux deux hommes.

Quand nous y parvînmes, je tambourinai à la porte pour réveiller l'employé et lui offris cinq dollars de pourboire pour qu'il envoie de toute urgence un message à New York.

— Il arrivera là-bas dès l'ouverture des bureaux, dis-je à Ledesma.

— Et son texte est frappé au coin du bon sens, me répliqua mon ami le chroniqueur.

> Drummond. Je crois que vous me devez neuf mois sabbatiques à demi-salaire. Je les prends. Il y a autre chose au Mexique que les corridas et je veux découvrir quoi. Vous envoie par avion le rouleau numéro 29, une douzaine de clichés d'une formidable paire de banderilles. Un tour complet en l'air au-dessus des cornes. Mettez la photo 6 en double page. Légende : « *Así torean los grandes* [voilà comment toréent les grands]. » Pepe Huerta est un aspirant de Guadalajara. Pas un sou, un costume de location. Mais une étoile qui monte. Parlez de lui, je vous en prie. Norman.

Pour moi, le Festival Ixmiq-61 ne s'acheva pas cette nuit-là. Quatre mois plus tard, en août donc, je me trouvais à Mexico où je recherchais dans les archives les documents qui m'aideraient à écrire le livre que j'avais en projet quand je repensai à la façon insolente dont don Eduardo avait déchiré et piétiné la photographie me représentant aux côtés du général Gurza. J'interrompis mon travail et rédigeai un article d'une soixantaine de feuillets, où j'évoquai le dernier raid de Gurza sur Toledo, l'aventure du père López et le massacre des prêtres, l'accueil que ma famille avait réservé au religieux et les discussions qui l'opposaient à cette révolutionnaire sincère qu'avait été ma grand-mère Caridad. Je relatai ensuite l'incident de ma rencontre avec le général et expliquai comment avait été prise cette photo sur laquelle on voyait si bien son pistolet.

Un Clay n'avait jamais raconté cela, que ce fût au Mexique ou aux Etats-Unis. Je donnai tous les détails de l'assassinat de Gurza par le père López et prouvai, grâce à la photographie, que le général avait été abattu par l'une de ses propres armes — c'est-à-dire par une arme qu'il avait volée peu de temps auparavant à l'usine d'armement proche de Mexico.

Ce texte fut publié, illustré de sinistres clichés pris pendant le sac de Toledo ou l'exécution des religieuses. Dès que l'on apprit la vérité sur la mort de Gurza, cet ennemi juré des Etats-Unis, plusieurs historiens s'attaquèrent au même sujet, confirmant ainsi tous mes dires. La photographie que m'avait donnée ma grand-mère m'apporta une audience qui l'aurait réjouie, mais cette notoriété l'aurait également attristée : elle apparaissait en effet à l'origine de la mort de son héros — elle avait accepté le cadeau de Gurza, l'avait ramené à la maison et l'avait dissimulé, mais le père López s'en était emparé pour commettre l'acte irréparable. J'étais heureux d'avoir été poussé à écrire cette histoire, car elle éclairait d'un jour nouveau l'histoire des Palafox et celle des Clay.

L'article parut au mois de septembre. En décembre, il avait atteint tous les pays hispanophones et, fin janvier 1962, une lettre en provenance de Toledo me fut expédiée à Mexico :

Mi querido sobrino Norman [cher neveu],

Je devais avoir perdu la raison quand j'ai déchiré cette formidable photographie où l'on te voit avec le pistolet du général Gurza. Elle est partout exposée, grâce à ton excellent article et aux reproductions qui circulent dans le monde entier. Tous ceux qui visitent notre musée demandent à en admirer l'original et nous ne possédons qu'une méchante copie découpée dans un magazine espagnol, rehaussée de couleurs de surcroît. C'est affreux.

Je t'en prie, je t'en supplie, envoie-nous l'une de tes reproductions et, si tu te montres assez généreux pour nous offrir la photographie d'origine, je m'arrangerai pour que le maire la classe patrimoine national. Nous pourrons alors en tirer des cartes postales pour les enfants des écoles qui visitent le musée.

Nous avons des projets grandioses pour le Festival Ixmiq-62. Victoriano et Gómez ont déjà signé leurs contrats. Calesero viendra d'Aguas et Fermín Sotelo nous fera à nouveau l'honneur de sa visite. J'ai personnellement commandé à Héctor Sepúlveda, le poète manchot dont tu as apprécié l'œuvre, le texte d'un spectacle inspiré de ta photographie, *Vie et mort du général Gurza.* Nous autres Palafox le méprisons, mais il nous faut l'accepter puisque tu as fait de lui notre héros local. Sepúlveda et moi-même sommes tombés d'accord sur deux détails, bien que j'aie fait la plupart des propositions. A un moment du spectacle, les projecteurs seront braqués sur la buvette devant laquelle Gurza et toi étiez assis ; nous avons trouvé un militaire qui a combattu avec Gurza et a participé aux deux premières attaques lancées contre la ville — il ressemble à Gurza, c'est tout à fait surprenant. Ma petite-fille a un enfant de neuf ans qui jouera ton rôle. Nous avons aussi un pistolet de l'époque. Ce sera un moment historique, je te l'assure. J'ai demandé à Sepúlveda d'écrire les répliques de Gurza et de toi-même, mais il a pensé que je serais meilleur. Je m'y emploie donc.

Pour répondre aux désirs de chacun, nous conclurons le spectacle par l'*Apothéose de Paquito de Monterrey.* J'ai personnellement sillonné cette ville et rendu visite à sa sainte mère. Elle a accepté de venir à Toledo pour participer au spectacle : en habits de deuil, elle conduira au ciel l'âme de son enfant. J'écrirai également ses répliques.

La ville tout entière te considère comme un enfant de Toledo et aimerait te voir assister au Festival Ixmiq-62, et ce serait encore mieux si tu pouvais persuader de venir ces sympathiques personnes originaires de l'Oklahoma. Elles ont fait la plus favorable impression, tout particulièrement la jeune fille qui a affronté notre vache avec tant de style et de grâce.

Avec toute l'admiration de ton oncle Eduardo.

Table

Cet ouvrage a été imprimé sur presse CAMERON
dans les ateliers de B.C.A.
à Saint-Amand-Montrond (Cher)
en avril 1994
pour France Loisirs

N° d'édition : 23621. N° d'impression : 1044-94/257.
Dépôt légal : juin 1994.
Imprimé en France